985 β - β3 - 89

11

MÉMOIRES ET DOCUMENTS

publiés par les soins

du Ministère de l'Éducation Nationale

XLII

ISSN 0300-7979

COMMISSION D'HISTOIRE DE LA RÉVOLUTION FRANÇAISE

MÉMOIRES ET DOCUMENTS
XLII

Claude PETITFRÈRE

Professeur à l'Université de Tours

LES BLEUS D'ANJOU
(1789-1792)

Préface par Jacques GODECHOT

PARIS
C.T.H.S.
1985

ISBN : 2-7355-0086-1
©*E.N.S.B.-C.T.H.S.,* PARIS, 1985.

AVERTISSEMENT

Ce livre constitue la deuxième partie, faiblement remaniée, de la thèse de doctorat ès-lettres et sciences humaines que nous avons soutenue à l'Université de Toulouse-Le Mirail en janvier 1977. La première partie a été publiée en 1981 par les soins de la Commission d'histoire économique et sociale de la Révolution française. L'ouvrage est en vente à la librairie « Aux Amateurs de Livres », 62 avenue de Suffren, 75007 PARIS.

PRÉFACE

En 1981 paraissait, dans cette collection, *Les Vendéens d'Anjou,* de Claude Petitfrère. N'y eut-il, en Anjou, en 1793, que des Vendéens? Certainement pas. L'Anjou, comme les provinces voisines de l'ouest de la France a été très divisé. Claude Petitfrère, par une étude approfondie des demandes de secours formulées, après 1814, par les vétérans de l'«Armée catholique et royale» ou leurs ayants droit, a montré qui étaient ces «Blancs» : des paysans, sans doute, en majorité (62,8 %), mais aussi des tisserands, des artisans, des petits commerçants et quelques bourgeois. On aurait toutefois une idée complètement fausse de la répartition des options politiques en Anjou, pendant la Révolution, si on croyait que cette province n'a été peuplée que de «Blancs». Il y eut un Anjou révolutionnaire, un Anjou républicain. Mais comment l'appréhender? Comment savoir dans quels groupes sociaux se sont recrutés les «Bleus»? Claude Petitfrère eut l'idée d'analyser la composition des bataillons de volontaires du Maine-et-Loire dont les «contrôles» sont conservés aux Archives de la Guerre, au château de Vincennes. Il a surtout eu la chance de retrouver aux Archives départementales les registres d'inscription ouverts dans les districts et les municipalités préalablement à la formation des unités. Il a pu ainsi identifier la quasi-totalité des «volontaires» au sens premier du terme, parmi lesquels les autorités ont effectué un tri pour constituer les bataillons.

Nul ne peut mieux répondre à la définition du révolutionnaire que le volontaire parti en 1791 ou 1792. Lorsque la guerre était apparue menaçante, avec les provocations des émigrés, l'Assemblée constituante avait voté, le 13 juin 1791, que, dans chaque département, il y aurait «une conscription libre de gardes nationaux de bonne volonté, dans la proportion de un sur vingt» pour renforcer les troupes de ligne. La tentative de fuite de la famille royale, quelques jours plus tard, le 20 juin, renforça la psychose de guerre. Aussi dès le 21 juin la Constituante précisa son décret du 13 : les gardes nationaux volontaires formeraient des bataillons indépendants de neuf compagnies chacun. Ils éliraient leur officiers et sous-officiers. A la mi-août, l'assemblée décida qu'il y aurait, pour toute la France, 175 bataillons de 574 hommes chacun. Les volontaires devaient porter l'uniforme de la Garde nationale, c'est-à-dire l'habit bleu. D'où leur dénomination de «Bleus». Les directoires de départements étaient chargés de la mise sur pied des bataillons de volontaires. La rapidité plus ou moins grande de leur formation peut donc être considérée comme un indice du « patriotisme », de l'attachement à la Révolution, et des autorités locales, et des jeunes gens du département. Ainsi le département de la Meurthe, qui ne devait fournir que quatre bataillons en leva cinq, et les quatre premiers étaient formés, et même en ligne le long de la frontière dès la fin d'août 1791. La Haute-Garonne, au contraire, « taxée » à sept bataillons ne termina l'organisation du premier que le 11 décembre. Le Maine-et-Loire se classe parmi les départements les plus zélés. Alors qu'on ne lui demandait qu'un bataillon, il en fournit trois. Le premier fut organisé dès le 15 septembre 1791, et élut pour lieutenant-colonel, à une très forte majorité, Nicolas Beaurepaire, un ancien soldat qui avait servi 34 ans dans les carabiniers. Beaurepaire devait trouver un an plus tard, le 2 septembre 1792, une mort héroïque à Verdun, en se suicidant plutôt que de rendre la place aux Prussiens, comme le lui demandait la municipalité. Les deux autres bataillons furent organisés dans l'été de 1792, et si les engagements furent plus nombreux dans l'est du département que dans l'ouest, le Maine-et-Loire, en 1792, ne connut pas de réelles difficultés à remplir ses obligations de recrutement, puisqu'il forma dix-huit compagnies au lieu des six que demandait l'Assemblée législative …

Ainsi l'Anjou ne peut être considéré comme une province fondamentalement contre-révolutionnaire. Par son zèle à former des bataillons de volontaires, le Maine-et-Loire a sa place, au contraire, parmi les départements les plus « patriotes ». Mais dans quels groupes sociaux se sont recrutés les Bleus ? Pour le savoir Claude Petitfrère a appliqué aux listes de volontaires conservées à Vincennes la même méthode analytique qu'aux demandes de pension formulées par les Blancs : origine géographique, âge, métier, fortune et métier des parents… Il a ainsi obtenu, en quelque sorte la « photographie » des Bleus d'Anjou. Or celle-ci est, pourrait-on dire le « négatif » de la photographie des Blancs. Les Bleus, en effet se sont recrutés pour les deux tiers dans les villes et les gros bourgs. Certes, les paysans ne sont pas absents, mais alors qu'ils forment près de 63 % des Blancs, ils ne sont que 20 % chez les Bleus. Ceux-ci se recrutent essentiellement dans l'artisanat et la bourgeoisie. Celle-ci a même fourni le quart des volontaires de 1791. Ce qui explique que lorsqu'on calcule la forturne moyenne des Bleus et des Blancs (d'après les contrats de mariage et surtout les successions) on constate que les familles des premiers sont dix fois plus « riches » que celles des seconds.

Alors la lutte des Blancs contre les Bleus dans l'ouest de la France, une lutte des paysans contre les citadins ? des pauvres contre les riches ? Il serait trop simple de conclure ainsi, puisqu'on trouve des paysans parmi les Bleus et des artisans des villes chez les Blancs, voire des bourgeois dans les deux camps (encore qu'ils aient très nettement préféré la Révolution puisqu'ils représentent plus de 12 % des Bleus contre moins de 2 % des Blancs). Il faut faire la part de ce qui est très difficile — et peut-être impossible — à mesurer, l'influence des idées. On est révolutionnaire, on est républicain par sentiment, par aspiration. On est hostile à la Révolution, on est ennemi de la République par attachement à la tradition, aux usages, et surtout à la religion. La pénétrante étude de Claude Petitfrère n'explique sans doute pas tout. Mais elle est une contribution de premier ordre à l'étude de l'insurrection des pays de l'Ouest, de ce qu'on a appelé les «guerres de Vendée» et aussi de la chouannerie, qui les ont prolongées au nord de la Loire. Elle propose également des explications à d'autres grandes révoltes paysannes qui ont éclaté pendant l'époque révolutionnaire, les *Sanfédistes* de Calabre et les *Viva Maria* de Toscane en 1799, les guerrilleros espagnols de 1808 et les insurgés du Tyrol en 1809. Enfin on ne saurait comprendre l'évolution politique des pays de l'ouest de la France au xixe siècle et au début du xxe sans connaître la répartition des groupes sociaux entre Blancs et Bleus pendant la Révolution. Pour toutes ces raisons ce nouveau livre de Claude Petitfrère est un ouvrage essentiel. On ne pourra plus parler ni des guerres de Vendée, ni des révoltes paysannes et de leur répression, dans l'Europe entière, sans l'avoir lu, et médité.

Jacques GODECHOT.

SOURCES ET BIBLIOGRAPHIE

I. SOURCES MANUSCRITES

A. Archives Nationales

— *Archives du Comité de Salut Public*

AF II-382, personnel des armées, bataillons de volontaires nationaux (Manche à Meuse).

— *Archives du Comité des Assemblées*

D IV-40, adresses à l'Assemblée nationale de la garde nationale d'Angers et de celle de Saumur (1790-1791).
D IV bis 67, adresse à l'Assemblée nationale des administrations de Cholet.
D XXIX bis 12, insurrection des perrayeurs d'Angers.
D XXIX bis 15, dossier 161, insurrection des perrayeurs, interrogatoires.

B. Archives de la Guerre

— *Contrôles de troupes (sans cote)*

«Contrôle du 1er bataillon des gardes nationales volontaires du département de Mayenne-et-Loire...» (Briançon, 1er floréal an III).
«Contrôle du 3e bataillon de Maine-et-Loire...» (Paris, 14 thermidor an III).

— *Archives des corps de troupe*

Xv 22, volontaires nationaux, Mayenne-et-Loire à Meurthe (y figure notamment un contrôle du premier bataillon de Maine-et-Loire, daté d'Evian le 13 pluviôse an II).
Xw 59, *Etude générale sur le recrutement des armées de la révolution dans le Département de Maine-et-Loire pendant la période de 1789 à 1798*, Angers, 1910, VI p. + 86 fº recto-verso, manuscrit (par le capitaine Michel JOUON). Pièces justificatives pour les années 1789 à 1791.
Xw 60, pièces justificatives de l'étude précédente pour 1792 et le début de 1793.
Xw 61, pièces justificatives pour les années 1794-1798.
Xw 62, pièces justificatives pour la fin de 1793.

C. Archives départementales de Maine-et-Loire

— Série E

Etat civil :
Registres paroissiaux de Baugé, Beaufort, Doué, Mazé, (généralement années 1781-1790).
Notaires : étude de Me Duterne, Saumur (1841).

— Série L

Administration générale :
1 L 1, registre de transcription des lois (août 1789-août 1790).
1 L 9, procès-verbal de la première session du Conseil général de Maine-et-Loire (28 juin-14 juillet 1790).
1 L 70, procès-verbal des séances du Directoire du département (avril-juin 1791).
1 L 71, procès-verbal des séances du Directoire du département (juillet-août 1791).
1 L 125, correspondance du Procureur général Syndic (1791).
1 L 147, correspondance particulière et secrète du Département (livre-copie) (1791-an II).
Police générale :
1 L 353 ter, émeute des perrayeurs (1790).
1 L 368 bis, rapport confidentiel sur l'esprit public, par J.C. Viaud commissaire pour l'enrôlement des volontaires dans les cantons de Châteauneuf (août 1792).
1 L 402, réponse à l'enquête du Comité de Mendicité de la Constituante (1790-1791).
Divisions administratives, population :
1 L 440, formation du département de Mayenne-et-Loire, division en districts et cantons.
1 L 444, tableau des citoyens actifs (1791).
Gardes nationales :
1 L 566$_{16}$, correspondance concernant la formation et l'armement antérieurement à la loi du 14 octobre 1791.
1 L 567, réorganisation en vertu de la loi du 14 octobre 1791.
1 L 568, instructions et correspondance concernant la réorganisation.
1 L 569, garde nationale d'Angers.
1 L 571, réquisition des grenadiers et des chasseurs pour l'Armée du Nord.
1 L 572, formation de la garde constitutionnelle du roi.
Volontaires nationaux :
— premier bataillon.
1 L 578, organisation.
1 L 579, élections.
1 L 580, procès-verbal de réception.
1 L 581, recrutement.
1 L 582, contrôle nominatif en vertu de la loi du 3 février 1792.
1 L 583, 1 L 583 bis, 1 L 584, 1 L 584 bis, habillement et équipement.
1 L 585, désertions.
1 L 585 bis, lettres du commandant Beaurepaire.

1 L 586, lettres du commandant Lemoine.
1 L 586 bis, lettres du commandant Guillot.
1 L 587, lettres de volontaires.
1 L 587 bis, correspondance du Département.
1 L 588 bis, registre des engagements postérieurs à la formation de l'unité.
1 L 590 bis, registre d'engagements par districts et municipalités.
— deuxième bataillon.
1 L 588, pièces générales, élections.
1 L 589, engagements individuels, listes d'engagés, correspondance.
1 L 589 bis, registre d'engagements des volontaires du 26 juillet au 15 août 1792.
1 L 590, tableau par tailles des volontaires.
1 L 591, registre d'engagements du district de Baugé.
1 L 591 bis, engagements, correspondance.
1 L 592, listes d'engagés, frais de recrutement des volontaires des 2ᵉ et 3ᵉ bataillons.
1 L 592 bis, contrôle du 2ᵉ bataillon (13 septembre 1792).
1 L 593 et 1 L 593 bis, habillement et équipement.
— troisième bataillon.
1 L 594, arrêté du Conseil général du département pour la formation d'un 3ᵉ bataillon, correspondance, engagements.
1 L 595, registre d'engagements postérieurs à la mi-août 1792.
1 L 595 bis, procès-verbal de réception, élections.
1 L 596, contrôle du 3ᵉ bataillon (29 octobre 1792).
1 L 596 bis et 1 L 597, listes des volontaires casernés à Saint-Nicolas.
1 L 597 bis, états de frais pour le recrutement.
1 L 598, habillement et équipement.
1 L 598 bis, armement.
1 L 599, 1 L 599 bis, 1 L 600, habillement et équipement.
1 L 600₂, souscriptions patriotiques.
1 L 600₃ et 1 L 600₄, correspondance.
Levée des 300 000 hommes :
1 L 559, états par communes des citoyens compris dans la première réquisition.
Corps auxiliaires :
1 L 566₄, dépôt de cavalerie d'Angers (1792).
1 L 566₅, formation du 19ᵉ régiment de dragons (novembre 1792-avril 1793).
1 L 600₈, compagnies franches.
1 L 601₃, compagnie franche de Bardon (1792).
Police et justice militaires :
1 L 745, plaintes et dénonciations contre des gardes nationaux.
District d'Angers :
2 L 35, fêtes publiques.
2 L 117, garde nationale (1791-an III).
District de Baugé :
3 L 96, garde nationale.
3 L 98, garde nationale.
District de Saint-Florent-le-Vieil :
6 L 27, garde nationale (1792).
District de Saumur :
7 L 189, garde nationale, Comité permanent de Saumur (1789-1790).

7 L 190, 7 L 191, 7 L 192, garde nationale (1792-an III).
District de Vihiers :
9 L 32, recensement (en réponse à l'enquête du Comité de Mendicité de la
        Constituante, 1791).

— *Série M*

59 M 28, enquête sur le labourage (1811).

— *Série Q*

Enregistrement :
— Bureau d'Angers
    — tables des décès n° 498, 500 à 511, 513 à 516, 518 à 531, 540 à 547.
    — registres des mutations après décès n° 96, 109 à 114, 116 à 120, 122 à 126, 128
        à 130, 133 à 161, 163, 166 à 177, 179 à 184, 292.
    — registres des actes civils publics n° 259, 316, 353, 405, 449, 488, 513.
— Bureau de Baugé
    — tables des décès : années 1815, 1816 et registre n° 53.
    — tables des successions payées et absences : n° 6 à 14.
    — registre des mutations après décès : n° 21, 22, 24 à 32, 38, 40, 42 à 45.
— Bureau de Beaufort
    — tables des décès : n° 4 à 12.
    — registres des mutations après décès : n° 62 à 65, 67, 68, 71, 72, 74 à 79, 81 à
        86, 88.
    — registres des actes civils publics : n° 223, 224, 233, 234.
    — registre des actes sous seing-privé n° 3.
— Bureau de Doué
    — tables des décès : n° 5 à 10.
    — registres des mutations après décès : n° 42, 71, 72, 75 à 81, 86, 88.
    — registres des actes civils publics : n° 122, 125, 134, 162.
— Bureau de Durtal
    — registres des mutations après décès : n° 45, 47.
— Bureau de Gennes
    — tables des décès des années 1837 à 1848.
— Bureau de Longué
    — tables des décès : n° 2 à 4.
    — tables des successions : n° 2 et 3.
    — registres des mutations après décès : n° 10 et 19.
— Bureau de Montreuil-Bellay
    — table des décès : n° 6
    — registres des mutations après décès : n° 52, 53, 57, 61, 63.
— Bureau des Ponts-de-Cé
    — tables des décès : n° 1 à 5.
    — registres des mutations après décès ; n° 5 à 28.
— Bureau de Saumur
    — tables des décès : n° 1, 4, 5, 7 à 18.
    — registres des mutations après décès : n° 108, 109, 111 à 114, 116, 117, 119 à
        128, 130 à 133, 136, 190, 194, 196, 198 à 200, 202, 203.

— registres des actes civils publics : n° 56, 293, 297, 318, 397, 402, 420.
— registre des actes sous seing-privé : années 1836-1838.
— Bureau de Seiches
    — registre des mutations après décès : n° 46.
— registre des actes sous seing-privé : n° 5.

D. Archives municipales d'Angers

BB 134, registre des conclusions de la mairie (27 juin 1789-19 février 1790).
CC 171, rôle de capitation pour 1789.
EE 6, registre du Comité permanent (4 août 1789-18 février 1790).
EE 7, registre du Bureau d'Ordre du Comité de la Milice (29 juillet au 4 août 1789).
EE 8, correspondance du Comité Permanent.
EE 9, volontaires d'Anjou (1789).
GG 183, registre paroissial de Saint-Pierre (1788-mars 1791), comprenant un récit du curé Robin sur les « événements remarquables » de 1789.
H 3-61, engagements dans la garde nationale en vertu du décret du 12 juin 1790. Enregistrements volontaires des gardes nationaux conformément au décret du 29 septembre 1791. « Noms de Messieurs de la Garde Nationale d'Angers qui s'obligent volontairement à partir... » (en vertu du décret du 21 juin 1791).
H 3-63, liste des gardes nationaux de Saint-Samson.
non côté : « Etat des numéros de toutes les maisons, sans réserve, de la Ville et Faux-bourgs d'Angers... » (recensement de 1769).

E. Archives municipales de Baugé

1 H 1, enrôlement des volontaires (1791).
1 K 1, extrait du tableau des citoyens actifs inscrits au registre de la garde nationale en exécution du décret du 18 juin 1790.
3 H 1, garde nationale.

F. Archives municipales de Saumur

BB 12, registre des délibérations de l'Hôtel-de-Ville (15 juillet 1786-9 décembre 1789).
BB 13, registre des délibérations de la Municipalité (11 décembre 1789-18 juin 1791).
EE 2, règlement pour la formation de la Milice nationale (1789).
F I-36 (1), recensement de février 1790.
H I-74 (1), registre pour l'inscription des gardes nationaux à mettre en activité en vertu du décret du 21 juin 1791.
H III-95 (1) — garde nationale.
H III-95 (2) — garde nationale. Tableau des citoyens actifs, inscrits au registre de la garde nationale (juin 1791). Copie du registre d'inscription des gardes nationaux (1792).
I II (144), émeutes, insurrections.

G. Archives municipales de Poitiers

H 22, Fédération de Poitiers (avril 1790).

H. Bibliothèque municipale d'Angers

Ms 572, collection d'autographes (carton n° 623 : carnet de route du volontaire Benoît-François Guitet).

Ms 829, *Mémoires sur les événements du siège de Verdun en 1792, Présentés au Roi le 15 janvier 1835 par M' le lieut' général Lemoine* (copie).

Ms 1059, *Histoire et faits d'armes de la garde nationale d'Angers, dans le cours de la Révolution depuis 1789 jusque en 1817 par J.A. Berthe, ancien relieur,* Angers, 1839, 60 p.

II. SOURCES IMPRIMÉES

A. Ouvrages concernant l'histoire locale

— *Arrêté de Messieurs les Etudiants en Médecine de la Ville d'Angers, assemblés extraordinairement, aux Ecoles de Médecine, Angers, 1789* (Bibl. mun. Angers, *Recueil de pièces relatives à la Révolution...* H 2 032).

— *Arrêté de MM. les Membres de la Basoche d'Angers...*, Angers, 1789, 7 p. (Bibl. mun. Angers, ... H 2 032).

— *Arrêté des jeunes citoyens de la ville d'Angers*, 4 février 1789, s. l., 15 p. (Bibl. mun. Angers H 2 066).

— *Compte rendu à la Commune de la ville d'Angers par le Comité permanent le 10 septembre 1789*, Angers, Pavie, 1789, 19 p. (Bibl. mun. Angers, H 2 032 et H 2 031. Les 8 premières pages sont reliées dans le volume H 2 032, la suite dans le volume H 2 031).

— *Correspondance de MM. les députés de la province d'Anjou avec leurs commettans, relativement à l'Assemblée Nationale*, Angers, Pavie, 1789 sq, 11 vol. dont un de tables (trois vol. pour 1789 : 488 p., 622 p. et 554 p.).

— *Discours prononcé à l'Assemblée des Etudiants en Droit, d'Angers, par M. Jubin, Lieutenant de Prévôt et Greffier de Messieurs les Etudiants de Droit*, Angers, 1789, 7 p. (Bibl. mun. Angers, H 2 032).

— *Le Triomphe de la Philosophie, ou la Réception de Voltaire et de Jean-Jacques Rousseau, aux Champs Elisées* (par Joachim PROUST), Angers, Pavie, 1789, 15 p. (Bibl. mun. Angers, H 1 560).

— *Milice Nationale de Vernantes*, Affiche imprimée, Saumur, Dominique — Michel Degouy, 1789 (Bibl Arch. dép. M. & L. 2 030).

— *Projet de règlement militaire pour la Milice Nationale Angevine*, Angers, Pavie, 1789, 12 p. (Bibl. mun. Angers, H 1 560).

— *Règlement des volontaires de la garde nationale d'Angers du 3 décembre 1789*, Angers, Mame, 1789 (Bibl. mun. Angers, H 2 065).

— *Règlement général pour le Comité permanent et la Milice nationale angevine fait et arrêté en l'assemblée des commissaires des six légions et en présence de trois membres du Comité, le 27 août 1789*, Angers, Pavie, 1789, 20 p. (Bibl. mun. Angers, H 1 560).

— *Règlement pour la discipline du corps des volontaires saumurois*, Saumur, Dominique-Michel Degouy, 1789 (Bibl. Arch. dép. M. & L. 1 842).

— *Adresse et mémoire justificatif de la garde nationale d'Angers à l'Assemblée Nationale*, Angers, Mame, 1790, 7 p.

— *Compte rendu à la commune de la ville de Saumur, par le Comité Municipal permanent, le 25 janvier 1790*, Saumur, Dominique-Michel Degouy, s.d., 16 p. (Bibl. Arch. dép. M. & L. 1 846).

— *Détail exact d'une insurrection qui s'est manifestée à Angers le 4 septembre et jours suivants*, Angers, Pavie, 1790, 8 p. (Bibl. mun. Angers H 2 038).

— *Détail exact et authentique de ce qui s'est passé en la ville d'Angers, les 4, 5, 6 et 7 de Septembre 1790, extrait d'une lettre écrite par un administrateur, le 8 de ce mois*, Angers, 1790, 13 p. (Bibl. mun. Angers H 2 038).

— *Extrait du registre des délibérations du Directoire du département de Maine-et-Loire, relativement aux troubles qui ont eu lieu dans la ville d'Angers, le 4 septembre et jours suivans*, Angers, Mame, 1790, 20 p. (Bibl. mun. Angers, H 2 029).

— *Lettre d'un Ami de la Constitution, de l'ordre et de la paix, à M.L., député à l'Assemblée Nationale, sur les événemens arrivés à Angers les 4, 5 et 6 septembre 1790*, Angers, Pavie, 1790, 24 p. (Bibl. mun. Angers, H 2 029).

— *Liste des citoyens actifs, et de ceux qui seront éligibles à la Municipalité de la Ville d'Angers*, Angers, Mame, 1790, 86 p. (Bibl. mun. H 2 033).

— *Prestation du serment civique de la garde nationale de Saumur*, Angers, Mame, 1790, (Bibl. Arch. dép. M. & L., 1 901).

— *Procès-verbal des séances tenues par les Jeunes Citoyens de Bretagne et d'Anjou extraordinairement assemblés en la ville de Pontivy, le 15 janvier 1790*, 43 p. (Bibl. mun. Angers, H 2 031).

— PORT (C.), *Description de la ville d'Angers et de tout ce qu'elle contient de plus remarquable par M. Péan de La Tuillerie*, Angers, Barassé, 1869, 607 p. (rééd. d'un ouvrage paru en 1778).

— *Souvenirs d'un nonagénaire. Mémoires de François-Yves Besnard, publiés sur le manuscrit autographe* par C. PORT, Angers, Lachèse et Dolbeau, 1880, 2 vol., 363 et 387 p.

— UZUREAU (F.), *Tableau de la province d'Anjou (1762-1766) manuscrit publié par l'abbé F. Uzureau*, Angers, Lachèse, 1898, 80 p. (il s'agit de la publication partielle du *Tableau de la généralité de Tours, depuis 1762 jusques et y compris 1766*, des intendants Lescalopier et du Cluzel).

— LEBRUN (F.), *L'Histoire vue de l'Anjou, textes choisis et annotés*, Angers, H. Siraudeau, t. 1, *987-1789*, 1963, 239 p ; t. 2, *1789-1914*, 1961, 229 p. et VIII pl. h. t.

— LEHOREAU (R.), *Cérémonial de l'Eglise d'Angers (1692-1721) analyse et extraits publiés avec une introduction et des notes, pour servir à l'histoire d'Angers au début du XVIIIe siècle*, par François LEBRUN, Rennes, Klincksieck, 1967, 327 p.

B. Mémoires de volontaires nationaux et autres soldats

— LARCHEY (L.), *Journal de marche du sergent Fricasse de la 127ᵉ demi-brigade, 1792-1802*, Paris, 1882, XVI-228 p. + XX planches.

— *Journal du canonnier Bricard, 1792-1802, publié pour la première fois par ses petits-fils Alfred et Jules Bricard avec introduction de Lorédan Larchey*, Paris, Charles Delagrave, 1891, 495 p.

— LOMBARD (J.), *Un volontaire de 1792, psychologie révolutionnaire et militaire*, Paris, Albert Savine, 1892, XX-380 p. (il s'agit du général Etienne François Mireur, volontaire de l'Hérault).

— VALLÉE (G.) et PARISET (G.), *Carnet d'étapes du dragon Marquant — démarches et actions de l'armée du centre pendant la campagne de 1792 publié d'après le manuscrit original...* (il s'agit d'un soldat de ligne), Paris-Nancy, Berger-Levrault et Cᵒ, 1898, XXI-274 p.

— *Joliclerc volontaire aux armées de la Révolution. Ses lettres 1793-1796*, recueillies et publiées par Etienne JOLICLERC, Paris, 1905, 256 p.

— DUCHET (L.), *Deux volontaires de 1791. Les frères Favier de Montluçon. Journal et lettres publiés d'après des papiers de famille...*, Montluçon, A. Herbin, 1909, 158 p.

— MANGEREL (M.), *Le capitaine Gerbaud, 1773-1799, documents publiés et annotés par...*, Paris, Plon, 1910, XI-385 p.

— *Au temps des volontaires — 1792 ; lettres d'un volontaire de 1792 présentées et annotées par G. Noël*, Paris, Plon-Nourrit, 1912, LV-301 p. (il s'agit de Gabriel Noël, volontaire de la Meurthe).

— Colonel PICARD (E.), *Au service de la Nation — Lettres de volontaires (1792-1798)*, Paris, F. Alcan, 1914, XX-253 p.

C. Journaux et périodiques

— *La Gazette Nationale ou Le Moniteur Universel*.

— *Affiches d'Angers* (Monsieur SIRAUDEAU, imprimeur, lointain successeur de Mame qui éditait ce journal sous la Révolution, possède la collection complète des *Affiches d'Angers* pour les années 1789-1806. Il a bien voulu nous la laisser consulter et nous lui exprimons ici notre gratitude).

— *L'Observateur Provincial* (1789-1791).

— *Journal du département de Maine-et-Loire par les amis de la Constitution d'Angers (1791-1792)*.

— *Almanach de la province d'Anjou* (années 1789 et 1790).

— *Almanach du département de Maine-et-Loire pour l'année 1792*.

III. TRAVAUX

A. Instruments de travail

1. Histoire militaire

— *Guide bibliographique sommaire du service historique des armées* (aux Archives de la Guerre).

2. Histoire de l'Anjou

— LEBRUN (F.), «Bulletin de bibliographie angevine», publié à intervalles de 2 ans dans les *Mémoires de l'Ac. des Sc. et Bel. Let. d'Angers*.

3. Dictionnaire et atlas

— BALTEAU (J.), BARROUX (M.), PRÉVOST (M.), *Dictionnaire de biographie française*, Paris, Letouzey et Ané, 1933-1982, 15 vol. (jusqu'à Gilbert).

— BRETTE (A.), *Les Constituants, liste des députés et des suppléants élus à l'assemblée constituante de 1789...*, Paris, Soc. de l'hist. de la Rév. franç., 1897, XXXVII-310 p.

— FAVREAU (R.), (sous la dir. de) avec la collaboration de F. LEBRUN et P. WAGRET, *Monumenta Historiae Galliarum — Atlas Historique Français..., L'Anjou*, Paris, I.G.N., 1973, un vol. de cartes et un de texte (174 p.).

— GUYOT (L.D.), *Tables et instructions pour opérer facilement (...) la conversion des anciennes mesures en celles du système métrique*, Angers, Mame, s.d. (contemporain de la Révolution), 123 p. + 3 tableaux.

— Dr HOEFER (sous la dir. de), *Nouvelle biographie générale...*, Paris, F. Didot, 1855.

— KUSCINSKI (A.), *Les Députés à l'Assemblée législative de 1791...*, Paris, Soc. de l'hist. de la Rév. franç., 1900, VI-171 p.

— KUSCINSKI (A.), *Dictionnaire des Conventionnels...*, (publié par A. AULARD), Paris, Soc. de l'hist. de la Rév. franç., 1916-1919, 4 fasc. de IV-617 p.

— LEBRUN (F.), *Paroisses et communes de France, Maine-et-Loire. Dictionnaire d'histoire administrative et démographique*, Paris, labo. de démographie hist. de l'Ecole Pratique des Hautes Etudes, 1974, 464 p.

— PORT (C.), *Dictionnaire historique, géographique et biographique du Maine-et-Loire*, Angers, Lachèse et Dolbeau, 1874-1878, 3 vol., LII-812, 776 et 761 p. (Le vol. I, revu et corrigé par J. LEVRON et P. D'HERBECOURT, a été réédité : Angers, Siraudeau, 1965, XXI-871 p. L'édition originale a été rééditée en fac-similé : Angers, Philippe Petit, 1974, 3 vol.).

— SIX (G.), *Dictionnaire biographique des généraux et amiraux français de la Révolution et de l'Empire (1792-1814)*, Paris, G. Saffroy, 1934, 2 vol., XI-614 et 588 p.

— VERRIER (A.J.) et ONILLON (R.), *Glossaire étymologique et histoire des patois et parlers de l'Anjou*, Angers, Germain et G. Grassin, 1908, 2 vol. 529 et 587 p.

4. Recueils de documents législatifs

— *Archives parlementaires de 1787 à 1860...*, publiées depuis 1867 (sous la dir. M. REINHARD, G. LEFEBVRE et M. BOULOISEAU, depuis 1966) *1re série, 1787 à 1799*, Paris, P. Dupont, puis C.N.R.S.).

— *Bulletin des lois*.

— DUVERGIER (J.-B.), *Collection complète des lois, décrets, ordonnances, règlements et avis du Conseil d'Etat...*, Paris, 1824 sq.

— *Lois et actes du Gouvernement*, Paris, imprimerie impériale, 1806.

B. Histoire de la Révolution

1. Ouvrages d'intérêt général

— BOULOISEAU (M.), *Le comité de Salut Public (1793-1795)*, Paris, P.U.F., 1962, 128 p.

— BRAUDEL (F.) et LABROUSSE (E.), (sous la dir. de), *Histoire économique et sociale de la France*, t. II, *Des derniers temps de l'âge seigneurial aux préludes de l'âge industriel (1660-1789)*, Paris, P.U.F., 1970, XVI-779 p. ; t. III, *L'avènement de l'ère industrielle (1789-années 1880)*, 1ᵉʳ vol. Paris, P.U.F., 1976, 16, 471, XXXV p.

— COBB (R.), *The Police and the people*, Oxford University Press, 1970, trad. franç. *La protestation populaire en France (1789-1820)*, Paris, Calmann-Lévy, 1975, 322 p.

— DUHET (M.-P.), *Les femmes et la Révolution, 1789-1794*, Paris, Julliard, 1971, 237 p.

— EDELSTEIN (M.), « Vers une "sociologie électorale" de la Révolution française : la participation des citadins et campagnards (1789-1793) », dans *Revue d'Hist. Mod. et Cont.*, oct-déc., 1975, p. 508-529.

— GODECHOT (J.), *Les institutions de la France sous la Révolution et l'Empire*, Paris, P.U.F., 1951, VIII-687 p, rééd. augm. Paris, P.U.F., 1968, VIII-789 p.

— GODECHOT (J.), *La Grande Nation...*, Paris, Aubier, 1956, 2 vol., 758 p. rééd. 1983, 1 vol., 541 p.

— GODECHOT (J.), *La Prise de la Bastille, 14 juillet 1789*, Paris, N.R.F. Gallimard, 1965, 435 p.

— GODECHOT (J.), « Nation, patrie, nationalisme et patriotisme en France au XVIIIᵉ siècle », dans *A.H.R.F.*, oct.-déc. 1971, p. 481-501.

— LEFEBVRE (G.), *La Grande Peur de 1789*, Paris, A. Colin, 1932, 272 p. rééd., Paris, Colin, 1970, 272 p.

— LIGOU (D.), « A propos de la révolution municipale », dans *Revue d'histoire économique et soc.*, 1960, n° 2, p. 146-177.

— PALMER (R.R.), *1789. Les Révolutions de la liberté et de l'égalité*, trad. franç., Paris, Calmann-Lévy, 1968, 314 p.

— REINHARD (M.), *10 août 1792, la Chute de la Royauté*, Paris, N.R.F. Gallimard, 1969, 652 p.

— REINHARD (M.), « La population des villes, sa mesure sous la Révolution et l'Empire », dans *Population*, 1954, n° 2, p. 279-288.

— REINHARD (M.), *Etude de la population pendant la Révolution et l'Empire*, Gap, imp. Louis Jean, 1961, 72 p.
Etude de la population pendant la Révolution et l'Empire, recueil de textes — premier supplément, Paris, Imp. Nat., 1963, 76 p.

— REINHARD (M.), « La population de la France et sa mesure de l'Ancien Régime au Consulat », dans *Contributions à l'hist. éc. et soc. de la Rév. franç.*, Paris, 1965, p. 259-274.

— SOBOUL (A.), *L'an I de la liberté — Textes et commentaires*, Paris Ed. Soc., 1950, 352 p. 3ᵉ éd. revue et complétée, *1789, l'an Un de la liberté, étude historique, textes originaux*, Paris, Ed. Soc., 1973, 351 p.

— SOBOUL (A.), *La première République (1792-1804)*, Paris, Calmann-Lévy, 1968, 365 p.

— SOBOUL (A.), *La civilisation et la Révolution française*, t. I, *La crise de l'Ancien Régime*, Paris, Arthaud, 1970, 635 p. ; t. II, *La Révolution française*, Paris, Arthaud, 1982, 542 p.

— SOBOUL (A.), « La Révolution française, problème national et réalités sociales », dans *Actes du colloque Patriotisme et Nationalisme en Europe...*, *XIIIᵉ congrès int. des Sc. hist., Moscou, 1970*, Paris, Soc. des Etudes Robespierristes, 1973, p. 29-58.

2. Histoire d'un pays ou d'une région autre que l'Anjou et les provinces voisines

— BORIES (E.), CHARRIER (CL.), COSTE (M.-H.), *Les fortunes dans les campagnes toulousaines sous la Révolution française*, Mémoire de maîtrise, Toulouse, 1971, 129 p. dact.

— LEFEBVRE (G.), *Etudes orléanaises*, t. I, *Contribution à l'étude des structures sociales à la fin du xvıııᵉ siècle*, Paris, Bibl. nat., 1962, 276 p. ; t. II, *Subsistances et Maximum (1789-an IV)*, Paris, Bibl. nat., 1963, 420 p.

— *Les fortunes en France et dans la région toulousaine de la Révolution à nos jours*, actes du colloque de Toulouse, mars 1973, service des publications de l'Université de Toulouse-Le Mirail, 1976, 101 p.

— LIGOU (D.), *Montauban à la fin de l'Ancier Régime et aux débuts de la Révolution 1787-1794*, Paris, Marcel Rivière, 1958, 719 p.

— ROBIN (R.), *La Société Française en 1789 : Semur-en-Auxois*, Paris, Plon, 1970, 522 p.

— SENTOU (J.), *Fortunes et groupes sociaux à Toulouse sous la Révolution (1789-1799)...*, Toulouse, Privat, 1969, 498 p.

— SENTOU (J.), *La fortune immobilière des Toulousains et la Révolution française*, Paris, Bibl. nat., 1970, 179 p.

— SOBOUL (A.), *Les sans-culottes parisiens en l'an II, mouvement populaire et gouvernement révolutionnaire (2 juin 1793-9 thermidor an II)*, Paris, Clavreuil, 1958, 1 168 p.

— SOBOUL (A.), *Les Sans-Culottes*, Paris, Le Seuil, 1968, 256 p. (rééd. partielle de sa thèse).

— SOBOUL (A.), *Mouvement populaire et gouvernement révolutionnaire en l'an II, 1793-1794*, Paris, Flammarion, 1973, 510 p. (rééd. partielle de sa thèse).

— WOLFF (PH.), (sous la dir. de) *Histoire du Languedoc* (ch. XI, « Révolution et Contre-Révolution » par J. SENTOU), Toulouse, Privat, 1967, p. 437-492.

C. Histoire militaire

1. Ouvrages autres que ceux relatifs à la garde nationale et aux volontaires nationaux

— ARON (J.-P.), DUMONT (P.), LE ROY-LADURIE (E.), *Anthropologie du conscrit français d'après les comptes numériques et sommaires du recrutement de l'armée (1819-1826)...*, Paris, Mouton, 1972, 263 p.

— BERTAUD (J.-P.), « Aperçus sur l'insoumission et la désertion à l'époque révolutionnaire, étude de sources », dans *Bul. d'Hist. Eco. et Soc. de la Rév. fr.*, année 1970, p. 17-47.

— BERTAUD (J.-P.), « Les sources quantitatives d'une histoire sociale de l'armée de la Révolution », dans *Actes du colloque intern. d'hist. militaire, Montpellier, 1974*, Montpellier, Université Paul Valéry, p. 147-156.

— BERTAUD (J.-P.), *La révolution armée. Les soldats-citoyens et la Révolution française*, Paris, Laffont, 1979, 380 p.

— BERTAUD (J.-P.), « Voies nouvelles pour l'histoire militaire de la Révolution », dans *Colloque A. Mathiez — G. Lefebvre*, Paris, 1974, *A.H.R.F.*, janvier-mars 1975, p. 66-94.

— BOIS (J.-P.), « Conscrits du Maine-et-Loire sous l'Empire : le poids de la conscription, 1806-1814 », dans *Annales de Bretagne et des Pays de l'Ouest*, 1976, n° 3, p. 467-493.

— BOULOISEAU (M.), « Malades et "tire-au flanc" à l'armée de l'Ouest (an II-an III) », dans *Actes du 96ᵉ congrès des Soc. Sav., Toulouse, 1971*, Paris, B.N., 1976, t. II, p. 541-555.

— CARON (P.), *La défense nationale de 1792 à 1795*, Paris, Hachette, 1912, VI-105 p.

— CASTELLAN (G.), *Histoire de l'armée*, Paris, P.U.F., 1948, 127 p.

— CHAGNIOT (J.), « Le guet et la garde de Paris à la fin de l'Ancien Régime », dans *Revue d'Hist. Mod. et Cont.*, janvier-mars 1973, p. 58-71.

— CHAGNIOT (J.), « Quelques aspects originaux du recrutement parisien au milieu du XVIIIᵉ siècle », dans *Colloque int. d'hist. militaire Montpellier, 1974*, Montpellier, Université Paul Valéry, p. 103-113.

— CHASSIN (CH.-L.), *L'armée et la Révolution, la paix et la guerre, l'enrôlement volontaire, la levée en masse, la conscription*, Paris, A. Le Chevallier, 1867, 332 p.

— CHUQUET (A.), *Les guerres de la Révolution*, Paris, Léopold Cerf, 11 vol. 1886-1896, t. I, *La première invasion prussienne (11 août-2 septembre 1792)*, 2ᵉ éd. Paris, Léopold Cerf, 1888, VIII-303 p.

— COBB (R.), *Les armées révolutionnaires, instruments de la Terreur dans les départements, avril 1793-floréal an II*, Paris, Mouton, 1961-63, 2 vol., 364 et 653 p.

— CORVISIER (A.), *L'Armée française de la fin du XVIIᵉ siècle au ministère de Choiseul*, Paris, P.U.F., 1964, 2 vol., 1 087 p.

— CORVISIER (A.), « Aspects divers de l'histoire militaire », dans *Revue d'Histoire Mod. et Cont.*, janvier-mars 1973, p. 1-9.

— CORVISIER (A.), « Deux colloques internationaux d'histoire militaire », dans *Revue Historique*, avril-juin 1975, p.527-533.

— CORVISIER (A.), *Armées et sociétés en Europe de 1494 à 1789*, Paris, P.U.F., 1976, 222 p.

— CORVISIER (A.), « Quelques aspects sociaux des milices bourgeoises au XVIIIᵉ siècle », dans *Actes du Colloque de Nice, 1969, Annales Fac. Let. Nice, 1969*, n° 9-10, p. 241-277.

— CORVISIER (A.), « Hiérarchie militaire et hiérarchie sociale à la veille de la Révolution », dans *Colloque int. Hist. mil., Paris, 1969, Revue intern. d'Hist. militaire*, 1970, n° 30, p. 77-91.

— CORVISIER (A.), « Vocation militaire, misère et niveau d'instruction au XVIIIᵉ siècle : les limites de la méthode quantitative », dans *93ᵉ Congrès des Soc. Sav. Tours, 1968*, Paris, Bibl. nat., 1971, t. II, p. 269-286.

— CORVISIER (A.), « La société militaire et l'enfant », dans *Enfant et Sociétés, Annales de démographie historique*, 1973, p. 327-343.

— FOURNIER (Gl. J.), « Les archives militaires et leur exploitation par les historiens contemporains», dans *Revue des travaux de l'Ac. des Sc. morales et politiques,* 2ᵉ semestre 1971, p. 129-145.

— GODECHOT (J.), *Les commissaires aux armées sous le Directoire...*, Paris, P.U.F., 1941, 2 vol., 675 et 438 p.

— JAURÈS (J.), *L'Organisation Socialiste de la Révolution — L'armée nouvelle,* 1910, rééd. Paris, Imp. de l'Humanité, 1915, 559 p.

— LEFEBVRE (G.), «La Révolution française et son Armée», dans *A.H.R.F.,* oct.-déc. 1969, p. 576-582 (article repris dé *Libertés* n° 52 du 24-11-1944).

— LÉONARD (E.-G.), *L'armée et ses problèmes au XVIIIᵉ siècle,* Paris, Plon, 1958, 361 p.

— MARTEL (A.), «Le renouveau de l'histoire militaire en France», dans *Revue Historique,* janvier-mars 1971, p. 107-126.

— MARTEL (A.), «Le centre d'histoire militaire de Montpellier», dans *Revue d'Histoire Mod. et Cont.,* janvier-mars 1973, p. 167-173.

— MARTEL (A.), «Histoire militaire et défense nationale, Montpellier et Aix-en-Provence», dans *Revue Historique,* avril-juin 1975, p. 515-526.

— MARTIN (M.), *Les origines de la presse militaire en France à la fin de l'Ancien Régime et sous la Révolution (1770-1799),* thèse de 3ᵉ cycle, ministère de la Défense, service historique, Vincennes, 1975, 424 p. dact.

— MATHIEZ (A.), *La victoire en l'an II, esquisses historiques sur la défense nationale,* Paris, F. Alcan, 1916, 286 p.

— MERLEY (J.), «Une source d'histoire sociale méconnue : les listes de recrutement», dans *Rencontres franco-suisses d'hist. éco. et soc. de Lyon, 1965, Cahiers d'hist.* publiés par les *Universités de Clermont-Lyon-Grenoble,* 1967, n° 1-2, p. 115-132.

— MURAISE (E.), *Introduction à l'histoire militaire...,* Paris-Limoges-Nancy, Charles Lavauzelle, 1964, 368 p.

— PICQ (A.), *La législation militaire de l'époque révolutionnaire...,* Paris, Jouve, 1931, VIII-327 p.

— REINHARD (M.), *Le Grand Carnot,* Paris, Hachette, 1950-1952, 2 vol., 354 et 392 p.

— REINHARD (M.), *L'Armée et la Révolution pendant la Convention,* Paris, cours du C.D.U., 1957, 2 fasc. 208 p.

— REINHARD (M.), «Nostalgie et service militaire pendant la Révolution», dans *A.H.R.F.,* janvier-mars 1958, p. 1-11.

— REINHARD (M.), «Observations sur le rôle révolutionnaire de l'Armée dans la Révolution Française», dans *A.H.R.F.,* avril-juin 1962, p. 169-181.

— REINHARD (M.), «Recherches et perspectives sur l'armée dans la Révolution française», dans *A.H.R.F.,* nov.-déc. 1972, p. 489-492.

— SCOTT (S. F.), «Les officiers de l'infanterie de ligne à la veille de l'amalgame», dans *A.H.R.F.,* oct.-déc. 1968, p. 455-471.

— SCOTT (S. F.), *The response of the royal Army to the French Revolution. The role and development of the Line Army (1787-1793),* Oxford, Clarendon Press, 1978, 243 p.

— SCOTT (S. F.), «The Regeneration of the Line Army during the French Revolution», dans *Journal of Modern History,* 1970, n° 3, p. 307-330.

— SCOTT (S. F.), «Les soldats de l'armée de ligne en 1793», dans *A.H.R.F.,* nov.-déc. 1972, p. 493-512.

— Six (G.), *Les généraux de la Révolution et de l'Empire*, Paris, Bordas, 1948, 364 p.

— Soboul (A.), *L'Armée nationale sous la Révolution (1789-1794)*, Paris, France d'abord, 1945, 142 p.

— Soboul (A.), *Les soldats de l'an II*, Paris, Paul Dupont, 1959, 298 p. N^elle éd., 1970.

— Suratteau (J.-R.), «Note sur quelques problèmes militaires de l'histoire de la Révolution française : application des lois militaires, désertions, insoumission, "objection de conscience"», dans *Colloque int. d'Hist. militaire, Montpellier, 1974*, Montpellier, Université Paul Valéry, p. 137-146.

2. *Ouvrages relatifs à la garde nationale*

— Arches (P.), «Etude sociale d'un bataillon contre-révolutionnaire de la garde nationale de Montauban», dans *Actes du 80e congrès des soc. sav., Lille, 1955*, Paris, Imp. Nat., 1955, p. 163-169.

— Arches (P.), «Aspects sociaux de quelques gardes nationales au début de la Révolution (1789-1790)», dans *Actes du 81e congrès des soc. sav., Rouen-Caen, 1956*, Paris, Imp. Nat., 1956, p. 443-455.

— Arches (P.), «La garde nationale d'Albi et l'échauffourée montalbanaise du 10 mai 1790», dans *Actes du 11e congrès de la fédération des soc. sav. de Languedoc-Pyrénées-Gascogne, Albi, 1955*, Albi, Imprimerie des orphelins apprentis, 1956, p. 82-85.

— Arches (P.), «La garde nationale de Saint-Antonin et les fédérations du Rouergue et du Bas-Quercy, juillet 1789-juillet 1790», dans *Annales du Midi*, octobre 1956, p. 375-390.

— Arches (P.), «Le premier projet de fédération nationale», dans *A.H.R.F.*, juillet-août 1956, p. 255-266.

— Arches (P.), «Les débuts de la garde nationale de Montauban, juillet-nov. 1789», dans *Actes du 10e congrès de la fédération des Soc. Sav. de Languedoc-Pyrénées-Gascogne, Montauban, 1954*, Montauban, Forestié, 1956, p. 303-314.

— Arches (P.), «La garde nationale de Tarbes au début de la Révolution (juillet 1789-juillet 1790)», dans *Actes du 82e congrès nat. des Soc. sav., Bordeaux, 1957*, Paris, Imp. Nat., 1958, p. 69-77.

— Arches (P.), «Quelques aspects de la garde nationale de Thouars au début de la Révolution», dans *Bulletin de la société historique et scientifique des Deux-Sèvres*, 4e trim. 1966, p. 215-224.

— Arches (P.), «Une fédération locale : la Confédération des Pyrénées (1789-1790). Travaux d'approche», dans *Bul. d'Hist. Ec. et Soc. de la Rév. fr. 1971*, 1972, p. 11-101.

— Cardenal (Lt de), *Recrutement de l'Armée en Périgord pendant la période révolutionnaire (1789-1800)*, Périgueux, D. Joucla, 1911, 531 p.

— Carrot (G.), *La garde nationale (1789-1871), une institution de la Nation*, thèse 3e cycle, Paris, chez l'auteur, 59 rue Saint-Blaise, 1979, XIII-285 p.

— Carrot (G.), *Histoire du maintien de l'ordre en France depuis la fin de l'Ancien Régime jusqu'à nos jours*, Toulouse, Presses de l'I.E.P., 1984, 2 t.

— Comte (Ch.), *Histoire de la garde nationale de Paris de sa formation à 1827*, Paris, A. Sautelet, 1827, VII-534 p.

— Dubreuil (L.), «Le Comité permanent d'Evreux (20 juillet 1789-14 février 1790)», dans *Annales Révolutionnaires*, juil.-août 1920, p. 312-332.

— Duprat (E.), *La grande peur et la création de la Garde Nationale à Châteaurenard de Provence (30 juillet 1789)*, Valence, Imp. valentinoise, 1907, 19 p.

— Dupuy (R.), *La Garde Nationale et les débuts de la révolution en Ille-et-Vilaine (1789-mars 1793)*, Paris, Klincksieck, 1972, 284 p.

— Girard (L.), « Réflexions sur la garde nationale », dans *Bul. de la Soc. d'Hist. Mod. et Cont.*, mai 1955, p. 25-29.

— Girard (L.), *La garde nationale, 1814-1871*, Paris, Plon, 1964, 397 p.

— Gosset (P.), *Les bataillons de Reims (1791-1794)*, Reims, L. Michaud, 1905, X-77 p.

— Jouhaud (L.), *Les gardes nationaux à Limoges (avant la Convention)*, Limoges, Guillemot et de Lamothe, 1940, 82 p.

— Lhéritier (M.), *Libertés, 1789-1790. Les Girondins, Bordeaux et la Révolution française*, Paris, Marcel Daubin, 1947, 364 p.

— Millot (H.), *Le Comité Permanent de Dijon (juillet 1789-février 1790)*, Dijon, Rebourseau, 1925, 203 p.

— Mourlot (F.), *La fin de l'Ancien Régime et les débuts de la Révolution dans la généralité de Caen (1787-1790)*, Paris, Soc. de l'Histoire de la Rév. fr., 1913, CXII-549 p.

— Petitfrère (Cl.), « La jeunesse angevine et les débuts de la Révolution française », dans *Annales de Bretagne et des pays de l'Ouest*, 1974, n° 4, p. 709-732.

— Thoré (P.-H.), « Fédérations et projets de fédération dans la région toulousaine », dans *A.H.R.F.*, oct.-déc. 1949, p. 346-368.

— Toujas (R.), « La genèse de l'idée de fédération nationale », dans *A.H.R.F.*, juillet-sept. 1955, p. 213-216.

— Tournès (Lt-Cl R.), *La garde nationale dans le département de la Meurthe pendant la Révolution (1789-1802)*, Angers, Soc. fr. d'imprimerie et de publicité, 1920, 303 p.

— Uzureau (F.), « Etablissement de la milice nationale angevine », dans *L'Anjou Historique*, 1904-1905, p. 192-197.

— Uzureau (F.), « Les fêtes de la Fédération à Angers », dans *L'Anjou Historique*, 1904-1905, p. 29-34.

— Uzureau (F.), « La Fédération de Pontivy (1790) », dans *Revue Historique de la Révolution française et de l'Empire*, Paris, janvier-mars 1917, p. 81-95.

— Vialla (Capitaine S.), *L'Armée-Nation. Les Volontaires des Bouches-du-Rhône (1791-1792)*, Paris, lib. Militaire R. Chapelot, 1913, 292 + 213 + 7 p.

3. Ouvrages relatifs aux volontaires nationaux

— Bellec (J.), « Les deux fédérations bretonnes-angevines », dans *La Révolution française*, 1895, t. 28, p. 15-39.

— Belperron (P.), « Les levées de volontaires à Besançon en 1791 et en 1792 », dans *Annales révolutionnaires*, 1921, p. 490-500.

— Bertaud (J.-P.), « Les armées de l'an II : administration militaire et combattants », dans *Revue historique de l'Armée*, 1969, n° 2, p. 41-49.

— Bertaud (J.-P.), « Une source d'information sur l'armée de la Révolution, les papiers d'administration des demi-brigades », dans *Revue intern. d'Histoire Militaire*, 1970, n° 30, p. 163-179.

— Bertaud (J.-P.), *Valmy. La démocratie en armes*, Paris, Julliard, 1970, 319 p.

— BERTAUD (J.-P.), « Notes sur le premier amalgame (février 1793-janvier 1794) », dans *Revue d'Hist. Mod. et Cont.*, janvier-mars 1973, p. 72-83.

— BOISSONNADE (P.), *Histoire des Volontaires de la Charente pendant la Révolution, 1791-1794*, Angoulême, L. Coquemard, 1890, 364 p.

— BOUTIN DE CORNILLE, *Les volontaires nationaux et le recrutement de l'armée pendant la Révolution dans l'Yonne*, Auxerre, 1913, 462 p.

— CARNOT (Capitaine Sadi), *Les volontaires de la Côte d'Or, Origines historiques, formations de 1789 et 1791 ...*, Dijon, L. Venot, 1906, 232 p.

— CAUVIN (C.), *Etudes sur la Révolution dans les Basses-Alpes. Le 3ᵉ bataillon des volontaires des Basses-Alpes à Entrevaux, en 1792*, Digne, Chaspoul, 1908, 19 p. (tiré à part du *Bul. de la Soc. Sc. et lit. des Basses-Alpes*).

— CHASSIN (Ch.-L.) et HENNET (L.), *Les Volontaires nationaux pendant la Révolution*, Paris, Léopold Cerf, Noblet, Quantin, 1890, 2 t., 768 et 809 p.

— CHUQUET (A.), « Le deuxième bataillon des volontaires des Ardennes 1791-1793 », dans *Revue historique ardennaise*, 1894, p. 268-274.

— CHUQUET (A.), « Le premier bataillon des Ardennes », dans *Revue historique ardennaise*, 1903, p. 348-358.

— DEFRANCE (A.), *Les volontaires du Nord et du Pas-de-Calais dans la défense nationale, 1791-1795*, Lille, Lefebvre-Ducrocq, 1905, 17 p.

— DELMAS (J.), « La patrie en danger. Les Volontaires nationaux du Cantal », dans *Revue de la Haute-Auvergne*, 1901, p. 181-228, 285-334 et 1902, p. 102-111.

— DEPREZ (E.), *Les Volontaires nationaux (1791-1793). Etude sur la formation et l'organisation des bataillons...*, Paris, R. Chapelot, 1908, 525 p.

— DULAC (Lt-Cl), *Les levées départementales dans l'Allier sous la Révolution (1791-1796)*, Paris, Plon-Nourrit, 1911, 2 t., XXV-383 p. et 519 p.

— DUMONT (Gl.), « Les levées révolutionnaires et les bataillons de Volontaires nationaux du département de la Creuse », dans *Mémoires de la Société des sciences naturelles et archéologiques de la Creuse*, 1935, p. 492-566.

— DUMONT (CAPITAINE G.) (avec la collab. du lt G. LESTIEN), *Le Deuxième bataillon des volontaires nationaux de la Marne (Châlons, Sainte-Menehould), 1791-1794*, Châlons-sur-Marne, Imprimerie de l'Union Républicaine, 1909, 15 p.

— DUMONT (Cdt G.), *Bataillons de Volontaires nationaux (cadres et historiques)*, Paris-Limoges, Charles-Lavauzelle, 1914, 465 p.

— FOLLIET, *La Révolution française. Les Volontaires de la Savoie, 1792-1799 (...). La légion allobroge et les bataillons du Mont-Blanc*, Paris, L. Baudoin, 1887, 383 p.

— FOUCART (P.) et FINOT (J.), *La défense nationale dans le Nord de 1792 à 1802*, Lille, Lefebvre-Ducrocq, 1890, 2 vol.

— GRILLE (F.), *Lettres, Mémoires et documents publiés avec des notes sur la formation, le personnel, l'esprit du 1ᵉʳ bataillon des Volontaires de Maine-et-Loire et sur sa marche à travers les crises de la Révolution française*, Paris, Amyot, 1850, 4 vol., 364, 396, 377 et 468 p.

— JEANSON (Cdt), « A propos de la mort de M. de Beaurepaire... et des honneurs publics rendus à Angers à sa mémoire en octobre 1792 », dans *Revue de l'Anjou*, 1909, p. 117-134.

— JEANSON (Cdt), *Contribution à l'Histoire Militaire de 1792 dans l'Est et le Nord de la France*, Angers, Germain et G. Grassin, 1909, 14 p. (tiré à part de la *Revue de l'Anjou*).

— JOUHAUD (L.), « Les deux premiers bataillons de volontaires de la Haute-

Vienne», dans *Limoges à travers les siècles*, Limoges, Société des journaux et publications du Centre, 1946, p. 97-102.

— JOUON (LIEUT. M.), *Historique sommaire des Bataillons de Volontaires nationaux fournis par le département de Maine-et-Loire (1791-1793)*, Angers, Germain et G. Grassin, 1909, 11 p. (tiré à part de la *Revue de l'Anjou*).

— LACHOUQUE (C.), *Aux armes citoyens ! Les soldats de la Révolution*, Paris, Lib. ac. Perrin, 1969, 585 p.

— LEGRAND (R.), *Aspects de la Révolution en Picardie. Le recrutement des armées et les désertions (1791-1815)*, Abbeville, Lafosse, 1957, 63 p.

— LEVERRIER (J.), *La naissance de l'armée nationale, 1789-1794*, Paris, éditions sociales internationales, 1939, 199 p.

— LEVY (J.-M.), *La formation de la première armée de la Révolution française. L'effort militaire et les levées d'hommes dans le département de l'Ain en 1791*, thèse 3ᵉ cycle, Paris, 1971, XXI-376 p. dact.

— LEVY (J.-M.), « La formation de la première armée de la Révolution française... », dans *Annuaire de l'Ecole Pratique des Hautes Etudes*, 4ᵉ section, 1971-1972, p. 829-835 (même article : *l'Information historique*, 1973, n° 2, p. 68-74).

— LEVY (J.-M.), « La levée du 2ᵉ bataillon de volontaires de l'Ain (2 décembre 1791)», dans *A.H.R.F.*, oct.-déc. 1973, p. 539-552.

— LIGOU (D.), « Les cadres des bataillons de volontaires du département du Lot», dans *Actes du 79ᵉ Congrès des Soc. Sav., Alger, 1954*, Paris, Imp. Nat., 1954, p. 103-125.

— MEGE (F.), « Les bataillons de Volontaires (1791-1793)», dans *Chroniques et récits de la Révolution dans la ci-devant Basse-Auvergne...*, Paris, A. Claudin, 1880, p. 290-490.

— MERAT (Lt P.), *Verdun en 1792. Episode historique et militaire des guerres de la Révolution française*, Paris, J. Corréard, 1849, 233 p.

— MONNET (R.), *Avec les volontaires du 1ᵉʳ bataillon de la Haute-Saône, dit bataillon de Gray, 1791-1815*, Gray, Presses de Gray, 1974, XXIII-238 p.

— MOUILLARD (B.), *Le recrutement de l'armée révolutionnaire dans le Puy-de-Dôme, 1791-an VIII*, Clermont-Ferrand, Imp. mod., 1926, 112 p.

— PETITFRÈRE (Cl.), *Le Général Dupuy et sa Correspondance (1792-1798)*, Paris, Soc. des Etudes Robespierristes, 1962, 228 p.

— DE PÉTIGNY (X.), *Un bataillon de volontaires (3ᵉ bataillon de Maine-et-Loire, (1792-1796)*, Angers, Germain et G. Grassin, 1908, 459 p.

— DE PÉTIGNY (X.), *Beaurepaire et le premier bataillon des Volontaires de Maine-et-Loire à Verdun (juin-septembre 1792)*, Angers, Grassin, 1911, 194 p.

— PIONNIER (E.), *Essai sur l'histoire de la Révolution à Verdun (1789-1795)*, Nancy, Crépin-Leblond, 1905, 565-CXXXVIII p.

— POULET (H.), *Les volontaires de la Meurthe aux Armées de la Révolution (levée de 1791)*, Paris, Nancy, Berger-Levrault, 1910, 373 p.

— ROUSSEAU (X.), « Les bataillons de volontaires de l'Orne», dans *Le Pays d'Argentan*, 1969, n° 153, p. 11-16.

— ROUSSET (C.), *Les volontaires, 1791-1794*, Paris, Didier, 1870, IV-403 p.

— SAINCTELETTE (M.), *Un épisode de la Révolution. La mort de Beaurepaire Commandant de la Place de Verdun en 1792, étude critique sur un ouvrage récent*, (la thèse de Pionnier), Paris, J. Nersch, 1908, 45 p.

— DE SEILHAC (V.), *Les bataillons de Volontaires de la Corrèze, 1791-1796 (...)*, Tulle, Grauffon, 1882, 323 p.

— VALSCHADE (H.), *Les volontaires de l'Ardèche 1792-1793*, Paris, Emile Lechevalier, 1896, 314 p.

— VIDALENC (J.), «Les volontaires nationaux dans le département de l'Eure (1791-1793)», dans *A.H.R.F.*, avril-juin 1949, p. 116-133.

— VIDALENC (J.), «Le premier bataillon de volontaires nationaux du département de la Manche», dans *Cahiers Léopold Delisle*, 1966, fasc. 1-2, p. 31-42.

D. Histoire sociale (ouvrages relatifs à une autre période que la Révolution et à une autre région que l'Anjou et les provinces voisines).

— BOURGEOIS-PICHAT (J.), «Evolution générale de la population française depuis le XVIIIᵉ siècle», dans *Population*, oct.-déc. 1951, p. 635-662 et avril-juin 1952 p. 319-329.

— CASTAN (Y.), *Honnêteté et relations sociales en Languedoc (1715-1780)*, Paris, Plon, 1974, 699 p.

— CORBIN (A.), *Archaïsme et modernité en Limousin au xixᵉ siècle, 1845-1880*, Paris, Marcel Rivière, 1975, 2 tomes, 1167 p.

— CORBIN (A.), «Pour une étude sociologique de la croissance de l'alphabétisation au xixᵉ siècle. L'instruction des conscrits du Cher et de l'Eure-et-Loir (1833-1883)», dans *Revue d'Hist. éc. et soc.*, 1975, nᵒ 1, p. 99-120.

— DAUMARD (A.), «Une source d'histoire sociale : l'enregistrement des mutations par décès. Le XIIᵉ arrondissement de Paris en 1820 et 1847», dans *Revue d'Hist. éc. et soc.*, 1957, p. 52-78.

— DAUMARD (A.), «Paris et les archives de l'Enregistrement», dans *Annales E.S.C.*, avril-juin 1958, p. 289-303.

— DAUMARD (A.) et FURET (F.), *Structures et relations sociales à Paris au milieu du XVIIIᵉ siècle, Cahier des Annales*, nᵒ 18, Paris, A. Colin, 1961, 98 p.

— DAUMARD (A.), «Structures sociales et classements socio-professionnels : l'apport des archives notariales aux XVIIIᵉ et XIXᵉ siècles», dans *Revue Historique*, janvier-mars 1962, p. 139-154.

— DAUMARD (A.), «L'impôt sur les successions et l'étude de la fortune privée des Français au XIXᵉ siècle (an VII-1914)», dans *Bul. de la section d'Hist. Mod. et Cont.* 1965, fasc. 6, p. 31-69.

— DAUMARD (A.), «La fortune mobilière en France selon les milieux sociaux (XIXᵉ-XXᵉ siècles)», dans *Revue d'Hist. éco. et soc.*, 1966, nᵒ 3, p. 364-392.

— DAUMARD (A.), (sous la dir. de), *Les fortunes françaises au xixᵉ siècle. Enquête sur la répartition et la composition des capitaux privés à Paris, Lyon, Bordeaux et Toulouse, d'après l'enregistrement des déclarations des successions*, Paris-La Haye, Mouton, 1973, 603 p.

— DESERT (G.), «L'enregistrement, source d'histoire sociale. Les revenus du propriétaire rentier du sol», dans *Actes du 90ᵉ congrès des soc. sav., Nice, 1965*, Paris, Imp. Nat., 1966, t. 1, p. 33-53.

— DUPEUX (G.), «L'étude de la mobilité sociale : quelques problèmes de méthode», dans *Conjoncture économique, structures sociales, Hommage à E. Labrousse*, Paris-La Haye, Mouton, 1974, p. 79-80.

— FLEURY (M.) et VALMARY (P.), «Les Progrès de l'Instruction Elémentaire de

Louis XIV à Napoléon III, d'après l'enquête de Louis Maggiolo (1877-1879) »,
dans *Population*, 1957, n° 1, p. 71-92.

— Furet (F.) et Sachs (W.), « La croissance de l'alphabétisation en France,
xviiie-xixe siècles », dans *Annales E.S.C.*, mai-juin 1974, p. 714-737.

— Ganiage (J.), *Trois villages d'Ile-de-France au xviiie siècle, étude démographique*,
Paris, P.U.F., 1963, 147 p.

— Goubert (P.), *L'Ancien Régime*, t. I, *La Société*, Paris, A. Colin, 1969, 232 p.

— Goubert (P.), « Remarques sur le vocabulaire social de l'Ancien Régime », dans
Ordres et classes, colloque d'Hist. Soc. de Saint-Cloud 1967, Paris-La Haye,
Mouton, 1973, p. 135-140.

— Mousnier (R.), *Les hiérarchies sociales de 1450 à nos jours*, Paris, P.U.F., 1969,
196 p.

— Vovelle (M.), *Piété baroque et déchristianisation en Provence au xviiie siècle...*,
Paris, Plon, 1973, 697 p.

— Vovelle (M.), « Y a-t-il eu une révolution culturelle au xviiie siècle ? A propos de
l'éducation populaire en Provence », dans *Revue d'Hist. Mod. et Cont.*,
janvier-mars 1975, p. 89-141.

E. Histoire des Pays de l'Ouest (sauf les ouvrages relatifs à l'histoire militaire).

— Bellugou (H.), *La gabelle dans le Bas-Anjou d'après les cahiers de doléances de
1789*, Angers, Siraudeau, 1953, 31 p.

— Billard (G.), *Recherche sur les structures et les relations sociales à Angers de 1785
à 1789 d'après les contrats de mariage*, Mémoire de maîtrise, Poitiers, 1970, 99 p.
dact.

— Blanvillain (B.), « La Gabelle en Anjou au xviiie siècle », dans *Savoir*, 1976,
n° 1, p. 3-6 et n° 2, p. 11-14.

— Blayo (Y.) et Henry (L.), « Données démographiques sur la Bretagne et l'Anjou
de 1740 à 1829 », dans *Annales de démographie historique*, 1967, p. 92-171.

— Blordier-Langlois, *Angers et le département de Maine-et-Loire de 1787 à 1830*,
Angers, V. Pavie, 1837, 2 t., 448, 407 p.

— Bodin (J.-Fr.), *Recherches historiques sur la ville de Saumur...*, Saumur, Degouy
aîné, 1812-1814, 2 vol. 445, VIII-512 p.

— Bodinier (G.), *Les élections et les représentants de Maine-et-Loire depuis 1789*,
Angers, Germain et G. Grassin, 1888, 261 p.

— Bois (B.), *La vie scolaire et les créations intellectuelles en Anjou pendant la
Révolution (1789-1799)*, Paris, F. Alcan, 1929, 611 p.

— Boquel (A.), *La faculté de Médecine de l'Université d'Angers, 1433-1792. Son
évolution au cours des xviie et xviiie siècles*, Angers, Ed. de l'Ouest, 1951, 235 p.

— Bougler (E.), *Mouvement provincial en 1789. Biographie des députés de l'Anjou
depuis l'Assemblée Constituante jusqu'en 1815*, Paris, Didier, 1865, 2 vol., 534 et
538 p. (s'arrête en réalité au 18 fructidor).

— Bouloiseau (M.), « Vœux et griefs saumurois lors des élections aux États-
Généraux de 1789 », dans *Actes du 87e Congrès des Soc. sav., Poitiers, 1962*, Paris,
Imp. Nat., 1963, p. 169-192.

— Caron (P.), « Un témoignage sur les événements de juillet 1789 (Lettres de Mme de
Lostanges) », dans *Revue Historique*, mai-août 1914, p. 294-313.

— Chabasseur (A.), *Aspects des structures socio-professionnelles de la population* *d'Angers au xviiie siècle, 1715-1788*, D.E.S., 1963, 128 p. + X p. + 50 p. de tableaux dact.

— CHASSAGNE (S.), *Une page d'histoire économique locale. La Manufacture de toiles peintes de Tournemine à Angers 1752-1785*, D.E.S., Rennes, 1963, 2 vol., 280 et 153 p. dact.

— CHASSAGNE (S.), «Le contrôle des actes, source globale de l'activité et des structures socio-économiques d'une cité au xviiie siècle : l'exemple d'Angers», dans *Bul. du centre d'Hist. éc. et soc. de la région lyonnaise*, 1975, n° 4, p. 1-37.

— CHASSAGNE (S.), «Comment pouvait-on être juge consul? (à Angers au xviiie siècle)», dans *Annales de Bretagne*, juin-sept. 1969, p. 407-431.

— CHASSAGNE (S.), «Faillis en Anjou au xviiie siècle. Contribution à l'histoire économique d'une province», dans *Annales E.S.C.*, mars-avril 1970, p. 477-497.

— CHASSAGNE (S.), *La manufacture de toiles imprimées de Tournemine-lès-Angers (1752-1820). Etude d'une entreprise et d'une industrie au xviiie siècle*, Guingamp, Auger et Cie, 1971, 383 p.

— CHASSAGNE (S.), «Du nouveau sur un atelier de toiles peintes à la réserve à Angers (1763-1807), contemporain de la manufacture de Tournemine», dans *Annales de Bretagne et des Pays de l'Ouest*, 1976, n° 1, p. 167-185.

— CHEREAU (Cl.), *Huillé, une paroisse rurale angevine de 1600 à 1836*, thèse de 3e cycle, Paris, 1970, 2 t., 558 p. dact.

— COLASSEAU (D.), *Histoire de Baugé, t. I, La Préhistoire — Les Temps anciens*, Baugé, E. Cingla, 1942, 401 p., t. II, *Baugé sous la Révolution*, Baugé, E. Cingla, 1961, 263 p.

— DAUPHIN (V.), *Une ancienne corporation d'Angers. Les fabricants de bas au métier*, Paris, M. Rivière, 1932, 6 p.

— DELUMEAU (J.), (sous la dir. de), *Histoire de la Bretagne*, Toulouse, Privat, 1969, 542 p. (L'époque moderne est traitée par Jean Meyer).

— DELUMEAU (J.) (sous la dir. de), *Documents de l'histoire de la Bretagne*, Toulouse, Privat, 1971, 402 p. (ch. IX «La Bretagne et la Révolution», p. 293-314, par Jean MEYER).

— DESMÉ DE CHAVIGNY (O.), *Histoire de Saumur pendant la Révolution*, Vannes, Lafolye, 1892, 356 p. (tiré à part de la *Revue Historique de l'Ouest*).

— DION (R.), *Le Val de Loire, étude de géographie régionale*, Tours, Arrault, 1934, 752 p.

— DORNIC (Fr.), *Histoire de l'Anjou*, Paris, P.U.F., 1961, 128 p.

— DUMAS (F.), *La généralité de Tours au xviiie siècle. Administration de l'Intendant du Cluzel (1766-1783)*, Paris, Hachette, 1894, XIV-437 p.

— ETIENNE (Cl.), *La population d'Angers en 1769-1770*, D.E.S., Rennes, 1967, 110 p. dact.

— GELLUSSEAU (A-A.), *Histoire de Cholet et de son industrie*, Angers, Cosnier et Lachèse, 1862, 2 t., 328 et 533 p.

— JEANNEAU (J.), *La banlieue d'Angers, étude de géographie historique et urbaine*, thèse de 3e cycle, Angers, Simadess, 1972, 340 p.

— LA ROQUE (L. DE) et BARTHÉLÉMY (E. DE), *Catalogue des gentilhommes d'Anjou et pays saumurois qui ont pris part ou envoyé leur procuration aux assemblées de la noblesse pour l'élection des députés aux Etats-Généraux de 1789*, Paris, E. Dentu, et Auguste Aubry, 1864, 32 p.

— LEBRUN (Fr.), «Une source de l'histoire sociale : la presse provinciale à la fin de l'Ancien Régime. Les "Affiches d'Angers", 1773-1789 », dans *Le Mouvement Social*, juillet-septembre 1962, p. 56-73.

— LEBRUN (Fr.), « Les soulèvements populaires à Angers aux xviie et xviiie siècles », dans *Actes du 90e Congrès des Soc. sav., Nice, 1965*, Paris, Imp. Nat., 1966, t. I, p. 119-140.

— LEBRUN (Fr.), « Mobilité de la population en Anjou au xviiie siècle », dans *Annales de démographie historique*, 1970, p. 223-226.

— LEBRUN (Fr.), « Les intendants de Tours et d'Orléans aux xviie et xviiie siècles », dans *A.B.P.O.*, juin 1971, p. 287-305.

— LEBRUN (Fr.), *Les hommes et la mort en Anjou aux 17e et 18e siècles. Essai de démographie et de psychologie historique*, Paris, La Haye, Mouton, 1971, 562 p.

— LEBRUN (Fr.), (sous la dir. de) *Histoire des Pays de la Loire*, Toulouse, Privat 1972, 462 p. (« Les xviie et xviiie siècles », par F. LEBRUN, « La Révolution et la Contre-Révolution », par Paul BOIS).

— LEBRUN (Fr.), « Angers sous l'Ancien Régime : introduction à l'étude démographique de la population », dans *Annales de Bretagne et des Pays de l'Ouest*, no 1, p. 151-166.

— LEBRUN (FR.), MALLET (J.), CHASSAGNE (S.), *Histoire d'Angers*, Toulouse, Privat, 1975, 340 p.

— LE CALONNEC (J.-F.), *Etude sur le régime des biens entre époux dans la coutume d'Anjou, (1508-1789)*, Angers, Imp. de l'Anjou, 1963, 244 p.

— LE MOY (A.), *Cahiers de doléances des corporations de la ville d'Angers et des paroisses de la sénéchaussée particulière d'Angers*, Angers, A. Burdin, 1915, 2 vol. 418 et 843 p.

— LENS (L. DE), *Facultés, collèges et professeurs de l'Université d'Angers du quinzième siècle à la Révolution française*, Angers, Barassé, 1876, 288 p.

— LEVEEL (P.), *Histoire de la Touraine*, Paris, P.U.F., 1967, 128 p.

— LEVRON (J.), *Petite Histoire de l'Anjou*, Paris-Grenoble, B. Arthaud, 1946, 127 p.

— MAILLARD (B.), *Recherches sur la population de la Touraine au xviiie siècle*, thèse de 3e cycle, Univ. Paris I, 1974, 2 vol. 348 p.-120 p. dact.

— MAILLARD (J.), *L'Oratoire à Angers aux xviie et xviiie siècles*, Paris, Klincksieck, 1975, 250 p.

— MAILLARD (J.), *Angers des lendemains de la Fronde à la veille de la Révolution. Le pouvoir dans une ville française à l'époque moderne*, thèse de doctorat d'Etat, Paris, 1983, 4 vol., 1176 p.

— MANNERS (J.-M.), *French Ecclesiastical Society under the Ancien Regime. A study of Angers in the Eighteenth Century*, Manchester University Press, 1961, XI-416 p.

— MEYER (J.), *La Noblesse bretonne au xviiie siècle*, Paris, SEVPEN, 1966, 2 vol. 590 et 702 p.

— MEYER (J.), « Alphabétisation, lecture et écriture, essai sur l'instruction populaire en Bretagne du xvie siècle au xixe siècle », dans *Actes du 95e Congrès nat. des Soc. sav., Reims, 1970*, Paris, Bibl. nat., 1974, p. 333-353.

— MEYNIER (A.), *Un représentant de la bourgeoisie angevine à l'Assemblée Constituante et à la Convention Nationale : L.M. La Revellière-Lépeaux (1753-1795)*, Angers, Germain et G. Grassin, 1905, 543 p.

— PETIT (J.), *La justice révolutionnaire en Maine-et-Loire sous la Convention (21 septembre 1792-27 juillet 1794)*, thèse de doctorat en Droit, Poitiers, 1966, 471 p. dact.

— Plessix (R.), *Etude de Mouliherne, paroisse angevine au xviif siècle,* D.E.S. Rennes, 1966, 237 p. dact.

— Plessix (R.), « Une paroisse angevine au xviii⁰ siècle, Mouliherne », dans *Revue du Bas-Poitou,* 1969, p. 52-68.

— Poperen (M.), *Un siècle de luttes au pays de l'ardoise,* Angers, Imp. coop. angevine, 1973, 159 p.

— Quéruau-Lamerie (E.), « Notice sur les journaux d'Angers pendant la Révolution (1789-1800) », dans *Revue de l'Anjou,* 1892, p. 135-156 et 298-322.

— Quéruau-Lamerie (E.), *Le clergé du département de Maine-et-Loire pendant la Révolution,* Angers, Germain et G. Grassin, 1899, 276 p.

— Saillot (J.), *Dictionnaire des rues d'Angers. Histoire et anecdotes,* Angers, Philippe Petit, 1975, 2 vol., L-397 et 367 p.

— Siegfried (A.), *Tableau politique de la France de l'Ouest sous la troisième République,* Paris, A. Colin, 1913, XXVIII-536 p.

— Soland (A. de), « Les Ardoisières d'Angers. Révolte des Perrayeurs », dans *Bul. Hist. et monumental de l'Anjou,* 1859-1860, p. 65-78 et 97-119.

— Urseau (Abbé Ch.), *L'instruction primaire avant 1789 dans le diocèse d'Angers,* Paris, Alphonse Picard, 1893, 344 p.

— Uzureau (Fr.), « Troubles du 1ᵉʳ mai 1790 à Saumur », dans *L'Anjou Historique,* 1901, p. 312-314.

— Uzureau (Fr.), « Les Administrateurs du département de Maine-et-Loire (1790-1793) », dans *L'Anjou Historique,* 1902, p. 547-552.

— Uzureau (Fr.), « Les fêtes civiques à Angers pendant la Révolution », dans *L'Anjou Historique,* 1903-1904, p. 372-396.

— Uzureau (Fr.), « Les noms de rue à Angers pendant la Révolution », dans *Andegaviana,* 1904, p. 516-519 et 1917, p. 369-377.

— Uzureau (Fr.), « Les élections des administrateurs du district de Cholet (juin 1790) », dans *Bul. Soc. Sc. Let. et Bx-Arts de Cholet,* 1912, p. 173-190.

— Uzureau (Fr.), « La suppression de la gabelle en Anjou (1789) », dans *Mémoires de la Soc. d'Agriculture, Sc. et Arts d'Angers,* 1913, p. 9-29.

— Uzureau (Fr.), « Arrestation des fédéralistes angevins », dans *La Révolution française,* 1914, p. 230-246 (même article dans *L'Anjou Historique,* juillet 1930, p. 163-176).

— Uzureau (Fr.), « Les derniers jours de l'ancienne Université d'Angers (1790-1793) », dans *Andegaviana,* 1914, p. 510-535.

— Uzureau (Fr.), « L'Insurrection des "Perrayeurs" à Angers (1790) », dans *Andegaviana,* 1928, p. 315-340.

— Wagret (P.), Boussard (J.), Levron (J.), Maillard-Bourdillon (S.), *Visages de l'Anjou,* Paris, Horizons de France, 1951, 176 p.

— Wylie (L.), *Chanzeaux, village d'Anjou,* trad. fr., Paris, N.R.F., Gallimard, 1970, 494 p.

INTRODUCTION

Lorsqu'il y a près de vingt ans, nous élaborions la problématique de ce qui allait devenir une thèse d'Etat sur les « Blancs » et les « Bleus » d'Anjou, nous envisagions notre recherche sous l'angle d'une histoire du militantisme anti et pro-révolutionnaire. Des militants « patriotes » au pays de Bonchamps et de Cathelineau ? Voilà qui semble une plaisanterie. L'historiographie conservatrice ne nous a-t-elle pas habitués à considérer l'Anjou comme une « terre sainte » tout uniment dressée en 1793 contre la République ? (1). Les « Blancs », on les rencontre partout, aujourd'hui encore. Stèles, tombeaux, chapelles, plaques commémoratives forcent ici et là le souvenir du promeneur (2). Au contraire bien peu de monuments proclament en Anjou la gloire de la Révolution. Encore le principal d'entre eux, la colonne de la Roche de Mûrs, ne rappelle-t-il point le sacrifice des « patriotes » locaux, mais celui de 600 volontaires parisiens culbutés dans le Louet par leurs farouches adversaires...

Dans les Archives aussi, les soldats de l'Armée Catholique et Royale sont faciles à retrouver. Les quelque 5 500 dossiers que les vétérans de la « Grande Guerre » ont adressés aux Bourbons restaurés, ont constitué une base commode pour notre étude de la sociologie des compagnies vendéennes d'Anjou (3). Rien de semblable pour les « Bleus ». En ce qui les concerne, il faut élaborer de toute pièce un « corpus » d'importance comparable à celui de leurs ennemis et aussi révélateur de leur engagement politique. La première difficulté est d'identifier les partisans du nouveau régime. Le personnel administratif, celui des assemblées départementales, de districts ou de communes, ne saurait convenir. Il se compose d'une élite restreinte et ne présente pas d'unité idéologique. Parmi les municipalités des Mauges, beaucoup étaient rien moins que révolutionnaires. La preuve en est que la plupart des comités royalistes mis en place par les « rebelles » en 1793 dans les

---

(1) Cf. notre étude de l'historiographie contre-révolutionnaire dans *Les Vendéens d'Anjou*, Paris, 1981, p. 50-59.

(2) Cl. PETITFRÈRE, « Fête et commémoration en "Vendée militaire" (1814-1914) », dans *Etudes rurales*, avril-juin 1982, p. 19-32.
Même article dans *A.H.R.F.*, 1982, p. 476-490.

(3) Cl. PETITFRÈRE, *Les Vendéens d'Anjou, op. cit.*, p. 68-83.

paroisses rurales ont repris les anciens «municipaux». Le recours au personnel militaire nous a semblé plus pertinent. Les soldats-citoyens, ceux de la garde nationale et de l'armée, sont nombreux. L'échantillon qu'ils constituent est donc susceptible d'un traitement sériel. La question reste de savoir s'ils sont représentatifs de la famille politique que nous recherchons. En d'autres termes, l'enrôlement sous le drapeau tricolore est-il un gage de «patriotisme», la Révolution et son armée forment-elles bien un bloc selon le mot de Georges Lefebvre (4). Evoquant la levée de 1791, Marcel Reinhard affirmait :

> «La réponse à cet appel est extrêmement instructive, non seulement elle montre les résultats sur le plan militaire mais elle fournit une documentation localisée sur le degré de patriotisme des populations, elle précise la géographie politique de la France (...)» (5)

C'est la même idée que Charles Tilly applique à notre département :

> «L'enthousiasme des enrôlements, écrit-il, doit avoir quelque rapport avec le développement d'un patriotisme agissant, et la réponse à la conscription devrait permettre de jauger la fidélité des nouveaux citoyens» (6).

Par précaution, nous éliminerons de notre échantillon les gens de la Ligne. Les cadres en sont issus, en grand nombre, des armées de l'Ancien Régime et la masse des soldats a pu continuer à s'engager, comme dans le passé pour des motifs personnels plus que par esprit «patriotique» (7). Qu'en est-il par contre pour les armées nouvelles, celles qui ont été créées précisément pour défendre la Révolution contre les ennemis du dedans, les gardes nationales, et contre les opposants des frontières, les bataillons de volontaires nationaux ?

A. — LES GARDES NATIONALES

La garde nationale est la première institution militaire nouvelle de la Révolution. Elle s'est propagée dans toute la France durant l'été 1789, à

---

(4) G. LEFEBVRE, «La Révolution française et son armée», dans *A.H.R.F.*, 1969, p. 576-582.

(5) M. REINHARD, *Le 10 août 1792. La chute de la Royauté,* Paris, 1969, p. 162.
Dans son article «Observation sur le rôle révolutionnaire de l'armée dans la Révolution française» (*A.H.R.F.*, 1962, p. 169-181), Marcel REINHARD soulignait l'intérêt d'une analyse sociologique et d'une étude du «mental collectif» des gardes nationaux et des volontaires de 1791 et 1792. Dix ans plus tard, il appréciait les résultats obtenus, dans «Recherches et perspectives sur l'armée dans la Révolution française», numéro spécial des *A.H.R.F*, consacré à *l'Armée dans la Révolution française, 1972,* p. 489-492.

(6) Ch.TILLY, *La Vendée,* Paris, 1970, p. 193.

(7) Les recherches récentes ont cependant montré que les différences entre «culs-blancs» et volontaires sont moins grandes qu'on ne le pensait. C'est ainsi que les structures sociales des deux populations ne sont pas très éloignées (cf. S.-F. SCOTT, «Les soldats de l'armée de ligne en 1793», dans *A.H.R.F.*, 1972, p. 493-512 et J.-P. BERTAUD, «Notes sur le premier amalgame (février 1793 — janvier 1794)», dans *R.H.M.C,* 1973, p. 72-83. Voir aussi *infra,* chap. II, p. 149).

l'époque des « peurs », pour défendre les libertés acquises de fraîche date et déjà menacées par le « complot aristocratique ». Il semble donc que les gardes nationaux devaient être, par définition même, les défenseurs du régime. En réalité nous savons bien que les contre-révolutionnaires ont utilisé parfois le cadre de cette institution pour couvrir du manteau de la légalité la création de forces armées hostiles à la Révolution. L'affaire du camp de Jalès le prouverait s'il en était besoin (8).

Dans l'Ouest toutefois, l'équation existe entre gardes nationaux, « patriotes », et, après le 10 août, républicains. Il ne fait guère de doute que les gardes nationaux y furent dans leur grande majorité de farouches défenseurs du nouveau régime. Il reste à établir s'ils le furent à toutes les époques et s'ils représentaient bien l'éventail social complet des « patriotes ». Il faut distinguer trois périodes (9). Antérieurement à la loi du 18 juin 1790, les règlements de la garde nationale étaient très variés. En tout cas ces milices étaient formées de volontaires et l'on pourrait penser qu'en faire partie était un brevet de patriotisme. C'est une idée à nuancer. D'une part, la notion de patriotisme évoluera largement de 89 à 93 et tel qui passe pour révolutionnaire au début de la Constituante sera taxé d'aristocratie à l'époque de la guerre de Vendée et même bien avant. D'autre part, certaines milices, parmi les premières qui s'organisèrent spontanément au cours de l'été 89, ne furent que des groupes d'auto-défense des possédants contre une éventuelle menace sur leurs biens, quelle que fût l'origine de celle-ci. Dans le Maine-et-Loire il arrive assez fréquemment que l'on se rassemble autour des seigneurs. De Domaigné, le futur chef vendéen, ne fut-il pas commandant en chef de la milice de Joué-Etiau, ou le marquis d'Andigné placé à la tête de celle de Segré (10) ? La deuxième époque débute avec la loi du 18 juin 1790 qui fit obligation aux citoyens actifs, et à eux seuls, de s'inscrire au rôle de la garde nationale. En théorie, puisqu'il n'y a plus de volontariat, l'inscription dans la garde n'est plus une preuve d'engagement politique. En réalité, bon nombre de citoyens actifs négligèrent ou refusèrent de se faire enrôler et il peut être intéressant de savoir si ces réfractaires se sont recrutés dans les mêmes classes de la société que ceux qui firent porter leurs noms sur les listes. La loi du 14 octobre 1791 marque le début d'une troisième période. Les gardes nationales furent réorganisées dans le cadre cantonal et étendues à l'ensemble du territoire et même de la population. Certes le recrutement demeure, en principe, censitaire puisque restreint aux seuls actifs, mais après la chute du trône, les compagnies furent envahies par les citoyens passifs (11).

L'étude du personnel des gardes nationales angevines est possible pour les deux dernières époques et dans trois villes : Angers, Saumur et Baugé. Pour la première période, nous ne disposons, à notre connaissance, d'aucune

---

(8) J. GODECHOT, *La Contre-Révolution*, Paris, 1961, p. 249-250.

(9) Sur l'organisation des gardes nationales, voir J. GODECHOT, *Les Institutions de la France, sous la Révolution et l'Empire*, Paris, édition de 1968, p. 125-130.

(10) Archives municipales Angers EE 8, et *Affiches d'Angers* nº 6, du mardi 19 janvier 1790.

(11) A. SOBOUL, *Les Soldats de l'An II*, Paris, éd. de 1970, p. 48.

liste de gardes nationaux utilisable pour une étude sociale (12). Cependant les registres de délibération des municipalités d'Angers et de Saumur, ainsi que ceux des Comités Permanents qui les doublèrent ou les remplacèrent permettent de retracer la naissance de la milice nationale, celle des corps d'élite qui vinrent la renforcer, notamment les «volontaires nationaux», véritable pépinière de révolutionnaires, et de caractériser leur action au plan politique, économique et social. La plupart des documents sont conservés aux Archives municipales d'Angers (sous les cotes BB 134, EE 6, EE 7, EE 8 et EE 9) et de Saumur (registres BB 12 et 13 et EE 2). Il ne faut pas négliger, non plus, les journaux et notamment le plus important d'entre eux, *les Affiches d'Angers* (13). Pour les deux dernières périodes, nous disposons des registres d'inscription dans les gardes nationales d'Angers (deux livres sont déposés aux Archives municipales, sous la cote H 3-61, l'un contenant les engagements du 10 septembre 1790 au 28 mars 1792, le second ceux de l'année 1792) et de Saumur (les Archives municipales conservent sous la cote H III 95 (2) le «Tableau des citoyens actifs de la ville de Saumur inscrits aux registres des Gardes Nationales», réalisé au printemps 1791, et la «copie du registre pour l'inscription des citoyens d'après laqu'elle (sic) l'organisation de la garde nationale a été faite en 1792»). Il existe enfin un registre similaire déposé aux Archives municipales de Baugé sous la cote I K I, réalisé en exécution de la loi du 18 juin. Ces documents permettent de comparer la structure socio-professionnelle des gardes nationales urbaines à celle de l'ensemble des citoyens actifs, soit parce qu'ils contiennent en eux-mêmes les deux éléments de la comparaison (pour Saumur et Baugé), soit par référence à une liste de citoyens actifs, comme celle que l'imprimeur Mame a établie pour la ville d'Angers en janvier 1790 (Bibliothèque municipale H 2033). On peut aussi rapprocher la pyramide sociale tirée des gardes nationales de celle de la totalité de la population masculine des villes d'Angers et de Saumur grâce, pour la première, au recensement de 1769 (conservé sans cote, parmi les archives communales) et, pour la seconde, à celui de février 1790 (Archives municipales F 1-36 (1)).

Il est beaucoup plus difficile d'étudier les gardes nationales des campagnes que celles des villes. Les listes nominatives de miliciens ruraux manquent cruellement dans nos archives. Par contre, il est possible, à l'instar de ce qu'a fait Roger Dupuy pour l'Ille-et-Vilaine (14), mais plus imparfaitement, de dresser deux cartes qui permettent de connaître la

---

(12) Il n'est évidemment pas impossible que des listes de gardes nationaux dorment dans quelques mairies du département. Notre étude n'a pas la prétention d'être exhaustive.

(13) L'intérêt de la presse angevine pour l'histoire de la période pré-révolutionnaire a été souligné par F. LEBRUN, «Une source de l'histoire sociale : la presse provinciale à la fin de l'Ancien Régime. Les "Affiches d'Angers" (1773-1789)», dans *Le Mouvement social*, juil.-sept. 1962, p. 56-73.

Pour l'époque révolutionnaire, une collection complète du journal est conservée par Monsieur Siraudeau, imprimeur à Angers, lointain successeur de Charles-Pierre Mame. Il a bien voulu nous la laisser consulter et, pour cela, nous lui exprimons ici notre gratitude.

(14) R. DUPUY, *La Garde Nationale et les débuts de la Révolution en Ille-et-Vilaine (1789-mars 1793)*, Paris, 1972, p. 113-136, 145, et 149.

géographie des milices et son évolution de 1789 à la veille du conflit vendéen. La première repose sur le dépouillement de la correspondance entre les paroisses villageoises et le Comité Permanent d'Angers (Archives municipales Angers EE 6 et EE 8), des archives des districts de Baugé et de Saumur (Archives départementales M-et-L 3 L 96 et 7 L 189) et des *Affiches d'Angers*, la seconde est tirée des documents concernant la réorganisation de la garde nationale conservés aux Archives départementales dans les dossiers I L 566$_{16}$ à 1 L 569 et 1 L 571, 1 L 572.

Au total l'étude des gardes nationaux ne satisfait pas pleinement notre ambition de constituer un échantillon représentatif des Angevins patriotes. En effet, le choix n'a pas été entièrement libre pour toutes les catégories sociales. Le service étant gratuit, il est par là même onéreux et « il ne peut être assuré que par des citoyens disposant de loisirs ou par des artisans ou commerçants dont les compagnons ou les commis gardent les boutiques » (15). Est-ce cela qui explique la sous-représentation des paysans dans la garde nationale ou bien leur réserve fut-elle la manifestation d'une antipathie politique ? Toujours est-il que la nouvelle milice fut la chose de la ville, ou, au mieux, du chef-lieu de canton, comme l'a montré Paul Bois (16).

L'idéal pour notre propos serait de disposer d'une source qui, tout en rassemblant un grand nombre d'hommes comme la garde nationale, échappe aux deux caractères de cette institution qui sont de nature à contrarier le volontariat et donc la libre expression du sentiment patriotique : l'obligation légale et la gratuité. La seconde création militaire de la Révolution, les bataillons de volontaires nationaux, paraît, a priori, répondre à ces exigences.

B. — LES VOLONTAIRES NATIONAUX

Le premier problème qui se pose à nous est d'établir si l'enrôlement dans les bataillons de volontaires a bien en Maine-et-Loire la valeur d'un témoignage politique. Etait-on libre de contracter ou non un engagement, et, le faisant, désirait-on seulement assurer pour un temps sa subsistance ou bien voulait-on par-dessus tout voler au secours de la Révolution en danger ?

Il convient de s'entendre dès l'abord sur le terme de « Volontaires ». Nous laisserons de côté, bien sûr, les soldats qui portent ce titre mais furent enrôlés à la suite du décret du 24 février 1793. Cette loi prévoyait en effet que, pour parvenir au contingent de 300 000 hommes, et dans le cas où les engagements de plein gré seraient en nombre insuffisant, on aurait recours à d'autres moyens, tirage au sort ou élection par exemple. Ce sont ces moyens-là qui furent employés dans l'Ouest, en Maine-et-Loire en particulier, sauf quelques exceptions, et ils furent à l'origine directe du soulèvement vendéen qui débuta aux cris de « Pas de tirement ! A bas la milice ! » (17). Nous ne nous intéresserons donc qu'aux volontaires engagés

---

(15) A. SOBOUL, *Les Soldats de l'An II, op. cit.,* p. 48.

(16) P. BOIS, *Paysans de l'Ouest*, Le Mans, 1960, 2e partie, ch. XIII, § 3, « La Révolution imposée par les citadins », p. 658-666.

(17) D'après le capitaine Jouon, la ville d'Angers aurait pourtant réussi à fournir encore 70

antérieurement à mars 1793, c'est-à-dire ceux des deux levées de 1791 et 1792. Encore faut-il se garder de les confondre totalement, le témoignage politique donné par les enrôlements n'étant pas exactement semblable pour l'une et l'autre de ces années.

Si aucun ouvrage n'a été écrit sur la garde nationale angevine, trois livres sont consacrés aux volontaires de Maine-et-Loire. Le plus ancien, celui de François Grille, est paru en 1850 et porte le titre de : *Lettres, Mémoires et documents publiés avec des notes sur la formation, le personnel, l'esprit du 1ᵉʳ bataillon des Volontaires de Maine-et-Loire et sur sa marche à travers les crises de la Révolution française* (18). Il offre l'avantage d'avoir été rédigé par un contemporain des événements qui a personnellement connu nombre de volontaires, mais l'auteur a souvent embelli ou arrangé l'histoire. Plus scientifiques sont les ouvrages de Xavier de Pétigny. L'un, *Beaurepaire et le premier bataillon des Volontaires du Maine-et-Loire à Verdun (juin-septembre 1792)* est consacré à l'énigme de la mort de Beaurepaire et ne s'intéresse guère aux soldats qu'il commandait (19). Par contre l'autre, intitulé *Un bataillon de volontaires (3ᵉ bataillon de Maine-et-Loire, 1792-1796)* est une monographie assez complète (20). Cependant, suivant l'esprit du temps, de Pétigny s'est intéressé aux chefs plus qu'aux hommes de troupe et il est loin d'avoir épuisé les possibilités qu'offrent, en vue d'une étude statistique, les nombreux documents conservés aux Archives du Maine-et-Loire.

1. — Les volontaires de la première levée

Jacques Godechot écrit dans son ouvrage sur les *Institutions de la France révolutionnaire et impériale* : « Les volontaires de 1791 furent incontestablement les plus authentiques des volontaires levés pendant la Révolution, aucune contrainte ne fut exercée sur la garde nationale pour obtenir des engagements » (21). Il ne se trouve guère d'historiens pour contester cette affirmation. En ce qui concerne le Maine-et-Loire, Xavier de Pétigny considère que le premier bataillon levé au cours de l'été 91, « était une troupe d'élite, "un bataillon doré", où se retrouvaient, dans une intime camaraderie, une majorité d'étudiants et de jeunes gens de la bourgeoisie angevine, véritablement engagés de leur plein gré » ... (22). De son côté, le capitaine Jouon affirme que l'enthousiasme patriotique qui s'était manifesté en Anjou dès 89 atteignit son apogée au moment de la levée des volontaires de 1791 (23).

Tous les documents que nous avons consultés sur le recrutement (liasse 1

authentiques volontaires sur un contingent de 240 hommes (Arch. G. Xw 59, M. JOUON, *Etude générale sur le recrutement des armées de la révolution dans le département de Maine-et-Loire ...,* manuscrit, Angers, 1910, f° 55, recto).

(18) F. GRILLE, *Lettres...,* Paris, 1850, 4 tomes.
(19) X. DE PETIGNY, *Beaurepaire...,* Angers, 1911, 194 p.
(20) X. DE PETIGNY, *Un bataillon de volontaires...,* Angers, 1908, 459 p.
(21) J. GODECHOT, *Les Institutions..., op. cit.,* p. 137.
(22) X. DE PETIGNY, *Beaurepaire..., op. cit.,* p. 2.
Une opinion semblable est exprimée par F. GRILLE, *Lettres..., op. cit.,* tome I, p. 159.
(23) M. JOUON, *op. cit.,* f° 13 verso, et 14 recto.

L 581 des Archives du Maine-et-Loire) confirment la facilité avec laquelle le premier bataillon fut mis sur pied. Bien sûr, il y eut des différences considérables entre les districts : les hommes des Mauges montrèrent déjà une grande répugnance à répondre à l'appel patriotique tandis que les jeunes gens des districts de Baugé, Saumur et Angers accoururent en foule. Mais si l'on considère le département dans son ensemble, on peut dire que l'engouement fut grand et l'on ne saurait nier de bonne foi que les Angevins engagés en 1791 furent des volontaires authentiques. Mais volontaires pour quelle cause : était-ce bien la nécessité de défendre la patrie ou la Révolution, ce qui revenait au même, qui incitait ces hommes à inscrire leur nom sur les registres ? Albert Soboul admet qu'il y eut, outre ce but principal, des raisons annexes. « Sans doute les volontaires de 1791 furent soulevés par l'enthousiasme de la liberté. Mais comment ne pas tenir compte des raisons d'intérêt dans le succès de la première levée » (24). De fait, la solde était supérieure à celle de la Ligne, l'engagement restreint à la durée d'une campagne et l'on avait l'espoir d'une discipline paternelle et d'un avancement rapide. Cela peut expliquer, il faut en convenir, que l'on ait préféré les bataillons de volontaires aux régiments traditionnels, mais ne saurait justifier un enthousiasme aussi massif (plus de 1 300 hommes s'offrirent quand on en demandait 574), surtout de la part d'individus dont beaucoup occupaient des situations enviables et ne pouvaient être attirés par la solde, si élevée fût-elle. Mais justement, une seconde critique vient à l'esprit. Les volontaires de 1791 n'étaient-ils pas représentatifs seulement d'une élite ? Rappelons-nous le « bataillon doré »... Ces hommes étaient, en principe, issus de la garde nationale. Ils devaient être, par conséquent, des citoyens actifs, ce qui élimine les plus pauvres. De plus, l'obligation de pourvoir soi-même à son habillement et à son équipement aboutissait à une sélection par l'argent. Cette critique serait surtout pertinente si nous ne connaissions que les volontaires effectivement enrôlés, mais nous avons le bonheur de disposer des registres d'engagements qui permettent de recenser tous les hommes qui se proposèrent, que leur candidature ait été acceptée ou refusée par les administrateurs du Département.

Les Archives du Maine-et-Loire possèdent, sous la cote 1 L 582, un contrôle du premier bataillon qui, bien que réalisé au début de 1792, concerne les hommes présents au corps le 26 septembre 1791, jour de la réception de la troupe par l'adjudant-général Vannoise et que l'on peut considérer comme la date de naissance officielle de l'unité. Le contrôle est malheureusement insuffisant pour une étude sociale car, s'il mentionne les noms, prénoms, grade et origine géographique des soldats, il ne fournit ni leur âge, ni leur métier (25). Pour compléter cette source, nous avons utilisé les registres d'engagements par districts et par municipalités réunis sous la

---

(24) A. Soboul, *Les Soldats de l'An II, op. cit.,* p. 70.
(25) Voir la photocopie d'une page du contrôle dans les pièces justificatives.
Le contrôle fut réalisé pour satisfaire à la loi du 3 février 1792 qui accordait, avec effet rétroactif, 3 sous par lieue aux volontaires pour le voyage qu'ils avaient fait de leur domicile à la ville où devait être organisé leur bataillon, Angers en l'occurence, et 15 sous par jour pour leur subsistance dans cette ville jusqu'au départ du bataillon.
Cf. la présentation critique par J.-P. Bertaud des documents permettant l'étude des

cote 1 L 590 bis. Il s'agit de 9 livres concernant la ville d'Angers et chacun des 8 districts du département, beaucoup plus précis qu'un contrôle puisqu'on y trouve généralement, pour chaque individu, outre le nom et le prénom, l'âge, le lieu de naissance et celui de résidence, le métier et parfois même la taille et le signalement. Afin de retrouver la profession de certains volontaires pour lesquels le renseignement manquait, nous avons également eu recours à la liste des citoyens actifs d'Angers imprimée par Mame en 1790 et déposée à la Bibliothèque municipale sous la cote H 2033, et aux listes de même nature établies en 1791 pour l'ensemble du département et conservées aux Archives du Maine-et-Loire (1 L444). Nos deux sources principales, contrôle et registres d'engagements, se recoupent seulement en partie, puisque, si l'on retrouve dans les seconds la plupart des volontaires effectivement incorporés au premier bataillon et dont on peut alors compléter la fiche tirée du contrôle, on y recense également des hommes qui ne seront inscrits que dans les unités de 1792, ou même ne seront jamais incorporés. Nous avons retenu les uns et les autres dans notre échantillon de « Bleus », estimant que des individus ayant offert librement leur bras dès l'année 1791, pouvaient être considérés comme très favorables à la Révolution.

Certains des soldats du premier bataillon dont le contrôle donne les noms ne se retrouvent pas dans les listes d'engagés. S'ils sont originaires d'Angers ou de ses faubourgs, nous avons des chances de les repérer parmi les « Messieurs de la Garde Nationale d'Angers qui s'obligent volontairement de partir, pour la défense de la Patrie, partout où il leur sera ordonné d'aller conformément aux décrets de l'assemblée nationale du 21 juin 1791 (sic) » (Archives municipales d'Angers H 3-61). Cette liste fournit les noms, prénoms, adresses, professions et signatures, et offre donc les mêmes possibilités d'utilisation que les registres d'engagements des districts. C'est-à-dire que l'on y trouve des individus incorporés dans le premier bataillon, mais aussi dans le deuxième et le troisième, et d'autres qui n'ont jamais été incorporés avant 1793. Tous ayant été volontaires pour partir en 91 ont été retenus pour notre étude de la première levée. Lorsque le métier de ces gardes nationaux ne figure pas dans le registre, on peut espérer le retrouver dans les listes de citoyens actifs ; on peut aussi le rechercher, grâce à l'adresse souvent précise, dans le livre de capitation de la ville d'Angers pour 1789 (Archives municipales Angers CC 171). Enfin, nous avons utilisé un registre pour l'inscription des gardes nationaux de Saumur « à mettre en activité », qui est similaire de celui d'Angers et dont on peut se servir au même titre (H 1-74 (1) aux Archives municipales Saumur).

Postérieurement à la levée de l'été 1791, de nombreux volontaires furent engagés jusqu'à la décision prise par le Département, le 24 juillet 1792, de former un 2ᵉ bataillon, afin de combler les vides liés aux désertions et surtout de porter l'effectif de l'unité de 574 à 800 hommes conformément à la loi du 6

---

bataillons de volontaires, dans « Les sources quantitatives d'une histoire sociale de l'armée de la Révolution », *Actes du colloque international d'histoire militaire de Montpellier, septembre 1974,* publiés par le Centre d'histoire militaire et d'études de défense nationale de Montpellier, p. 147-156.

mai 1792. Les recrues de cette «queue de levée» du premier bataillon figurent sur un registre, coté 1 L 588 bis aux Archives départementales, qui comprend généralement, avec les précisions habituelles d'état-civil, la date d'engagement, le métier, la taille, le signalement complet et la signature.

Au total, notre documentation a permis de rassembler une masse de 1670 individus qui, s'ils n'ont pas tous été incorporés dans le premier bataillon, ont bien tous été de véritables «volontaires» pour la défense du pays et de la Révolution.

2. — Les volontaires de la 2ᵉ levée

Depuis l'été 91 la situation en France évolue rapidement. Elle devient dramatique avec la déclaration de guerre le 20 avril 1792, la menace d'invasion et la proclamation de la patrie en danger le 11 juillet. Après la chute du trône, le 10 août, la Révolution prend un tour populaire tandis qu'elle effarouche les modérés. La rupture définitive avec l'Eglise officielle rejette parmi les opposants d'anciens sympathisants et, dans l'Ouest, le fossé s'accroît entre «Bleus» et «Blancs». Les recrues savent désormais qu'elles ne devront pas se contenter de parader dans les villes ou d'attendre aux frontières une éventuelle attaque. Il leur faudra se battre. La question se pose alors de savoir si l'on trouve encore en Maine-et-Loire des volontaires authentiques, des hommes qui s'inscrivent de leur propre initiative sur les registres d'engagements, ou qui, au moins, ne répugnent pas trop à se laisser persuader de risquer leur vie pour la France révolutionnaire. Un fait certain est que l'on ne se contente plus d'ouvrir des registres dans les mairies et de nommer des commissaires. On envoie dans les bourgs et les campagnes des gardes nationaux, des gendarmes, des volontaires nouvellement engagés même, missionnaires destinés à susciter les vocations nouvelles. Le capitaine Jouon note bien la persistance d'un certain enthousiasme pendant la levée du 2ᵉ bataillon, mais il affirme que l'on vit apparaître la pratique du racolage qui, d'exceptionnelle, serait devenue la règle pour le recrutement du 3ᵉ bataillon dont le Département décida l'organisation le 23 août (26). Une opinion voisine est exprimée par Xavier de Pétigny : «en 1792, les vrais volontaires étant déjà partis, la masse ne courut pas de son plein gré sous les drapeaux» (27).

Les archives nous renseignent abondamment sur les pratiques couramment employées pour exciter le patriotisme des jeunes gens : discours aux coins des rues avec fifres et tambours, stations aux cabarets ou dîners civiques (liasse 1 L 592 des Archives du Maine-et-Loire). Malgré cela, nous conclurions volontiers avec Jean-Paul Bertaud que si certains volontaires ne le furent que de nom, beaucoup d'autres montrèrent encore un réel patriotisme. Remarquons d'ailleurs que l'on n'a jamais eu recours en Anjou avant 1793 au tirage au sort ou à l'élection, pratiques que Jean-Paul Bertaud cite pour d'autres départements dès 1792 (28). Les engagements furent

---

(26) M. Jouon, op. cit., fᵒ 28 verso.
(27) X. de Petigny, Un bataillon..., op. cit., p. 8.
(28) J.-P. Bertaud, Valmy, Paris, 1970, p. 229-230 et 235.

encore si nombreux et si prompts qu'il ne peut y avoir de doute sur la bonne volonté de la plupart des nouveaux candidats au service. Cet extrait de l'arrêté du conseil général du Département du 23 août, qui fut à l'origine du 3ᵉ bataillon, le prouve à lui seul :

> ... « considérant qu'au lieu de six compagnies qui lui avoient été assignées pour son contingent, il a déjà levé et complètement organisé un Bataillon de huit cents hommes effectifs qui va être incessamment armé, habillé et équipé ; qu'ainsi le but de la Loi du 22 juillet dernier est plus que rempli ; qu'en outre il reste encore un excédant de près de 400 hommes, qui d'après le zèle que témoignent les habitants du Département à voler à la défense de la Patrie, doit, sous peu de jours, s'élever à un nombre suffisant pour former un nouveau bataillon, de l'équipement duquel on s'est déjà occupé... (sic). » (29)

Comment imaginer que le Maine-et-Loire aurait pu non seulement remplir son contrat, mais dépasser ce que l'on exigeait de lui, s'il avait été obligé de ne compter que sur des hommes de mauvaise volonté forcés à porter les armes malgré leur hostilité envers la Révolution ? Cette idée nous paraît tout à fait invraisemblable. C'eût été un tour de force, pour un recruteur, d'obtenir un grand nombre d'engagements d'individus hostiles au régime. Si certains ont signé uniquement parce qu'ils étaient sous l'empire de la boisson, ils se sont présentés dès qu'ils furent dégrisés pour faire annuler leur engagement et nous ne les avons naturellement pas pris en compte (30). Un dernier argument joue en faveur de la fiabilité globale de notre documentation. Il nous fut fourni a posteriori. Les cartes des divers contingents de volontaires sont fort différentes de celles de l'insurrection vendéenne (31). Le phénomène, bien qu'atténué par le racolage, se vérifie encore pour les hommes recrutés à la fin de l'été 1792. Là où les « Bleus » furent nombreux, la Contre-Révolution échoua. A l'inverse, la densité des volontaires paraît proportionnelle à la faveur que le nouveau régime trouvait dans l'opinion. En conséquence, nous dirons que, compte tenu des exceptions réelles et inévitables, le fait de signer un engagement pour les bataillons nationaux de 1791 et 1792, s'il n'a pas toujours la valeur d'une profession de foi révolutionnaire, fournit du moins la preuve que la recrue ne nourrit pas d'hostilité envers le régime.

Concernant les soldats enrôlés en vertu de la loi du 22 juillet 1792, les documents conservés aux Archives du Maine-et-Loire sont prolixes. Nous avons la chance de disposer des livres d'engagements qui sont d'une grande richesse puisqu'on y trouve généralement les renseignements d'état-civil habituels, le métier, la signature et le signalement complet de la recrue. Le

---

(29) Arch. dép. Maine-et-Loire, 1 L 594. Désormais les références ne comportant pas l'indication du dépôt désigneront toujours une cote des Arch. dép. du Maine-et-Loire.

(30) Joseph BASSEREAU, par exemple, s'était engagé à Saumur le 23 septembre, mais le lendemain sa femme est venue faire annuler cet engagement car son mari était « pris de vin ». De même, Jacques POITOU fait rayer l'engagement contracté le 10 octobre car il « était gris ». Même chose pour Mathurin RICHARDEAU, engagé le même jour que Bassereau, et « pris de vin » lui aussi... (Arch. mun. Saumur H I-74 (1)).

(31) Cl. PETITFRÈRE, Les Vendéens d'Anjou, op. cit., p. 94 et 115.

premier de ces registres, coté 1 L 589 bis, comprend les hommes inscrits du 26 juillet au 15 août, pour la plupart destinés au 2ᵉ bataillon, et que nous désignerons désormais sous le terme de premier contingent de 1792 (32). Le second registre, coté 1 L 595, réunit les volontaires engagés du 15 août 1792 jusqu'en mars 1793, que nous appellerons les recrues du deuxième contingent de 1792. La plupart de ces hommes s'inscrivirent avant la fin de septembre et furent enrôlés dans le 3ᵉ bataillon. Nous disposons aussi de quelques centaines de fiches d'engagement individuelles, pièces originales qui servirent de base à la rédaction des registres. Ces documents sont contenus, avec quelques listes collectives établies par les recruteurs, dans la liasse 1 L 589. Le signalement fourni par ces fiches permet de compléter certaines lacunes des livres d'engagements. On peut espérer en combler quelques autres en consultant le registre de Saumur déjà cité pour l'année 1791 mais qui contient aussi les noms d'engagés de 1792 (Archives municipales Saumur H I-74 (1)), ainsi que le registre conservé aux Archives départementales sous la cote I L 591 qui comprend une liste de volontaires du district de Baugé engagés fin juillet-début août 1792.

Nous avons retenu dans notre échantillon de « Bleus » tous les hommes inscrits avant le 1er mars 1793, c'est-à-dire antérieurement à l'application du décret du 24 février. Un petit nombre d'entre eux ne furent incorporés dans aucun corps de troupe en 1792. La plupart, cependant, se retrouvent dans le contrôle du 2ᵉ bataillon établi à la date du 13 septembre 1792 (Archives du Maine-et-Loire 1 L 592 bis), ou dans celui du 3ᵉ bataillon dressé à la date du 29 octobre (1 L 596).

La destinée de certains volontaires des trois premiers bataillons durant les guerres de la Révolution, peut être connue, grâce aux contrôles postérieurs à la formation des unités. Aux Archives de la Guerre existe un « Contrôle du 1ᵉʳ bataillon des gardes nationales volontaires du département de Mayenne-et-Loire » (non coté), fait à Briançon le 1ᵉʳ floréal an III (20 avril 1795) qui permet de suivre 159 soldats enrôlés dans ce corps avant le 1ᵉʳ mars 1793, sur quelque 1100 hommes représentant le total de l'effectif en l'an III. Dans le même dépôt d'archives un « Contrôle du 3ᵉ bataillon de Maine-et-Loire » (non coté) établi à Paris le 14 thermidor an III (1ᵉʳ août 1795), renseigne sur le destin de 855 Angevins qui s'étaient engagés avant mars 1793, sur un peu plus de 1000 soldats présents alors sous les drapeaux. Ces documents mentionnent généralement, après les habituels renseignements d'état-civil, la filiation, le grade et le détail des services avec les mutations et promotions, les dates éventuelles de la mort, de la réforme, de la désertion, du congé absolu ou du passage en jugement.

En vertu de l'arrêté du 1ᵉʳ thermidor an II (19 juillet 1794), le Conseil d'administration de chaque bataillon devait adresser au Comité de Salut Public ses appréciations sur les volontaires susceptibles d'être promus à l'un des grades d'officier. Cela devait permettre à la Convention de nommer le tiers des officiers pour les emplois vacants (33). Ces documents existent, pour

---

(32) Voir la photocopie d'une page de ce registre dans les pièces justificatives.
(33) *Le Moniteur Universel*, n° 303 du 3 thermidor an II.

les premier et troisième bataillons de Maine-et-Loire, aux Archives nationales (AF II 382). Nous y avons relevé, outre des précisions d'état-civil ou d'ordre socio-professionnel, d'intéressants jugements sur les aptitudes et les défauts de 28 volontaires de l'unité de 1791 et de 37 soldats du bataillon de 1792.

Outre les véritables «volontaires», nous avons cru bon d'étudier sommairement un corps de troupe qui s'apparente à la fois aux bataillons nationaux et aux unités de ligne : la compagnie franche de Bardon. La loi du 28 mai 1792 décrétait la formation de 54 compagnies franches dont l'effectif pouvait être porté à 200 hommes. Le statut de ces soldats était inspiré de celui des volontaires puisque leur engagement devait s'achever à la fin de la campagne. Cependant il était prévu que, si la guerre se poursuivait, les hommes devraient servir trois ans, ce qui les rapprochait des «lignards» (34). Bardon, originaire de Baugé et employé à l'Etat-Major de l'Armée du Nord, fut autorisé par le général Dillon «à recruter pour la formation d'une Compagnie franche», avec le commandement et le titre provisoires de lieutenant. Le 16 septembre 1792, Bardon avait recruté 115 soldats, 177 le 18 novembre, et environ 200 le 15 février 1793 (35). Il semble que ces hommes, qui touchaient une prime d'engagement, étaient attirés par l'argent au moins autant que par l'amour de la patrie. Toutefois, la plupart des «Bardonais» qui réclamèrent à cor et à cri (et obtinrent) leur envoi en Vendée ne peuvent être suspectés de royalisme. Nous possédons de cette compagnie deux contrôles figurant dans la liasse 1 L 601³ des Archives départementales. Ces documents donnent seulement pour chaque homme, les nom, prénom, date et lieu d'engagement, sans signalement ni mention de profession. Une autre unité spéciale fut organisée à Angers en 1792, le dépôt de cavalerie, mais nous n'avons pas pris ses soldats en compte car ils avaient touché la forte prime d'engagement de 120 livres et s'enrôlaient pour trois ans ou la durée de la guerre. Ils ne peuvent donc point être considérés comme des volontaires (liasse 1 L 566⁴ des Archives départementales).

C'est un total de 4 089 candidats au service, Bardonais inclus, que nous avons réunis. Leur fiche comporte, quand elle est complète, les renseignements d'état civil et les précisions socio-professionnelles qui permettront une étude statistique de l'homme et du pays «bleu» analogue à celle que nous avons faite pour les Vendéens. Afin de compléter l'image de la population patriote angevine, nous avons cherché à établir les niveaux de fortune. Il est évident que nous devions recourir à une méthode qui autoriserait la comparaison avec les résultats obtenus pour les «Blancs». Nous avons donc utilisé une nouvelle fois les registres de mutations après décès de l'administration de l'Enregistrement. Notre quête fut assez décevante, bien moins fructueuse en tout cas que celle qui concernait les anciens Vendéens : 407 déclarations retrouvées sur 2 257 recherchées (36).

Registres d'engagements, contrôles de troupes, sommiers des mutations par décès ont fourni d'abondants matériaux, aisément quantifiables.

---

(34) J.-P. BERTAUD, *Valmy, op. cit.,* p. 220-224.
(35) IL 601³
(36) Cl. PETITFRÈRE, *Les Vendéens d'Anjou, op. cit.,* p. 403-471.

Pouvions-nous dépasser le stade du social, proprement dit et atteindre au « 3ᵉ niveau » défini par Pierre Chaunu, celui du mental collectif ? (37) Les nombreuses liasses de la série L des Archives départementales que nous avons dépouillées, les quelques cartons des sous-séries Xv et Xw des Archives de la Guerre concernant les bataillons de Maine-et-Loire (38) contiennent surtout de secs documents administratifs et nos espoirs ont été déçus. On sait en définitive peu de choses sur les motivations profondes des engagés de 1791 et de 1792 ou sur leur moral sous les drapeaux, un peu plus sur les causes des désertions (39). Force est de recourir aux lettres et aux souvenirs qui restent évidemment du domaine de l'individuel...

---

(37) P. CHAUNU, « Un nouveau champ pour l'histoire sérielle : le quantitatif au troisième niveau », dans *Mélanges, en l'honneur de F. Braudel,* Paris, 1973, t. II, p. 105-125 ; du même auteur, *Histoire science sociale. La durée, l'espace, et l'homme à l'époque moderne,* Paris, 1974, p. 73-75 ou encore *De l'histoire à la prospective...,* Paris, 1975, p. 70-71.

(38) Signalons notamment la grande étude manuscrite du capitaine JOUON, déjà citée, sur le recrutement des armées de la Révolution en Maine-et-Loire (Xw 59) et l'ensemble des pièces justificatives recopiées par cet officier dans les Archives départementales mais dont les originaux subsistent à Angers :

(cartonsXw 59 pour les pièces relatives aux années 1789 à 1791,
    Xw 60 pour les pièces relatives à 1792 et au début de 1793,
    Xw 62 pour le reste de l'année 1793,
    Xw 61 pour 1794 à 1798.)

(39) Cf. J.-P. BERTAUD, « Aperçus sur l'insoumission et la désertion à l'époque révolutionnaire, étude de sources », dans *Bul. d'Hist. éc. et soc. de la Rév. française, 1969,* Paris 1970, p. 17-47.

CHAPITRE I

LES GARDES NATIONAUX
(JUILLET 1789 - MARS 1793)

Notre propos n'est pas d'écrire in extenso l'histoire de la garde nationale angevine. L'institution nous intéresse moins que les hommes, ces « habits bleus » qui incarnaient la Révolution honnie dans la conscience paysanne des régions insurgées en 1793. Il s'agit pour nous de vérifier si les citoyens-soldats méritaient la vindicte des « aristocrates », c'est-à-dire si l'appartenance à la milice nouvelle constituait bien un gage de « patriotisme ». Nous étant assuré de cela, il faudra tenter de cerner la personnalité du garde national, définir un type social que l'on puisse comparer à celui du militant de l'autre bord, le Vendéen. Mais cette démarche suppose une connaissance quelque peu précise de l'institution qui varia dans l'espace et dans le temps. Dans l'espace, il faut notamment distinguer entre les villes où la garde nationale est vraiment chez elle, et la campagne où elle est le plus souvent éphémère, imposée par des minorités agissantes (1). Dans le temps, on doit, pour le moins, tenir compte des articulations imposées par les deux lois organisatrices du 18 juin 1790 et du 14 octobre 1791.

I. - La naissance des milices nationales en Anjou
et leur évolution jusqu'à l'application de la loi du 18 juin 1790

1. - La formation de la Milice Nationale à Angers

Les événements pré-révolutionnaires furent à l'origine des premières milices citoyennes du royaume. Dès avril 1788 la municipalité de Troyes avait organisé la sienne. Les troubles frumentaires du printemps 1789 poussèrent un certain nombre de villes à réactiver leurs gardes bourgeoises plus ou moins tombées en léthargie ou à créer de nouvelles milices, à l'exemple de Marseille dont la garde citoyenne naquit le 23 mars (2). Mais la plupart des

---

(1) Cf. L. Girard, « Réflexions sur la garde nationale », dans Bul. de la Soc. d'Hist. Mod., mai 1955, p. 25-29.
(2) J. Godechot, *14 juillet 1789. La Prise de la Bastille*, Paris, 1965, p. 167-170.

milices nationales sont nées dans la foulée des événements parisiens de juillet. L'émotion qui suivit la concentration des troupes à Versailles, le renvoi de Necker puis la prise de la Bastille, fut en particulier à l'origine de la force de police nouvelle qui allait se substituer très progressivement en Anjou à la traditionnelle milice bourgeoise.

Dans la capitale provinciale, la milice restait bien vivante en 1789. Elle avait été à l'origine (1560) divisée en douze compagnies, nombre porté à 23 en 1657. Elle fut réorganisée en 1770 après le recensement de l'année précédente et la numérotation des maisons qui avait entraîné une modification de l'administration générale de la ville (3). Chacun des six quartiers, désignés par les lettres A à F, dut constituer deux compagnies qu'encadraient un capitaine, un lieutenant et deux sergents. Le nombre total des compagnies était donc ramené à douze. A la tête d'un état-major de quatre hommes, le maire avait le titre de colonel et capitaine général.

Les activités des miliciens étaient assez contraignantes et n'allaient pas sans quelque risque : sans doute moins pour le service de jour à l'occasion des cérémonies ou des foires, que pour les patrouilles de nuit hivernales. On comprend que les habitants aient cherché à se soustraire au service. D'où la tentative de l'échevinage pour créer en 1773 un guet soldé qui fonctionna effectivement mais peu de temps. L'opposition du pouvoir royal ayant fait dissoudre le guet en 1775, on en était revenu à la milice bourgeoise (4).

La nouvelle de la révolution parisienne arrive à Angers le vendredi 17 juillet, à la fois du Nord et de l'Est (5). Il est à peu près 10 heures du matin lorsque trois hommes pénètrent dans la salle où siège le « Bureau de Correspondance ». Cette institution est sans doute la première création révolutionnaire angevine. Les électeurs de la sénéchaussée d'Anjou avaient établi avant de se séparer cet organe de liaison entre les députés aux Etats-Généraux et leurs mandants. Dans la capitale provinciale quatre membres principaux composaient le Bureau : le professeur de droit Martineau qui en était le président, Huvelin du Vivier lieutenant-général criminel et les conseillers au présidial Couraudin de la Noue et Jean-Baptiste de la Revellière, le frère du député (6). Les visiteurs du 17 juillet sont deux

---

(3) Sur le recensement de 1769 cf. F. LEBRUN, *Les Hommes et la Mort en Anjou aux 17e et 18e siècles*, Paris, 1971, p. 160-161 et 168-176, ainsi que J. MAILLARD, *Angers des lendemains de la Fronde à la veille de la Révolution*, th. d'Etat dact., Paris I, 1983, p. 335-341 et 427-454.

(4) J. MAILLARD, *op. cit.*, p. 750-770.

L'Almanach Historique d'Anjou pour l'année 1789 (imprimé par Mame) donne le nom des cadres de la milice bourgeoise.

(5) Le récit des journées angevines de juillet est fondé, sauf mention spéciale sur les documents suivants :

Arch. mun. Angers BB 134, *Registre des conclusions de la mairie*, du 27 juin 1789 au 19 février 1790,

Correspondance de MM. les députés de la province d'Anjou avec leurs commettans ..., Angers-Paris, 1789, t. I, p. 329-352 (extraits des registres du « Bureau de Correspondance »).

(6) Pierre-Denis-René Huvelin, sieur du Vivier (1745-1820), lieutenant-général criminel de la sénéchaussée et présidial d'Angers sera élu maire le 18 décembre 1792 mais refusera la charge.

Jean-Baptiste de La Revellière (1751-an II) était le frère de Louis-Marie, le futur Directeur pour l'heure représentant du Tiers d'Anjou aux Etats-Généraux. Il avait acquis en 1784 une charge de juge magistrat au présidial. Elu en 1790 président du District d'Angers, membre du directoire du Département en décembre 1792, il fut président du Tribunal criminel mais fut destitué le 5 octobre 1793 pour avoir signé l'adresse girondine du 31 mai. Il fut exécuté le 26

commissaires venus de Laval, Gasté négociant et Sauvage procureur du roi au grenier à sel, et un bourgeois de Saumur, Beaudesson. Les uns et les autres font état des bruits alarmants parvenus de Versailles et de Paris, notamment le renvoi de Necker. Le Bureau de Correspondance décide alors de convoquer une assemblée générale à l'Hôtel de Ville pour 5 heures de l'après-midi. Ce réflexe s'inscrit dans une longue tradition. Il existait à Angers deux sortes d'assemblées générales, les unes destinées à élire le corps de ville, les autres à discuter quelque problème important (7). Ce qui est nouveau, c'est que l'initiative vient cette fois du Bureau de Correspondance et non du maire.

Les nouvelles, plus ou moins déformées, parviennent en même temps au cabinet de lecture tenu par l'imprimeur Mame, par un paquet de Paris. Elles se propagent en ville en un éclair (8) et lorsque, à l'heure dite, le corps municipal se réunit dans la salle basse de l'hôtel commun, la foule a envahi la grande salle, à l'étage. Elle réclame à cor et à cri l'établissement d'une patrouille renforcée pour la nuit. Tout à coup quatre membres distingués de la bourgeoisie locale font irruption auprès de la municipalité : un négociant Sartre Poitevinière, un avocat Delaunay l'aîné (9), un médecin, Pentin, et un professeur à l'école de droit, Gastineau. Ils font part de leurs craintes de voir le tumulte grandir à la tombée de la nuit devant la multiplication des attroupements dans lesquels on remarque, disent-ils, « grand nombre d'étrangers inconnus » (sic). Le corps de ville se transporte alors dans la salle haute et se rend au vœu de la population en arrêtant :

> « qu'il sera établi pour le bon ordre de la police et la sûreté publique une patrouille ou garde de deux cent habitans privilégiés et non privilégiés (...) et la dite patrouille sera placée dans les postes qui seront ordonnés par M. le Maire et pour établir l'ordre et la discipline de cette patrouille il sera fait un règlement qui sera imprimé affiché et publié (...) » (10).

Une garde de 300 hommes fut effectivement organisée pour la nuit, à laquelle participèrent les membres du Bureau de Correspondance, des électeurs, des députés de l'Université, de l'ordre des avocats, de la communauté des notaires, des procureurs, du collège de pharmacie et de chirurgie et des principaux autres corps et corporations. La patrouille visita

---

germinal an II (15 avril 1794) C. PORT, *Dictionnaire historique (...), de Maine-et-Loire,* Paris-Angers (1874-1878).

Le « Bureau de Correspondance » comprenait aussi des membres chargés des sénéchaussées secondaires (Baugé, Beaufort, Château-Gontier et La Flèche) B. BOIS, *La vie scolaire et les créations intellectuelles en Anjou pendant la Révolution,* Paris, 1929, p. 165-167.

(7) J. MAILLARD, *op. cit.,* p. 159-167.

(8) Arch. mun. Angers GG 183, récit des « événements remarquables » de 1789 par le curé Robin, inclus dans le registre de Saint-Pierre.

(9) Joseph Delaunay, né à Angers en 1752, inscrit au barreau de la ville en 1774, s'était signalé par sa polémique avec le comte Walsh de Serrant à l'époque des élections aux Etats-Généraux. Elu député suppléant, il déclina cet honneur ; par contre il acceptera de représenter le Maine-et-Loire à la Législative puis à la Convention où il siègera à la Montagne. Arrêté le 17 novembre 1793, il sera exécuté avec les Dantonistes le 5 avril 1794 (C. PORT, *Dictionnaire ..., op. cit.)*

(10) Arch. mun. Angers, BB 134.

les divers corps de garde de la milice bourgeoise, mais les craintes avaient été vaines : la ville resta parfaitement endormie. Cette patrouille n'est pas plus exceptionnelle que l'assemblée générale. Traditionnellement une troupe semblable, mais moins nombreuse, parcourait les rues de la ville nuitamment de la foire de Saint-Martin au début du Carême. On pouvait aussi, en cas de troubles, organiser des patrouilles extraordinaires durant l'été (11). C'était un moyen de rassurer l'opinion publique et la patrouille du 17 juillet a d'abord ce but. Il faut cependant remarquer, outre son importance numérique, la participation symbolique de tous les corps de la ville. Il s'agit d'un premier pas vers la création de la véritable milice nationale qui allait naître le lendemain.

Le 18 juillet en effet, à 10 heures du matin, les officiers municipaux président dans la grande salle une nouvelle assemblée générale des habitants : en fait il y a là des députés des paroisses et des principaux corps et compagnies, mais aussi de simples électeurs. On a l'impression à ce moment d'une entière concorde dans la population. De la ville elle-même comme des paroisses environnantes, de toutes les classes de la société, affluent en effet des propositions pour le maintien de l'ordre et la sûreté commune. Ce sont par exemple quatre gentilshommes (Ayrault de la Roche, Delesrat, Lechat et de Houlières (12)), qui acceptent de prendre part aux charges publiques et aux corvées. L'assemblée les remercie et on leur promet qu'ils seront inscrits sur la liste des miliciens. Ce sont les députés des paroisses de Sainte-Maurille et Saint-Aubin des Ponts-de-Cé qui offrent à leur tour leurs services et obtiennent l'autorisation d'établir une garde bourgeoise dans leur ville. C'est Pierre Périsseau, un ouvrier à la carrière d'ardoise des Persillères, qui propose l'aide des 2 000 « perrayeurs » qui l'ont délégué (13). Cette belle entente se poursuivra d'ailleurs les jours suivants puisque le lendemain l'ordre de la noblesse offrira ses services par l'entremise de cinq gentilshommes de la ville et que le clergé fera de même le surlendemain.

En fait, l'unanimité n'est sans doute, déjà, qu'illusion, les uns songeant à se prémunir contre le « complot aristocratique », tandis que les autres ne pensent qu'à assurer la défense des propriétés contre les gens du « quatrième état », surtout ces « perrayeurs » des carrières d'ardoise qui représenteront désormais le péril ouvrier à Angers. Selon le marquis de Lostanges, colonel du Royal-Picardie, la nouvelle milice aurait été destinée à les contenir :

> « A la nouvelle du renvoi de M. Necker, il s'est rassemblé une quantité
> prodigieuse de gens, du bas peuple des environs, et tout ce qu'on appelle les
> perriers ou travailleurs d'ardoise, pour piller et voler au nom du Tiers, et sous
> la sauvegarde d'une belle cocarde blanche, rouge et bleue, que ces Messieurs

(11) J. MAILLARD, op. cit., p. 760-761.
(12) Louis-Charles-Auguste de Houlières (1750-1802), né au château de Marthou en Cherré, était un ancien officier du régiment de Flandres. Il sera élu maire en 1790, puis député à la Législative et à la Convention où il votera pour la détention du roi et sa déportation à la paix. Il résiliera ses fonctions par suite de maladie (C. PORT, Dictionnaire ..., op. cit.).
(13) Ce Pierre Périsseau n'était pas comme la plupart des perrayeurs. Il avait acheté le 7 février 1789 une maison à Saint-Samson pour 600 L à la veuve d'un autre ouvrier des carrières, Lebreton, à qui en outre il prêtera 60 L le 4 mars 1790 (renseignement tirés de C 597, aimablement fournis par Serge Chassagne).

ont arborée. La ville, effrayée de cette affluence, a augmenté ses milices bourgeoises ; tous les bons bourgeois se sont fait honneur de porter les armes dans cette circonstance ; ils se sont fait enrôler et ils sont divisés par quartiers, comme à Paris ; ils font des patrouilles et une police sévère ; ils se sont assurés de toutes les armes et de toute la poudre et le plomb qui étaient dans la ville d'Angers, pour empêcher la populace de s'armer ; ils se sont emparés du château, qui était gardé par des invalides, et où ils savaient qu'il y a des poudres, dans la même intention ; enfin, ils n'ont oublié aucune précaution pour leur sûreté. S'ils n'avaient pas pris ce parti, il y aurait eu beaucoup de maisons brûlées, le château l'aurait été, et plusieurs châteaux des environs auraient eu le même sort ... » (14).

Quelles que fussent les arrières-pensées des uns ou des autres, l'assemblée du 18 juillet décida d'établir aussitôt une « milice angevine », de nommer un comité pour la police de cette troupe et de rédiger au plus vite un règlement : décisions calquées, on le voit, sur celles que prirent à l'hôtel de ville, le 13 juillet, les électeurs parisiens (15). Neuf citoyens furent chargés d'élaborer le règlement. On remarquait parmi eux de Houlières, Delesrat, Sartre Poitevinière, Gastineau, et Martineau qui avait été, semble-t-il, le promoteur de l'idée de la patrouille exceptionnelle de la nuit précédente. Dès le 19, un règlement en 16 articles était en effet rédigé et approuvé par l'assemblée générale. Il créait une milice dont le fondement serait composé de 12 000 citoyens, ce qui représentait sans doute la totalité des hommes de la ville selon une évaluation généreuse (16), sans aucune restriction de fortune ni de privilège. Les habitants étaient invités à se faire enregistrer auprès des officiers de la milice bourgeoise qui assuraient ainsi la continuité entre les deux institutions paramilitaires. Une liste générale de tous les inscrits devait être dressée, dont nous n'avons malheureusement trouvé aucune trace.

La milice angevine apparaît donc à son origine comme une institution particulièrement démocratique. Certes, à la même époque, d'autres gardes nationales s'ouvrirent également sans restriction à toutes les classes de la société, comme celle d'Albi à laquelle même les domestiques avaient accès (du moins avant les mesures d'épuration) ou celle de Grasse dont tous les hommes de 16 à 55 ans devaient faire partie (17). Il semble par contre que les

---

(14) P. CARON, « Un témoignage sur les événements de juillet 1789 (lettres de Mme de Lostanges) », dans *Revue Historique*, mai-août 1914, p. 294-313.

(15) Sur les événements de juillet dans la capitale, voir J. GODECHOT, *La Prise de la Bastille*, *op. cit.*, (cf. spécialement la p. 246).

Voir aussi A. SOBOUL, *Les Soldats de l'An II*, *op. cit.*, p. 42.

(16) La population totale de la ville n'était en effet que de 25 044 habitants, en comprenant la campagne englobée dans l'étendue de certaines paroisses, selon le recensement de 1769, et de 28 314 habitants selon le recensement de 1790. (Arch. mun. Angers, Arch. dép. M.& L., I 1 402).

(17) P. ARCHES, « La Garde Nationale d'Albi et l'échauffourée montalbanaise du 10 mai 1790 », dans *Onzième Congrès d'Etudes de la Fédé. des Soc. Ac et Sav. Languedoc-Pyrénées-Gascogne. Albi, 1955, Actes du Congrès*, Albi, 1956, p. 82-85.

G. CARROT, *La garde nationale de Grasse, 1789-1871*, th. de 3ᵉ cycle, ex. dact., Nice 1975, p. 26-27. A Grasse un maximum de trois gardes nationaux par famille et même de deux pour les familles de moins de cinq personnes était cependant prévu.

plus nombreuses exclurent le bas peuple. Ainsi à Cherbourg, on rejeta la population flottante que formaient les ouvriers du port. A Montauban dont, il est vrai, le règlement ne date que du 11 septembre, on excepta « tous gens en état de domesticité » (18). A Limoges on exclut par principe « les laquais à livrée et autres domestiques à gages » et on exempta en pratique « tous ouvriers non domiciliés et tous journaliers » (19). De même à Dijon furent dispensés de servir les « citoyens qui ont besoin du travail de tous les jours pour leur subsistance et celle de leur famille » (20). Le règlement de la garde de Périgueux prévoyait que l'on ferait seulement appel aux citoyens « ayant un état et tenant à un corps » (21). A Reims le service devait être réservé aux individus imposés à 4 livres de capitation au moins (22). Les règlements des milices nouvelles de Lorraine étaient généralement fort restrictifs. A Toul, ils rejetaient « tous compagnons, journaliers et manœuvres ... » ; à Pont-à-Mousson, ils n'admettaient que les citoyens compris au rôle des impositions personnelles de la ville, ou bien les privilégiés, en écartant « les laboureurs, les vignerons à gage, les journaliers ... » ; à Nancy, non seulement les Juifs et les comédiens étaient exclus d'office, mais le règlement précisait que, des deux bataillons, le second serait coopté par le premier formé lui-même par « 700 hommes des plus aisés, parmi ceux qui sont le plus susceptible par leur bonne conduite, leurs mœurs et garantis par leurs corporations ou par les chefs de l'ordre dans lequel ils se trouvent exister » (23). A Paris même, dans l'impossibilité d'armer et d'équiper les 48 000 hommes de la garde nationale, La Fayette n'en avait retenu que la moitié, ceux capables de payer leurs équipements et de servir sans solde (24). Rien de tel à Angers où l'on comptait bien que la plupart des hommes valides s'inscriraient à la milice. Aussi, avait-on prévu de les répartir en six « légions » selon l'emplacement de leur habitation. Les occupants des maisons numérotées 1 à 720 formeraient la première légion, ceux des maisons 721 à 1 442 la deuxième, ceux des immeubles 1 443 à 2 232 la troisième, etc. ... Chacune de ces unités serait commandée par un chef de légion et divisée en compagnies qu'encadreraient deux capitaines, deux lieutenants, deux sous-lieutenants, un sergent-major, quatre sergents et huit caporaux. A la tête de la milice serait placé un état-major de 17 membres composé d'un commandant général, un colonel en chef, un commandant en second, un major général, un major général en second, six aides-majors et six adjudants. Les fonctions de commandant

---

(18) F. MOURLOT, *La fin de l'Ancien Régime et les débuts de la Révolution dans la généralité de Caen*, Paris, 1913, p. 365.

P. ARCHES, « Les débuts de la Garde Nationale de Montauban (juillet-novembre 1789) », dans *Actes du 10ᵉ Congrès d'Etudes de la Fédération des Soc. Ac. et Sav. Languedoc-Pyrénées-Gascogne, Montauban, 1954*, Montauban, 1956, p. 303-314.

(19) Dr L. JOUHAUD, *Les gardes nationaux à Limoges (avant la Convention)*, Limoges, 1940, p. 17.

(20) H. MILLOT, *Le Comité Permanent de Dijon (juillet 1789 — février 1790)*, Dijon, 1925, p. 66.

(21) Lt de CARDENAL, *Recrutement de l'Armée en Périgord pendant la période révolutionnaire (1789-1800)*, Périgueux, 1911, p. 37.

(22) Dr P. GOSSET, *Les bataillons de Reims (1791-1794)*, Reims, 1905, p. 3.

(23) Lt-Cl R. TOURNES, *La garde nationale dans le département de la Meurthe pendant la Révolution (1789-1802)*, Angers, 1920, p. 5-10 et 43.

(24) J. GODECHOT, *Les Institutions ...*, op. cit., 1968, p. 125-126.

général revenaient de plein droit au maire de la ville, en l'occurence Claveau, comme c'était déjà le cas pour la milice bourgeoise. Il y a là un autre signe de la continuité entre l'institution d'Ancien Régime et la nouvelle. C'est à juste titre qu'André Corvisier a souligné qu'on ne saurait comprendre la rapidité de l'organisation des gardes nationales en province sans faire référence à l'institution vivace de la milice bourgeoise (25). Toutefois, il y eut des innovations capitales (26). La plus importante était l'élection au suffrage universel indirect de tous les officiers. Ils devaient, en effet, être désignés par le Comité général dont l'article 12 du règlement prévoyait la création et dans lequel devaient résider l'autorité suprême et le pouvoir de légiférer en matière de police. Or, ce comité devait être lui-même élu, très démocratiquement, par l'assemblée générale des communes et renouvelé par tiers tous les six mois.

La milice nationale angevine avait été conçue parmi les premières du royaume (27), mais elle fut lente à s'organiser. Pourtant le Comité de police avait été désigné par l'assemblée générale dès le 19 juillet. Il comprenait, aux côtés de Delesrat, de Houlières, Huvelin du Vivier, Martineau, La Revellière, Sartre Poitevinière, que nous connaissons déjà, l'abbé de Toussaint de Perrochel, Bodard procureur du roi, Desmazières juge de la Monnaie, Phélipeaux bourgeois et Ménard, chevalier de Saint-Louis, celui qui commandera Angers lors du siège que lui feront subir les Vendéens (28).

---

(25) A. CORVISIER, L'Armée française de la fin du XVIIe siècle au ministère de Choiseul, Paris, 1964, t. I, p. 60.

(26) La milice nationale ne fut pas plus une simple « réactivation » de la milice bourgeoise à Angers qu'en Ille-et-Vilaine (cf. Roger DUPUY, op. cit., p. 40).

(27) J. GODECHOT, Les Institutions ..., op. cit., 1968, p. 126-127.
Voir aussi les monographies de R. TOURNES, op. cit., p. 4 et 33, R. DUPUY, op. cit., p. 75-78, L. JOUHAUD, op. cit. p. 10, de CARDENAL, op. cit., p. 39-40, J. DELMAS, « La patrie en danger. Les Volontaires Nationaux du Cantal », dans Revue de la Haute-Auvergne, 1901, p. 181-228 et 285-334, M. LHÉRITIER, Liberté (1789-1790) — Les Girondins, Bordeaux et la Révolution française, Paris, 1947, p. 17-18, S. VIALLA, L'Armée-Nation. Les Volontaires des Bouches-du-Rhône (1791-1792), Paris, 1913, p. 30-33 (à Marseille, nous l'avons vu, une milice citoyenne avait été organisée dès le 23 mars 1789, mais elle fut bientôt dissoute et il fallut attendre la victoire des patriotes aux élections de février 1790 pour que la garde nationale fût définitivement formée).
Voir aussi les articles de P. ARCHES sur la garde nationale d'Albi (art. cit.), celle de Montauban (art. cit.), de Saint-Antonin (« La Garde Nationale de Saint-Antonin et les fédérations du Rouergue et du Bas-Quercy ... », dans Annales du Midi, octobre 1956, p. 375-390), de Tarbes (« La Garde Nationale de Tarbes au début de la Révolution ... », dans Actes du 82e Congrès Nat. des Soc. Sav. Bordeaux, 1957, Paris, 1958, p. 69-77), de Thouars (« Quelques aspects de la garde nationale de Thouars au début de la Révolution », dans Bul. de la Soc. Hist. et Sc. des Deux-Sèvres, 4e trim. 1966, p. 215-224) et les gardes nationales de la région de Pamiers (« Une fédération locale : la Confédération des Pyrénées (1789-1790)... », dans Bul. d'Hist. Eco. et Soc. de la Rév. française, Paris, 1972, p. 11-101).
Dans la généralité de Caen, les milices naquirent, comme en Anjou, dans la seconde quinzaine de juillet (F. MOURLOT, op. cit., p. 362).
A Grasse, la milice fut instituée à la suite de l'émeute frumentaire du 1er août 1789 (G. CARROT, op. cit., p. 23-24).

(28) Ce Desmazières ne peut être Thomas-Gabriel, le député à la Constituante, qui était conseiller au présidial. Il s'agit de Claude-Jean, juge garde à la Monnaie. Sur Ménard, on sait peu de choses, sinon qu'il fut capitaine au 78e régiment, ci-devant de Monsieur, et que c'est le général Duhoux qui le désigna pour commander Angers. Sa victoire ne l'empêcha pas d'être congédié par Rossignol (C. PORT, Dictionnaire ..., op. cit.).

Mais quatre jours plus tard, ces hommes donnaient leur démission, estimant, vu les conditions de leur élection, qu'ils n'avaient pas l'autorité nécessaire. L'assemblée générale accepta cette décision, à condition que le Comité restât en place jusqu'à l'élection régulière d'un nouveau conseil (29). C'est le dimanche 2 août que les 60 compagnies composant les légions de la milice désignèrent, à raison d'un par compagnie, les commissaires qui devaient choisir à leur tour les membres du nouveau Comité. Ces commissaires procédèrent à l'élection dès le lendemain dans la chambre du conseil de l'hôtel de ville. Le « Comité permanent de la Milice angevine », fort de 16 membres, était assez semblable au conseil provisoire démissionnaire puisque l'on retrouvait dans celui-là 9 membres de celui-ci, seuls Delesrat et Phélipeaux n'ayant pas été reconduits dans leurs fonctions. Toutefois, on relève aussi 7 membres nouveaux : les frères Delaunay, Turpin, Roussel, Couraudin de la Noue, Foussier de la Cassinerie et Druillon de Morvilliers. Ainsi composée, l'assemblée symbolisait l'union des trois ordres puisque siégeait côte à côte l'abbé commendataire de Toussaint, de Perrochel, des nobles comme de Houlières, Foussier de la Cassinerie ou Huvelin du Vivier et de grands bourgeois comme les négociants Sartre et Roussel, les avocats Druillon et Delaunay l'aîné, l'ancien magistrat Turpin, le médecin Delaunay le jeune. Plusieurs de ces hommes avaient exercé ou exerçaient encore de hautes fonctions dans l'administration et la justice : Foussier de La Cassinerie était Maître honoraire de la Chambre des Comptes de Bretagne, Huvelin du Vivier lieutenant-général criminel de la Sénéchaussée et Présidial d'Angers, Couraudin de La Noue et de La Revellière conseillers au Présidial, ou encore Desmazières « ancien officier » au siège de la Monnaie. Tous comptaient parmi les principaux notables de la cité.

Le 4 août, à l'hôtel de ville, les 16 membres du Comité prêtèrent, devant les 60 commissaires, le serment « de s'occuper avec fidélité et franchise du bonheur, de la sûreté de la Personne du Roi, et de ne mettre en exécution aucun règlement qui n'aurait pas été sanctionné par les commissaires des six légions ». Puis, accompagnés des commissaires, escortés de 100 hommes d'armes, drapeaux et musique en tête, ils se rendirent à la Citadelle où leur installation fut saluée par deux salves de canon (30). Déjà, le Conseil provisoire avait siégé au château où la milice avait remplacé la compagnie des invalides qui en avait jusqu'alors la garde. Ainsi, ces institutions purement révolutionnaires qu'étaient la milice nationale et le Comité devinrent tout de suite maîtresses du cœur de la cité, de son arsenal, de son ultime moyen de défense. La révolution municipale s'achevait en douceur. Elle avait duré plus d'un mois. Son premier acte se place en effet à la date du 25 juin 1789, jour où l'assemblée générale des habitants réunie pour l'élection annuelle des échevins refusa de procéder au vote à la suite d'une motion de Delaunay l'aîné. Présentée au nom des avocats, celle-ci résumait la position des « patriotes » défendue dans les assemblées paroissiales préalables à l'assemblée générale. Elle condamnait la procédure fixée en 1773 par Monsieur, prince apanagiste d'Anjou, qui imposait un « cursus » pour l'exercice des

---

(29) Arch. mun. Angers BB 134.
(30) Arch. mun. Angers EE 6 et *Affiches d'Angers* n° 39 du samedi 8 août 1789.

fonctions municipales favorisant le recrutement de l'échevinage dans « une classe privilégiée de citoyens » et réclamait le retour aux libertés électorales figurant dans la charte de fondation de Louis XI (31).

Désormais le Comité permanent présiderait aux destinées d'Angers, éclipsant peu à peu l'ancienne municipalité sans qu'il y eût, semble-t-il, de heurts graves entre l'un et l'autre. Dès le 28 juillet, du temps du comité provisoire par conséquent, la municipalité avait député deux échevins, Body et Fourmond, pour assurer les membres du comité que le corps municipal serait heureux de coopérer avec eux au maintien de la paix et pour mettre à leur disposition la caisse de la ville, tout en leur recommandant les économies. Par la suite, Comité permanent et municipalité d'Ancien Régime agiront de concert, délibéreront même parfois ensemble jusqu'à l'installation, le 21 février 1790, des officiers municipaux et des notables régulièrement élus en vertu de la loi du 14 décembre 1789 (32).

Le jour même de l'installation du Comité permanent au château, les commissaires des légions procédèrent, à l'hôtel de ville, à l'élection de l'état-major de la milice. C'est Legouz du Plessis, grand-croix de l'ordre de Saint-Louis, lieutenant général des armées du roi, qui reçut le titre de colonel général, Ménard étant élu colonel en second, Poirier chevalier de Saint-Louis, major général, et Goubault major général en second. On désigna également six aides-majors : Ruffin de la Marandière, garde-marteau en la maîtrise des eaux et forêts, Choudieu substitut du procureur du roi en la sénéchaussée et siège présidial, Coullion de la Douve négociant et juge consul en exercice, Aynès Grille un autre négociant, Ollivier apothicaire et Beaujouan. Ce choix n'eut rien de surprenant. Le commandement général revenait à un militaire pourvu d'une longue expérience puisqu'il était né en 1722. Il donna d'ailleurs par deux fois sa démission en raison de son âge, en octobre et en novembre, mais dut la reprendre sur les instances du Comité et de ses compagnons d'arme (33). Non seulement Legouz était noble, comme bon nombre des premiers chefs des gardes nationales du royaume (34), mais il semble qu'il ait été fort lié au comte de Serrant, Antoine Walsh, qui s'était signalé à la veille des Etats-Généraux par ses pamphlets violents contre le démocrate Volney (35). D'autre part, plusieurs membres de l'état-major étaient d'anciens officiers de la milice bourgeoise : Goubault, Aynès Grille et Ollivier avaient fait partie de l'état-major de cette troupe, tandis que Beaujouan y était capitaine. Cette constatation est une nouvelle preuve qu'il y eut une certaine continuité entre les deux institutions. Cependant, le

---

(31) J. MAILLARD, *op. cit.*, p. 47-49 et 220-222.

(32) Arch. mun. Angers BB 134. Le résultat des élections fut connu le jeudi 18 février et la municipalité nouvelle installée, après avoir prêté serment, le 21. De fait, le registre des conclusions de l'ancienne municipalité s'arrête à la date du 19 février (Arch. mun. Angers BB 134) et le registre des délibérations du Comité permanent le 18 (Arch. mun. Angers EE 6).

(33) C. PORT, *Dictionnaire ...*, *op. cit.* François-Louis Legouz sera incarcéré par deux fois en 1793 et mourra au séminaire le 1er janvier 1794.

(34) J. GODECHOT souligne l'étroitesse du recrutement social des officiers de la garde nationale, malgré l'élection (*Les Institutions ...*, *op. cit.*, 1968, p. 128). Dans le même sens, cf. F. MOURLOT, *op. cit.*, p. 367.

(35) A. MEYNIER, *Un représentant de la bourgeoisie angevine à l'Assemblée Constituante et à la Convention Nationale : L.M. La Revellière-Lépeaux, 1753-1795*, Angers, 1905, p. 222.

personnel des aides-majors se révéla très instable. Trois d'entre eux démissionnèrent presque aussitôt (Choudieu, Beaujouan et Coullion de La Douve) et, au début de 1790, seul Ollivier subsistait de ceux qui avaient été élus le 4 août (36).

L'état-major de la milice nationale nous apparaît donc dominé par la haute bourgeoisie avec une forte participation de la caste militaire. Il aurait été très intéressant de connaître la composition sociale de l'ensemble du corps des officiers et bas-officiers ainsi que celle des troupes. L'*Almanach de la province d'Anjou* pour 1790 fournit bien le nom de tous les gradés, mais sans indiquer leur profession. Comme le prénom manque le plus souvent, toute tentative d'identification serait illusoire. Il ne nous est donc pas possible de renouveler pour Angers l'intéressante étude faite par P. Arches pour d'autres gardes nationales de France (37). Nous savons seulement que la milice de 1789 comprenait 60 compagnies qui devaient regrouper, pour le moins, 3 000 hommes.

Deux jours après son élection, l'état-major avait prêté le même serment que le Comité permanent et ses quatre principaux membres, Legouz, Ménard, Poirier et Goubault, furent installés au sein du Comité. Ainsi, étaient définitivement en place les institutions politico-militaires qui allaient diriger la ville. Elles étaient toutes deux révolutionnaires puisque parfaitement illégales ; elles étaient aussi démocratiques puisqu'issues du suffrage universel au sein de la milice, même si l'élection à deux degrés avait abouti à la désignation de hautes personnalités dont certaines étaient d'opinion très modérée. Les Angevins pouvaient ainsi croire s'être garantis contre le complot aristocratique tout en ayant solidement assuré la paix sociale. C'est ce que signifie l'article des *Affiches d'Angers* qui achève en ces termes la description des cérémonies du 6 août :

> «Une salve d'artillerie a annoncé, au loin, cette fête militaire, devenue d'autant plus chère à tous les citoyens, qu'elle les rassure contre les ennemis du dehors, et qu'elle met le sceau à l'harmonie qui règne entre tous les individus.» (38)

Il faudra attendre encore plusieurs semaines pour que la milice nationale, ou la garde nationale ainsi que quelques-uns commençaient à appeler la nouvelle troupe, soit vraiment à pied d'œuvre. C'est ainsi que, le 10 août encore, le Comité permanent est obligé d'ordonner aux officiers et sergents de l'ancienne milice de continuer leur service jusqu'à ce que les nouveaux gradés aient prêté le serment et qu'ils aient été reconnus par leur

(36) *Almanach de la province d'Anjou* des années 1789 et 1790.
(37) P. ARCHES, «Les débuts de la Garde Nationale de Montauban ...» *art. cit.*, «Etude sociale d'un bataillon contre-révolutionnaire de la garde nationale de Montauban (avril-mai 1790)», dans *Actes du 80ᵉ Congrès Nat. des Soc. Sav. Lille, 1955,* Paris, p. 163-169, «Quelques aspects de la garde nationale de Thouars ...», *art. cit.,* «Aspects sociaux de quelques gardes nationales au début de la Révolution (1789-1790)», dans *Actes du 81ᵉ Congrès Nat. des Soc. Sav., Rouen-Caen, 1956,* Paris, 1956, p. 443-455.
(38) *Affiches d'Angers* nᵒ 39 et Arch. mun. Angers EE 6.
Voir aussi F. UZUREAU, «Etablissement de la milice nationale angevine», dans *L'Anjou historique,* 5ᵉ année, 1904-5, p. 192-197.

compagnie, ce qui n'aura lieu que le 30 (39). Entre temps, un nouveau règlement militaire fut élaboré. Adopté le 27 août, il modifiait d'abord les conditions d'élection du Comité permanent. La désignation de ses membres n'incomberait plus à l'assemblée générale des communes, mais aux commissaires des six légions. C'était aligner le texte sur l'usage adopté le 2 août. Le Comité serait renouvelé par moitié tous les six mois. Cette procédure était favorable aux notables puisque le suffrage à deux degrés remplaçait l'élection directe, mais aussi aux patriotes puisque le corps électoral était restreint aux gardes nationaux. Concernant l'organisation militaire, le nouveau règlement apportait peu de changements, si ce n'est l'élection directe des officiers par les compagnies et de l'état-major par les légions, dispositions plus démocratiques que l'élection par le Comité adoptée le 19 juillet. D'autre part le règlement était plus précis que l'ancien. Le service personnel était obligatoire pour les hommes de 18 à 60 ans, sauf en cas de maladie. Un milicien absent pouvait se faire remplacer par un homme d'armes de sa compagnie ou d'une autre compagnie de sa légion, à condition qu'il lui rende le même service. Une seule catégorie de citoyens était exemptée : le clergé dont les membres devaient payer une contribution de remplacement égale à six livres pour les communautés d'hommes séculières et régulières, sauf les Capucins et Récollets, et à 40 sols pour les chanoines et les ecclésiastiques isolés. Les gardes nationaux devaient revêtir un uniforme ainsi défini :

> « ... habit bleu de Roi, doublure, revers et paremens blancs ; collet et passe-poil écarlate ; boutons d'argent, aux armes de la Province, avec l'exergue *Milice Nationale* ; épaulettes en argent, suivant les grades et fleurs de lys du retroussis de l'habit aussi en argent (sic) ». (40)

La disposition la plus importante du règlement était contenue dans les articles 9 et 14 qui subordonnaient étroitement la milice au Comité permanent. Ce dernier aurait seul le droit de lui donner des ordres et aucun citoyen ne pourrait prendre les armes sans y avoir été expressément invité par le Comité. On voit que la garde nationale était, à Angers, totalement soustraite au contrôle de la municipalité d'Ancien Régime (41).

Le 30 août se déroula comme prévu au Champ-de-Mars la cérémonie de prestation du serment par les légions devant le commandant général Legouz du Plessis, en présence du Comité permanent. On peut considérer que c'est seulement à cette date que la garde nationale d'Angers avait vraiment achevé son organisation (42). Il faut dire que celle-ci avait été menée avec soin. Dès les 21 et 22 juillet, une expédition aux châteaux de Serrant et de Brissac avait permis de ramener une demi-douzaine de canons (43). Sans doute ce

---

(39) Arch. mun. Angers EE 6.

(40) C'est seulement le décret du 19 juillet 1790 qui imposera l'uniforme à toutes les gardes nationales du royaume. Cf. *infra*, p. 95.

(41) Bibl. mun. Angers H 1560, t. II, pièce 6. *Règlement général pour le Comité permanent et la Milice nationale angevine fait et arrêté (...) le 27 août 1789*, imprimé chez Pavie.

(42) Arch. mun. Angers EE 6. La Fayette accepta le titre honorifique de Commandant Général de la milice angevine, ainsi qu'on l'apprend dans la séance du 8 octobre du Comité.

(43) Arch. mun. Angers GG 183, récit du curé Robin, *doc. cit.*, et Arch. mun. Angers BB 134.

transfert était-il, plus qu'une mesure de défense efficace, le symbole du déplacement du pouvoir, mais le Comité prit d'autres mesures pour équiper la troupe de façon qu'elle ne soit pas uniquement un corps de parade. Il existait à l'époque de la création de la milice quelques réserves de munitions à Angers : 300 livres de poudre environ et une assez grande quantité de balles (44). On les compléta en achetant de la poudre à Orléans. En outre, le Comité fit réparer d'anciens fusils trouvés au château, par un armurier de la ville, Létournaux, à qui l'on acheta aussi des baïonnettes, des baguettes, des pierres à fusil etc. ... Mais surtout, il acquit 1 000 fusils neufs auprès d'un armurier de Nantes nommé Bosset, pour un prix de 16 396 livres 5 sols (45). On voit que l'équipement de la milice coûta fort cher à la ville. Le fait que le Comité consentît à ce sacrifice, prouve qu'il ne prenait pas à la légère les dangers extérieurs ou intérieurs ...

Parallèlement à la milice nationale, un autre corps de citoyens soldats s'était constitué, celui des volontaires nationaux d'Anjou composé de jeunes gens, parmi lesquels nombre d'étudiants en droit, en médecine, membres de la Basoche et autres bourgeois. On sait le rôle joué dans plusieurs villes par la jeunesse révolutionnaire lors de la formation des gardes nationales (46). Par exemple les jeunes bourgeois d'Aix, Marseille, Toulon s'organisèrent en compagnies dès le mois de mars 1789 (47). A Orléans, un corps de volontaires se constitua au lendemain de l'émeute frumentaire du 24 avril. Cette troupe qui comprenait beaucoup de petites gens mais était solidement encadrée par la haute bourgeoisie, s'illustra dans la répression de l'insurrection des vignerons et des ouvriers des faubourgs, le 12 septembre (48). A Cherbourg et dans de nombreuses autres cités de la généralité de Caen, « des compagnies franches de volontaires nationaux » se formèrent aux côtés de la nouvelle milice (49). Enfin, Roger Dupuy a remarqué qu'il y avait eu, à l'origine de la garde nationale en Ille-et-Vilaine, des noyaux de militants révolutionnaires appelés « Jeunes Gens » ou « Jeunes Citoyens » ; le plus important était issu du groupe des « Jeunes Gens de Rennes » et de « L'association des Etudiants en Droit » dont le prévôt, à la veille de la Révolutin, était Victor Moreau, le futur vainqueur de Hohenlinden (50). Le rôle de la jeunesse angevine rappelle fortement celui des Rennais. Les étudiants de l'Université d'Angers étaient organisés depuis

(44) D'après le rapport de la municipalité au Comité, le 28 août. (Arch. mun. Angers, BB 134).

(45) Selon le *Compte-rendu à la Commune de la ville d'Angers par le Comité permanent le 10 septembre 1789*, imprimé. Les huit premières pages de ce document sont reliées en tête du volume coté H 2032 à la Bibl. mun. d'Angers. La suite est reliée dans le volume H 2031.

(46) J. GODECHOT, *Les Institutions ...*, op. cit., 1968, p. 126-127. Voir aussi, par exemple, les monographies suivantes :
R. TOURNES, *La garde nationale dans le département de la Meurthe*, op. cit., p. 41.
H. MILLOT, *Le Comité permanent de Dijon*, op. cit.,p. 81.
M. LHÉRITIER, *Les Girondins ...*, op. cit., p. 17-18.

(47) G. GARROT, op. cit., p. 4.

(48) G. LEFEBVRE, *Etudes orléanaises*, tome II, *Subsistances et Maximum (1789-an IV)*, Paris, 1963, p. 21-35.

(49) F. MOURLOT, *La fin de l'Ancien Régime (...) dans la généralité de Caen*, op. cit., p. 362-363.

(50) R. DUPUY, *La Garde Nationale (...) en Ille-et-Vilaine*, op. cit., p. 41-81.

le Moyen-Age en six « Nations », d'Anjou, de Bretagne, de Maine, de Normandie, d'Aquitaine et de « France », dont chacune élisait son procureur et son bedeau. Mais, combattues par le pouvoir royal qui voyait en elles un danger d'agitation et de particularisme, ces sociétés de jeunes gens avaient périclité à l'époque moderne au point que seules les Nations d'Anjou, de Maine et d'Armorique conservaient une certaine vitalité au XVIIIe siècle. Toutefois, dans les mois qui précédèrent la Révolution, les associations de jeunes furent réactivées par les luttes politiques et sociales particulièrement âpres en Anjou et se lancèrent avec fougue dans la défense des idées nouvelles. Les étudiants, groupés non plus par Nations mais par spécialités (Droit, Médecine), le monde de la Basoche où les jeunes gens avaient un poids déterminant, tout simplement les « jeunes citoyens », vont se révéler le fer de lance de la Révolution et constitueront une pépinière d'hommes politiques et de soldats au service du nouveau régime (51).

Aux étudiants des bords de la Maine, une première occasion de se manifester fut donnée, dans l'hiver 1788-1789, par les événements de la capitale bretonne. On sait que la noblesse et le tiers se sont violemment affrontés à Rennes au sujet de la « Constitution » des Etats de Bretagne, notamment de la place à donner en leur sein à la représentation des roturiers. Le paroxysme fut atteint les 26 et 27 janvier. Le 26, au cours de la « Journée des Bricoles », les gens du « quatrième état », domestiques des privilégiés soutenus par un certain nombre d'individus exerçant de petits métiers, les porteurs de chaise notamment, poursuivirent à coups de bâtons les étudiants en droit dans les rues de la ville. Le lendemain, les « Aristocrates » et les « Jeunes Gens » du tiers se mesurèrent en un combat sanglant à l'arme blanche et à l'arme à feu (52). Ces incidents entraînèrent la mobilisation de la jeunesse patriotique des villes voisines : un fort contingent de Nantais arriva le 31 janvier à Rennes, suivi d'un détachement de Malouins et de diverses délégations venant de tous les coins de la Bretagne et même au-delà, d'Angers et de Poitiers. Du 29 janvier au 6 février se déroula à l'Ecole de Droit de Rennes ce que les historiens ont appelé la « Diète des Jeunes Gens » (53). La jeunesse angevine, tenue jour après jour au courant des événements de la province voisine, était en pleine effervescence. Le 2 février, les étudiants en droit et les étudiants en médecine tinrent chacun de leur côté une assemblée extraordinaire. Les premiers, galvanisés par Jean-René-Toussaint Jubin, lieutenant de prévôt et greffier, décident d'envoyer l'un des leurs, le prévôt Nicolle, à l'assemblée des Jeunes Gens de Rennes, d'adhérer « aux pétitions de la vengeance due aux jeunes Bretons » et de se réunir, à leur exemple, toutes les fois que les affaires publiques l'exigeront. Ils promettent en outre, si besoin est, de se rendre en corps à Rennes pour soutenir les patriotes contre la noblesse. Les étudiants en médecine déclarent, quant à eux, se tenir prêts à voler au secours des Rennais au premier signal et décrètent qu'ils enverront une députation à

---

(51) Cf. Cl. PETITFRÈRE « La jeunesse angevine et les débuts de la Révolution française », dans *Annales de Bretagne et des Pays de l'Ouest,* 1974 n° 4, p. 709-732.
(52) R. DUPUY, *op. cit.,* p. 44 et 53-55.
(53) *Ibid.,* p. 56-57.

Nantes, démarche dans laquelle on peut voir l'amorce d'un mouvement fédératif. Le 3 février, c'est au tour des « Membres de la Bazoche (sic) d'Angers » de se réunir « en la manière accoutumée ». Ils se transporteront à Rennes eux aussi, si la nécessité s'en fait sentir, afin de réclamer une sévère justice contre les auteurs de « l'attentat » des 26 et 27 janvier. En attendant, ils déclarent adhérer aux décisions prises par leurs camarades de droit et de médecine, ainsi que par les Jeunes Gens de la ville (54). Il y eut, en effet, une quatrième réunion, celles des « Jeunes Citoyens de la ville d'Angers » qui votèrent, le 4 février, un arrêté très énergique, sorte de manifeste en faveur de l'égalité des droits :

> « Nous, Jeunes Citoyens de la ville d'Angers, informés par la clameur publique et la communication qui vient de nous être donnée des Arrêtés de MM. les Etudiants en Droit et en Médecine, et de MM. les Membres de la Bazoche, des attentats commis en Bretagne contre les Jeunes Citoyens, par des Membres de la Noblesse assemblés au sujet de la tenue des Etats, considérant :
> Que, dans le moment où la liberté françoise touche à sa régénération il n'est pas un véritable Citoyen qui ne voie avec indignation l'aristocratie que quelques Nobles voudroient établir.
> Qu'une pareille forme de gouvernement, qui suppose des esclaves, ne peut être regardée que comme une violation manifeste des droits les plus saints de la nature, et qu'elle est surtout essentiellement contraire à l'ancienne et véritable constitution de l'empire des *Francs* (...)
> Avons délibéré et unanimement arrêté, qu'en qualité d'Hommes et de Citoyens, nous sommes et serons toujours prêts à voler au secours de nos frères injustement opprimés, sans nous écarter du respect dû aux Lois, et de la fidélité que nous jurons à notre Prince (...)
> Adhérons tous aux Arrêtés de MM. les Etudiants en Droit et en Médecine, et de MM. Les Membres de la Bazoche » (55)

Quelque 160 signatures ont été imprimées au bas de cette pétition (mais il y aurait eu plus de 300 présents à l'assemblée). D'autres, en moins grand nombre, figurent au bas des arrêtés des étudiants et des gens de la Basoche (56). Il est très difficile de les identifier. Toutefois, qui a fréquenté quelque peu les archives révolutionnaires angevines reconnaîtra certains des promoteurs locaux de la Révolution. Parmi les étudiants en droit citons Jean-René-Toussaint Jubin et Anselme Papiau de La Verrie. Le premier, fils d'un apothicaire d'Angers, s'engagera en 1792 au 3e bataillon de volontaires nationaux où ses camarades le choisiront comme quartier-maître. A son retour de l'armée, sous le Directoire, il sera élu membre de l'administration

---

(54) Bibl. mun. Angers H 2032.
(55) Bibl. mun. Angers H 2066, souligné dans le texte.
Les liens entre Rennes et Angers étaient nombreux, tant du côté des « aristocrates » que des « patriotes ». La bourgeoisie angevine avait d'ailleurs mené le même combat que son homologue bretonne, contre la prétention du clan de Serrant, à la Commission Intermédiaire, d'obtenir le rétablissement des Etats d'Anjou, « dans leur antique et vénérable forme » (S. CHASSAGNE, dans *Histoire d'Angers* sous la dir. de F. LEBRUN, *op. cit.*, p. 135-8).
(56) La motion des Juristes est suivie de 25 signatures, celles des Médecins et des Basochiens de 24 signatures chacune.

départementale. Papiau de La Verrie, quant à lui, sera capitaine de la garde nationale en 1790. Il exercera tour à tour les fonctions de substitut de l'agent de la commune, officier municipal, adjoint au maire d'Angers, avant d'être nommé maire lui-même en 1813, puis de représenter son département à la Chambre des Députés de 1815 à 1820. Parmi les étudiants en médecine, nous remarquerons Salmon et Maillocheau. Urbain-Philippe Salmon, originaire de Beaufort, partira comme simple grenadier avec le premier bataillon de Maine-et-Loire, mais il en sera nommé médecin-major en novembre 1791. Après avoir fait la campagne d'Italie qui fut pour lui l'occasion de fructueux contacts avec les savants transalpins, il exercera la charge de médecin principal de l'armée française en Batavie en 1804, mais, atteint de la maladie de la persécution, il se suicidera l'année suivante à Utrecht (57). Jean-Baptiste Maillocheau, né à Clisson, s'était d'abord lancé dans l'étude du droit. Il travaillait chez un procureur de Nantes lorsqu'il décida d'opter pour la médecine. Il s'inscrivit à l'Université d'Angers où il fut reçu docteur en janvier 1792, se fixant définitivement sur les bords de la Maine. Maillocheau sera l'une des têtes pensantes des Amis de la Constitution. En mai 1793, il sera élu membre du Comité de Surveillance d'Angers. Arrêté pour ses opinions girondines, il sera traduit devant le Tribunal Révolutionnaire qui l'absoudra le 26 germinal an II (15 avril 1794). Par la suite, il exercera la médecine dans les prisons d'Angers, puis à l'armée des côtes de Brest, avant de revenir enseigner son art dans sa ville d'adoption jusqu'en 1819. Nous distinguerons encore deux des Basochiens promis à quelque célébrité, Delaunay et Duboys. Félicité (ou Félix)-Henri Delaunay, chancelier de l'association, était le frère de Joseph qui fut tour à tour député à la Législative et à la Convention avant de périr sur l'échafaud le 5 avril 1794, et de Pierre-Marie qui fut lui aussi conventionnel, puis membre du Conseil des Cinq-Cents. Moins brillant, Henri sera choisi comme secrétaire du District d'Angers en 1792, mais sera destitué par les représentants en mission l'année suivante. Jean-Jacques Duboys était, à la veille de la Révolution, le secrétaire de la Basoche. Fils d'un notaire de Richelieu en Poitou, il avait fait son droit à Poitiers mais c'est au Présidial d'Angers qu'il se fit inscrire comme avocat. Officier de la garde nationale, il s'engagera parmi les volontaires en 1792 et sera élu, le 20 septembre, lieutenant-colonel en second du 3ᵉ bataillon de Maine-et-Loire qu'il commandera, en fait, à la place de son chef, Guillaume Guinhut éternellement malade. Duboys sera promu au grade de chef de brigade le 10 germinal an III (30 mars 1795), mais se retirera de l'armée le 15 brumaire an V (5 novembre 1796), mettant fin prématurément à sa carrière militaire. Il exercera à l'école centrale comme professeur de législation de 1797 jusqu'à la suppression de l'école en 1804. Il continuera cependant à donner des leçons en cours privés, tout en tenant un cabinet d'avoué et en reprenant sa place au barreau. Elu député en 1815, il sera révoqué l'année suivante pour ses idées libérales. Il devra attendre la chute de Charles X dont il était l'adversaire ardent, pour revenir à la Chambre des Députés où l'envoyèrent, de 1830 à 1838, les électeurs de la circonscription

---

(57) Cf. l'enregistrement du testament de Salmon : série Q, bureau de Beaufort, actes ss. seing-privé, reg. 3, 10 ventôse an XIII.

de Beaupréau. Nous relèverons aussi les noms de trois des signataires de
l'arrêté des « Jeunes Citoyens » : Jean-Baptiste Cordier, Charles-François-
Jean Pérard et Joachim Proust. Le premier était le fils d'un chapelier
d'Angers. Il avait fait ses études au collège de l'Oratoire, puis au collège
militaire de Beaumont-en-Auge avant de revenir dans sa ville natale suivre
les cours de l'Ecole de Médecine. Passionné tout ensemble par les belles
lettres et la politique, il « fait partie de cette jeunesse turbulente et
enthousiaste qui appelle avec ardeur la Révolution » (58). Il obtient un
emploi dans la nouvelle bibliothèque publique d'Angers puis s'inscrit au 3ᵉ
bataillon de volontaires en même temps que ses amis Duboys et Jubin. Il y
sera élu adjudant sous-officier. Passé à la compagnie des canonniers avec le
grade de capitaine en novembre 1792, il trouvera un an plus tard une mort
héroïque au combat livré contre les Vendéens à Pontorson (18 novembre
1793). Pérard, fils d'un vérificateur au Bureau des Aides, ancien élève de
l'Oratoire, puis de l'Ecole de Droit, était avocat à Angers à la fin de l'Ancien
Régime. Nous le retrouverons avec Choudieu, son grand ami, à la
Fédération de Pontivy. Elu en septembre 1791 membre du District d'Angers,
il représentera le Maine-et-Loire à la Convention où il siègera à la Montagne,
jouant d'ailleurs un rôle effacé. Parce qu'il avait voté la mort du roi, Pérard
sera obligé de se réfugier en Belgique sous la Restauration, pays dans lequel
il mourut vraisemblablement. Joachim Proust avait une personnalité d'une
tout autre envergure. Comme Jubin, il était fils d'un apothicaire et, après
bien des tribulations, il avait pris la succession de son père dans la vieille
officine de la place Sainte-Croix que l'on peut toujours admirer entre la rue
Saint-Aubin et la rue Corneille. La Révolution lui donna l'occasion de
manifester avec éclat son attachement aux idées nouvelles et sa verve
caustique. C'est lui qui, en particulier, organisa la fameuse mascarade du
lundi gras de 1789 dont le programme nous est parvenu, portant ce titre
évocateur : « Le triomphe de la philosophie, ou la réception de Voltaire et de
Jean-Jacques Rousseau, aux Champs-Elisées » (59). Il s'agissait d'une
calvacade précédant un souper et un bal masqué. La calvacade comportait
plusieurs tableaux dont l'un représentait la cour de Pluton. Dans la barque de
Caron étaient transportés quatre personnages allégoriques promis à un
châtiment sévère : Rouge-Fer le procureur, 15 pour cent l'usurier, l'avare
Harpagon et Rimeur le satirique. Proust avait simplement écrit le canevas de
la pièce et les acteurs, qui étaient de jeunes patriotes d'Angers, inventaient le
détail des réparties. Le spectacle fut, paraît-il, fort réussi et donna prétexte à
de virulentes critiques de la société, ce qui montre la force du mouvement
révolutionnaire et la vigueur des conflits sociaux dans la capitale
angevine (60). En 1790, Proust sera élu membre du conseil général d'Angers,
puis fera partie en 1793 du premier Comité Révolutionnaire. Mais il est
surtout connu pour avoir exercé la présidence d'une Commission Militaire
chargée de suivre les armées de la République et de juger les Vendéens,

---

(58) C. Port, *Dictionnaire ...*, *op. cit.*
(59) Ce programme, imprimé chez Pavie, est conservé à la Bibl. mun. d'Angers sous la cote
H 1560.
(60) Cf. Blordier-Langlois, *Angers et le département de Maine-et-Loire de 1787 à 1830*,
Angers, 1837, p. 40-43.

commission à laquelle il laissa son nom et où il exerça ses fonctions avec une modération relative (61).

Nombre des étudiants et des « Jeunes Citoyens » de l'époque pré-révolutionnaire se retrouveront dans les rangs des bataillons de volontaires nationaux de 1791 et 1792. Nous avons cité Jubin, Salmon, Cordier, Duboys, nous pourrions leur adjoindre beaucoup d'autres, par exemple Dolignac qui sera tambour-maître du premier bataillon, Fleuriot lieutenant, Romegous, Besson et Touchaleaume, sergents-majors, Dubateau-Fontaine, sergent, ou encore les Cresteau-Delamotte, Fourmond de La Jousselinière, Guiller de La Touche, Védie, simples soldats etc. … Cependant, le nom de celui qui va se révéler le maître à penser de la jeune bourgeoisie angevine ne figure pas parmi les signataires des pétitions (mais, nous l'avons dit, les listes ne sont pas exhaustives). Il s'agit de Pierre-René Choudieu. Né à Angers en 1761 d'un père devenu maître-grenetier au grenier à sel après avoir été officier, le jeune homme fit ses études à l'Oratoire puis à l'Université en pensant embrasser la carrière des armes. Il s'engagea de fait dans les gendarmes de la Maison du Roi, puis réussit à se faire admettre à l'Ecole Militaire de Metz où l'on formait des officiers d'artillerie. Vite déçu par la société militaire où lui déplaisait particulièrement la morgue aristocratique des officiers, Choudieu revint à Angers où il acquit une charge de substitut du procureur du roi au présidial, charge qu'il exerçait à l'époque des événements de Rennes (62).

L'ensemble de la jeunesse patriotique angevine fut partie prenante dans le « Pacte d'union » qui fut adopté le 3 février 1789 à la « Diète des Jeunes Gens » de Rennes, préfiguration de celui qui sera scellé entre les Bretons et les Angevins à Pontivy un an après (63). Quelques mois plus tard, elle allait constituer le corps des « volontaires nationaux d'Anjou ». Il semble que ce soit le 17 juillet que les étudiants et jeunes citoyens se soient armés pour la première fois. Le lendemain, conduits par Choudieu, ils s'emparent du château d'Angers (64). Le 1ᵉʳ août, le Comité provisoire invite « MM. les jeunes gens volontaires », « dans la personne des sieurs prévots de Droit et de Médecine, de faire demain la garde des différents postes de la ville » afin de permettre aux miliciens de participer à l'élection des commissaires qui, à leur

---

(61) Concernant la Commission Proust, voir L. PETIT, *La justice révolutionnaire en Maine-et-Loire* …, th. dact., 1966.

Les indications biographiques concernant les Angevins évoqués sont tirées, sauf exceptions signalées, de C. PORT, *Dictionnaire* …, *op. cit.*, G. SIX, *Dictionnaire (…) des généraux et amiraux de la Révolution et de l'Empire*, 2 vol., Paris, 1934, ainsi que des documents suivants relatifs aux trois premiers bataillons de volontaires de Maine-et-Loire : A.G., contrôles du 1ᵉʳ et du 3ᵉ bataillon de M. § L., Arch. nat., AF II 382, Arch. dép. M. § L., 1 L 582 à 590 bis, Arch. mun. Angers, H 3-61.

(62) Elu successivement député du Maine-et-Loire à la Législative et à la Convention où il siégera parmi les Montagnards, Choudieu sera envoyé en mission dans l'Ouest en 1793. Il connaîtra souvent la prison et l'exil après Thermidor. C'est ainsi, entre autres, qu'il devra fuir en Hollande jusqu'en 1814 après l'attentat de la rue Saint-Nicaise. Revenu en France, il devra à nouveau s'expatrier en 1816 comme régicide jusqu'à la révolution de juillet. C'est à Paris qu'il mourra en 1838.

Célestin PORT qui l'admirait beaucoup célèbre « la passion désintéressée et inaltérable dont il aima jusqu'au dernier jour la Révolution ». *(Dictionnaire* …, *op. cit.)*

(63) Voir ce pacte dans R. DUPUY, *op. cit.*, p. 57.

(64) Arch. mun. Angers GG 183, récit du curé Robin, *doc. cit.*

tour, devront choisir les membres du Comité permanent définitif. (65) Mais ce n'est que le 10 août que des «jeunes citoyens» demandent au Comité permanent l'autorisation de former officiellement deux compagnies de volontaires. Le Comité renvoie les solliciteurs aux commissaires des légions de la milice qui donnèrent sans doute un avis favorable puisque le 14 août «les jeunes citoyens de la ville d'Angers assemblés en la manière accoutumée dans la salle des écoles de droit» décident de créer un corps de volontaires :

> «considérant qu'il n'est pas suffisant pour la sûreté de la ville d'avoir créé des légions s'il ne se forme pas dans cette association un corps qui plus libre de son temps s'exercera davantage aux évolutions militaires et sera plus prêt à se réunir dans les occasions périlleuses et se disposera à faire toutes les corvées extraordinaires et de nécessité, sans exposer les pères de famille et sans déranger de leur travail les habitants qui en ont besoin pour subsister».

Le projet, déposé le 16 août sur le bureau du Comité permanent par Choudieu député par ses camarades, est immédiatement approuvé.

Contrairement aux jeunes citoyens de Rennes qui, après avoir formé avec les militaires en garnison dans la ville une éphémère Armée Nationale, se fondent presque aussitôt dans la milice organisée par la municipalité (66), les volontaires angevins vont mener pendant une année presque entière une existence autonome, leurs compagnies étant à la fois parallèles et intégrées à la garde nationale. En effet, le but des jeunes gens n'est pas de se substituer aux miliciens, «mais au contraire de travailler de concert avec eux à assurer la tranquillité publique». Les volontaires seront, en quelque sorte, des gardes nationaux d'élite toujours sur la brèche. Ils continueront à faire le service dans leur légion respective, à tour de rôle et sans uniforme distinctif. Mais ils se grouperont, de surcroît, en une troupe spéciale ayant sa hiérarchie et son uniforme propres. Ce dernier (habit bleu à doublure, revers et parements blancs avec collet écarlate) ne se distinguait de celui de la milice que par deux trèfles en argent sur les épaules et par les boutons qui portaient l'inscription «Volontaires Nationaux d'Anjou». L'état-major élu dès le 14 août, se composait de trois hommes : Bodard, chevalier de Saint-Louis et ancien capitaine de dragons choisi comme major, Choudieu et Proust comme capitaines aides-majors. Il était spécifié que nul officier des volontaires ne pourrait recevoir de grade dans les légions de la milice (ou vice-versa) et que la troupe se rangeait sous l'autorité des trois principaux chefs de la garde nationale, le colonel général, le colonel en second et le major général, «promettant de ne prendre l'ordre que d'eux seuls». (67)

Le 18 août, c'était au tour des «jeunes amateurs en musique» de se constituer en un corps de «Musiciens Volontaires», attaché à la fois à la milice nationale et aux volontaires d'Anjou. Comme ces derniers ils élirent leurs officiers (Ollivier-Dupré premier capitaine, Reyneau second capitaine, Ruffieux tambour-major) tout en déclarant se soumettre à l'autorité des trois

---

(65) Arch. mun. Angers EE 7.
(66) R. DUPUY, *op. cit.*, p. 75-90.
(67) Arch. mun. Angers EE 6.

principaux chefs de la milice. Leur uniforme était particulier : habit de drap rouge à doublure blanche avec revers et parements bleu de roi et collet blanc (68).

Le 3 décembre, les volontaires nationaux élaborèrent un règlement en 39 articles qu'ils soumirent le lendemain à l'approbation du Comité permanent. Ce texte traduit à la fois un désir d'ouverture démocratique et le souci de garder aux compagnies leur caractère de corps d'élite. C'est ainsi que les volontaires se recruteront désormais par cooptation, chaque candidat devant être présenté par deux membres du corps au Conseil de guerre qui pourra « recevoir ou refuser le sujet sans autre formalité ». Cependant, seul le mérite devait guider le choix du Conseil :

> « Les volontaires regardant l'estime publique comme le 1er encourage-
> ment à leurs travaux et la seule récompense qu'ils en puissent espérer ne
> recevront parmi eux que ceux qui pourront le mériter et comme la naissance et
> la fortune ne donnent point les sentiments le premier titre à leurs yeux sera une
> conduitte (sic) sans reproche : en conséquence les citoyens de toutes les classes
> seront reçus sans distinction pourvu qu'ils ayent atteint l'âge de 16 ans et qu'ils
> ayent les qualités ci-dessus... »

Repoussant le critère de la naissance ou de l'argent, les volontaires prétendaient en fait adopter celui du patriotisme. On peut pourtant se demander si le désir d'ouvrir le recrutement à toutes les classes de la société fut suivi d'effet. En supposant même, ce qui est loin d'être démontré, que le patriotisme était également répandu du haut en bas de la hiérarchie sociale, il est certain que de sérieux obstacles s'opposaient à l'entrée des Angevins besogneux dans la troupe des volontaires. Nous avons vu que, dans ses considérants, l'assemblée constitutive du 14 août avait classé parmi les motifs de la création d'un corps séparé de la milice, la nécessité de ne pas « déranger de leur travail les habitants qui en ont besoin pour subsister ». Cela sous-entendait que seuls les gens oisifs ou disposant de loisirs abondants pourraient s'engager. Par ailleurs, le règlement du 3 décembre précisait qu'il y aurait « toutes les semaines plusieurs exercices qui (seraient) indiqués à la parade du dimanche ». Tout volontaire étant tenu « autant que ses affaires (pourraient) le lui permettre » non seulement d'assister aux exercices mais de participer aux corvées, aux assemblées du corps et à la messe du dimanche, comment un homme du peuple, un salarié, pouvait-il trouver le temps nécessaire ? (69) D'autres mesures réglementaires complétaient le dispositif qui aboutissait, en fait, à écarter les représentants des classes laborieuses qu'on prétendait vouloir accueillir. C'est d'abord la nécessité de se payer un uniforme dispendieux, même si l'on avait donné au départ un sursis, au moins jusqu'à la Saint-Martin. C'est aussi le fait que, loin d'être rémunérés, les volontaires devaient verser chaque mois une contribution au quartier-

---

(68) *Ibid.* L'organisation des musiciens fut approuvée par le Comité le 21 août.

(69) Albert Soboul souligne que la gratuité du service de la garde nationale entraîne une sélection au bénéfice des plus favorisés, « citoyens disposant de loisirs » ou « artisans ou commerçants dont les compagnons ou les commis gardent les boutiques », dans *Les Soldats de l'An II, op. cit.,* p. 48.

maître. Instrument d'élite au service de la Révolution, le corps des volontaires n'était, en pratique, accessible qu'à l'élite de la richesse (70).

Une analyse socio-professionnelle des compagnies de volontaires nous éclairerait sur la représentation respective des pauvres et des riches. Nous disposons bien d'une liste de ces jeunes gens dans l'*Almanach de la province d'Anjou* pour 1790, mais elle ne comporte malheureusement aucune mention de métier (71). On y reconnaît cependant nombre de patronymes de la bonne bourgeoisie angevine dont on retrouvera la plupart dans la première unité de volontaires de Maine-et-Loire, le « bataillon doré » de 1791. Des « jeunes citoyens » de l'hiver 1788-1789 aux volontaires d'Anjou puis aux volontaires nationaux de 1791, il y a sans nul doute une large continuité. (72)

A défaut de connaître de façon précise la composition du corps des volontaires de 1789, nous savons le nombre de ceux qui y servaient. Aux termes du règlement, ils devaient former quatre compagnies groupées en deux bataillons. Au début de 1790, on comptait 304 hommes de troupe auxquels étaient adjoints trois « volontaires saumurois agrégés » et deux volontaires aspirants, Sigogne fils et Mame cadet, sans doute le fils aîné de l'imprimeur, Charles-Mathieu né en 1771. L'état-major particulier de la troupe se composait alors de huit hommes : Bodard, commandant, Choudieu et Ruffin de La Marandière, majors, Lehoreau quartier-maître trésorier, Cherbonnier le jeune et Pacqueraye le jeune, adjudants, Rataud-Duplais chirurgien-major. Ce dernier, qui était également le chirurgien de l'ensemble de la milice, avait dépassé l'adolescence depuis longtemps puisqu'il était né en 1732 ... Il y avait en outre, pour encadrer la troupe, huit capitaines, huit lieutenants, huit sergents, seize caporaux et un porte-drapeau, les places de tambour-major et d'aumônier restant vacantes. Si l'on adjoint aux volontaires les 34 musiciens, l'ensemble du corps totalisait 391 hommes.

La mission des volontaires nationaux d'Anjou durant le second semestre de 1789 et les six premiers mois de l'année suivante est inséparable de celle de la milice tout entière. Cependant, nos jeunes gens apparaissent plus souvent que les autres gardes nationaux dans les documents de l'époque. C'est qu'ils furent à Angers les champions inlassables de la Révolution, tout comme ils le furent à Saumur ou dans d'autres villes de France (73). Les gardes nationales du royaume poursuivirent généralement deux objectifs simultanés : la défense de la Révolution et celle de l'ordre, donc des propriétés (74). En fut-il ainsi sur les bords de la Maine ? A lire les règlements élaborés le 13 puis le 27 août qui fixaient les limites de la compétence du Comité permanent et par là même de la milice, à parcourir le registre des délibérations du Comité qui relate les interventions des citoyens

---

(70) Arch. mun. Angers EE 6 et Bibl. mun. H 2065.

(71) *Almanach de la province d'Anjou* pour 1790, Bibl. mun. Angers H 5507.

(72) On peut se reporter aux exemples cités dans notre article « La jeunesse angevine ... », *art. cit.*

(73) Voir par exemple le rôle des volontaires à Dijon dans H. MILLOT, *op. cit.*, p. 87-88.

(74) J. GODECHOT, *Les Institutions ...*, 1968, *op. cit.*, p. 127.

A. SOBOUL, « La Révolution française, problème national et réalités sociales », dans *Actes du colloque Patriotisme et nationalisme en Europe ...*, *XIIIe Congrès Int. des Sc. Hist.*, *Moscou 1970*, Paris, 1973, p. 29-58.

soldats, il semble que deux tâches principales étaient dévolues aux gardes nationaux : le maintien de l'ordre et l'approvisionnement des marchés. Mais, la seconde étant un moyen de garantir la première, on peut dire qu'en définitive la préoccupation essentielle du Comité et de la milice fut de s'assurer de la docilité des « classes dangereuses » (75). Le Comité avait pour mission d'approvisionner la garde nationale en armes et en poudre (ce qui fut fait rapidement, nous l'avons vu), de surveiller les attroupements, d'arrêter et de déférer à la justice les éléments marginaux de la société, vagabonds, mendiants valides etc. ... Mais la préoccupation principale, toujours présente à l'esprit, était celle du ravitaillement. Le Comité devait assurer « la tranquillité des foires et marchés », prendre « toutes les mesures nécessaires pour l'approvisionnement des grains » et contre l'accaparement, concourir avec les officiers de police à fixer le prix du pain, de la viande et « autres objets sujets à la police », veiller à l'exécution des ordonnances sur les prix et obliger les boulangers à faire journellement la quantité nécessaire de pain dont on contrôlerait la qualité. Comme le dit Georges Lefebvre pour Orléans, les bourgeois qui composaient le Comité furent amenés, en raison des circonstances, à faire « bon marché de cette liberté du commerce qui leur était si chère » (76). En ces temps de disette, les possédants vivaient constamment dans la crainte d'une émeute des pauvres, c'est-à-dire à Angers essentiellement les ouvriers des carrières d'ardoise. C'est pourquoi l'on tenait tant à conserver le régiment de Royal-Picardie dont les cavaliers pouvaient seconder utilement la milice. Lorsqu'on apprend, au début du mois d'août 1789, que les soldats doivent rejoindre Orléans pour s'opposer aux troubles frumentaires, de Houlières, qui préside alors le Comité, manifeste son angoisse. Angers, dit-il, ne peut se priver des services d'un régiment qui a déjà contribué à « appaiser l'émeute élevée depuis quelques jours », d'autant que « la disette des vivres s'y fait sentir plus vivement qu'à Orléans, que les ouvriers des carrières à ardoises au nombre de plus de trois mille se sont déjà atroupés plusieurs fois, qu'ils menacent de se réunir à tous ouvriers des manufactures pour pénétrer dans la ville et s'y livrer à tous les excès d'une licence effrenée... » (77). Ce noble libéral et intelligent a, dirait-on, le pressentiment de l'insurrection ouvrière qui surgira, un an plus tard, des paroisses suburbaines de l'est et que les cavaliers contribueront effectivement à écraser. L'unanimité constatée en juillet autour de la milice n'était qu'une fragile apparence. Dès 1789 les clivages sociaux existaient bel et bien et de petites émeutes de la faim annoncent les tragiques journées de septembre 1790 qui verront une partie de la garde nationale tirer sur le peuple.

Pour calmer le mécontentement lié à la cherté du pain, le Comité

---

(75) On a la même impression pour Dijon, où le Comité avait compris « dès le premier jour que le problème des subsistances, la lutte contre la misère étaient intimement liés au maintien de l'ordre » (H. MILLOT, *op. cit.*, p. 59), ainsi que pour la Normandie (F. MOURLOT, *op. cit.*, p. 355).

(76) G. LEFEBVRE, *Etudes orléanaises, op. cit.*, tome II, p. 28.
Les citations concernant le Comité d'Angers sont extraites de : Bibl. mun. Angers H 1560, tome II, pièce 6.

(77) Arch. mun. Angers EE 6.

permanent, de concert avec la municipalité, la milice et surtout les volontaires nationaux, ne ménagea pourtant pas sa peine. La liberté de circulation des grains et l'approvisionnement d'Angers en farine furent la grande affaire, comme dans les autres cités du royaume (78). A la fin de l'été 1789, à une époque où le ravitaillement n'aurait pas dû poser de problème puisque le battage était fait, des plaintes journalières parviennent au Comité permanent sur les entraves que mettent les habitants des campagnes à l'exportation des blés. On empêche les producteurs de vendre leur grain à la ville, on menace les boulangers. Les volontaires nationaux se proposent alors de faire, à leurs frais, une tournée sur les rives de la Sarthe et de la Mayenne pour visiter les moulins et réquisitionner éventuellement les farines qui n'auraient pas de destination précise. Cette initiative ne faisait d'ailleurs que reprendre l'ancienne tradition des expéditions armées organisées par la municipalité angevine durant les crises alimentaires (79). Le jeudi 3 septembre, à 9 heures du matin, deux détachements de 30 hommes chacun s'assemblent dans la cour du château et partent vers le nord en remontant la Sarthe. Ils visitent Briollay, Cheffes, Etriché. Dans ces deux dernières paroisses ils apprennent qu'un rassemblement de 2 à 300 hommes s'est organisé la veille comblant les fossés, abattant les barrières d'anciens terrains communaux dont les seigneurs s'étaient emparés. Bien qu'on les en presse, les volontaires refusent de poursuivre les insurgés, se bornant à déplorer verbalement leur excès. Ils donnent le prétexte qu'ils sont en trop petit nombre mais leur conviction révolutionnaire, la haine qu'ils ont manifestée naguère contre les privilégiés, font peut-être qu'ils ne sont pas mécontents de ces événements. Après une première nuit à Châteauneuf-sur-Sarthe, une seconde passée pour les uns à Contigné, pour les autres à Daon, c'est le retour par la vallée de la Mayenne vers Angers, où l'on arrive le samedi 5 septembre à 8 heures du soir. Le bilan de l'expédition est bien mince : un bateau de farine expédié par un meunier de Châteauneuf qu'a protégé une escouade de 10 hommes.

Le 5 novembre une nouvelle expédition est montée. Après visite des boulangeries, le Comité s'est en effet aperçu qu'il n'y avait pas à Angers assez de farine pour faire face à l'afflux extraordinaire de visiteurs que l'on attend, comme chaque année, à la grande foire de la Saint-Martin. L'on décide alors que deux détachements de dix volontaires chacun se porteront chez les meuniers des rivières de Sarthe, Mayenne et Loir pour accélérer l'expédition des farines destinées à Angers et réquisitionner celles qui n'auraient pas encore d'acheteurs. De son côté, le Comité enverra quelques-uns de ses membres parcourir les différents cantons de la province

---

(78) Voir, par exemple, pour Orléans, G. LEFEBVRE, *Etudes orléanaises, op. cit.,* tome II, p. 28, et pour Nancy, R. TOURNES, *La garde nationale dans le département de la Meurthe ..., op. cit.,* p. 21-23.

(79) Ainsi, en mai 1694, la municipalité d'Angers « organise une véritable expédition armée pour aller chercher du blé acheté en Craonnais, mais que les paysans refusent de laisser enlever dans la crainte d'en manquer eux-mêmes ». En 1709-1710, puis à l'occasion de toutes les disettes du XVIIIe siècle, la municipalité d'Angers se préoccupera du ravitaillement, sous le contrôle de plus en plus étroit de l'intendant, il est vrai. (F. LEBRUN, *Histoire d'Angers, op. cit.,* p. 94-95). Voir aussi J. MAILLARD, *op. cit.,* p. 791-797.

pour acheter des grains. Le 7 novembre, puis à nouveau le 10, le capitaine Viot qui commandait le détachement des volontaires fait au Comité le compte rendu de sa mission. Il a visité 17 meuniers et a recensé 61 fournitures 19 septiers de froment et 7 fournitures 11 septiers de seigle destinées aux boulangers de la ville (80).

A la fin de janvier 1790, les volontaires mèneront une troisième expédition, sur les rives de la Loire cette fois. Sur la plainte des Nantais, selon lesquels 40 fournitures de grain promises à leur ville auraient été pillées à Saint-Mathurin et aux Rosiers, 200 Angevins se joignirent à un détachement de volontaires de Nantes et se rendirent avec deux pièces de canon à Saint-Mathurin, Gennes, Cunault, Les Rosiers, permettant le chargement des bateaux de céréales.

Non contents de battre la campagne à la recherche du blé, les volontaires s'emploient à assurer la police des marchés. Nous les voyons, le 8 septembre 1789, offrir au Comité permanent un détachement de 40 hommes, non compris les officiers. Le Comité accepte la proposition et décrète d'organiser de petits pelotons stationnant aux endroits stratégiques : Champ-de-Mars, place des Halles, arcades de la prison, celles de l'Hôtel-de-Ville, bas de la rue du Cornet, porte Cupif. Des patrouilles de cinq hommes parcoureront le reste de la ville. Les volontaires devront « veiller à tous les bleds qui peuvent sortir du marché, et en prendre la destination ». (81)

A un observateur superficiel, les interventions de la garde nationale et des volontaires d'Anjou semblent donc ressortir d'un seul et même but : le maintien de l'ordre. Cette préoccupation prend d'ailleurs parfois un aspect réactionnaire, comme lorsque, fin octobre, le Comité décida d'envoyer 100 gardes nationaux à Serrant pour s'opposer au « brûlement » des archives du comte, annonçant que la milice s'emploierait à réprimer les attroupements dans les campagnes et les violences éventuelles contre les châteaux (82). C'est que les intérêts des possédants, nobles ou bourgeois, étaient les mêmes face à l'agitation populaire. A y bien réfléchir pourtant, la prévention des émeutes de la faim n'était pas indifférente au succès du mouvement révolutionnaire, les troubles risquant à tout moment d'être exploités par les aristocrates. Il est bien certain que la défense de la Révolution tenait à cœur à la troupe citoyenne qui, en outre, prit une grande part dans son illustration (83). La lecture de la presse locale montre que miliciens et volontaires étaient indispensables à la célébration du culte naissant du nouveau régime. Leur concours donnait aux cérémonies le lustre qui leur aurait manqué sans eux. On le voit lors des visites officielles, par exemple

---

(80) « On compte 21 septiers à la fourniture » selon L'Almanach de la province d'Anjou pour 1790 (p. 173). Un septier de la mesure royale des Ponts-de-Cé correspond à 12 boisseaux ou encore 203,67 de nos litres (F. LEBRUN, Les Hommes et la Mort ..., op. cit., p. 500).
(81) L'ensemble des exemples de l'activité des volontaires est tiré de Arch. mun. Angers EE 6 et EE 9.
(82) Arch. mun. Angers EE 6.
(83) Tout comme la plupart des autres gardes nationales du royaume. G. CARROT, souligne le rôle des soldats citoyens lors des fêtes, commémoration, funérailles ... (La garde nationale de Grasse ..., op. cit., p. 111).

celle que fit Jean-François Riche à la cité qui l'avait élu député aux
Etats-Généraux. Le mardi 10 novembre, les volontaires, musique en tête,
marchèrent sur la route de Paris jusqu'au lieu-dit Suette au-devant de
l'illustre concitoyen qu'ils accueillirent dignement. Ils l'accompagnèrent
ensuite à la Comédie où deux hommes restèrent en faction devant sa loge,
puis le ramenèrent avec solennité à son domicile (84).

Parmi les citoyens soldats, les volontaires, surtout, étaient populaires à
Angers. Leur dynamisme révolutionnaire, leur jeunesse, leurs uniformes
neufs, la parade du dimanche, les accents guerriers de leur musique étaient
bien propres à soulever l'enthousiasme, notamment l'enthousiasme féminin.
C'est ainsi que les « Dames de la Ville » eurent à cœur de confectionner pour
eux deux drapeaux qui furent bénits solennellement à la cathédrale, le 14
janvier 1790, en présence de députations des volontaires des villes voisines.

> « Ces drapeaux, qui sont ornés superbement et sans profusion, peut-on lire
> dans les « Affiches », ont été donnés par les Dames de la Ville, et il est aisé de
> prévoir si, dans l'occasion, ils seront bien défendus par cette Brave Jeunesse,
> l'espoir de la Révolution (...)
> On lit sur le premier cette Devise : *Union Parfaite. Les Dames, Patriotes,
> à leurs Braves* ; et sur l'autre, au-dessous d'un soleil d'or, celle-ci : *Lucet
> omnibus : Cur non ?...* » (85).

Qui étaient les généreuses admiratrices ? On relève, parmi elles, les
grands noms de la ville : Mesdames Choudieu, Guiller de La Touche, de
Soland, Desmazières, Mame, de Bourmont, d'Autichamp, de Houlières, de
Contades, de Quatrebarbe, d'Andigné de Maineuf, de Villoutreys, l'abbesse
du Ronceray etc. ..., soit, comme le dit Célestin Port, « les dames de la
bourgeoisie et de la noblesse, associées pour la première et la dernière fois
peut-être dans un même élan de patriotisme... » (86). Toujours la même
illusion de l'entente fraternelle des trois ordres !

Le dimande 21 février eut lieu une autre cérémonie officielle : la
prestation du serment par la nouvelle municipalité élue en vertu de la loi du
14 décembre précédent et qui remplaçait à la fois l'ancienne municipalité et
le Comité permanent. Les officiers municipaux et les notables, escortés par
les grenadiers de la garde nationale précédés de la musique, se rendirent sur
le Champ-de-Mars où ils prêtèrent le serment civique en présence des
légions, des volontaires et de la « Commune ». Après quoi, toujours
accompagnés de la garde, ils participèrent à la messe du Saint-Esprit et au Te
Deum (87).

---

(84) *Affiches d'Anjou, ou journal national de la province* (le titre a changé depuis le n° du
30 octobre 1789), n° 67 du samedi 14 novembre 89.

Jean-François RICHE, né à Angers en 1736, y était établi comme négociant. Administrateur
des hospices et juge consul, il avait acquis une certaine notoriété qui explique son élection aux
Etats-Généraux. « Esprit médiocre, mais brave homme », a dit de lui La Revellière-Lépeaux (C.
PORT, *Dictionnaire ..., op. cit.*).

(85) *Affiches d'Angers, ou journal national de la province d'Anjou*, (encore un titre
nouveau pour le même journal ...), n° 5 du samedi 16 janvier 1790. Souligné dans le texte.

(86) C. PORT, *La Vendée Angevine, op. cit.*, tome I, p. 5.

(87) *Affiches d'Angers ...* n° 16 du 23 février 1790.

Non contents de glorifier la Révolution dans ses fastes, le Comité permanent et la milice angevine s'efforcèrent de la servir en lui forgeant une arme défensive puissante. Ils le firent d'une part en favorisant la multiplication à l'intérieur de la province des milices rurales et en essayant de les intégrer à un système cohérent, ainsi que nous le verrons plus loin, d'autre part (et c'est l'aspect le plus révolutionnaire de leur œuvre) en lançant l'idée, parmi les premiers en France semble-t-il, d'une vaste fédération nationale destinée à faire échec au « complot aristocratique ». Cela fut bien étudié jadis par F. Uzureau et beaucoup plus récemment par P. Arches, aussi nous bornerons-nous à rappeler l'essentiel de leurs travaux (88).

Dès le 18 août, deux semaines par conséquent après son élection, le Comité permanent d'Angers adressait une lettre circulaire imprimée à diverses milices de France (on a retrouvé la trace des discussions provoquées par cette lettre à Cahors, Figeac, Montauban et Le Havre par exemple) (89). Cette lettre prévoyait un règlement type dont la nouveauté, pour cette époque précoce, résidait essentiellement dans ce que l'on assignait aux milices, à côté du but policier traditionnel, un but politique : veiller à l'exécution des arrêtés de l'Assemblée et à la perception des impôts jusqu'à ce que les députés en aient ordonné différemment. La circulaire proposait d'autre part une alliance hiérarchisée de toutes les milices du royaume. Chaque bourg et village correspondrait avec la ville de son ressort, celle-ci avec la capitale de la province, cette dernière avec le Comité général de la garde nationale de Paris dont le commandant deviendrait le commandant général de la milice nationale du royaume (90). L'application de ce projet aurait abouti à doubler le pouvoir légal d'un pouvoir nouveau dont le contrôle lui aurait échappé.

> « Cette "chaîne de correspondance", écrit P. Arches, est typiquement révolutionnaire ; établie en dehors de toute direction gouvernementale, elle risquait un jour, d'employer des moyens plus ou moins illégaux, pour maintenir intactes les nouvelles conquêtes. »

L'appel du Comité angevin semble avoir trouvé peu d'échos parmi les gardes nationales du royaume. Seules les milices du Havre et de Cahors auraient répondu favorablement, de sorte que le projet tomba vite dans l'oubli (91). Les patriotes d'Angers prirent, cependant, une seconde initiative due, cette fois, aux volontaires nationaux. Le nouveau projet est lié aux événements rennais de février 1789, mais aussi aux troubles qui agitèrent la Basse-Bretagne en octobre. 1500 volontaires de Brest marchèrent alors sur Lannion afin d'exiger la livraison de fournitures de blé à laquelle les paysans

---

(88) F. UZUREAU, « La Fédération de Pontivy (1790) », dans *Revue Historique de la Révolution Française et de l'Empire,* tome XI, 1917, n° 1, pp. 81-95.
P. ARCHES, « Le premier projet de fédération nationale », dans *A.H.R.F.,* juil-sept. 1956, p. 255-266.
(89) P. ARCHES, « Le premier projet ... », *art. cit.*
(90) Nous avons vu que la milice d'Angers obtint de La Fayette qu'il acceptât le titre de commandant général. (On peut consulter un exemplaire de la lettre-circulaire du Comité permanent aux Arch. dép. M. & L. , 7 L 189).
(91) P. ARCHES, « Le premier projet de fédération ... », *art. cit.*

s'opposaient. Nous retrouvons là un scénario identique à celui qui s'est déroulé à plusieurs reprises en Anjou. Mais cette fois, plusieurs villes bretonnes envoyèrent à Lannion leurs commissaires pour appuyer les volontaires brestois. Avant de se séparer, le 26 octobre, ces délégués signèrent, au nom d'une quinzaine de villes, un « pacte fédératif » qui est le renouvellement de celui adopté à Rennes en février. Ce pacte allait être le point de départ de la fédération de Pontivy. En effet, à la suite du refus du Parlement de Rennes d'enregistrer la loi du 3 novembre prorogeant la vacance des cours souveraines, la municipalité de Quimper proposa d'étendre la fédération de Lannion à toute la Bretagne. On se rencontrerait à Pontivy, ville choisie pour sa position centrale. Les volontaires de la garde nationale d'Angers furent invités à se joindre aux Bretons, en tant que signataires du pacte de février, ce qui montre bien la filiation entre les « jeunes citoyens » et les volontaires de 1789. Ces derniers adressèrent alors, le 16 décembre, une supplique à la Constituante dans laquelle, tout en demandant à l'Assemblée de « conserver et de sanctionner sous un mode uniforme les corps de volontaires, comme émanation et faisant partie des gardes nationales », ils affirmaient leur volonté de renouveler le pacte d'union entre « les jeunes citoyens » de Bretagne et d'Anjou et exprimaient le vœu de voir se réaliser une fédération nationale de tous les corps de volontaires :

> « ... la force active de l'Etat résidant essentiellement dans les jeunes volontaires, il importe que l'association fraternelle des Bretons et des Angevins se propage dans toutes les parties du royaume et forme une masse de puissance capable d'épouvanter les pervers ... » (92).

Le 15 janvier 1790 se réunirent effectivement, à Pontivy, 149 « jeunes citoyens de Bretagne et d'Anjou », délégués par 79 gardes nationales. En réalité, les Angevins n'avaient qu'une représentation symbolique puisqu'une seule milice figurait à la réunion, celle d'Angers, en la personne de deux de ses volontaires, l'avocat Charles-François-Jean Pérard et Pierre-René Choudieu. Dans le pacte fédératif, qui comprit cinq articles, Bretons et Angevins promirent :

> — « de former, par une coalition indissoluble, une force toujours active, dont l'aspect imposant frappe de terreur les téméraires ennemis de la régénération »,
> — « de vouer à la nouvelle Constitution un respect et une soumission sans bornes ... »,
> — de renouveler au roi « l'hommage respectueux de (leur) amour »,
> — de ne reconnaître entre eux, malgré la nouvelle division administra-tive, « qu'une immense famille de frères qui, toujours réunie sous l'étendard de la liberté, soit un rempart formidable où viennent se briser les efforts de l'aristocratie »,
> — de se prêter mutuellement tous les secours possibles.

---

(92) F. Uzureau, « La Fédération de Pontivy ... », art. cit. Cette adresse est reproduite dans le n° 6 des Affiches d'Angers (19 janvier 1790).

Pour clore la Fédération, un serment solennel fut prêté, le 19 janvier, dans l'église paroissiale :

« Nous jurons par l'honneur, sur l'autel de la Patrie, en présence du Dieu des Armées, amour au Père des Français ; nous jurons de rester à jamais unis par les liens de la plus étroite fraternité ; nous jurons de combattre les ennemis de la Révolution, de maintenir les droits de l'Homme et du Citoyen, de soutenir la nouvelle Constitution du Royaume, et de prendre au premier signal de danger, pour cri de ralliement de nos phalanges armées :
          VIVRE LIBRE OU MOURIR. » (93)

Un mois plus tard, du 15 au 21 février, une seconde fédération se tint à Pontivy, émanant cette fois des municipalités. 129 communautés y étaient représentées dont une seule d'Anjou, celle de sa capitale. Une assemblée composée des officiers muncipaux, du Comité permanent et des députés des 8 districts de la ville, avait choisi comme représentants en Bretagne le conseiller au présidial Aimé Couraudin de La Noue et l'avocat Joseph Delaunay. Les délégués de Pontivy, après avoir discuté de nombreuses questions concernant notamment l'organisation des gardes nationales, la suppression sans indemnité des servitudes féodales, la suppression définitive de la gabelle qui tenait tant à cœur aux Angevins (94), adoptèrent un pacte fédératif d'inspiration voisine de celle du pacte des volontaires, auquel ils invitèrent tous les Français à s'associer. Puis, l'on prêta un nouveau serment :

« C'est aux yeux de l'Univers, et c'est sur l'autel du Dieu qui punit les parjures, que nous promettons et jurons d'être fidèles à la nation, à la loi et au roi et de maintenir la Constitution française. Périsse l'infracteur de ce pacte sacré ! Prospère à jamais son religieux observateur ! » (95).

La milice nationale angevine participa aussi, mais indirectement, à une autre fédération régionale, celle qui eut lieu à Poitiers, le 11 avril. En effet, le 26 mars, la garde nationale de cette ville avait invité celle d'Angers. Les Angevins n'envoyèrent point de délégués, mais dans la réponse qu'ils firent, le 10 avril, ils proclamèrent qu'ils souscrivaient à tout ce que l'on arrêterait à Poitiers et jurèrent à nouveau de maintenir la Constitution et l'autorité légitime dans l'esprit des deux serments de Pontivy. (96) D'autres fédérations, de moindre amplitude géographique, furent organisées. Ainsi le 21 mars 1790 la garde nationale de Vritz (Loire-Inférieure) et celles de

---

(93) Bibl. mun. Angers H 2031, procès-verbal des séances tenues à Pontivy par les jeunes citoyens de Bretagne et d'Anjou.
(94) Cl. PETITFRÈRE, *Les Vendéens d'Anjou, op. cit.*, p. 337.
(95) F. UZUREAU, « La Fédération de Pontivy ... », *art. cit.*
(96) Cf. les *Affiches d'Angers* n° 29 (10 avril 1790) et 31 (17 avril). La lettre des gardes nationaux d'Angers à leurs frères d'armes de Poitiers figure aux Arch. mun. de Poitiers sous la cote H 22. Nous remercions Pierre ARCHES qui nous en a aimablement communiqué une photocopie.

15 bourgades du Maine-et-Loire occidental se réunirent à Candé en présence de quelques volontaires d'Angers. On lut le pacte fédératif de Pontivy auquel on jura fidélité et l'on se promit un mutuel secours. Un Te Deum et un grand feu de joie clôturèrent la cérémonie (97).

Par leur participation à la fédération bretonne, les patriotes d'Angers contribuèrent à lancer le mouvement fédératif national. En effet, les deux députés de Pontivy, Couraudin de La Noue et Delaunay, accompagnés de deux Bretons, se rendirent à Paris afin de présenter le pacte fédératif des municipalités à la Constituante qui les admit à sa barre le 20 mars. Plusieurs villes, dont Soissons, Senlis et Paris même, adhérèrent au pacte. Mais surtout l'Assemblée Nationale décida que le texte serait envoyé dans toutes les provinces, ce qui fut à l'origine de la fête du 14 juillet 1790. Comme le souligne Pierre Arches, « les patriotes angevins ont donc joué un rôle prépondérant dans la genèse de la Fédération nationale, œuvre essentiellement provinciale » (98). L'idée était populaire en Anjou et le 14 juillet fut célébré dans plusieurs villes avec éclat : à Saumur, à Beaufort où les 10 compagnies de la garde nationale participèrent à la fête ainsi que 83 femmes représentant les départements, vêtues de blanc et ceintes d'une large bande tricolore, à Rochefort-sur-Loire où les citoyennes décidèrent de former un club féminin et demandèrent aux administrateurs du département l'autorisation de confectionner une bannière portant les mots « Fédération Nationale de Citoyennes Françoises, tenue à Rochefort-sur-Loire, le 14 juillet 1790 » (99). A Angers, après la cérémonie célébrée au Champs-de-Mars par la municipalité et la garde nationale, de nombreux banquets et bals populaires animèrent les quartiers, illuminés pour la circonstance (100). L'atmosphère de liesse se prolongea d'ailleurs plusieurs semaines. Une nouvelle fête eut lieu, en effet, le 29 juillet lors de la réception de la bannière rapportée de Paris par la délégation angevine qui avait assisté à la Fédération nationale. Le 2 août enfin, à l'occasion du passage de la bannière de la Loire-Inférieure, une cérémonie fut organisée au Champ-de-Mars où, sur l'autel de la Patrie, le détachement des volontaires nantais renouvela le serment de Pontivy (101).

On constate que la milice nationale d'Angers fut loin de se confiner dans un rôle policier durant sa première année d'existence. Elle tint une place prépondérante dans la vie politique de la cité et apparut comme le meilleur soutien de la Révolution, grâce surtout au dynamisme des jeunes volontaires. Voyons si l'exemple de la capitale angevine fut suivi par les autres communautés de la province et d'abord par la ville de Saumur qui venait au second rang par sa population.

---

(97) *L'Observateur Provincial,* année 1790 n° 14.
(98) P. Arches, « Le premier projet de fédération ... », *art. cit.*
(99) Pour Saumur, cf. Arch. mun. Saumur, BB 13.
Pour Beaufort et Rochefort, cf. *L'Observateur Provincial* (1790) 3ᵉ partie n° 24.
(100) Les *Affiches d'Angers* du samedi 17 juillet 1790. Cet article est reproduit en grande partie par F. Lebrun, dans *L'Histoire vue de l'Anjou,* Angers, 1961, tome II, p. 31-32).
(101) F. Uzureau, « Les fêtes de la Fédération à Angers », dans *Anjou Historique,* tome V (1904-1905), p. 29-34, ou *Andegaviana,* 28ᵉ série, 1932, p. 214-216. Rappelons que les 83 départements avaient reçu, le 14 juillet 1790, une bannière bénite par Talleyrand.

2. - La Milice Nationale de Saumur

Tout comme à Angers, la formation de la garde nationale de Saumur eut lieu au lendemain des événements de la mi-juillet. Il existait jusqu'alors, dans la cité des bords de la Loire, à côté de la garde militaire du Gouvernement, une milice bourgeoise composée de six compagnies dont le maire était capitaine général de droit, et un corps de cavaliers, la compagnie de l'Arquebuse. Cette dernière, qui remontait à Henri IV, était peu nombreuse mais fort bien considérée et fière de ses privilèges. En 1789, elle comprenait 17 chevaliers commandés par quatre officiers dont le capitaine était Peton de La Motte (102).

L'exemple d'Angers fut sans doute déterminant pour l'organisation de la milice nationale saumuroise. Rappelons le voyage qu'avait fait le 17 juillet Beaudesson, pour faire part aux Angevins des événements de Paris et de Versailles (103). Mais il y eut aussi à l'origine de la troupe citoyenne de Saumur la « demande générale » des habitants de la ville et des faubourgs, appuyée par le lieutenant-général de police Coustis de Saint-Médard, de mettre sur pied « une force publique pour la sûreté des personnes et des biens, contre les vagabonds et personnes mal intentionnées ». En l'absence du maire, Gilles Blondé seigneur de Bagneux que l'on avait député, en compagnie d'un avocat du nom de Merlet, à Versailles et à Paris afin d'y porter deux adresses aux Etats-Généraux et à la Commune, le lieutenant de maire, Paul Desmé du Puy Girault, convoqua à l'hôtel de ville une assemblée générale, c'est-à-dire, selon la coutume, la réunion de la municipalité, des compagnies, corps et communautés et des principaux habitants. Cette assemblée se tint le 21 juillet. Elle décida d'établir « jusqu'à nouvel ordre, de jour et de nuit dans cette Ville et Faux-bourgs, une Garde Patrouille Bourgeoise sans distinction d'Habitants exempts et non exempts au-dessous de l'âge de soixante ans, lesquels ne pourront se faire représenter ». Cette force de police serait composée de 48 fusiliers, 4 officiers, 4 bas-officiers et 4 brigadiers. Elle s'adjoindrait aux forces existantes et serait sous les ordres de l'officier de bourgeoisie, le capitaine de la milice bourgeoise Hanry.

Les jeunes gens de Saumur vont jouer dans la première garde nationale un rôle comparable à celui de leurs camarades d'Angers. Dès la mi-juillet, avant les Angevins par conséquent, ils avaient manifesté leur désir de former une troupe particulière puisque l'arrêté du 21 prévoit la possibilité, s'ils « persistent à vouloir se réunir en corporation, sous le commandement des officiers qu'ils se choisiront », de leur confier un des trois postes de garde : celui du canton des ponts, celui de Nantilly et celui de Fenêt (104).

Une semaine plus tard devait avoir lieu la révolution municipale qui fut ici beaucoup plus brutale qu'à Angers et déchaîna de violentes rivalités de

---

(102) *Almanach de la province d'Anjou*, pour 1789.
Concernant l'histoire de Saumur, se reporter à : O. DESME DE CHAVIGNY, *Histoire de Saumur pendant la Révolution*, Vannes, 1892, 356 p.
(103) Cf. *supra* p. 50-51.
(104) Un exemplaire imprimé de l'arrêté du 21 juillet est conservé aux Arch. mun. Saumur sous la cote EE 2.

personnes. La disette ayant provoqué une émeute sur le marché de Saumur le 27 juillet (105), un certain nombre de notables, parmi lesquels Joseph-Toussaint Bonnemère de Chavigny, avocat au Parlement et conseiller à la Sénéchaussée, demandèrent la convocation d'une assemblée générale pour élire, à l'exemple d'Angers, un Comité permanent. Ils profitaient perfidement de l'absence du maire, toujours à Versailles. Desmé du Puy Girault qui présidait le corps municipal comme lieutenant de maire, fut obligé de céder à la pression et de convoquer l'assemblée pour le 29 juillet. Celle-ci décida d'établir un Comité de 15 membres élus par elle, dont Bonnemère de Chavigny fut le président. Ce Comité se voyait reconnaître tous les pouvoirs pour le maintien de l'ordre et pour l'approvisionnement de la ville, soucis principaux de la bourgeoisie à Saumur comme ailleurs. Il pouvait notamment requérir la maréchaussée et les troupes réglées et avait la haute main sur la milice et les autres corps de bourgeoisie qui ne devaient prendre leurs ordres que de lui.

Bien que l'arrêté du 29 juillet ait prévu que le maire, colonel né de la milice, serait membre du Comité, il s'agissait, en fait, d'une sorte de coup d'Etat contre le corps municipal. Blondé de Bagneux ne fut pas dupe qui, à son retour, donna sa démission avec l'ensemble de la municipalité. La crise était donc ouverte, contrairement à ce qui se passait à Angers où le Comité permanent et le corps municipal collaboraient tant bien que mal. L'assemblée générale se réunit le 11 août pour élire les nouveaux officiers municipaux. Bonnemère de Chavigny fut choisi comme maire, la charge de lieutenant de maire revenant à Esnault, cet homme de loi qui se rendra célèbre lors des troubles de Maulévrier en 1791 et pendant la guerre de Vendée (106). La nouvelle municipalité prêta serment le 13 et, le 21, reçut celui des gardes du Gouvernement et de la compagnie des invalides qui tenait garnison au château, puis, le 24, celui du régiment Royal-Roussillon, de la milice bourgeoise, des volontaires et des chevaliers de l'Arquebuse, qui jurèrent « de bien et fidèlement servir pour le maintien de la paix pour la défense des Citoyens et contre les perturbateurs du repos public ». (107)

L'élection du 11 août ne mit pas fin à la crise. Celle-ci rebondit en effet avec la décision du Comité permanent d'adopter, le 22, un « Règlement pour la formation, organisation, police et administration de la MILICE NATIONALE de la Ville de Saumur », document qui ne comprenait pas moins de huit longs titres. Le corps municipal, qui n'avait pas été consulté, en prit ombrage. Dans sa séance du 27, il affirma qu'il ne pouvait « exister concurremment deux municipalités indépendantes dans une même ville sous deux qualifications diférentes (sic) » et il se mit en devoir de modifier certains

---

(105) Cf. *infra* p. 83.
Sur la révolution municipale en France, consulter D. Ligou, « A propos de la révolution municipale », dans *Revue d'Histoire économique et sociale*, 1960, n° 2, p. 146-177. Voir aussi, du même auteur, *Montauban à la fin de l'Ancien Régime et aux débuts de la Révolution, 1787-1794*, Paris, 1958, p. 206-220.
(106) Bonnemère sera élu député à la Législative où il siégera « au côté droit » (C. Port, *Dictionnaire ... op. cit.*).
Sur Esnault voir Cl. Petitfrère, *Les Vendéens d'Anjou, op. cit.*, p. 205 note 214 et p. 226.
(107) Arch. mun. Saumur EE 2.

articles du règlement. Il révoqua notamment l'article I du titre 7 qui subordonnait la milice au Comité et au maire. Il décida que les citoyens soldats ne pourraient s'assembler que sur la réquisition de la municipalité « sauf au Comité à se concerter avec (elle) dans les circonstances qui exigeroient des mesures pour la tranquilité (sic) publique ». Du coup, ce fut au tour du Comité de démissionner, le 1ᵉʳ septembre. Il fallut, pour résoudre la crise, qu'une nouvelle assemblée générale se réunisse, le 3 septembre. Dans un souci d'apaisement, elle décida de fondre la municipalité et le Comité permanent en une seule et même administration forte de 28 membres, auxquels on adjoindrait les deux chefs en exercice de la milice nationale et le gouverneur, Dupetit-Thouars. Le maire resta en place et se vit reconnaître, en outre, le titre de président né du nouveau conseil qui prit le nom de Comité Municipal Permanent (108).

Pendant que se déroulaient les péripéties de la révolution municipale, avait lieu la formation définitive de la milice nationale qui remplaça la milice bourgeoise en l'intégrant. La nouvelle force de police, à l'imitation de celle d'Angers, se révèle très démocratique, en apparence du moins. Elle est en effet constituée sans exclusive de l'ensemble de la population masculine comme le prouvent les deux premiers articles du titre I du règlement du 22 août accepté par la municipalité le 27 :

> Article premier : « Il sera formé un Corps d'Infanterie de huit Compagnies, dont chacune sera composée des Habitants des Cantons dénommés et limités aux états qui seront joints au présent Règlement. »
> Article II : « Tout citoyen domicilié, marié ou non marié, depuis l'âge de vingt ans révolus jusqu'à l'âge de soixante commencés, sera porté sur la liste générale des Soldats, citoyens, et tenu de marcher quand il en sera requis. »

Deux exceptions d'importance, cependant, à cette mobilisation générale, au profit des chevaliers de la compagnie de l'Arquebuse et des « jeunes gens non mariés qui, quoiqu'âgés de vingt ans et plus, seroient inscrits au contrôle de la Compagnie des Volontaires Saumurois ». Ces deux corps resteront indépendants, assurant un service parallèle. Ils ne seront pas véritablement intégrés comme les volontaires d'Angers. Vis-à-vis de l'opinion publique, les membres de ces deux troupes constituaient une élite privilégiée distinguée par un uniforme spécial, ce qui entraîna à Saumur des tensions inconnues dans la grande ville voisine.

Comme à Angers, le commandement supérieur de la milice revenait au maire en sa qualité de colonel né. Il y avait là une simple transposition des coutumes régissant la milice d'Ancien Régime. L'état-major serait composé d'un colonel en exercice, un lieutenant-colonel, un major général avec rang de colonel, deux aides-majors avec rang de capitaines en premier, deux sous-aides-majors avec rang de capitaines en second, un adjudant chef avec rang de sous-lieutenant et quatre adjudants ayant l'autorité de premiers

---

(108) Les péripéties de la crise municipale figurent dans le registre de délibérations de la ville de Saumur du 15 juillet 1786 au 9 décembre 1789 (Arch. mun. Saumur, BB 12). Voir aussi O. DESME DE CHAVIGNY, *op. cit.*, p. 49-51.

bas-officiers. L'encadrement de chacune des huit compagnies devait être assuré par deux capitaines, deux lieutenants, deux sous-lieutenants, un porte-drapeau, un sergent-major, huit sergents et huit caporaux. Les compagnies étaient regroupées deux par deux pour former quatre bataillons. Leur nombre devait d'ailleurs être augmenté par la création, le 15 septembre, d'une compagnie nouvelle dans les faubourgs de la Croix-Verte et de l'Ile Neuve (109).

L'article 6 du titre premier définissait l'habit d'uniforme qui était semblable à peu de choses près à celui adopté par la plupart des gardes nationales du royaume et notamment par la milice d'Angers : habit bleu de roi, doublure blanche, parements, revers et collet écarlates avec boutons jaunes surdorés aux armes de la ville. Sous l'habit, la veste et la culotte seraient de drap blanc avec permission de porter à volonté bas et culottes noirs du 1er octobre au 1er mai.

La compagnie de l'Arquebuse se voyait sensiblement agrandie par le règlement du 22 août puisqu'elle était portée à 50 chevaliers. Ces hommes devaient être dirigés par un commandant avec rang de lieutenant colonel, un major, un major en second, deux capitaines, un lieutenant, un sous-lieutenant, un porte-étendard, deux maréchaux des logis et deux brigadiers. On avait conservé, pour leur uniforme, la couleur dominante qui avait fait surnommer sous l'Ancien Régime le corps des Arquebusiers la « Compagnie rouge » : habit et doublure d'écarlate, parements, revers et collet bleu ciel, veste et culotte blanches, panache noir au chapeau.

Comme les chevaliers de l'Arquebuse, les volontaires, au nombre de 120, devaient être commandés par un lieutenant colonel assisté d'un major et d'un major en second. Quatre capitaines, un porte-drapeau, un adjudant et deux sergents majors compléteraient l'encadrement. L'uniforme serait semblable à celui de la milice, à la seule différence du collet blanc et des boutons de même couleur.

Le règlement du 22 août créait enfin une compagnie d'artillerie dont la tenue serait identique à celle des jeunes gens. Elle serait composée de quatre officiers pointeurs, quatre canonniers et huit servants et dirigée par un commandant en chef, un lieutenant et quatre sergents (110). Les artilleurs se verront dotés de quatre couleuvrines données à Saumur par Richelieu, dont la fameuse Marie-Jeanne que les Vendéens prendront au combat de Coron (111).

Avec ces deux corps privilégiés, la garde nationale de Saumur est plus disparate que celle d'Angers. Aussi, dès le début, les occasions de discorde furent nombreuses. Une d'elles eut pour prétexte le choix des officiers. Ceux de la milice bourgeoise furent maintenus dans leur grade mais il fallut en créer de nouveaux, les compagnies de la garde nationale étant plus nombreuses que celles de la milice d'Ancien Régime. La municipalité avait

---

(109) Concernant ce point de détail, voir Arch. mun. Saumur, BB 12.
Le procès-verbal de formation de la 9e compagnie figure dans 1 L 566[16].
(110) Le règlement est conservé dans : Arch. mun. Saumur, EE 2 (exemplaire imprimé).
Pour les modifications apportées par la municipalité le 27 août, consulter : Arch. mun. Saumur, BB 12.
(111) O. DESME DE CHAVIGNY, op. cit., p. 55.

naguère le privilège de désigner les officiers de la milice. Tout naturellement, le Comité continua cette pratique. Ce faisant, il mécontenta à la fois les patriotes qui auraient désiré que les gradés fussent élus, et les officiers de l'ancienne milice jaloux des nouveaux venus. Mais c'est surtout l'existence des troupes d'élite qui fut la cause des disputes, compagnie de l'Arquebuse et volontaires étant l'objet de la jalousie des fusiliers des compagnies ordinaires. Il faut dire que ces troupes avaient été particulièrement choyées. C'est ainsi que, dès le 23 juillet, les jeunes Saumurois, en la personne de leur major Beaudesson, s'étaient vu remettre par le Gouverneur Dupetit-Thouars, une cinquantaine de fusils avec leurs baïonnettes (112). D'autre part, nous l'avons vu, les arquebusiers avaient conservé leur uniforme chamarré. Ce favoritisme entraîna les protestations de la fraction la plus démocrate du parti patriote. Un notaire, Charles Rossignol du Parc, qui avait été élu membre du Comité permanent puis de la municipalité du 11 août, protesta contre les privilèges des chevaliers de l'Arquebuse dans une adresse au Comité municipal datée du 9 septembre. Il s'éleva contre le projet de former deux ou trois nouveaux corps d'élite, une compagnie de grenadiers, une de chasseurs et peut-être une de cavaliers. Cela ne manquerait pas d'écrémer encore les compagnies ordinaires de la milice dont le fonds resterait alors « composé de citoyens, connus dernièrement sous le nom *de peuple*. De là un mépris pour la milice nationale (elle doit inspirer le plus profond respect), de là des disputes, des querelles, des divisions » (113). Rossignol ne s'y trompait pas : le problème était d'ordre social. Les compagnies d'élite étaient formées d'hommes des classes supérieures. Evident pour les chevaliers de l'Arquebuse en vertu des traditions, ce fait est également vrai pour les volontaires auxquels Rossignol ne s'attaquait pourtant point en raison des « services essentiels » qu'ils avaient rendus, c'est-à-dire de leur dévouement envers la Révolution. Le règlement spécial que ces jeunes gens se donnèrent dans l'assemblée qu'ils tinrent le 16 septembre, révèle leur patriotisme mais aussi leur volonté de rester entre gens de bonne compagnie ...

Ce texte, qui modifiait sur quelques points (deux compagnies au lieu d'une, encadrement plus complet) le règlement du 22 août, préfigurait celui qu'adoptèrent, en décembre, les volontaires d'Angers en s'inspirant peut-être de l'exemple saumurois. Il montre en effet que la préoccupation essentielle des volontaires était de conserver à leur troupe son caractère de corps d'élite. Pour cela, l'admission des nouveaux venus était soumise à cooptation, le candidat devant être accepté par les 2/3 de l'assemblée générale du corps. Aucun homme marié, aucun garçon de moins de 16 ans, aucun étranger non domicilié n'aurait accès à la compagnie. En outre, chaque volontaire devrait contribuer de façon égale à la dépense, disposition qui sera reprise dans le règlement d'Angers et qui ne pouvait avoir comme effet que d'écarter les plus pauvres. En ce qui concerne la mission dévolue aux volontaires, le règlement n'est pas très explicite, se bornant à assigner aux compagnies un rôle honorifique. Il est certain toutefois que ces jeunes

---

(112) Arch. mun. Saumur, EE 2.
(113) Arch. mun. Saumur, EE 2, souligné dans le texte.

gens étaient animés d'un réel patriotisme. L'article 34 du règlement le prouve, qui affirme la volonté des Saumurois de tisser un réseau de relations avec les volontaires des cités voisines, selon le désir exprimé par le Comité permanent d'Angers dans son appel du 18 août :

> « L'union et le désir de se rendre utile à la Patrie devant être la base de tout institut militaire, les Volontaires Saumurois saisiront toutes les circonstances où ils pourront se rendre service les uns aux autres, et resserrer les nœuds qui les attachent déjà à Messieurs les Volontaires d'Angers et de Thouars, à qui ils donneront dans tous les temps des preuves de la plus tendre confraternité » (114).

On relève d'ailleurs au bas du document, à côté des noms du commandant, Esnault, et du major, Beaudesson, ceux de nombreux futurs soldats des bataillons de 1791 et 1792 parmi lesquels Lemoine qui sera élu lieutenant-colonel en second du premier bataillon, Dangonau, Dovale, Guillot, Genneteau, Loir Mongazon etc. ...

Les dissensions au sein de la garde nationale furent renforcées par la création de deux nouvelles compagnies spécialisées, celles des chasseurs et des grenadiers, nouveauté contre laquelle Rossignol s'était donc élevé en vain. L'opposition des officiers des compagnies ordinaires retarda toutefois longtemps la réception solennelle de ces nouvelles unités, qui n'eut lieu que le 27 octobre (115). La discorde éclata au grand jour le 27 décembre, lors de la cérémonie de réception au grade de lieutenant-colonel d'un modéré, Desmé du Puy Girault, qui devenait ainsi le second de Villemet, le colonel en exercice de la milice. Desmé, qui, rappelons-le, était lieutenant de maire de la municipalité d'Ancien Régime, avait été choisi dès le mois d'août par les capitaines de la garde nationale, mais la cérémonie avait été remise sous le prétexte de son état de santé. Le 27 décembre, lorsque les membres du Comité municipal permanent se rendirent sur la place d'armes pour présider à la réception, ils virent avec stupeur « quantité de fusiliers et quelques officiers de la milice nationale pêle-mêle et sans aucun ordre » se retirer à leur arrivée. Seules les compagnies de grenadiers, de chasseurs, de volontaires et les chevaliers de l'Arquebuse, dans un alignement impeccable, reconnurent Desmé du Puy Girault pour lieutenant-colonel (116). Le lendemain, les officiers et bas-officiers des compagnies contestataires expliquèrent, dans une adresse, qu'ils voulaient bien « tolérer » les grenadiers et les chasseurs à condition qu'on leur ôte toute prérogative dans les marches, parades ou évolutions diverses. Quant à l'installation de Desmé, ils la proclamèrent nulle et réclamèrent la convocation du corps entier de la milice pour procéder à l'élection, au grand scandale des municipaux ... (117) Cette manifestation traduisait deux conceptions de la garde nationale, soutenues par des couches sociales différentes. La classe aisée tenait aux

---

(114) Le texte imprimé de ce règlement se trouve à la bibliothèque des Arch. dép. M. & L., sous la cote 1842.

(115) Arch. mun. Saumur, BB 12.

(116) Arch. mun. Saumur, BB 13.

(117) Arch. mun. Saumur EE 2.

compagnies d'élite et à la désignation des officiers par un corps restreint, la classe populaire était pour l'égalité dans le service et l'élection des gradés au suffrage universel. Les bourgeois l'emportèrent momentanément. Au début de l'année 1790, la garde nationale de Saumur restait composée de neuf compagnies ordinaires, des corps de grenadiers et de chasseurs, des volontaires divisés en deux compagnies sous le commandement d'Esnault et de la compagnie de l'Arquebuse, composée de 62 hommes, officiers compris, et commandée par Ledoyen de Clenne (118).

Malgré ses dissensions, la milice nationale de Saumur put accomplir, durant sa première année d'existence, la mission que l'on attendait d'elle. Comme à Angers, le souci principal de la bourgeoisie dirigeante fut l'approvisionnement en céréales et la répression des émeutes provoquées par la disette. Un premier soulèvement s'était produit le 27 juillet 1789. Le peuple avait obligé Beaudesson, le major des volontaires, à faire transporter et vendre sur le marché 38 sacs de blé que des boulangers de Blois, de retour de Saint-Maixent, avaient déposés à l'auberge de l'épée royale. Beaudesson avait dû également réquisitionner du blé et du seigle entreposés dans le grenier de la Régie situé rue de la petite Bilange. Deux jours plus tard, à la tête de quelques volontaires, il allait quémander une avance de grain auprès de l'abbesse de Fontevraud. Pour faire respecter la liberté de circulation des céréales, les volontaires de Saumur, comme leurs camarades d'Angers, organisèrent des détachements chargés de visiter les greniers. Devant l'opposition des habitants des campagnes, il fallut bientôt faire escorter tous les transports de blé par la garde nationale (119).

Le premier semestre 1790 fut, à Saumur, particulièrement agité. Plusieurs émeutes graves éclatèrent, qui ne sont pas sans similitude avec la révolte des perrayeurs angevins du mois de septembre. Dans la cité ligérienne comme dans les autres villes, le prix des denrées alimentaires était alourdi par des droits prélevés à l'entrée : droits d'octroi, d'aides, de pavage et surtout le « tarif » qui était un impôt sur la viande de boucherie, les boissons, le bois et autres produits de première nécessité. Dans la nuit du 2 au 3 janvier, une des barrières de la ville, celle de la Croix-Verte, fut enlevée et jetée dans le fleuve, deux autres, celle du Pont Fouchard et de Nantilly furent renversées et brisées par une foule armée de haches, de leviers et autres instruments. Les insurgés se préparaient à faire subir le même sort aux deux autres barrières, celles des Ursulines et de Notre-Dame, mais la garde nationale et les troupes réglées arrivèrent à les disperser en arrêtant quatre d'entre eux. Le Comité municipal décida, le lendemain, de faire transférer les détenus à Chinon, dans la prison prévôtale. C'est alors que :

> « Une insurrection violente composée de femmes et de citoyens en très
> grande affluence, la pluspart armés d'armes à feu, d'épées, sabres, piques,
> pierres et bâtons se rendirent sur la place de St Pierre et dans les rues qui y

---

(118) *Almanach de la province d'Anjou,* pour 1790.
(119) Bibliothèque Arch. dép. M. & L., 1846 : *Compte-rendu à la Commune de la ville de Saumur, par le Comité Municipal permanent le 25 janvier 1790* (exemplaire imprimé). Voir aussi O. DESME DE CHAVIGNY, *op. cit.,* p. 57-58.

aboutissent, exerceant beaucoup de voyes de fait contre les détachemens de milice nationale, maréchaussée et troupes réglées qui s'y étoient rassemblés (sic)...»

Tandis que des émeutiers sonnaient le tocsin, d'autres forçaient les portes de la prison, délivrant les quatre prisonniers qu'ils portèrent en triomphe au milieu des acclamations (120). Le maire fit proclamer la loi martiale, mais la garde nationale n'aurait obéi que très imparfaitement. Tandis que les chevaliers de l'Arquebuse et les volontaires tentaient de réprimer l'émeute aux côtés des cavaliers du Royal-Roussillon, une partie des compagnies populaires se serait jointe à la foule (121). Bonnemère céda et la nuit rétablit le calme. L'agitation reprit cependant le lendemain et le surlendemain : les deux dernières barrières furent détruites et le corps de garde de Notre-Dame fut complètement démoli. Le 7 janvier, une assemblée générale des habitants vota la suppression du «tarif» et promit l'absolution aux fauteurs de troubles. Le 14 une nouvelle assemblée décida que ce serait à la municipalité élue en vertu de la loi de décembre de régler le problème du remplacement du «tarif». Pour assurer le budget de la ville, les droits d'aides, d'octroi et de pavage continueraient d'être perçus (122).

Le Moniteur Universel rapporte l'événement dans son numéro du mardi 26 janvier. Pour lui, les responsables seraient les fermiers des droits qui auraient cherché un prétexte pour faire annuler leur bail sans être tenus à aucun dédommagement. Cette explication découle d'une pétition de principe chère aux patriotes et qui figure d'ailleurs en toutes lettres dans l'article du journal : il faut que le peuple ait été poussé à l'insurrection «car jamais le peuple assemblé n'a médité de crime». En réalité, il n'y a nulle raison de penser que l'émeute de janvier n'a pas été provoquée par la misère.

Le calme resta d'ailleurs précaire. Une nouvelle insurrection éclata le 27 avril. Des hommes conduisant trois charrettes d'orge et de seigle furent arrêtés, à Nantilly, par plusieurs individus des deux sexes qui commencèrent à décharger les charrettes et à percer quelques «poches» pour s'emparer du grain qu'elles contenaient. Des détachements de la maréchaussée, du Royal-Roussillon et des diverses compagnies de la milice se transportèrent sur les lieux mais la foule avait grossi et accueillit les forces de l'ordre par des huées et même par des jets de pierre. Le maire fut atteint légèrement mais un capitaine des Arquebusiers, Frémery, fut blessé grièvement. On parvint toutefois à faire recharger le blé. Quelques jours plus tard, le 1er mai, une autre insurrection fut provoquée par une femme qui protestait contre le prix de l'orge à 30 sols le boisseau. Elle prétendait en avoir trois boisseaux pour 3 livres et invectivait les volontaires et la troupe chargés de la police à la halle au blé. Comme on lui faisait remarquer que le prix du grain avait été taxé par la municipalité, elle rétorqua : «Faut pendre le maire». Les volontaires voulurent arrêter la femme mais elle se défendit à coups de bâton et même à coups de dents ! La foule se rassembla et la garde dut tirer des coups de fusil

---

(120) Arch. mun. Saumur, BB 13.
(121) Si l'on en croit du moins DESME DE CHAVIGNY (*op. cit.*, p. 66).
(122) Arch. mun. Saumur, BB 13.

en l'air et charger les femmes à la baïonnette afin de se frayer un chemin et d'emmener la délinquante en prison. Sur son passage, la troupe fut assaillie de pierres lancées de la fenêtre d'un immeuble. Elle tira au jugé en direction des croisées et se précipita dans la maison d'où partaient les projectiles, arrêtant une autre femme qui semble avoir été totalement innocente (123). Cette fois encore il avait fallu proclamer la loi martiale qui fut suspendue seulement le 10 mai (124).

Ainsi, dans son souci de l'ordre, la milice nationale de Saumur fut amenée fatalement à se heurter aux éléments populaires. Cela ne pouvait manquer d'accentuer, en son sein, la coupure entre les corps d'élite, émanation de la bonne bourgeoisie, et les autres compagnies, issues de couches sociales plus modestes.

Saumur et Angers sont les seules villes du département pour lesquelles nous disposons d'archives relativement abondantes sur la formation de la milice nationale. Nous ne savons pratiquement rien sur les autres cités. Ainsi en ce qui concerne Cholet : tout au plus est-il certain qu'il y existait à la fin de juillet 1789 un Comité permanent et, sans doute, une milice. En juin 1790 la garde nationale était commandée par Moricet. A ces côtés un corps de jeunes volontaires dont le chef devait être un certain Combault. Ces troupes prirent part à l'assemblée des électeurs des administrateurs du district qui se tint à Cholet du 14 au 17 juin (125). A quel moment furent-elles organisées, comment se recrutèrent-elles, à quelles tâches se consacrèrent-elles ? Nous ne pouvons répondre à aucune de ces questions. Nous sommes heureusement un peu mieux renseignés sur les milices rurales qui apparurent çà et là en Anjou au cours de la première année de la Révolution.

3. - La naissance des milices rurales

L'impulsion qui, à travers tout le royaume, aboutit à la création des gardes nationales, fut généralement plus faible dans les campagnes que dans les villes (126). Toutefois, la situation est très différente selon les provinces : certaines ont vu se multiplier les milices tandis que d'autres les ont presque ignorées. Dans le Périgord, par exemple, « les plus petites bourgades finirent par avoir leur milice » (127). Au contraire, dans la Meurthe, « alors que les villes et les bourgs mettent une ardeur fébrile à former des gardes nationales, les villages n'en organisent à peu près aucune » (128). Tout près de l'Anjou, dans le futur département d'Ille-et-Vilaine, Roger Dupuy n'a recensé que 28 milices nationales sur 357 paroisses pour les six derniers mois de l'année 1789 (129). Qu'en fut-il dans le cadre de notre province ?

(123) Arch. mun. Saumur, i$_{II}$ (144).
(124) Arch. mun. Saumur, BB 13.
(125) L'existence du Comité permanent de Cholet, fin juillet 1789, ressort de la lettre signée le 29 août par deux de ses membres au sujet de l'affaire des agents féodaux de Maulévrier. (7 L 189 Cf. Cl. PETITFRÈRE, Les Vendéens d'Anjou, op. cit., p. 199).
Concernant l'année 1790, cf. F. UZUREAU, « Les élections des administrateurs du district de Cholet (juin 1790) », dans Bul. Soc., sc., Let. et Bx-Arts Cholet, 1912, p. 173-190.
(126) J. GODECHOT, Les Institutions ..., 1968, op. cit., p. 127.
(127) Lt DE CARDENAL, Recrutement de l'Armée en Périgord ..., op. cit., p. 40.
(128) R. TOURNES, La garde nationale dans le département de la Meurthe ..., op. cit., p. 34.
(129) R. DUPUY, La Garde Nationale (...) en Ille-et-Vilaine ..., op. cit., p. 113-114.

De nombreuses troupes citoyennes apparurent spontanément à l'époque des peurs, que le Comité permanent d'Angers s'efforça de placer sous son autorité. La lettre circulaire adressée le 18 août par cette assemblée aux villes du royaume, laisse entendre que la création des gardes nationales fut un phénomène général :

> «... nous avons créé dans chaque ville, bourg et village de notre province, une milice nationale, composée de tous les hommes, depuis l'âge de 18 ans, jusqu'à celui de 60, ayant ordre de se rassembler au premier avis qu'ils pourront recevoir du comité, dans le ressort duquel ils se trouvent, et d'envoyer au besoin un détachement proportionné à leur population, pour porter secours et assistance aux lieux et personnes qui pourroient le réclamer» (130).

Une telle prétention est fortement exagérée, pour cette date du moins. Toutefois, l'on peut retrouver la trace de plusieurs dizaines de milices campagnardes nées au cours de l'été 1789, grâce à la correspondance qu'elles entretinrent avec le Comité d'Angers dont elles sollicitèrent conseils ou instructions et à qui elles demandèrent son approbation (131). Nous avons dressé ainsi un tableau approximatif des gardes rurales, que nous avons enrichi grâce à quelques autres documents, notamment archives des districts ou articles de journaux (132). Nous avons recensé 52 milices dans le second semestre de 1789, mais ce nombre est sans doute inférieur à la réalité car certaines gardes nationales ont pu se former sans en référer au Comité d'Angers, dans les régions excentriques notamment. Nous en avons la preuve pour l'est du département soumis à l'attraction de Saumur plutôt que d'Angers : par exemple la milice nationale de Vernantes s'est affiliée à celle de Saumur en septembre 89 (133). D'autre part, nous avons connaissance de plusieurs dizaines d'autres gardes nationales pour le premier semestre 1790, antérieurement à l'application de la loi organisatrice du 18 juin. C'est ainsi qu'un article des *Affiches d'Angers* nous apprend l'existence d'une milice à Segré en janvier et que l'article de *L'Observateur provincial* relatif à la fédération de Candé, déjà évoquée, permet de recenser 16 gardes nationales à la date du 21 mars : celles d'Ingrandes, Saint-Georges-sur-Loire, Saint-Germain-des-Prés, Champtocé, Saint-Sigismond, Saint-Augustin-des-Bois, Le Louroux-Béconnais, La Cornuaille, Freigné, Challain-la-Potherie, Le Tremblay, Chazé-sur-Argos, Angrie, Candé, Loiré et Vritz (Loire-Inférieure) (134). Nous savons aussi qu'il existait en juin 1790 une garde

---

(130) 7 L 189.

(131) Le Comité de Dijon a joué le même rôle que celui d'Angers dans les campagnes entourant la ville (H. Millot, *Le Comité Permanent de Dijon ...*, op. cit., p. 135-138). De même, les Comités des villes de la région de Caen (F. Mourlot, *La fin de l'Ancien Régime (...) dans la généralité de Caen ...*, op. cit., p. 370-372).

(132) Arch. mun. Angers, EE 6 et EE 8.
3 L 96 et 7 L 189.
Affiches d'Angers n° 52 du mardi 22 septembre 1789 (on y apprend l'existence d'une milice à Montjean et à La Pommeraye)
C. Port, *Dictionnaire ...*, op. cit. (art. « Doué »).

(133) Arch. mun. Saumur, BB 12.

(134) *Affiches d'Angers*, n° 6 (19 janvier 1790) et *L'Observateur Provincial* n° 14.

Les Milices Nationales en 1789-90

(dans le cadre du futur département)

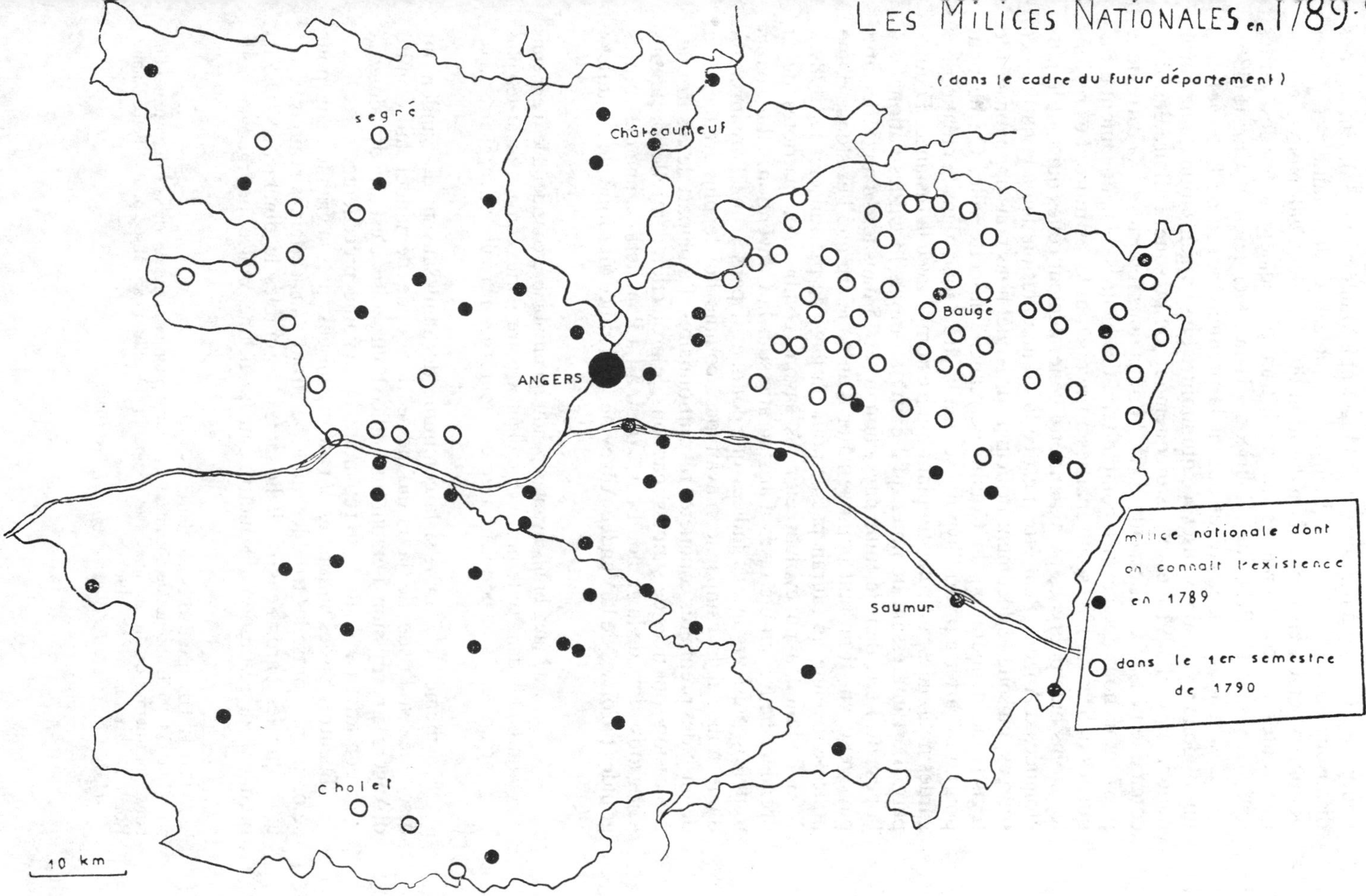

milice nationale dont on connaît l'existence en 1789

dans le 1er semestre de 1790

Châteauneuf

Segré

Baugé

Saumur

ANGERS

Cholet

10 km

nationale à Cholet, à Mazières-en-Mauges et à Maulévrier (135). Enfin, nous disposons pour le district de Baugé d'un tableau de la totalité des gardes nationaux, établi en vue de la fédération du 14 juillet 1790. Nous y voyons que toutes les communautés de ce district possédaient alors des gardes nationaux sauf La Pellerine, Courléon, Rigné, Genneteil et Chigné (136).

Les milices rurales créées durant la première année de la Révolution furent donc assez nombreuses, ce qui montre que l'organisation d'une garde nationale avant 1791 n'était pas uniquement, ou presque, l'affaire des villes comme le pensait Charles Tilly (137). Si nous nous reportons à la carte de la p. 87, nous nous apercevons, compte-tenu des lacunes de la documentation, que les milices de 1789 sont réparties à travers tout le territoire. Les régions les moins bien pourvues paraissent être généralement celles qui sont le plus éloignées d'Angers. Peut-être n'est-ce là qu'une illusion due à la nature des sources, puisque le document principal sur lequel nous nous appuyons est le registre de délibération du Comité permanent de cette ville. On ne peut pourtant écarter a priori l'hypothèse que la cité a joué, dans la création des gardes nationales, un rôle stimulant qui s'estompe avec la distance. D'autre part, il est intéressant de noter qu'il existe au moins 13 gardes nationales à l'ouest du Loir, dans le futur pays chouan, et 15 dans les Mauges, le futur pays vendéen. Il ne faut point se hâter d'en conclure que l'existence d'une milice citoyenne ne saurait passer pour un gage de patriotisme. De 1789 à 1793 l'opinion a pu évoluer et nous savons combien de patriotes de la première heure ont été taxés d'aristocratie sous la Convention. Nous avons toutefois plusieurs autres indices qui donnent à penser que l'organisation d'une milice à la campagne n'avait pas, comme but le plus fréquent, la défense des premières conquêtes révolutionnaires. La plupart de ces troupes d'occasion sont nées de simples réactions de protection contre les prétendus «brigands» lors de la grande Peur. Ainsi, à La Pommeraye, une des futures grandes paroisses de la Vendée Angevine, une milice fut formée le 22 juillet :

> «... de faux bruits ayant répandu qu'un nombre considérable d'ennemis introduits dans cette province étoient à notre porte, commettoient les plus grands excès et portoient avec eux toutes les horreurs de la guerre ...».

De même, le 2 août, si la commune de Saint-Sauveur-de-Landemont assemblée à l'issue de la grand'messe décide de demander au Comité d'Angers la permission d'établir une milice bourgeoise, c'est afin de calmer la «terreur affreuse» qui s'est répandue la semaine précédente.

D'autres gardes nationales ont été organisées après la grande Peur, pour se prémunir contre les troubles qui la suivirent dans certaines régions. C'est ainsi que les paroissiens de Pellouailles, assemblés le dimanche 30 août, prennent la résolution de mettre sur pied une milice bourgeoise pour

---

(135) F. UZUREAU, «Les élections ...», art. cit.
(136) 3 L 96. L'absence de document semblable pour les autres districts du département ne nous a pas permis de dresser une carte comparable à celle qu'a réalisée pour l'Ille-et-Vilaine Roger DUPUY (op. cit., p. 136).
(137) Ch. TILLY, La Vendée, op. cit., p. 194.

combattre les «brigands» envoyés par les ennemis de la Nation dans plusieurs provinces, qui «ont incendié les châteaux, assasiné (sic) les citoyens, ravagé les campagnes de sorte que le désordre est à son comble...». La mission de la milice de Pellouailles n'est nullement révolutionnaire puisqu'il s'agit de préserver l'ordre social, au profit même des seigneurs. La sauvegarde de la propriété dans toute son intégrité tient d'ailleurs à cœur aux promoteurs de cette troupe puisqu'ils lui recommandent de veiller particulièrement à ce que nul ne s'arroge le droit de chasser sur les héritages d'autrui,

> «d'où il résulteroit un mal infini, par la décloture des champs et par les ravages qu'ils causeroient sur les ensemencés en les foullant aux pieds et les détruisant de toutes autres manières...» (138).

D'autres milices enfin ne sont pas nées de la peur ou de ses conséquences, simples phénomènes conjoncturels, mais de la nécessité d'assurer en tout temps la sécurité dans des paroisses que leur situation géographique exposait particulièrement aux vols et aux rixes, soit par suite de leur isolement, soit, sur les frontières de la Bretagne, à cause de la présence de nombreux faux-saulniers. C'est ainsi que le 9 août, on décide de créer au Louroux-Béconnais une garde de 100 hommes pour empêcher le renouvellement d'émeutes qui ont soulevé plusieurs fois la paroisse. Il apparaît que l'on craint beaucoup pour le temps de la foire de la Saint-Laurent où il y a toujours du tapage et souvent des meurtres «surtout d'après les menaces qui avoient été faite (sic) par plusieurs contrebandiers de mettre le feu aux tentes». Le 6 septembre les habitants de Beaulieu-sur-Layon demandent à leur tour au Comité permanent l'autorisation de former une milice car ils se sentent peu en sécurité à proximité des bois :

> «nous manants, et habitants de la paroisse de notre dame de Beaulieu, nous vous prions, d'observer, Messieurs, que notre bourg, joint les forêts de Madame l'abbesse du Ronceray, et de Monsieur le duc de Brissac, qu'il si réfugie des vacabons dont nous en avons fait la poursuitte ; qu'il est très nécessaire de monter la garde, et faire de fréquentes patrouilles, pour la sureté publique de laditte paroisse, en qualité de milice nationale de laditte province» (139).

Au total, la nécessité de préserver les libertés conquises depuis mai n'apparaît guère parmi les motifs qui poussèrent les ruraux à se grouper en milices et nulle exaltation patriotique ne se dégage des adresses qu'ils envoient au Comité d'Angers. Ne trouve-t-on pas, d'ailleurs, parmi les commandants de ces légions de 1789, des nobles, des seigneurs, de futurs chefs de la Contre-Révolution ? Dans la milice nationale de Joué-Etiau, si

---

(138) Sur la restriction par l'Assemblée Nationale du droit de chasse aux seuls propriétaires et sur la lutte qui opposa à ce sujet Robespierre à Merlin de Douai, voir J. GODECHOT, *Les Institutions ...*, 1968, *op. cit.*, p. 204.

(139) Tous les renseignements concernant les milices rurales, ainsi que les citations, sont tirés de Arch. mun. Angers, EE 8.

l'on relève parmi les soldats le nom de Beaurepaire, le futur lieutenant-colonel du premier bataillon de volontaires de Maine-et-Loire, le commandant en chef n'est autre que le seigneur de La Galonnière, le marquis de Domaigné, celui-là même que, moins de quatre ans plus tard, les paysans iront chercher en son château pour le mettre à leur tête et qui commandera la cavalerie vendéenne jusqu'à sa mort à la prise de Saumur. Il est vrai que Domaigné avait, encore en 1791, le comportement d'un patriote, puisque son nom et sa signature figurent parmi ceux des gardes nationaux décidés à voler au secours de la patrie. Dans l'état-major de cette milice se trouve aussi le curé, Pierre L. Daviau, qui périra noyé dans la Loire à Nantes le 17 novembre 1793 (140). A La Pommeraye également, les deux camps futurs des « Blancs » et des « Bleus » sont représentés dans la garde nationale. On y trouve en effet Martin-Baudinière qui sera un des chefs de la Vendée et de la Chouannerie après avoir été volontaire au premier bataillon, le lieutenant Thuleau et le sergent Gallard qui seront fusillés par les Vendéens le 6 ventôse an II (24 février 1794). Entre eux, le curé Dubois, un libéral qui cependant refusera le serment. C'est au baron de Montjean, maréchal des camps et armées du roi que les habitants de La Pommeraye demandèrent le 15 août 1789 de prendre la place de grand conseil de leur milice, ce qu'il voulut bien accepter (141). A Chaudron, autre localité des Mauges, le comte de Brignac est à la tête de la milice nationale (142). A Vernantes, dans le Baugeois, c'est le marquis Maillé de La Tourlandry (143) et à Broc, Blin de Langlotière, seigneur de Méaulnes (144). A La Cornuaille, la garde nationale est commandée par Gigault de la Giraudaie, apparenté par alliance, il est vrai, au célèbre Volney (145). A Challain-la-Potherie, lors de la cérémonie de prestation du serment par la garde nationale, le 4 octobre 1789, la comtesse de La Potherie, la marquise de Quatrebarbes et Madame de Villebois allumèrent un grand feu de joie (146). A Segré, le marquis d'Andigné acceptera le 13 janvier 1790 de devenir le commandant de la milice (147). On voit que l'aristocratie fit souvent bon ménage avec les premiers gardes nationaux des campagnes. On est, ici, loin du Périgord où les milices rurales cautionnèrent fréquemment de véritables jacqueries antiseigneuriales... (148).

Il nous semble donc assuré que les troupes formées dans les campagnes angevines au cours de l'été 1789 n'ont pas une coloration révolutionnaire bien marquée. Rien de semblable, par conséquent, à l'Ille-et-Vilaine où les

---

(140) Arch. mun. Angers EE 8. Voir l'engagement de Domaigné en 1791 dans Arch. mun. Angers H 3-61. Sur Daviau, cf. QUERUAU-LAMERIE, *Le clergé du département* ..., *op. cit.*, p. 116.

(141) Arch. mun. Angers, EE 8. Voir aussi C. PORT, *Dictionnaire* ..., *op. cit.* (art. « La Pommeraye », et « Duboys »).

(142) *Affiches d'Angers* n° 8 (26 janvier 1790).

(143) Voir l'affiche imprimée portant le titre : « Milice Nationale de Vernantes », à la bibliothèque des Arch. dép. M. & L. sous la cote 2030.

(144) 3 L 96.

(145) *L'Observateur Provincial*, n° 14.
C. PORT, *Dictionnaire* ..., *op. cit.* (art. « La Giraudaie »).

(146) Arch. mun. Angers, EE 8.

(147) *Affiches d'Angers*, n° 6 (19 janvier 1790).

(148) LT DE CARDENAL, *Recrutement de l'Armée en Périgord* ..., *op. cit.*, p. 68-69.

milices officiellement reconnues n'existent « que dans quelques gros bourgs et surtout là où la crainte du complot aristocratique mobilise les énergies » (149). Le problème se pose de savoir si, disparaissant avec l'angoisse qui les avait fait naître, les gardes rurales n'ont été que feu de paille voire même si elles n'ont eu qu'une existence fictive, ou au contraire si elles ont été durables et efficaces. En l'état de la documentation, il est impossible de répondre à cette curiosité. Beaucoup de milices ont été organisées dès le mois d'août 1789, notamment dans la première quinzaine. Liées à la Peur, elles lui ont peut-être difficilement survécu. D'autres, cependant, se sont formées à la fin de l'été et au cours de l'automne, celle d'Avrillé par exemple n'ayant été constituée qu'au début de novembre. Celles-là n'ont pas eu la Peur pour marraine, et ont peut-être été plus vivaces (150). Dans quelques cas, le soin apporté à l'organisation des compagnies citoyennes semble indiquer qu'elles ont eu une existence réelle. Il en est ainsi pour la milice nationale de Vernantes. Un placard imprimé indique sa répartition en 8 compagnies regroupant 32 gardes de 11 hommes chacune, et encadrées par 8 capitaines, 8 lieutenants et 16 sergents supervisés par un état-major composé d'un commandant en chef, 2 lieutenants-colonels et deux majors (151). Nous avons vu par ailleurs que cette troupe avait manifesté son dynamisme en s'affiliant à la milice de Saumur. Le tableau complet de l'organisation de la garde nationale de Joué-Etiau nous est également parvenu. Elle comprenait deux compagnies, une pour chaque paroisse, commandées par un capitaine, un lieutenant, un porte-drapeau et un sergent. Chaque compagnie était divisée en 8 escouades de 11 hommes... ou femmes. On trouve en effet quelques femmes dans la compagnie d'Etiau, des veuves dont il est vraisemblable qu'elles devaient contribuer financièrement à la milice plutôt que porter les armes ! A la tête des deux compagnies, un état-major regroupait un commandant en chef et un commandant en second, un major-général et un aide-major général, un sergent-major, un aumônier, deux écrivains et fourriers. Une troupe si minutieusement organisée a dû fonctionner réellement, quelque temps au moins. Concernant une troisième milice rurale, celle du Lion-d'Angers, nous avons des renseignements plus précis. Nous savons qu'elle fit un service efficace durant les premiers mois de son existence. Elle se préoccupa essentiellement de réprimer les vols dans les jardins, les rixes, et surtout de limiter les beuveries. Ses statuts, établis le 9 août, insistaient longuement sur ce dernier point. Il était interdit aux miliciens « sous peine de quatre jours de garde » de « s'éprendre de vin pendant le temps de leur service (sic) » ; la patrouille ne devait pas tolérer « passé dix heures du soir de buveurs dans les cabarets, à l'exception des auberges pour les étrangers » ; enfin le règlement rendait responsables les maîtres de la conduite de leurs compagnons après cette même heure et leur enjoignait de les « maintenir » en conséquence... Mais une lettre des officiers du Lion-d'Angers au Comité permanent de la capitale

---

(149) R. Dupuy, *op. cit.*, p. 115.
(150) Georges Lefebvre insiste sur l'influence toute relative de la Peur sur l'armement populaire (*La Grande Peur de 1789*, rééd., Paris, 1970, notamment p. 237).
(151) Cf. *supra* note 143.

provinciale nous apprend que la situation s'est dégradée assez vite : cinq mois environ après sa formation (donc aux alentours de janvier 1790), la milice a perdu sa cohésion, plusieurs citoyens se refusant désormais à monter la garde (152). N'est-ce là qu'un cas particulier, ou bien faut-il penser que, dans le Maine-et-Loire, la plupart des gardes nationales des campagnes se seraient peu à peu dissoutes, comme cela semble avoir été le cas dans d'autres départements, le Cantal, le Puy-de-Dôme par exemple ? (153). Sans pouvoir répondre à cette question, remarquons cependant que la milice nationale existait encore au milieu de l'année 1790 dans certains villages des Mauges (Maulévrier et Mazières) et dans la quasi-totalité des communautés du district de Baugé (154).

Un autre problème intéressant est celui de la composition sociale des gardes nationales des campagnes. Les archives n'ont malheureusement conservé à notre connaissance, aucune liste de miliciens indiquant les professions. Nous pouvons dire seulement que les quelques règlements qui nous sont parvenus semblent très démocratiques. Les officiers étaient toujours soumis à une large élection. Ainsi à Pellouailles, c'est l'ensemble des paroissiens qui étaient appelés à choisir le colonel. D'autre part, il semble qu'il n'ait pas existé d'obstacles règlementaires à l'entrée dans la garde nationale des catégories sociales inférieures. A Vernantes, même les domestiques furent admis à servir dans les compagnies (155). Mais la pratique diffère peut-être du droit. Des indices assez nombreux et convergents montrent une certaine réticence de la part des agriculteurs, qui d'ailleurs ne semble pas provenir d'une hostilité politique (nous avons vu que l'orientation des gardes rurales n'avait rien de très révolutionnaire), mais plutôt paraît découler de raisons pratiques. Il était extrêmement gênant d'interrompre les travaux des champs pour participer à une patrouille. Cette gêne devenait intolérable pour ceux qui, habitant des hameaux ou des fermes isolées, devaient faire plusieurs kilomètres pour rejoindre le corps de garde, en pleine nuit parfois. Or ils étaient nombreux dans ce cas, dans nos régions d'habitat dispersé. Les organisateurs des milices rurales ont été conscients de ces difficultés. C'est pourquoi certains règlements ménagent les paysans, tel celui de Saint-Sauveur-de-Landemont qui stipule dans son article 10 :

> « on aura soin de ne point déranger les cultivateurs de leurs occupations journallières qu'en cas d'un pressant danger ».

D'autres fois, les autorités locales sollicitent l'avis des comités urbains. Une lettre adressée le 4 août au Comité permanent d'Angers par le syndic municipal de Villedieu et La Blouère élu chef de la milice, demande s'il est possible d'obliger les cultivateurs éloignés à monter la garde ou s'il ne vaudrait pas mieux les astreindre, en remplacement, à verser de l'argent pour

---

(152) Arch. mun. Angers, EE 8.
(153) J. DELMAS, « La patrie en danger. Les Volontaires nationaux du Cantal », art. cit. F. MEGE, Chroniques et récits de la Révolution dans la ci-devant Basse-Auvergne (département du Puy-de-Dôme), Paris, 1880, p. 313.
(154) Cf. supra p. 87-88.
(155) Arch. mun. Angers, EE 8 et bibliothèque des Arch. dép. M. & L., 2030.

acheter la chandelle, le bois et les munitions nécessaires à la milice (156). Une autre lettre questionne le Comité municipal de Saumur. Elle est datée du 29 octobre, et signée par Bauduceau, syndic municipal de Saint-Rémy-la-Varenne. L'auteur fait état de la mauvaise volonté des habitants des hameaux qui « se refusent à venir monter la patrouille dans le bourg où est situé le corps de garde, disant qu'ils sont trop éloigné (sic) et qu'ils veulent se garder chez eux ».

Les comités urbains sont très prudents. Celui de Saumur répond à Bauduceau :

> « Les difficultés Monsieur qui s'élèvent sur le service journalier des milices nationales de votre paroisse sont communes à beaucoup de paroisses de campagne. Il paroit vrayement fort difficile d'assujetir les habitants des campagnes la plupart journaliers et laboureurs à quitter leurs foyers pour venir passer la nuit dans un corps de garde éloigné de leur demeure. »

Le Comité suggère en conséquence que l'on pourrait réduire le service des paysans à quelques assemblées de dimanches et de fêtes pour les accoutumer à la discipline, du moins tant qu'il n'y aurait pas de danger (157). L'opinion des Angevins est tout à fait semblable à celle des Saumurois, si l'on en croit une lettre adressée par Marchand Dubrossay, procureur du roi en la sénéchaussée, au colonel de la légion de Pellouailles, Phélipeaux, dans laquelle il en appelle à l'autorité du Comité permanent d'Angers pour protester à l'avance contre d'éventuelles obligations à monter la garde que l'on pourrait faire à son fermier vivant dans une maison isolée (158). Pourtant, les chefs des milices rurales ne semblent pas avoir été toujours compréhensifs. Nous en prendrons comme preuve la plainte adressée par les métayers de La Poitevinière au Comité d'Angers en septembre 1789. Elle nous apprend que les habitants du bourg prétendaient faire monter la garde aux paysans des écarts, et que pour arriver à leurs fins, ils n'hésitaient pas à employer la force, imposant des amendes, jetant des métayers en prison ou les rouant de coups (159).

Qu'ils aient été dispensés du service ou qu'ils s'en soient abstenus de leur propre autorité, les agriculteurs ne devaient pas être nombreux dans les milices nationales de 1789, ou du moins ils ne devaient pas y être représentés au prorata de leur importance dans le pays. Une relative absence de la paysannerie dans la garde nationale pouvait bien servir ses intérêts immédiats, elle allait à l'encontre de ses intérêts supérieurs. Les cultivateurs se privaient ainsi du moyen d'agir sur une institution appelée à devenir la force principale de la Révolution, en laissant la direction à l'élite des marchands et des artisans des bourgs. Cela pouvait favoriser la cassure entre la paysannerie et la petite bourgeoisie, d'autant plus qu'une des missions principales des milices était d'assurer les subsistances, c'est-à-dire d'empê-

---

(156) Arch. mun. Angers, EE 8.
(157) 7 L 189.
(158) Arch. mun. Angers, EE 8.
(159) Arch. mun. Angers EE 8. Voir de larges extraits de ce texte dans Cl. Petitfrère, *Les Vendéens d'Anjou, op. cit.,* p. 201-202.

cher l'exportation des grains, ce qui était contraire aux intérêts des producteurs. Nulle surprise, par conséquent, que se soit manifestée de temps à autre l'animosité des agriculteurs contre le zèle intempestif des gardes nationaux de leur paroisse.

Les milices avaient foisonné en 1789 de façon souvent anarchique. L'attitude de la Constituante avait été très large à l'égard de cette institution d'origine révolutionnaire. Elle s'était contentée de préciser les conditions d'emploi de la garde nationale par les décrets des 5 et 10 août (160). Après le vote de la loi du 14 décembre sur l'élection des nouvelles municipalités, cette attitude va devenir plus stricte. Il s'agit en effet de reprendre en main les milices et de les subordonner rigoureusement aux pouvoirs locaux élus auxquels l'Assemblée Nationale accordait, tout naturellement, une confiance bien plus grande qu'aux municipalités d'Ancien Régime qui s'étaient perpétuées jusque là avec des modifications plus ou moins grandes. Ainsi s'explique le décret du 7 janvier 1790 qui fait obligation aux gardes nationales de prêter serment de fidélité à la Nation, à la Loi et au Roi entre les mains du maire et des officiers municipaux. Cette cérémonie eut lieu à Angers, le 21 février, nous l'avons vu. A Saumur, elle se déroula le 25 avril seulement, sur la place du Chardonet (161). Dans le même esprit, fut voté le décret du 2 février qui interdisait aux gardes d'intervenir dans l'administration municipale et leur enjoignait d'obéir aux réquisitions des autorités. Cependant, la nécessité se faisait sentir, de plus en plus pressante, de donner aux troupes citoyennes une organisation identique dans tout le royaume. Le décret du 30 avril la laisse espérer prochaine, mais maintient provisoirement le régime dont chaque garde était dotée lors de la constitution des municipalités régulières (162). Le règlement national fut enfin voté le 12 juin et sanctionné par le roi le 18. Avec lui prenait fin la période anarchique des milices.

II. - LES GARDES NATIONALES DU MAINE-ET-LOIRE : DE LA LOI DU 18 JUIN 1790 À LA RÉORGANISATION DU PRINTEMPS 1792

La disposition principale de la loi du 18 juin contenue dans l'article I, concernait le recrutement :

« ... Dans le courant du mois qui suivra la publication du présent décret, tous les citoyens actifs des villes, bourgs et autres lieux du royaume, qui voudront conserver l'exercice des droits attachés à cette qualité, seront tenus d'inscrire leurs noms, chacun dans la section de la ville où ils seront domiciliés, ou à l'hôtel commun, sur un registre qui sera ouvert à cet effet pour le service des gardes nationales. »

---

(160) J. GODECHOT, *Les Institutions ...,* 1968, *op. cit.,* p. 127.
(161) *Affiches d'Angers* n° 35 (samedi 1ᵉʳ mai 1790).
Bibliothèque des Arch. dép. M. & L., 1901 : *Prestation du serment civique de la garde nationale de Saumur.* (imprimé).
(162) J. GODECHOT, *Les Institutions ...,* 1968, *op. cit.,* p. 127-129.
Le texte des décrets d'octobre 1789 à août 1790 figure dans le registre de transcription des lois du Département coté 1 L 1.

Les fils des citoyens actifs âgés de 18 ans au moins seraient tenus à la même obligation. Il était prévu toutefois que tous ceux qui ne pourraient servir en personne « à raison de la nature de leur état, ou à cause de leur âge ou infirmité, ou autres empêchemens » auraient la faculté de se faire remplacer par d'autres individus régulièrement inscrits sur le registre. Ainsi, pour la première fois, le régime censitaire était officiellement instauré dans la nouvelle milice.

Une autre disposition essentielle était introduite par l'article IV qui faisait de la garde nationale la seule troupe citoyenne autorisée :

> « Aucun citoyen ne pourra porter les armes, s'il n'est inscrit de la manière qui vient d'être réglée ; en conséquence, tous corps particuliers de milice bourgeoise, d'arquebusiers ou autres, sous quelque dénomination que ce soit, seront tenus de s'incorporer dans la garde nationale, sous l'uniforme de la nation, sous les mêmes drapeaux, le même régime, les mêmes officiers, le même état-major : tout uniforme différent, toute cocarde autre que la cocarde nationale demeurant réformés, aux termes de la proclamation du Roi. Les drapeaux des anciens corps et compagnies seront déposés à la voûte de l'église principale, pour y demeurer consacrés à l'union, à la concorde et à la paix » (163).

Complétant la loi, le décret du 19 juillet ordonnait à toutes les gardes nationales du pays d'adopter le même uniforme :

> « habit bleu de roi, doublure blanche, parement et revers écarlate, et passepoil blanc, collet blanc, et passepoil écarlate, épaulettes jaunes ou en or, la manche ouverte à trois petits boutons, la poche en dehors à trois pointes et trois boutons avec passepoil rouge ; sur le bouton il sera écrit : district de... les retroussis de l'habit écarlate ; sur l'un des retroussis il sera écrit en lettres jaunes ou en or, ce mot : Constitution ; et sur l'autre retroussis, ce mot : liberté ; vestes et culottes blanches » (164).

Cet uniforme était, à quelques détails près, celui qu'avaient revêtu depuis un an les gardes nationaux du Maine-et-Loire, dans les villes au moins.

Les principales dispositions de la loi de juin furent renouvelées dans une « Instruction de l'Assemblée Nationale, sur les fonctions des assemblées administratives », datée du 12 août et sanctionnée par le roi le 20. Celle-ci rappelait en outre l'étroite subordination des gardes nationales envers les corps municipaux. Elles devaient « déférer à la réquisition des municipalités et des corps administratifs », mais sans jamais la prévenir et ne pouvaient « ni se mêler directement ou indirectement de l'administration municipale, ni délibérer sur les objets relatifs à l'administration générale ». Leur rôle était

---

(163) Le texte de la loi a été relevé dans *Lois et actes du Gouvernement*, Paris, 1806, tome I (août 1789-septembre 1790), p. 237-238.
(164) 1 L 1. Le décret ne fut pas toujours respecté, même dans les villes. Ainsi les gardes nationaux de Grasse servaient, semble-t-il, en habits de ville, à l'exception des officiers (Georges CARROT, *op. cit.,* p. 33).

délimité avec soin : « protéger les personnes, les propriétés, la perception des impôts et la circulation des subsistances » (165).

La première conséquence locale de la loi du 18 juin fut la disparition des corps d'élite créés aux côtés de la milice à Saumur et à Angers (166). Dans cette dernière ville les compagnies de grenadiers et de chasseurs formées en septembre 1789 durent se saborder. Une délégation des volontaires conduite par Choudieu se présenta au Département le mercredi 30 juin pour lui annoncer officiellement l'imminente dissolution de leur corps (167). Le lendemain une cérémonie solennelle eut lieu à la cathédrale. Musique en tête, les volontaires se rendirent en cortège à Saint-Maurice pour y déposer les deux drapeaux dont les dames de la ville leur avaient fait présent. Les bannières furent immédiatement accrochées à la nef de part et d'autre de l'autel. L'atmosphère contrastait singulièrement avec celle qui avait présidé, moins de six mois auparavant, à la bénédiction des étendards :

> « L'Eglise étoit remplie de monde. La tristesse qui se manifestoit sur tous les visages, les larmes qui s'échappoient des yeux de la plupart des spectateurs, la sincérité avec laquelle chacun partageoit la sensibilité bien fondée de MM. les Volontaires, sont un hommage bien flatteur rendu à leurs vertus, à leur zèle infatigable, et un acte de reconnaissance non équivoque pour ces jeunes Citoyens, qui s'étoient dévoués volontairement à la défense de leur cité » (168).

A Saumur, une cérémonie semblable se déroula le 9 août, jour où les chevaliers de l'Arquebuse remirent leur drapeau entre les mains du vicaire de l'église Saint-Pierre (169), mais les volontaires essayèrent d'échapper à leur sort. Le 1er août ils demandèrent à l'Assemblée leur maintien arguant qu'ils avaient toujours fait partie de la garde nationale. Ils durent se soumettre, eux aussi (170).

Bien que les volontaires n'eussent plus d'existence officielle en tant que corps particulier, l'esprit qui les avait animés subsistait et ils continuèrent à manifester leur zèle dans les compagnies ordinaires de la garde nationale. A Angers, la dramatique émeute des « perrayeurs » (4-6 septembre 1790) n'allait pas tarder à leur fournir l'occasion de s'illustrer tristement (171). A Saumur, les volontaires reprirent provisoirement leur autonomie, en juin 1791, quand leur parvint la nouvelle de la fuite du roi. Celle-ci, même si l'on admettait la fiction de l'enlèvement, créait une situation révolutionnaire qui rendait caduques, aux yeux des jeunes gens, leurs précédents engagements. La promptitude des anciens volontaires à se réunir de nouveau montre bien qu'ils restaient à la pointe de la Révolution (172).

---

(165) *Lois et actes du Gouvernement, op. cit.*, tome I, p. 303-306.
(166) Sans doute aussi dans les autres communes où des corps de volontaires avaient été organisés (à Cholet par exemple), mais nous n'en avons pas retrouvé la trace dans les archives.
(167) 1 L 9. Sur la dissolution des grenadiers et des chasseurs, cf. Arch. nat. D IV 40.
(168) *Affiches d'Angers* n° 53 (samedi 3 juillet 1790).
(169) Arch. mun. Saumur, BB 13.
(170) L'adresse des volontaires de Saumur à l'Assemblée Nationale figure dans Arch. nat. D IV 40.
(171) Cf. *infra* p. 116-123.
(172) 7 L 192.

Une seconde conséquence de la loi du 18 juin aurait dû être de restreindre le recrutement des gardes nationales angevines. Nous avons vu, en effet, que les règlements de 1789 avaient ouvert libéralement la milice à l'ensemble des habitants. Aux termes des nouvelles dispositions, les plus pauvres devaient en être désormais exclus. En réalité, nous savons que certaines communes du royaume n'éliminèrent pas les citoyens passifs. Ce fut le cas pour celles de la Meurthe, à l'exception de la ville de Nancy (173). D'ailleurs, sanctionnant le fait accompli, la Constituante autorisa, le 6 décembre, les citoyens passifs qui faisaient déjà partie des gardes nationales, à y demeurer (174). Qu'en fut-il pour le Maine-et-Loire ? Nous pouvons répondre à cette question pour trois villes qui ont conservé leurs registres d'inscription : Angers, Saumur et Baugé (175).

1. - Etude socio-professionnelle des gardes nationaux d'Angers

Les archives municipales conservent un registre d'engagement dans la garde nationale qui porte comme dates extrêmes le 10 septembre 1790 et le 28 mars 1792 (176). Tous les individus qui figurent sur ce livre se sont fait inscrire postérieurement à la loi de juin 1790, plus précisément à l'occasion de la réorganisation de la garde nationale après l'émeute des perrayeurs des 4 au 6 septembre. D'autre part, comme 31 gardes nationaux seulement figurent sur le registre après la date du 14 octobre 1791, on peut être assuré que le document est antérieur à l'application de la loi sanctionnée ce jour-là. D'ailleurs la seconde réorganisation de la garde nationale ne fut accomplie à Angers, qu'au printemps 1792.

Bien que le registre ne nous soit pas parvenu tout à fait complet, puisque le premier enrôlé porte le numéro 90, nous pensons qu'il nous donnera une image fort convenable de ce que fut la troupe citoyenne du chef-lieu du Maine-et-Loire après les graves événements du début de septembre. Le nombre des inscrits s'élève à 1 688 et, si l'on ajoute les 89 numéros manquants, à 1 777. L'on peut tenir pour assuré, par conséquent, que la nouvelle garde nationale est environ deux fois moins nombreuse que la milice de 1789 (177), d'autant plus que tous les inscrits n'étaient pas forcément en état de porter les armes et de faire réellement le service. A titre de comparaison, signalons qu'à Rennes 2 472 individus étaient portés en 1791 sur les rôles de la garde nationale, mais que 1 670 seulement étaient armés (178).

Nous connaissons le métier de 1 133 hommes soit 67,12 % des inscrits. Cette proportion serait tout à fait suffisante pour nous faire une idée juste de la répartition socio-professionnelle des gardes nationaux d'Angers si les professions manquantes étaient distribuées au gré du hasard. Or ce n'est pas

---

(173) R. TOURNES, *op. cit.*, p. 64.
(174) J. GODECHOT, *Les Institutions ...*, 1968, *op. cit.*, p. 129.
(175) Ce sont les seules à notre connaissance, mais il est possible que d'autres registres dorment dans les archives des mairies du département.
(176) Arch. mun. Angers, H 3-61.
(177) Cf. *supra*, p. 58.
(178) R. DUPUY, *op. cit.*, p. 125-126.

le cas ; les métiers sont absents surtout dans les premières pages du registre, c'est-à-dire là où l'on rencontre le plus de noms connus dans la ville et là où les signatures indiquent la plus grande aisance dans l'écriture. Il nous paraît vraisemblable que les notables ont omis plus souvent que les gens du commun de préciser leur profession ou leur état, s'estimant suffisamment identifiés par leur patronyme. Nous pensons donc que l'éventail socio-professionnel que l'on peut établir à partir de notre document sous-estime quelque peu le rôle de la grande et de la moyenne bourgeoisie dans la garde nationale.

Pour être significative, la répartition des citoyens-soldats selon leur métier doit être comparée à la structure sociale de l'ensemble de la population masculine de la ville. Une image satisfaisante de celle-ci nous est fournie par le recensement de 1769. Il s'agit d'une opération très sérieuse qu'avait entreprise la municipalité à la suite de l'ordonnance du 1er mars 1768 rendant obligatoire le numérotage des maisons dans toutes les cités du royaume pour faciliter le logement des troupes. A l'occasion de ce numérotage, des commissaires visitèrent une à une les maisons des 16 paroisses de la ville et portèrent sur des états imprimés formant 11 registres, les noms et métiers des propriétaires, des principaux locataires et des sous-locataires, ainsi que le nombre exact des occupants : maîtres, enfants de huit ans et au-dessus, enfants de moins de huit ans, facteurs ou compagnons, domestiques (179). Nous pensons pouvoir utiliser cette source sans risque majeur. D'une part la structure sociale de la population angevine n'a certainement pas été bouleversée dans les 20 dernières années de l'Ancien Régime, d'autre part les limites géographiques du recensement recouvrent assez bien le territoire dans lequel ont pu se recruter les gardes nationaux. En effet, certaines des paroisses d'Angers s'étendaient non seulement aux faubourgs immédiats, mais à la « campagne » environnante. Seule la paroisse de Saint-Samson, bien que située immédiatement sous les murs de la ville, et la partie « campagne » de la paroisse Saint-Laud, n'ont pas été recensées car ces territoires étaient considérés comme ruraux et de ce fait assujettis à la taille. Cette absence ne nous semble pas de nature à fausser gravement la valeur du document.

Nous avons sélectionné, dans le recensement de 1769, les professions masculines en excluant les pensionnaires des hôpitaux et des hospices, les mendiants (une vingtaine) et les individus sans profession, à l'exception de

---

(179) Le recensement (conservé aux Arch. mun. Angers, sans cote) a été dépouillé par Claudine ETIENNE pour un mémoire de D.E.S. (*La population d'Angers en 1769-1770*, Rennes, 1967, 110 p. dact.). L'auteur n'a malheureusement pas utilisé les renseignements d'ordre socio-professionnel. Par contre, François LEBRUN en a tiré un tableau par quartier dans *Les Hommes et la Mort ...*, *op. cit.*, p. 172-173. Il nous a aimablement communiqué le détail de ses calculs, métier par métier, et nous l'en remercions. Toutefois, nous avons dû recourir aux documents originaux parce que F. LEBRUN avait laissé de côté la partie « campagne » des paroisses d'Angers (3 477 H.) et parce que nous devions nous efforcer d'éliminer les femmes, pour notre propos.

F. LEBRUN a utilisé de nouveau les renseignements démographiques de la source dans « Angers sous l'Ancien Régime : introduction à l'étude démographique de la population », dans *Annales de Bretagne et des Pays de l'Ouest*, 1974, n° 1, p. 151-166.

J. MAILLARD a également beaucoup tiré du document, *op. cit.*, p. 334-339 et 427-453.

ceux qui avaient au moins un domestique estimant que ces derniers vivaient de leurs rentes et devaient être classés parmi la « bourgeoisie ». Nous savons qu'en réalité certains d'entre eux sont nobles mais nous n'aurions pu les isoler sans une longue étude de chaque cas particulier. Leur nombre n'est d'ailleurs pas très grand : François Lebrun l'estime à 150 ou 200 familles (180). En outre, beaucoup de ceux qui possédaient un hôtel à Angers ne sont pas comptés dans le recensement car ils vivaient « en campagne » à l'époque où il fut réalisé (181).

Nous avons regroupé les métiers en grandes catégories socio-professionnelles en suivant le schéma employé pour les Vendéens (182). C'est ainsi que nous distinguerons les professions « bourgeoises », les métiers de la terre, ceux de l'artisanat et du petit commerce (textile excepté), ceux de l'artisanat textile et les professions « diverses ». Si nous avons recensé à part les gens du textile, ce n'est point qu'ils relèvent, comme dans le Choletais, du système de la manufacture dispersée, mais c'est que la plupart d'entre eux travaillent dans de grands ateliers (comme les manufactures de toiles peintes de Tournemine, de Bel Air ou des Carmes, ou les manufactures de toiles à voiles du Cordon Bleu et du Champ-de-Mars) et que leur condition se rapproche de celle du prolétariat contemporain (183). Il est intéressant de savoir s'ils ont été écartés ou non d'une milice qui devait, aux termes de la loi, exclure les plus pauvres. Ajoutons que, comme pour les « Blancs », nous avons compté ensemble, dans les métiers de l'artisanat et de la boutique, les compagnons, les apprentis et les maîtres ou les patrons, car la mention de « garçon » ou de « commis » est fort rare dans le registre de la garde nationale. Nous ne savons si cette rareté est due à la négligence ou au fait que presque tous les gardes nationaux étaient des « maîtres ». Quant aux professions « diverses », elles regroupent les métiers que l'on pourrait qualifier de « services », à l'exception toutefois des militaires et des domestiques. Les premiers étaient exclus de la troupe citoyenne. D'ailleurs le recensement de 1769 ne comprenait ni les soldats du régiment de cavalerie ni la maréchaussée. En ce qui concerne les domestiques, nous en avons fait une catégorie socio-professionnelle isolée, étant donné leur grand nombre dans la ville à la fin de l'Ancien Régime. Comme le recensement ne précise pas le sexe, nous avons divisé par trois leur nombre total (2 255), nous fondant sur le fait que dans la cité voisine de Saumur, les hommes représentaient à peine le tiers des domestiques des deux sexes, d'après le recensement de février 1790 (184).

(180) F. LEBRUN, « Angers sous l'Ancien Régime … », art. cit.

(181) Cela vaut d'ailleurs aussi pour certains propriétaires bourgeois.

(182) Cf. Cl. PETITFRÈRE, Les Vendéens d'Anjou, op. cit., p. 314-318.

(183) Cf. S. CHASSAGNE, La Manufacture de toiles imprimées de Tournemine-lès-Angers (1752-1820), Guingamp, 1971.

François LEBRUN a résumé de façon claire l'histoire pourtant compliquée des manufactures d'Angers dans Les Hommes et la Mort …, op. cit., p. 82-89.

(184) La preuve que les militaires ont été omis dans le recensement d'Angers est fournie par une indication marginale dans le registre I en face de l'article concernant la maison 262 (Arch. mun. Angers, doc. cit.).

Le recensement de Saumur figure dans Arch. mun. Saumur, F I-36 (1).

Comparaison de la structure socio-professionnelle de la garde nationale en 1790-1791
et de l'ensemble de la population masculine d'Angers

Catégories socio-professionnelles	Ensemble de la population		Gardes nationaux	
	Nombre	%	Nombre	%
« Bourgeois »	1 304	19,32 %	268	24,08 %
Artisans et boutiquiers (sauf textile)	2 950	43,71 %	635	57,05 %
Artisans du textile	746	11,05 %	162	14,55 %
Agriculteurs	609	9,02 %	25	2,25 %
Domestiques	751	11,13 %	0	0
« Divers »	389	5,77 %	23	2,07 %
TOTAL	6 749	100 %	1 113	100 %

Compte tenu des approximations de nos calculs, la différence est assez nette encore entre la structure de la garde nationale et celle de l'ensemble de la population. L'élite urbaine occupe dans la première une place plus grande que dans la seconde. La moyenne et grande bourgeoisie est sur-représentée dans la milice citoyenne sans doute plus franchement encore que ne l'indique le tableau puisque, nous l'avons dit, la mention du métier ou de l'état nous paraît absente plus souvent, pour les « bourgeois » que pour les membres des autres catégories socio-professionnelles, dans le registre de la garde nationale. D'autre part, le groupe des travailleurs de l'industrie, de l'artisanat et de la boutique qui rassemble la petite bourgeoisie et une partie des classes populaires urbaines représente, dans sa totalité, plus de 71 % des gardes nationaux contre moins de 55 % de l'ensemble des habitants. A l'opposé, nous remarquons que les domestiques sont totalement exclus de la garde, en conformité avec la loi puisque celle-ci les prive des droits de citoyen actif. Nous insisterons également sur la très faible participation des paysans à la milice. S'agit-il d'une abstention volontaire ou bien d'une exclusion en vertu du règlement censitaire ? Nous verrons plus loin quelle était la place occupée par les agriculteurs parmi les citoyens actifs, ce qui nous permettra de répondre à la question. En dernier lieu, nous retiendrons que la catégorie des métiers « divers » est deux fois moins bien représentée dans la garde que dans la population totale. C'est que l'ossature de ce groupe socio-professionnel est constitué par le clergé. Or, ce dernier n'est représenté dans la milice que par un ancien prêtre. Cela ne nous autorise nullement à conclure à une opposition de principe du clergé à garde nationale, car il était dispensé du service militaire actif, comme de tradition à Angers.

Il nous paraît intéressant de détailler le tableau précédent pour comparer, à l'intérieur de chaque catégorie sociale, la place des divers types de métiers dans l'ensemble de la population urbaine et dans la garde nationale.

En ce qui concerne la « bourgeoisie », nous avons cherché à distinguer les rentiers , des professions manufacturières et commerçantes d'une part, administratives et intellectuelles de l'autre. Parmi les rentiers, nous avons classé les individus qui, n'exerçant aucune profession, étaient servis au moins par un domestique et les hommes désignés sous le nom de « bourgeois » dans les documents. Concernant ces derniers, François Lebrun a rapporté dans sa thèse cette intéressante définition de l'avocat Viger en 1787 :

> « On appelle un bourgeois à Angers, celui qui n'est ni ecclésiastique, ni magistrat, ni agriculteur, ni militaire, ni commerçant, ni artiste, ni artisan, ni philosophe, ni homme de lettres, ni homme d'affaires : c'est un être presque nul (...) et qui cependant s'estime autant au moins que le gentilhomme et le magistrat... » (185).

Les rentiers, parmi lesquels nous avons compris, rappelons-le, un petit nombre de nobles, représentent, dans l'ensemble de la population angevine, plus de 20 % de la catégorie que nous avons appelée « bourgeoisie » contre moins de 12 % parmi les seuls gardes nationaux (31 individus). Par contre, on relève dans la troupe citoyenne 79 représentants de la bourgeoisie manufacturière et commerçante, soit près de 30 % de la catégorie des « bourgeois », tandis que les individus exerçant une profession de ce type représentent moins de 8 % de cette catégorie dans l'ensemble de la population. Il semblerait donc que les métiers relevant de l'économie, ceux qui demandent un plus grand dynamisme et qui représentent la bourgeoisie « moderne » soient fortement sur-représentés dans la garde nationale, à l'inverse de cette bourgeoisie d'Ancien Régime typique que constitue le monde des rentiers, sous réserve que ce ne soient pas essentiellement des rentiers dont les professions manquent dans le registre de la milice... Enfin, les membres des professions libérales, intellectuelles et artistiques, les membres de la bourgeoisie d'office sont, parmi les gardes nationaux, au nombre de 158, soit près de 59 % des « bourgeois ». Or, ils forment plus de 71 % de la catégorie, dans l'ensemble de la population. A première vue, il paraît donc que leur attitude à l'égard de la troupe citoyenne s'apparente à celle des rentiers. En réalité, leur cas est moins net car, dans le recensement de 1769, le groupe est gonflé par un grand nombre d'étudiants et d'écoliers (483). A supposer qu'il y ait eu, à Angers, toujours autant d'écoliers en 1790-91, on se doute que beaucoup étaient trop jeunes pour faire partie de la garde nationale (186). Si l'on retire ces étudiants, on constate que la bourgeoisie administrative et intellectuelle est représentée à peu près de la même façon dans la milice et dans la population totale.

Afin d'examiner avec plus de précision le cas des artisans et boutiquiers, nous les répartirons dans les cinq groupes de métiers déjà distingués lors de l'étude socio-professionnelle des Vendéens : bâtiment et ameublement,

---

(185) F. LEBRUN, *Les Hommes et la Mort ...*, op. cit., p. 175. La citation est tirée du *Discours sur cette question : quels sont les moyens d'encourager le commerce à Angers*, couronné en 1787 par l'Académie des Belles-Lettres de la ville.

(186) D'après Jacques MAILLARD, l'effectif des élèves du collège n'a cessé de baisser, passant de 270 en 1768 à environ 150 en 1783. Par contre, se sont multipliées à Angers les « pédagogies » (institutions privées) qui ont pu compenser un peu le déclin du collège. (*L'Oratoire à Angers aux XVIIe et XVIIIe siècles*, Paris, 1975, p. 96-104).

vêtement et chaussure, alimentation, métiers annexes de l'agriculture, transport, métiers «divers» (187). Nous y ajouterons les journaliers, nombreux dans la population angevine (tout au moins ceux qui habitent la ville elle-même, car nous avons classé ceux de la «campagne» parmi les agriculteurs, comme nous l'avions fait pour les Vendéens).

Comparaison de la place occupée dans la garde nationale et dans l'ensemble de la population par les différents groupes de métiers composant la catégorie des artisans et boutiquiers

Métiers	Population totale		Gardes nationaux	
	Nombre	%	Nombre	%
Bâtiment et ameublement	661	22,40 %	156	24,57 %
Vêtement et chaussure	539	18,27 %	133	20,95 %
Alimentation	507	17,19 %	151	23,78 %
Métiers annexes de l'agriculture	161	5,46 %	36	5,67 %
Métiers du transport	389	13,19 %	14	2,20 %
Journaliers	279	9,46 %	2	0,31 %
«Divers»	414	14,03 %	143	22,52 %
TOTAL	2 950	100 %	635	100 %

Ce tableau indique que deux groupes de métiers seulement sont sous-représentés, mais très nettement, dans la garde nationale : les professions du transport et les journaliers. C'est ainsi qu'il y avait à Angers, en 1769, près de 200 bateliers, mariniers, futreliers et autres passeurs d'eau (compagnons compris). Or, ils ne sont représentés que par 9 d'entre eux dans la garde nationale. Il y avait 33 charroyeurs, voituriers ou rouliers, on ne trouve dans la milice que 2 voituriers. On comptait 134 commissionnaires et portefaix, on ne relève qu'un seul portefaix sur le registre de la garde nationale. Comme il est invraisemblable que cette catégorie sociale ait disparu de la ville en 20 ans, on ne peut donner à sa quasi-absence de la garde que deux explications. La première relève du simple bon sens : par définition, les transporteurs étaient souvent absents d'Angers et donc dans l'incapacité de prendre part au service militaire. Cet argument n'est pourtant pas décisif car, négligeant de se faire inscrire sur le registre de la troupe citoyenne, les mariniers ou voituriers perdaient leurs droits politiques. La seconde explication nous semble plus convaincante. Ces métiers étaient souvent exercés par des pauvres gens dont beaucoup devaient être des citoyens passifs que l'on a dû exclure de la milice. La preuve que bon nombre d'entre eux étaient dans le besoin nous est fournie par la mention «P» (pauvre) qui accompagne fréquemment leur nom dans les registres du recensement. Cette explication est d'ailleurs la seule que l'on puisse avancer

---

(187) Cl. PETITFRÈRE, *Les Vendéens d'Anjou*, *op. cit.*, p. 358-359.

pour justifier l'absence des journaliers de la milice citoyenne. Ils ne sont que deux inscrits alors qu'on en trouve 279 dans l'étendue des 16 paroisses recensées, compte non tenu de ceux qui habitaient « en campagne », classés, nous l'avons vu, avec les agriculteurs.

Les cinq autres catégories socio-professionnelles sont mieux représentées dans la garde nationale que dans la population totale. La différence entre la place qu'elles occupent dans la ville et dans la troupe est négligeable en ce qui concerne les métiers annexes de l'agriculture, faible pour les métiers du bâtiment et ceux du vêtement, nette pour les métiers de l'alimentation et forte pour les métiers « divers ». Si, nous lançant dans une comparaison plus fine, nous tentons de mesurer l'engouement pour la garde nationale dans chacun des métiers, nous nous apercevons qu'il est très inégal. C'est ainsi que les épiciers semblent pratiquement tous inscrits dans la milice citoyenne tandis que les perruquiers sont inscrits à 54 % environ, les aubergistes, les cabaretiers à 40 %, les menuisiers à 38 %, les chamoiseurs, corroyeurs, mégissiers et tanneurs à 37 %, les maréchaux-ferrants et taillandiers à 36 %, les charpentiers à 33 %, les tailleurs d'habits à 31 %, les cordonniers et sabotiers à 20 %, les boulangers à 18 %, les meuniers et les perrayeurs à 13 % seulement. Il est difficile d'établir une loi générale à partir de ces exemples ; il faut d'ailleurs faire quelques réserves sur la méthode puisque le recensement est antérieur d'une vingtaine d'années au registre de la garde. Toutefois, il paraît exister une double corrélation entre l'éloignement de l'habitat par rapport au centre de la ville d'une part, la pauvreté d'autre part, et l'absentéisme dans la garde nationale. Une illustration de la première corrélation est donnée par l'exemple des meuniers dont les moulins étaient évidemment situés hors les murs. Il leur était difficile de parcourir de longs trajets pour participer à la patrouille. On pourrait tenir le même raisonnement pour les perrayeurs qui habitaient presque tous les faubourgs orientaux de la ville, mais leur rareté dans la garde nationale de 1791 est due surtout à l'épuration de la troupe citoyenne au lendemain de l'émeute du 4 au 6 septembre 1790 dont ils furent les auteurs principaux. De la seconde corrélation (misère = absentéisme), nous trouverons l'illustration en nous penchant sur les exemples des métiers où les pauvres semblent, a priori, les plus nombreux : cordonniers et sabotiers ou encore, perrayeurs. Intéressant aussi est le cas des boulangers car, dans l'ensemble de la population angevine de 1769, bon nombre d'entre eux étaient des compagnons, dont plus de 40 % logés chez le patron. A l'opposé, les épiciers, si prompts à s'enrôler dans la garde nationale, étaient tous des patrons d'après le recensement. Mais il faut bien se garder de faire une règle absolue de cette indication de tendance. Il y a en effet des exceptions. C'est ainsi que les perruquiers sont bien représentés parmi les gardes nationaux et pourtant la plupart d'entre eux (60 %) étaient des compagnons logés chez leur maître. On ne peut donc les supposer particulièrement riches.

Si nous nous intéressons maintenant à la catégorie des travailleurs du textile, nous constatons également de grandes différences entre les métiers. Environ 40 % des fabricants de bas sont inscrits sur le registre de la garde nationale contre 21 % des sergers, 18 % des tisserands et seulement 13 % des filassiers et 1 % des cardeurs de laine. Or il est clair que cardeurs et filassiers font partie du prolétariat urbain tout comme la majorité des tisserands des manufactures. Par contre, il semble, à parcourir le recensement, que bon nombre de fabricants de bas, sans doute la majorité, soient des artisans indépendants. Au total, compte tenu des réserves à faire sur la méthode employée et des exceptions que nous avons signalées, il semble bien que l'engagement dans la garde nationale soit souvent inversement proportionnel à la pauvreté. Il ne faut d'ailleurs pas oublier que la troupe citoyenne a été réorganisée au lendemain de la révolte menée par les perrayeurs, les ouvriers du port et des manufactures. Il est donc normal que ces catégories sociales qui étaient les plus pauvres et, politiquement, les plus dangereuses pour la bourgeoisie dirigeante, aient été les premières victimes de l'épuration.

La pyramide socio-professionnelle formée par les individus inscrits sur le registre de la garde nationale en 1790-91 étant décalée vers le haut par rapport à celle de l'ensemble de la population masculine d'Angers, il est à présumer que les citoyens passifs ont bien été exclus de la milice conformément au décret du 18 juin. Pour vérifier cette hypothèse, nous pouvons comparer maintenant la structure sociale de la garde nationale à celle de l'ensemble des citoyens actifs du chef-lieu du Maine-et-Loire. Nous utiliserons pour cela une liste établie en janvier 1790 et couvrant les huits districts de la ville (188). Ce document, imprimé par Mame, est loin d'être parfait. Son principal défaut est d'avoir été dressé en quelques jours. L'imprimeur lui-même a souligné, au début de son travail, qu'il « auroit été difficile de ne pas y commettre des erreurs dans un aussi bref délai ». On peut donc penser qu'il y a eu bon nombre d'oublis. D'autre part, les professions ne figurent pas toujours sur cette liste. Cependant, il apparaît à l'expérience que ce sont les métiers ou l'état des gens les plus connus qui ont été omis le plus souvent, tout comme dans le registre des gardes nationaux. Par contre, notre document a l'avantage d'énumérer aussi bien les citoyens actifs des hameaux et fermes isolées, situés loin des murailles, que ceux de la cité et de ses faubourgs immédiats. Il convient de préciser toutefois que l'on a négligé de mentionner la profession de la plupart des habitants des écarts pour les 7e et 8e districts, c'est-à-dire les districts s'étendant sur la campagne. Comme il est évident que les hommes qui vivent dans les lieux-dits tels que La Marre, La Poterie, Les Gouronnières, La Quélinière etc... sont quasiment tous des cultivateurs, nous les avons comptés parmi ces derniers dans nos statistiques, sauf mention contraire.

La structure sociale de la garde nationale angevine est plus proche de celle des citoyens actifs que de la population totale. Aucun doute n'est plus possible : les passifs ont bien été exclus de la milice citoyenne en 1790, tout au moins lors de la réorganisation qui suivit l'émeute des perrayeurs. Cette première constatation faite, on peut noter deux tendances opposées et complémentaires. C'est tout d'abord la sur-représentation dans la garde nationale des classes proprement urbaines, la grande et moyenne bourgeoisie bien sûr, mais aussi la petite bourgeoisie des boutiquiers et des maîtres-artisans à laquelle se mêlent peut-être certains éléments des classes

---

(188) Bibl. mun. Angers, H 2033, document n° 16.

Comparaison de la structure socio-professionnelle de la garde nationale en 1790-1791
et de l'ensemble des citoyens actifs d'Angers

Catégories socio-professionnelles	Citoyens actifs		Gardes nationaux	
	Nombre	%	Nombre	%
« Bourgeois »	507	21,60 %	268	24,08 %
Artisans et boutiquiers (textile compris)...............	1 463	62,34 %	797	71,60 %
Agriculteurs	261	11,12 %	25	2,25 %
« Divers »	116	4,94 %	23	2,07 %
TOTAL	2 347	100 %	1 113	100 %

populaires dans la mesure où les compagnons sont inscrits sur le registre de la garde. Par contre, les agriculteurs sont très nettement sous-représentés et cela ne peut venir d'une exclusion légale comme nous en avions formulé l'hypothèse plus haut, puisque les paysans forment 11 % environ des citoyens actifs. C'est donc volontairement qu'ils se sont abstenus. Il reste à savoir si leur attitude traduit une hostilité politique envers l'institution, ou simplement si elle est due à la gêne que représentait pour eux un service militaire qu'il fallait accomplir fort loin de son domicile. Nous pencherions plutôt pour la seconde explication, sachant non seulement l'hostilité traditionnelle des paysans envers toute idée de milice, mais aussi la répugnance qu'ils montrèrent dès 1789 à quitter leur ferme pour monter la garde, même dans les paroisses rurales (189). Quelles qu'aient été les motivations des paysans, il est remarquable que la garde nationale fût uniquement l'affaire des citadins. Même si elle n'était pas l'effet d'une prise de conscience politique, l'abstention des agriculteurs n'a pu manquer d'avoir des conséquences d'ordre politique. Non seulement les gens de la terre se sont privés de moyens d'action sur la principale force militaire intérieure, mais, perdant du même coup leurs droits de citoyens, il se sont mis d'eux-mêmes en dehors du jeu politique légal et se sont coupés de la Révolution. Qui dira s'ils n'ont pas conçu une profonde rancœur contre la classe bourgeoise dirigeante, d'avoir subordonné l'exercice des droits électoraux à l'inscription sur les contrôles d'une milice aux obligations de laquelle il leur était impossible, en fait, de satisfaire ?

Dans l'ensemble, la structure sociale de la garde nationale d'Angers est donc celle d'une élite. Dans ces conditions, nous n'aurons pas de surprise à constater que plus de 9 miliciens sur 10 sont capables de signer leur enrôlement. Nous avons, en effet, relevé 1362 signatures sur 1496 individus pour lesquels nous sommes renseigné, soit par la mention de l'incapacité à signer, soit par la signature elle-même. La proportion exacte est de 91,04 % et il est bon de la rapprocher du pourcentage des Vendéens capables d'écrire

(189) Cf. *supra* p. 92-94.

leur nom au bas des demandes de secours : 17,84 %, rappelons-le. De plus, dans la quasi-totalité des cas, la signature des gardes nationaux prouve une certaine aisance dans l'écriture, ce qui est rare chez les Vendéens. On imagine sans peine l'immense différence de culture et donc de richesse des deux populations !

A Angers, l'esprit de la loi de juin 1790 qui entendait faire de la garde nationale une armée de possédants a donc été particulièrement bien respecté. On ne s'est d'ailleurs pas contenté d'exclure, légalement, les citoyens passifs, on a imposé aux autres de se procurer un équipement coûteux comme le prouve la formule d'engagement que devait signer chaque garde national :

> « Je soussigné...
> m'oblige de faire le service DE LA GARDE NATIONALE D'ANGERS de me fournir un habit d'uniforme, giberne, baudrier, sabre, guêtres et autres fourniments nécessaires, à l'exception du fusil qui me sera fourni par la Municipalité, de faire toutes les corvées et gardes qui intéresseront le bien public, et d'être subordonné, en tout ce qui concernera le service aux Officiers qui seront nommés, et de me conformer au règlement qui sera fait, tant pour l'organisation que pour le service de la Garde Nationale » (190).

Nous remarquons aussi que la formule astreignait le signataire à se libérer pour effectuer « toutes les corvées et gardes » qu'on lui commande-rait. Cette clause éliminait, en fait, les compagnons et commis dont il y avait fort à parier que les patrons ne pousseraient pas le patriotisme jusqu'à leur permettre de s'absenter fréquemment ! Elle éliminait aussi, nous l'avons déjà souligné, tous ceux que leur travail entraînait loin d'Angers, elle éliminait enfin les artisans besogneux qui comptaient seulement sur leur propre ouvrage pour gagner leur vie. Par contre, les maîtres qui disposaient de salariés pouvaient facilement satisfaire à leurs obligations militaires en confiant l'atelier ou la boutique à leurs employés (191). Il est vrai que si la nécessité de participer aux patrouilles et aux gardes gênait les pauvres, elle pouvait aussi ennuyer les grands bourgeois, peu soucieux de gaspiller leur temps et de galvauder leur respectabilité dans des besognes subalternes. Aussi quelques-uns se sont-ils permis de modifier la formule d'engagement à leur convenance. Jean Dupont, secrétaire de la municipalité, a intercalé entre les termes « m'oblige » et « de faire le service », la mention manuscrite « autant que les occuppations (sic) de ma place me le permettront », tout comme René Gaultier, caissier du District ou encore Louis-Jean Guiller de La Touche, professeur en droit et administrateur du Département. Ces restrictions correspondaient à la loi du 18 juin qui, nous l'avons vu, avait autorisé les remplacements à raison de la nature de « l'état » des citoyens. Mais Michel Jeuslin modifia la formule de façon plus radicale : ... « m'oblige dans les cas d'insurrection à me joindre en armes aux bons citoyens autant comme ceci se poura consilier avec les obligations premières de contrôleur

---

(190) Cette formule était imprimée sur le registre conservé aux Arch. mun. Angers sous la cote H 3-61.

(191) Rappelons que ceci a été souligné par Albert Soboul, (cf. *supra* note 69).

des aydes (sic)». Ce faisant, non seulement il réservait sa liberté mais montrait que la garde nationale n'était pour lui qu'un instrument de répression contre les classes dangereuses. Il est vrai que son engagement est daté du 11 septembre 1790, une semaine seulement après l'émeute des perrayeurs.

La ville de Saumur n'a pas connu un affrontement de cette envergure. Il est intéressant de savoir si sa garde nationale est restée, après la loi du 18 juin, plus démocratique que celle du chef-lieu du département.

2. - Etude socio-professionnelle des gardes nationaux de Saumur

Les archives communales de la cité ligérienne conservent un « Tableau des citoyens actifs de la ville de Saumur inscrits au registre des Gardes Nationales » paraphé par le maire et les officiers municipaux le 18 juin 1791. Bien que cette date suive de peu la démission du commandant Villemet (le 6 juin), le document n'a pas été établi en vue de réorganiser la garde mais pour dresser les listes électorales (192). Par son titre même, ce « Tableau » montre que la loi de juin 1790 a bien été observée ici et que la garde nationale se recrute parmi les citoyens actifs. Il concerne l'ensemble de la ville et de ses faubourgs qui comprenaient alors les quatre sections suivantes : 1er Nantilly, 2e Saint-Pierre et le Fenet, 3e Le Puy Neuf, Saint-Nicolas et le Collège, 4e Les Ponts, la Croix-Verte, l'Ile Neuve et la Basse Ile. Dans chacune des sections, on a recensé d'abord les citoyens actifs régulièrement inscrits à la garde nationale, puis ceux dont l'activité avait été suspendue faute d'inscription, ce qui permettra des comparaisons précieuses que nous n'avons pu faire pour Angers.

Le nombre total des Saumurois figurant sur les registres de la garde se monte à 1 497 individus. Ce chiffre est étonnamment élevé par rapport à celui du chef-lieu du département. Rappelons en effet qu'il y avait, à Angers, 1 777 inscrits seulement pour l'année 1790-1791. Or, la population angevine était presque deux fois et demie supérieure à celle de la ville voisine. Les chiffres de population donnés en réponse à l'enquête du Comité de Mendicité de la Constituante sont en effet de 28 314 habitants pour Angers et 11 831 pour Saumur (193). Cela ne signifie pas forcément que l'engouement des Saumurois pour la garde nationale ait été bien supérieur à celui des gens du chef-lieu. Vu la destination électorale du document, il semble en effet que l'on y ait recensé non seulement les individus faisant le service effectif, mais parfois ceux qui en étaient dispensés ou s'étaient fait remplacer. C'est pourquoi on trouve un certain nombre de prêtres sur le registre de Saumur alors qu'il n'en figure aucun sur celui d'Angers. D'autre part, il faut rappeler que la garde nationale angevine a été épurée en septembre 1790 et sans doute considérablement réduite.

Comme nous l'avons fait pour le chef-lieu du Maine-et-Loire, nous

---

(192) Arch. mun. Saumur, H-III 95 (2). Sur la réorganisation de la garde saumuroise, cf. *infra* p. 111-112.

(193) 1 L 402. L'enquête a été lancée par circulaire du 9 juillet 1790 (M. REINHARD, *Etude de la population pendant la Révolution et l'Empire*, Gap, 1961, p. 29).

allons comparer d'abord la structure socio-professionnelle de la garde nationale saumuroise à celle de l'ensemble de la population masculine de la ville. Nous utiliserons pour cela un recensement des habitants réalisé en février 1790 par la municipalité, pour chacun des huit districts de l'agglomération correspondant aux quatre sections des registres de 91 : 1ᵉʳ Hôtel de ville, 2ᵉ Le Fenet, les Moulins et Beaulieu, 3ᵉ Nantilly bourg, 4ᵉ Saint-Pierre, 5ᵉ La Bilange, 6ᵉ Villeneuve, la Croix-Verte, 7ᵉ Le Collège, 8ᵉ Les basses rues (194).

Notre tableau comprendra les six catégories socio-professionnelles suivantes : « bourgeois », artisans et boutiquiers (textile compris), journaliers, paysans, domestiques, membres des professions « diverses ». L'importance modeste du tissage ne justifie pas ici l'isolement de la catégorie des métiers du textile, comme nous l'avons fait à Angers. Par contre, nous avons cru bon de distinguer les journaliers des autres travailleurs car ils sont nombreux parmi les gardes nationaux comme dans l'ensemble de la population.

Comparaison de la structure socio-professionnelle de la garde nationale en 1791 et de l'ensemble de la population masculine de Saumur

Catégories socio-professionnelles	Ensemble de la population		Gardes nationaux	
	Nombre	%	Nombre	%
« Bourgeois »	378	13,10 %	292	20,96 %
Artisans et boutiquiers (textile compris)...............	1 769	61,32 %	853	61,23 %
Journaliers	178	6,17 %	106	7,61 %
Agriculteurs	119	4,12 %	111	7,97 %
Domestiques	271	9,40 %	0	0
« Divers »	170	5,89 %	31	2,23 %
TOTAL	2 885	100 %	1 393	100 %

Pas plus que celle d'Angers, la garde nationale de Saumur n'est le reflet exact de la population masculine totale. En effet, ici et là, la pyramide socio-professionnelle des citoyens soldats est décalée vers le haut par rapport à celle de l'ensemble des habitants. Nous constatons que les domestiques sont exclus de la garde, alors qu'à l'opposé de l'échelle sociale, la grande et moyenne bourgeoisie est largement sur-représentée. Par rapport à sa voisine, la milice citoyenne de Saumur nous apparaît cependant plus largement ouverte et plus démocratique. Les journaliers et les paysans y sont en effet nombreux alors que la garde nationale d'Angers ne comprenait qu'une proportion très faible d'agriculteurs (2,25 %) et pratiquement nulle de

---

(194) Arch. mun. Saumur F I-36 (1).
Marcel REINHARD fait état de ce recensement, décidé le 4 février et terminé à la fin du mois, dans *Etude de la population pendant la Révolution et l'Empire ...*, *op. cit.*, p. 24.

journaliers. Il semblerait même que ces deux catégories socio-professionnelles soient sur-représentées dans la troupe citoyenne de Saumur, mais nous serons prudent sur ce point car il est possible que le recensement de la population des écarts, où les cultivateurs et les journaliers agricoles devaient être nombreux, n'ait pas été fait avec le même soin que celui des quartiers proprement urbains. La comparaison de la structure sociale de la garde nationale et de l'ensemble des citoyens actifs de l'agglomération nous aidera peut-être à préciser l'attitude de ces deux catégories à l'égard de la milice urbaine.

Nous pouvons en effet, comme pour Angers, comparer la répartition en grandes catégories socio-professionnelles des hommes inscrits à la garde nationale et celle de la totalité des habitants qui remplissent les conditions nécessaires à l'exercice des droits de citoyens actifs, compte non tenu de l'inscription à la garde. Il faut pour cela compter ensemble les individus portés au « Tableau des citoyens actifs de la ville de Saumur », qu'ils soient régulièrement inscrits à la milice citoyenne ou qu'ils aient négligé leur inscription et, pour cela, aient vu leur activité suspendue. La comparaison se fera dans de meilleures conditions que pour la capitale angevine car, sur le document saumurois le métier est mentionné plus fréquemment que sur le tableau des citoyens actifs d'Angers. Nous connaissons en effet la profession ou l'état de 2 005 Saumurois sur un total de 2 161, soit près de 93 %. En outre, nous pourrons établir la structure socio-professionnelle des citoyens actifs réfractaires à la garde nationale, ce qui est impossible pour le chef-lieu du Maine-et-Loire.

Comparaison de la structure socio-professionnelle de l'ensemble des citoyens actifs de Saumur, de ceux qui ont accepté leur inscription sur le registre des gardes nationaux et de ceux qui l'ont refusée

Catégories socio-professionnelles	Ensemble des citoyens actifs		Inscrits à la garde nationale		Non inscrits à la garde nationale	
	Nbre	%	Nbre	%	Nbre	%
« Bourgeois »	368	18,36 %	292	20,96 %	76	12,42 %
Artisans, boutiquiers	1 169	58,30 %	853	61,23 %	316	51,63 %
Journaliers	221	11,02 %	106	7,61 %	115	18,79 %
Agriculteurs	170	8,48 %	111	7,97 %	59	9,64 %
« Divers »	70	3,84 %	31	2,23 %	46	7,52 %
TOTAL	2 005	100 %	1 393	100 %	612	100 %

A Saumur, plus encore qu'à Angers, la structure socio-professionnelle de la garde nationale de 1791 est proche de celle de l'ensemble des citoyens actifs de la ville. Quelques nuances significatives pourtant. Tout d'abord la légère sur-représentation dans la troupe citoyenne des classes dominantes : haute et moyenne bourgeoisie, et même, dans son ensemble, monde de l'atelier et de la boutique. A l'opposé, trois catégories occupent dans la garde nationale une place inférieure à celle qui est la leur dans l'ensemble des citoyens actifs : les paysans, pour lesquels toutefois la différence est négligeable, les journaliers pour lesquels la différence est nette, les membres des professions « diverses » pour lesquels la différence est forte. Ces nuances apparaissent mieux si l'on se penche sur la structure de la population réfractaire à la garde nationale qui, à Saumur, constitue une minorité d'environ 30 % des citoyens actifs. On voit immédiatement que les « bourgeois » sont relativement peu nombreux parmi ces réfractaires. On peut faire la même constatation, atténuée cependant, pour les artisans et boutiquiers. Par contre, les trois autres catégories occupent, parmi les non inscrits, une place plus grande que chez les gardes nationaux. Cela est particulièrement net pour les journaliers dont le pourcentage dans l'échantillon de population qui a négligé ou refusé de se faire inscrire sur le registre de la troupe citoyenne est presque deux fois et demie supérieur au pourcentage des journaliers inscrits. La différence est encore plus grande pour la catégorie des métiers « divers », puisque leur proportion parmi les réfractaires est, à peu de choses près, trois fois et demie supérieure à ce qu'elle est au sein des gardes nationaux.

Il est encore possible d'affiner notre étude en comparant, à l'intérieur de chaque catégorie socio-professionnelle cette fois, la proportion des inscrits sur le registre de la garde et celle des non inscrits.

Proportion des citoyens actifs de chaque catégorie socio-professionnelle inscrits et non-inscrits à la garde nationale de Saumur

Catégories socio-professionnelles	Nombre des citoyens actifs		Pourcentage des citoyens actifs	
	Inscrits	Non-inscrits	Inscrits	Non-inscrits
« Bourgeois »	292	76	79,35 %	20,65 %
Artisans, boutiquiers............	853	316	72,97 %	27,03 %
Journaliers	106	115	47,96 %	52,04 %
Agriculteurs	111	59	65,29 %	34,71 %
« Divers »	31	46	40,26 %	59,74 %
TOTAL des citoyens actifs.........	1 393	612	69,48 %	30,52 %

Si l'on prend comme référence le pourcentage moyen des citoyens actifs de métier connu inscrits à la garde nationale, soit 69,48 %, on s'aperçoit que deux catégories dépassent cette proportion, c'est-à-dire qu'elles ont montré un engouement supérieur à la moyenne pour la milice : celle des « bourgeois » et celle des artisans et boutiquiers. Par contre, les trois autres catégories sont au-dessous de la moyenne. Il apparaît que l'inscription dans la garde nationale est d'autant plus fréquente que l'on s'élève dans la hiérarchie sociale. Ainsi, les agriculteurs s'inscrivent plus souvent que les journaliers, les artisans et boutiquiers plus souvent que les agriculteurs, les « bourgeois » plus souvent que les artisans et boutiquiers. Il faut faire un sort particulier à la catégorie des métiers « divers » dont près des 2/3 des membres refusent ou négligent l'inscription dans la troupe citoyenne. L'armature de cette catégorie est constituée par les prêtres. A parcourir les registres, nous constatons que 13 d'entre eux seulement se sont fait inscrire alors que 31 s'en sont abstenus. Il y a là une réaction étonnante quand on sait que la majorité du clergé saumurois a accepté le serment civique. C'est ainsi que les prêtres de l'Oratoire, par exemple, ne se sont pas fait porter sur le registre de la garde nationale alors qu'ils étaient très patriotes. Il ne faut donc pas déduire d'une telle attitude une hostilité de principe envers la Révolution. Nous avons vu qu'à Angers aucun membre du clergé ne s'était fait porter sur le registre de la troupe citoyenne parce que l'ordre était traditionnellement dispensé du service militaire. Certains prêtres saumurois ont dû négliger leur inscription pour une raison identique, tandis que d'autres auront procédé à cette formalité de peur de perdre leurs droits électoraux.

Il nous faudrait aussi expliquer l'attitude des journaliers et des agriculteurs. En ce qui concerne les premiers, remarquons d'abord qu'ils sont nombreux parmi les citoyens actifs, ce qui peut étonner en raison de leur pauvreté présumée. D'autre part, ils sont largement représentés dans la garde nationale, contrairement à ce qui se passe à Angers. Toutefois ils forment, avec les métiers « divers », la seule catégorie socio-professionnelle qui s'est montrée en majorité réfractaire à la garde nationale. Faut-il voir en cela une condamnation de la milice citoyenne et de la Révolution ou bien l'abstention des journaliers n'est-elle due qu'à l'impossibilité matérielle de disposer du temps nécessaire au service ? Il est possible aussi que ces hommes se soient trouvés mal à l'aise dans une troupe d'élite où ils forment une petite minorité ou encore que, manquant d'intérêt pour les joutes politiques, ils n'aient pas compris qu'il fallût payer le droit de vote d'un prix aussi lourd.

Quant aux agriculteurs, ils ont eu une réaction fort différente de celle de leurs homologues angevins puisque les 2/3 d'entre eux ont accepté l'inscription sur les registres de la garde. Nous ne pouvons, là encore, que formuler des hypothèses. La commune de Saumur étant moins étendue que celle d'Angers, la ville plus petite, les agriculteurs pouvaient se rendre plus facilement en son centre. D'ailleurs, il s'agissait presque uniquement de vignerons et de jardiniers : peut-être étaient-ils plus libres de leur temps et mieux intégrés à la vie urbaine que les polyculteurs des environs d'Angers.

Quelles que soient les raisons des uns et des autres, la troupe citoyenne de Saumur nous apparaît plus ouverte que celle du chef-lieu du département. Elle n'est pas, comme cette dernière, uniquement aux mains des purs citadins. Il n'en est pas moins vrai que, sur les bords de la Loire comme sur ceux de la Maine, la garde nationale est dominée par les classes supérieures de la population et apparaît comme l'arme de la bourgeoisie.

La milice saumuroise fut entièrement réorganisée en juin 1791. Elle continuait, en effet, à souffrir des dissensions entre les compagnies ordinaires et les corps d'élite. Certes, les volontaires et les Arquebusiers avaient disparu en tant que compagnies séparées, mais, nous l'avons vu, les premiers avaient repris du service après la fuite du roi. Surtout, subsistaient les grenadiers et les chasseurs, objet de bien des jalousies. C'est sans doute ce malaise persistant qui poussa le commandant de la garde nationale, Villemet, à remettre sa démission le 6 juin 1791. Il fut imité par une quarantaine de gradés. La municipalité prit alors l'initiative d'une refonte générale de la troupe. Elle convoqua six délégués par compagnie, y compris celle des volontaires, et deux délégués pour les canonniers, afin de procéder aux nouvelles élections et à la réorganisation. Ce furent donc, au total 74 députés de tous les corps de la garde nationale qui s'assemblèrent le 26 juin dans la grande salle de la maison commune. Ils décidèrent que, désormais, les compagnies seraient formées «par rang de maisons», ce qui avait pour résultat de dissoudre les grenadiers et les chasseurs, mais aussi, pour la seconde fois, les volontaires. L'assemblée désigna des commissaires pour élaborer un nouveau règlement qui fut communiqué aux délégués le 3 juillet. La garde nationale serait désormais divisée en 21 compagnies de 66 hommes regroupées en 4 bataillons. Les officiers et sous-officiers des compagnies seraient élus pour deux ans par leur troupe, l'état-major du bataillon par les officiers, sergents et caporaux ainsi que par six fusiliers de chaque compagnie. Dans une ultime démarche les chasseurs et grenadiers avaient demandé à se réunir en compagnies séparées au moins pour les cérémonies, mais cela leur fut refusé. La réorganisation de la garde nationale de Saumur s'est donc faite indiscutablement dans un sens démocratique (195).

Après avoir étudié des milices proprement urbaines, nous allons tenter de déterminer la composition sociale d'une garde nationale mi-citadine, mi-rurale, puisqu'il s'agit de celle de Baugé petite ville de quelque 3 000 habitants (196).

3. - Etude socio-professionnelle des gardes nationaux de Baugé

Nous disposons, aux archives municipales de la petite cité, d'un document intitulé : «Extrait par section du tableau des citoyens actifs de la ville de Baugé, sur lequel on reconnoistra en marge, ceux qui se sont inscrits sur le Registre de la garde nationale ouvert au greffe de cette municipalité en exécution du décret de l'assemblée nationale du 18 juin 1790» (197). Ce tableau concerne les trois sections qui partageaient la ville : celle de l'église, celle du château et celle des Bénédictines. Son titre indique déjà que l'on a ici, comme dans les villes précédemment étudiées, éliminé les citoyens passifs de la garde nationale conformément à la volonté de la Constituante. Ne disposant pas de recensement, nous avons eu recours aux registres paroissiaux pour établir la composition socio-professionnelle de la population de Baugé, selon la méthode utilisée dans notre étude des Vendéens d'Anjou (198). Nous avons distingué seulement quatre catégories sociales : les «bourgeois», l'ensemble des artisans et boutiquiers, les paysans (y compris les journaliers présumés être tous des travailleurs agricoles dans cette bourgade en grande partie rurale) et les professions «diverses» dans lesquelles nous avons rangé les domestiques d'ailleurs exclus, ipso facto, de

---

(195) Arch. mun. Saumur H III-95 (1).
(196) Baugé comptait exactement 3 162 habitants d'après la réponse à l'enquête du Comité de Mendicité de la Constituante, en janvier 1791 (1 L 402).
(197) Arch. mun. Baugé I K I.
(198) Cl. PETITFRÈRE, Les Vendéens d'Anjou, op. cit., p. 385.
Nous avons dépouillé les registres de baptême des années 1782-1791.

la catégorie des citoyens actifs et pratiquement absents des registres de baptême puisque la plupart du temps célibataires.

Comparaison de la structure socio-professionnelle de la garde nationale en 1791 et de l'ensemble de la population masculine de Baugé

Catégories socio-professionnelles	Ensemble de la population		Gardes nationaux	
	Nombre	%	Nombre	%
« Bourgeois »	101	13,10 %	49	33,56 %
Artisans, boutiquiers (textile compris)...............	505	65,50 %	93	63,70 %
Agriculteurs	159	20,62 %	3	2,06 %
« Divers »	6	0,78 %	1	0,68 %
TOTAL	771	100 %	146	100 %

Comme celle d'Angers et de Saumur, mais d'une façon encore plus nette, la garde nationale baugeoise est composée des éléments les plus choisis et les plus urbanisés. La « bourgeoisie » est, en effet, 2,5 fois mieux représentée dans la milice que dans la population totale, tandis qu'à l'inverse, les paysans, qui forment le 1/5e des habitants, sont presque absents de la troupe citoyenne.

Il nous est facile de calculer maintenant la répartition socio-professionnelle des citoyens actifs afin de la rapprocher de celle des gardes nationaux ainsi que de celle des individus qui ont refusé ou négligé de se faire inscrire à la milice. En effet, comme celui de Saumur, le « Tableau des citoyens actifs... » de Baugé comporte les précisions nécessaires.

Comparaison de la structure socio-professionnelle de l'ensemble des citoyens actifs de Baugé, de ceux qui ont accepté leur inscription sur le registre des gardes nationaux et de ceux qui l'ont refusée

Catégories socio-professionnelles	Ensemble des citoyens actifs		Inscrits à la garde nationale		Non-inscrits à la garde nationale	
	Nbre	%	Nbre	%	Nbre	%
« Bourgeois »	67	28,39 %	49	33,56 %	18	20,00 %
Artisans, boutiquiers	139	58,90 %	93	63,70 %	46	51,11 %
Agriculteurs............	21	8,90 %	3	2,06 %	18	20,00 %
« Divers »	9	3,81 %	1	0,68 %	8	8,89 %
TOTAL	236	100 %	146	100 %	90	100 %

Les résultats sont conformes à ceux qui se sont dégagés de l'étude des deux villes principales du département : la garde nationale est une institution

« élitiste ». Le phénomène apparaît encore mieux si l'on calcule, pour chaque catégorie sociale, la proportion des inscrits à la milice.

Proportion des citoyens actifs de chaque catégorie socio-professionnelle inscrits et non-inscrits à la garde nationale de Baugé

Catégories socio-professionnelles	Nombre des citoyens actifs		Pourcentage des citoyens actifs	
	Inscrits	Non-inscrits	Inscrits	Non-inscrits
« Bourgeois »	49	18	73,13 %	26,87 %
Artisans, boutiquiers............	93	46	66,91 %	33,09 %
Agriculteurs	3	18	14,28 %	85,72 %
« Divers »	1	8	11,11 %	88,89 %
TOTAL des citoyens actifs.........	146	90	61,86 %	38,14 %

    Remarquons d'abord que la proportion des citoyens actifs inscrits à la garde nationale de Baugé est légèrement inférieure à celle des Saumurois (61,86 % en moyenne contre 69,48 %). Par rapport à ce niveau, deux catégories ont montré une prédilection pour la milice, les « bourgeois » et les artisans et petits commerçants. A l'inverse, agriculteurs et membres des professions « diverses » ont fait preuve d'une grande répugnance à se faire inscrire. La catégorie « divers » doit, comme dans les autres cités du Maine-et-Loire, être considérée à part, sa réaction étant liée à celle du clergé qui en constitue l'essentiel. A Baugé, aucun des sept ecclésiastiques (six prêtres et un tonsuré) qui satisfaisaient aux conditions de cens nécessaires pour être citoyen actif n'a fait porter son nom sur le registre de la garde. Comme nous l'avions remarqué pour Angers et pour Saumur, l'engouement pour l'institution paramilitaire est de plus en plus grand au fur et à mesure que l'on se hausse dans l'échelle sociale. A ce sujet il serait intéressant de nous pencher sur le cas des artisans et boutiquiers afin de discerner la réaction des divers métiers. Malheureusement, chaque profession étant exercée par un tout petit nombre d'individus, nous ne pouvons tirer des lois générales d'une pareille observation. Qu'il nous soit permis, cependant, d'indiquer que les sergers, les tisserands et les cordonniers qui sont en nombre relativement important, se sont montrés en majorité réfractaires à la garde. Ce fut le cas pour 14 sergers et tisserands sur 24 et pour 8 cordonniers et sabotiers sur 13. Or, ce sont là, généralement, de petites gens. Sans doute pouvons-nous voir dans leur attitude une indication de tendance confirmant les constatations précédentes : la garde nationale de Baugé, comme celles d'Angers et de Saumur nous semble essentiellement un instrument aux mains des possédants.

    Le cas des paysans mérite qu'on s'y arrête quelque peu car leur attitude, fort réservée pour ne pas dire hostile, rappelle celle de leurs collègues angevins et contraste avec celle des Saumurois. Sans doute les paysans de la cité ligérienne étaient-ils surtout des vignerons que l'on ne retrouve pas à

Baugé, mais il y avait aussi parmi eux beaucoup de jardiniers qui avaient accepté de se faire inscrire à la garde. A Baugé, aucun des dix jardiniers ne figure parmi les miliciens, les trois paysans qui se sont fait porter sur les registres étant deux fermiers et un journalier.

Est-ce l'attitude des cultivateurs d'Angers et de Baugé ou celle des agriculteurs saumurois qui reflète le mieux la réaction de la paysannerie angevine, dans son ensemble, envers la garde nationale? Bien que nous penchions pour la première hypothèse, il nous est impossible d'obtenir une certitude car nous ne savons pratiquement rien sur les milices rurales. Il aurait été utile, pour le moins, de dresser une carte des gardes nationales existant dans le Maine-et-Loire en 1791, comme l'a fait Roger Dupuy pour quatre districts de l'Ille-et-Vilaine (199). Nous aurions pu vérifier, de cette façon, si la répartition des troupes citoyennes restait à peu près égale sur toute la surface du territoire comme nous l'avons observé pour l'année 1789, ou bien si se dessine déjà l'opposition politique entre l'est et l'ouest qui aboutira à la guerre civile de mars 1793. Malheureusement aucun document ne nous permet d'établir une telle carte. Il n'y eut pas de Fédération départementale à Angers le 14 juillet 1791 qui aurait permis un recensement des milices rurales. Pour les Mauges, une adresse du Directoire de District de Cholet à la Constituante, datant sans doute de la fin de 1790, mentionne la faiblesse des gardes nationales de Chemillé et Vihiers, l'absence de milice à Beaupréau et à Saint-Florent, en faisant ressortir la santé de celle de Cholet qui se monterait à huit ou neuf cents hommes, mais le document est suspect car il a pour objet de garantir à la ville le maintien de l'administration du District contre ses rivales éventuelles (200).

Pour de semblables raisons de documentation, c'est surtout l'œuvre des gardes nationales citadines que nous allons évoquer maintenant.

4. - L'œuvre de la garde nationale en 1790-1791

Nous avons vu que, dans sa première année d'existence, la milice nationale urbaine avait accompli une double tâche, politique et économique. La seconde avait dû sans doute primer la première aux yeux de l'observateur contemporain qui voyait se multiplier les missions des gardes nationaux et des volontaires afin d'assurer l'approvisionnement des cités. Par contre, l'année suivante, de toute évidence, le politique l'emporte de beaucoup dans les préoccupations des « habits bleus ». La garde nationale incarne de plus en plus nettement la Révolution bourgeoise et, à ce titre, combat sur deux fronts, menant la répression contre les « classes dangereuses » en même temps qu'elle lutte contre les nostalgiques du passé (201).

---

(199) R. DUPUY, *La Garde Nationale (...) en Ille-et-Vilaine, op. cit.,* p. 145.
(200) L'adresse du District de Cholet figure aux Arch. nat. sous la cote D IV bis 67.
Sur l'absence de Fédération le 14 juillet 1791, cf. la lettre du Département au District d'Angers datée du 9 juillet (2 L 35). Il y eut bien une fête le 15 juillet, mais seules la garde nationale de la ville, ainsi que celles de Beaupréau (qui existait donc à cette date) et du Louroux-Béconnais, semblent y avoir assisté (F. UZUREAU, « Les fêtes civiques à Angers pendant la Révolution », dans *L'Anjou Historique*, nº 4, 1903-1904, p. 372-396).
(201) Jean JAURÈS écrit dans le même sens que la garde nationale, « selon les vicissitudes

a. - La répression contre les « classes dangereuses »

Au cours du premier semestre 1790, la garde nationale de Saumur était intervenue à plusieurs reprises pour mater des émeutes de la faim (202). Malgré les soubresauts de l'été précédent, Angers n'avait pas connu d'insurrections aussi graves. Mais au début de septembre va éclater la fameuse émeute des perrayeurs, la plus grande révolte populaire que connut la cité des bords de la Maine à l'époque de la Révolution.

Rappelons qu'en juillet 1789, l'unanimité avait paru se faire autour de la milice angevine puisque, désirée par la bourgeoisie, elle avait immédiatement reçu l'appui officiel de la noblesse et du clergé, ainsi que le concours de la classe ouvrière. Nous nous souvenons, notamment, de ce Pierre Périsseau qui avait offert l'appui des 2 000 perrayeurs des carrières d'ardoise des environs. Mais pour un observateur attentif des réalités économiques et sociales, il était clair, dès cette époque, que l'apparente union cachait une profonde rivalité d'intérêts. L'unique souhait des travailleurs manuels, affaiblis par la crise économique, était d'obtenir le pain à bon marché, tandis que la bourgeoisie et les privilégiés ne visaient à rien d'autre qu'à maintenir l'ordre en se gardant contre les excès de la « populace ». Les troubles qui s'étaient produits à l'époque de la soudure avaient été un avertissement parfaitement compris par de Houlières qui était alors président du Comité permanent et fut élu maire de la municipalité nouvelle installée à Angers en février 1790 (203).

A la suite de l'aggravation de la crise économique, les travailleurs des ardoisières, les « perrayeurs » ou « perreyeux », se trouvèrent acculés à une situation que rendait intenable la conjonction de la hausse du prix des denrées alimentaires et de l'augmentation du chômage. Le même sort frappait les ouvriers du port et des manufactures de toile, si bien que, pendant quelques jours, c'est le « quatrième état » dans son ensemble qui se soulèvera dans une lutte pour la vie.

L'émeute débute le samedi 4 septembre, jour de marché. Une foule de petites gens manifeste violemment son mécontentement devant la hausse brutale du prix du blé, passé de 52 sous le boisseau de 28 livres à 3 livres 10 sols (204). De Houlières envoie un aide-major de la garde nationale, Goubault, surveiller le marché, mais celui-ci est obligé de s'enfuir devant le

---

des crises, faisait front ou contre les troupes royales "satellites du despotisme", ou contre les mouvements populaires » (*L'Organisation Socialiste de la France — L'Armée Nouvelle,* Paris, rééd. de L'Humanité, 1915, p. 150).

(202) Cf. *supra* p. 83-85.
(203) Cf. *supra* p. 69.
(204) Plusieurs documents contemporains permettent l'étude de cette crise, notamment :
J.-A. BERTHE, *Histoire et Faits d'Armes de la Garde-Nationale d'Angers, dans le cours de la Révolution, depuis 1789 jusque en 1817,* manuscrit, s.l., 1839, p. 7-10 (Berthe est ce sergent de la garde qui s'est illustré dans la répression).
Bibl. mun. Angers H 2029, pièces 31 et 33 (extraits des registres du Département) et pièce 32 (*Lettre d'un Ami de la Constitution, de l'ordre et de la paix, adressée à La Revellière-Lépeaux député*).
Bibl. mun. Angers H 2038, texte 5 (*Détail exact d'une insurrection qui s'est manifestée à Angers le 4 septembre et les jours suivants*) et texte 6 (*Détail exact et authentique de ce qui s'est*

peuple en colère qui réclame la punition des accapareurs, parmi lesquels il n'hésite pas à ranger les municipaux. On s'empare des boisseaux, des cuviers contenant les grains, on les entasse et on y met le feu. L'incendie est si violent qu'il menace la halle voisine. Le maire requiert alors un détachement du Royal-Picardie. Les cavaliers parviennent à interrompre l'émeute. Ils arrêtent un meneur, un ancien soldat chassé de son corps, Anizon, que l'on prétend traduire, dès l'après-midi, devant le présidial. Mais la foule arrache le prisonnier à ses gardes pendant son transfert de la prison au palais. Durant ce premier jour de crise, les femmes sont souvent aux premiers rangs des mécontents, ainsi qu'il est fréquent dans les émeutes de la faim :

> « On a vu comme autant de furies, ces forcenées, attaquant, injuriant et dévouant à la mort tout ce qui paroissoit vouloir s'opposer à leur rage, ou tenter de la calmer » (205).

La nuit fut agitée, les émeutiers se répandant en ville et semant la terreur chez les bons bourgeois. Cependant, la journée du dimanche connut une accalmie relative. Le Département, pour désamorcer le conflit, invita les citoyens à se réunir par sections et à nommer des commissaires chargés de présenter leurs doléances. Le maire, pendant ce temps, parcourut la ville, le port et les faubourgs en invitant chacun au calme. L'agitation n'est cependant pas entièrement tombée. C'est ainsi que la foule force les portes d'une maison que l'on soupçonne de renfermer des grains et outrage un négociant, Mabille, accusé d'accaparement. Certaines assemblées de section, surtout dans les quartiers populeux de la « Doutre », sont houleuses (206). La vindicte populaire s'en prend aux défenseurs de l'ordre comme à la municipalité et aux marchands :

> « De tous les côtés cependant, on menaçoit le Régiment de Royal-Picardie ; on désignoit les Volontaires pour la fatale lanterne ; et tout ce qui portoit l'habit National, paroissoit enveloppé dans la proscription générale » (207).

---

passé en la ville d'Angers les 4, 5, 6 et 7 de septembre 1790, extrait d'une lettre écrite par un administrateur, le 8 de ce mois).

Mémoires et notes de Choudieu ..., publiés par V. BARRUCAND, op. cit.

Affiches d'Angers du 11 septembre 1790 (article reproduit dans F. LEBRUN, L'histoire vue de l'Anjou, op. cit., tome 2, p. 32-34).

Parmi les ouvrages à consulter :

F. UZUREAU, « L'Insurrection des "Perrayeurs", à Angers (1790) », dans Andegaviana, 1928, p. 335-340.

BLORDIER-LANGLOIS, Angers et le département de Maine-et-Loire de 1787 à 1830, op. cit., tome I, p. 136-153.

A. DE SOLAND, « Les Ardoisières d'Angers — Révolte des Perrayeurs », dans Bul. Hist. et monumental de l'Anjou, 1859-1860, p. 65-78 et 97-119.

A. MEYNIER, Un représentant de la bourgeoisie angevine ..., op. cit., p. 224-228.

F. LEBRUN, « Les soulèvements populaires à Angers aux XVIIe et XVIIIe siècles », dans Actes du quatre-vingt-dixième congrès nat. des Soc. sav., Nice 1965, Paris, 1966, p. 119-140.

(205) Bibl. mun. Angers H 2038, texte 5.

(206) On appelle « Doutre » à Angers, les quartiers situés à l'ouest de la rivière, outre-Maine.

(207) Bibl. mun. Angers, H 2038, texte 5.

Ainsi, ce qui n'était qu'une émeute de la faim dirigée contre les négociants accapareurs est objectivement devenue une insurrection contre-révolutionnaire, puisqu'elle se retourne contre les deux piliers du régime que sont la municipalité et la garde nationale. Il est curieux de constater que le peuple accuse tout spécialement les volontaires. Nous avons vu, en effet, que ces jeunes gens s'étaient dévoués à plusieurs reprises pour procurer des grains à la ville. D'autre part, ils n'existaient plus en tant que corps, s'étant dissouts dans l'ensemble de la garde nationale. Mais la haine de la foule les distinguait encore des compagnies ordinaires de fusiliers, sans doute parce qu'ils étaient, enfants chéris de la bourgeoisie, le symbole de la richesse et de la réussite.

Le lundi 6 septembre, le feu qui couvait reprend de plus belle. Tandis que le Département assemblé écoute les plaintes des commissaires nommés dans les sections, hors les murs le Champ-de-Mars se couvre peu à peu d'une foule nombreuse. Beaucoup viennent des faubourgs orientaux et méridionaux, Saint-Barthélémy, Saint-Léonard, Saint-Augustin, de Sorges et de Trélazé. La plupart sont des «perrayeurs» si redoutés des bourgeois qui les accusent d'être «adonnés à la crapule», sans doute parce qu'ils sont prompts à tenir des «assemblées» pour arracher quelque amélioration de leurs salaires ou de leurs conditions de travail (208). D'autres manifestants sont des travailleurs du port, des ateliers et des manufactures d'Angers. On voit encore un grand nombre de femmes et d'enfants. Au total, plusieurs centaines d'individus, peut-être 1 500 à 2 000. Les hommes sont armés de pioches, de «brocs» (209), de faux à revers, de piques et même de fusils, armement aussi disparate que le sera, trois ans plus tard, celui des Vendéens. En ville, des femmes, des domestiques vont d'église en église, faisant sonner le tocsin. On bat la générale, mais bien peu de gardes nationaux se rassemblent ; d'ailleurs, coïncidence curieuse, les trois principaux chefs de l'état-major sont absents. Cependant quelques dizaines d'hommes en armes se portent sur le mail Romain, en face du Champ-de-Mars, où ils retrouvent le régiment de cavalerie. Après plusieurs heures, le Département a décidé d'abaisser le prix du pain : il passera de 26 sols à 22 sols les 12 livres. Le maire part sans plus tarder annoncer cette bonne nouvelle à la foule. Il se rend au Champ-de-Mars et son discours est salué par des cris de joie. Les perrayeurs des premiers rangs, les seuls qui ont pu l'entendre mettent leurs bonnets au bout des piques ou des bâtons en signe d'allégresse. C'est alors que se produit l'irréparable. Quelques ouvriers profitent de l'inattention des gardes nationaux pour se faufiler derrière eux et les prendre à revers. Ils les assaillent à coups de pierres, peut-être à coups de fusil. Une huitaine d'hommes d'armes, parmi lesquels le capitaine de Soland et le sergent Berthe, se replient vers la porte Saint-Michel toute proche pour empêcher les émeutiers d'entrer en ville. Ceux-ci, surpris par la résistance, se rangent en bataille sur le haut du Champ-de-Mars. De Soland réussit à rallier en ville le

---

(208) D'après le mémoire de Sartre, directeur général de la Société Royale d'Agriculture de la généralité de Tours (1765) cité par M. POPEREN, *Un siècle de luttes au pays de l'ardoise*, Angers, 1973, p. 14.

(209) Fourche à deux dents.

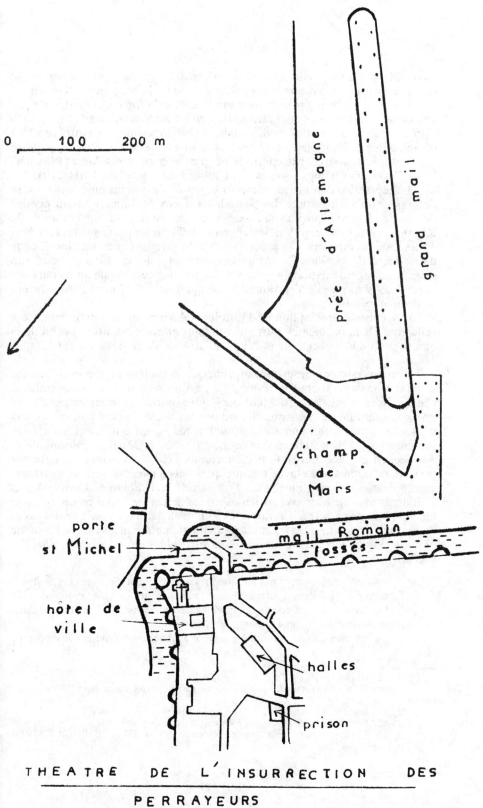

THEATRE DE L'INSURRECTION DES
PERRAYEURS

gros de la garde nationale resté jusque là passif. Escorté par cette troupe, le maire fait déployer le drapeau rouge sur le Champ-de-Mars et proclame la loi martiale. Cavaliers et gardes nationaux tirent sur la foule qui ne semble pas vouloir se disperser puis poursuivent les mutins sur le grand mail et jusqu'à la « prée d'Allemagne ». Les ouvriers laissent sur le terrain des morts (de 15 à 60 selon les évaluations) et d'assez nombreux blessés. C'était la victoire sanglante de la bourgeoisie contre le peuple : comme le dit Albert Meynier, la fusillade du Champ-de-Mars neuf mois avant celle de Paris (210).

La répression commença immédiatement. Elle fut sans pitié, à la mesure de la peur qu'avait connue des possédants. Deux prisonniers furent pendus dès le lendemain : un invalide du nom de Bottereau, un caporal du Royal-Marine, Guitteau. Un détachement militaire se porta sur les carrières et désarma les ouvriers. On procéda à deux nouvelles condamnations : celle d'une mère de famille, Catherine Gaultier, et celle de Claude Ferré, un sergent de la garde nationale qui avait conduit une compagnie au secours des perrayeurs sans qu'elle s'en doutât, à ce que l'on dit. L'un et l'autre furent également pendus.

Cet épisode dramatique de l'histoire d'Angers donne ample matière à réflexion. Deux problèmes, surtout, retiendront notre attention : celui de la nature profonde de l'émeute et celui de l'attitude de la garde nationale, face à elle.

Certains contemporains ont affirmé que le soulèvement n'avait pas été spontané, mais qu'il était le résultat de l'action secrète des « aristocrates ». C'est, évidemment, le parti « patriote » qui a porté ces accusations. Ce fut une constante de ce parti que d'attribuer les soulèvements populaires aux menées contre-révolutionnaires. Nous l'avons vu en étudiant les émeutes saumuroises (211) et l'interprétation que donnèrent les Républicains de la Vendée en est une illustration bien connue (212). Toutefois, dans le cas présent, cette thèse est étayée par quelques faits qui lui donnent une certaine vraisemblance. C'est ainsi que l'on arrêta un nommé Jacques-Louis Laffineur, natif de Morlaix, ancien capitaine de cavalerie qui reconnut avoir eu des « ouvertures » (qu'il aurait rejetées), de la part de Desseigne, un agent du marquis de Favras (213). En outre, l'émeute et la répression qui l'a suivie ont été exploitées par la presse contre-révolutionnaire. *L'Ami du Roi* écrivit :

> « Tant que le peuple n'a fait que brûler les châteaux, égorger les nobles et les riches, il a été excusé, caressé même ; mais aujourd'hui que la cause du pain lui fait faire, pour son propre compte, les insurrections qu'il faisait auparavant pour la révolution, on le calomnie (...).

C'est ainsi qu'on a calomnié le peuple d'Angers. Les ouvriers de cette ville

---

(210) A. MEYNIER, *op. cit.*, p. 228.
CHOUDIEU est le seul à prétendre qu'il n'y eut, de part et d'autre, aucun mort (*Mémoires ...*, *op. cit.*, p. 59).
(211) Cf. *supra* p. 84.
(212) Cl. PETITFRÈRE, *Les Vendéens d'Anjou*, *op. cit.*, p. 44-59.
(213) Ch.-L. CHASSIN, *La préparation de la guerre de Vendée, 1789-1793*, Paris, 1892, tome I, p. 214-215.

employés aux carrières se sont réunis pour demander la diminution du prix du pain ; pour toute réponse on a élevé le drapeau rouge. Les malheureux que la faim pressait, n'ont pas vu de calmant dans ce signe de terreur ; ils ont voulu désarmer ceux qui n'opposaient que cette satisfaction aux cris douloureux de leur estomac : la garde nationale et le régiment Royal-Picardie les ont repoussés avec barbarie, en ont blessé une partie et tué le plus grand nombre (...) désormais il y aura donc bravoure à tirer sur un peuple sans armes ? Nos idées sont bien changées ! » (214)

Semblable réaction était faite pour donner du corps à l'idée de complot, d'autant plus que le bruit courait qu'il y avait eu des préparatifs dans les carrières quelques temps avant l'émeute. Le sergent Claude Ferré, ce garde national qui trahit la cause bourgeoise, fut accusé de fournir aux ouvriers les cartouches que lui donnait la municipalité et de les exercer au maniement des armes sur le lieu même de leur travail (215). On disait également que de l'argent avait été distribué par le chapitre de la cathédrale (216). De telles allégations sont impossibles à vérifier et il vaut mieux ne pas trop s'y arrêter. Ce qui est certain, c'est qu'une lettre a circulé dans les carrières, au début de septembre, excitant les perrayeurs contre les officiers municipaux qualifiés, pour la plupart, de « négocian usurié » et offrant, en amis, le service d'au moins 8 à 10 000 hommes en armes pour mettre fin à l'accaparement des blés. Cette lettre anonyme est originaire de l'est du département, car elle cite en exemple Beaufort, Longué, Les Rosiers, Saumur et « autres lieux voisins » où les hommes de garde surveillent les marchés et s'opposent à l'enlèvement des grains. L'auteur demande que l'on fasse passer sa lettre à toutes les carrières, ainsi qu'à « toute les manufacture est à tous les ouvryé quis sont quome nous dant les soufrance ». Ce document a-t-il été inspiré par les « aristocrates » ? Il n'est pas impossible qu'ils aient voulu exploiter la colère des travailleurs citadins en leur présentant faussement comme accaparement ce qui n'était, de la part de la municipalité d'Angers, que provisions dans l'attente des mauvais jours (217). Rien n'est moins certain pourtant, car la lettre fait appel, pour justifier l'intervention éventuelle des villes et villages d'Anjou au chef-lieu, à l'esprit de la Fédération dont la « Bannière de liberté est de fraternité (sic) » reçue de Paris en 1790 était le symbole. Elle fait état, en outre, non d'arguments politiques, mais du mécontentement réel provoqué à Angers par l'enchérissement du blé et, dans les campagnes, par l'enlèvement des céréales.

Au total, s'il nous paraît certain que l'affaire de septembre a été « récupérée » par les contre-révolutionnaires, il est seulement possible qu'elle

---

(214) Article reproduit par BLORDIER-LANGLOIS, *Angers ...*, *op. cit.*, tome I, p. 147-148.
(215) J.-A. BERTHE, *Histoire (...) de la Garde-Nationale d'Angers ...*, *op. cit.*, p. 9. BLORDIER-LANGLOIS, *Angers ...*, *op. cit.*, p. 146.
(216) A. MEYNIER, *op. cit.*, p. 227.
J. MAC MANNERS qualifie cela d'« histoire absurde » (*French Ecclesiastical Society under the Ancien Regime — A study of Angers in the Eighteenth Century*, Manchester, 1961, p. 239).
(217) Arch. nat. D XXIX bis, 15, dossier 161. Nous remercions ici Serge CHASSAGNE qui nous a fait connaître ce document.
Pour Albert MEYNIER (*op. cit.*, p. 227), le peuple d'Angers et les perrayeurs ont été « des instruments inconscients aux mains du parti contre-révolutionnaire ».

ait été, en partie, préparée par eux. Il n'en reste pas moins que l'insurrection (qui avait d'ailleurs failli éclater un an auparavant) fut, pour l'essentiel, une émeute de la faim et que la masse des ouvriers était étrangère au complot aristocratique. C'est ce qu'affirme Davy, le curé d'une des paroisses révoltées, Sorges, dans une lettre au maire d'Angers :

> « la plupart des malheureux qui ont été, à Angers, à la fatale journée de lundi dernier, soit de ma paroisse, soit des paroisses circonvoisines, n'avoient d'autre intention que d'obtenir une police raisonnable pour le prix du blé et du pain... ».

Après l'annonce par de Houlières de la diminution du prix du pain,

> « ils n'ont point été libres de se retirer, se trouvant enveloppés d'une multitude innombrable d'ouvriers compagnons de la ville et de mauvaises femmes, dont un grand nombre armés de fusils et de brocs, disoient audacieusement aux pauvres ouvriers des carrières, en leurs (sic) présentant dans les reins leurs armes : n'avancerez-vous pas? ne tirerez-vous pas? »

Davy a pu approcher l'un des deux leaders présumés de l'insurrection, Bottereau, avant sa pendaison. Ce dernier, qui jouissait d'une excellente réputation et que les perrayeurs considérèrent par la suite comme un martyr, répondit en pleurant à ses questions qu'il n'avait pas été excité par la noblesse et le clergé et n'avait touché aucune somme d'argent (218).

Certes, la lettre du curé de Sorges n'a pas une valeur probatoire absolue : il fait ce qu'il peut pour innocenter ses paroissiens en faisant retomber la responsabilité sur les gens d'Angers. Mais il y a des indices plus convaincants du fait que les ardoisiers n'étaient pas acquis à la Contre-Révolution. C'est qu'ils ne participeront à aucune émeute dirigée par l'aristocratie. Notamment ils ne se mêleront nullement aux Vendéens lors de l'occupation d'Angers. Bien plus, dès 1792, ils se porteront en grand nombre dans la garde nationale dont ils avaient été évincés par la réorganisation qui suivit l'émeute. En d'autres temps, la révolte eut-elle donné naissance à une Vendée ouvrière ? En 1790, la situation n'était pas mûre et d'ailleurs rien ne prouve que le milieu social aurait été favorable.

Un second problème est posé par l'attitude de la garde nationale. Il est certain qu'elle a été fort longue à se mettre en branle. Plus exactement, on a constaté deux réactions. Il y eut d'abord celle d'une minorité de gardes nationaux résolus qui se portèrent immédiatement sur le Champ-de-Mars avec de Soland, Berthe et Choudieu. Il semble qu'une bonne partie d'entre eux était soit des soldats des compagnies d'élite, grenadiers et chasseurs, soit d'anciens volontaires. Par contre, le gros de la troupe a fait preuve d'une passivité certaine. Cette divergence dans l'action, que l'on semble retrouver dans d'autres villes, à Saumur, à Dijon ou à Grasse (219), pourrait bien

---

(218) 1 L 353 ter. Les interrogatoires des émeutiers figurent dans Arch. nat. D XXIX bis, 15, dossier 161.
(219) Pour Saumur, cf. *supra*, p. 84.
Pour Dijon, cf. H. MILLOT, *Le Comité Permanent de Dijon ...*, *op. cit.*, p. 88.
A Grasse, la garde nationale était divisée et peu sûre, certains de ses membres ayant une

coïncider avec une différence dans le recrutement, les compagnies de fantassins étant issues de couches sociales plus modestes que les troupes d'élite et donc étant plus proches des insurgés. L'attitude du commandement laisse également songeur. Le sergent Berthe n'hésite pas à accuser les principaux chefs de complicité, au moins passive, avec l'émeute :

« Au commencement de la Révolution on avait nommé pour chefs, des anciens militaires de marque, qui ne pouvaient voir de bon œil ce nouvel ordre de choses » (allusion à Legouz du Plessis, Ménard, Poirier).

Quand aux officiers subalternes, c'étaient, dit Berthe, « de riches commerçants qui n'avaient aucune idée du service militaire et qui ne voyaient que leur intérêt mercantille (sic) » (220).

La conduite mitigée de la garde nationale fut l'occasion de sa réorganisation. Elle sortit de l'épreuve épurée, privée de sa « partie gangréneuse » que l'on désarma (221). Par contre, les officiers et sous-officiers qui s'étaient montrés les plus vaillants, furent récompensés. Berthe fut nommé adjudant-major. Quant à de Soland, ce fut le début de la montée de son étoile. Il reçut de la municipalité une épée à poignée d'argent aux armes de la ville portant l'inscription : « les citoyens d'Angers à leur défenseur », et obtint la croix de Saint-Louis. Un peu plus tard, il remplacera Legouz du Plessis à la tête de la garde nationale (222). Celle-ci sera désormais entièrement dévouée à la cause révolutionnaire.

b. - La lutte contre les « aristocrates »

L'année 1791 qui fut celle de la mise en application de la Constitution Civile du clergé vit se multiplier, dans le Maine-et-Loire, les occasions de heurts entre partisans et adversaires de la Révolution. Les tensions entre les deux camps se manifestèrent par la tentative de former dans les Mauges des milices contre-révolutionnaires, par les luttes entre aristocrates et patriotes au sein de certaines gardes nationales, enfin par la multiplication des expéditions menées contre la population rurale de l'ouest du département taxée d'aristocratie.

La principale tentative pour organiser une garde contre-révolutionnaire fut celle de la municipalité et des habitants de Saint-Pierre de Chemillé. Le 3 juillet 1791, 294 individus de la paroisse se rassemblèrent et se répartirent en cinq compagnies. Un scrutin fut organisé pour l'élection des officiers. Verdier de La Sorinière se vit confier le commandement général par 105 voix sur 141 (223). Or, le chevalier de La Sorinière, futur chef vendéen, était

attitude franchement contre-révolutionnaire (G. CARROT, *La Garde Nationale de Grasse ..., op. cit.,* p. 51-56, 203-204 et 217).

(220) J.A. BERTHE, *op. cit.,* p. 8.

(221) Arch. mun. Angers, H 2029, pièce 32, *doc. cit.*

(222) Nous ne savons pas à quelle date eut lieu cette promotion : pas immédiatement après l'insurrection en tout cas puisque le 26 octobre encore, c'est Legouz qui, en tant que commandant de la garde, passe en revue la compagnie des canonniers (1 L 569).

(223) 1 L 566[16], procès-verbal de la formation de la garde nationale de Saint-Pierre de Chemillé.

considéré comme l'ami des insermentés par les patriotes qui l'accusaient de faire célébrer des messes interdites dans la chapelle de son château. Les autres officiers étaient, comme lui « touts dévoués aux prêtres réfractaires » (224). En organisant une milice qui leur fût soumise, les aristocrates ne désiraient pas seulement se doter d'une force militaire sous le couvert de la légalité, mais aussi encadrer solidement la petite minorité de patriotes locaux qui seraient noyés au sein de la masse des gardes contre-révolutionnaires. Cette manœuvre fut déjouée par une vingtaine de patriotes qui refusèrent de participer aux élections (225).

Trois semaines plus tard, devait avoir lieu la séance de prestation solennelle du serment devant les commissaires envoyés par le District de Cholet. Le chevalier de La Sorinière affecta de se présenter « sans l'habit que tout patriote s'honore de porter » et affirma ne vouloir prêter le serment qu'à condition que la Constitution Civile en soit exclue. Tous les officiers sauf un, et tous les soldats à l'exception d'une cinquantaine, l'imitèrent et crièrent : « Nous ne reconnaissons point le curé constitutionel, nous demandons l'ancien... » (226).

Dans toute la région, on assista à de semblables manœuvres de la part des contre-révolutionnaires : à Saint-Lézin, à Melay, à Saint-Georges-du-Puy-de-la-Garde, à Jallais, à Chanzeaux. En témoignent un fragment anonyme de dénonciation adressée au Directoire du Département et une lettre secrète envoyée le 12 juillet au procureur général syndic Delaunay, par Tristan Briandeau, administrateur du District de Cholet, un des deux commissaires qui avaient assisté à la cérémonie du serment de la garde de Saint-Pierre de Chemillé :

> « J'ai appris dimanche dernier et hier, que les paroisses de Chanzeaux et Melay s'étoient assemblées pour former une milice semblable à celle de St-Pierre de Chemillé ; je ne doute point que plusieurs autres paroisses des environs n'en fasse autant sous peu ; et vous verrez, peut être, trop tard, qu'il y aura une explosion dans le district de Chollet, sitôt que la guerre, que les mauvais citoyens attendent, avec impatience, sera déclarée... »

Briandeau réclame le désarmement des chefs de la milice de Saint-Pierre de Chemillé et de « ceux qui, sans y paroître, l'on fait former et y fournissent des armes ». Il demande aussi la suspension de la municipalité de Saint-Pierre et l'envoi à Chemillé de gardes nationaux de Cholet et d'un petit détachement du Royal-Roussillon qui se joindrait aux 16 cavaliers actuellement en garnison dans la ville et à la petite garde nationale patriote (227). Un an et demi avant que n'éclate la Vendée, cet homme ne manquait pas de perspicacité.

---

(224) 1 L 568, fragment de lettre, sans date ni signature, adressée aux administrateurs du directoire du Département.
(225) 1 L 568.
(226) 1 L 566[16], lettre adressée le 28 juillet 1791 au District de Cholet par les « Amis de la Constitution » de cette ville.
(227) 1 L 566[16]. La ville de Chemillé était distincte de celle de Saint-Pierre. Sous l'Ancien Régime, le bourg de Saint-Pierre avait un rôle de taille différent de celui des trois paroisses

Dans plusieurs autres communes du département, sans aller jusqu'à la constitution de milices contre-révolutionnaires, les rivalités politiques avaient abouti à une cassure au sein de la garde nationale. Il en fut ainsi à Candé, où, selon le commandant Charlery, il fallut réorganiser la garde «en quelque façon abandonnée depuis un certain temps...» devant la fermentation entretenue par les réfractaires dans la ville et dans ses environs. A Montrevault, on «licencia d'un trait toute (la) garde nationale parce qu'elle avoit des individus corrompus dans son sein». On la recréa aussitôt après épuration. Une crise grave éclata, également, dans la troupe citoyenne du Puy-Notre-Dame. Le colonel Gourdault se plaignit, le 26 juin, dans une lettre au Département que le maire et le procureur de la commune, deux réfractaires qui étaient l'un curé et l'autre ancien chanoine, avaient persuadé le peuple de ne pas reconnaître pour leurs chefs les officiers de la garde nationale. A Saint-Aubin-de-Luigné, le commandant démissionna, laissant face à face deux clans : d'une part «les braves patriotes», d'autre part ceux «qui n'approchaient point de leur église paroissiale». Ces derniers choisirent leur chef, mais les «bons citoyens» ne voulurent pas l'admettre. Là encore, la coupure s'était faite à l'occasion de la Constitution Civile. A Mozé, la division était si grave qu'en juillet 1791 aucune garde n'avait encore pu être organisée. Le 31 de ce mois enfin, une assemblée de citoyens fut convoquée pour délibérer sur ce sujet, mais sans résultat. Par six fois l'assemblée se réunit et par six fois elle échoua. Enfin, les patriotes acceptèrent d'admettre dans la garde, même ceux qui n'avaient pas prêté le serment civique. Dans ces conditions, on réussit, le 21 août, à se mettre d'accord à l'unanimité sur le nom d'un colonel, Bertrand. Mais on se divisa de nouveau lorsqu'il fut question de prêter serment et d'élire un major. Chaque parti proposa son candidat et on en vint aux injures. Les patriotes quittèrent la place et les aristocrates en profitèrent pour élire un nouveau colonel et un major à leur convenance. Les patriotes adressèrent alors une pétition au Département, le 4 septembre, pour obtenir de nouvelles élections sous le contrôle de deux commissaires.

Tous les exemples cités se rapportent, nous le voyons, au Segréen qui sera le fief de la Chouannerie, ou, surtout, aux Mauges et à leurs abords, c'est-à-dire la future Vendée Angevine. Pourtant, à Saint-Mathurin même, à l'est d'Angers, dans une région que n'affectera pas la guerre civile, l'on fut obligé d'épurer la garde nationale le 24 juin, à la suite des remous provoqués par la fuite du roi. Un capitaine, Pierre Adeline, un sergent, Louis Lemoine, et un fusilier, Mathurin Lemoine, qui avaient refusé tous trois de prêter le serment furent dégradés sur le front de leur compagnie et rayés des contrôles (228).

En même temps qu'avaient lieu ces épurations des gardes nationales, de nombreuses missions de troupes citoyennes étaient organisées dans le département pour faire appliquer les décisions du pouvoir révolutionnaire. La très grande majorité de ces interventions avait pour but de réprimer les

---

Notre-Dame, Saint-Gilles et Saint-Léonard (F. LEBRUN, *Paroisses et communes de France, Maine-et-Loire,* Paris, 1974, p. 127).
(228) Tous ces exemples sont tirés de 1 L 566^{16}.

troubles provoqués par l'application de la Constitution Civile du clergé. C'est ainsi que la garde nationale de Segré s'en prit à des individus qui avaient donné la chasse aux « intrus » à Sainte-Gemmes d'Andigné et à Bourg d'Iré : trois hommes et trois femmes furent arrêtés pour avoir tenu des propos incendiaires, avoir insulté la municipalité et le curé assermenté (229). La plupart des troubles eurent les Mauges pour cadre. L'agitation y débuta à la fin de l'année 1790, avec la résistance manifestée par l'évêque de la Rochelle à la Constitution Civile. Elle s'amplifia dans les premiers mois de l'année suivante à la suite du décret du 27 novembre, sanctionné par le roi le 26 décembre, qui enjoignait à tous les ecclésiastiques exerçant des fonctions publiques de prêter le serment prévu par la Constitution. La garde nationale, considérée comme la complice de l'administration, fut enveloppée avec celle-ci dans une même hostilité. C'est ainsi que, le 30 janvier, Mesnard, commandant de la garde du May-sur-Evre fut atteint d'une pierre dans le dos alors qu'il assistait le maire qui tentait de lire un arrêté du Département ordonnant de poursuivre ceux qui auraient distribué un prétendu bref du Pape adressé au roi (230).

Au printemps, le mécontentement prit une toute autre ampleur avec l'installation dans leurs paroisses des curés et vicaires constitutionnels nouvellement élus. On dut, en effet, souvent requérir la force devant l'animosité des populations des Mauges. Le Département, qui ne disposait pas de régiment d'infanterie, réquisitionna 200 gardes nationaux d'Angers, commandés par de Soland, et 75 gardes de Saumur pour renforcer les cavaliers du Royal-Roussillon. Cette intrusion n'eut pas l'heur de plaire aux patriotes de Cholet : c'est peut-être pour démontrer leur propre efficacité qu'ils montèrent l'expédition qui aboutit à la récupération des canons enterrés au château de Maulévrier, dans la nuit du 16 au 17 mai (231). Les gardes nationaux d'Angers arrivèrent à Cholet le 19 mai et se scindèrent en petites escouades qui stationnèrent à Jallais, Montfaucon et autres bourgades. Ceux de Saumur restèrent en garnison à Vihiers. Les « habits bleus » escortèrent pendant trois semaines les commissaires du Département Villier et Boullet qui procédèrent à de nombreuses installations d'assermentés (232). Mais les gardes angevins furent vite conscients qu'ils accomplissaient là un travail de Sisyphe, tant la population leur était hostile. Aussi une douzaine d'entre eux décidèrent, sans ordre supérieur, de frapper un grand coup à ce qu'ils croyaient être le cœur du complot contre-révolutionnaire, la maison des Mulotins de Saint-Laurent-sur-Sèvre. Cette opération, menée le 1er juin, en toute illégalité puisque dans un département étranger, la Vendée, n'eut que de bien minces résultats : la saisie de libelles hostiles au clergé constitutionnel et l'arrestation momentanée de deux pères que de Soland, qui couvrit l'affaire, dirigea sur Angers, mais que le Département fit conduire à Montaigu où ils furent libérés par ordre du

(229) 1 L 566[16], lettre adressée le 18 août 1791 au Procureur Général Syndic par un certain Caron, sans doute commandant d'une compagnie de la garde nationale.
(230) C. PORT, La Vendée Angevine, op. cit., tome I, p. 119.
(231) Cl. PETITFRÈRE, Les Vendéens d'Anjou, op. cit., p. 205.
(232) C. PORT, La Vendée Angevine, op. cit., tome I, p. 165-182.

District (233). Le 6 juin, les gardes nationaux quittaient Cholet pour rejoindre le chef-lieu.

Les assermentés installés tant bien que mal, la troupe citoyenne se vit confier une autre mission : la chasse aux réfractaires. Le Département, en effet, prit deux arrêtés contre ceux qu'il considérait comme les principaux fauteurs de désordre. Celui du 24 mai 1791 ordonnait aux municipalités de surveiller étroitement les insermentés ; à défaut, les citoyens étaient invités à dénoncer les prêtres qui occasionneraient des troubles. L'arrêté adopté un mois plus tard, jour pour jour, ordonnait de se saisir de tous les réfractaires dénoncés comme perturbateurs qui seraient conduits à Angers pour y demeurer sous la surveillance des corps administratifs. Les gardes nationaux des villes, Angers, Cholet, Chalonnes, Chemillé, menèrent fébrilement leurs recherches, sans d'ailleurs avoir toujours le souci des formes légales (234).

Au cours de l'été, apparurent les premiers pèlerinages nocturnes pour réclamer le retour des « bons prêtres ». Celui de l'abbaye de Bellefontaine, sur le territoire de la paroisse du May, attirait le plus de fidèles. La poursuite des pèlerins fut, pour les « habits bleus », une nouvelle tâche. C'est ainsi que, dans la nuit du 20 au 21 août, la garde nationale de Cholet en arrêta une trentaine surpris dans une lande. Le 22, le Département donnait l'ordre au District de démolir la chapelle de Bellefontaine. On mobilisa une soixantaine de gardes nationaux d'Angers à qui se joignirent des gardes de Chemillé, de Cholet, de Chalonnes ainsi que du bourg des Gardes, principaux centres patriotes des Mauges. Ils détruisirent bien la chapelle, mais ne purent empêcher les processions de continuer de plus belle sur son emplacement. Le même scénario se déroula à Saint-Laurent-de-la-Plaine. La garde nationale de Chalonnes dépensait une activité forcenée pour mettre fin aux pèlerinages sur le territoire de cette commune voisine de leur ville. Le District de Saint-Florent-le-Vieil, longtemps passif, se décida enfin à faire détruire la chapelle où apparaissait la Vierge. Ce fut peine perdue : l'image sainte se montra dans un chêne (235).

Devant l'inanité de la coercition, le Département essaya la clémence. Le 16 septembre 1791, il prononça l'amnistie et fit libérer les prêtres rassemblés au petit séminaire d'Angers. Les pèlerinages ne cessèrent pas pour autant, au contraire, ni les attaques contre les curés assermentés et les rixes avec les gardes nationaux. Aussi le Département ne tarda pas à revenir à une politique de fermeté. Un arrêté du 4 novembre déclara séditieux les rassemblements de plus de 15 personnes dans les églises fermées au culte, ou à leurs portes. Le lendemain, un second arrêté interdit toute procession, de jour comme de nuit. Enfin, on pressa l'Assemblée Législative d'agir. A la requête des députés du Maine-et-Loire, fut voté le décret du 29 novembre qui exigeait le nouveau serment civique de tous les réfractaires, dans la première semaine de l'année 1792 et déclarait que les rebelles seraient privés de tout traitement, tenus pour suspects et éloignés de leur ancienne paroisse.

(233) C. PORT, La Vendée Angevine, op. cit., tome I, p. 184-194.
(234) C. PORT, La Vendée Angevine, op. cit., tome I, p. 225-228.
(235) C. PORT, La Vendée Angevine, op. cit., tome I, p. 239-252 et Cl. PETITFRÈRE, La Vendée et les Vendéens, Paris, 1981, p. 192.

On espérait que ces mesures calmeraient l'agitation dans les Mauges. Il était temps car le pays était en plein désordre. Profitant des troubles religieux, des bandes de véritables brigands pillent, torturent, assassinent et parfois, pour en imposer à la malheureuse population, n'hésitent pas à se travestir en gardes nationaux.... (236).

Point n'était besoin de semblables mascarades pour dresser la grande majorité des habitants des campagnes contre les « habits bleus ». Par leur zèle intempestif, la multiplication des visites domiciliaires plus moins illégales, les gardes nationaux incommodèrent souvent la population des villages et des hameaux où ils étaient censés apporter l'ordre. Par exemple, les gardes de Saumur qui stationnaient à Vihiers, au début de juin, se conduisirent certaines fois comme en pays conquis. C'est ainsi que deux d'entre eux prétendirent extorquer de l'argent au curé constitutionnel de la paroisse de Saint-Nicolas et, devant son refus, le menacèrent en l'injuriant « par b. et f. ». Lors du retour vers Angers des gardes nationaux de cette ville, il y eut à Vihiers d'autres incidents : les hommes d'armes emmenèrent une enseigne d'auberge, sous prétexte qu'elle portait auparavant le nom du comte d'Artois, coupèrent le pilori, insultèrent la servante du Lion d'Or, cassèrent les verres et burent sans payer à l'auberge de la Boule d'Or (237). On pourrait ainsi multiplier les exemples. A Saint-Georges-du-Puy-de-la-Garde, quelques miliciens du bourg des Gardes perquisitionnent sans ordre chez le teinturier Legoust où ils surprennent 12 à 15 personnes rassemblées clandestinement autour d'un autel improvisé (238). A Chaudefonds-sur-Layon, des gardes nationaux masqués font irruption dans une métairie pour forcer les fermiers à leur donner leurs fusils (239). Les abus de pouvoir, les vexations, exaspérèrent les populations contre les « habits bleus ». Huit hommes d'armes de Chaudefonds qui s'étaient transportés à La Jumellière pour offrir leurs services au curé assermenté, eurent la surprise de « voir les habitants du bourg réunis à ceux de la campagne, s'armer de pierres et les en menacer sous prétexte qu'ils les insultoient en chantant des chansons patriottes et les appellant aristocrates » (240). A Jallais, le 16 octobre, un jeune volontaire de Cholet qui avait refusé de se découvrir au passage d'une procession, fut roué de coups et eut son habit et sa cocarde déchirés (241). L'animosité contre les gardes nationaux finissait d'ailleurs par rejaillir sur l'ensemble des habitants des villes. Les « Amis de la Constitution » de Chalonnes se plaignirent de ce que « aucun citoyen de Chalonnes pouvait voyager dans le pays des Mauges sans courir les plus grands d'angers (sic) » (242). Il faut dire que la garde nationale de la petite ville montrait une activité débordante et semait l'effroi dans les campagnes.

---

(236) C. Port, *La Vendée Angevine, op. cit.*, tome I, p. 259-296.

(237) 1 L 357 bis.

(238) 1 L 745.

(239) 2 L 117.

(240) 2 L 117.

(241) C. Port, *La Vendée Angevine, op. cit.*, tome I, p. 268-269.

(242) 2 L 117, plainte du 21 juillet 1791, adressé sans doute au District d'Angers. Sur les sentiments entretenus par les paysans envers les gardes nationaux, cf. Cl. Petitfrère, *Les Vendéens d'Anjou, op. cit.*, p. 201-206.

L'action des « habits bleus » apparaît donc de plus en plus politisée. Le régime disposait avec eux de défenseurs vigilants. Mais ces défenseurs étaient, nous semble-t-il, essentiellement des citadins. Nous avons vu quelles difficultés les habitants des villages, dans l'ouest du département au moins, avaient à s'entendre pour mettre sur pieds leur milice citoyenne. Le décret du 29 septembre 1791, sanctionné par le roi le 14 octobre, prétendit étendre à tout le pays les bienfaits d'une garde nationale que l'on voulait coulée dans un moule unique.

III. - LES GARDES NATIONALES RÉORGANISÉES

La loi du 14 octobre 1791 ne changeait pas les conditions de recrutement de la garde nationale. Le service demeurait réservé aux citoyens actifs dont l'inscription sur le registre de la milice était toujours indispensable à la conservation de leurs droits politiques. De même, les fils de ces citoyens, parvenus à l'âge de 18 ans accomplis, restaient tenus de s'inscrire. Il était d'ailleurs prévu que ceux d'entre eux qui auraient servi pendant dix ans jouiraient ensuite de tous leurs droits de citoyens actifs, quand bien même ils ne satisferaient pas aux conditions de cens. Des précisions nouvelles concernaient les citoyens qui auraient refusé ou négligé leur inscription. Ils étaient soumis à un tour de service qu'ils ne pourraient faire en personne, mais pour lequel ils se feraient remplacer en payant une taxe égale à deux journées de travail. Mais la loi prévoyait un certain nombre de dispenses sans taxe de remplacement. Elles concernaient les hommes de 60 ans et au-delà, les invalides, les infirmes, les impotents, mais aussi les militaires. Par contre, étaient exemptés du service personnel mais soumis à la taxe et au remplacement : les députés et ministres, les membres des administrations locales (Départements, Districts, municipalités), les juges et commissaires du roi auprès des tribunaux et enfin les évêques, les curés et vicaires « et tous citoyens qui sont dans les ordres sacrés ».

La principale nouveauté concernait l'organisation de la garde nationale. Elle ne devait plus se faire par communes, sauf « dans les villes considérables », mais par cantons et par districts, circonscriptions qui étaient, dans le Maine-et-Loire, plus favorables à la Révolution que les petites communes rurales. La plus grande unité, au niveau du district, serait la légion formée d'un nombre de bataillons pouvant aller jusqu'à 8 ou 10. Ces bataillons seraient composés chacun de cinq compagnies, dont une de grenadiers. La compagnie serait divisée en deux pelotons, quatre sections et huit escouades. Les gardes nationaux seraient regroupés par secteurs géographiques : dans les villes, les compagnies seraient formées d'habitants du même quartier et, dans les campagnes, de citoyens des communes les plus voisines.

Les grades devaient évidemment être pourvus par élection. Les officiers, sous-officiers et caporaux de compagnie seraient désignés par l'ensemble des hommes de leurs corps ; les officiers de bataillon (commandant en chef, en second et adjudant) par les officiers et les sergents de l'ensemble des compagnies constituant leur unité. Quant à l'état-major de la légion, composé d'un chef, d'un adjudant-général et d'un sous-adjudant-général, il devait être élu par l'état-major de l'ensemble des bataillons renforcé par tous les capitaines et lieutenants de compagnie. Les grades devaient être conférés pour un an et l'on ne pourrait être réélu avant d'avoir passé une autre année comme simple soldat.

Un article de la loi rappelait la suppression de toutes les anciennes milices bourgeoises, compagnies d'arquebusiers, chevaliers de l'arc ou de l'arbalète et compagnies de volontaires. Il était toutefois possible de créer dans chaque canton, une compagnie de vétérans formée des hommes de 60 ans et plus et une compagnie de jeunes citoyens de moins de 18 ans, intégrées dans la garde mais n'ayant qu'un rôle honorifique. Enfin, la loi accordait la possibilité de rattacher une section de canonniers à la compagnie des grenadiers des bataillons et de former, dans chaque district, deux compagnies de cavaliers.

L'uniforme des gardes nationaux restait celui que le décret du 19 juillet 1790 avait rendu obligatoire. Il ne pourrait, cependant, être exigé dans les campagnes.

La définition du rôle des troupes citoyennes ne comportait pas de nouveauté. Il s'agissait pour elles, comme par le passé, « de rétablir l'ordre et de maintenir l'obéissance aux lois, conformément aux décrets ». En particulier, les gardes seraient appelées à dissiper « toutes émeutes populaires et attroupemens séditieux ». C'était affirmer clairement qu'elles devaient être, en même temps que le défenseur de la Révolution, celui de l'ordre social bourgeois. Les gardes nationaux ne pourraient d'ailleurs contester ni la première ni le second puisqu'il leur demeurait interdit de délibérer sur les affaires publiques (243).

1. - La réorganisation des gardes nationales du Maine-et-Loire

La refonte des troupes citoyennes s'effectua lentement. Plus d'un an après la loi, le 14 novembre 1792, le procureur syndic du district de Baugé, une région peu suspecte de sympathies contre-révolutionnaires, écrivait au procureur général du département :

> « Les instructions que le Directoire a données aux municipalités, les pressantes sollicitations qu'il leur a faites, ont toujours été inutiles auprès d'elles, l'organisation s'est opperée lentement, difficilement et de la manière la plus imparfaite (...). »

Cet administrateur voyait la raison principale du retard dans l'ignorance des officiers municipaux qui, dans plusieurs communes, « savent à peine lire » (244).

Les opérations se déroulèrent toutefois à un rythme inégal selon les régions. Dès le 24 mai, l'administration du district de Vihiers signait le tableau de l'organisation des gardes nationales, destiné au Département. A

---

(243) Un exemplaire de la loi imprimé par Mame, figure dans la liasse 1 L 567.
(244) 1 L 567. Roger DUPUY (op. cit., p. 146-147) note également la lenteur de la réorganisation dans les campagnes d'Ille-et-Vilaine.

Angers, l'élection de l'état-major de la légion eut lieu le 10 juin. De Soland fut désigné comme commandant en chef, Desjardins qui était adjudant du premier bataillon de la garde nationale d'Angers fut élu adjudant général et Gauvilliers, le commandant de la garde nationale des Ponts-de-Cé, fut choisi comme sous-adjudant général. L'état certifié de la garde nationale du district est daté du 15 juin. A Saumur, c'est le 1ᵉʳ et le 2 juillet qu'eurent lieu les élections. Le District avait pu organiser deux légions. Celle du nord choisit pour chef Lérivain, commandant du premier bataillon de la ville de Saumur et pour adjudant général Olivier fils. Celle du midi se donna comme chef Guényveau de Montreuil-Bellay et comme adjudant-général Caffin, de Vaudelnay (245). De son côté, le Directoire du district de Châteauneuf-sur-Sarthe signa le tableau de l'organisation de la garde nationale le 13 août. Par contre, le tableau de la garde du district de Cholet n'est daté que du 1ᵉʳ novembre. Le District de Baugé certifiait le sien le 12 novembre seulement. Deux légions avaient pu être organisées. Le chef de la première était Letourneux dit La Perraudière, celui de la seconde Fouquereau. C'est ce même jour qu'eurent lieu les élections de l'état-major de la légion du district de Saint-Florent-le-Vieil. Enfin, le district de Segré vint bon dernier. L'élection de l'état-major de la légion avait bien eu lieu le 27 juillet, date à laquelle furent choisis Charlery, de Candé, comme chef, Jousset, du même bourg, comme adjudant général et Prudhomme, d'Aviré, comme sous-adjudant général, mais ce devait être là des chefs sans troupe, ou presque, puisque ce n'est que le 6 décembre que Charlery, en tant que vice-président du directoire du District, signait le tableau de l'organisation des gardes nationales de la région.

Le nombre de bataillons mis sur pied par chaque district fut également très variable. Un état de janvier 1793 nous apprend que les districts de Baugé et de Saumur s'étaient faits les champions du civisme avec 19 bataillons chacun, puis venaient celui d'Angers, avec 16 bataillons, celui de Saint-Florent avec 9, celui de Châteauneuf avec 7, celui de Cholet avec 6, celui de Vihiers avec 5. Enfin, aucun bataillon ne figure à l'actif du district de Segré : c'est dire que les six unités que l'administration de ce district a portées sur l'état du 6 décembre, ne devaient avoir qu'une existence fictive. A première vue, la coupure du département en deux apparaît nettement : les trois districts qui seront hostiles à la Vendée et à la Chouannerie en totalité ou en majorité, ceux d'Angers, Baugé et Saumur, ont organisé chacun un grand nombre de bataillons, contrairement aux districts où éclatera, quelques mois plus tard, l'insurrection. En réalité, cette information doit être nuancée car tous les districts n'avaient pas une population équivalente et d'autre part, l'effectif des bataillons semble avoir été singulièrement inégal. Aussi, pour une meilleure appréciation, nous sommes-nous efforcé de rapporter le nombre des gardes nationaux figurant sur les états récapitulatifs de chaque district à la population totale du district, telle qu'elle nous est fournie par le recensement de l'hiver 1790-1791 (246).

---

(245) L'étude de la réorganisation des gardes nationales du Maine-et-Loire est faite d'après les documents contenus dans la liasse 1 L 567. Pour le district de Saumur, cf. également Arch. mun. Saumur H III 95 (2).
(246) 1 L 402.

Importance comparée de la garde nationale réorganisée dans les districts du Maine-et-Loire

Districts	Batail-lons	Compa-gnies	Gardes nationaux	Habitants	Proport. G.N./ habitants
Baugé....................	19	?	11 722	64 878	18,07 %
Saumur	19	?	?	66 776	?
Angers (1)...............	16	133	(10 640)	97 528	(10,91 %)
Saint-Florent.............	9	36	2 991	45 643	6,55 %
Châteauneuf.............	7	57	4 346	31 201	13,93 %
Cholet	6	25	2 286	55 665	4,11 %
Vihiers..................	5	51	5 016	42 017	11,94 %
Segré	0	?	2 858	39 599	7,22 %

(1) Le nombre des soldats des compagnies du district d'Angers (et par conséquent le pourcentage) est approximatif. Il a été obtenu en multipliant le nombre des compagnies par 80, effectif maximum théorique de chacune de ces unités selon l'arrêté départemental du 26 juillet 1792.

On voit que c'est le district de Baugé, qui se montrera réfractaire à la Vendée, qui a fait le plus gros effort. Toutefois, celui de Saumur paraît venir à peu de distance derrière lui. Nous ignorons le nombre exact des gardes nationaux qu'il pouvait aligner, mais le nombre de ses bataillons est le même que celui du district de Baugé et une estimation datée du 28 juin donne le chiffre de 119 compagnies. Si l'on adopte le chiffre de 80 hommes par compagnie, cela ferait 9520 gardes nationaux, soit une proportion de 14,26 gardes pour 100 habitants. Mais les procès-verbaux d'organisation manquaient encore pour quelques cantons à cette époque (247).

Les régions qui auront une attitude mitigée en 1793 apparaissent sur le tableau avec des pourcentages moyens : il s'agit des districts d'Angers, de Châteauneuf-sur-Sarthe et de Vihiers. Enfin, viennent au dernier rang le district de Segré, principal repaire des Chouans, et ceux de Saint-Florent et surtout Cholet qui formeront le cœur de la Vendée Angevine. Il est donc certain que l'effectif de la garde nationale réorganisée est, dans une large mesure, fonction de l'orientation politique des populations : ce sont les districts les plus patriotes qui ont la proportion la plus forte « d'habits bleus ». Nous pouvons constater, comme Roger Dupuy l'a fait pour l'Ille-et-Vilaine, que la carte reproduite p. 134 compte tenu de l'arbitraire des limites administratives, est exactement antinomique de celle du soulèvement de 1793 (248).

Une étude plus détaillée des états en notre possession nous éclairera davantage sur la réaction des populations envers la garde nationale. Dans le district de Baugé, les effectifs nous semblent assez bien répartis selon les

---

(247) Arch. mun. Saumur H III 95 (2).
(248) Cette carte est à rapprocher de celle de la participation comparée des paroisses du Maine-et-Loire à l'insurrection vendéenne Cl. Petitfrère, *Les Vendéens d'Anjou, op. cit.*, p. 115.
En ce qui concerne l'Ille-et-Vilaine, cf. R. Dupuy, *op. cit.*, p. 149 et 224.

cantons en fonction du nombre d'habitants. Dans le district d'Angers, la ville a fourni, en comprenant les cantons de Saint-Samson et Saint-Laud, hors les murs, 27 compagnies sur 133, c'est-à-dire moins de 21 %, alors que la population citadine représentait à peu près le quart de celle du district entier. Cela ne nous autorise nullement à conclure que les gens des villes ont été moins intéressés par la garde nationale que ceux des campagnes. En effet, l'effectif des unités de citoyens-soldats est très fluctuant (ainsi celui des bataillons du district de Baugé varie de 300 à plus de 1000 hommes) : il est probable que les compagnies d'Angers étaient plus complètes que celles des villages. Par contre, il est intéressant de noter que le seul canton, en dehors d'Angers, qui ait fourni plus de 10 compagnies est celui de Chalonnes, petite ville dont les gardes nationaux se sont distingués par leur zèle révolutionnaire au cours des années précédentes.

Pour les autres districts dont nous avons les états détaillés, la situation était nettement moins bonne. Voyons d'abord ce qu'il en était pour ceux des Mauges. Le district de Vihiers est le moins mal loti. Toutefois, le nombre des gardes nationaux y est très différent selon les cantons. Ceux qui sont situés sur la rive droite du Layon et qui seront réfractaires à l'insurrection vendéenne, ont généralement beaucoup plus « d'habits bleus » que ceux de la rive gauche qui se soulèveront en 1793. On recense, en effet, 842 gardes nationaux dans le canton de Brissac, 939 dans celui de Martigné-Briand, 902 dans celui de Thouarcé, contre 278 dans celui de Vihiers et 133 dans celui de Coron, alors que la population de ces cantons n'est pas aussi inégalement répartie. Dans le sud du district, le canton de Nueil-sous-Passavant compte un grand nombre de gardes (834), bien que situé à l'ouest du Layon. Mais nous savons que, pour l'essentiel, cette zone restera étrangère à l'insurrection en 1793. Il y a donc une correspondance frappante entre le nombre plus ou moins grand de gardes nationaux enrôlés par chaque canton en 1792 et l'attachement plus ou moins fort à la République l'année suivante. Une exception toutefois, celle du canton de Chanzeaux qui a fourni 1 088 gardes, bien qu'il fasse partie de la zone soulevée en 1793. Il est probable que beaucoup d'hommes d'armes de ce canton étaient rien moins que patriotes ...

A l'autre extrémité des Mauges, dans le district de Saint-Florent-le-Vieil, les effectifs des gardes citoyennes sont, non seulement bien plus faibles, mais beaucoup plus inégalement répartis encore. En effet, le canton de Champtoceaux possède à lui seul près de la moitié des « habits bleus » du district, soit 1 212 hommes formant 15 compagnies et une escouade. Viennent ensuite le canton de La Pommeraye avec 732 inscrits répartis en 9 compagnies et une escouade, celui de Saint-Florent avec 547 gardes nationaux, soit 6 compagnies, un peloton et une escouade et demie, et le canton de Montrevault avec 299 hommes formant 3 compagnies, un peloton et une escouade et demie. Par contre, le canton de Beaupréau et celui de Sainte-Christine-en-Mauges, pourtant fort peuplés, n'ont respectivement que 120 et 46 gardes nationaux.

Le district de Cholet est encore plus mal partagé. A lui seul, le canton de Cholet a organisé 8 compagnies groupant 730 hommes d'armes, c'est-à-dire qu'il détient le tiers de la garde nationale du district. Les cantons de Chemillé et de Maulévrier ont mis sur pied 4 compagnies représentant 365 individus

GARDE NATIONALE : REORGANISEE

(carte schématique par districts)

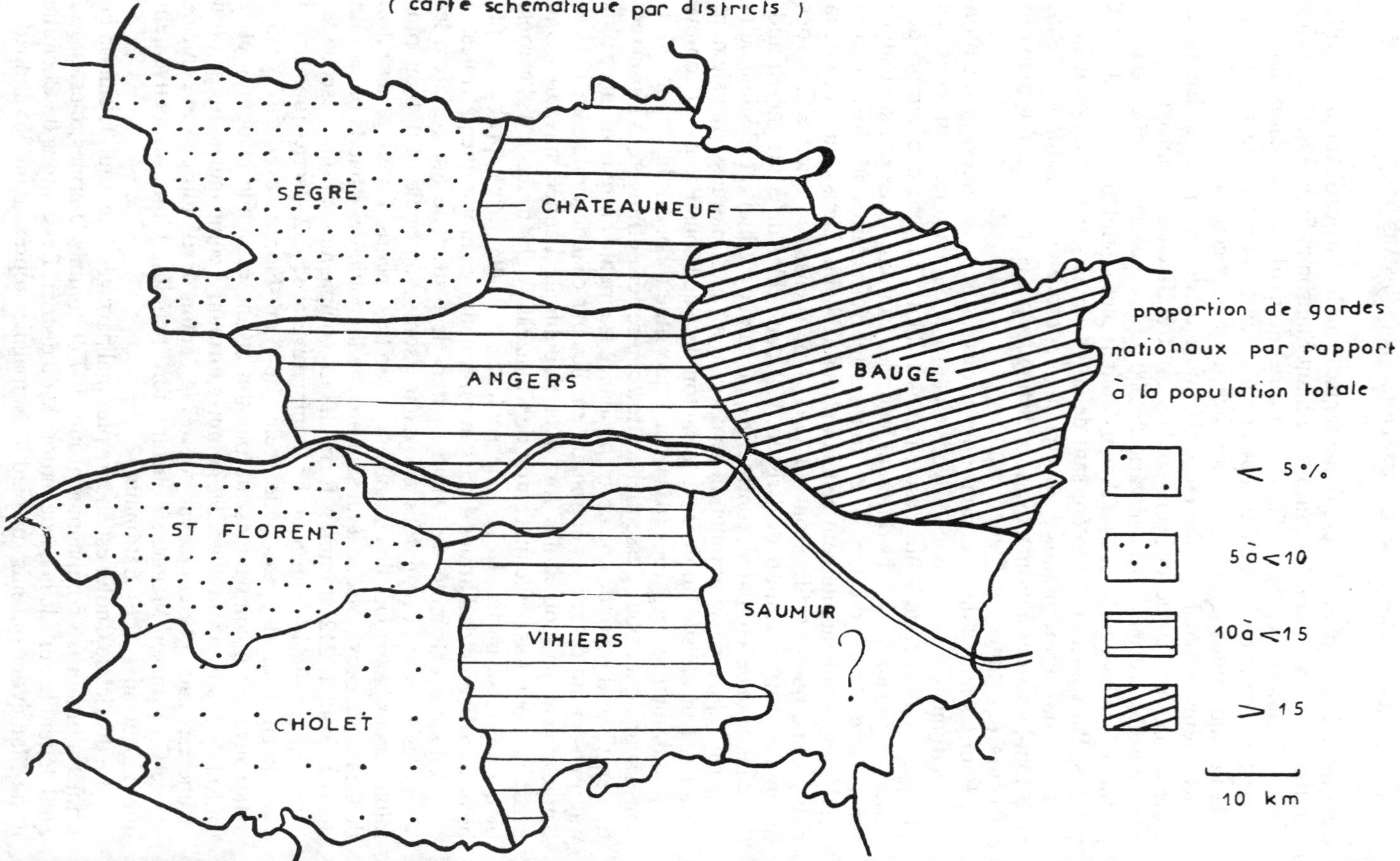

proportion de gardes
nationaux par rapport
à la population totale

< 5 %

5 à < 10

10 à < 15

> 15

10 km

BAUGE

CHÂTEAUNEUF

SEGRÉ

ANGERS

SAUMUR

ST FLORENT

VIHIERS

CHOLÉT

chacun, le canton du May-sur-Evre deux compagnies soit 182 hommes, enfin ceux de Jallais, Montfaucon et Saint-Macaire-en-Mauges ont chacun une seule compagnie, soit de 92 à 95 gardes nationaux.

Au nord de la Loire, dans le district de Châteauneuf-sur-Sarthe, la situation paraît assez satisfaisante dans les cantons de Tiercé, Feneu, Champigné, Châteauneuf et Durtal qui ont chacun entre 623 et 861 hommes inscrits, beaucoup moins dans les cantons de Morannes (465 gardes) et de Contigné (374). Or, ces deux régions, au contact de la Mayenne et du sud-ouest de la Sarthe, seront fortement agitées par la Chouannerie. Enfin, l'organisation de la garde nationale du district de Segré semble avoir été embryonnaire à la fin de l'année 1792. Le tableau signé le 6 décembre par Charlery fait état de 1 004 gardes nationaux répartis dans 9 communes seulement. Les procès-verbaux établis au cours de l'année dans les divers cantons du district permettent de faire le tour de l'opinion publique de la région. Les autorités estiment que sont bien disposées en faveur de la Révolution les communes de Chazé-sur-Argos, La Ferrière-de-Flée, La Chapelle-sur-Oudon, Brain-sur-Longuenée, Aviré, Grugé l'Hôpital et Saint-Gilles qui n'ont, cependant, même pas établi de tableau des citoyens actifs. Seraient mal disposées les campagnes entourant le bourg du Lion-d'Angers ainsi que les communes de Sainte-Gemmes d'Andigné, Loiré, Andigné, Saint-Martin-du-Bois, La Jaille-Yvon, Bourg d'Iré, Chambellay, Louvaines et même Saint-Aubin-du-Pavoil. Pourtant cette dernière a inscrit au registre de la garde nationale 200 fusiliers dès le 15 décembre 1791, mais il s'agit d'hommes sur lesquels « on ne doit faire aucun fond ».

Au total, les études faites au niveau local confirment, d'une façon générale, l'opposition entre l'est et l'ouest du département qui était bien visible à l'échelle des districts. Les cantons des districts de Segré, Saint-Florent-le-Vieil, Cholet et ceux du district de Vihiers situés en-deçà du Layon, ont mis une mauvaise volonté évidente à la réorganisation des gardes nationales. L'explication globale est fournie par le directoire du District de Cholet : « les sentiments pervers et fanatisés » des campagnes. Toutefois le directoire de Saint-Florent-le-Vieil émet une opinion plus nuancée :

> ... « si d'une part plusieurs communautés refusent de se faire inscrire, d'autres au contraire dont les principes sont très douteux n'ont pas omis un seul habitant dans l'espoir d'avoir de l'influence soit dans les assemblées, soit comme hommes armés » (249).

Il est donc certain qu'en 1792 comme l'année précédente, quelques communautés ont tenté d'utiliser la loi pour mettre sur pied une milice contre-révolutionnaire. Hors du district de Saint-Florent, nous en avons eu l'illustration à Saint-Aubin-du-Pavoil et, sans doute, à Chanzeaux.

Les deux villes principales du département, Angers et Saumur, ont conservé les registres d'inscription de la garde nationale réorganisée. Nous allons donc pouvoir, comme nous l'avons fait pour les milices de 1790-1791,

---

(249) 1 L 567. Les citations sont extraites de lettres de District de Cholet au Département (1er novembre 1792) et du District de Saint-Florent au Département (26 juin 1792).

étudier le personnel de ces troupes, principalement sous l'angle socio-professionnel.

2. - Les gardes nationaux d'Angers en 1792

Les Archives municipales possèdent un document intitulé : « Enregistrement volontaire de ceux qui se sont présentés pour faire partie de la garde nationale conformément à la loi du 24 7bre 1791 (sic) » (250). Ce registre porte, dans ses premiers feuillets, quelques dates du début de l'année 1792, mais il est impossible de savoir à quelle époque se sont inscrits les derniers gardes nationaux, ni d'ailleurs si le document nous est parvenu complet. Le registre comporte 3 303 inscriptions, pas loin du double de l'effectif porté sur le document de l'année précédente (251). Sur ce total, nous connaissons le métier de 2 868 individus soit 86,83%, une proportion bien supérieure à celle tirée des rôles de 1790-1791 qui était, rappelons-le de 67,12 % seulement. Par conséquent, l'étude socio-professionnelle que nous allons entreprendre devrait avoir une précision très satisfaisante. Il est regrettable que les dates d'inscription n'aient été indiquées que dans les toutes premières pages. En effet, les petits métiers sont de plus en plus nombreux vers la fin du registre. Certes il est normal que les notabilités se soient inscrites en premier lieu, mais si les gens du bas peuple, journaliers, perrayeurs, tisserands, fabricants de bas, sont massivement représentés dans les dernières pages, ne serait-ce pas qu'ils se sont fait inscrire après le 10 août, au moment où, comme le dit Albert Soboul « l'institution se charge (...) d'un sens nouveau » par l'envahissement des citoyens passifs ? (252) Ce n'est qu'une hypothèse, mais séduisante et vraisemblable.

Dans un premier tableau, nous comparerons la structure sociale de la

Comparaison de la structure socio-professionnelle de la garde nationale en 1792, en 1790-1791 et de l'ensemble de la population masculine d'Angers

Catégories socio-professionnelles	Gardes nationaux de 1792		Gardes nationaux de 1790-1791	Ensemble de la population
	Nbre	%	Rappel des %	Rappel des %
« Bourgeois »	391	13,64 %	24,08 %	19,32 %
Artisans et boutiquiers (sauf textile)	1 763	61,47 %	57,05 %	43,71 %
Artisans du textile	467	16,28 %	14,55 %	11,05 %
Agriculteurs	179	6,24 %	2,25 %	9,02 %
Domestiques	0	0	0	11,13 %
« Divers »	68	2,37 %	2,07 %	5,77 %
TOTAL	2 868	100 %	100 %	100 %

(250) Arch. mun. Angers H 3-61.
(251) La numérotation qui va jusqu'à 3432 est fausse.
(252) A. SOBOUL, *Les Soldats de l'An II, op. cit.,* p. 48.

garde nationale de 1792 à celle de la milice de l'année précédente ainsi qu'à l'ensemble de la population masculine évaluée d'après le recensement de 1769.

Il est facile de constater que la garde nationale réorganisée, sans être encore ouverte à tous puisqu'elle continue à exclure les domestiques, est beaucoup plus démocratique que celle des années précédentes. Il est très remarquable que la grande et moyenne bourgeoisie y soit maintenant largement sous-représentée, au contraire des années passées. A l'inverse, le monde des artisans et boutiquiers, à la limite de la petite bourgeoisie et des classes populaires, accentue encore une mainmise qui était déjà nettement visible en 1790-91. L'attitude des agriculteurs a également évolué. Certes, ils restent sous-représentés dans la troupe citoyenne, mais leur proportion s'est presque multiplié par trois par rapport aux années précédentes. Enfin, la catégorie « divers » reste à son niveau antérieur qui est bien inférieur à la place occupée par cette catégorie dans la population totale. Cela tient à ce que le clergé, qui forme l'essentiel du groupe, est exempté du service, en toutes lettres cette fois dans le texte de loi. Dans ces conditions, il est intéressant de savoir que 24 prêtres ont tenu à figurer sur le registre, dont Hugues Pelletier, l'évêque constitutionnel, et les vicaires épiscopaux Guy Duboueix, Pierre Cordier et Pierre Macé. Sans doute ont-ils voulu par là affirmer avec éclat leur attachement à la Révolution. On ne peut en conclure qu'ils étaient les seuls ecclésiastiques de la ville acceptant le nouveau régime. La même remarque est valable pour 13 gendarmes qui se sont fait inscrire malgré la dispense dont ils bénéficiaient.

Entrons maintenant dans le détail des principales catégories socio-professionnelles. A l'intérieur de la grande et moyenne bourgeoisie, il apparaît que le groupe des rentiers, ceux que l'on appelait les « bourgeois », sans autre précision, sur les rôles de 1790-91, ont totalement disparu (sous réserve évidemment qu'ils ne figurent pas dans la petite minorité des gardes nationaux dont les professions ne sont pas indiquées). Rappelons qu'ils formaient environ 12 % de la catégorie que nous dénommons « bourgeoisie » dans la garde nationale de l'année précédente et plus de 20 % de cette même catégorie dans l'ensemble de la population angevine. Par contre, la bourgeoisie administrative et intellectuelle est largement représentée dans la troupe citoyenne de 1792 puisqu'elle groupe environ 56 % des « bourgeois », proportion comparable, quoique légèrement supérieure, à celle que nous avions calculée pour la milice de 1791. Quant à la bourgeoisie commerçante et manufacturière, elle représente près de 44 % de la catégorie contre 30 % les années précédentes et moins de 8 % dans l'ensemble de la « bourgeoisie » angevine de 1769. Si l'on songe qu'il ne s'agit là que de la continuation, vers le haut de l'échelle sociale, de la classe des artisans et boutiquiers, on peut en déduire que plus la Révolution avance, plus la garde nationale devient le monopole du monde de l'industrie et du commerce, dirigeants et travailleurs.

En ce qui concerne l'artisanat et la boutique, nous pouvons reprendre les 7 groupes de métiers déjà considérés pour l'étude des gardes nationaux de 1790-91.

Tandis que les métiers annexes de l'agriculture restent, comme les années précédentes, représentés dans la garde nationale au prorata de la

Comparaison de la place occupée dans la garde nationale de 1792, dans celle de 1790-1791 et dans l'ensemble de la population par les différents groupes de métiers composant la catégorie des artisans et boutiquiers

Catégories socio-professionnelles	Gardes nationaux de 1792		Gardes nationaux de 1790-1791	Ensemble de la population
	Nbre	%	Rappel des %	Rappel des %
Bâtiment et ameublement	590	33,46 %	24,57 %	22,40 %
Vêtement et chaussures ...	287	16,28 %	20,95 %	18,27 %
Alimentation	294	16,68 %	23,78 %	17,19 %
Métiers annexes de l'agriculture	103	5,84 %	5,67 %	5,46 %
Métiers du transport	100	5,67 %	2,20 %	13,19 %
Journaliers	120	6,81 %	0,31 %	9,46 %
« Divers »	269	15,26 %	22,52 %	14,03 %
TOTAL	1 763	100 %	100 %	100 %

place qu'ils occupent dans la population totale, trois groupes de professions ont largement progressé dans la troupe citoyenne de 1790-91 à 1792. Il s'agit des métiers du bâtiment et de l'ameublement qui rassemblent désormais le tiers des citoyens soldats de la catégorie, et de deux groupes qui restent, néanmoins, sous-représentés dans la garde : les journaliers et les métiers du transport. A l'inverse, la place occupée dans la milice par les professions du vêtement et de la chaussure ainsi que par les métiers de l'alimentation est inférieure à ce qu'elle était naguère.

Ces constatations s'expliquent, pour l'essentiel, par la démocratisation de la milice citoyenne. Prenons l'exemple des professions du bâtiment et de l'ameublement. Alors que, dans l'ensemble, le nombre de travailleurs de l'artisanat et de la boutique a été multiplié par trois d'une année à l'autre, on constate qu'il y a 67 menuisiers dans la garde de 1792 contre 31 dans celle de 1791 soit environ deux fois plus seulement. Il y avait en 1791, 15 charpentiers, il y en a en 1792, 46 c'est-à-dire trois fois plus. Par contre, il y avait 10 tailleurs de pierres, il y en a 48 soit cinq fois plus, il y avait 6 maçons, on en retrouve 75 soit 12 fois plus, et 21 « perrayeurs » alors qu'on en compte 186 soit près de neuf fois plus. L'augmentation est donc beaucoup plus forte dans les métiers demandant une faible qualification et où il existe un grand nombre de salariés, chez les maçons ou les perrayeurs, que dans les métiers « nobles » comme ceux de menuisiers ou charpentiers. Le cas des perrayeurs mérite qu'on s'y arrête. Quelle proportion des ardoisiers formaient ceux qui s'étaient inscrits à la garde nationale ? Sans doute une petite minorité puisqu'on peut évaluer à 2 000 environ le nombre des ouvriers de carrière de l'agglomération angevine (253). Mais il faut dire que la plupart d'entre eux

(253) D'après un état de la généralité de Tours, il y avait 812 travailleurs permanents dans les carrières en 1766 (F. LEBRUN, *L'Histoire vue de l'Anjou, op. cit.,* tome I, p. 203-205.)

Toutefois, la production aurait doublé (et donc le nombre des travailleurs ?) entre 1772 et

habitaient Trélazé ou les alentours et relevaient par conséquent de la garde nationale de cette ville et non de celle d'Angers. Quoi qu'il en soit, l'inscription au registre de la troupe citoyenne de 186 carriers est remarquable. Elle prouve qu'une notable partie de ces ouvriers ne ressent pas d'hostilité à l'égard d'une institution utilisée pour réprimer dans le sang leur manifestation de septembre 1790. Il faut que la garde nationale se soit transformée depuis cette époque, dans un sens populaire.

Prenons maintenant l'exemple des métiers du transport. Il y avait en 1791 un seul portefaix dans la garde, il y en a 16 l'année suivante, il y avait 2 voituriers, il y en a 26, 9 bateliers et il y en a 44. Or, une des raisons que nous avions avancées pour expliquer l'absentéisme de ces derniers subsiste : l'éloignement qui aurait empêché beaucoup de rouliers et de mariniers de faire convenablement le service. Il a bien fallu que la garde nationale se transforme profondément pour que, malgré cela, un certain nombre d'entre eux acceptent de se faire porter sur les rôles. Enfin, nous retenons surtout que les journaliers, pratiquement absents de la garde nationale en 1790-91 puisqu'on n'en comptait que 2, font en 1792 une entrée massive : on en recense 120 soit 60 fois plus !

A l'opposé, certains métiers de l'alimentation, déjà bien représentés en 1790-91, ne se sont pas accrus l'année suivante en proportion de l'augmentation moyenne. C'est ainsi que le nombre des épiciers est resté le même, tandis que celui des aubergistes et cabaretiers est passé de 59 à 107, doublant à peine par conséquent, celui des boulangers de 20 à 44, etc ... L'augmentation des inscrits au rôle de la garde nationale est donc surtout le fait de gens de milieu modeste et pauvre, d'hommes du véritable peuple plus que de la petite bourgeoisie. La démocratisation est évidente, même si elle n'est pas encore entière puisque, par exemple, les journaliers restent sous-représentés dans la milice citoyenne.

L'étude détaillée de la catégorie des artisans du textile va dans le sens de notre démonstration. C'est ainsi que l'on trouve, dans la garde nationale réorganisée, une fois et demie plus de sergers que dans l'ancienne, deux fois et demie plus de fabricants de bas, trois fois plus de tisserands et six fois plus de filassiers. Or, ces derniers sont au plus bas niveau de l'échelle sociale.

A la lumière de ces résultats, on peut estimer que la loi du 14 octobre 1791 n'a pas été respectée et que bon nombre de citoyens passifs sont entrés dans la garde nationale, peut-être après le 10 août ainsi que nous l'avons suggéré. Pour en être tout à fait persuadé, il n'est que de comparer la répartition socio-professionnelle de la garde de 1792 à celle des citoyens actifs de la ville, comme nous l'avions fait pour la milice de l'année précédente.

Tandis que la structure de la garde nationale de 1790-91 était relativement voisine de celle de la catégorie des citoyens actifs, la structure de la garde réorganisée s'en éloigne et la pyramide sociale possède un

---

1789, selon J. JEANNEAU, *La banlieue d'Angers, étude de géographie historique et urbaine*, Angers, 1972, p. 47-49. Rappelons que l'on a évoqué, à l'époque de la constitution de la milice nationale, les 2 000 « perrayeurs » qui auraient délégué à Angers Pierre Périsseau (cf. *supra*, p. 52).

Comparaison de la structure socio-professionnelle de la garde nationale en 1792, en 1790-1791, et de l'ensemble des citoyens actifs d'Angers

Catégories socio-professionnelles	Gardes nationaux de 1792		Gardes nationaux de 1790-1791	Ensemble des citoyens actifs
	Nbre	%	Rappel des %	Rappel des %
«Bourgeois»............	391	13,64 %	24,08 %	21,60 %
Artisans et boutiquiers (textile compris)	2 230	77,75 %	71,60 %	62,34 %
Agriculteurs.............	179	6,24 %	2,25 %	11,12 %
«Divers»..............	68	2,37 %	2,07 %	4,94 %
TOTAL	2 868	100 %	100 %	100 %

sommet beaucoup plus étroit. Il ne fait pas de doute par conséquent qu'un grand nombre de citoyens passifs ont eu accès à la milice. L'étude des signatures achèvera de nous en persuader. Nous ne relevons que 2 080 signatures (encore faut-il dire que 70 ou 80 d'entre elles trahissent beaucoup d'hésitation de la part du scripteur), sur un échantillon de 3 190 individus pour lesquels nous disposons de la signature ou de la mention «ne sait signer». La proportion des gardes nationaux capables d'écrire leur nom est donc tombée en un an de 91,04 % à 65,20 %. Il y a là un signe incontestable de démocratisation de l'institution.

Il est intéressant de comparer les gardes nationaux angevins à ceux de Rennes étudiés par Roger Dupuy. Dans la capitale bretonne et malgré l'enrôlement de bon nombre de «passifs», la structure de la garde reste celle d'une élite, puisque les cadres supérieurs et moyens de la bourgeoisie représentent environ 40 % de l'effectif, contre moins de 14 % à Angers (254). Les deux troupes ont donc une composition socio-professionnelle très différente. Par contre, elles présentent beaucoup de similitudes sur le plan de la structure par âge (255). Nous connaissons, à Angers, l'âge de 3 168 gardes nationaux, soit 95,91 %. Cela nous a permis d'établir la pyramide suivante :

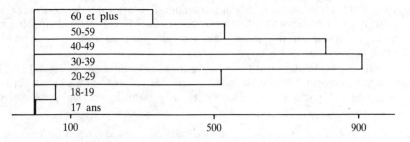

---

(254) R. DUPUY, *La Garde Nationale (...) en Ille-et-Vilaine, op. cit.,* p. 236-242.
(255) *Ibid.,* p. 243.

Les âges s'échelonnent de 17 à 80 ans. Il y a là un premier motif d'étonnement puisque, aux termes de la loi du 14 octobre 1791, seuls les hommes ayant entre 18 ans révolus et 60 ans devaient le service. Ils sont 339 à ne pas répondre à cette condition, 8 de 17 ans et 331 de 60 ans et au-dessus. Les uns et les autres ne pouvaient prétendre qu'à un service honorifique, les premiers dans une compagnie de jeunes citoyens, les seconds dans une compagnie de vétérans. Certains d'entre eux précisent d'ailleurs qu'ils s'engagent « pour les vétérans », et cela arrive même à des quinquagénaires !

Un autre sujet d'étonnement est la structure par âge du gros de la troupe citoyenne. Les jeunes sont en effet fort mal représentés puisque le total des individus de 20 à 29 ans ne forme que 16,42 % de l'effectif, c'est-à-dire légèrement moins que la tranche d'âge de 50 à 59 ans (16,83 %) ! La classe d'âge dominante est celle des hommes de 30 à 39 ans (28,69 % de l'effectif), suivie de près par celle des gens de 40 à 49 ans (25,47 %). Ce phénomène semble aberrant : les lois démographiques les plus élémentaires auraient voulu que les plus jeunes fussent les mieux représentés. Y aurait-il eu mauvaise volonté de leur part ? Il serait étonnant que se soit éteint tout d'un coup le patriotisme de ceux qui menaient la Révolution à Angers depuis l'organisation des volontaires de 1789. L'explication est ailleurs. En 1791, on a formé un premier bataillon de volontaires nationaux qui a écrémé l'élite bourgeoise et révolutionnaire de la jeunesse angevine. En effet, 251 soldats du premier bataillon étaient originaires d'Angers ; or, la plupart étaient jeunes. Au cours de l'été 1792, deux nouveaux bataillons furent organisés. Les jeunes Angevins ont encore largement payé de leur personne puisqu'ils ont fourni 411 volontaires. Si l'on ajoute les 145 jeunes gens d'Angers qui se sont enrôlés pour combler les vides du premier bataillon et pour en porter l'effectif à 800 hommes, on arrive à un total de 807 volontaires recrutés à Angers en un an et il faudrait tenir compte aussi des soldats engagés dans les régiments de ligne. On s'aperçoit aisément qu'une très grande partie de la jeunesse patriote avait quitté les bords de la Maine en 1792 (256).

3. - Les gardes nationaux de Saumur en 1792

C'est le 12 mars que la municipalité saumuroise prit la décision de réorganiser la garde nationale. Chacune des quatre sections de la ville, Saint-Pierre, Nantilly, Saint-Nicolas et les ponts, devait fournir quatre compagnies regroupant les soldats par voisinage. On tirerait des quatre compagnies de quartier 80 gardes nationaux destinés à former une cinquième unité, de grenadiers celle-là, à laquelle serait attachée une section de 12 canonniers commandés par un officier, 2 sergents et 2 caporaux. La formation des compagnies et l'élection des gradés furent fixées au dimanche 18 mars.

En réalité, l'arrêté municipal ne fut pas suivi à la lettre. Au lieu de quatre sections de canonniers, on forma deux compagnies qui, à la date du 1er juin, totalisaient 45 hommes commandés par François Nau. La ville ne

---

(256) La même raison a dû jouer pour Rennes, où, cependant, l'élan patriotique fut beaucoup plus faible (R. Dupuy, *op. cit.*, p. 244).

possédait toujours que 4 canons dont les vieilles armes qui seront la proie des Vendéens l'année suivante, la *Marie-Jeanne* et la *Marie-Antoinette*, mais l'on songeait à acquérir 4 pièces de campagne. D'autre part, le 22 avril, fut formée une compagnie de vétérans composée de 33 hommes d'au moins 60 ans et commandée par Jean-Baptiste Girard (257). Enfin, on mit sur pied une compagnie de jeunes gens de moins de 18 ans, dite compagnie de l'Espérance. Trente-cinq garçons s'enrôlèrent mais l'un d'eux, Louis-Charles Thibault, s'engagea dans les volontaires. Deux des jeunes gens de la compagnie de l'Espérance n'avaient que 12 ans, 13 avaient 14 ans, 12 avaient 15 ans, 7 avaient 16 ans et le dernier 17 ans (258).

Les Archives municipales de Saumur ont conservé la « Copie du registre pour l'inscription des citoyens d'après laqu'elle (sic) l'organisation de la garde nationale a été faite en 1792 » (259). Ce registre ne porte pas de date mais il est certain qu'il a été établi au printemps puisque, nous l'avons vu, les élections des officiers des deux légions du district ont eu lieu le 1er et le 2 juillet. Le nombre des gardes nationaux s'élevait, pour les quatres sections de la ville, à 1 672 soit 175 hommes de plus que l'année précédente. Les « habits bleus » représentent à Saumur environ 14 % de la population, pourcentage un peu supérieur à celui d'Angers (11,7 %).

Nous connaissons la profession de 1 469 gardes nationaux, c'est-à-dire 87,86 % de l'effectif total, une proportion qui permet une évaluation très correcte de la composition socio-professionnelle de la troupe.

Comparaison de la structure socio-professionnelle de la garde nationale en 1792, en 1791, et de l'ensemble de la population masculine de Saumur

Catégories socio-professionnelles	Gardes nationaux de 1792		Gardes nationaux de 1791	Ensemble de la population
	Nbre	%	Rappel des %	Rappel des %
« Bourgeois »	285	19,40 %	20,96 %	13,10 %
Artisans et boutiquiers (textile compris)	942	64,13 %	61,23 %	61,32 %
Journaliers	130	8,85 %	7,61 %	6,17 %
Agriculteurs	86	5,85 %	7,97 %	4,12 %
Domestiques	0	0	0	9,40 %
« Divers »	26	1,77 %	2,23 %	5,89 %
TOTAL	1 469	100 %	100 %	100 %

La stabilité de la structure sociale de la garde nationale est remarquable. Il semble bien qu'il y ait eu, par rapport à l'année précédente une légère

---

(257) Dès le 23 juillet 1791, une cinquantaine d'hommes avaient demandé à former une compagnie de vétérans, mais nous ne savons pas si le projet fut réalisé à cette date (Arch. mun. Saumur, H III 95 (1)).

(258) Arch. mun. Saumur H III 95 (2).

(259) Arch. mun. Saumur H III 95 (2).

démocratisation qui se manifeste par la faible baisse du pourcentage des « bourgeois » et par la petite augmentation de celui des artisans et boutiquiers ainsi que de celui des journaliers. Mais ce mouvement n'est rien, en comparaison de celui qui s'est produit à Angers. Non seulement, comme dans cette ville, les domestiques continuent à être totalement exclus de la troupe citoyenne, mais la moyenne et grande bourgeoisie est toujours largement sur-représentée, à l'inverse de ce qu'on a noté au chef-lieu du département. Il faut donc penser que peu de citoyens passifs se sont introduits dans la garde saumuroise. Une comparaison avec la structure de la population des « actifs » achèvera sans doute de nous en convaincre.

Comparaison de la structure socio-professionnelle de la garde nationale en 1792, en 1791, et de l'ensemble des citoyens actifs de Saumur

Catégories socio-professionnelles	Gardes nationaux de 1792		Gardes nationaux de 1791	Ensemble des citoyens actifs
	Nbre	%	Rappel des %	Rappel des %
« Bourgeois »	285	19,40 %	20,96 %	18,36 %
Artisans et boutiquiers (textile compris)	942	64,13 %	61,23 %	58,30 %
Journaliers	130	8,85 %	7,61 %	11,02 %
Agriculteurs	86	5,85 %	7,97 %	8,48 %
« Divers »	26	1,77 %	2,23 %	3,84 %
TOTAL	1 469	100 %	100 %	100 %

Le tableau montre bien que la pyramide sociale reste voisine de celle de l'ensemble des citoyens actifs. Les principales différences entre les deux échantillons sont la légère sur-représentation dans la garde nationale des travailleurs de l'atelier et de la boutique et l'accentuation du déficit des paysans, par rapport à 1791. Au total il est net que la garde nationale de Saumur n'a pas été envahie, comme celle d'Angers, par les citoyens passifs ; mais cela s'explique sans doute par l'époque à laquelle les registres ont été établis, au printemps 1792. Si nous avions possédé des rôles postérieurs à la chute de la monarchie, la situation eût peut-être été fort différente.

4. - L'œuvre de la garde nationale réorganisée

1792 est une année d'exaspération des passions, prélude à l'affrontement sanglant de l'année suivante. L'action de la garde nationale est presque entièrement consacrée à la poursuite des prêtres réfractaires et de ceux qui les soutiennent. C'est dire que les incursions des « Bleus » se déroulèrent surtout dans la région qui sera le théâtre de la guerre de Vendée.

Le 1ᵉʳ février, le Département adopta un arrêté qui, reprenant les dispositions de ceux de mai et juin 1791, mettait définitivement fin à la période de clémence inaugurée par l'amnistie de septembre. Les prêtres insermentés étaient assignés à résidence à Angers où ils devraient déclarer leur domicile à la municipalité et se soumettre journellement à un appel. Les rebelles, les retardataires, ceux qui auraient été absents à deux appels, seraient internés au petit séminaire.

Dans les Mauges, il ne fallait pas seulement traquer les réfractaires, mais installer ou réinstaller les curés constitutionnels dont beaucoup avaient abandonné leur poste, procéder à la fermeture des églises condamnées par le regroupement des paroisses, restaurer enfin les municipalités patriotes qui s'étaient dissoutes en grand nombre. Pour tout cela, deux commissaires, Villiers et La Revellière-Lépeaux, furent dépêchés sur place par le Département en janvier 1792. Leur tâche fut difficile : fermer l'église paroissiale, c'était retirer à la communauté son âme et son histoire (260). A Saint-Sauveur-de-Landemont, par exemple, La Revellière fut pris à partie par la foule et dut se retirer. Il fallut revenir en force, le lendemain, avec 27 dragons et une centaine de gardes nationaux du district d'Ancenis (Loire-Inférieure) qui, joints à la garde nationale de Liré, parvinrent à faire l'inventaire des objets sacrés et à clore l'église (27-28 janvier). Dans l'espoir d'opérer des conversions, les commissaires fondèrent à Beaupréau le club des Amis de la Constitution qui fut chargé de semer la bonne parole dans cette région particulièrement hostile. La société, surnommée le Club Ambulant des Mauges, s'assoupit très vite lorsqu'elle fut abandonnée à elle-même. Pour la ranimer, La Revellière et quelques amis durent entreprendre, en mars, un nouveau voyage. C'est au retour de ce périple qu'ils abattirent le chêne miraculeux de Saint-Laurent. Cet acte n'eut pas plus de succès que la démolition de la chapelle, l'année précédente, puisque les apparitions continuèrent à se manifester, dans un buisson voisin cette fois ... (261)

La garde nationale, qui est de toutes ces besognes, est devenue « la terreur des villages, qu'elle traite en pays conquis. La vue d'un seul habit bleu soulève toutes les colères ». Les paysans n'hésitent pas à lui imputer les crimes qui continuent à désoler la région. Lorsque trois métayers de Saint-Germain-sur-Moine sont égorgés, dans la nuit du 22 au 23 mai, c'est à un jeune volontaire de Nantes, de retour de Cholet, que l'on s'en prend. Bien que totalement innocent, il échappe de peu au massacre. (262) Un mois plus tard, le 23 juin, une cinquantaine de cultivateurs du Puy-Saint-Bonnet dans les Deux-Sèvres, tenteront d'assassiner cinq gardes nationaux de Cholet (263).

La Révolution n'était pas seulement menacée dans les Mauges. A Angers, la concentration des réfractaires assignés à résidence, était un facteur de troubles. Chaque semaine en effet, des curés recevaient des émissaires de leur village. L'on craignait surtout pour le temps de la grande fête du Sacre qui devait se dérouler dans la semaine du 10 au 17 juin. De fait, la ville fut envahie d'une foule de gens des campagnes parmi lesquels les

---

(260) Cl. Petitfrère, *Les Vendéens d'Anjou, op. cit.,* p. 194.
(261) C. Port, *La Vendée Angevine, op. cit.,* p. 304-347.
A. Meynier, *Un représentant ..., op. cit.,* p. 266-270.
(262) C. Port, *La Vendée Angevine, op. cit.,* tome I, p. 346-347.
(263) Cl. Petitfrère, *La Vendée et les Vendéens, op. cit.,* p. 215-216.

insermentés comptaient beaucoup d'amis. Aussi, le dimanche 17, une masse de gardes nationaux encerclèrent les prêtres réunis pour leur appel quotidien à la maison Saint-Aubin, et les conduisirent, sans autre forme de procès, au petit séminaire où ils restèrent prisonniers. Il semble que la troupe avait agi sans ordre supérieur. De Soland, en tout cas, se défendit d'être pour quelque chose dans ce coup de force que le Département, mis devant le fait accompli, ratifia le lendemain (264).

Bientôt la garde nationale allait avoir l'occasion de se mesurer sur un champ de bataille à la masse des « aristocrates ». C'est en effet le 21 août qu'éclata la première grande insurrection paysanne de l'Ouest, dans la région de Châtillon-sur-Sèvre et de Bressuire. Des contingents de la garde de Cholet (commandés par Boisard un lieutenant de gendarmerie saumurois) et de la garde d'Angers furent dirigés vers les Deux-Sèvres, avec des hommes de Beaupréau, Chemillé, Le May, Vézins, Saint-Macaire. Mené par de Soland, le gros de la troupe d'Angers qui avait juré de mourir pour la liberté et l'égalité, devait rejoindre les « habits bleus » partis en avant-garde, mais elle reçut un contre-ordre à Thouarcé le 26 août. L'alerte était passée mais l'émeute fut une sorte de répétition de la grande guerre (265). Deux gardes nationaux de Cholet, Balard et Guillou, allèrent rendre compte des événements à l'Assemblée Nationale où ils furent acclamés le 30 août. Balard devait, plus tard, périr assassiné par les « aristocrates » (266).

Une besogne moins glorieuse attendait les « habits bleus » d'Angers. La loi du 26 août ordonnait en effet la déportation en Guyane de tous les réfractaires qui n'auraient pas quitté la France dans la quinzaine. Presque simultanément, le 30, le Département, le District et la municipalité d'Angers réunis prenaient la décision de faire déporter en Espagne les insermentés du Maine-et-Loire. Le 12 septembre, 4 à 500 gardes nationaux et gendarmes prirent donc la route de Nantes, encadrant 264 réfractaires internés au séminaire depuis le Sacre (267).

Dans leurs tentatives de répression des activités contre-révolutionnaires, les gardes nationaux s'embarrassaient encore moins de scrupules légalistes que par le passé. Tous les auteurs sont d'accord pour souligner le caractère maladroit, excessif, pour ne pas dire oppressif de leurs actions. L'auteur royaliste Baguenier-Désormeaux parle de « dragonnades » et le « patriote » Célestin Port titre un de ses chapitres « la garde nationale fait la loi » (268). Dans les populations rurales s'accumule une haine de jour en jour plus difficile à contenir. L'explosion de mars 1793 la libérera soudainement et son débordement amènera les massacres du début de la guerre.

L'activité politique déployée par la garde nationale en 1792 est d'autant plus remarquable qu'elle venait de subir, nous l'avons dit, une ponction

(264) C. PORT, La Vendée Angevine, op. cit., tome I, p. 354-357.
(265) C. PORT, La Vendée Angevine, op. cit., tome II, p. 3-25.
Ch-L. CHASSIN, La Préparation ..., op. cit., tome III, p. 1-30.
(266) C. PORT, La Vendée Angevine, op. cit., tome II, p. 19.
(267) Ibid., p. 27-30. Le sergent BERTHE raconte le voyage à Nantes dans son Histoire (...) de la Garde-Nationale d'Angers ..., op. cit., p. 4-5.
(268) H. BAGUENIER-DESORMEAUX, Les origines et les responsabilités de l'insurrection vendéenne, Fontenay-le-Comte, 1916, p. 14-15.

sérieuse avec la levée successive des trois premiers bataillons de volontaires nationaux. Cette hémorragie des éléments les plus jeunes et les plus dynamiques, mais aussi la volonté de maintenir une force capable d'imposer l'ordre révolutionnaire dans un département privé de soldats, expliquent la réserve des gardes nationaux face aux invitations dont ils furent l'objet de la part du commandant de l'Armée du Nord, La Fayette. La circulaire du général datée du 5 août demandait en effet, conformément au décret du 24 juillet, que la moitié des compagnies de grenadiers et de chasseurs, c'est-à-dire les unités d'élite de la garde nationale, soient affectées aux frontières. L'arrêté du conseil général du Département du 16 août se fit l'écho de ce désir et demanda aux bataillons dans lesquels il n'existait pas de compagnie de chasseurs d'y suppléer en fournissant le plus grand nombre possible de gardes armés et exercés. Les volontaires devaient se réunir à Angers le 1er septembre. Ces ordres se heurtèrent à une très vive résistance de l'ensemble de la garde nationale, à commencer par les éléments les plus patriotes. Toute une correspondance officielle le prouve. C'est ainsi qu'une délibération du conseil du District de Baugé, en date du 21 août, tout en indiquant qu'aucune compagnie de grenadiers « n'est réellement armée ni exercée » dans le district, fait remarquer que l'éloignement des pères de famille qui composent la garde nationale serait extrêmement préjudiciable aux travaux des champs au moment même où la main d'œuvre s'est raréfiée à la suite des nombreux enrôlements dans l'armée de ligne, dans les volontaires nationaux et dans la compagnie franche de Bardon recrutée presque exclusivement dans le Baugeois. Le même jour, le conseil général de la commune de Cholet affirme qu'il est difficile de se séparer de la compagnie des grenadiers car elle est formée en grande partie de gens mariés, chefs de manufacture et acquéreurs de biens nationaux, donc de riches patriotes (269). Quelques semaines plus tard, faisant état des troubles qui secouent la région, le District de Cholet suggère au Département que les gardes nationaux seraient peut-être plus utiles à la patrie sur place qu'aux frontières (270). Même protestation à Saint-Florent-le-Vieil, le 7 septembre, à Chalonnes le 9, où l'on demande de suspendre la réquisition à cause des menaces venant du « pays des Mauges dont vous connoissez l'incivisme … ». A Saumur, le 8 septembre, la municipalité proteste contre les exigences du Département, en faisant remarquer que la ville a fourni 549 soldats de ligne ou volontaires et qu'elle est vidée de ses jeunes gens. Les compagnies de la garde nationale saumuroise se montrent, elles aussi, très hostiles à la demande de La Fayette. La deuxième compagnie du premier bataillon propose d'envoyer aux frontières les domestiques, car ils sont « plustost propres au luxe des personnes qui les employent qu'au besoin réel … ». A Montjean, le 10, les grenadiers refusent de partir. On enregistre encore d'autres protestations des officiers municipaux de diverses communes, comme Saint-Sylvain d'Anjou, Saint-Barthélémy ou Ecouflant (271). Servir

---

C. PORT, *La Vendée Angevine, op. cit.,* tome I, chap. XIII.
(269) Cl. PETITFRÈRE, *Les Vendéens d'Anjou, op. cit.,* p. 207.
Tout ce développement est fondé sur les documents de la liasse 1 L 571.
(270) 1 L 571, lettre du 10 septembre 1792.
(271) 1 L 571. Voir aussi Arch. mun. Saumur H III 95 (2).

la Grande Nation sur les frontières était un devoir prioritaire pour les patriotes et, à cette date, les Angevins pouvaient estimer l'avoir accompli. Mais, devant la puissance du mouvement contre-révolutionnaire intérieur, un mouvement que seuls des étrangers à la province pouvaient sous-estimer, n'était-ce pas un devoir plus impérieux encore que de rester au pays ? Mars 1793 allait donner raison aux gardes nationales du Maine-et-Loire puisque c'est sur elles seules que retomba le poids des premiers combats.

IV. - CONCLUSION

Deux questions essentielles se posaient à nous au début de cette étude : peut-on considérer les gardes nationaux comme des patriotes et, dans l'affirmative, quelles sont les caractéristiques sociales de ce groupe comparées à celles des Vendéens ?

A la première question l'on peut répondre qu'après la réorganisation de 1792 et compte tenu de l'existence de quelques milices contre-révolutionnaires dans certains cantons de l'ouest du département, la grande majorité des gardes nationaux sont bien des patriotes farouchement attachés à la Révolution. N'est-ce pas d'ailleurs la couleur de leur habit qui est devenue, auprès des masses rurales hostiles, le symbole du régime ? De fait, la carte des gardes nationales n'est, ni plus ni moins, que le négatif de celle de la Vendée. Mais cela n'a rien de surprenant : en 1792, les jeux sont faits et l'on n'attend que l'étincelle qui déclenchera l'explosion. Tous les Angevins d'alors, connaissant un peu leur pays, le savent. Il serait plus intéressant de préciser à quelle époque la carte des opinions du département a pris sa configuration bipartite. Ce n'est pas en 1789-1790 : les premières milices ont essaimé indifféremment sur l'ensemble du territoire. Il est vrai qu'elles n'avaient pas toutes la même signification. Les unes, celles des villes surtout, furent les promotrices de la Révolution, organisant les fédérations, luttant à la fois contre les défenseurs du passé et contre le danger social qui menaçait l'ordre bourgeois. Mais les autres, essentiellement celles des campagnes de l'est comme de l'ouest du département, n'étaient bien souvent que des groupes de défense momentanée où l'on retrouvait les réflexes centenaires en se rassemblant autour des nobles. En janvier 1791 encore, le « Journal du département de Maine-et-Loire par les amis de la Constitution d'Angers » tance les habitants des campagnes qui, à peine sortis de leurs liens féodaux, s'en donnent de nouveaux en portant de grands seigneurs à la tête de leurs milices (272). Le schisme socio-politique de l'Anjou ne peut dater que de 1791, année de l'application de la Constitution Civile du clergé. Si cette dernière n'en a pas été la cause unique, elle en a, du moins, été le révélateur : tous les témoignages des contemporains l'indiquent. A cet

---

(272) *Journal du département de Maine-et-Loire ...,* n° I du 19 janvier 1791. L'article relate les hommages rendus par les gardes nationales des environs de Serrant au nouveau propriétaire du château, Monsieur de Schombert. Cet article a été reproduit par J.-P. BERTAUD dans *Valmy, op. cit.,* p. 208.

égard, la carte des origines géographiques des volontaires du premier bataillon constituera une indication précieuse.

En définitive, les véritables « Bleus », ce sont les gardes nationaux des cités, grandes ou petites. Ils forment l'exacte antithèse des Vendéens : ils sont instruits, donc souvent riches ou aisés, il y a parmi eux peu de paysans, une grande majorité de gens de l'atelier et de la boutique, une forte minorité de bons bourgeois. Paradoxalement, ils deviennent un peu moins différents des hommes qu'ils sont appelés à combattre à la veille de la guerre, au moment où, au moins à Angers, l'institution se démocratise. Mais l'élite des « Bleus » n'est plus alors dans les compagnies de la garde nationale, elle s'est enrôlée dans les bataillons de volontaires.

CHAPITRE II

LES VOLONTAIRES NATIONAUX :
LA FORMATION DES TROIS PREMIERS
BATAILLONS
DE MAINE-ET-LOIRE
(1791-1792)

Considérant les soldats de la Révolution sous l'angle politique et ne nous attachant à les dépeindre qu'autant qu'ils furent les hérauts des idées nouvelles, nous avons décidé de délaisser les gens de la Ligne pour concentrer notre attention sur les volontaires nationaux (1). Certes, la différence des premiers aux seconds est peut-être moins considérable qu'il ne paraît. Jean-Paul Bertaud, étudiant côte à côte la « faïence bleue » et les « culs blancs » de Valmy, est frappé par les similitudes de leur origine sociale et de leur comportement (2). D'ailleurs, il ne faut pas confondre armée de ligne et armée de métier. Pour S.-F. Scott, « il est évident que, même avant l'amalgame, l'armée de ligne était une armée de citoyens, semblable aux bataillons de volontaires nationaux ». La différence entre les deux est de degré plus que de nature (3). Il n'en reste pas moins que, contrairement aux volontaires, les soldats de l'armée régulière touchaient une prime d'engagement importante et qu'ils partaient pour quatre années au lieu d'une. Ces conditions font peser un doute sur le patriotisme d'enrôlés dont le choix a pu être guidé d'abord par la misère et l'espoir de trouver un emploi. Une telle présomption est peut-être mal fondée mais nous avons préféré écarter le risque et conserver à notre échantillon une certaine homogénéité.

Parmi les volontaires même, tous ne sauraient satisfaire également au critère du patriotisme. Avant la levée en masse d'août 1793 qui fut, pour les célibataires de 18 à 25 ans, une réelle conscription, le décret du 24 février n'avait attiré, dans le Maine-et-Loire, qu'un petit nombre de volontaires véritables. Il avait fallu revenir au tirage au sort, comme pour l'ancienne milice, et nous savons que ce fut l'occasion de l'insurrection vendéenne.

---

(1) Cf. *supra*, « Introduction », p. 36.
(2) J.-P. BERTAUD, *Valmy, op. cit.*, p. 213.
(3) S.-F. SCOTT, « Les soldats de l'armée de ligne en 1793 », *art. cit.*

Dans notre département, les seuls hommes qui acceptèrent, massivement et de leur plein gré, de défendre la France révolutionnaire, les seuls que nous puissions regarder, a priori, comme des patriotes, furent recrutés en 1791 et 1792. Encore faut-il distinguer les engagés de ces deux contingents. Ceux de 1791 furent enthousiastes. Ils se portèrent d'eux-mêmes au secours de la Nation : on pourrait les qualifier de volontaires « actifs ». Ceux qui furent levés au milieu des périls de l'été 1792 furent plutôt, dans leur majorité, des volontaires « passifs » que l'on fut obligé de relancer dans leurs villages, des hommes qui acceptèrent de se laisser inscrire sur les registres des recruteurs plus qu'ils ne revendiquèrent cet honneur. Il faut donc distinguer avec soin les deux levées. L'une fut à l'origine de la formation du premier bataillon de Mayenne-et-Loire, l'autre permit l'organisation des deuxième et troisième bataillons.

I. - LES VOLONTAIRES DE LA PREMIÈRE LEVÉE

Au printemps 1791 la situation internationale, sans être tragique pour la France, est préoccupante. L'Europe commence à redouter les progrès de la Révolution et à prêter une oreille plus attentive aux exhortations belliqueuses des émigrés. L'armée régulière, composée de 150 000 hommes environ, a perdu les 2/3 de ses officiers qui ont passé la frontière pour se regrouper en Rhénanie (4). La milice, détestée du monde rural, a été abolie en mars. Que faire pour pallier ces faiblesses sinon puiser dans la grande réserve que constituent les gardes nationales ? L'idée qui jaillit des masses populaires (5) s'est d'abord heurtée à l'Assemblée à l'opposition conjuguée des députés des extrêmes, mais elle fait son chemin. Par le décret du 11 juin, la Constituante prie le roi de porter au pied de guerre, sur le champ, les régiments destinés aux frontières et de faire approvisionner les arsenaux pour fournir des munitions, en cas de besoin, « même aux gardes nationales ». En effet, « il sera fait incessamment dans chaque département une conscription libre de gardes nationales de bonne volonté, dans la proportion d'un sur vingt ». Ce n'est encore là qu'une décision de principe car le décret précise :

> « Les volontaires ne pourront se rassembler, ni nommer leurs officiers, que lorsque les besoins de l'Etat l'exigeront, et d'après les ordres du roi envoyés aux directoires, en vertu d'un décret du corps législatif. Les volontaires seront payés par l'Etat lorsqu'ils seront au service de la patrie (6). »

Sur ces entrefaites, la fuite du roi dramatise la situation. La guerre paraît imminente. A l'unanimité, la Constituante adopte, le 21 juin, la proposition d'Alexandre de Lameth dont voici les quatre premiers articles :

---

(4) J. GODECHOT, Les Institutions ..., 1968, op. cit. p. 136
(5) Dès janvier 1791, Les Jacobins de Clermont-Ferrand proposent de lever un corps de volontaires, et, en mars, de nombreux gardes nationaux de la ville commencent à s'inscrire sur un registre d'enrôlement (A. SOBOUL, Les soldats de l'An II, op. cit., p. 68).
(6) Gazette nationale ou Le Moniteur Universel n° 164 du 13 juin 1791.

Art. I « La garde nationale de tout le royaume sera mise en activité ainsi qu'il suit :

II. Les départemens du Nord, du Pas-de-Calais, du Jura, du haut et du bas Rhin, et tous les départemens situés sur les frontières d'Allemagne, fourniront un nombre d'hommes aussi considérable que leur situation le leur permettra.

III. Les autres départemens fourniront chacun de deux à trois mille hommes.

IV. En conséquence, tout citoyen qui voudra porter les armes se fera inscrire dans sa municipalité.

Les gardes nationaux se formeront en bataillons groupant dix compagnies de cinquante hommes chacune. Chaque volontaire recevra quinze sous par jour, la solde étant hiérarchisée jusqu'au colonel (on dira en réalité « lieutenant-colonel en premier ») qui touchera sept fois la solde de base, soit 5 livres 5 sols (7).

Quelle sera la part du Maine-et-Loire dans l'effort national ? Dans le décret du 21 juin, il est question que chaque département de l'intérieur fournisse deux à trois mille hommes, nombre très considérable. Mais, le danger immédiat de conflit écarté, l'Assemblée revient à des exigences plus modestes. Le 3 juillet, elle fixe à 26 000 le total des gardes nationaux à mettre en activité, chiffre qu'elle porte à 97 000 le 22 juillet. Les départements allant de l'embouchure de la Loire à la Gironde, dont le Maine-et-Loire fait partie avec la Loire-Inférieure, la Vendée, les Deux-Sèvres et la Charente-Inférieure, fourniront ensemble 3 000 hommes (8). Enfin, le tableau établi le 27 juillet par le ministre de la guerre Duportail prévoit l'organisation de 158 bataillons de 574 hommes. Le Maine-et-Loire devra former un bataillon, tout comme ses voisins : Indre-et-Loire, Deux-Sèvres, Vendée, Loire-Inférieure et Mayenne (9).

Le décret du 4 août précise la structure interne des bataillons. On organisera d'abord huit compagnies de 71 volontaires. De chacune on extraira « sur l'indication de leurs camarades, huit hommes de la plus haute taille, pour en composer une compagnie de grenadiers... » En définitive, le bataillon sera donc composé de neuf compagnies de 63 volontaires, soit 567 combattants au total. L'état-major complètera l'effectif à 574 hommes puisqu'il comprendra deux lieutenants-colonels, un adjudant-major, un adjudant sous-officier, un quartier-maître, un tambour-maître et un armurier. Au sein de chaque compagnie l'encadrement sera assuré par trois officiers (un capitaine, un lieutenant et un sous-lieutenant) et sept sous-officiers (un sergent-major faisant fonction de fourrier, deux sergents et quatre caporaux). Un tambour sera attaché à chaque compagnie.

---

(7) Les effectifs seront modifiés, nous le verrons : le bataillon aura 9 compagnies et 574 hommes.

Le décret du 21 juin est reproduit dans *Le Moniteur Universel,* n° 174 du 23 juin.

(8) *Le Moniteur Universel,* n° 185 du 4 juillet et n° 204 du 23 juillet. Le nombre des gardes nationaux à mettre en activité sera porté à 101 000 par le décret du 17 août sanctionné le 28 (E. Deprez, *Les Volontaires nationaux (1791-1793)* ..., Paris, 1908, p. 119).

(9) E. Deprez, *op. cit.,* p. 117.

Le décret est suivi d'un « règlement provisoire pour le service des Gardes Nationales » en 25 articles, signé le 5 août par Duportail. Ce document prévoit, en particulier, que les volontaires pourvoiront par leurs propres moyens à leur équipement et à leur habillement, ainsi qu'à leur nourriture dans les garnisons. En cours de route, on leur donnera l'étape moyennant une retenue de six sols par ration. Dans les camps, l'armée fournira pain, viande, paille de couchage, bois, lumières, effet de campement et munitions, mais il sera fixé une retenue sur la solde (10).

La nécessité de s'équiper, s'habiller et se nourrir à ses frais réduisait considérablement les avantages d'une solde qui pouvait paraître élevée : quinze sous par jour, nous l'avons vu, alors qu'un « lignard » de l'infanterie ne touchait que huit sols. La perspective d'avoir à débourser de fortes sommes sans être assuré de rentrer dans ses frais n'allait-elle pas décourager nombre de vocations, surtout parmi les plus modestes ?

1. - Les opérations de recrutement de l'été 91

Il est généralement admis que l'enthousiasme présida à la levée des volontaires de 1791 (11). A quelques exceptions près, celle de la Corrèze ou de la Haute-Vienne par exemple, c'est bien l'impression que l'on a en parcourant les monographies départementales, de Reims à Aurillac, de la Charente à la Côte d'Or ou à l'Ain (12). Pour le Maine-et-Loire, les historiens sont unanimes. François Grille se souvient avec émotion des journées exaltées dont, jeune enfant de huit ans, il fut le témoin : « j'en pleure encore ; je pleure en écrivant, car j'ai devant les yeux ces grandes scènes, ces scènes d'amour de la patrie qui lutte avec un autre amour et qui l'emporte » (13). De son côté, Xavier de Pétigny souligne que les soldats du premier bataillon ont été « véritablement engagés de leur plein gré » (14). Quant à Michel Jouon, il écrit :

> « L'enthousiasme qui avait présidé en Anjou à la création des "milices nationales" d'abord, puis des "gardes nationales", et surtout à celle des fameux

---

(10) 1 L 578.
(11) Cf. la citation de Jacques GODECHOT, *supra*, « Introduction », p. 40.
(12) V. de SEILHAC, *Les bataillons de Volontaires de la Corrèze, 1791-1796 ...*, Tulle, 1882, 323 p.
L. JOUHAUD, « Les deux premiers bataillons de volontaires de la Haute-Vienne », p. 97-102 de l'ouvrage collectif *Limoges à travers les siècles*, Limoges, 1946.
P. GOSSET, *Les bataillons de Reims*, *op. cit.*
J. DELMAS, « Les volontaires nationaux du Cantal », *art. cit.*
P. BOISSONNADE, *Histoire des Volontaires de la Charente pendant la Révolution, 1791-1794*, Angoulême, 1890, 364 p.
S. CARNOT, *Les Volontaires de la Côte d'Or ...*, Dijon, 1906, 232 p.
J.-M. LEVY, *La formation de la première armée de la Révolution française. L'effort militaire et les levées d'hommes dans le département de l'Ain en 1791*, th. 3ᵉ cycle, Paris, 1971, XXI-376 p. dact. Une partie de cet ouvrage est reproduite dans « La levée du 2ᵉ bataillon de volontaires de l'Ain (2 décembre 1791) », dans *A.H.R.F.*, oct.-déc. 1973, p. 539-552.
(13) F. GRILLE, *Lettres, Mémoires et documents publiés (...) sur la formation, le personnel, l'esprit du 1ᵉʳ bataillon des Volontaires de Maine-et-Loire ...*, *op. cit.*, tome 1, p. 182.
(14) X. de PETIGNY, *Beaurepaire ...*, *op. cit.*, p. 2.

"Volontaires de 1789" va atteindre son apogée avec la levée des vrais "Volontaires nationaux", ceux de 1791. » (15)

Qui parcourt les documents originaux ne peut qu'approuver ces jugements. A peine l'Assemblée Nationale avait-elle décidé de mettre les gardes nationaux en activité que les plus ardents des patriotes angevins proposaient leurs bras. Le 22 juin, Henri de Perrochel, l'ancien abbé de Toussaint qui se trouvait alors à Paris, écrivait à un ami resté au pays :

« Je vous prie donc de me faire réserver une place de soldat dans les bataillons que vous allez former pour soutenir la cause commune, quand il sera temps, et à la première réquisition qui me sera faite, je vole rejoindre les étendarts (sic) de la Liberté. » (16)

Dès que la municipalité d'Angers eut connaissance du décret du 21 juin, elle ouvrit un registre destiné à recevoir les noms des gardes nationaux qui s'engageraient à « voler au secours des défenseurs de la patrie » (17). Le directoire départemental nomma trois commissaires puis, après avoir reçu le décret du 4 août, choisit pour chaque district des hommes chargés de se concerter avec les autorités locales et d'activer les inscriptions. Ce furent Ollivier pour le district de Saumur, Letourneux et Gaultier-Brûlon pour celui de Baugé, Fauchon à Châteauneuf-sur-Sarthe, Hamon à Segré, Gautret à Saint-Florent-le-Vieil, Maugars et Combault à Cholet, enfin Delorme à Vihiers qui s'ajoutèrent aux trois commissaires du district d'Angers, Guillier, Boulay et Pétrineau (18).

A vrai dire, l'engouement fut très inégal suivant les régions. Il fut général dans les trois districts de Baugé, Saumur et Angers, c'est-à-dire dans la moitié orientale du Maine-et-Loire. Le 29 juin, la municipalité de Baugé annonce qu'ella reçu déjà 54 enrôlements :

« notre jeunesse jalouse de donner des preuves de son attachement à notre sublime constitution, n'a pas plutôt (sic) appris les dangers où l'Empire est exposé, qu'elle s'est présentée en foule devant nous... » (19)

---

(15) A.G. Xw 59 M. Jouon, *Etude générale sur le recrutement des armées de la révolution dans le département de Maine-et-Loire ...*, *op. cit.*, f° 13 recto.

(16) *Journal du département de Maine-et-Loire par les Amis de la Constitution d'Angers*, n° 12, p. 443.

(17) Arch. mun. Angers H 3-61.

(18) Les commissaires étaient des administrateurs du Département ou des Districts : cf. 1 L 71 (procès-verbal des séances du directoire du Département du 13 et du 15 août 1791), et F. Grille, *op. cit.*, tome 1, p. 143.

Si l'on considère, comme Marcel Reinhard, que la brièveté du délai de réponse aux sollicitations de l'Assemblée est un premier indice du patriotisme des départements, alors le Maine-et-Loire se place aux tous premiers rangs du civisme (*La Chute de la Royauté*, *op. cit.*, p. 162).

(19) 1 L 581, lettre au Département. Faisons remarquer que la France de l'est ne fut pas la seule à montrer de l'empressement pour ouvrir des registres d'inscription (cf. J.-M. Lévy, *La formation ...*, *op. cit.*, p. 40).

A Beaufort, l'on a ouvert un registre peu de temps après le décret du 21 juin. A la date du 23 juillet, 80 volontaires se sont présentés. Même si 38 d'entre eux ont été refusés par défaut d'âge ou de taille, ce nombre forme une assez belle proportion par rapport au chiffre total des gardes nationaux évalué à 6 ou 700, « sans y comprendre les habitans de notre campagne qui n'en font le service » (20). Dans la commune de Mazé, toute proche, 180 hommes se sont offerts, à la date du 1er juillet : 79 célibataires et 101 hommes mariés (21).

Le district de Saumur manifeste un allant patriotique comparable à celui de Baugé. Le commissaire Ollivier peut écrire au Département, le 2 juillet :

> « Toute notre jeunesse est en alerte, et c'est à qui se fera inscrire pour figurer dans les rangs du bataillon de Maine-et-Loire. S'il était possible d'armer ici nos volontaires et de les organiser en compagnies sur les lieux-mêmes, je vous promettrais d'avoir bientôt en ligne et prêt à marcher un demi-bataillon, tout de Saumurois avec ses chefs et son drapeau... » (22).

Enthousiasme encore dans le district d'Angers, où les inscriptions sont surabondantes mais proviennent presque toutes des habitants du chef-lieu (23).

La situation est nettement moins favorable dans la partie occidentale du département. Au nord de la Loire, dans les districts de Châteauneuf-sur-Sarthe et de Segré, les clans patriote et aristocrate s'affrontent ouvertement. On s'en aperçoit à la lecture de la lettre écrite le 3 août par Fauchon, commissaire pour la région de Châteauneuf :

> « C'est demain jour de fête et de rassemblement ici et j'en profiterai pour parler et faire parler à bien du monde. Tous les maires seront pour nous, mais il faut bien ajouter que nous n'aurons pas tous les curés. Il y en a dans les environs de bien fanatiques. Les prêtres qui se cachent sont pis encore que ceux qui se montrent (...) je me flatte enfin que je vous enverrai de beaux et braves volontaires et en bon nombre ». (24)

Cet optimisme fort nuancé est partagé par Hamon qui a la charge du recrutement dans la circonscription de Segré :

> « Le district de Segré est, quoiqu'on ait pu craindre, patriote ; sa population est belliqueuse, et je suis sûr de vous envoyer de copieuses listes ; mais j'aurai pourtant, je ne me le dissimule pas, quelques luttes à soutenir contre certaines gens que je n'ai pas besoin de vous désigner davantage, et qui ne voient pas avec plaisir la révolution, la liberté et la marche nouvelle des affaires (...)

---

(20) 1 L 581, lettres de la municipalité, adressées sans doute au Département, datées des 11 et 23 juillet.
(21) Lettre de la municipalité à Letourneux, Gaultier — Brûlon, reproduite par F. GRILLE, *op. cit.*, tome I, p. 147-148.
(22) F. GRILLE, *op. cit.*, tome I, p. 148-149.
(23) *Ibid.*, p. 158.
(24) Lettre au Département reproduite par F. GRILLE, *op. cit.*, tome I, p. 152-153.

La superstition est, dans plus d'un canton, bien forte (...) A Chalain, Chazé, Andigné, Vern, Combrée, il y a de mauvaises têtes ; mais il y en a de bonnes à Candé, le Lion, Chambellay, Daon ; le chef-lieu est sûr ; les campagnes l'imiteront... » (25).

Au sud de la Loire, dans la région de Vihiers, à cheval sur le bocage armoricain et les « campagnes » saumuroises, la liste des volontaires adressée par Delorme au Département le 27 août est médiocre. Le commissaire tente de justifier la réserve de ce district :

« Le défaut de facultés plutôt que de patriotisme est sans doute la cause du petit nombre qu'il présente : j'avois jusqu'à présent mieux présumé de notre district et je crains bien qu'il ne figure pas dignement parmi les autres... » (26).

Ces explications ne nous convaincront point : la région de Vihiers n'est pas la plus pauvre du département. D'ailleurs, au cœur des Mauges, les districts de Saint-Florent-le-Vieil et de Cholet semblent encore plus mal disposés. Gautret, commissaire du roi auprès du tribunal de district de Saint-Florent séant à Beaupréau, est fort pessimiste sur le résultat de ses efforts :

« Je crois aussi, Messieurs, devoir vous prévenir qu'on n'est aucunement ici dans les bons principes, et qu'on trouvera difficilement des jeunes gens pour voler au secours de la patrie. On trouveroit bien encore quelques jeunes gens dans la classe peu aisée et proche de l'indigence ; mais ils sont détournés du voyage, par l'impuissance où il sont de se fournir les habillement, armement et équipement. Huit avoient fait leur soumission à la municipalité de Beaupréau, et ne veulent plus en tenir, parce que lorsqu'ils s'étoient soumis, ils avoient compté qu'on leur fourniroit le tout... »

Mis à part ces quelques mercenaires bien vite rebutés par les conditions d'engagement (27), on ne trouve dans ce pays « fanatique » au possible que de rares appuis, comme celui du curé de Notre-Dame de Beaupréau, Coquille d'Alleuds, la « bête noire » de la région, qui sollicita d'ailleurs lui-même, sans succès, son inscription dans les volontaires, peut-être pour fuir ses paroissiens autant que pour défendre la Révolution (28). Il y eut pourtant quelques exceptions à l'hostilité générale que rencontra le commissaire. C'est ainsi que cinq frères de la commune de Montrevault demandèrent et obtinrent leur engagement au premier bataillon : François, Jacques, Jean, Simon et Yves Lemonnier. Si l'on en croit François Grille, ils eurent les honneurs d'une affiche sur les murs d'Angers :

---

(25) Lettre au Département datée du 15 juillet, reproduite par F. GRILLE, op. cit., tome I, p. 152.
(26) 1 L 581.
(27) Dans la réponse qu'il adresse à Gautret, le Procureur Général Syndic l'encourage à remédier à la pauvreté des candidats par une souscription patriotique (1 L 125).
(28) La lettre de Gautret au Département, datée du 22 août, est conservée dans la liasse 1 L 581. Une autre partie de ce document très important a été reproduite dans Cl. PETITFRÈRE, Les Vendéens d'Anjou, op. cit., p. 184.

> « Cinq frères de la paroisse de Montrevault et sept jeunes gens de la petite
> commune de Trélazé, viennent de s'enrôler pour servir en qualité de
> volontaires (...) et vous ne rougiriez pas, jeunes fainéants des villes, d'une
> insouciance coupable... » (29).

Affiche calomnieuse, peut-être d'origine contre-révolutionnaire, car les
citadins furent en réalité beaucoup plus sensibles que les ruraux aux
sollicitations patriotiques !

En ce qui concerne, enfin, le district de Cholet, la situation est différente
dans les campagnes et les petites villes. Les premières sont totalement
réfractaires à l'appel aux armes, tandis que les secondes abritent une élite
révolutionnaire qui fournira quelques volontaires. C'est surtout le cas de
Cholet où cependant les patriotes ne tiennent pas à affaiblir exagérément
leur garde nationale, conscients du danger que représente leur isolement au
sein du bocage hostile. La municipalité justifie la relative médiocrité de son
effort par la nécessité d'assurer l'ordre non seulement dans son propre
district mais dans ceux de Vihiers et de Saint-Florent-le-Vieil (30). Même
problème pour la petite ville de Chemillé qui est environnée de communes
aristrocrates, à commencer par la plus proche, celle de Saint-Pierre-de-
Chemillé. A la date du 1er août, 20 jeunes gens se sont fait inscrire, « dont la
moitié au moins font la principale ressource de notre Milice ». Les
municipaux se lamentent :

> « Si nous étions obligé de fournir tout ce cottingent notre petite ville se
> trouverait dépourvue de secours ; les circonstances présentes demandent que
> nous soïons dans un état de défense bien actif (...) nous pensons, Messieurs,
> qu'en vous en donnant la moitié nous aurons beaucoup fait en comparaison des
> autres communes de notre canton qui ne fournissent rien, les officiers
> municipaux n'aiant pas même ouvert de registre à cet effet. » (31)

Si la réserve de Cholet et de Chemillé est surtout faite d'une prudence
qui nous apparaît, a posteriori, amplement justifiée, celle des campagnes
traduit une opposition réelle au régime. Les commissaires Maugars et
Combault écrivent le 10 septembre :

> « ... du côté de la Pommeraye et de Mortagne (traduisons dans l'ensemble des
> Mauges) on ne trouve plus guère que des oreilles fermées et des cœurs bien
> froids pour nos idées ». (32)

Pour accélérer l'enrôlement, le Département fait imprimer une

---

Sur le curé Coquille, cf. F. GRILLE, *op. cit.*, tome I, p. 177-178 et tome III, p. 39.
(29) F. GRILLE, *op. cit.*, tome I, p. 169.
(30) 1 L 581, lettre au Département datée du 26 juillet 1791.
(31) Lettre au Département datée du 1er août (1 L 581). Le 11 août la municipalité de
Chemillé s'excuse à nouveau du petit nombre de ses volontaires, qu'on paraît lui reprocher. Elle
fait remarquer que la commune de Saint-Pierre, pourtant bien plus peuplée, semble ne vouloir
fournir aucun volontaire.
Sur l'attitude contre-révolutionnaire de Saint-Pierre de Chemillé, cf. *supra*, p. 123-124.
(32) F. GRILLE, *op. cit.*, tome I, p. 157.

exhortation en tête de la brochure, datée du 15 août, par laquelle il fait connaître aux Districts et municipalités le décret du 4 et le règlement du 5. Cette harangue rappelle l'exemple que l'Anjou (mais il eût mieux valu écrire Angers...) donna à la France en participant à l'une des premières fédérations provinciales, celle de Pontivy, et excite les ardeurs patriotiques pour confondre les « anti-révolutionnaires » qui « attribuent à votre indifférence la lenteur avec laquelle se forment nos bataillons... » (33).

Ces mots durent sembler bien injustes aux habitants d'Angers, à ceux des districts de Baugé et de Saumur, mais ils ne leur étaient pas destinés. La seule lecture de la correspondance des commissaires pour le recrutement nous a persuadé que la partition politique du département, celle qui éclatera dans le déchirement sanglant de mars 1793, celle qui ressort de la distribution géographique des gardes nationales de 1792, existe déjà en 1791 (34). La carte détaillée des engagements, commune par commune, nous permettra de le vérifier avec précision dans le prochain chapitre. Toutefois, si l'on considère l'ensemble du Maine-et-Loire, on peut affirmer sans crainte d'erreur que la levée fut un grand succès. Le Département avait eu tort de parler de lenteur : ses prévisions furent totalement dépassées. Ayant fixé au 14 septembre la date du rassemblement de tous les volontaires au chef-lieu, il demanda au District d'Angers de prévoir le logement de 360 à 380 gardes nationaux de la « campagne » (35). Or, il en vint le double. « Ceux du Bataillon et ceux qui n'en pouvaient encore être affluaient ensemble dans la ville et demandaient l'étape comme si déjà ils avaient eu le sac sur le dos » (36). Aussi, lorsqu'arriva pour passer la revue de constitution l'adjudant-général de Vannoise, délégué par le lieutenant-général de Chabrillant comandant la division, il fut tout surpris « de se trouver en présence de plus de 2 000 hommes inscrits et tous prêts à partir, au lieu des 574 recrues demandées » (37). Pourtant, il y avait bien quelques absents parmi ceux qui avaient fait porter leur nom sur les registres des municipalités. La mort avait déjà frappé deux jeunes gens : Claude Canin, voiturier de Chalonnes et Pierre Davau, un mineur de Saint-Aubin-de-Luigné qui s'était noyé. D'autres volontaires de la première heure s'étaient éloignés à cause des nécessités du métier ou d'affaires de famille. François Leroy, qui se parait du titre de « vainqueur de la Bastille » avait quitté Angers « faute d'ouvrage pour Combray (sic) près Segré ». François Bossière avait gagné Nantes pour la même raison. Auguste Bouchard, élève en chirurgie, s'était embarqué pour l'Amérique. Quelques-uns, originaires de provinces étrangères, avaient regagné leur pays natal ou étaient sur le point de le faire : le Poitevin Guy Richardière, le Breton Joseph Montault, le Languedocien Jean-Pierre Serre.

---

(33) 1 L 578.
(34) Cf. *supra*, p. 134.
(35) 1 L 125, circulaire du Procureur Général Syndic aux huit Districts et lettre du 13 septembre au District d'Angers.
(36) F. GRILLE, *op. cit.*, tome I, p. 182.
(37) *Les Affiches d'Angers*, n° du 17 septembre 1791.
    Il faudrait ajouter le Maine-et-Loire à la liste des départements qui ont fourni (ou plus exactement auraient pu fournir) plus de volontaires qu'on ne leur demandait. (cf. M. REINHARD, *La Chute de la Royauté*, *op. cit.*, p. 163).

Un petit nombre d'hommes avaient changé d'avis depuis leur inscription. Mathurin Ciret « par réflexion est allé dans les auxilliaires », imité par Michel Chapron, Jean Deschamps, Jean Touchet et Joseph Vaugoyeau. Benjamin Chevalier, un marchand faïencier de 39 ans, avait dû regretter son premier mouvement de générosité. Il vint préciser qu'il ne partirait « quand cas de disette (sic) ». Certains avaient posé des conditions impératives à leur incorporation. Ainsi Claude Bachelier, Louis Bretault, Nicolas Laroche, René Legrout et François Moulard-Desloges, tous chirurgiens ou élèves chirurgiens, guignaient la place de chirurgien-major du bataillon (ou, pour le dernier, un poste d'aide chirurgien). Leur demande rejetée, ils préférèrent rester chez eux. Enfin, un apprenti poëlier de 18 ans, François Cosnard, se heurta à l'opposition de son patron. On lit en marge de son engagement : « son bourgeois luy fait des difficultez, comme ayant tous ces garcons enregistré, et voudroit obliger ce jeune et beau jeune homme à rester » (38).

Au total, les défections furent malgré tout bien peu nombreuses et le directoire dut opérer une sélection autoritaire parmi les gardes nationaux qui avaient envahi Angers. Sur quels critères fonda-t-il son choix ? On s'efforça, semble-t-il de ne pas affaiblir inconsidérément l'activité économique de certains artisans ou commerçants. Ainsi un boucher de la rue de la Croix-Blanche nommé Jean Garciau risquait de perdre à la fois son fils, Jean, et son garçon François Gaultier. Le fils fit observer qu'il ne pouvait partir que si le garçon restait à la boucherie. On l'incorpora donc dans la 6ᵉ compagnie et on laissa le commis (39). A l'inverse, le Département n'hésita pas à incorporer les 5 frères Lemonnier, de Montrevault (40). Une malformation, une mauvaise santé furent un fréquent motif de rejet. Par exemple furent laissés pour compte Antoine Cosnard qui était épileptique, Louis Bénestreau qui avait un bras plus court que l'autre, René Courbalay dont le petit doigt de la main droite était paralysé. On élimina un bossu, deux boiteux, un sourd, quatre hommes qui avaient une mauvaise vue, un garçon qui avait mal à la tête depuis 8 ans, un autre qui avait la « tête remuante » (41). On accepta toutefois au bataillon quelques jeunes gens qui n'y avaient manifestement pas leur place : par exemple Maxime Stenclmi, un créole qui fut incorporé dans la 4ᵉ compagnie en même temps que son frère Stanislas Anthime bien qu'il souffrît d'épilepsie (42). Furent également incorporés Antoine Fouquet, un étudiant en droit pourtant jugé « maladif », François Denain, maçon tailleur de pierre en Bressigny qui souffrait d'« une

---

(38) 1 L 590 bis.
(39) 1 L 590 bis.
(40) Leurs noms figurent, en effet, dans le contrôle 1 L 582.
(41) 1 L 590 bis.
(42) 1 L 582 et 1 L 590 bis. Nous ignorons si Maxime Stenclmi (ou Milscent) dont le nom est porté sur le contrôle établi au début de 1792 (1 L 582) est resté longtemps au bataillon. Toujours est-il qu'il ne figure pas dans le contrôle de l'an III (A.G., contrôle du premier bataillon de Mayenne-et-Loire, non côté) contrairement à son frère. Ces deux jeunes gens étaient les fils naturels de Louis-Ambroise Milscent, créole de Saint-Domingue, et de Françoise Stenclmi (anagramme de Milscent), « négresse du même lieu ». (1 L 590 bis). La famille Milscent, riche propriétaire aux Antilles, était fort connue en Anjou, sa province d'origine. Elle donna au Maine-et-Loire un député à la Constituante, Marie-Joseph Milscent, sans doute l'oncle des volontaires. (Célestin Port, *Dictionnaire ..., op. cit.*).

espèce de cataratte (sic) à l'œil qui l'empêch(ait) de voir » et même Jacques Trouvé, cuisinier de la Boule d'Or à Angers, qui était borgne (43). Les administrateurs départementaux écartèrent quelques individus qui leur semblaient atteints d'un vice incurable ou dont la moralité était douteuse. Joseph Pagesse, garçon contelier, était si malpropre qu'il ne fut pas jugé digne de figurer dans le « bataillon doré » que l'on était en train d'organiser, non plus que Pierre Leclair qui avait « l'air imbécile et indécis », Nicolas Allouin qui paraissait « être yvrogne tel qu'il s'est présenté » ou encore Jacques Leduc, un ancien galérien. On élimina aussi des hommes qui, de toute évidence, s'étaient engagés moins par patriotisme que poussés par le besoin, tels Jean Belouin, journalier tisserand de la vallée Saint-Samson qui désirait partir « comme manquant d'ouvrage » ou René Bretais, garçon tourneur, qui semblait « gesné et sur le point de manquer d'ouvrage ». Ce ne fut pas une règle absolue : on incorpora à la 6ᵉ compagnie Victor Bréhéret, journalier et serger à Angers, et pourtant lui aussi s'était présenté à la municipalité « comme manquant d'ouvrage » (44).

Les opinions politiques furent sans doute un des critères de sélection. Nombre d'enrôlés au premier bataillon avaient fait partie des volontaires de 1789 qui rassemblaient l'élite patriote de la jeunesse, à Angers, comme à Saumur : Alexandre Lehoreau, François Pasqueraye, Henri Delaâge, Charles Deguay, Louis Lemoine, Louis Dovalle, pour n'en citer que quelques-uns (45). A l'inverse, on ne voulut pas se priver d'hommes jugés indispensables à la Révolution sur le plan local comme Jean-Baptiste Maillocheau, étudiant en médecine, membre éminent des « Amis de la Constitution », Jean-Baptiste Cordier, son condisciple, une autre tête pensante de la jeunesse angevine qui partira finalement avec le 3ᵉ bataillon en 1792 (46), Michel-Louis Talot lieutenant de la garde nationale d'Angers (47), ou, bien sûr, Pierre-René Choudieu, le fondateur des volontaires de 1789 qui venait d'être élu député à l'Assemblée Législative (48). Ces hommes, bien

---

(43) 1 L 590 bis.
(44) 1 L 590 bis.
(45) Cf. *supra*, p. 60 sq.
Sur la filiation des volontaires de 1789 à ceux de 1791, cf. notre article : « La jeunesse angevine et les débuts de la Révolution française », *art. cit.*,
(46) 1 L 590 bis. Cf. *supra*, p. 64.
(47) Michel-Louis Talot, fils d'un marchand-cirier de Cholet où il était né le 22 août 1755, était avoué à Angers. « Instruit, laborieux, de parole vive et animée, écrit de lui Célestin Port, il s'était fait une position enviée qu'il sacrifia aux devoirs publics ». Il fit ses premières armes dans la garde nationale d'Angers dont il parcourut les échelons hiérarchiques jusqu'à celui de chef de bataillon de l'artillerie (mai 1792). Au moment de l'insurrection vendéenne, alors qu'il venait d'être élu membre du conseil général du département, il accepta de commander en second une des premières armées destinées à combattre les rebelles. Ses faits d'armes lui valurent le brevet d'adjudant-général chef de bataillon (septembre 1793). Elu suppléant à la Convention, il fut appelé à siéger en août 1793 et devint durant 10 mois secrétaire au Comité de la Guerre. Par la suite il sera élu au Conseil des Cinq Cents, s'opposera le 18 brumaire ce qui lui vaudra bien des démêlés avec Bonaparte, la prison, la déportation à l'île de Ré, sa mise à l'écart de l'armée jusqu'en 1819, année où il fut rappelé au service, mais ne put reprendre de l'activité en raison de son état de santé. Il mourut à Cholet en 1828. (1 L 590 bis, Arch. mun. Angers H 3-61, C. PORT, *Dictionnaire ...*, *op. cit.*). Son frère Martial fut incorporé au premier bataillon de Maine-et-Loire (1 L 582, 1 L 590 bis).
(48) Sur Choudieu, cf. *supra*, p. 65.

que « brullant de partir (sic) », furent soigneusement tenus en réserve. C'est sans doute pour des raisons diamétralement opposées que furent écartés les nobles Jean-Louis de Domaigné, le futur chef vendéen, ou Hypolite de Sanglier, à moins qu'ils ne soient revenus d'eux-mêmes sur leur décision (49). On préféra également se passer de l'aide de quelques nouveaux arrivés en Anjou dont le temps de résidence ne permettait pas de tester la fidélité au régime, comme Pierre Ribereau des Prés, garçon coutelier né à Thouars qui n'habitait Angers que depuis deux mois et était considéré pour cela comme « suspect » ou Jean-Baptiste Merché, un serrurier originaire de Langres dont le signalement est suivi de la mention « douteux vue (sic) le peu de temps de résidence » (50).

Une mauvaise santé, une moralité incertaine, un engouement patriotique trop faible ou au contraire un engagement éminent au service de la Révolution, les nécessités de l'économie, furent-ils les seuls motifs pour lesquels le directoire écarta du bataillon en formation des candidats de la première heure ? Bien d'autres critères de sélection ont pu être utilisés, sciemment ou non : l'âge, la taille, le métier, l'instruction, la richesse, l'origine géographique liée au souci de doser la représentation des districts. L'analyse sociologique comparative que nous mènerons dans les prochains chapitres, permettra de déceler dans quelle mesure ces critères furent employés par les administrateurs. Il faut préciser que certains laissés pour compte de l'été 1791 réussiront à se faire incorporer plus tard. Nous avons déjà cité le cas de Jean-Baptiste Cordier engagé dans le 3e bataillon. D'autres, comme lui, entreront dans une des deux unités formées au cours de l'été 1792, par exemple Louis Battais, Charles Boissière, Pierre Guyard, Louis Guertin, Jean Gauttier (51).

Près des 3/4 des jeunes gens qui s'étaient portés volontaires depuis le mois de juin auraient donc été déçus dans leurs espérances de faire partie du bataillon si l'on accepte le chiffre de 2 000 hommes avancé par les *Affiches d'Angers* (52). Mais ce nombre est sans doute largement exagéré : dans les divers documents que nous avons utilisés nous avons rencontré 1 347 volontaires dont 577 furent enrôlés à la formation du bataillon (53). Même si quelques gardes nationaux ont pu échapper à notre recherche, ce sont des chiffres que l'on peut tenir pour quasi certains. Les « élus » de septembre 1791 représentent donc moins de 43 % des gardes nationaux qui s'étaient fait inscrire sur les registres à partir du mois de juin. On comprend qu'ils aient eu l'impression d'appartenir à une élite.

---

(49) Jean-Louis de Domaigné, commandant de la garde nationale de Joué, figure sur la liste des gardes nationaux qui se sont engagés à « voler au secours des défenseurs de la patrie » en conséquence du décret du 21 juin 1791 (Arch. mun. Angers, H 3-61).

Quant à Hypolite de Sanglier, il s'est enrôlé à Saumur, où il habitait, le 1er juillet 1791 mais une mention marginale postérieure nous apprend qu'il a émigré (Arch. mun. Saumur H I 74 (1))

Le frère d'Hypolite, Désiré Sanglier de La Noblaye, né à Saumur en 1743, retiré à Antibes avec la croix de chevalier de Saint-Louis, fut élu lieutenant-colonel du 2e bataillon du Var en 1791 (G. Carrot, *La Garde Nationale de Grasse ...*, *op. cit.*, p. 159).

(50) 1 L 590 bis.

(51) 1 L 590 bis, 1 L 589 bis et 1 L 595.

(52) Cf. *supra*, p. 157.

(53) 1 L 590 bis, 1 L 582, Arch. mun. Angers H 3-61, Arch. mun. Saumur, H I-74 (1).

2. - L'organisation du premier bataillon de Mayenne-et-Loire

L'adjudant-général de Vannoise passa une première revue le 15 septembre. Ce « ci-devant » plein de morgue s'attira l'inimitié des jeunes bourgeois, humiliés d'être traités comme des soudards. Comme il faisait aligner les hommes du bout de sa canne, il eut une algarade avec Henri Delaâge qu'il avait poussé un peu rudement (54). Puis notre aristocrate trouva que le drap des habits était trop fin « pour des *soldats nationaux* ». Enfin, prétextant que le règlement n'avait pas été observé car les volontaires portaient des parements blancs et non rouges, il partit sans avoir passé la revue de constitution. Les fameux parements ayant été changés, de Vannoise revint le 22 mais la réception officielle du bataillon ne se déroula que quatre jours plus tard (55).

Entre temps avait eu lieu l'élection des gradés. Le 15 septembre, les commissaires nommés par le Département, Drouet et Hamon, firent assembler les hommes en huit compagnies et, conformément au décret du 4 août, choisirent dans chacune de ces unités huit volontaires de haute taille pour constituer la compagnie des grenadiers. On passa ensuite au scrutin pour désigner le premier lieutenant colonel. Du « vase » où avaient été déposés les bulletins, le nom de Nicolas Beaurepaire sortit 409 fois alors qu'il y avait eu 560 votants. Ce choix a quelque chose d'étonnant au premier abord (56). Beaurepaire n'était pas un Angevin de souche. Issu d'une famille de la petite bourgeoisie briarde (son père était marchand épicier et échevin à Coulommiers), il s'était attaché à l'Anjou à la suite de son mariage célébré à Joué le 19 août 1776 avec Marianne Banchereau Dutail, fille d'un négociant. En l'occurrence, on peut se demander si le fait que Beaurepaire fût, par sa naissance étranger au département, et par sa résidence un homme de la « campagne » puisqu'il s'était fixé à Joué, ne facilita pas sa promotion en conciliant sur son nom les voix des volontaires d'Angers et de Saumur que les jalousies de clocher déchiraient. Mais le nouveau commandant avait d'autres qualités aux yeux de ses hommes. C'était un vieux soldat et un bon patriote. Vieux soldat, il s'était engagé en 1757, à 17 ans, au régiment des carabiniers de Monsieur qu'il n'avait quitté par démission qu'en 1791 après 34 années de service (57). Bon patriote, Beaurepaire avait accueilli favorablement la

---

(54) Henri-Pierre Delaâge était né le 23 janvier 1766. Surnuméraire dans les Domaines, puis commis au Département, il avait servi dans les volontaires de 1789 comme sergent puis officier des canonniers (C. PORT, *Dictionnaire ...*, *op. cit.*). Il sera élu sous-lieutenant des grenadiers du premier bataillon. (Cf. *infra*, p. 193-194.)

(55) Ces péripéties sont contées dans une lettre de Bénaben, président des « Amis de la Constitution » à Choudieu député à la Législative, le 28 septembre. Ce document est reproduit par F. GRILLE, *op. cit.*, tome I, p. 204-208.

(56) Choudieu (*Mémoires et notes ...*, publiés par V. BARRUCAND, Paris, 1897, p. 181) affirme que ses camarades avaient voulu le nommer commandant mais qu'il déclina cette offre à cause de son inexpérience et désigna Beaurepaire comme le plus capable. En réalité, Choudieu briguait le mandat de député à la Législative où il fut élu à l'époque de l'organisation du bataillon.

(57) Engagé le 4 novembre 1757, Beaurepaire avait été successivement fourrier (1763), maréchal des logis (1765), porte-étendard (1768) sous-lieutenant (1773), sous aide-major (1774). Il s'était fait réformer en 1776 afin de pouvoir se marier. Replacé comme lieutenant en second 3

Révolution et il s'était inscrit dès 1789 dans la garde nationale de Joué-Etiau (58). Son élection fut donc la consécration de sa carrière militaire (peut-être cet homme de 51 ans fut-il heureux de saisir la chance que lui offrait le nouveau régime de dépasser le grade de capitaine avec lequel il avait quitté l'armée), elle fut aussi la récompense de ses choix politiques. La belle taille et l'allure martiale de Beaurepaire lui donnaient l'apparence d'un meneur d'hommes. Qu'en fut-il en réalité ? Il est certain que ses soldats l'aimèrent beaucoup, tant à cause de son courage personnel que de la douceur de la discipline qu'il leur imposa. Ses lettres nous montrent un commandant bonhomme surtout préoccupé du bien-être de sa troupe. Au total une personnalité assez commune dont il est difficile d'évaluer vraiment les qualités militaires à cause de sa disparition trop rapide. La mort énigmatique de Beaurepaire à Verdun, le fait que, suicidé ou assassiné, il ait donné sa vie pour la Révolution et la patrie, en firent un héros de légende et il est difficile de savoir dans quelle mesure l'homme s'identifiait au mythe qui lui a survécu (59).

Beaurepaire fut le seul officier désigné le 15 septembre. Les élections, interrompues par la nuit, reprirent le lendemain dès 7 heures du matin. Il s'agissait d'abord de choisir le second lieutenant-colonel. Cette fois, ce fut un Saumurois qui l'emporta, Louis Lemoine, mais il ne réunit sur son nom que 222 des 436 votants, c'est dire les réticences de beaucoup d'Angevins à l'égard du représentant de la cité ligérienne ! Lemoine avait pour lui la jeunesse. Il était né à Saumur le 23 novembre 1764 et avait par conséquent moins de 27 ans. Le registre d'engagement de la municipalité de sa ville natale le dépeint comme un homme de taille moyenne (5 pieds 4 pouces soit 1,73 m environ), blond aux yeux bleus, le nez bien fait, la bouche grande avec une cicatrice à la lèvre supérieure, le menton rond. Fils d'un marchand tonnelier, il avait reçu une instruction plus solide que celle de Beaurepaire comme le prouvent ses lettres. Il avait déjà, lui aussi, une certaine expérience militaire, ayant servi comme soldat puis sous-officier instructeur au régiment de Brie-Infanterie de 1783 à 1791. Courageux et patriote comme son chef, il se révélera, par contre, tâtillon sur le règlement. « Sa nature dure et peu conciliante, écrit Célestin Port, sa raideur inflexible, alliée à un ton de vantardise, le laissaient sans ascendant et sans sympathie sur ses jeunes compagnons d'armes, mal rompus encore à la discipline, et ses lettres témoignent combien il en souffrait... » (60).

ans plus tard, il fut nommé lieutenant en premier (1784), avec rang de capitaine (1786), reçut la croix de Saint-Louis (1er novembre 1789) et se retira avec pension le 14 mai 1791. (d'après l'état conservé aux Archives Administratives des A.G. reproduit par E. PIONNIER, *Essai sur l'histoire de la Révolution à Verdun (1789-1795)*, Nancy, 1905, p. 130).

(58) Cf. *supra*, p. 90.

(59) Sur Beaurepaire, outre le livre de X. de PÉTIGNY, (*Beaurepaire ..., op. cit.*), on peut consulter la fiche biographique établie par le fils du héros, Stanislas-Joseph (Bibl. mun. Angers, Ms 1779, liasse Bar-Ben) et l'article de C. PORT (*Dictionnaire ..., op. cit.*) qui contient toutefois quelques erreurs concernant les détails de ses services.
Les lettres de Beaurepaire sont conservées aux Arch. dép. dans la liasse 1 L 585 bis, son acte de mariage figure dans les registres paroissiaux de Joué (série E).

(60) C. PORT, *Dictionnaire.., op. cit.*
F. GRILLE, *op. cit.*, tome I, p. 215-216. 1 L 590 bis, Arch. mun. Saumur H I 74 (1).
Les lettres de Lemoine sont conservées dans la liasse 1 L 586.

Après l'élection des deux lieutenants-colonels eut lieu celle du quartier-maître. Alexandre Lehoreau fut désigné à la presque unanimité (434 voix sur 455). Né à Amiens 31 ans auparavant, il habitait chez sa mère rue des Poëliers à Angers. Son expérience de la comptabilité l'imposait pour ce poste. Il était en effet directeur de la Loterie et quartier-maître trésorier de la garde nationale. Plus petit que ses deux camarades (5 pieds 1 pouce 1/4 soit environ 1, 66 m) il avait les cheveux châtain foncé et les yeux roux, un visage rond marqué d'une légère petite vérole et balafré d'une courte cicatrice, un beau front, un nez aquilin, une petite bouche et un menton à fossette (61).

On n'alla pas plus loin dans la désignation des membres de l'état-major qui devait comprendre également, outre le tambour-maître et l'armurier, un adjudant-major et un adjudant-sous-officier. En effet ces deux derniers grades ne devaient pas être pourvus par l'élection mais par nomination à laquelle procéderait l'officier général lorsque le bataillon serait arrivé au lieu où devait commencer son activité militaire (62). L'on passa donc sans attendre, au sein de chaque compagnie, à la désignation des officiers, sous-officiers et caporaux. D'après le décret du 4 août, les gradés de compagnie devaient être, nous l'avons vu, au nombre de dix. Les volontaires citadins s'adjugèrent la part du lion, surtout ceux de Saumur et, plus encore, ceux d'Angers. On en jugera d'après l'origine géographique des 27 officiers : 18 résidaient à Angers et 7 à Saumur (63). Un autre habitait Cholet, Jacques Lebreton, commerçant et commis voyer au District, qui fut élu sous-lieutenant de la 5ᵉ compagnie (64). Un seul officier était domicilié à la campagne, Abel Guillot, marchand à Saint-Georges-sur-Loire ; encore était-il d'origine angevine, fils d'un coutelier de la rue Baudrière. L'élection du 16 septembre lui donna le commandement de la compagnie des grenadiers, avec le grade de capitaine. Nommé lieutenant-colonel en second après la mort de Beaurepaire, il succédera le 30 décembre 1793 à Louis Lemoine comme lieutenant-colonel en chef du bataillon (65).

Le 26 septembre eut enfin lieu la réception officielle de la nouvelle unité. De Jassaud, commissaire des guerres pour le Maine-et-Loire, présenta le bataillon à l'adjudant-général de Vannoise. Désormais les volontaires ne seraient plus à la charge du Département mais à celle du ministère de la Guerre (66). Mayenne-et-Loire était le premier bataillon formé dans la région (67).

---

(61) 1 L 590 bis et Arch. mun. Angers H 3-61.

(62) Le contrôle établi en 1792 (1 L 582) fait bien état d'un tambour-maître (Dolignac) et d'un armurier (Chevalier) mais il n'est encore question ni d'adjudant-sous-officier, ni d'adjudant-major. Cependant, Delaâge fut nommé adjudant-major sur la demande de Beaurepaire le 31 janvier 1792 (C. PORT, *Dictionnaire ..., op. cit.*).

(63) 1 L 579.

(64) 1 L 590 bis, et Arch. nat. AF II 382.

(65) 1 L 590 bis, A.G., contrôle du premier bataillon de Maine-et-Loire, C. PORT, *Dictionnaire ..., op. cit.*

(66) 1 L 580. Il y avait 567 présents le 26 septembre 1791, mais le contrôle de 1792, établi d'après un état de l'année précédente, mentionne 577 volontaires (1 L 582).

(67) A l'échelon national, Paris et les départements de l'Est furent les premiers à organiser leurs bataillons (J. GODECHOT, *Les Institutions ..., op. cit.*, 1968, p. 137). Par contre les départements de la moitié sud de la France furent généralement moins prompts. Le premier

Les habitants d'Angers s'étaient enthousiasmés à la mi-septembre à l'idée d'accueillir en leurs murs les futurs héros : « c'était à qui aurait chez soi pour le coucher, l'héberger et le faire boire, quelque brave du pays haut ou de la Galerne » (68). Mais la présence d'un demi-millier de jeunes oisifs devient vite pesante :

« Les jeunes gens n'étant point cazernés, écrit au ministre de la Guerre le procureur général syndic, et n'ayant pas grandes occupations, s'ennuient, se débauchent et consomment en dépenses frivoles et superflues des ressources que leurs parens leur avoient donné pour subvenir à leurs besoins. »

Des plaintes commencent à fuser des maisons qui, depuis 15 jours, logent les soldats étrangers à la ville. Quant aux volontaires citadins, résidant chez eux, ils sont vraiment peu accessibles à la discipline. Pour les uns et les autres il serait grand temps de partir. Le directoire sollicite du ministre un prochain ordre de route (69). L'ordre vint plus vite qu'on ne pouvait l'espérer : daté du 28 septembre, il croisa sans doute la requête des Angevins. Le bataillon devait se rendre à Nantes où le commandant de la 12e division lui donnerait sa destination ultérieure (70). Mayenne-et-Loire inaugurerait donc sa destinée militaire non pas aux frontières, mais dans des tâches peu glorieuses de maintien de l'ordre contre les « aristocrates » qui agitaient les campagnes nantaises (71). Le 1er octobre, le Département avertissait Dumouriez, commandant de la 12e division, que le bataillon quitterait Angers le 3 pour aller coucher à Ingrandes, qu'il serait le 4 au soir à Ancenis et le 5 à Nantes (72).

Le lundi 3 octobre, au petit matin, les volontaires s'assemblent sur la place des Halles. Après le salut des autorités, le bataillon s'ébranle vers les 7 heures. Il descend la rue des Poëliers, la rue Saint-Laud et, par la rue Bourgeoise (la future rue Beaurepaire), gagne la rue Saint-Nicolas et le faubourg Saint-Jacques. Une foule immense accompagne les nouveaux soldats jusqu'aux dernières maisons. Certains leur font même un bout de conduite   supplémentaire,   les   plus   courageux   jusqu'à   l'étape d'Ingrandes (73).

Le bataillon avait fière allure : rien de commun avec les volontaires en sabots que l'on vit parfois se diriger vers les frontières (74). Pourtant, on ne peut pas dire que nos soldats étaient pourvus de tout l'équipement

---

bataillon de l'Allier fut organisé le 7 octobre, celui de la Corrèze le 10, le premier bataillon de Marseille le 6 novembre, les premier et deuxième bataillons de la Charente le 30, le premier de la Haute-Garonne le 2 décembre (Lt-Cl DULAC, *Les levées départementales dans l'Allier sous la Révolution (1791-1796)*, Paris, 1911, p. XIII, V. de SEILHAC, *Les Bataillons de Volontaires de la Corrèze, op. cit.*, p. 9, S. VIALLA, *Les volontaires des Bouches-du-Rhône, op. cit.*, p. 61-62, P. BOISSONNADE, *Histoire des Volontaires de la Charente, op. cit.*, p. 19. Cl. PETITFRÈRE, *Le Général Dupuy et sa correspondance, 1792-1798*, Paris, 1962, p. 38).

(68) F. GRILLE, *op. cit.*, tome I, p. 182.
(69) 1 L 125, lettre du 26 septembre 1791.
(70) 1 L 578.
(71) F. GRILLE, *op. cit.*, tome I, p. 220.
(72) 1 L 125.
(73) F. GRILLE, *op. cit.*, tome I, p. 221.
(74) A. SOBOUL, *Les soldats de l'An II, op. cit.*, p. 72 et p. 153.

réglementaire, et de loin. On avait noté, par exemple, lors de la revue de formation, que, si tous les hommes avaient un fusil et une baïonnette, les officiers étaient pourvus d'épées fort disparates. Mais c'était surtout l'habillement qui laissait à désirer : c'est ainsi qu'il manquait aux volontaires quelque 200 culottes... (75). Le commandant Beaurepaire allait être, désormais, accaparé par les soucis d'intendance.

3. - Les problèmes d'habillement, d'équipement et d'armement

Selon le règlement du 5 août, chaque soldat devait être pourvu d'un fusil muni de sa baïonnette, et d'une giberne. Les sous-officiers avaient droit au port du sabre et les officiers de l'épée. L'uniforme comprenant l'habit, la veste et deux culottes, serait conforme au modèle adopté le 13 juillet 1791 par l'Assemblée Nationale. Le règlement décrivait avec minutie l'équipement, du bonnet de nuit aux deux paires de souliers, du tire-bourre au tourne-vis (76).

Les volontaires, nous l'avons dit, devaient s'habiller et s'équiper à leurs frais. C'était une lourde dépense qui découragea certains jeunes gens. Ainsi Charles Houssin dont l'engagement porte la mention : « ne peut se fournir d'habillement, rapport à sa famille qui luy refuse l'argent nécessaire » (77), ou encore Jean Pointeau, un sabotier qui « a fait beaucoup de difficulté. L'habit et l'argent le tient beaucoup (sic) ». On pourrait citer plusieurs autres exemples, comme celui des quatre jeunes gens de Cholet dont l'acte d'engagement est surchargé de la précision suivante : « ne partira point à moins que le Dépt. lui donne l'uniforme » (78).

La Constituante voulut atténuer ce handicap. Elle autorisa, le 4 septembre, les administrations départementales à pourvoir à l'habillement des plus pauvres. Les directoires dresseraient un état des besoins, feraient des adjudications, passeraient des marchés, à charge de se faire rembourser ultérieurement par des retenues sur la solde des volontaires. Le ministère ferait aux Départements des avances de fonds qui viendraient compléter les ressources que l'on tirerait d'éventuelles souscriptions patriotiques (79). Malgré tout, ce système restait fort peu démocratique puisqu'il pénalisait par une diminution de solde les volontaires qui n'avaient pu se vêtir, donc les moins fortunés. On comprend qu'il ait été l'objet de bien des récriminations.

Dans le Maine-et-Loire, plusieurs souscriptions furent ouvertes, par exemple à Cholet ou à Saumur (80). Une des Sociétés Populaires d'Angers, le « Club de l'Est », en lança une le 14 août et la municipalité fit placarder

---

(75) 1 L 580.
(76) 1 L 578.
(77) 1 L 590 bis. Charles Houssin était praticien, mais vivait avec sa mère, veuve d'un simple tailleur d'ardoise, dans le faubourg de la Madeleine à Angers. Il ne fut pas incorporé.
(78) 1 L 590 bis. Les quatre jeunes gens de Cholet étaient Armand Bidouel de profession inconnue, François et Gabriel Bonneau, l'un cordonnier, l'autre boucher, et Louis Griffon tisserand. Aucun de ces gardes nationaux ne fut enrôlé au premier bataillon.
(79) Le décret du 4 septembre figure au *Moniteur Universel*, n° 248 du 5 septembre 1791. On peut voir la circulaire du ministre Duportail aux directoires datée du 13 septembre, dans la liasse 1 L 578.
(80) Pour Cholet, voir F. GRILLE, *op. cit.*, tome I, p. 158. Pour Saumur, 7 L 192.

une affiche invitant les citoyens à se montrer généreux (81). Parmi les donateurs figurèrent notamment l'évêque constitutionnel Hugues Pelletier, ses vicaires épiscopaux et l'ancien député Marie-Joseph Milscent (82). Or, jamais les volontaires ne bénéficièrent de cet argent : ils réclamèrent en vain qu'il soit versé à la caisse de leur unité pour alléger les remboursements mensuels des soldats (83). En effet, l'on pensait au Département que le décret du 4 septembre avait résolu définitivement le problème de l'habillement. L'évêque et ses vicaires demandèrent que les dons, devenus sans objet, soient affectés au bureau de secours de la ville (84). Il y eut, au début de 1792, une assemblée des souscripteurs, les uns décidant de reprendre leur argent, les autres de le léguer au bureau de secours. On consulta même le ministre de la Guerre qui répondit qu'il fallait respecter la volonté des donateurs. L'affaire traînera en longueur : elle sera encore évoquée en l'an II ! (85).

Il faut dire que beaucoup de gardes nationaux, inscrits avant le décret du 4 septembre, s'étaient procuré l'uniforme par eux-mêmes. Nous en avons recensé 508 qui possédaient leur habillement en tout ou partie, ou bien avaient l'intention de s'habiller prochainement à leurs frais ou sur les deniers de quelque mécène. Cela représente à peu près 65 % des 776 volontaires dont la formule d'engagement est assez complète pour qu'on puisse espérer y voir figurer la mention « habit, veste et culotte » ou une autre similaire. Parmi eux, 470 possédaient l'habit, la veste et la culotte, 9 n'avaient que l'habit, 3 avaient une veste et une culotte, 2 l'habit et la veste, un dernier possédait un habit de tambour. En outre, 17 jeunes gens avaient l'intention de se vêtir à leurs frais et 6 devaient l'être par « Messieurs du Tribunal » d'Angers ou de Châteauneuf. Nous constatons d'autre part que 403 de ces 508 individus ont été effectivement enrôlés au bataillon tandis que 105 n'ont pas été pris. En d'autres termes, sur quelque 421 volontaires incorporés dont l'engagement est assez précis pour comporter la mention éventuelle de l'habillement, 403 avaient tout ou partie de leur uniforme soit plus de 95 %, alors que sur 355 gardes nationaux non incorporés pourvus d'un dossier assez complet, 105 seulement étaient habillés soit moins de 30 %. Donc, incontestablement, posséder un uniforme fut un des critères retenus par le directoire pour sélectionner les soldats du premier bataillon, ce qui revient à dire que l'on a préféré les riches aux pauvres.

---

(81) 1 L 584 et F. GRILLE, op. cit., tome I, p. 347.

Le Club de l'Est est ainsi dénommé par opposition au Club de l'Ouest créé dans la «Doutre» en mai 1791 (S. CHASSAGNE, dans Histoire d'Angers sous la direction de François LEBRUN, op. cit., p. 160).

(82) Marie-Joseph Milscent, né à Saulgé-L'Hôpital en 1752, ancien lieutenant particulier en la sénéchaussée et siège présidial d'Angers, député du Tiers aux Etats-Généraux, démissionna en juillet 1790. Il sera élu maire d'Angers le 10 décembre 1792 mais refusera cette charge. Il sera désigné en l'an IX pour siéger au Corps Législatif (C. PORT, Dictionnaire ..., op. cit.). Sur la famille Milscent, voir supra la note 42.

(83) 1 L 578, lettre au Département non datée.

(84) 1 L 584, lettre au Département, du 2 novembre 1791.

(85) Voir la lettre du 8 fructidor an II (25 août 1794) adressée par la municipalité à Maslin, le président temporaire du Département. Elle évoque le cas des donateurs qui ne se sont pas manifestés en 1792, ainsi Milscent qui réclama ses 300 livres (1 L 584).

Un assez petit nombre de volontaires étaient munis de leurs armes et de leur équipement à leur arrivée à Angers. Rappelons d'ailleurs que l'armement n'était pas à leur charge. Cependant, sur les 776 engagements considérés comme complets, 183 (soit 23 % environ), comportent la mention « fusil, sabre et giberne », ou bien indiquent la possession d'un ou deux de ces éléments. Parmi les gardes nationaux ainsi pourvus, 130 ont été incorporés au bataillon, ce qui donne une proportion d'à peu près 31 % par rapport aux 421 enrôlés dont l'engagement est assez explicite, et 53 ont été rejetés, c'est-à-dire moins de 15 % des 355 laissés pour compte dont les dossiers sont complets. Comme pour l'uniforme, la possession, au moins partielle, de l'armement a été un facteur de sélection, soit en elle-même, soit parce qu'elle traduisait l'appartenance à une classe sociale fortunée (86).

Pour compléter au plus vite l'habillement des hommes retenus pour servir au bataillon, le Département multiplia les commandes auprès des tailleurs, chapeliers, passementiers, cordonniers de toute l'agglomération angevine qui, aux dires de François Grille, travaillèrent jour et nuit (87). Cela revint à la coquette somme de 23 341 livres 6 sols 10 deniers que le ministère avança en quasi-totalité au Département, à charge de le rembourser pas les retenues appropriées sur la solde (88). Quant à l'armement, il semble avoir été entièrement fourni par le Département qui avait réservé 574 fusils sur la dotation de 1 480 dont l'avait gratifié le ministère (89). Cela n'empêcha point certains volontaires d'emmener les armes ouvragées qu'ils s'étaient fait fabriquer pour la circonstance (90). L'administration départementale fournit également les gibernes et différents accessoires de l'équipement. Elle commanda, par exemple, à un négociant de Niort nommé Champanois 531 gibernes avec leurs sangles, autant de bretelles de fusil, 127 baudriers et 9 colliers de tambour. Le tout arriva à Angers après le départ du bataillon... (91).

Malgré la louable activité du directoire, les volontaires n'étaient donc pas encore pourvus de tout le nécessaire quand ils quittèrent Angers. A la date du 29 novembre, les sous-officiers n'avaient toujours pas reçu leurs sabres. Nous avons déjà signalé, d'autre part, qu'il manquait au bataillon quelque 200 culottes. Le Département s'est chargé d'acheter du drap mais son choix est critiqué par le commandant. On a fait l'acquisition de tissu de deux qualités : une ordinaire, l'autre fort belle. S'il est possible d'utiliser le drap qui coûte 12 livres l'aune, on ne peut obliger les soldats à rembourser des culottes qui seraient taillées dans un tissu valant 20, 21 et même 22 livres

---

(86) Les renseignements concernant l'habillement et l'armement figurent dans 1 L 590 bis.

(87) F. Grille, *op. cit.*, tome I, p. 216.

(88) 1 L 125, lettres du directoire au ministre Duportail du 23 octobre et du 12 novembre 1791. Il est impossible de calculer le coût de l'habillement d'un volontaire du premier bataillon car nous ne savons pas quels éléments de l'uniforme ont été fournis à chaque homme. A titre d'exemple, signalons que les volontaires d'Ille-et-Vilaine ont été habillés et équipés au complet pour 114 livres 10 sols chacun (d'après la lettre de Beaurepaire datée du 29 novembre 1791, 1 L 585 bis).

(89) 1 L 147, lettre du Département au procureur syndic du district de Cholet, datée du 21 août 1791.

(90) F. Grille, *op. cit.*, tome I, p. 219.

(91) 1 L 584.

l'aune et qui reviendraient à 13 ou 14 livres chacune. On tâchera donc d'employer le drap de luxe pour les officiers et sous-officiers. Pour les hommes de troupe, Beaurepaire fait acheter du tissu plus commun avec lequel on pourra faire des culottes à 8 livres et quelques sols. En outre, il manque déjà une cinquantaine d'habits et, l'hiver passé, il faudra renouveler les autres qui sont pour l'heure « presque usé (sic) et hors d'état de faire la campagne ». Il faudra aussi 200 chapeaux et 400 tire-bourre (92).

A un pareil train, les retenues sur la solde risquent d'être énormes et l'inquiétude croît dans la troupe :

> « Les volontaires demande leur décompte à grand cri ce qui me force de vous rappeller d'envoyer sur le champ un commissaire afin d'aplanir toutte les difigulté. Je vous prévient au surplus messieurs que le retard de ce décompte peu causer une insurrection dans le Bataillon... » (93).

Or, la situation vestimentaire ne cesse de se dégrader. La lettre écrite le 29 janvier par Beaurepaire est alarmiste :

> « Je viens de passer dans les quartiers de Blain et Savenay où j'ay vû avec peine le mauvais état de notre habillement. Plusieurs habits trop étriqués sont déjà percé au coude. Les devant de veste et culotte de rat de castor sonts à remplacer en entier... »

Autre malchance : ni les vestes que les volontaires ont achetées eux-mêmes ni celles que le Département a fait confectionner ne comportent de manches. Il est pourtant indispensable que les hommes travaillent en veste pour épargner les habits. Il faudra donc adjoindre des manches postiches que l'on attachera avec un cordon ! ... Ce n'est pas tout : Beaurepaire se plaint encore des guêtres qui sont trop étroites ou trop larges et dont plus des 3/4 sont à racommoder. Le commandant est tout affligé.

> « Je ne puis vous rende combien il est désagrable de voir qu'un Bataillon qui auroit du être un des plus beaux de l'armée sera le plus mal tenu » (94).

Beaurepaire n'a pas exagéré. Lorsqu'arrive enfin, début février, le commissaire du Département si souvent réclamé, Hamon, il est stupéfait :

> ... « j'ai parcouru les compagnies du bataillon et j'ai vu du premier coup d'œil qu'il manquoit presque de tout. 120 habits autant de vestes, 400 culottes 200 chapaux 200 paires de manches de vestes 500 tire bourre et balle 150 bonets de police sont absolument nécessaires sans quoi il leur est impossible de faire la campagne... » (95).

---

(92) 1 L 585 bis, lettres de Beaurepaire datées de Guérande le 29 novembre et le 15 décembre 1791.

(93) 1 L 585 bis, lettre de Beaurepaire datée de Guérande le 7 janvier 1792. Il y eut également des mouvements de mauvaise humeur causés par la retenue sur la solde pour l'habillement dans d'autres unités, tel le 3ᵉ bataillon des Basses-Alpes (C. CAUVIN, *Etudes sur la Révolution dans les Basses-Alpes* ... Digne, 1908, p. 9).

(94) 1 L 585 bis.

(95) 1 L 583 bis, lettre de Guérande datée du 5 février 1792.

Quand, au printemps, le bataillon fera mouvement vers la Lorraine, les hommes ne seront pas encore habillés au complet. Dans la lettre qu'adresse Beaurepaire au Département le 11 mai depuis Alençon où les volontaires sont de passage, il annonce qu'il traitera un marché pour les chapeaux à son arrivée à Verdun. Parvenu dans cette ville, il écrit, le 3 juin :

> « Je vous prie de faire dire au Sr Goulet culottier que nous avons absolument besoin des 150 culotte qu'il nous avaient promis pour le 15 may. Plusieurs de nos volontaire nonts que des pantalonne que je leur ay fait faire par nécessité. »

Jusque dans sa dernière lettre, datée du 20 août, le lieutenant-colonel réclamera sans relâche tantôt des vestes, tantôt des culottes, ou des chapeaux, ou encore de l'argent pour payer les fournitures (96). Ce n'est d'ailleurs que le 18 août que le quartier-maître, Alexandre Lehoreau, put adresser au procureur général syndic les états des retenues pour habillement exercées sur les soldes des volontaires durant le dernier trimestre 1791 et le premier trimestre 1792 (97). Il est certain que le système adopté le 4 septembre par la Constituante était mauvais à tous points de vue. Peu démocratique, il avait en outre l'inconvénient d'être fort compliqué et long à mettre en œuvre.

Concurremment avec ces problèmes matériels, un autre souci avait préoccupé le commandant et les autorités départementales depuis l'automne : la nécessité de pourvoir au remplacement des premiers déserteurs et surtout de compléter le bataillon à 800 hommes conformément au décret du 5 mai 1792.

4. - Les problèmes d'effectif ;
le complément du premier bataillon à 800 hommes

Dans sa lettre du 5 février, le commissaire Hamon écrivait après l'inspection du bataillon :

> ... « j'ai été on ne peut plus surpris du bon maintien et de l'ordre qui y reigne (...) monsieur de Baurepaire excelent militaire est on ne peut plus respecté par ses subordonnés... » (98).

Pourtant, dès le début, les hommes en prirent à leur aise avec la discipline. Point rares furent ceux qui abandonnèrent leur drapeau sans congé ou négligèrent de rejoindre leur corps, le congé terminé. Il est vrai que cela ne devait pas sembler trop grave à des citoyens qui servaient de leur plein gré, fiers de leur qualité d'hommes libres. Mais pour Beaurepaire, les désertions et les départs légaux furent un véritable casse-tête.

---

(96) 1 L 585 bis.
(97) 1 L 587.
(98) 1 L 583 bis. Remarquons la particule devant le nom de Beaurepaire. Le futur commandant du premier bataillon avait signé de cette façon son acte de mariage. Petite faiblesse de roturier ... (X. de PÉTIGNY, *Beaurepaire ..., op. cit.*, p. 3).

Dès le 10 octobre, le commandant signale un vide au bataillon, mais il est dû à la mort qui a frappé un Angevin de 21 ans, Pierre Tripier, commis au District. Nous ne connaissons pas les causes de ce drame mais savons que le malheureux Tripier fut immédiatement remplacé par un Saumurois qui avait suivi le bataillon en surnombre. A partir de ce moment, pratiquement toutes les lettres du lieutenant-colonel feront état de désertions. Le 4 novembre, il mentionne, outre le renvoi d'un épileptique, Jacques Letheule de Segré, la fugue de 4 hommes. L'un des déserteurs est le jeune Bourlat de Montreuil-Bellay. Son père qui s'était engagé avec lui a quitté à son tour le bataillon sous prétexte d'aller chercher son fils, mais en réalité ni l'un ni l'autre ne reparaîtront. Le 21 novembre, Beaurepaire annonce un nouveau départ, celui d'un homme marié de Saumur, Jean Chasle. Le 29, il réclame un volontaire, non pour remplacer un déserteur cette fois, mais pour combler le vide laissé par Philippe Salmon qui vient d'être nommé chirurgien-major du bataillon, place qui n'était pas encore pourvue (99). Par la lettre du 15 décembre nous apprenons que les frères Latour, Dominique et Julien, ont obtenu un congé d'un mois pour aller recueillir une succession en Amérique ! Beaurepaire n'est pas dupe : «il ne reviendrons (sic) plus au bataillon» écrit-il. Ce n'est pas tout : il faut aussi prévoir le départ de Pierre Gilbert, un perruquier d'Angers qui a manifesté son intention de revenir à la vie civile, ainsi que celui d'une vingtaine de volontaires qui désirent passer dans la Ligne ou à la Maison du Roi (100). Bientôt c'est François Turpin, ancien commis au District de Segré, qui abandonne l'armée pour le séminaire. Il a fourni un homme de remplacement que Beaurepaire accepte à condition que Turpin l'habille à ses frais. «D'après cela, ajoute le commandant, vous pouvez suivre votre vocation dems l'état éclésiastique. Je suis persuadé que vous ferez un bon Prestre. Nous en avons besoin car il n'y en a que trop de mauvais.» (101)

Au total, le déficit se monterait à une dizaine d'hommes au début de l'année 1792 (102), mais les doléances se poursuivent tout au long de la correspondance de Beaurepaire. C'est Dubateau-Fontaine qui n'a pas rejoint à la suite d'une permission mais qui, finalement, obtiendra un congé en règle... pour se marier, c'est le tambour-major Dolignac qui s'octroie indûment des jours de repos supplémentaires, ce sont quatre volontaires qui ne rejoignent pas la Bretagne après leur permission... (103).

Malgré les recrues qui arrivent de temps à autre au bataillon, il continue à manquer en permanence environ 10 hommes. Afin de pourvoir au complément, Drouet, nouveau commissaire des guerres du Maine-et-Loire, autorise le sergent François Lizée, de la première compagnie, à recruter

---

(99) Sur Philippe Salmon, cf. *supra*, p. 63 et *infra*, p. 194.

(100) Toutes ces lettres sont contenues dans la liasse 1 L 585 bis.

(101) 1 L 585 bis, lettre du 4 janvier 1792 adressée par Beaurepaire à Turpin, volontaire, chez son frère lui-même curé de Challain.

(102) 1 L 585 bis, lettre du 7 janvier.

(103) 1 L 585 bis, successivement lettres des 22 janvier, 1er et 12 février. Joseph Dubateau-Fontaine, sergent à la 3e Cie, s'engagera de nouveau le 29 juillet 1792 et sera élu capitaine au 2e bataillon. Quant au tambour-major Dolignac, il a dû finalement rejoindre car son nom ne figure pas dans l'état des absents daté du 9 mars.

pendant ses congés. A son tour Lizée donne une commission à son compatriote de Saumur Pascal Baudouin, volontaire de la 2ᵉ compagnie, qui engage effectivement sept jeunes Saumurois auxquels s'ajoutent un homme originaire de Châtellerault, un autre de Saint-Jean d'Angély et un troisième de Soissons. Ces volontaires ont été enregistrés par le District de Saumur qui a offert à chacun une prime de 4 livres 10 sols pour rejoindre le bataillon (104). Beaurepaire refuse ces recrues et fait connaître ses raisons au Département et au District de Saumur. Sur ces dix hommes, huit ont moins de cinq pieds, plusieurs n'ont même pas la force de porter un fusil, mais surtout ces volontaires n'ont pas été engagés conformément au règlement du 5 août dont l'article 10 précise que le commandant du bataillon devra adresser sa demande d'hommes de complément à l'officier général de la division qui la transmettra au Département. C'est d'ailleurs ce qu'a fait Beaurepaire qui a réclamé six recrues à Dumouriez (105).

Dans le fond, ce qui fait problème, c'est la prime qui a été octroyée à ces dix hommes. Pour la première fois on a imité le racolage de l'Ancien Régime, ce qui attire au District de Saumur les reproches des administrateurs départementaux :

> « il se présente au Département assés de jeunes gens de Bonne Volonté, sans être obligé de recourir à un mode d'engagement qui pourroit effrayer les citoyens... » (106).

En effet, le recrutement ne semblait pas près de tarir, du moins dans les zones « patriotes » du Maine-et-Loire. Un citoyen de Baugé n'écrivait-il pas le 2 mars 1792 :

> « Le recrutement se fait ici avec le plus grand succès. L'empressement à s'enrôler est au-delà de toute espérance. Ceux qui n'avaient pas la taille imaginaient toutes sortes de ruses pour paraître l'avoir, ou invoquaient la protection de ceux qu'ils croyaient pouvoir les servir. Refusés, il se retiraient désespérés et en pleurant. Il en est déjà parti deux cent trente-deux et on espère compléter le nombre de trois cents. Les municipalités, avec les fifres et les tambours, conduisaient les détachements des divers cantons. Les pères portaient les sacs de leurs enfants. Tous étaient dans la joie. La ville, dont la population n'est que de trois à quatre mille âmes, qui avait déjà fourni quinze volontaires et quinze dragons, a encore donné cent hommes » (107).

Le 9 mars, Beaurepaire adresse au Département l'état récapitulatif des mutations depuis la formation du bataillon jusqu'au 1ᵉʳ mars. Il y a eu 34 départs et 25 arrivées, d'où un déficit (pratiquement inchangé depuis le début

---

(104) 1 L 581.
(105) 1 L 585 bis, lettres au Département et au District datées du 20 février. 7 L 192.
(106) 7 L 192. Finalement cinq de ces recrues resteront au bataillon (1 L 585 bis, lettre du 9 mars).
(107) *Affiches d'Angers*, n° 35 du mardi 20 mars 1792. L'article est reproduit par X. de Pétigny, *Un bataillon de volontaires ..., op. cit.*, p. 7.

de l'année) qui se monte à 9 hommes. Le commandant donne les raisons des départs que nous pouvons ventiler de la façon suivante :

— mutations ou promotions 6
— congés pour maladie ou infirmité 8
— congés pour convenance personnelle 4
— volontaires renvoyés pour défaut de taille 4
— volontaires renvoyés par leurs camarades............. 5
(«mauvais sujets» la plupart du temps)
— désertions .... 7 (108).

On peut se demander si une telle présentation des faits ne camoufle pas la réalité, Beaurepaire ayant parfois, nous l'avons vu, légalisé a posteriori des désertions par l'octroi d'un congé en règle. Toujours est-il que ses plaintes continueront. Le 2 avril, il fait état de trois départs sans permission et de deux cas incertains. Un mois plus tard, avertissant les administrateurs de l'ordre qu'a reçu le bataillon de rejoindre Verdun, Beaurepaire dresse le compte des absents : ils sont 18 auxquels on peut ajouter 3 volontaires sur lesquels il ne compte plus (109).

Bientôt, des problèmes d'une toute autre ampleur allaient se poser à l'état-major et au directoire départemental, ceux du complément du bataillon à 800 hommes. La guerre avait enfin été déclarée à l'Autriche, le 20 avril, et cela exigeait un nouvel effort. Le décret du 5 mai, sanctionné dès le lendemain, ordonne d'une part la levée de 31 bataillons supplémentaires et porte d'autre part le nombre des soldats de chaque unité de volontaires à 800 au lieu de 574. Les hommes devaient être «armés, équipés, et habillés à mesure qu'ils rejoindr(aient) leurs corps». Pour faciliter la levée, l'article X précisait :

« Il sera ouvert de nouveau, dans chaque municipalité de l'empire, un registre d'inscription volontaire, tant pour servir au recrutement des bataillons déjà formés, que pour en former de nouveaux, si les circonstances rendent cette formation nécessaire » (110).

Dès le 15 mai, le directoire angevin rédigeait une affiche. Elle rappelait une fois encore l'exemple de Pontivy, mais aussi l'enthousiasme qui avait présidé à la levée du premier bataillon («à cette époque nous eussions organisé trois bataillons complets et satisfait votre impatience, si les circonstances eussent été aussi impérieuses qu'elles le sont aujourd'hui»), et concluait par cette exhortation :

« Que tous ceux d'entre vous qui réunissent la taille et la force de porter les armes et qui désirent s'inscrire, se présentent au Département. Pour être admis il faut avoir au moins cinq pieds, pieds nus, et n'avoir aucunes infirmités qui rendent incapables du service des armes.

---

(108) 1 L 585 bis.
(109) 1 L 585 bis, lettre du 2 mai.
(110) E. DEPREZ, *Les Volontaires nationaux ...*, *op. cit.*, p. 180-181.

Nous ferons fournir à ceux qui ne sont pas habillés, tous les objets d'habillement et équipement dont ils auront besoin, le tout conformément à l'état annexé au Décret du 4 août 1791, relatif à la formation et à la solde des bataillons » (111).

Chaque recrue touchera trois sols par lieue pour rejoindre son corps, selon la disposition en vigueur depuis le décret du 28 décembre 1791 (112).
Comme l'été précédent, le Département nomma par son arrêté du 11 juin des commissaires dans chaque district (hormis, en apparence, celui d'Angers). Ce furent Ollivier pour Saumur, Letourneux pour Baugé et Delorme pour Vihiers qui avaient été déjà choisis en 1791. Pour les autres circonscriptions, on désigna des hommes nouveaux : le juge Viaud à Châteauneuf-sur-Sarthe et les maires de Cholet, Saint-Florent-le-Vieil et Segré, Chéreau, Richard et Bancelin. Les commissaires, assistés de chirurgiens, devaient sélectionner les hommes de 18 à 45 ans exempts d'infirmités et qui, déchaussés, auraient une taille au moins égale à 5 pieds (113).
Letourneux refusa la commission prétextant « les travaux de la campagne » et ses « affaires particulières » (114). Il fut remplacé par un certain Pineau qui, aux dires de François Grille, s'acquitta fort bien de sa tâche (115). Richard ne refusa point son concours, mais protesta lui aussi que « la corvée » était « un peu forte, vu la saison où tous les propriétaires ont des affaires... » (116). Pierre Viaud accepta tout en se montrant pessimiste sur les résultats à attendre de ses efforts :

« Je ne me dissimule pas les difficultés réelles de l'enrôlement dans notre District où les bras manquent aux nombreux travaux de la campagne ; ajoutez les perfides manœuvres des ennemis de tout bien et vous serez aisément convaincu que le succès ne répondra pas à l'étendue de nos désirs » (117).

Le maire de Segré, Esprit-Benjamin Bancelin, se mit à l'œuvre sans rechigner :

« Je n'épargnerai rien, pour vous prouver combien je suis sensible à la confiance dont vous m'honorez et pour vous prouver mon dévouement sans réserve à la chose publique » (118).

---

(111) 1 L 578.
(112) 1 L 578, copie d'une lettre du ministre de la guerre Servan au directoire du Département, datée du 18 mai 1792.
Le décret du 28 décembre 1791, sanctionné le 3 février suivant, concerne la formation, l'organisation et la solde des bataillons de volontaires (Cf. E. Deprez, op. cit., p. 140-150). Il a été appliqué, a posteriori, au bataillon de Mayenne-et-Loire. Le contrôle nominatif 1 L 582 a été établi pour satisfaire à cette loi.
(113) 7 L 192.
(114) 1 L 591, lettre du 19 juin 1792 au procureur général syndic.
(115) F. Grille, op. cit., tome II, p. 75.
(116) 1 L 591 bis, lettre du 26 juin.
(117) 1 L 591 bis, lettre du 18 juin.
(118) 1 L 591 bis, lettre du 22 juin.

Même attitude de la part de Chéreau, le maire de Cholet, qui engagea toutes les municipalités de son district à faire une proclamation. Mais il se dépensa en pure perte. Il écrivait, le 30 juin, « jusqu'à présent cela a été infructueux puisque personne ne s'est présenté » (119). La tâche fut beaucoup plus aisée pour le commissaire Ollivier, dans le Saumurois :

> « La patriotisme qui règne dans ce district me fait croire que je n'aurai pas de peine à vous faire l'envoi qui vous sera nécessaire » (120).

Nous ne saurions être surpris par l'état de l'opinion publique révélé par ces lettres. Elles confirment ce que nous avons constaté l'été précédent : les districts de l'est du Maine-et-Loire sont favorables à l'appel aux armes, tandis que ceux de l'ouest sont réticents ou hostiles.

Les volontaires destinés à compléter le premier bataillon ont été inscrits au Département sur un registre spécial (121). On trouve parmi eux, comme en 1791, des hommes qui s'enrôlent pour échapper à la misère : Pierre Léturgeon, garçon serger que son patron avait renvoyé, Pierre Delaunay, tailleur d'habits de 18 ans qui s'inscrit « comme manquant d'ouvrage », François Jamet orphelin de père abandonné par sa mère... (122). D'autres engagés paraissent séduits par la vie militaire autant que poussés par le patriotisme. C'est le cas d'anciens soldats comme Julien Beaujouin qui, à 41 ans, touchait déjà une pension de l'Etat, c'est le cas de deux jeunes gens, Jean Pilet et Pierre Alexandre qui avaient été incorporés au début de l'année dans le 37e régiment d'infanterie mais qui, congédiés parce qu'ils n'avaient que 5 pieds de taille, se sont finalement rabattus sur les volontaires. La motivation de Jean Delarue est peut-être aussi ambiguë. Cet enfant naturel exerçant le métier de garçon maçon faubourg Gauvin à Angers s'est inscrit pour le bataillon, mais partira finalement pour le régiment du Maine (123).

Ces exemples ne doivent pas nous faire penser que tout enthousiasme a disparu. La lettre déjà citée du commissaire Ollivier nous montre qu'il subsiste dans le district de Saumur. Le comportement de certains volontaires tendrait d'ailleurs à le prouver. Un menuisier de 46 ans, Jacques Camus, originaire de Châtillon-sur-Sèvre, ne veut-il pas emmener sa femme avec lui sous prétexte qu'elle a « porté la 1re pique » ? Il obtiendra d'ailleurs satisfaction : une mention marginale du registre d'engagement nous apprend que son épouse l'a effectivement suivi (124).

Au total, 332 volontaires ont été enrôlés sur le registre de la « queue de levée » du premier bataillon, entre le 4 janvier et le 15 octobre 1792, les plus nombreux, bien sûr, à partir du mois de mai. Si la grande majorité de ces

---

(119) 1 L 591 bis.

(120) 1 L 591 bis, lettre du 19 juin au procureur général Boullet.

(121) 1 L 588 bis.

(122) 1 L 588 bis et 1 L 591 bis.

(123) 1 L 588 bis et Arch. mun. Angers H 3-61.

(124) 1 L 588 bis. Nous rencontrerons un autre cas de volontaire désireux d'emmener sa femme à l'armée, celui d'Etienne Loulet (cf. p. 203). (Cet exemple est rapporté par J.-P. BERTAUD, dans *Valmy, op. cit.*, p. 243). P. BOISSONNADE, signale qu'en 1792 le conseil général du département de la Charente accepta d'inscrire un tailleur, sa femme et ses deux filles (*Histoire des Volontaires de la Charente ..., op. cit.*, p. 89).

hommes furent bien incorporés, quelques-uns furent toutefois écartés du service effectif pour des raisons similaires à celles qui avaient motivé la sélection opérée par le directoire en 1791. Les uns étaient malades, comme François Gastecel (ou Gasteul?) attaqué de la gale, d'autres étaient jugés trop vieux comme Jean-Louis Roussel (il avait 46 ans), ou trop jeunes comme ce François Jamet dont nous avons parlé et qui était âgé de 16 ans. D'autres encore ne pouvaient servir dans l'infanterie car ils étaient «classés», comme mariniers : c'était le cas de Jean Piron. Enfin, l'on rejeta certaines candidatures à cause de la conduite ou des antécédents douteux des postulants. Jean Delaunay était certes un «bel homme», mais aussi «mauvais et suspecté» ; Jean Landelle, un ancien militaire de la Ligne, était «un yvrogne et un mauvais sujet à ce qu'on dit». René Sallé avait lui aussi la réputation d'aimer immodérément la bouteille. C'est peut-être pour la même raison, ou parce qu'il avait la main trop leste, que Joseph Esnault fut «renvoyé par ses camarades». Quant à Louis Frouin, un ouvrier de carrière de la rue du faubourg Saint-Samson, son engagement porte la mention au crayon : « C'est un mauvais sujet chef de la 1ʳᵉ révolte», allusion évidente à sa participation à l'insurrection des perrayeurs de septembre 1790 (125).

Une petite minorité des engagés ne rejoignirent pas le premier bataillon mais d'autres unités. Nous l'avons vu pour Jean Delarue qui fut incorporé au régiment du Maine, mais ce fut également le cas de Pierre Bossu et Jean Plessis qui gagnèrent le 7ᵉ régiment d'infanterie, de Jérôme Thibault qui demanda une prime de 80 livres pour partir dans les auxiliaires. Enfin une douzaine de volontaires furent versés au second bataillon et un seul, Jean Huet, au troisième (126).

Au total, le complément à 800 hommes du premier bataillon s'est fait assez lentement. Le 24 juin, Beaurepaire avertit le Département qu'il manque encore 214 volontaires. L'effectif s'élève donc à 586 hommes, soit une augmentation négligeable par rapport au complet du bataillon primitif. La situation est d'autant plus défavorable que 6 grenadiers ont accepté une place de gendarme, ce qui décime cette compagnie d'élite. Le 28 juillet, le commandant envoie au directoire un état des nouvelles recrues : en tout 94 hommes qui ont coûté pour leur habillement 12 337 livres 12 sols 3 deniers. La dépense moyenne par homme a donc été de 131 livres 5 sols, mais certains n'ont à rembourser que 6 ou 8 livres tandis que d'autres en doivent plus de 150 et même plus de 160 de sorte qu'il est impossible d'avoir une idée exacte du prix de revient de l'habillement par soldat. On peut toutefois l'évaluer à 150-155 livres environ, vu la fréquence des chiffres qui avoisinent ces sommes (127). A la date du 28 juillet, le bataillon possède un effectif de 649 soldats. Enfin, dans sa dernière lettre, datée du 20 août,

---

(125) 1 L 588 bis. Louis Frouin était, en outre, un ancien soldat du régiment de Cambraisis que l'on suspectait sans doute d'avoir reçu une «cartouche jaune» puisque son engagement porte la mention «on lui a demandé sa cartouche». Il semble que cet homme n'ait pas été enrôlé.

(126) 1 L 588 bis.

(127) 1 L 588 bis. Rappelons que, selon Beaurepaire, le coût de l'habillement et de l'équipement d'un volontaire de l'Ille-et-Vilaine avait été de 114 livres 10 sols (Cf. *supra* note 88). Le prix de revient de l'uniforme fut très variable selon les lieux et les époques. Dans l'Ain, en 1791, il coûta 125 livres 10 sols pour vêtir et équiper un soldat (J.-M. LÉVY, *La formation*

Beaurepaire fait état de 730 volontaires c'est-à-dire qu'il en manque encore 70 pour que l'unité soit au complet, trois mois après le décret du 5 mai (128).

5. - La destinée des volontaires de la première levée

Recrutés en pleine paix, les volontaires de l'été 1791 attendirent une année avant de recevoir le baptême du feu. Le bataillon avait été formé dans l'allégresse et il inaugura dans la facilité sa vie militaire. Parti pour Nantes le 3 octobre, nous l'avons vu, il arriva dans la grande ville deux jours plus tard et y fut accueilli à bras ouverts. Toute la cité vint à sa rencontre et l'on se disputa l'honneur de loger les soldats. «Mrs les Nantais, écrit Beaurepaire le 10 octobre, nous ont reçus avec des marques de la plus intime fraternité» (129) et on lit dans la correspondance adressée le même jour par le procureur général syndic de Loire-Inférieure à son collègue angevin Delaunay :

> «Vos cohortes citoiennes sonts encore dans nos murs : elles y sont vuës avec le plus grand plaisir, et y donnent l'exemple de la conduite la plus patriotique» (130).

Tous nos jeunes gens ne furent pas séduits par la métropole océane à laquelle le sous-lieutenant Paul Geslin trouvait «à l'abord je ne sais quoi de vieux et de triste», mais ils ne manquèrent pas d'être surpris par la richesse, la gaieté, l'ouverture d'esprit de sa bourgeoisie qui contrastait avec le caractère fermé de la population rurale :

> «Fanatique et fraudeur, écrivait Geslin, c'est le caractère de ces gens-là. Ignorance et fourberie dans les campagnes, mais de l'élégance dans les villes. A Nantes, par exemple, on se dirait à Paris, tant les modes sont fraîches et les mœurs faciles (...)» (131).

Pendant dix jours ce fut la fête mais plusieurs volontaires eurent à payer les douces heures passées auprès de Nantaises trop sensibles au charme de l'uniforme... ou de l'argent dont les bourses étaient encore amplement garnies. D'où le cri d'alarme lancé par Beaurepaire le 4 novembre :

> il est «très nécessaire que vous nomiez un chirurgien majoir nos jeunes gens en ayant grand besoin. Notre séjour de Nantes en ayant poivré environs trente qui onts besoin d'être soigné. Je suis obligé d'en envoyer dix à Resnne de plus malade» (132).

..., op. cit., p. 94), en Seine-et-Marne, en 1792, 236 livres 8 sols (A. Soboul, Les soldats de l'An II, op. cit., p. 161).
    Sur les 332 volontaires de la «queue de levée» du premier bataillon de Maine-et-Loire, 32 seulement étaient habillés lorsqu'ils signèrent leur engagement, 6 autres affirmant qu'ils fourniraient eux-mêmes leur uniforme. Sans doute peut-on voir là un signe de pauvreté.
    (128) 1 L 585 bis.
    (129) Ibid.
    (130) 1 L 583 bis.
    (131) F. Grille, op. cit., tome I, p. 250 (lettre de Paul Geslin à son père datée du 12 octobre 1791).
    (132) 1 L 585 bis.

Pareille atmosphère n'était guère favorable à la discipline et à la formation militaire et notre commandant aurait de loin préféré que ses hommes fussent casernés plutôt que choyés chez le bourgeois (133). Aussi reçut-il avec joie, le 10 octobre, l'ordre de gagner les quartiers définitifs. Le bataillon serait scindé en plusieurs groupes stationnés dans de petites villes, Guérande, Savenay, Blain et Le Croisic, de façon à pouvoir intervenir au plus tôt en cas de soulèvement. Le départ de Nantes fut fixé au samedi 15 : l'état-major et deux compagnies iraient à Guérande, les autres se partageraient entre les trois casernements restants. La mission de Mayenne-et-Loire durant le séjour qu'il fit en Bretagne fut donc uniquement de caractère politique (134), les volontaires s'efforçant de maintenir l'ordre révolutionnaire dans des conditions parfois pénibles :

> « Un de nos volontaires du quartier de Blain, écrit Beaurepaire le 19 mars, a été assomé de coup par trois paisants et laisé pour mort dans un fossé. Un détachement de Savenay a été à la poursuitte. Il onts joint un de ceux qui avait fait le coup. Un des volontaire qui le serait de près luy a dit de sarreter ; il est venû sur luy en luy arrachant sa bajonnette et voulant le percer, alors le volontaire luy atiré son coup de fusil et la étendû mort.
> Je vous observerez que dans ce vilage un détachement de volontaire avoit enlevé leur curé deux jour avant cet affaire.
> Ce vilage se nome Bouvron entre Blain et Savenay... » (135).

La répartition des compagnies en plusieurs cantonnements ne facilitait pas la tâche de l'état-major et l'instruction des soldats. La dispersion devait être aggravée par l'envoi, le 12 mars, d'une compagnie de Blain à Pontchâteau pour « contenir les mauvais prestre et faire asseoir l'impot » : le bataillon serait désormais morcelé en cinq parties (136). Cela n'était pas de nature à entretenir le moral d'une troupe où les liens d'amitié étaient nombreux et où l'on avait souvent des connaissances dans chaque compagnie. Mais ce qui sapait le plus l'optimisme des jeunes gens, c'était le sentiment d'inutilité (ou de médiocre utilité) qui se développait chez ces patriotes engagés pour combattre les ennemis extérieurs. C'est ce sentiment qui poussa, au début de 1792, le bataillon à réclamer son départ aux frontières dans une adresse à la Législative :

> « Représentans,
> La Patrie est menacée, ses deffenseurs sont appelés aux frontières du Nord et du Rhin : l'instant est arrivé où les François doivent prouver à l'Europe, qu'ils sont dignes de la *Liberté*. Les Volontaires du Bataillon de Mayenne et Loire sont convaincus de la nécessité de faire respecter la majesté nationale, que l'orgeuil et le fanatisme osent méconnoitre, brûlent d'entrer en lice ; l'ordre qu'ils attendent et qu'il leur tarde de recevoir pour *combattre les vils*

---

(133) 1 L 585 bis, lettre du 10 octobre.
(134) Cf. M. REINHARD, « Observations sur le rôle révolutionnaire de l'armée dans la Révolution française », dans *A.H.R.F.*, avril-juin 1962, p. 169-181.
(135) 1 L 585 bis.
(136) 1 L 585 bis. Beaurepaire annonce cette nouvelle dans sa lettre du 9 mars.

esclaves du Despotisme, sera pour eux le signal du *triomphe* ou de la Mort » (137).

Malgré cela, le bataillon dut attendre la déclaration de guerre du 20 avril pour recevoir l'ordre de rejoindre Verdun. Les compagnies se rassemblèrent à Guérande et quittèrent cette ville, le 1er mai, pour gagner lentement la Lorraine. On traversa Redon, Rennes, Laval où beaucoup d'Angevins vinrent saluer leurs concitoyens : « Il semblait que tout Angers fût là pour nous voir passer. Les pères, les frères, les amis ! » écrivait le 10 mai de Pré-en-Pail le sergent-major Louis Besson à son ami Guibert de La Noue (138). On progressa ensuite vers la région parisienne par Mayenne, Alençon où le bataillon reçut venues d'Angers, quatre recrues le 11 mai (139), Mortagne, Dreux, Mantes, Pontoise et Saint-Denis d'où beaucoup partirent faire la fête dans la capitale (140). On gagna ensuite Meaux, Château-Thierry, Epernay, Châlons-sur-Marne et Sainte-Menehould (141). La route s'effectua dans les meilleures conditions (142) et les Angevins firent leur entrée à Verdun le 2 juin comme prévu. Le lendemain, Beaurepaire pouvait écrire :

> « Nous sommes arrivé icy hier tous nos jeunes gens sonts en bonne santé pas un de malade deux ou trois resté en arrière qui rejondrons incessament » (143).

Cette garnison allait devenir bien vite pour le bataillon un séjour funeste qui aurait même pu lui être fatal. Il n'est pas dans notre propos de réécrire l'histoire du siège de Verdun et d'épiloguer sur la mort du commandant Beaurepaire. Il faut cependant rappeler, le plus brièvement possible, les événements qu'a décrits avec précision Xavier de Pétigny et les conclusions auxquelles il est parvenu, sous peine de nous condamner à ne pas comprendre le comportement ultérieur des volontaires de Maine-et-Loire (144).

A son entrée à Verdun, Beaurepaire se trouvait de fait, gouverneur de la place (145). N'ayant pas été nommé officiellement à ce poste, il semble ne s'être guère pressé de mettre la ville en état de défense bien que la tâche fût grande. Le 22 juin, arriva enfin un commandant de place dûment nommé, Galbaud du Fort, un « ci-devant », lieutenant-colonel d'artillerie, qui ne resta guère que trois semaines à Verdun puiqu'il partit le 12 août, laissant à nouveau Beaurepaire maître de la ville (146). Durant son bref séjour,

---

(137) 1 L 585 bis. Une copie de cette adresse accompagne la lettre de Beaurepaire datée du 8 janvier. Souligné dans le texte.
(138) F. GRILLE, *op. cit.*, tome II, p. 16.
(139) 1 L 585 bis, lettre de Beaurepaire datée du 11 mai.
(140) F. GRILLE, *op. cit.*, tome II, p. 28.
(141) L'itinéraire détaillé de la marche du premier bataillon figure dans le carnet de route de Benoît-François Guitet (Bibl. mun. Angers, Ms 572, carton n° 623).
(142) Cf. les lettres écrites par Beaurepaire le 11 mai d'Alençon et le 16 de Paris (1 L 585 bis).
(143) 1 L 585 bis.
(144) X. de PÉTIGNY, *Beaurepaire ...*, *op. cit.*
(145) 1 L 585 bis, lettre du 3 juin.
(146) 1 L 585 bis, lettre du 20 août.

Galbaud avait cependant bien travaillé pour la défense de la cité et notre lieutenant-colonel continua son œuvre en faisant poursuivre la restauration des fortifications et réquisitionner les gardes nationaux du département. Petit à petit la garnison de Verdun s'étoffa. Ce furent d'abord les volontaires du premier bataillon de l'Allier qui rejoignirent la ville. Cette unité avait été renvoyée de l'armée de La Fayette à la suite de l'opposition qu'elle avait manifestée, le 15 août, envers le général qui voulait entraîner ses troupes sur Paris. La compagnie des grenadiers de Mayenne-et-Loire, un moment détachée à l'armée de La Fayette, avait protesté elle aussi et fut renvoyée à Verdun de la même façon (147). Puis entrèrent dans la place des éléments des premier et deuxième bataillons de la Marne, du deuxième de la Meuse, du cinquième de la Meurthe, du troisième de Paris, enfin les premiers bataillons d'Eure-et-Loir et de Charente-Inférieure. A la fin du mois d'août les effectifs de la garnison étaient de 6 500 hommes que Xavier de Pétigny juge médiocres (148).

Pendant ce temps, les troupes de Frédéric-Guillaume commandées par le duc de Brunswick avancent en Lorraine. Elles franchissent la frontière le 19 août, le 23 Longwy tombe. Le 29 les avant-postes français détachés au nord-est de Verdun annoncent l'arrivée de l'ennemi. Dans la place, le conseil défensif constitué par les autorités civiles et les chefs militaires, présidé par Beaurepaire, proclame l'état de siège (149). Le 31 août Brunswick fait parvenir aux défenseurs de Verdun sa première sommation. Elle est refusée par le conseil défensif. Un volontaire de la 5ᵉ compagnie de Mayenne-et-Loire, Claude-Marie Desmazières qui servait d'aide-de-camp à Beaurepaire, réussit au prix de mille difficultés à quitter la place et à tromper la vigilance des assiégeants. Il sera reçu le 2 septembre au matin à la barre de l'Assemblée Législative (150). Entre temps, dans la nuit du 31 août au 1ᵉʳ septembre, les Prussiens ont commencé le bombardement de Verdun. Sans être très meurtrière, cette attaque pousse la population à manifester en faveur de la reddition. C'est sans doute ce début de panique qui amène le conseil défensif à autoriser la municipalité à envoyer à Brunswick un message lui demandant une «manière de faire la guerre moins désastreuse pour les citoyens». C'était un premier pas vers la reddition. On ne possède plus ce message mais seulement sa copie enregistrée sur le cahier des délibérations du conseil. Cette copie est signée par Beaurepaire, mais de Pétigny suspecte la signature. Quoi qu'il en soit le message dut être envoyé au commandant

---

(147) *Ibid.*, Cf. A. MEYNIER, *Un représentant de la bourgeoisie angevine ..., op. cit.*, p. 257-258.

(148) X. de PÉTIGNY, *Beaurepaire ...,op. cit.*, not., p. 24-26, 43-46 et 48-49.

(149) X. de PÉTIGNY, *Beaurepaire ..., op. cit.*, p. 73.

(150) Cf. *Le Moniteur Universel*, n° 247-248.
Sur ces faits, voir X. de PÉTIGNY, *Beaurepaire ..., op. cit.*, p. 82-86.
Claude-Marie Desmazières avait alors 30 ans. Il était le fils de Claude-Jean, ancien juge de la Monnaie et officier municipal (cf. *supra*, p. 55). Il mourra à Beaulieu le 31 mai 1839 (1 L 590 bis, et série Q, Enregistrement, reg. des mutations par décès du bureau d'Angers n° 154, acte n° 16 du 18 nov. 1839). Ne pas confondre avec Thomas-Gabriel Desmazières, né le 5 novembre 1743 à Beaulieu et mort en 1818, qui fut tour à tour procureur général syndic dans la Commission Intermédiaire, député à la Constituante, puis au Conseil des Anciens et enfin au Corps Législatif sous le Consulat et l'Empire (C. PORT, *Dictionnaire ..., op. cit.*).

prussien. A trois heures de l'après-midi, celui-ci fait remettre aux assiégés une seconde sommation, invitation pressante à capituler, la garnison pouvant se retirer avec armes et bagages sauf l'artillerie et les munitions de guerre. Les corps administratifs veulent accepter, Beaurepaire tente de s'opposer à cette solution. Que fut-il décidé ? Le cahier d'enregistrement du conseil défensif contient un second message daté « du 1er septembre 1792, à heures du soir (sic) » qui demande à Brunswick 24 heures de délai mais laisse entendre que la reddition sera acceptée puisqu'il sollicite l'autorisation pour la garnison de conserver ses quatre pièces de campagne. Ce document n'est pas signé et de Pétigny ne pense pas que Beaurepaire ait accepté de mettre son nom au bas de l'original et de l'envoyer à Brunswick. Malheureusement la preuve manque, et l'on ne peut savoir quelle fut la dernière attitude du lieutenant-colonel angevin.

La séance du conseil de défense au soir du 1er septembre avait été, on s'en doute, fort agitée. Dans la nuit, un coup de feu part de la chambre où repose Beaurepaire à l'hôtel de ville. La petite garde qui se trouvait dans une pièce proche accourt, force la porte et découvre le cadavre du commandant (151). Suicide ou assassinat ? Dans l'immédiat il ne fut question que de la première hypothèse. En témoigne le discours que vint faire à l'Assemblée Nationale le 12 septembre Joseph Delaunay, député de Maine-et-Loire :

> « M. Beaurepaire, commandant du premier bataillon de Mayenne-et-Loire, s'est donné la mort à Verdun, en présence des fonctionnaires publics lâches et parjures qui ont livré le poste confié à son courage. »

Cette version, pour le moins embellie puisque Beaurepaire était dans sa chambre et non en conseil au moment de sa mort, fit décerner au commandant angevin les honneurs du Panthéon par la Législative unanime, mais cette décision ne fut jamais suivie d'effet (152).

La thèse du suicide est également celle de Charles Davril, volontaire de la 2e compagnie, qui écrit de Sainte-Menehould le 4 octobre :

> « ... voyant que nous étions trahis de tous costé, que nous n'avions que de très mauvaisses munitions, il (Beaurepaire) a mieux aimé périr tout seul que de nous faire périr tous avec lui » (153).

La même explication est donnée par le successeur de Beaurepaire à la tête du bataillon, Louis Lemoine, dans la lettre qu'il adresse le 10 septembre au Département (154). Par contre, dans un mémoire qu'il présenta au roi

---

(151) X. de PÉTIGNY, *Beaurepaire ...*, *op. cit.*, p. 95-134 et p. 141.
(152) *Le Moniteur Universel*, n° 258 du 14 septembre.
Sur Joseph Delaunay, cf. *supra*, p. 63.
(153) 1 L 587, lettre de Davril à ses parents. Cette lettre a été reproduite par le Commandant JEANSON dans : « Contribution à l'Histoire Militaire de 1792 dans l'Est et le Nord de la France », dans *Revue de l'Anjou*, 1909, article dans lequel l'auteur prend parti pour la thèse de l'assassinat. (Un tiré à part de cet article de 14 p. est conservé dans la liasse 1 L 585 bis).
(154) 1 L 586. Le suicide est aussi la thèse adoptée par le dragon MARQUANT qui ne se trouvait cependant pas à Verdun, dans ses mémoires (G. VALLÉE et G. PARISET, *Carnet d'étapes du dragon Marquant ...* Paris-Nancy, 1898, p. 90).

Louis-Philippe le 15 janvier 1835, Lemoine adopte la thèse de l'assassinat (155). Parmi les historiens de l'événement, A. Chuquet et, avec des arguments assez impressionnants, Maurice Sainctelette ont défendu la version du suicide, Edmond Pionnier celle de l'assassinat. Xavier de Pétigny penche pour cette dernière thèse tout en se gardant bien de se prononcer de façon absolue car les preuves décisives manquent (156).

La légende s'empara bientôt de la mort de Beaurepaire. Non seulement on organisa des cérémonies funèbres, par exemple le 21 septembre à Guérande (157) et le 21 octobre à Angers (158), mais on grava des estampes, on écrivit des romans et l'on joua même des pièces de théâtre (159).

La disparition de Beaurepaire levait le dernier obstacle à la capitulation de Verdun. La ville se rendit le 2 septembre (160). Ainsi le premier contact des volontaires de Maine-et-Loire avec l'ennemi se soldait par une double perte matérielle et morale. Sur le plan matériel, le bataillon se retrouvait fort appauvri car il avait dû laisser ses bagages dans la place :

> « (...) le lundi, écrit Charles Davril dans la lettre déjà citée, nous restames jusqua onze heures du matin pour avoir des charettes pour emmener les équipages du bataillons ; mais il vint un ordre du Roi de Pruses que nous ayons à sortir de la cytadelle, sans quoi nous étions tous prisonniers et peut-être pendu sur le champ ; nous avons préférée perdre tous nos équipages. Ce qui est cause que beaucoup d'entre nous et presque tout le bataillon ont perdu tous leurs effets... » (161).

Selon Lemoine, la valeur des biens abandonnés se serait montée à 28 000 livres (162). Ce qui était plus grave, c'est qu'en perdant celui qui était à la fois leur chef, leur fédérateur et leur ami, les volontaires d'Anjou avaient perdu leur âme. Refusant d'obéir aux ordres de Galbaud qui leur demandait de renforcer la défense des défilés de l'Argonne, ils prirent la fuite. Ce n'est qu'à Châlons-sur-Marne que Lemoine, cet officier mal aimé dont l'élection

---

(155) Lieutenant-Général LEMOINE, *Mémoire sur les événements du siège de Verdun en 1792* ... (Copie à la Bibl. mun. Angers, Ms 829).

(156) A. CHUQUET, *Les guerres de la Révolution*, tome I, *La première invasion prussienne* ..., Paris, 2ᵉ éd., 1888, p. 244-249.

M. SAINCTELETTE, *Un épisode de la Révolution — La mort de Beaurepaire*, Paris, 1908, 45 p. (cet opuscule a été écrit pour réfuter la version de la mort de Beaurepaire que donne la thèse d'Edmond PIONNIER).

E. PIONNIER, *Essai sur l'histoire de la Révolution à Verdun ...*, *op. cit.*, p. 191-232.

X. de PÉTIGNY, *Beaurepaire ...*, *op. cit.*, *passim*.

(157) 1 L 585 bis.

(158) 1 L 11 bis et *Affiches d'Angers* du 23 octobre 1792.

(159) X. de PÉTIGNY, *Beaurepaire ...*, *op. cit.*, p. 183-186.

(160) Le successeur de Beaurepaire au poste de commandant de la place fut le lieutenant-colonel en second du bataillon de la Meuse, Neyon. Les volontaires angevins le chargèrent en l'accusant de traîtrise (Cf. le discours de Delaâge à la Convention dans *Le Moniteur Universel* du 30 octobre 1792). Neyon devait payer la reddition de Verdun de sa tête, sous la Terreur. De PÉTIGNY le croit seulement coupable d'avoir été « un pauvre homme » (*Beaurepaire ...*, *op. cit.*, p. 166-179).

(161) 1 L 587.

(162) 1 L 586, lettre du 10 septembre 1792.

avait été arrachée par une minorité, réussit à enrayer leur débandade ainsi qu'il le raconte lui-même :

« ... nous étions désespéré de tout ce qui se passoit, la douleur que les Volontaires éprouvaient, la peine que leur faisoit une telle catastrophe me fit craindre la dissolution du Bataillon ; à force de prières je le ramenai à ses devoirs, et nous partimes de Verdun avec nos armes, et les restes précieux de notre infortuné Commandant ; arrivés à Ste Manehoult les Corps administratifs furent invités à son inhumation, et chacun de nous s'acquita du tribut qu'il devoit aux manes d'un homme justement estimé : cette Cérémonie Religieuse achevée le Bataillon reçu les ordres de se rendre en cantonnement aux défilés de Clermont ; notre devoir étoit d'y obéir, et ce devoir fut méconnu : le S. Pasquerai capitaine, est le premier qui a donné le signal de l'Insubordination ; il a abandonné le drapeau sans rendre de compte à sa compagnie : plusieurs Volontaires ont suivi ce dangereux exemple : le Bataillon étoit divisé en deux partis, l'un ne vouloit pas obéir, et désiroit se rendre à Chartres, lieu de notre 1re destination, l'autre vouloit obéir aux ordres et se rendre aux défilés ; ces différentes opinions alloient éclatter lorsqu'on reçut, sur ma solicitation, de nouveaux ordres pour Châlons ; on se disposa aussitot à les exécuter ; arrivés à Chaalons Mr Lukner nous donna des ordres pour Meaux à l'effet de rétablir l'ordre dans le Bataillon et nommer les officiers qui nous manquaient ; cet ordre fit plaisir aux uns, et mécontenta les autres : je fis de nouvelles démarches auprès du Général sans pouvoir rien obtenir : enfin le Bataillon étoit en route pour Meaux, quant de nouveaux ordres nous parvinrent ; ils désignaient notre route pour Ste Manehoult : j'en fis sur le champ lecture au Bataillon assemblé ; et, à ma grande satisfaction, presque tout le Bataillon fit entendre le cri de *nous y irons*. Je profitai de ces dispositions ; sur le champ je fis rebrousser chemin, et grace au ciel nous sommes aujourd'huy cantonnés aux environs de Ste Manehoult, et faisons partie de l'avant garde de l'armée de Mr Dumourier... » (163).

Un grand nombre de volontaires quittèrent le bataillon dans les mois qui suivirent. Toutes les lettres de Lemoine font état de « désertions » massives. Ainsi, le 25 octobre :

« Je vous adresse (...) l'état des démissions qui ont été données par les Volontaires à leurs capitaines respectifs : le grand nombre de ces démission-naires vous étonnera sans doute ; ce n'est pas devant vous que je veux les blamer ; mais je ne puis les excuser : je laisse aux Bons Citoyens, aux vrais amis de la Liberté à juger leur conduitte : il me reste encore près de 400 Volontaires c'est avec eux que je ferai la Campagne qui va s'ouvrir... »

Il y aurait donc environ 400 départs, effectifs ou simplement prévus. Le 12 novembre, une lettre rapportant la victoire de Jemmapes à laquelle a participé le bataillon, ne parle encore que de 100 hommes à remplacer :

« La prise de Bruxelles sera peut-être le terme de la Campagne et plusieurs

---

(163) 1 L 586, lettre du 10 septembre 1792 (souligné dans le texte).

démissionnaires comptent profiter des avantages que la Loi leur accorde : il faut penser à les remplacer : je vous réitère mon invitation de recruter le plus promptement possible et de faire exercer les hommes qui s'enregistreront, pour qu'ils puissent faire leur coup de feu en arrivant : je présume qu'il en faudra une centaine : à la fin de la campagne je vous manderai le plus ou le moins. »

Ces prévisions sont cependant bientôt dépassées. Lemoine écrit le 14 décembre :

« Des sous-officiers et Vres démissionners me demendent journellement des congés, ou des certificats de bonne conduitte pour autoriser leur retour dans leurs foyers : jusqu'à ce jour je m'y suis refusé, espérant par là les retenir au Bataillon ; mais c'est en vain, ils quittent sans congé (...) Quelques officiers démissionneurs ne tarderont pas sans doute, à suivre cette démarche extraordinaire, jugés de l'effet qu'elle produira sur les volontaires qui restent encore attachés au Bataillon : j'en gémis : et si on ne prend pas un parti à cet égard, bientôt nous n'aurons plus que les troupes de ligne à opposer à l'ennemis : car dans tous les Bons de Vres la désertion est la même (sic). »

Le commandant se désole à nouveau dans sa lettre du 7 janvier 1793 :

« J'ai vu, dis-je, plusieurs de mes frères d'armes dont le zèle a remplire leurs devoirs, me garantissoit leur constance, d'après des suggestions perfides, suivre le torrent impétueux. »

Les désertions sont « journalières et considérables » : il reste à peine 400 hommes au bataillon, « dont encore la majeure partie est recrue ». Lemoine demande 300 nouveaux soldats au Département, mais « point de ces êtres dont l'habitude de la molesse les rendit inaccessibles aux fatigues de la guerre »... Le 2 février, constatant que « tous ceux à qui le service militaire n'était pas propre ont déserté ou obtenu des congés », il réitère sa demande de 300 hommes en se plaignant que certaines recrues venues d'Angers ont été racolées par d'autres unités. Douze jours après, Lemoine confesse qu'il ne lui reste plus que 300 braves avec lesquels il compte se diriger vers Maestricht. Le 3 mars, parvenu en Hollande, il avoue qu'il n'y a plus au bataillon que 260 soldats... (164).

En Anjou l'on s'efforce de faire réintégrer leur corps aux « déserteurs ». L'arrêté départemental du 22 janvier 1793 ordonne aux municipalités d'en dresser la liste (165). Cette décision occasionne plusieurs conflits locaux. A Montjean, par exemple, se pose le cas de Marie-Joseph Clémanceau qui a abandonné ses drapeaux à la fin de la campagne sans pouvoir obtenir de congé absolu. La municipalité prétend le faire retourner à l'armée. Son père

---

(164) Toutes ces lettres sont conservées dans la liasse 1 L 586.
(165) La Convention avait voté deux adresses visant à juguler l'hémorragie des bataillons en faisant appel au civisme des volontaires. La première, du 19 octobre 1792 (« Citoyens soldats, la loi vous permet de vous retirer ; le cri de la patrie vous le défend ... ») est restée célèbre. La seconde, du 13 décembre, invitait les municipalités à noter « sur le tableau d'inscription civique » les volontaires qui auraient abandonné leur poste. C'est en vertu de ce texte qu'agirent les municipalités angevines (A. SOBOUL, *Les soldats de l'An II, op. cit.*, p. 105-106).

Jean-Baptiste, un fabricant de chaux, proteste dans la lettre qu'il adresse le 12 février au Département. Le travail de Marie-Joseph lui est précieux. D'ailleurs, les municipaux ne chercheraient-ils pas, en le renvoyant au bataillon, à empêcher le départ de quelque parent ou ami ? Mais surtout l'argumentation légale du père Clémanceau ne manque pas de poids. La loi du 3 février 1792 stipule en effet qu'un volontaire peut rentrer chez lui la campagne terminée, et fixe la fin de la campagne au premier décembre de chaque année. Le fils a donc rempli son contrat et c'est illégalement qu'on lui a refusé un congé absolu. Les mêmes difficultés se rencontrent à Montrevault. Selon les instructions du Département, la municipalité rassemble les volontaires revenus au pays afin de vérifier leur situation. Si deux d'entre eux, Jean et Yves Lemonnier, présentent un congé absolu en règle, les autres sont en position irrégulière. Simon Lemonnier n'a qu'un congé de deux mois, Jacques Lemonnier, Charles Hébrard, Joseph Martin et Pierre Sachet n'ont pas de congé du tout. Chacun, pourtant, estime avoir suffisamment payé de sa personne (166).

Le 3 février 1793, quatre volontaires de Chemillé rentrés au foyer, Sébastien et Joseph Gentil, Louis Prodhomme et Joseph Baillargeau, rédigent une adresse à leur municipalité dans laquelle ils font appel pour se justifier moins aux dispositions légales qu'à la simple équité :

> « il y a dix huit mois que nous partimes pour les frontières (...) étant arrivés à Liège après nous être battues dix fois et remporter huit fois la victoire, voyant la campagne finie nous avons crue pouvoir nous retirer dans nos foyers pour rétablir notre temperamment épuisé par les travaux de la guerre... ».

Or, ajoutent-ils, il y a plus de 50 jeunes gens à Chemillé qui ont l'âge et la force de servir :

> « S'ils n'ont pas la volonté de partir, il faut les forcer car il ne seroit pas juste que quelque infortuné comme nous achevassent de se ruiner tandis que bon nombre restent tranquils et se moquent de notre courage et de notre patriotisme... » (167).

Cette fois la municipalité appuie entièrement les volontaires. Elle transmet la pétition au directoire en ajoutant :

> « Ces premiers bataillons fidèles à leurs serments ont enfoncé les ennemis et les ont repoussés au delà des limites qu'ils avaient déjà franchis : la campagne finie, une santé délabrée par les fatigues de la guerre, et un dénuement absolu, a fait qu'une partie des soldats du 1er Bataillon sentant le besoin de rétablir leur force, dégagé d'ailleurs de leur serment, ils ont cru que sans manquer à l'honneur ils pouvaient se rendre chés eux... »

Chemillé a déjà fourni 28 volontaires et 23 soldats de ligne. Mais les

(166) 1 L 585.
(167) 1 L 586.

municipaux ont aussi dressé la liste des jeunes gens en état de porter les armes et qui sont toujours au pays : ils sont 78 auxquels il faudrait ajouter une vingtaine d'hommes de la campagne. Ce sont là de mauvais citoyens que l'on devrait obliger à marcher plutôt que de couvrir d'ignominie les volontaires qui sont de bons patriotes. L'on rappelle d'ailleurs que des communes voisines comme Saint-Pierre de Chemillé ou Melay, des cantons comme celui de Jallais ou du May-sur-Evre n'ont donné à l'armée aucun des leurs (168).

Nous avons là un épisode du conflit qui opposait, dans les Mauges, les bourgs patriotes et les communes rurales aristocrates. On conçoit qu'à quelques semaines du soulèvement vendéen, les municipalités favorables à la Révolution qui étaient conscientes du profond mécontentement qui travaillait les masses, aient jugé la présence des anciens volontaires plus utile au pays que sur les champs de bataille extérieurs. Mais, dans les zones du département les mieux acquises à la République, le retour des engagés de l'été 1791 fut source de discordes. A Baugé, par exemple, où la chasse aux volontaires rentrés devint le passe-temps favori des soldats de la compagnie franche de Bardon (169).

Le phénomène de « désertion » qui débuta à l'automne 1792 n'est pas propre au bataillon de Maine-et-Loire. Lemoine, nous l'avons vu, signale que toutes les unités de volontaires en souffrirent et les monographies locales le confirment (170). Les historiens hostiles à la Révolution, ou favorables à l'armée de métier, se sont plu à insister sur ces abandons en nombre, laissant planer un doute sur le courage et la valeur des volontaires (171). Plutôt que de les suivre sur cette voie, nous serions enclin à prendre à notre compte l'expression de « refus de prolonger l'engagement » qu'emploie Jules Leverrier pour caractériser le vaste mouvement de retour au pays (172). L'analyse d'un document établi par Lemoine nous y incite. Le lieutenant-colonel a dressé en effet un état des soldats qui ont quitté le bataillon « sans congé absolu ou limité, et qui ne se sont pas fait remplacer » depuis le 2 septembre, date de la mort de Beaurepaire, jusqu'au 1er février 1793 (173).

---

(168) 1 L 585.

(169) Cf. *infra*, p. 220.

(170) Voir par exemple :

Pour le Puy-de-Dôme, F. MEGE, dans *Chroniques et récits de la Révolution ..., op. cit.*, p. 323-324.

Pour les Bouches-du-Rhône, S. VIALLA, *L'Armée-Nation ..., op. cit.*, p. 276.

Pour l'Ain, J.-M. LÉVY, « La levée du 2ᵉ bataillon de volontaires de l'Ain ... », *art. cit.*

Pour le Var, G. CARROT, *La Garde Nationale de Grasse ..., op. cit.*, p. 170.

Pour la Somme, R. LEGRAND, *Aspects de la Révolution en Picardie. Le recrutement des armées et les désertions (1791-1815)*, Abbeville, 1957, p. 8-9.

Pour la Haute-Garonne, Cl. PETITFRÈRE, *Le Général Dupuy ..., op. cit.*, p. 47-48.

Sur les sources permettant l'étude du phénomène, on se reportera à J.-P. BERTAUD, « Aperçus sur l'insoumission et la désertion à l'époque révolutionnaire, étude de sources », dans *Bul. d'Hist. éc. et soc. de la Rév. française, année 1969*, Paris, 1970, p. 17-47.

(171) Caractéristique de cet état d'esprit est le livre de C. ROUSSET, *Les Volontaires (1791-1794)*, Paris, 5ᵉ éd. 1892, IV-403 p. L'ouvrage a été écrit pour montrer la supériorité de « l'armée permanente et régulière ».

(172) J. LEVERRIER, *La naissance de l'armée nationale 1789-1794*, Paris, 1939, p. 108.

(173) 1 L 585.

On y constate 281 départs sans permission. Toutes les compagnies ont perdu un nombre d'hommes comparable, entre 28 et 34, sauf la 5e qui en a perdu 39 et la 6e qui a eu seulement 23 déserteurs. Il n'est pas jusqu'à l'état-major qui n'ait connu un abandon en la personne du tambour-maître Michel Sallé. Or, il est remarquable que 222 départs (pas loin de 80 %) aient eu lieu après le mois de novembre c'est-à-dire après la fin de la campagne légale. Plus précisément, 133 volontaires ont quitté le bataillon en décembre, ce qui prouve qu'ils ont attendu tout juste l'achèvement de la campagne pour partir, et 89 en janvier. Pour la grande majorité des prétendus « déserteurs » de Mayenne-et-Loire, on peut donc bien parler de simple « refus de prolonger l'engagement », même si ce refus a été plus général que dans d'autres unités, non sans doute par manque de patriotisme mais à la suite des circonstances malheureuses que nous avons évoquées. Il reste donc 59 désertions véritables. Comment les expliquer ? Pour quelques officiers, l'abandon du drapeau a pu marquer un désaccord avec le tournant pris par la Révolution le 10 août. Nous en avons au moins deux exemples. D'abord celui du capitaine de la 4e compagnie François Pasqueraye qui partit le premier aux dires de Lemoine. Selon François Grille, Pasqueraye devint un des capitaines vendéens les plus zélés. Ensuite celui de Charles Fougeray. Fils d'un riche marchand cirier de Chanzeaux, cet ancien caporal de la 3e compagnie encouragea la résistance à la levée, en mars 1793 (174). Mais la plupart de ceux qui revinrent prématurément en Anjou étaient de bons républicains qui participèrent, nombreux, à la lutte contre l'insurrection, notamment lors du siège d'Angers. Certains reprirent d'ailleurs du service, tel Guillaume-Florent Courballay, dit La Vertu, fils d'un marchand de la rue Bourgeoise qui, après avoir porté les armes dans le régiment d'Agenais durant six mois, s'était engagé au premier bataillon où il avait été élu caporal des grenadiers. Il deviendra commandant du 5e bataillon de Maine-et-Loire (175). Il n'y a donc pas lieu de suspecter, a priori, le patriotisme de la plupart des déserteurs. Quelles pouvaient être alors leurs motivations ?

> « Ils quittaient, nous dit François Grille, par ennui, par inconstance ou par fatigue réelle ; ou par le chagrin de la mort de Beaurepaire et l'impatience que leur causait l'avènement de Lemoine au commandement ; ou par dépit de n'avoir pas de grades ou par leurs maîtresses d'Angers qui les rappelaient (176) ».

Si l'on en croit ce témoignage, les causes des désertions pourraient se ramener à trois : motifs de santé, nostalgie (177), motifs d'ordre politique et

---

(174) F. GRILLE, op. cit., tome II, p. 309.
L. WYLIE, Chanzeaux, village d'Anjou, trad. fr., Paris, Gallimard, 1970, 494 p.
(175) 1 L 600⁶.
(176) F. GRILLE, op. cit., tome II, p. 309.
(177) J.-M. LÉVY, (« La levée du 2e bataillon de volontaires de l'Ain » ..., art. cit) s'est efforcé d'étudier les motivations des déserteurs du 2e bataillon de l'Ain. Il insiste sur la nostalgie, le découragement, surtout chez les plus jeunes et parmi les volontaires originaires de départements étrangers. Dans le bataillon de Maine-et-Loire, les départs ont été trop nombreux pour être le fait des seules classes d'âge les plus basses, ou des seuls « étrangers » dont la proportion n'était d'ailleurs pas considérable (Cf. infra, p. 283).

militaire propres au bataillon. A notre avis, ces derniers furent déterminants. La preuve en est que, parmi les 59 désertions véritables, 5 seulement eurent lieu en octobre et 14 en novembre. Les plus nombreuses se produisirent en septembre dans une unité traumatisée par la « trahison » des autorités civiles de Verdun, par la défaite, la mort de Beaurepaire ainsi que par les attaques dont les volontaires furent l'objet après la capitulation et qui obligèrent l'adjudant-major Delaâge à se présenter à la Convention, le 28 octobre, pour justifier l'attitude de ses camarades et « dénoncer les manœuvres des traîtres qui ont enchaîné nos bras et notre courage dans Verdun... » (178). Ce sont les mêmes motifs qui expliquent, sans nul doute, beaucoup de départs du mois de novembre décidés au lendemain des événements mais retardés jusque-là par souci légaliste.

Au total, seule une petite minorité de soldats de la première heure restèrent fidèles à leur drapeau dans la tourmente. Dans le « Contrôle du 1er bataillon des gardes nationales volontaires du département de Mayenne-et-Loire » daté de Briançon le 1er floréal an III (20 avril 1795) mais complété ultérieurement, nous avons retrouvé 104 soldats enrôlés à la formation présents au corps le 13 pluviôse an II (1er février 1794), auxquels s'ajoutent 55 volontaires engagés dans la « queue de levée » depuis la constitution du bataillon jusqu'au 1er mars 1793 (179). S'il faut en croire le document (180), 24 des 159 soldats concernés seraient morts entre l'an II et l'an VII, la plupart en l'an IV, ce qui donne une proportion de 15 %. Plus précisément, on note 14 morts pour les 104 volontaires enrôlés à la formation (13,46 %) et 10 morts pour les 55 autres (18,18 %). Ce sont donc les nouveaux venus qui auraient payé le tribut le plus lourd. Cette disparité traduit-elle une différence sociale dans le recrutement ? C'est possible, car la plupart des décès semblent dus à la maladie ou à l'épuisement qui peuvent être surtout le lot des moins bien nourris, des moins bien constitués, c'est-à-dire des plus pauvres. En effet, 13 individus sont morts, nous dit-on, des fatigues de la guerre et un autre de la peste pendant l'expédition d'Egypte. Par contre, nous ne trouvons que 4 soldats tués, ou morts à l'hôpital par suite de blessures, auxquels on peut ajouter un volontaire assassiné (François Trouillard). La cause du décès des 5 derniers n'est pas précisée. Parmi ceux qui restent vivants en l'an VII (ou sont présumés tels), 5 ont été fait prisonniers dont deux furent échangés le 4e jour complémentaire an III (20 septembre 1795) : Jean-François Michon et Pierre Davoine qui d'ailleurs déserta par la suite. Le total des désertions se monte à 10, ce qui donne une proportion assez faible (6,33 %) mais nous savons que le gros de la troupe

---

(178) *Le Moniteur Universel*, n° 304 du 30 octobre 1792.

(179) A.G., document non coté. Une mention de la p. 2 du contrôle précise que le document ne comporte pas les noms des hommes qui ont déserté, qui sont passés dans d'autres corps ou qui sont morts antérieurement au 13 pluviôse an II (1er février 1794). Théoriquement, le contrôle devrait donc nous renseigner sur la situation des volontaires entre le 1er février 1794 et le 20 avril 1795, jour où il a été signé par le commandant Abel Guillot. En réalité, beaucoup de renseignements ont été ajoutés par la suite, concernant surtout l'an IV, mais parfois aussi les années postérieures jusqu'en l'an VII.

(180) Jean-Paul BERTAUD signale la valeur toute relative des renseignements fournis par la dernière colonne des registres de contrôle, dans « Les sources quantitatives d'une histoire sociale de l'armée de la Révolution », *art. cit.*

n'avait pas attendu l'an II pour retourner au pays. Un des déserteurs, Jean Livenais, a quitté son unité le 3 frimaire an III (23 novembre 1794) en emportant le prêt de sa compagnie à l'ennemi. Un autre a rejoint la Vendée. Il s'agit d'un épicier de Saumur, Nicolas Huard, qui déserta le 7 janvier 1793 et fut ramené au bataillon par la gendarmerie le 23 pluviôse an III (11 février 1795) (181). Le contrôle précise en outre que trois individus ont déserté «dans l'intérieur». Ils n'ont donc pas gagné l'étranger, ce qui ne signifie nullement qu'ils n'aient pas été retrouver les troupes vendéennes ou chouannes (182). Il est intéressant de savoir que deux d'entre eux étaient des déracinés : Pierre Bastard originaire de Saint-Maixent dans les Deux-Sèvres, qui était garçon boulanger à Angers lors de son engagement, et Jean Péchau originaire de la région de Fougères qui était garçon menuisier à Angers quand il s'inscrivit pour le premier bataillon. Le troisième était un jeune homme âgé de moins de 17 ans à son incorporation, Jacques Pontceau de Chemillé. Le contrôle nous apprend enfin que 17 soldats ont reçu leur congé de façon régulière tandis qu'un autre, Jacques Trouvé, fut réformé parce qu'il était borgne (183).

Le document permet, en outre, d'étudier la carrière militaire des 159 volontaires. Signalons que sur les 104 individus incorporés au bataillon le 15 septembre 1791, 17 avaient déjà servi dans une unité de ligne soit 16,35 %, tandis que parmi les 55 soldats de la «queue de levée», 5 seulement soit 9,09 % étaient d'anciens «culs-blancs». Voyons quelles furent les promotions des volontaires de la première heure d'une part, et d'autre part de ceux qui furent enrôlés de la fin de septembre 1791 au début du mois de mars 1793.

Les promotions ont été très nombreuses et elles ont affecté tous les niveaux de la hiérarchie. Pourtant, gardons-nous d'une impression trompeuse : nous devons nous souvenir que l'échantillon est fort restreint et qu'il est constitué par le noyau des fidèles de la première heure. Il a donc sélectionné ceux que l'on peut considérer comme les meilleurs soldats. A la formation du bataillon, les simples fantassins étaient au nombre de 75 sur 104, soit 72,11 %. Ceux qui n'ont obtenu par la suite ni grade, ni spécialisation ne sont plus que 14, soit 13,46 %. Comme il est naturel, la promotion des hommes de troupe a été souvent modeste : 22 soldats n'ont pas dépassé le grade de caporal et 23 autres celui de sergent. Toutefois, cinq soldats sont devenus sergents-majors, un autre est devenu adjudant-sous-officier, quatre sous-lieutenants, et même trois lieutenants, ce qui constitue une promotion remarquable. Tous les caporaux se sont élevés dans la hiérarchie, trois sont même parvenus au grade de lieutenant et un au grade

---

(181) Huard était sergent dans la 3ᵉ Cⁱᵉ à la formation du bataillon. Nous ne savons pas ce qu'il est devenu après son arrestation ; peut-être a-t-il été fusillé. Le 31 août 1843, le tribunal de Saumur rendit un jugement constatant son absence «depuis de longues années» afin de permettre l'ouverture de sa succession (série Q, Enregistrement, reg. des mutations après décès du bureau de Saumur n° 125, acte n° 32 du 14 août 1844). (Divers renseignements concernant ce volontaire figurent dans 1 L 590 bis et Arch. mun. Saumur H I 74 (1).).

(182) Selon J.-M. LÉVY, les désertions à l'ennemi sont exceptionnelles («La levée du 2ᵉ bataillon de volontaires de l'Ain ...»), *art. cit.*

(183) Sur l'incorporation de Jacques Trouvé, cf. *supra*, p. 159.

VOLONTAIRES ENGAGÉS LORS DE LA FORMATION DU BATAILLON		
Grades	Nombre de volontaires de ce grade à la formation du bataillon	Nombre de volontaires ayant atteint ce grade par la suite (ou y étant restés)
Soldats	75	14
Armurier	0	1
Maître-cordonnier	0	1
Maître-tailleur	0	1
Tambours	3	1
Tambours-maîtres	0	2
Officier de santé	0	1
Caporaux	8	22
Sergents	6	24
Sergents-majors	4	7
Quartier-maître trésorier	0	1
Adjudants sous-officiers	0	2
Sous-lieutenants	1	7
Lieutenants	4	9
Capitaines	3	9
Adjudant-major	0	1
Chef de bataillon	0	1
TOTAL	104	104

de capitaine. Parmi les sergents, un a été remis au rang de simple volontaire pour avoir, un moment, déserté, un autre est resté à son grade. Les quatre derniers se sont élevés au rang de sergent-major, sous-lieutenant, lieutenant et capitaine. Des quatre sergents-majors de 91, l'un s'est vu confier la caisse du bataillon devenant quartier-maître-trésorier, un autre est devenu adjudant-major, un troisième lieutenant et le dernier capitaine. Le sous-lieutenant et les quatre lieutenants ont tous gagné un échelon. Par contre, des trois capitaines, un seul a été élevé au rang de chef de bataillon, le commandant Abel Guillot.

VOLONTAIRES ENGAGÉS APRÈS LA FORMATION DU BATAILLON		
Grades	Nombre de volontaires de ce grade à leur entrée au bataillon	Nombre de volontaires ayant atteint ce grade par la suite (ou y étant restés)
Soldats	52	35
Tambours	2	2
Caporaux	1	10
Sergents	0	6
Sous-lieutenant	0	1
Capitaine	0	1
TOTAL	55	55

Par rapport au contingent enrôlé à la formation du bataillon, la situation de départ est bien plus modeste et les promotions sont moins nombreuses. En effet, 52 individus sur 55 ont commencé leur carrière comme simples soldats, soit 94,55 % contre 72,11 %. Rien que de très normal puisque les grades avaient déjà été pourvus lorsque les nouveaux volontaires arrivèrent au corps. Par contre, il est remarquable que la proportion des soldats, après trois années de service au minimum, soit encore de 35 sur 55 c'est-à-dire 63,64 % contre 13,46 % pour les engagés de la première heure. On constate d'autre part que les hommes ont atteint des grades moins élevés que précédemment : un seul capitaine, pas de lieutenant, un seul sous-lieutenant. Pourquoi cette différence entre les deux échantillons ? On peut dire tout d'abord que l'ancienneté a joué en faveur des premiers. A l'inverse, le niveau de départ des volontaires de la « queue de levée » généralement plus bas pour la raison que nous avons exposée, les a défavorisés. On peut se demander cependant si la disparité des carrières ne traduit pas une différence dans le niveau social du recrutement. C'est une hypothèse que nous serons amené à tester dans les chapitres suivants (184).

Un second document, déposé aux Archives nationales celui-ci, apporte quelques lumières supplémentaires sur la carrière de certains gradés du premier bataillon (185). Bien qu'il ne comporte aucune date ni indication de provenance, la comparaison des carrières permet de penser qu'il a été réalisé à une époque voisine de la date qui figure sur le contrôle que nous venons d'étudier. Cependant, les renseignements fournis par les deux documents ne sont pas identiques. Ceux que l'on peut tirer de l'état des Archives Nationales sont moins précis que ceux du contrôle car on n'y trouve pas les dates de promotion. Par contre, y figurent des indications intéressantes telles que le métier du volontaire dans le civil et celui de ses parents, son instruction, son état de santé, la qualité de son civisme, son aptitude au commandement. Nous avons relevé les appréciations concernant 28 volontaires engagés, à deux exceptions près, à la formation du bataillon. Les renseignements les plus originaux concernent l'aptitude du soldat au grade supérieur. Huit volontaires sont considérés comme étant « bien à leur place », c'est-à-dire qu'on ne les juge susceptibles d'aucun avancement. Parmi eux, on relève le nom de Noël-Marie-Joseph Girard qui finira maréchal de camp ! (186) Les vingt autres sont censés aptes à occuper un grade supérieur au leur. Tous les officiers et sous-officiers considérés savent lire et écrire, à l'exception de Charles Tamisier, un fabricant de mouchoirs de Chemillé âgé de 45 ans au moment de son engagement. Presque tous possèdent, en outre, « les éléments du calcul ». Bien qu'analphabète, Tamisier figure au palmarès des meilleurs volontaires. C'est un vieux soldat qui a passé plus de 18 ans dans le régiment de Monsieur et fait deux campagnes en Corse. C'est aussi un patriote zélé, ancien aide-major de la

---

(184) Cf. *infra*, p. 402-408.
(185) Arch. nat. A F II 382, liasse n° 3112. Les renseignements signalétiques, sans doute réunis par le conseil d'administration du bataillon, ont été adressés au Comité de Salut Public en exécution de l'arrêté du 1er thermidor an II.
(186) Cf. *infra*, p. 193.

garde nationale de Chemillé. A la formation du bataillon il fut élu caporal de la 6ᵉ compagnie, puis fut nommé tambour-major en décembre 1792. L'année suivante, il « s'est distingué au siège de Lyon en prenant un canon aux rebelles lors de leur sortie, et en tuant son ci-devant colonel nommé Virieux général (sic)» (187). Grâce à son expérience et à son courage, Tamisier « pourroit remplir dès ce moment le grade de sous-lieutenant».

Avec Tamisier, trois autres volontaires figurent, pour ainsi dire, au tableau d'honneur du bataillon : Claude Besnard, Louis Girard, et Pierre Quettier.

Claude-Jean Besnard, fils d'un négociant angevin du quai de la Poissonnerie, est né en 1765. Il a servi pendant 8 ans au régiment de Provence. Inscrit à la garde nationale de sa ville natale, il y obtint le grade de capitaine major. Il fut élu lieutenant de la compagnie des grenadiers du 1ᵉʳ bataillon en septembre 1791 et fut promu capitaine un an plus tard. Besnard est un homme grand et fort, d'une bonne complexion, c'est un bon marcheur. Les qualités intellectuelles et morales ne lui font pas défaut non plus : il sait lire et écrire, connaît un peu le calcul et manifeste un civisme prononcé. L'appréciation que portent sur lui ses supérieurs indique, en guise de conclusion, qu'il «pourroit dès ce moment occuper le grade de chef de bataillon» (188).

Louis Girard est né, lui aussi, à Angers, mais en 1763. Il était dans le civil menuisier comme son père. Cependant il avait connu pendant longtemps la vie militaire, ayant passé sept mois dans le régiment de Chartres et huit ans dans celui de Provence. Il avait été choisi comme capitaine par les volontaires de la 7ᵉ compagnie lors de la constitution du bataillon. Homme de complexion forte, bon marcheur, il sait lire et écrire et connaît un peu le calcul. Comme Besnard, il « pourroit remplir dès ce moment le grade de chef de bᵒⁿ (sic)». Malheureusement, il mourra prématurément, tué en Italie près de Roveredo en 1794 (189).

Pierre Quettier est encore un Angevin. Il est né dans la paroisse Saint-Michel du Tertre où son père exerçait la profession de fabricant de bas en 1764. Excellent patriote, il était membre de la société populaire et caporal des canonniers de la garde nationale. Il fut élu en septembre 1791 lieutenant de la 8ᵉ compagnie du bataillon de Maine-et-Loire et devint capitaine le 23 ventôse an II (13 mars 1794). Bien constitué, bon marcheur, il sait lire et écrire, connaît bien le calcul et il est jugé apte au grade de chef de bataillon, comme ses deux camarades précédemment cités. Aussi malchanceux que

---

(187) François Henri comte de Virieu est né à Grenoble, le 13 août 1754. Colonel au régiment de Limousin, il fut élu député de la noblesse aux Etats-Généraux mais démissionna en 1790. Il participa activement à l'insurrection lyonnaise, tâchant d'assurer la liaison avec les foyers royalistes du Midi. Il fut tué au siège de Lyon le 15 octobre 1793.
(*Nouvelle biographie générale* ... publiée par F. DIDOT, réimpression, Copenhague, 1963-1969, tome 46, p. 1866.)
A. BRETTE, *Les Constituants* ..., Paris, 1897, p. 183.
E.-G. LÉONARD, *L'Armée et ses problèmes au* xviiiᵉ *siècle*, Paris, 1958, p. 305).
(188) Sur Besnard, outre l'état des Arch. nat., voir le contrôle du 1ᵉʳ bataillon (A.G.), et la liasse I L 590 bis des Arch. dép. M. & L.
(189) Arch. nat. A F II 382, liasse nº 3112, A.G., contrôle du 1ᵉʳ bataillon, C. PORT, *Dictionnaire ...*, *op. cit.*

Louis Girard, Quettier mourra d'une blessure le 29 frimaire an IV (20 décembre 1795), sans avoir pu donner toute la mesure de ses talents militaires.

En dehors de ces quatre hommes particulièrement distingués par le conseil d'administration du bataillon, d'autres volontaires connurent une carrière brillante. Nous citerons quelques-uns des plus remarquables. Paul Wilfrid Geslin par exemple, fils du « garde-maire » d'Angers, qui était en 1791 employé comme commis à la municipalité. Agé de 27 ans, il avait déjà une petite expérience militaire, ayant passé 22 mois dans le régiment d'Agenais et servant comme caporal dans la garde nationale. Il fut élu à la formation du bataillon sous-lieutenant de la 6ᵉ compagnie et devint chef d'escadron et aide de camp du général Lemoine (190).

Jacques-Jean Lauzeral né à Angers le 12 octobre 1765 était tailleur pour femmes chez son père quand éclata la Révolution. Il partit comme simple volontaire de la 8ᵉ compagnie, gravit progressivement tous les grades de sous-officier puis fut nommé sous-lieutenant en ventôse an II. Il fit la campagne d'Italie puis celle d'Egypte durant laquelle il fut blessé, en Syrie, sous les yeux de Bonaparte qui, à son retour en France le fit nommer adjudant de place à Toulon. Promu ensuite au grade de capitaine à l'état-major de la place de Givet, il donna sa démission sous la Restauration. Rappelé à l'activité au début de la Monarchie de Juillet, il reçut le commandement du château d'Angers, servant de prison, avec le grade de capitaine. Il mourut le 5 décembre 1832 (191).

François-Florimond Guérin était, par sa mère Rosalie Dutail, le neveu par alliance de Beaurepaire (celui-ci ayant épousé Marie-Anne Charlotte Banchereau Dutail). Son père était un banquier de la rue de la Roë à Angers. Le jeune homme n'avait pas 18 ans lorsqu'il fut admis comme grenadier au 1ᵉʳ bataillon. Il fut nommé sous-lieutenant dans le 2ᵉ carabinier en avril 1792 et passa lieutenant en l'an VI. Il se distingua par deux fois les années suivantes, enlevant notamment un moulin retranché à la tête des fantassins, en brumaire an VIII, ce qui lui valut le grade de capitaine. Il servit dans la grande armée jusqu'en 1807, année où il prit sa retraite à la suite de blessures. Guérin s'éteignit à Angers en 1855 (192).

Abel-Joseph Guillot était, lui aussi, originaire d'Angers qui le vit naître en 1760. Après des études à l'Oratoire et un séjour au séminaire, il se résolut à embrasser la carrière des armes. C'est ainsi qu'il passa 8 ans au régiment de Monsieur où il termina comme sergent-fourrier. Il était major de la garde nationale de Saint-Georges-sur-Loire au moment de son engagement dans les volontaires (193). Il commença son service au bataillon comme capitaine des grenadiers mais la mort de Beaurepaire permit sa promotion au grade de lieutenant-colonel en second. Le départ de Louis Lemoine lui donna le

---

(190) Outre les documents cités des Arch. nat. et des A.G., voir X. de PÉTIGNY, *Beaurepaire ...*, *op. cit.*, p. 17, et F. GRILLE, *op. cit.*, qui a reproduit diverses lettres de Geslin dans son tome II.

(191) En plus des états conservés aux Arch. nat. et aux A.G., on peut utiliser C. PORT, *Dictionnaire ...*, *op. cit.*

(192) 1 L 590 bis et C. PORT, *Dictionnaire ...*, *op. cit.*

(193) Cf. *supra*, p. 163.

commandement du bataillon à la fin de décembre 1793. Sa carrière se poursuivit sous la Révolution puis sous l'Empire pendant lequel il exerça notamment la charge d'intendant militaire à Rome. Mis à la retraite en 1816, il termina ses jours à Angers le 29 avril 1827 avec le grade de colonel et les titres de chevalier de Saint-Louis et de la légion d'honneur (194).

Charles-Joseph Jameron était né à Beaufort en 1768, d'une famille de magistrats. Capitaine de la garde nationale de la petite ville, il s'engagea au premier bataillon où il servit comme simple volontaire. Il fit toutes les guerres de la Révolution et de l'Empire en s'élevant peu à peu dans la hiérarchie militaire. Mis en non activité en 1814 avec le titre de chevalier de Saint-Louis, il fut rappelé au service en 1819 et placé à la tête de la 7ᵉ légion en résidence à Tours. C'est là qu'il prit sa retraite en 1821 avec le grade de maréchal de camp, c'est là aussi qu'il mourut en 1847 (195).

Noël-Marie-Joseph Girard était le demi-frère de Louis et de 10 ans son cadet puisqu'il avait vu le jour en 1773. Au début de la Révolution, il travaillait chez son père, rue Saint-Georges à Angers, comme apprenti menuisier. Il fut élu en septembre 1791 caporal de la 2ᵉ compagnie du bataillon de Maine-et-Loire. Pendant les guerres révolutionnaires, Noël Girard fut blessé deux fois, d'abord à Jemmapes en novembre 1792 puis, deux ans plus tard, au château de Pietra près de Roveredo où il eut le chagrin de perdre son frère. Il gravit lentement les échelons de la carrière militaire jusqu'au grade de capitaine où il parvint en 1802. Suspendu de ses fonctions (pour raisons politiques?) il fit à ses frais et comme simple volontaire la campagne d'Ulm et d'Austerlitz. Il fut réintégré dans son grade en 1807 puis nommé chef de bataillon en 1809. Lorsque, pendant la campagne de France, il se retira derrière la Loire, il était colonel et baron d'Empire. Louis XVIII le nomma chef d'état-major de la première division militaire et Napoléon le maintint en activité pendant les Cent Jours. Il participa d'ailleurs à Waterloo. La Monarchie de Juillet lui redonna du service avec le grade de général en lui confiant le commandement du Morbihan et de l'Ille-et-Vilaine contre les Chouans. A sa retraite, en 1835, il était maréchal de camp et commandeur de la légion d'honneur, belle promotion pour un fils de menuisier que l'on avait jugé naguère inapte à l'avancement... (196).

Henri-Pierre Delaâge eut une carrière aussi brillante mais la place qu'il occupait au départ dans la société, était bien supérieure, nous l'avons vu (197). Sa promotion a été fulgurante puisqu'en deux ans il passa du grade de sous-lieutenant où il avait été élu à la formation du bataillon à celui de chef de brigade. Delaâge fut en effet nommé aide-major en janvier 1792, puis

---

(194) A.G. contrôle du premier bataillon.
Arch. dép. M. & L., série Q, Enregistrement, reg. des mut. après décès du bureau d'Angers, nᵒ 137, acte nᵒ 66 du 4 oct. 1827, C. PORT, *Dictionnaire ...*, *op. cit.* G. SIX, *Dictionnaire ...*, *op. cit.*
(195) 1 L 590 bis; série Q, Enregistrement, bureau de Beaufort, table des décès nᵒ 11. C. PORT, *Dictionnaire ...*, *op. cit.*
(196) 1 L 590 bis; série Q, Enregistrement, bureau d'Angers, reg. des mutations par décès nᵒ 153, acte nᵒ 220 du 26 août 1839 (Noël Girard est mort à Angers le 1ᵉʳ mars 1839). C. PORT, *Dictionnaire ...*, *op. cit.* Sur l'inaptitude de Noël Girard à une promotion, cf. *supra*, p. 190.
(197) Cf. *supra* note 54.

il commanda le bataillon à titre provisoire lors de la trahison de Dumouriez et fit croiser les baïonnettes contre les hussards du général au cri de « Vive la Liberté ». Il fut nommé en l'an II adjudant-général chef de brigade et participa à ce titre à la fin de la guerre de Vendée. Au combat du Mans, il prit 20 canons et sauva la vie de la fille du comte de Ménars. Il participa ensuite à la guérilla contre Stofflet et Charette. C'est un exploit contre ce dernier qui lui vaudra, sous l'Empire, le titre de baron de Saint-Cyr. Après avoir servi jusqu'au bout dans les armées impériales, il prit sa retraite comme maréchal de camp et commandeur de la légion d'honneur. « Véritable héros d'avant-garde, écrit de lui Célestin Port, tête chaude et main vive, Delaâge humain, généreux même dans les emportements des guerres civiles, était resté de cœur simple et bon. » (198)

Louis Lemoine, le successeur de Beaurepaire à la tête du bataillon, connut une gloire semblable. Il fut nommé général de brigade à l'armée des Alpes en novembre 1793 puis envoyé, le mois suivant, à l'armée des Pyrénées-Orientales. Admis au traitement de réforme en 1800, il reprendra du service seulement en 1809, nommé commandant d'armes à Wezel. Il sera mis à la retraite en 1816 et anobli deux ans plus tard avec le titre de baron (puis de comte) des Loges (199).

Il faudrait rappeler aussi la carrière du médecin militaire Urbain-Philippe Salmon, tôt interrompue par un suicide (200) et citer pour mémoire le soldat qui, de tous les volontaires ayant servi au premier bataillon, porte sans conteste le patronyme le plus illustre : Pierre-Jacques-Etienne Cambronne. Ce dernier n'était pas un Angevin : il était né à Nantes en 1770 et s'était engagé en septembre 1791 dans le premier bataillon de Loire-Inférieure. Cependant, il passa quelque temps dans la compagnie des grenadiers de Mayenne-et-Loire qu'il rejoignit à Verdun à la fin de juillet 1792 comme le prouve une lettre de Beaurepaire (201).

Signalons enfin une carrière qui, pour avoir été remarquable, n'en fut pas moins peu orthodoxe. C'est celle de Jean-Baptiste-Marie Martin-Baudinière qui, après avoir fait son droit à Angers et participé à la fédération parisienne du 14 juillet 1790, s'était engagé à La Pommeraye comme volontaire pour le premier bataillon où il fut versé dans les grenadiers. Il quitta son unité au début de 1792 pour faire partie de la garde constitutionnelle du roi où les aristocrates étaient, on le sait, fort nombreux. Au bout de quelques mois (sans doute après la dissolution de la garde par le décret du 29 mai), il obtint une place de gendarme à Châteauneuf-sur-

---

(198) 1 L 590 bis ; C. PORT, *Dictionnaire ...*, *op. cit.*

G. SIX, *Dictionnaire ...*, *op. cit.*

Série Q, Enregistrement, Bureau d'Angers, reg. des mutations par décès n° 157, acte n° 110 du 22 juin 1841 (Henri Delaâge est mort à Angers le 22 décembre 1840).

(199) C. PORT, *Dictionnaire ...*, *op. cit.*

G. SIX, *Dictionnaire ...*, *op. cit.*

(200) Cf. *supra*, p. 63.

(201) 1 L 585 bis, lettre du 28 juillet. Selon Georges SIX, Cambronne aurait été incorporé la veille au bataillon angevin.

Le 20 avril 1794, il fut accusé d'avoir insulté en termes grossiers l'agent national Leborgne (*Dictionnaire ...*, *op. cit.*). Voir aussi C. PORT, *Dictionnaire ...*, *op. cit.*, tome I revu et corrigé par J. LEVRON et P. D'HERBECOURT.

Sarthe. Or, nous retrouvons Martin-Baudinière en mai 1793 pourvu d'un commandement... dans l'armée de Bonchamps. Il guerroiera avec les Vendéens jusqu'à la pacification de La Jaunaye (17 février 1795). Il viendra résider ensuite à Saint-Pierre-Montlimart. En 1815, il participera au nouveau soulèvement contre-révolutionnaire, aux côtés de d'Autichamps, avec le grade de colonel. A ce titre, il signera beaucoup de pétitions adressées au roi par les anciens Vendéens en 1823-1824 (202).

La destinée du premier bataillon fut, comme celle de tous ses homologues, beaucoup plus brève que la carrière des soldats illustres qui sortirent de ses rangs. Un an après sa formation, le 27 octobre 1792, Mayenne-et-Loire perdait une partie de ses grenadiers qui se réunirent à d'autres pour former, à Quiévrain en Belgique, le 6ᵉ bataillon de grenadiers. Ces hommes firent la campagne des Pays-Bas puis partirent, en mai 93, pour la Vendée (203). Les autres compagnies participèrent, elles aussi, à la victoire de Jemmapes (204) et à la libération de la Belgique. Au lieu de rentrer dans l'Ouest, elles supportèrent le poids entier de la retraite, soutenant notamment en juillet le siège de Valenciennes où le bataillon perdit une centaine d'hommes. Les Angevins ne formaient plus alors qu'une minorité dans l'unité qui portait le nom de leur département. Pour la compléter, on avait enrôlé beaucoup de «Picards» comme dit Abel Guillot (205). Après l'évacuation de Valenciennes, le bataillon gagna Laon où il arriva le 1ᵉʳ août 1793. Il s'attendait à partir pour la Vendée mais reçut ordre de se joindre aux forces qui assiégeaient Lyon. En novembre, Mayenne-et-Loire se dirigea vers Chambéry. C'est là que Lemoine apprit sa nomination comme général de brigade et céda le commandement à Guillot. Incorporé à l'Armée des Alpes puis à l'Armée d'Italie, le bataillon termina sa carrière le 1ᵉʳ messidor an IV (19 juin 1796) près de Coni où il fut amalgamé dans la 85ᵉ demi-brigade de seconde formation (206). Ainsi disparaissait le premier bataillon de volontaires angevin, après 5 années de vie agitée et difficile. Mais depuis l'été 1792, il n'était plus le seul à porter sur les champs de bataille le nom de Maine-et-Loire.

II. - LES VOLONTAIRES DE LA DEUXIÈME LEVÉE

Les mois qui suivirent immédiatement la déclaration de guerre furent très périlleux pour la France révolutionnaire. Les défaites, les intrigues des généraux, l'attitude du roi qui dévoilait clairement sa politique en opposant son veto au décret ordonnant la formation d'un camp de 20 000 fédérés sous Paris et en renvoyant les ministres brissotins, tout aurait pu abattre le courage des patriotes. Ce fut le contraire qui se produisit. L'élan

(202) C. PORT, *Dictionnaire ...*, *op. cit.*
(203) Cf. le carnet de route de Benoît-François GUITET (Bibl. mun. Angers, ms 572, carton nº 623).
(204) Lemoine évoque la bataille dans une lettre datée du 12 novembre 1792 (1 L 586).
(205) 1 L 586 bis, lettre écrite à Laon le 1ᵉʳ août 1793.
(206) G. DUMOND, *Bataillons de volontaires nationaux (cadres et historiques)*, Paris-Limoges, 1914, p. 199.

révolutionnaire se manifesta le 20 juin, dans la rue, par la vaine tentative d'infléchir la décision royale ; il se manifesta le 11 juillet, à l'Assemblée, par la proclamation de la patrie en danger. Dès le 12, un décret décidait la levée de 85 400 nouveaux soldats : 1 800 gendarmes nationaux, destinés à constituer une cavalerie de réserve, 50 000 hommes de complément pour l'armée de ligne et 33 600 qui seraient employés à former 42 nouveaux bataillons de volontaires nationaux (207).

Ce texte fut complété par une série de décrets votés les 17, 19 et 20 juillet, sanctionnés le 22, qui fixaient les nouvelles modalités de recrutement. Chaque conseil de département, de district et de commune nommerait deux commissaires chargés d'accélérer l'enrôlement, tant dans la Ligne que dans les volontaires. On rassemblerait par canton les « gardes nationales et autres citoyens en état de porter les armes » (il n'était donc plus question des seuls citoyens actifs) et on ouvrirait devant eux trois registres : un pour l'enrôlement parmi les vétérans, un second pour l'engagement dans la Ligne, un troisième « pour l'inscription des citoyens qui ayant été choisis par leurs frères d'armes pour servir en qualité de volontaires (...) accepteront ce choix honorable ». Cette formule, conforme au décret des 4 et 5 juillet fixant les mesures à prendre quand la patrie est en danger, semblait instaurer un moyen terme entre le volontariat et la désignation d'office par élection. Elle ne fut pas appliquée en Maine-et-Loire.

Selon un tableau annexé à la loi du 22 juillet, notre département devait fournir six compagnies (208), exigence qui pouvait sembler d'autant plus facile à satisfaire qu'un mouvement d'opinion favorable se dessinait à Angers où plus de 100 citoyens actifs signèrent la pétition du 24 juillet réclamant l'organisation d'un deuxième bataillon de volontaires. Par mesure d'efficacité, ils souhaitaient rétablir ni plus ni moins le racolage que Beaurepaire et le Département avaient rejeté peu de temps auparavant comme un procédé inadmissible (209). Ils demandaient, en effet, que ...

> ... « pour stimuler le courage des habitans de la campagne il soit envoyé quarante huit hommes de la Garde Nationale ; savoir six par district qui soient chargés de parcourir avec fiffres et tambours les foires et marchés, de se montrer les jours de fêtes et dimanches dans les lieux où il se fait des assemblées... » (210)

Satisfaction devait leur être donnée le jour même par le conseil général du Département qui arrêtait la formation immédiate d'un nouveau bataillon de 800 hommes.

Comme la loi du 22 juillet, le texte départemental élargissait les conditions d'engagement dans de notables proportions. Il n'était plus question de puiser seulement dans la garde nationale ou parmi les citoyens actifs : « tous les citoyens en état de porter les armes » étaient invités à se faire inscrire sur les registres qui seraient ouverts dans les municipalités des

---

(207) *Le Moniteur Universel*, n° 198 du 16 juillet 1792.
(208) E. DEPREZ, *Les Volontaires nationaux, op. cit.*, p. 217-223.
(209) Cf. *supra*, p. 171.
(210) 1 L 578.

chefs-lieux de canton. Les seules conditions imposées étaient relatives à la taille (il faudrait avoir au moins 5 pieds) et à l'âge (entre 18 et 50 ans) (211). En accord avec la loi du 3 février 1792, les engagés recevraient trois sous par lieue pour se rendre à Angers et 15 sous par jour pour leur subsistance au chef-lieu jusqu'au départ du bataillon. Il était précisé que l'habillement, l'équipement et l'armement seraient fournis aux hommes avant de quitter l'Anjou, sans que cela implique une autre méthode de financement que celle des retenues sur la solde déjà expérimentée. L'article 14 ordonnait enfin :

> « Pour accélérer la formation du Bataillon, les Conseils de Districts nommeront, chacun, deux Commissaires, qui se concerteront avec leurs Municipalités, Chefs de légion et Officiers des Gardes Nationales, pour presser les inscriptions et l'organisation du Bataillon ». (212)

En somme, les administrateurs angevins ne faisaient guère que reprendre les dispositions appliquées pour la levée des volontaires du premier bataillon.

1. - Les opérations de recrutement de l'été 1792

Il apparut tout de suite qu'il faudrait multiplier les commissions aux recruteurs si l'on désirait obtenir le résultat immédiat qu'exigeait une situation beaucoup plus critique que celle de l'année précédente. Dès le 27 juillet, le conseil du District d'Angers fit remarquer au Département que deux commissaires par district ne suffiraient point à la tâche. Il faudrait confier la levée, dans chaque canton, au commandant du bataillon de la garde nationale (213). Donnant lui-même l'exemple, le District fit imprimer des commissions où il ne restait plus qu'à écrire à la main le nom des recruteurs et le ressort de leur compétence (cf. p. 198-199) (214).

De fait, les gardes nationaux sont partout sur la brèche. C'est ainsi que trois grenadiers d'Angers enrôlent des volontaires à Chalonnes les 31 juillet et 1er août. Deux semaines plus tard 14 officiers et sous-officiers de la même garde nationale et de diverses milices rurales engagent 17 hommes à Doué-la-Fontaine. L'on voit encore le commandant de la garde nationale de La Bohalle, Paviot, et le capitaine Bonneau, faire trois recrues le 16 août etc. Les administrateurs payèrent aussi de leur personne tel Nicolas Debraÿe, secrétaire de la municipalité de Champtocé. Enfin, on eut recours à l'« auto-recrutement », si l'on peut dire, les hommes déjà engagés se chargeant eux-mêmes de la propagande. Par exemple, deux volontaires du 2e bataillon, Jean Bretaudeau, un sabotier d'Angers, et René Gaillard son collègue de Beaufort, obtiennent de Desjardins leur commandant, une permission pour se rendre à Beaufort où ils enrôlent 12 hommes. De son côté

---

(211) Ces restrictions sont en opposition avec le décret du 24 juillet qui avait abaissé, de 18 à 16 ans, l'âge minimum (E. Deprez, *op. cit.*, p. 225). Ce texte ne pouvait évidemment pas être connu le jour même à Angers.
(212) 1 L 588.
(213) 1 L 591 bis.
(214) 1 L 592.

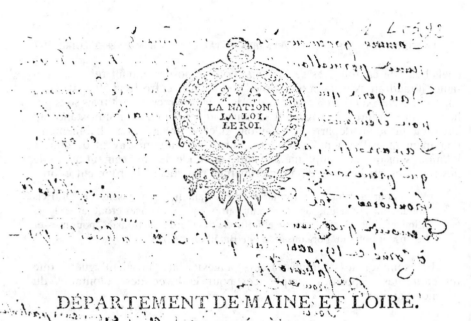

DÉPARTEMENT DE MAINE ET LOIRE.

DISTRICT D'ANGERS.

Les Citoyens *Bouvard et Gilbert* sont commis à l'effet de se transporter dans les Paroisses d'*Epiau et audaud* pour, et en conformité de l'Arrêté du Conseil Général du Département de Maine et Loire, relativement à la formation d'un second Bataillon de Volontaires, inviter les Citoyens à voler au secours de la PATRIE EN DANGER, se concerter avec les Municipalités desdits lieux, le Commandant et Officiers de la Garde Nationale de ce Canton, presser les Inscriptions et Enrôlemens, ainsi que l'organisation dudit Bataillon.

Arrêté le 28 Juillet 1792, l'An 4e. de la Liberté.

Signés, PHILIPPEAUX, exerçant les fonctions de Président,

HENRI DELAUNAY, Secrétaire.

Cotton maire

le livre municipal le cerf municipale deniz viiller municipal

(recto)

Comme procureur de la Commune de Corné —
nous permettons Messieurs les Commissaires Envoyés
D'angers qui ôte notre Département de ce promener
non seulement Dans le Bourg, mais en toute
la paroisse ; à l'effet d'enroller tous citoyens —
qui prendroient le partie De Soutenir les —
frontières. tel est le désir de la municipalité et
Demeure procureur de ladite Commune —
à Corné ce 19e août l'an quatrième de la liberté 1792

Jahanot
procureur
De la Commune

pour les Commissaires qui ont fait de plusieurs particularités
Suivant ce qu'ils nous ont dit d'approuver il leur dû à
En ... à coûté huit livres quinze sols —
8ₗ 15ˢ
ayant fait Battre la quesse de Corné à
plusieurs Reprises le dit jour Jahanot

... Dela

El l'avons présenté Chez le maire —
qui étoit absent

8ₗ 15ˢ

fait partie
du Montant

Mˢ 91 — Vu au district D'angers le 21 août 1792 l'an 4e de La
8ₗ 9e le   Liberté et ... partie d'icelui
d'août   Rallée
1742 Vu Bon Brichet

Mury Delaunay
... ...

(verso)

Gilles Bobot, chamoiseur à Segré et ancien sous-lieutenant de la garde nationale, devenu caporal de la 8ᵉ compagnie du même bataillon, fait une quinzaine de recrues (215).

Les opérations furent menées rondement. Il faut dire qu'on ne lésina pas sur les moyens, employant tour à tour l'émulation, la persuasion, la séduction. Pour provoquer l'émulation, on exhibe dans les villages les volontaires déjà inscrits, revêtus de leur uniforme tout neuf. J.-E. Loir, commissaire pour la région de Vihiers, annonce dans une lettre datée le 3 août de Brissac, qu'il envoie à Angers trois recrues, mais il ajoute :

« ... je désirerois bien qu'il fut possible qu'on leur permit de venir dimanche prochain, en uniforme, pour se trouver à une assemblée qui a lieu en nôtre pays, ils me seroient d'une grande utilité pour le recrutement » (216).

De même, trois jours plus tard, la municipalité de Brion adresse deux engagés au Département, Pineau et Gentilhomme, en sollicitant une permission pour eux afin qu'ils reviennent au pays le samedi suivant régler leurs affaires et servir d'exemple pour leurs camarades. On les habillera d'ici là, si possible, pour qu'ils puissent se produire en uniforme (217).

Afin de persuader la jeunesse, on multiplie les discours sur les places, au coin des rues, à grand renfort de fifres et de tambours ; pour la séduire, on fait de fréquentes visites à l'auberge, vidant ici une bouteille, prenant là un casse-croûte ou un véritable repas. Le 10 août à la foire de la Saint-Laurent, le maire de Saint-Georges-des-Sept-Voies, Rousseau, fait battre la caisse à la demande de Grignon, adjudant de la légion du midi de la garde nationale saumuroise ; les deux dimanches suivants il envoie ses tambours à Coutures, Saint-Maur, le Thoureil, trois villages voisins. Le rendement est satisfaisant : 12 hommes s'enrôlent. Pour dédommager Rousseau, le District lui allouera 43 livres 12 sols. De son côté, François Goulfaut, tambour à Doué-la-Fontaine, a été réquisitionné durant dix jours dans la période du 5 au 20 août pour rassembler les jeunes de la région. Le Directoire de Saumur lui donnera 10 livres pour son salaire (218).

Le recrutement ainsi compris entraînait des dépenses importantes. Les archives du Maine-et-Loire ont conservé de très nombreuses notes de frais adressées au Département par les commissaires. Nous en reproduirons quelques-unes, des plus caractéristiques, qui illustrent bien la méthode employée et montrent que le prix de revient d'un enrôlé fut variable d'un village à l'autre.

Voici tout d'abord ce qu'a dépensé le 5 août le nommé Bazille pour recruter cinq hommes dans la paroisse de Trélazé :

(215) 1 L 592.

(216) 1 L 591 bis.

Jean CHAGNIOT a souligné le rôle de l'émulation dans le recrutement parisien au dernier siècle de l'Ancien Régime. Il a signalé de nombreux engagements en série, ainsi que des engagements fictifs pour servir d'exemple (« Quelques aspects originaux du recrutement parisien au milieu du XVIIIᵉ siècle », dans *Colloque international d'histoire militaire, Montpellier 1974*, p. 103-113).

(217) 1 L 589.

(218) 1 L 587 bis.

«Dépance faite pour le recrutage à la Piramid ché le sieur
Lambert aubergiste :
— premier pour vin quinze boutielle de vin rouge à douze
sols   9 L.
— plus pour pin et viande et sallade   8 L.
                                                                    ─────────
                                                                    17 L. 10 (sic)
— plus donné au tambour   1 L. 10 s.
                                                                    ─────────
                                        total   19 L.
                                        timbre   5 sols.»

Le même jour, Gabriel Humeau, commandant en second de la garde
nationale des Ponts-de-Cé, a dépensé 55 livres 12 sols :

«Marché fait avec les tambours et fifre   9 L.
— Chez le Sieur Chollet aubergiste au Pont de Cée   1 L. 10 s.
— Chez le Sieur Maugain aubergiste aux Ponts de Cée   1 L.
— Chez Courtois aubergiste aux Ponts de Cée   1 L.
— Chez le Sieur Bruneau aubergiste à Juignié sur Loire   8 L.
— Chez Chevallié à Saint Jean des Mauverais   1 L.
— De retour, à Saint Saturenai   3 L.
                                                                    ─────────
                                        total   24 L. 10 s.
— Cy joint deux quitance montant à   22 L. 18 s.
— Plus pour cocarde quarante cinq sols cy   2 L. 5 s.
                                                                    ─────────
                                        total   49 L. 13 s.
— Plus pour dépenses faite chez Madame Le Roux à la
place neuve. Pour dépense et une cocarde   5 L. 14 s.
                                                                    ─────────
                                        total   55 L. 7 s.
                                        timbre   5 s.»

Brémault, Mussard et Enault, les trois grenadiers d'Angers opérant à
Chalonnes que nous avons déjà évoqués, dépensèrent en deux jours 145
livres 9 sols pour faire 19 recrues :

Le 31 juillet, «soupé avec 2 tambours»
— pain, viande, salade   5 L. 19 s. }   8 L. 19 s.
— 5 bouteilles de vin   3 L.   }
Le 1er août, «déjeuné aux mêmes et 2 hommes»
— pain et viande   3 L. 15 s. }   7 L. 7 s.
— 6 bouteilles de vin   3 L. 12 s. }
«dîné aux mêmes et 8 hommes»
— soupe, viande et pain   9 L. 12 s. }   16 L. 16 s.
— 12 bouteilles de vin   7 L. 4 s. }
«soupé à idem»
— salade, viande et pain   8 L. 6 s. }   14 L. 6 s.
— 10 bouteilles de vin   6 L.   }
«10 bouteilles de vin aux jeunes gens entre les repas»   6 L.
une soupe à l'oignon le 2 août en partant de Chalonnes   3 L.
                                                                ─────────
                                        total   56 L. 8 s.
— pour le «baletage» et dépense en route   8 L.
— perruquier à Chalonnes   2 L.
                                                                ─────────
                                        total   66 L. 8 s.

— cocardes et bonnets de la liberté pour 13 recrues	18 L.	4 s.
— eau de vie pour le départ	1 L.	13 s.
— « plus par omission dans le vin entre les repas lorsque les jeunes gens se sont présentés huit bouteilles »	4 L.	16 s.
total	91 L.	1 s.
— plus payé à 2 tambours à Chalonnes	6 L.	
— 6 cocardes et bonnets de la liberté	8 L.	8 s.
— « souliers à un recrue nud pied »	1 L.	
— « donné à deux pour payer leurs dettes vingt sols cy »	1 L.	
— frais de route et passage des ports	12 L.	
total	119 L.	9 s.
— dépenses non justifiées sur la note	25 L.	15 s.
timbre		5 s.
total général	145 L.	9 s.

Nous reproduirons enfin l'extravagante facture adressée au directoire du District de Saumur par J.-J. Maupassant, commandant d'un bataillon de la garde nationale, chargé du recrutement avec Louis Viger le futur conventionnel qui s'était inscrit lui-même le 28 juillet pour le 2ᵉ bataillon (219) :

— à Brain, « pour 4 bouteilles de vin données à quelques citoyens après leur engagement »	2 L. 8 s.
— à Saumur « pour frais d'un dîner civique fournis par le Citoyen Meignan traiteur à plus de 80 personnes tant engagés que quelques membres du District, gardes nationaux, musique et tambours (sic) »	230 L.
— à Saumur au citoyen Hamard 22 bouteilles de vin de 10 sols chacune	11 L.
— à Renou aubergiste à la Croix-Verte	41 L.
— à Bardoul cafetier pour bière et biscuits anisés	4 L. 10 s.

---

(219) J.J. Maupassant était l'oncle de Charles Maupassant qui fut maire de Saumur en 1821 et fit échouer par sa calme résolution la tentative insurrectionnelle du général Berton (cf. *infra*, p. 235).

Louis-François-Sébastien Viger était né aux Rosiers en 1755 d'une famille de commerçants. Après avoir fait son droit à Angers, il s'était inscrit au barreau de Paris puis avait exercé dans la capitale angevine la charge de substitut du procureur du roi. Acquis aux idées nouvelles, il s'était fait remarquer par un prix que lui avait décerné en 1787 l'Académie des Belles-Lettres d'Angers pour son « Discours sur cette question : quels sont les moyens d'encourager le commerce à Angers ? ».

Au début de la Révolution, il fut tour à tour procureur de la commune d'Angers et procureur syndic du District. Ayant donné sa démission en mai 1792, il fut élu à Saumur premier député suppléant à la Convention au mois de septembre. C'est pour cette raison qu'il fit ajouter la mention suivante à son engagement dans les volontaires : « a déclaré qu'étant premier suppléant à l'assemblée Nal il se réserve a y aller occuper son poste dans le cas ou un de nos députés viendrait à se retirer ... » A la veille de Valmy, Viger reçut avis de la démission prochaine de de Houlières et revint à Angers se préparer à lui succéder, ce qu'il fit seulement le 27 avril 1793. Il ne devait pas siéger longtemps à la Convention. Membre de la Commission girondine des Douze, il fut décrété d'arrestation le 2 juin, comparut devant le Tribunal Révolutionnaire le 24 octobre et fut guillotiné le 30. (1 L 589 bis et C. Port, *Dictionnaire ...*, *op. cit.*).

— à Fontenelle ferblantier au faubourg de la Croix-Verte pour un bonnet de la liberté en fer blanc (qui devait sans doute servir d'enseigne)	6 L.
— pour deux cocardes	12 s.
— payé au porteur du tambourin de la musique	1 L. 4 s.
— à Labrosse aubergiste à St Florent pour dépenses des jeunes gens qui se sont engagés	17 L. 11 s.
— «payé à Saumur à quelques volontaires enrôlés la somme de 2 L. 12 s. en trois cartes cy»	2 L. 12 s.
— payé au citoyen Massé de la Croix-Verte pour porter un paquet au Département	9 L.
total	325 L. 17 sols (220)

Le directoire de Saumur donna, le 15 septembre, un avis favorable au paiement de ce mémoire mais, au Département, on trouva la note un peu salée ! Après avoir entendu le rapport du procureur général syndic, le conseil accepta, le 28 septembre, de régler à Maupassant 95 L. 17 sols ... «sauf à luy à se faire rembourser de la somme de deux cent trente livres pour le diner civique, ainsy qu'il avisera (sic)» ! (221).

Au total, le Département ne dépensa pas moins de 3 387 livres 10 sols pour le recrutement durant les mois d'août et septembre (222).

Les pratiques que nous avons décrites s'inspiraient évidemment du racolage de l'Ancien Régime (223). Un détail toutefois a son importance : on s'est rarement engagé dans les volontaires pour de l'argent et jamais, en tous cas, contre une forte prime. Certes, nous avons vu les recruteurs payer une paire de chaussures à un jeune homme nécessiteux ou rembourser les menues dettes de quelques autres. Cela ne va pas très loin. Nous pouvons citer aussi le cas d'Etienne Loullet qui, sans exiger d'argent pour lui-même, ne consentit à s'engager qu'à condition que l'on trouverait pour sa femme un métier rémunéré au bataillon :

> «Aujourd'huy dix neuf aoust mil sept cent quatre vingt douze, Etienne Loullet perruquier natif de Chatellerault paroisse St Jean, district du dit Chatellerault, département de la Vienne, âgé de trente deux ans, marié à Elizabeth Gromer (...) a comparu à la maison commune dudit Doué et a déclaré vouloir servir la patrie en qualité de volontaire dans le troisième bataillon de maine et Loire, aux conditions que la ditte Groumer sa femme le suivra au dit bataillon pour y travailler en qualité de vivandière et de son état de culottière et tailleuse» (224).

---

(220) Ces notes de frais sont conservées dans la liasse 1 L 592.

(221) 1 L 597 bis.

(222) 1 L 592.

(223) Sur le racolage dans l'armée royale au xviiie siècle, cf. A. Corvisier, *L'Armée française* ..., *op. cit.*, tome I, p. 179-195.

(224) 1 L 594. Loullet anticipe : l'arrêté de formation du 3e bataillon est du 23 août.

Rappelons que nous avons déjà rencontré un volontaire s'engageant avec sa femme au premier bataillon (cf. *supra*, p. 174).

Marie-Paule Duhet évoque les femmes-soldats qui combattirent avec les volontaires dans *Les femmes et la Révolution (1789-1794)*, Paris, 1971, p. 117.

Sous l'Ancien Régime, on rencontrait des épouses ou des filles de soldats vivant à l'armée, notamment dans les corps étrangers ou les compagnies d'invalides tenant garnison dans les

Quelques documents peuvent accréditer l'idée que certains volontaires ont touché des primes. Ainsi Charlery, le maire de Segré, a donné 12 L. 5 sols à Gilles Bobot « pour son engagement jusqu'au 1er août exclusivement » et 3 livres à Jean Oger enrôlé le 29, mais on peut remarquer que ces sommes correspondent à la solde de subsistance prévue par la loi du 3 février pour 16 journées dans le premier cas et 4 dans le second. Il ne s'agit donc pas de prime (225). Par contre, nous avons retrouvé des engagements souscrits dans la forme suivante :

> « J'ay soussigné Pierre Bidault m'engage de ma propre volonté, et sans contrainte, à servir la Nation sous ses ordres, en qualité de Volontaire National, pour l'espace de trois ans, à condition d'avoir mon Congé absollu aux termes de la loi du 31 May 1792 et de recevoir en arrivant à l'armé du deuxième Bataillon de Maine-et-Loire la somme de Cinq Livres à titre d'engagement pour le premier mois, et trente sous au même titre à la fin de ceux que je servirai, en sus de la paye du grade qui me sera accordé, en conséquence, je promets de servir avec fidélité et honneur, etc. » (226).

Dans pareil cas, il est évident qu'il y a eu confusion. La loi du 31 mai s'applique au recrutement des compagnies franches, non à celui des bataillons de volontaires (227). Il se peut que Bidault ait touché les cinq livres qu'il réclamait pour son engagement mais il paraît invraisemblable qu'il ait pu se faire payer les 30 sous demandés en sus de la solde, à la fin des mois suivants. Cela n'aurait pas manqué de provoquer un tollé de la part de ses camarades régulièrement recrutés.

Malgré l'importance des moyens mis en œuvre, le succès de la levée fut très inégal selon les dispositions politiques traditionnelles des divers « pays » angevins. Le rendement fut excellent dans la région de Saumur. Une lettre du Département au District, daté du 10 août, fait part de l'arrivée de 83 Saumurois à Angers et une seconde, écrite quatre jours plus tard, annonce qu'un nouveau contingent de 86 hommes a gagné le chef-lieu (228). Par contre, comme on pouvait s'y attendre, les commissaires du district de Segré éprouvèrent des résistances. Ainsi, Charlery, de la part des femmes...

> « ... J'espère vous envoyer la semaine prochaine six ou sept bons enfants de Vern, j'étois hier au Lyon d'Angers ou on plantait le bonnet de la Liberté, et sans les mères et les sœurs, je les aurois enrollé sur le champ ; mais ils m'ont promis de venir à Segré, et si je ne les y vois point, j'irai à Vern les sommer de leur parolle » (229).

---

forteresses. (A. CORVISIER, « La société militaire et l'enfant », dans *Enfants et Sociétés, Annales de Démographie historique*, 1973, p. 327-343).

(225) 1 L 589. Rappelons que la solde était de 15 sous par jour.

(226) 1 L 589. Cet engagement, manuscrit, est daté de Souzay le 19 août. D'autres volontaires ont utilisé des formules semblables, mais imprimées. Ces formules portent d'ailleurs parfois dans leur titre le terme de « compagnie franche ».

(227) 1 L 566[16].

(228) 7 L 192.

(229) 1 L 589. Ce document n'est pas daté, mais a été manifestement rédigé fin juillet.

La situation était bien pire dans les Mauges, selon le directoire du District de Cholet :

> « Nous faisons le possible pour exciter l'émulation et le courage de notre jeunesse à marcher aux frontières pour le salut de la patrie.
>
> Malheureusement les campagnes sont sourdes à nos Sollicitations même aux décrets et à tous les arrêtés relatifs aux recrutements et enrolements ... » (230).

Toutefois, un district patriote compensant un district aristocrate, le contingent exigé du Maine-et-Loire fut vite dépassé. « Vous apprendrez avec plaisir, écrit le 14 août le Département au District de Saumur, que notre bataillon sera incessament (sic) complet, peut-être dès aujourd'hui ». Mais, désireux de faire mieux encore, le directoire angevin demande de continuer l'effort (231). Il faut croire que ce vœu fut entendu car, devant l'afflux des volontaires, le conseil général du Maine-et-Loire arrête le 23 août l'organisation d'un troisième bataillon (232).

Cette décision pourrait bien être le résultat d'un calcul intéressé. Nous nous souvenons en effet qu'une circulaire signée le 5 août par La Fayette demandait l'envoi à l'Armée du Nord de la moitié des compagnies de grenadiers et de chasseurs, corps d'élite de la garde nationale. Dans un premier temps, le Département avait accédé à ce désir comme en témoigne son arrêté du 16 août. Mais une opposition générale s'était manifestée dans les cantons patriotes contre une mesure qui risquait de priver le mouvement révolutionnaire local de ses meilleurs défenseurs (233). En offrant de constituer un troisième bataillon alors qu'on ne lui demandait à l'origine que six compagnies, le Département désarmait la calomnie éventuelle en prouvant son patriotisme ; du même coup il pouvait revenir sur sa décision d'envoyer aux frontières les grenadiers et les chasseurs des gardes nationales. La cause révolutionnaire y gagnerait en Maine-et-Loire. Depuis qu'il était possible de recruter les volontaires en dehors des citoyens actifs, point n'était besoin de peupler les bataillons de la fine fleur de la bourgeoisie urbaine. On pourrait constituer facilement une unité de paysans et d'ouvriers et conserver au pays ces « pères de famille », propriétaires, commerçants, manufacturiers, engagés dans la garde nationale, qui étaient si précieux au moment où l'agitation contre-révolutionnaire se faisait menaçante (234). D'où les deux articles suivants de l'arrêté du 23 août qui tente de concilier les nécessités de la défense extérieure et celle de l'ordre intérieur :

> Art 1. - « Le Conseil Général suspend provisoirement l'exécution de l'Arrêté du 16 août dernier, relatif à la réquisition du général de l'armée du Nord, de la moitié des grenadiers et chasseurs des bataillons de gardes nationales... »

---

(230) 1 L 589, lettre au Département datée du 14 août.
(231) 7 L 192.
(232) Nous avons reproduit une partie des « considérants » de l'arrêté du 23 août dans l'Introduction, *supra*, p. 44.
(233) Cf. *supra*, p. 146-147.
(234) Le soulèvement de la région de Châtillon-sur-Sèvre a débuté le 21 août.

(...)

Art 3. - «Pour satisfaire aux besoins de la Patrie, et répondre à l'empressement des citoyens, dont les inscriptions se multiplient chaque jour, il sera formé un troisième bataillon, à l'habillement, armement et équipement duquel il sera pourvu de la manière prescrite par l'Arrêté du 24 juillet dernier» (235).

Le recrutement se poursuit donc de plus belle. Comme précédemment, les plus actifs sont les gardes nationaux : par exemple ces deux officiers de la bourgade d'Avrillé, tout près d'Angers, qui décrivent une séance d'enrôlement dans une langue pittoresque :

«Mémoire des dépances fait par les sitoyen Dupré et Dady tous les deux hofficié dant le batallion Da vrillé à l'aucasion du récrutemand.

Nous nous somme rendue le deux du présen a vrilliez chéfe lieu du canton, ou lia vet a cenblée nonmé la St jille, nous avont commancée par fere batre la quiesce pour engajer les jeune jence avoller a la défense de la patrie, a force dinvitation ille cest présanté les nonmé jaque Dinnant, Mancaux et fronnier(?) ; nous ont déclairé vouloir servir la nation, nous les avont de cuite fait anregistré à la municipalité conformément à la loy ; de la dinéz acuite duquiel réconmancé affer rebatre de nousvaux, jusca la nuite esspérant anmené à vecqueu plusieur de leur cama^de qui ne a fait pa an boire in coup (?).

Nous avons soupé déjeuné le landemen matin conduit a Anjer les dis recrus et nous les avont fait anrejisttré au département. Le tout nous a antreiné a une depance de ving catre livre.

A anjers ce catre 7bre 1792
lan catrieme de la liberté prem de la légalité (sic)
L.P. Dupré et Dady» (236).

Les gendarmes font également office de recruteurs ; c'est ainsi que Maisonneuve, de Saint-Georges-sur-Loire, reçoit le 6 septembre une commission pour enrôler des volontaires. Enfin, comme pour le second bataillon, des soldats récemment incorporés bénéficient d'une permission pour retourner au pays stimuler le patriotisme des camarades restés chez eux. Joseph Guimas, de la 4e compagnie, enrôle trois garçons dans son village natal de Saint-Augustin-des-Bois et dépense pour eux onze livres à l'auberge. (237) Le 2 octobre, Jacques Humeau originaire de Saint-Macaire-en-Mauges et sergent à la première compagnie est chargé d'engager et de conduire à Angers dix volontaires de la région de Beaupréau (238).

---

(235) 1 L 594.
(236) 1 L 592.
(237) 1 L 592. La dépense faite par Joseph Guimas est authentifiée par Antoine Panay, curé et notable de Saint-Augustin-des-Bois.
(238) 1 L 594, lettre de la municipalité de Beaupréau au Département, remise à Humeau. Les officiers municipaux y protestent contre la «calomnie» dont ils sont l'objet, et se targuent d'avoir enrôlé 16 soldats dans leur commune. En réalité, les hommes engagés à Beaupréau n'étaient pas tous originaires de la ville. D'autre part, nous le verrons, trois d'entre eux seront réclamés par leurs parents et ne rejoindront pas le bataillon (cf. infra, p. 207). Il est évident que de tels enrôlements ne prouvent en rien le patriotisme d'une municipalité bien connue pour ses sympathies contre-révolutionnaires.

Le recours au racolage sur une grande échelle durant l'été 1792, conduit Xavier de Pétigny à affirmer qu'en Anjou « il n'y eut de volontaires véritables qu'en 1791 » (239). Que penser de ce jugement ? Il est certain, compte tenu d'exceptions qui furent sans doute nombreuses dans les villes, que la plupart des jeunes gens s'engagèrent sans enthousiasme, beaucoup ne faisant que répondre aux sollicitations plus ou moins pressantes des recruteurs. Quelques-uns fixèrent d'ailleurs soigneusement les limites du sacrifice qu'ils s'imposaient. Ainsi Etienne Clément, Noël David et Pierre Dufresne, trois Saumurois enrôlés en juillet, précisent qu'ils n'entendent servir qu'autant que la patrie sera en danger (240). Jacques Pécot, tailleur de Pouancé qui est marié et a un enfant, stipule le 1er février 1793 qu'il s'enrôle au premier bataillon pour un an seulement ; le même jour, Jean Lamothe accepte de s'engager « pour la campagne » (241). Toutefois, personne ne fut enrôlé de force et l'on eut largement le temps de réfléchir aux conséquences d'une signature donnée dans l'euphorie passagère d'une ivresse patriotique ou ... alcoolique. Nous avons déjà signalé ces jeunes gens qui, dégrisés, vinrent le lendemain faire annuler l'engagement de la veille (242). On peut aussi donner plusieurs exemples de garçons dont les parents s'opposèrent avec succès à leur incorporation. Félix Forest, âgé de 16 ans, « est réclamé par son père qui a besoin de lui et qui a déjà perdu un de ses enfants aux frontières ; il ne lui reste que celui-là de garçon ». Le fils sera renvoyé dans ses foyers, tout comme René Durand, un enfant du même âge, ou Jacques Huet, pourtant âgé de 21 ans, dont le retour avait été demandé par leurs mères respectives (243). Mathurin Bénureau, Jacques Gourdon, Julien Tilleau, trois des hommes engagés par la municipalité de Beaupréau et que le sergent Humeau devait conduire à Angers ne se rendirent pas au chef-lieu. Les parents, des tisserands de Gesté et de La Chapelle-du-Genêt, protestent que leurs fils sont trop jeunes, qu'ils n'ont pas la taille requise, ont une santé trop faible ou encore que leur travail est indispensable à une mère âgée, à une sœur infirme. Le père de Jacques Gourdon offre d'ailleurs de rembourser les cinq livres que la municipalité de Beaupréau a données à son enfant (244).

D'autres enrôlés reprirent leur parole parce qu'ils étaient chargés de famille. Un charpentier de Bécon-les-Granits âgé de 29 ans « est marié, a deux enfants, est mauvais sujet et pleure pour ne pas partir » ; il ne sera pas incorporé. Louis Ossant est « renvoyé comme ayant été réclamé par sa femme qui est enceinte et a déjà un enfant ». Il a remboursé les 8 livres 5 sols dépensés pour lui depuis son engagement (245). René Ledroit laboureur de 25 ans, s'était engagé le 17 août. Or, il avait « engrossé une fille » et, pour régulariser la situation, s'était marié le 27 août. Le curé de Juvardeil, Joubert, plaide en sa faveur en demandant s'il est possible de le libérer

---

(239) X. DE PÉTIGNY, *Un bataillon de volontaires ...*, *op. cit.* p. 8.
(240) Arch. mun. Saumur H I 74 (1).
(241) 1 L 595. Semblable précision pouvait se révéler utile, étant donné les difficultés que l'on faisait, malgré la loi, aux volontaires de 1791 rentrés dans leurs foyers.
(242) Cf. *supra*, p. 44.
(243) 1 L 595 et 1 L 589 bis.
(244) 1 L 597 bis.
(245) 1 L 589 bis et 1 L 595.

«quoique, dit-il, je n'aye point manqué de lui faire remarquer que le lien du mariage n'étoit pas en cas d'éteindre dans un véritable patriote le désir de servir la patrie ». Il obtint gain de cause et le jeune homme fut renvoyé (246). Il semble enfin que quelques-uns vinrent se dédire comme la loi leur en accordait le droit, sans invoquer aucun prétexte. Ainsi, Côme Couchot « a réclamé contre son engagement dans les 24 heures et a été renvoyé par le Département » (247).

A la lecture des documents, nous avons acquis la conviction que les jeunes gens vraiment hostiles au service avaient eu tout loisir de se manifester avant leur incorporation. En conséquence, nous pensons que la quasi-totalité de ceux qui s'abstinrent de protester contre leur engagement peuvent bien être considérés comme des «volontaires», mais l'on pourrait dire pour beaucoup d'entre eux, des volontaires « passifs » acceptant de servir la patrie plutôt que sollicitant d'eux-mêmes leur départ. Quoiqu'il en soit, on n'eut jamais besoin de recourir en Maine-et-Loire à l'élection, au tirage au sort, au remplacement à prix d'argent comme ce fut parfois le cas dans d'autres régions dès 1792 (248). D'ailleurs, si les prévisions des autorités départementales et surtout les exigences ministérielles furent largement dépassées puisqu'on mit sur pied 18 compagnies au lieu des 6 demandées, c'est que le terrain politique restait, dans son ensemble, favorable. La carte des engagements nous fixera de façon définitive sur leur signification et sur la valeur du volontariat. Ou bien les recrues ont été enrôlées de force et, logiquement, elles doivent provenir de toute l'étendue départementale, ou bien, comme la correspondance des commissaires le laisse pressentir, la partie occidentale du Maine-et-Loire est restée peu sensible aux avances des recruteurs alors que les jeunes gens de l'est ont répondu en masse à leur appel, et ce sera une preuve que la liberté a été respectée et que les engagés de 1792 méritent, comme leurs devanciers, le surnom de «Bleus» (249).

2. - L'organisation des 2ᵉ et 3ᵉ bataillons de Mayenne-et-Loire

Contrairement à ce qui s'était passé l'année précédente, la grande majorité de ceux qui s'inscrivirent sur les registres de volontaires durant l'été 1792 furent réellement incorporés, soit dans l'une des deux unités nouvelles, soit comme renforts, au premier bataillon : 1 695 sur 2 250 ou 75,33 % (250). Tous ne purent pourtant se faire admettre. Vincent Gouasneau, garçon voiturier de 16 ans, avait offert ses services comme tambour le 29 août, mais

---

(246) 1 L 589, lettre de Joubert datée du 28 août et 1 L 589 bis.

(247) 1 L 595. Nous n'avons évidemment pas pris en compte dans notre échantillon de volontaires les individus qui ont repris leur parole avant même d'avoir été incorporés.

(248) Voir par exemple : L. DUCHET, *Deux volontaires de 1791. Les frères Favier de Montluçon. Journal et lettres ...,* Montluçon, 1909, p. 7 et J.-P BERTAUD, *Valmy, op. cit.,* p. 230-232.

(249) Cf. *infra,* ch. III.

(250) Le nom des enrôlés figure dans les contrôles établis à la formation des 2ᵉ et 3ᵉ bataillons (1 L 592 bis et 1 L 596). Mais il faut leur ajouter les hommes qui s'étaient inscrits comme renforts au premier bataillon (Cf. les mentions figurant dans les registres 1 L 589 bis et 1 L 595).

il a été « renvoyé le 7 7bre au moyen de ce que le nombre étoit complet » (251). La plupart de ceux qui ne partirent point souffraient de quelque maladie ou infirmité. Gatien Bucheron, engagé à Saumur le 25 juillet, se présenta à la municipalité le 31 disant que la faiblesse de sa santé l'obligeait « de retirer la promesse qu'il a fait (sic) de partir p^r la frontière » (252). D'autres, une trentaine, furent renvoyés d'office par le directoire avant la formation des bataillons pour raison médicale, tel ce perrayeur qui était borgne de l'œil gauche, Julien Repussard, à qui l'on « a donné une permission par écrit pour aller s'engager où bon lui semblera (sic) » ! (253). Ce tri initial s'avéra d'ailleurs vite insuffisant : un état du début de 1793 nous apprend que, dans le seul 3e bataillon, 28 soldats ont été renvoyés chez eux, la plupart après réforme (254).

Le directoire s'efforça, d'autre part, de ménager les soutiens de famille : ainsi Etienne Godon, cardeur à Angers, marié et père de trois enfants, ou Pierre Robin, journalier au faubourg Saint-Samson qui avait 4 enfants en bas âge (255). Il y eut aussi des causes de renvoi plus singulières. Deux volontaires, Charles Hamon et Jean-Michel Pinel, furent réclamés par leur patron, l'imprimeur Mame (256). René Gélineau, vigneron à Rablay, fut, quant à lui, « renvoyé comme repris de justice » (257). Enfin, deux ou trois autres furent laissés pour compte pour des raisons politiques. C'est le cas de Pierre Bélot qui, à 40 ans, était chef du bureau des contributions du district de Vihiers et commandant de la garde nationale. Il était trop utile au parti patriote dans une région menacée par « l'aristocratie » (258). Ce sont aussi peut-être des motifs politiques qui ont amené la mise à l'écart d'André Bourgineau, un jeune laboureur de Coutures. Le procureur général syndic avait « des éclaircissements à prendre » sur son compte (259). A l'inverse, on ne voulut pas rendre la liberté à Michel Meslet, marinier à Angers. Son enregistrement porte, en marge, la mention « ne point le dégager sur sa demande étant perdu par l'aristocratie ainsi que sa famille » (260).

C'est dans l'après-midi du 17 août que les huit commissaires nommés par le Département pour procéder à la formation du second bataillon, réunirent les jeunes gens sélectionnés dans la cour de l'Académie qui était située hors les murs, en face du château. Après l'appel nominal, ils répartirent les hommes en huit compagnies et retirèrent de chacune les onze garçons les plus grands pour en faire des grenadiers. Au lieu de procéder immédiatement à l'élection de l'état-major, comme l'année passée, on commença par élire les officiers, sous-officiers et caporaux de compagnie. Angevins et Saumurois s'octroyèrent la plupart des grades de même qu'au premier bataillon. C'est

(251) 1 L 595.
(252) Arch. mun. Saumur H I 74 (1).
(253) 1 L 589 bis, 1 L 595.
(254) 1 L 598.
(255) Successivement 1 L 589 bis, 1 L 595.
(256) 1 L 594.
(257) 1 L 589 bis.
(258) 1 L 595.
(259) 1 L 589 bis.
(260) 1 L 595.

ainsi que sur 27 officiers, 21 étaient domiciliés dans l'une des deux principales villes du département, les Saumurois étant cette fois légèrement mieux représentés que les gens d'Angers (11 contre 10) (261).

Les élections dans les compagnies ayant occupé deux journées, les commissaires remirent au dimanche 19 à six heures du matin la désignation de l'état-major. Le candidat le plus sérieux au poste de premier lieutenant-colonel était Jacques Jardin dit Desjardins qui avait commandé provisoirement le bataillon jusque là. Il avait 33 ans, étant né à Angers le 18 février 1759. Il était le fils d'un voiturier et le frère d'un volontaire du premier bataillon, Charles, son cadet de 19 mois (262). «Sa haute taille, écrit Célestin Port, son air martial, sa décision d'allures et de caractère étaient faits pour entraîner à son commandement cette élite de braves gens». De plus, il avait, à l'exemple de Beaurepaire, l'habitude des camps ayant servi 13 ans au régiment de Vivarais où il s'était engagé le 8 décembre 1776. Mais il n'était pas parvenu à un grade aussi élevé que le commandant du 1ᵉʳ bataillon : c'est comme simple sergent qu'il avait obtenu son congé le 5 février 1790. Son expérience avait pourtant suffi à le faire élire chef instructeur de la garde nationale d'Angers dès son retour de l'armée, puis adjudant-général en juin 1791 (263). Malgré ces états de service, la candidature de Desjardins ne faisait pas l'unanimité. Comme l'an passé, un certain nombre de Saumurois manifestèrent leur mauvaise humeur envers le candidat des Angevins. Dans une adresse rédigée le 16 août à la «caserne» Saint-Serge où étaient logés une partie des volontaires dans l'attente de la formation du bataillon (les autres étaient casernés aux Minimes), ils dénoncèrent les prétendues intrigues de Desjardins qui aurait soulevé «un parti nombreux» en sa faveur, estimant que «quelques années de service» lui donnaient des droits au commandement :

> «... il a insulté publiquement des Amis combattant pour la même cause... Un cri factieux s'est fait entendre, à bas les Saumurois s'est-on écrié... Eh ! bien ! Les Saumurois méprisent les vils intrigants : ils veulent obéir à des chefs dignes de leur confiance ; Desjardins n'est plus digne de la leur» (264).

Cette cabale n'empêcha pas Desjardins d'être «bien» élu, avec 565 voix sur 632 votants (265). Par contre, quand il s'agit de choisir le lieutenant-

---

(261) Un contrôle du second bataillon, établi à la date du 13 septembre, est conservé sous la cote 1 L 592 bis.

(262) Charles Jardin, ou Desjardins, était né à Angers le 20 septembre 1760. Il avait combattu 8 ans au bataillon d'Afrique du Sénégal et y avait terminé comme caporal. En septembre 1791, il était parti d'Angers comme simple soldat de la 4ᵉ Cⁱᵉ du premier bataillon. Il acquit successivement les grades de caporal le 1ᵉʳ février 1792, sergent le 7 décembre, sergent-major le 5 février 1793, sous-lieutenant le 22 nivôse an II (11 janvier 1794) et lieutenant le 1ᵉʳ fructidor an II (18 août 1794). Il devait mourir «des fatigues de la guerre» le 19 nivôse an IV (9 janvier 1796). (1 L 582, 1 L 590 bis, Arch. mun. Angers H 3-61 et A.G., contrôle du premier bataillon de Maine-et-Loire).

(263) C. PORT, Dictionnaire ..., op. cit.
G. SIX, Dictionnaire ..., op. cit.
Sur la carrière de Jacques Desjardins, cf. infra, p. 233-234.

(264) 1 L 588.

(265) Au complet, le bataillon comptait 819 hommes (1 L 592 bis, contrôle au 13 septembre 1792).

colonel en second, Charles Houdet ne réunit sur son nom que 329 voix sur 420. Cet homme avait bien des points communs avec son supérieur. Originaire d'Angers, à peu près du même âge (31 ans), il avait servi dans la Ligne, au régiment de Provence, pendant 16 ans et avait terminé avec le grade de sergent tout comme Desjardins. Au moment de son enrôlement, il était maître d'armes à Angers, près de la porte Saint-Michel. C'était un soldat d'assez grande taille (5 pieds 5 pouces soit environ 1,76 m), au teint clair, au front dégarni et dont le visage portait des traces légères de petite vérole. On désigna en troisième lieu l'adjudant-major. Un négociant de Cholet, Jean-Victor Tharreau fut élu par 358 voix sur 478 votants. Il était né au May-sur-Evre en janvier 1767 et n'avait par conséquent que 25 ans. De taille moyenne (5 pieds 3 pouces 1/2 soit 1,71 — 1,72 m), il avait les cheveux noirs et les yeux bruns légèrement enfoncés (266). Furent ensuite choisis tour à tour le quartier-maître René Dupin, commis au District d'Angers, l'adjudant-sous-officier, Charles Courant qui était, lui, commis au Département, le tambour-maître Charles Moreau et l'armurier Antoine Lieutaud, âgé seulement de 18 ans (267).

Dès à présent, le Département pouvait s'enorgueillir d'avoir largement rempli sa mission. Il écrivait, le 18 août, à la Législative :

« Vous aviés demandé par votre décret du 17, 19 et 20 juillet dernier au départ. de Maine et Loire six compagnies pour son contingent dans la levée des bataillons nationaux. Nous avons la satisfaction de vous annoncer que l'empressement de nos concitoyens à voler au secours de la patrie en danger a été tel que nous avons déjà un 2ᵉ bataillon formé que nous allons mettre sous peu de tems à la disposition du ministre tout habillé, équipé et armé... » (268).

Un mois, jour pour jour, après l'organisation du 2ᵉ bataillon avait lieu celle du 3ᵉ. On suivit le processus devenu, désormais, traditionnel. Le 19 septembre, les commissaires procédèrent à l'appel des hommes réunis à l'ancienne abbaye Saint-Nicolas qui leur servait de caserne, les distribuèrent en huit compagnies et puisèrent dans chacune les 11 volontaires de la plus haute taille pour composer la compagnie des grenadiers. Les neuf unités se mirent alors en devoir d'élire leurs gradés. Le scrutin ne fut terminé que le 20 septembre, sur les dix heures du matin. Le résultat montre, une nouvelle fois, que le plus souvent ce sont des citadins qui eurent la confiance de leurs camarades. Sur les 25 officiers dont le domicile nous est connu, ceux qui habitaient Angers sont au nombre de neuf, ceux qui habitaient Saumur au nombre de dix. L'après-midi du 20 septembre, vers les 3 heures, commencèrent les élections des membres de l'état-major. Contrairement à ce qui s'était passé au 2ᵉ bataillon, le lieutenant-colonel en chef désigné par le scrutin ne fut point le commandant provisoire que le Département avait

---

(266) Les deux signalements sont tirés du registre 1 L 589 bis. Un des frères de Jean-Victor Tharreau, Honoré-Chrysostome, sera élu adjudant-major au 3ᵉ bataillon (Cf. *infra*, p. 213). Un autre frère, François-Charles, était maire du May-sur-Evre en 1789 et membre du District de Cholet en 1790 (C. PORT, *Dictionnaire ...*, *op. cit.*).
(267) Le procès-verbal des élections est conservé dans la liasse 1 L 588.
(268) 1 L 591 bis.

choisi pour entraîner les volontaires, Pierre Verger dit Desbarreaux. Malgré son expérience militaire (il avait servi plus de 10 ans et avait terminé avec le grade de capitaine), Verger dut se contenter de commander la compagnie des grenadiers. Le vainqueur de l'élection fut Guillaume Guinhut, à une très large majorité. C'était un homme de taille moyenne (5 pieds 3 pouces 9 lignes soit 1,72 m à peu près) qui avait un visage coloré au front découvert, des yeux gris et des cheveux châtain foncés. Guinhut avait passé près de 15 ans dans la Ligne mais n'y avait obtenu que le grade de sergent. Xavier de Pétigny s'étonne fort de sa promotion :

> « Par quel hasard obtint-il 610 suffrages sur 639 votants et fut-il élu, au premier tour de scrutin, à un commandement qu'il n'exerça jamais ? Malade, fatigué bien qu'il n'eût que trente trois ans, sachant à peine écrire, il suivit le bataillon dans toutes ses étapes, mais toujours à l'arrière-garde ou au dépôt, et sans jamais donner un ordre, uniquement préoccupé de ne pas égarer ses bagages et de toucher ses appointements. Il prolongea cette singulière situation jusqu'au 17 juillet 1795, jour où lui fut délivré son congé absolu, avec pension de retraite » (269).

Peut-être l'élection du commandant résulte-t-elle d'une cote mal taillée qui satisfit les gens de Saumur et ceux d'Angers, tout en renvoyant dos à dos les candidats plus doués ou plus ambitieux, comme Verger ou Jean-Jacques Duboys. Guinhut était bien un Angevin, né sur les bords de la Maine le 31 décembre 1759 et habitant rue Démocrate (l'ancienne rue du Grand-Talon), mais c'était un Angevin de modeste envergure. Toute autre était la personnalité de Duboys, choisi comme lieutenant-colonel en second, qui devait exercer, en fait, le véritable commandement. Aussi fallut-il deux tours de scrutin pour qu'il fût élu, et encore à la majorité modeste de 365 voix sur 610 votants ! C'était un homme d'assez petite taille puisqu'il avait 5 pieds 1 pouce 1/2, c'est-à-dire à peu près 1,66 — 1,67 m, aux cheveux châtains, aux yeux gris-roux, au visage plein surmonté d'un large front et agrémenté d'un nez légèrement relevé. Il était né le 17 octobre 1766 à Richelieu en Poitou mais il habitait à Angers, rue Saint-Michel. Des six lieutenants-colonels placés par le suffrage de leurs camarades à la tête des trois bataillons angevins, il était le seul à n'avoir jamais servi dans la Ligne. Fils d'un notaire, il avait fait son droit à Poitiers et, après avoir été avocat au Présidial d'Angers, exerçait la profession d'avoué auprès du tribunal de district. Patriote convaincu, orateur politique infatigable, Duboys était aussi un fin lettré. De Pétigny dit de lui qu'« il se plaisait à écrire des billets en latin et, dans les réunions mondaines, il jouait la comédie et excellait dans l'acrostiche et l'anagramme » (270).

Il fallut encore deux tours pour désigner, par 324 voix sur 548,

---

(269) X. DE PÉTIGNY, *Un bataillon ...*, *op. cit.*, p. 26-27. D'après le contrôle du 3ᵉ bataillon (A.G.), c'est le 19 juin 1795 que Guinhut aurait été réformé (cf. *infra*, p. 231).

(270) X. DE PÉTIGNY, *Un bataillon*, *op. cit.*, p. 30.

La fiche biographique de Duboys est tirée de son engagement (1 L 595) et du contrôle du 3ᵉ bataillon de Maine-et-Loire (A.G.). Sur sa carrière ultérieure, cf. *supra*, p. 63.

l'adjudant-major (271). Honoré-Chrysostome Tharreau fut choisi, le frère de Jean-Victor qui avait le même grade au second bataillon, originaire comme lui, du May-sur-Evre. Pour élire le quartier-maître, on ne dut pas voter moins de trois fois. Ce fut en définitive Jean-René-Toussaint Jubin qui l'emporta. C'était, nous le savons, le fils d'un apothicaire d'Angers (272). Né le 31 janvier 1769, il avait fait des études de droit et il était avoué auprès du tribunal de district tout comme Duboys son grand ami, et comme lui, c'était un homme très cultivé et un admirateur enflammé de la Révolution (273). La place d'adjudant-sous-officier échut à un autre patriote de la première heure, un des partisans les plus illustres des idées nouvelles en Anjou, Jean-Baptiste Cordier (274). Ainsi, avec Duboys, Jubin et Cordier, ces anciens « Jeunes Citoyens » de 1789, le 3ᵉ bataillon sera dirigé par des intellectuels plus que par des techniciens militaires, ce qui aura pour effet de le rendre sensible à l'extrême aux crises politiques. Cependant, Jean-Baptiste Cordier restera peu de temps avec ses camarades. Passé à la compagnie des canonniers où il sera élu capitaine le 13 novembre 1792, il ira trouver la mort au combat de Pontorson le 18 novembre 1793, la tête fracassée par une balle sur sa pièce de canon (275). Le dernier élu de l'état-major, le tambour-maître, avait une personnalité moins affirmée ; c'était un jeune entrepreneur saumurois du nom de Nicolas Aubelle. Enfin, le choix de l'armurier fut renvoyé à une date ultérieure, aucun volontaire du bataillon n'étant capable de remplir cette charge (276).

C'est dans la même enceinte de l'abbaye Saint-Nicolas qu'eut lieu la cérémonie officielle de réception. Elle se fit, avec quelque solennité, le 25 septembre sur les 10 heures du matin. Les trois conseils généraux de la commune, du district et du département étaient présents, ainsi que la garde nationale d'Angers. Les recrues se formèrent en carré autour des corps administratifs. Le maire, Urbain-René Pilastre, ouvrit la cérémonie en lisant le procès-verbal de la première séance de la Convention qui abolissait la royauté. Puis le commandant Guinhut prêta serment « d'être fidélle (sic) à la nation, de maintenir la liberté et l'égalité ou de mourir en les défendant, de ne jamais abandonner le drapeau, d'être soumis aux lois et discipline militaires ». Chaque membre de l'état-major, chacun des officiers de compagnie, répéta individuellement le serment. Les soldats jurèrent d'obéir à leurs chefs « dans tout ce qu'ils (leur) commanderont pour le service de la nation, le maintien de la liberté et de l'égalité ». Guinhut fit alors défiler le bataillon sous le drapeau aux « cris répétés de *vivent la liberté, l'égalité et la république française* ». (277)

---

(271) La loi du 3 février 1792 prévoyait l'élection de l'adjudant-major et de l'adjudant-sous-officier qui, jusqu'alors, devaient être nommés, en vertu de la loi du 12 août 1791, par l'officier général.

(272) Cf. *supra*, p. 62.

(273) 1 L 595, Arch. nat. A F II 382, A.G., contrôle du 3ᵉ bataillon de Maine-et-Loire, X. DE PÉTIGNY, *Un bataillon ...*, *op. cit.*, p. 32-33.

(274) Cf. *supra*, p. 64.

(275) Sur Cordier, voir 1 L 595, A.G., contrôle du 3ᵉ bataillon, et C. PORT, *Dictionnaire ...*, *op. cit.*

(276) Le procès-verbal des élections est conservé dans la liasse 1 L 595 bis.

(277) 1 L 595 bis, souligné dans le texte. La chute de la monarchie avait obligé à changer la

Les deux nouveaux bataillons ne connurent pas les mêmes problèmes matériels que leur prédécesseurs. Se rappelant les difficultés qu'avait causé l'habillement des volontaires de la première levée, et d'ailleurs en conformité avec la loi du 3 février 1792, le Département décida de s'occuper lui-même de l'habillement du second bataillon. Les hommes recevraient leur uniforme avant de quitter Angers et le paieraient ensuite mensuellement au moyen des retenues sur la solde. L'administration organisa une adjudication au rabais le mardi 31 juillet. L'affiche annonçant ce marché décrit avec soin les éléments de l'uniforme répartis en 6 articles, dont le premier consistait en « un habit, une veste, deux culottes et un bonnet (sic) de police » :

> « L'habit sera fait de drap bleu, teint en pièce, ayant un colet de deux pouces un quart de hauteur, et le parement du drap écarlate, revers de drap blanc, doublé en entier de ras blanc, fors les manches qui le seront en toile de bonne qualité semblable à celle des poches ; il sera garni de gros et petits boutons jaune massifs et bien plaqués au nom du département de Maine et Loire, d'un passe poil écarlate, et de deux contre épaulettes bleues, cousues dans leur partie supérieure et arrêtées par le bas avec une boutonnière et un bouton jaune, portes et crochets avec leurs garnitures.
>
> La veste sera de drap blanc, avec des manches de même étoffe, ayant un parement et un petit colet rouge, cousus sur le drap, doublée en entier de sarge blanche, garnie de petits boutons jaunes au même timbre, et les poches en toile de qualité, sans boutons sur la patte.
>
> Les deux culottes de draps, pareil à celui de la veste, seront à pont-levis et doublée de bonne toile garnies de boutons de même étoffe, avec une poche au côté droit, de même toile que la doublure, chaque culotte sera garnie d'une entrecuisse avec de la peau blanche ou chamoie.
>
> Le bonnet de police uniforme sera de même drap que l'habit doublé d'une toile de laval grise avec un retroussie écarlate, surmonté d'un gallon de laine jaune ; avec une houpette au bout en drap aux trois couleurs...

C'est le manufacturier Jacques Joubert qui emporta l'adjudication de la fourniture du drap brut pour 88 livres 15 sols par volontaire. L'adjudication de la façon et des menues fournitures fut emportée par un tailleur du nom d'André Gabeau, mais, pour faire face à ses engagements il dut se faire aider par un grand nombre de ses collègues.

> Article 2
> « Trois chemises de bonne toile de brin
> deux cols de basin blanc
> un col de basin noir
> deux mouchoirs de cotton
> deux paires de bas
> un bonnet de nuit de laine
> un sac de distribution de bonne toile de chanvre, de deux aunes en son auné de laise (sic) »

formule de serment prévue par la loi du 3 février 1792 (on jure fidélité à la nation, à la liberté et à l'égalité, et non plus à la nation, à la loi et au roi).

Article 3

« Un havresac de peau de veau, bien garnie et bien conditionné,
une boucle de col
une paire de boucle de souliers d'uniforme
deux paires de boucles de jarretières ».

Article 4

« trois paires de guêtres, l'une de toille blanche, toille d'Alençon, garnie
de même, l'autre de toille grise, toille de Laval, garnie de même, et l'autre
de Cadix noir, doublée en toille sur les côtés, au haut et au bas. Ces trois
espèces de guêtres, seront garnies de petits boutons de corne noire, avec
leurs souspieds et jarretières ».

Article 5

« Deux paires de souliers, à semelle de cuir fort et empeigne de veau ciré
de bonne qualité, bien et solidement traités, et garnis de clous aux talons,
même aux bouts de pied pour ceux des gardes nationaux volontaires qui le
demanderont ».

Article 6

« Un chapeau de bonne qualité de 6 pouces de hauteur, bordé d'une tresse
de laine noire, cœffe noire, avec un cuir, garni d'un renfort à la cornière de
devant et deux cocardes nationales ». (278).

L'adjudication fut étendue, le 29 août, à l'habillement des hommes du 3ᵉ
bataillon (279). La manufacture Joubert s'avéra incapable de tenir ses
engagements. Le 12 septembre, un de ses représentants, François Coullion,
se rendit à la caserne des Minimes en compagnie de Louis Commeau,
commissaire du Département, pour passer une revue d'habillement. On
constata que 180 habits sur les 703 dont le drap avait été fabriqué par la
manufacture n'étaient pas conformes aux échantillons. Le Département
voulut bien reconnaître que les étoffes fournies, quoique moins belles,
étaient solides. Il admit aussi que le sieur Joubert s'était heurté à des
difficultés particulières dues à la conjoncture : raréfaction de la matière
première et augmentation des prix. Aussi le manufacturier fut-il condamné à
payer une indemnité relativement modeste : 521 livres qui devraient être
réparties entre les volontaires (280).

Le coût de l'habillement complet d'un soldat du second bataillon revint à
187 livres 19 sols, dont 106 livres 15 sols pour l'habit, la veste, les culottes et
le bonnet de police. Cela représente une augmentation d'une trentaine de
livres par rapport au prix de l'habillement d'un volontaire de la « queue de
levée » du premier bataillon, deux ou trois mois auparavant (281). Si l'on

---

(278) 1 L 593.
(279) 1 L 599.
(280) 1 L 593.
(281) 1 L 593. Cf. *supra*, p. 175.
Il est toutefois difficile de comparer avec une grande précision le coût de l'habillement des
volontaires du premier et du deuxième bataillons car les prix figurant dans les sources, s'ils
s'appliquent bien au même habillement, ne paraissent pas englober les mêmes éléments de
l'équipement.

songe que 703 soldats ont été habillés grâce aux soins du Département, les autres possédant leur uniforme à l'arrivée au corps ou s'étant fait confectionner leur habit à leur frais (282), on peut calculer qu'il en coûta 132 128 livres 17 sols pour vêtir les volontaires du 2ᵉ bataillon. L'habillement des hommes du 3ᵉ bataillon revint encore un peu plus cher : 190 livres 19 sols 3 deniers par soldat et, pour l'ensemble de l'unité, 146 296 livres 18 sols 6 deniers (283).

Malgré l'expérience malheureuse de 1791, des souscriptions furent organisées. Une adresse du Département en date du 22 janvier 1793 invita les citoyens à verser leur obole pour l'habillement des volontaires. A la suite de cet appel, la société des Amis de la Liberté et de l'Egalité et le conseil général de la commune de Mazé recueillirent 772 livres 7 sols en assignats, 25 livres 4 sols en argent et 3 livres 7 sols « en cartes qui ne sont point du département ». Cette somme servit à acheter 66 paires de souliers, 28 paires de bas, 20 chemises, 36 mouchoirs ainsi que des culottes (284). De son côté, la commune de Cornillé fit don de six paires de souliers, dix chemises et douze mouchoirs (285). Quant aux habitants de Baugé, s'ils n'offrirent rien cette fois-ci, c'est qu'ils avaient déjà largement payé de leurs deniers :

> « La majeure partie des citoyens de cette ville étant membre du Cloub qui y est établi, écrit le procureur syndic, y ont déposé leurs offrandes, dont partie destinée pour l'armée et le surplus pour la compagnie franche du Citoyen Bardon quand elle sera aux frontières. Le Cloub vient de faire l'adjudication de cent paires de souliers, des chemises, guêtres et autres effets (sic) » (286).

Le départ des bataillons n'avait donc pas mis un terme à la sollicitude du directoire départemental (287). Mais l'habillement n'était pas son unique souci. Comme l'an passé, l'administration angevine se chargea aussi de l'armement et de l'équipement. C'est ainsi que, le 26 juillet, le conseil général de Maine-et-Loire décida d'envoyer l'un des siens à Nantes pour acheter les armes nécessaires au 2ᵉ bataillon. Hamon qui avait été choisi, acquit 942 fusils pour la somme de 22 043 livres. Le 14 août, un nouvel arrêté lui confia la mission d'acheter dans la même ville des gibernes, bretelles de fusil et autres ceinturons pour l'équipement de 800 soldats. La facture s'éleva cette fois à 8 064 livres (288). D'autre part, les 23 et 24 juillet le conseil général du Département réuni avec celui du District et celui de la commune prit la décision de recenser les armes, la poudre et le plomb chez tous les marchands d'Angers. Ses envoyés achetèrent 219 fusils, 22 mousquetons, 49

---

(282) D'après les registres d'inscription (1 L 589 bis, 1 L 595), 36 volontaires seulement possédaient leur habillement lorsqu'ils se sont présentés, ou avaient l'intention de s'habiller à leurs frais.
(283) 1 L 598, état du 9 janvier 1793.
(284) 1 L 600².
(285) 1 L 591 bis, lettre du Département au ministre de la guerre, datée du 27 mai 1793. Ces dons sont destinés aux frères Brégeon et à Normand, volontaires au 2ᵉ bataillon.
(286) 1 L 600², lettre du procureur syndic du district de Baugé au Département datée du 28 février 1793.
(287) Cf. X. DE PÉTIGNY, Un bataillon ..., op. cit., p. 162-165.
(288) 1 L 593 bis.

sabres, 35 briquets, 60 gibernes, 35 banderoles, 28 baudriers et 400 pierres à fusil, pour un montant total de 6 870 livres 18 sols. Douze marchands avaient reçu des commandes, mais deux d'entre eux s'attribuèrent la part du lion, Chassebœuf et Geslin-Rennerie, négociants rue Baudrière, dont les factures s'élevèrent respectivement à 4 583 livres et 1 269 livres 8 sols (289).

Ces diverses acquisitions s'avérèrent bien médiocres. Les fusils, trop vieux, mal réparés et de calibre fort divers étaient, pour la plupart, inutilisables voire dangereux. Le lieutenant-colonel en second du 3ᵉ bataillon, Dubois, fit de nombreuses démarches pour en obtenir de plus convenables. Finalement, il semble qu'il ait pu parvenir à ses fins, mais en août 1793 seulement, en échangeant les armes de son unité contre celles du bataillon de Seine-et-Oise sur le point de rentrer au pays (290).

Malgré ces insuffisances, les nouveaux bataillons donnèrent moins que leur devancier l'impression d'une troupe improvisée, habillée et équipée de façon disparate. La leçon de 1791 avait servi.

Le 2ᵉ bataillon reçut ses drapeaux le 13 septembre au cours d'une cérémonie officielle à laquelle assista un détachement de la garde nationale, musique en tête (291). Dès le lendemain il prit la route à destination de Soissons. Le 3ᵉ bataillon resta plus longtemps à Angers puisqu'il ne quitta la ville pour la Bretagne que le 14 novembre (292). Ce séjour prolongé fut néfaste à sa cohésion car il offrit aux volontaires la tentation de se faire incorporer dans une autre unité en formation, le dépôt de cavalerie qui se constituait dans la capitale angevine. Cette troupe, ainsi que la compagnie franche de Bardon, peut être tenue pour intermédiaire entre les unités de ligne et les bataillons de volontaires nationaux. C'est pourquoi nous les étudierons brièvement l'une et l'autre.

3. - La compagnie de Bardon et le dépôt de cavalerie d'Angers

La loi du 31 mai 1792 avait prévu la levée de 54 compagnies franches qui pourraient être portées à 200 hommes chacune.

> Art. VII. - « Pour parvenir à cette levée, il sera ouvert une inscription volontaire dans toutes les municipalités des quatre-vingt-trois départements du royaume, où tous les hommes, depuis l'âge de dix-huit ans, valides, de la taille de cinq pieds au moins et bien constitués, seront admis pour servir dans les dites légions et compagnies franches, pendant l'espace de trois années.
>
> Cependant, si la guerre cessoit avant que les trois années de l'engagement fussent expirées, les engagemens cesseroient pareillement à l'époque où la paix seroit faite. »

---

(289) 1 L 598 bis. Les prix variaient de 18 à 30 livres pour un fusil et sa baïonnette.

(290) C'est du moins ce que pense X. DE PÉTIGNY car la lettre de Dubois à Canclaux datée du 11 août 1793 dans laquelle il demande les armes du bataillon de Seine-et-Oise est la dernière qui fait état du problème (*Un bataillon ..., op. cit.*, p. 167-172).

(291) 1 L 591 bis, lettre du Département au commandant de la garde nationale datée du 13 septembre. Ce jour, le bataillon comptait 819 hommes, y compris les officiers et l'état-major (d'après le contrôle coté 1 L 592 bis).

(292) X. DE PÉTIGNY, *Un bataillon ..., op. cit.*, p. 101.
A la date du 29 octobre 1792, le 3ᵉ bataillon comptait 802 hommes, officiers et état-major compris (d'après le contrôle coté 1 L 596).

La possibilité de quitter l'armée après une seule campagne, en cas de paix, rapprochait les compagnies franches des bataillons de volontaires. Par contre, plusieurs autres caractères les apparentaient aux unités de ligne. C'est d'abord que les engagements étaient normalements souscrits pour trois ans et donnaient lieu au versement d'une prime : 5 livres pour le premier mois, et une livre dix sous s'ajoutant à la solde normale à la fin des autres mois. La solde était d'ailleurs la même que dans l'infanterie légère, c'est-à-dire 8 sols par jour pour le simple soldat, une somme deux fois inférieure à celle que touchait le volontaire (15 sous). D'autre part, les gradés n'étaient pas élus mais nommés par les commandants en chef des armées. La moitié au moins des places d'officiers, sous-officiers, caporaux ou brigadiers devaient être occupées par « des sujets qui, outre des qualités de civisme et de patriotisme bien attestées, aur(aient) aussi servi avec distinction » dans la Ligne ou dans la garde nationale (293).

Conformément à cette loi, le général Arthur Dillon autorisa « le Sr. Pierre Antoinne (sic) Marie Bardon employé à l'état major de l'armée du Nord, à recruter pour la formation d'une compagnie franche » dont il reçut le commandement provisoire en qualité de lieutenant (294). La commission de Bardon s'étendait aux départements de Maine-et-Loire, Indre-et-Loire, Sarthe et « autres circonvoisins » dont les administrations devraient prêter tous les secours nécessaires aux recruteurs. Mais notre homme nourrissait l'espoir d'engager assez d'Angevins pour ne pas avoir à lever de soldats dans les autres départements. C'est à Baugé, d'où il était originaire, qu'il ferait son rassemblement et il donnerait à sa compagnie le nom « d'Angevine ». En réalité, le zèle des gens du Baugeois ne suffit pas et il fallut avoir recours aux bonnes volontés des pays limitrophes. Les recruteurs de Bardon sillonnèrent donc la région. Deux d'entre eux, soupçonnés d'engager des soldats « pour les tyrans », furent même emprisonnés en Indre-et-Loire (295).

A la date du 16 septembre, 115 hommes avaient été enrôlés, 177 le 18 novembre et le 15 février 1793 la compagnie regroupait 200 soldats. Le Département prit en charge les frais de recrutement : il remboursa à Bardon les primes d'engagement de cinq livres par homme et alloua une solde journalière de dix sous à chaque engagé, mais le ministre Servan fit savoir qu'il ne fallait pas dépasser les huit sols prévus. C'est également le Département qui dota les « Bardonais » en fusils. Par contre, l'habillement et l'équipement furent pris en charge directement par l'administration de la guerre (296).

Les archives de Maine-et-Loire possèdent un contrôle de la compagnie daté du 10 novembre 1792 et signé de Bardon « capitaine commandant » et du lieutenant Joseph Quartier, sans doute le beau-frère de Bardon. Ce document a été établi à la suite de la revue passée la veille, sur la place de la Liberté à Baugé, par le conseil général de la commune. C'est au cours de

---

(293) 1 L 566[16].
(294) 1 L 601[3]. La commission de Bardon est datée du 1er août 1792. Pierre-Antoine Bardon était le fils de Pierre Bardon de Lairaudière, ancien receveur des Aides à Baugé (Abbé D. COLASSEAU, *Histoire de Baugé*, tome 2, *Baugé sous la Révolution*, Baugé, 1961, p. 85).
(295) 1 L 601[3].
(296) 1 L 601[3].

cette cérémonie, qui constitue l'acte de naissance de la compagnie, que Bardon et ses soldats prêtèrent serment. Le contrôle énumère 177 hommes dont 4 déserteurs. L'encadrement de la troupe est assuré par trois officiers et cinq sous-officiers. Ce sont, outre Bardon et Quartier déjà cités, le sous-lieutenant Juste-Nicolas Tranchant, le sergent-major Jean-Louis-Alexandre Dutruy et les sergents Honoré Béguier, Jacques Desnou, Louis Durand et Baptiste Lacroix. S'y ajoutent un caporal fourrier et huit caporaux. Il existe aussi aux Archives départementales un « état des hommes qui composent la Compagnie Franche, qui est en dépôt à Baugé », non daté lui-même mais qui ne peut avoir été dressé qu'en décembre 1792 ou au début de janvier 1793, d'après les dates des derniers engagements qui y figurent. Il y a là 160 noms qui présentent quelques différences avec ceux du contrôle, ce qui prouve une certaine mobilité dela part des enrôlés (297).

Les habitants de la petite ville supportaient difficilement ces 150 à 200 soldats oisifs. Des rixes éclataient de temps à autre entre les militaires et les bourgeois ou les paysans à propos de petits riens : des fruits volés sur les arbres ou des poules chapardées. Le District trouva l'occasion de se débarrasser durant quelques jours d'une partie de ces hôtes encombrants. A la suite d'une émeute de subsistances survenue au Mans, le bruit se répandit que des « brigands » marchaient vers le sud. On dépêcha à leur rencontre une centaine de chasseurs dotés de ... 600 cartouches. L'expédition, menée par Bardon lui-même, se déroula du 27 novembre au 2 décembre. Les prétendus brigands n'ayant jamais paru, « la compagnie des Bardonnais se contenta de marauder du côté de La Flèche et du Mans » (298).

Cette promenade militaire offrit aux Baugeois un répit trop court. Les semaines passaient dans l'attente d'un ordre de route qui ne venait pas. L'inaction pesait aux chasseurs prompts à saisir les rares occasions de s'amuser ou à en créer eux-mêmes de plus ou moins saugrenues qui révoltaient la population :

> « Dans la nuit de Noël des officiers de cette compagnie, le capitaine lui-même, se permirent dans l'église des irrévérences coupables, tinrent des propos indécents traitèrent avec mépris les citoyens de garde qui voulurent s'opposer à ces excès. »

Le juge de paix condamna les fautifs à quelques jours de prison. Ils se soumirent, mais ...

> « cette soumission fut elle même une bravade. Ils se firent trainer en prison dans une voiture tirée par des soldats avec une pompe qui annonçoit le mépris le plus insultant pour le juge et les loix » (299).

---

(297) 1 L 601³. Nous avons pris en compte les 160 hommes de ce second état dans notre échantillon de volontaires, estimant que les Bardonais étaient intermédiaires entre les soldats de ligne proprement dits et les volontaires. Cependant, ce document a servi seulement pour l'étude onomastique car il ne comporte aucun renseignement d'état-civil ou d'ordre socio-professionnel.

(298) 1 L 601³.
C. PORT, Dictionnaire ..., op. cit., tome I, revu et corrigé par J. LEVRON et P. D'HERBECOURT, 1965, art. « Bardon ». Le récit de l'expédition figure dans une lettre insérée aux Affiches d'Angers du 6 décembre 1792.

(299) 1 L 601³, lettre de la municipalité de Baugé au Département, datée du 24 janvier 1793.

Une affaire plus grave opposa les Bardonais aux volontaires du premier bataillon rentrés chez eux à la fin de la campagne. Les premiers, quoique bien peu exposés, reprochaient aux seconds d'avoir quitté leurs drapeaux et de se répandre en propos désabusés sur la position des armées, sapant ainsi le moral des civils. On put lire sur les murs de Baugé cette déclaration vengeresse :

« La Compagnie franche de Bardon, aux Volontaires revenus de l'Armée. Les Officiers, Sous Officiers et Chasseurs de la Compagnie franche de Bardon, déclarent à tous les Volontaires Nationaux qui ont lâchement abandonnés le service de la République que s'ils ne rejoignent pas dans quinze jours leurs bataillons ou autres troupes, ils seront regardés par cette Compagnie comme ennemis » (300).

Offensés, les anciens volontaires cherchèrent querelle aux chasseurs. Mais une nuit les bons bourgeois furent réveillés en sursaut :

« sept ou huit soldats parcouroient les rues le sabre nud à la main, en chantant Volontaires vous voila donc foutu etc. Ils s'arrêtèrent à la porte du citoyen Salles fils en jurant, et menaçant d'enfoncer la porte, et de l'égorger » (301).

La municipalité, appuyée par le District, demanda au Département de tout faire pour hâter l'envoi de la compagnie aux frontières. Bardon lui-même se rendit à Paris afin de solliciter un ordre du ministère. Mais l'affaire eut des suites longtemps après le départ des chasseurs. C'est ainsi qu'en juillet 1793 Michel Sallé et Louis Pontonnier, ancien sergent à la 2ᵉ compagnie du premier bataillon, tendirent un guet-apens à Bardon alors en permission à Baugé puis, l'ayant manqué, se rendirent chez sa mère et chez Quartier, son beau-père, dans l'intention de lui brûler la cervelle (302).

Le 26 février 1793 enfin, le procureur général syndic avait pu faire passer au District de Baugé l'ordre de marche de la compagnie. Elle devait quitter la ville le 4 mars pour La Flèche et de là gagner Granville. Avant leur départ, les Bardonais reçurent du Département 94 nouveaux fusils.

La troupe ne cessa de grossir. Le 1ᵉʳ avril elle comptait 340 soldats recrutés un peu partout dans l'Ouest. Elle éclata en quatre compagnies qui devaient être le noyau d'un bataillon dont Bardon fut nommé lieutenant-colonel. Mais l'organisation de cette unité fut interrompue par l'envoi, fin mai, des Bardonais en Vendée, mesure qui répondait aux vœux que le commandant n'avait cessé d'exprimer depuis le mois de mars. Finalement, les compagnies deviendront le 23ᵉ régiment de chasseurs dont Bardon sera

(300) 1 L 601³, l'affiche est jointe à la lettre que Bardon envoie le 24 janvier 1793 au Département pour plaider la cause de ses hommes.
(301) 1 L 601³, lettre de la commune de Baugé au Département, *doc. cit.* Le volontaire menacé est Michel Jacques Jean Sallé, fils d'un pharmacien de Baugé, âgé de 22 ans en 1791, qui était caporal à la 4ᵉ compagnie du premier bataillon (1 L 582, Arch. mun. Baugé I H I). Lors de son décès, Michel Sallé est qualifié d'« ancien juge » (série Q, Enregistrement, bureau de Baugé, reg. des mutations par décès n° 37, actes n° 150 à 154 du 11 mars 1845).
(302) C'est du moins ce que prétend Bardon dans une dénonciation à l'accusateur public d'Angers, datée du 8 juillet 1793 (1 L 601³).

nommé chef de brigade. Deux ans plus tard notre homme devait trouver la mort de la main d'un Vendéen qui l'assassina au château des Petites-Tailles à Saint-Lambert, le 31 mars 1795 le lendemain de la bataille de Pont-Barré (303).

Une deuxième troupe spéciale fut créée en Anjou en 1792 : le dépôt de cavalerie. A son origine, on trouve la commission donnée le 2 septembre par le Conseil Exécutif Provisoire à Leigonyer, maréchal de camp et commandant du 11ᵉ régiment de cavalerie stationné à Saumur, l'ancien Royal-Roussillon. Il s'agissait d'augmenter par tous les moyens possibles les troupes montées destinées à couvrir Paris. Pour remplir sa mission, Leigonyer adressa aux administrateurs du Maine-et-Loire une requête leur demandant « d'engager pour le service des troupes à cheval, les volontaires ayant cinq pieds trois pouces et au-dessus, de les monter sur les chevaux trouvés chez les Emigrés, et chez les Citoyens, de les équiper et armer le plus promptement possible, pour les diriger sur la ville de Meaux... ».

Les engagements devaient être de deux sortes : les uns pour la durée de la campagne, les autres pour trois ans ou le temps de guerre. Les recrues de la première catégorie ne toucheraient aucune prime ; on peut donc les assimiler aux volontaires nationaux. Les autres recevraient une prime de 120 livres, somme incomparablement plus forte que celle touchée par les soldats des compagnies franches qui, par ailleurs, était payable tous les mois sous forme d'une augmentation de solde (304).

Sur la demande de Leigonyer, le Département invita toutes les municipalités à désigner des commissaires...

> « pour former de suite un registre exact du nombre d'hommes armés et équipés que pourra fournir chaque commune, des chevaux de luxe et de simple utilité, en un mot de tous les chevaux qui seront trouvés chés les citoyens autres que ceux destinés à l'agriculture et au commerce, des charriots, charettes, selles, licols et tous les harnois de toute espèce excepté ceux de labour et de commerce, des sabres propres à la cavalerie et pistolets de toutes grandeurs dont il sera possible de disposer ainsi que de la quantité de grains de toute espèce et de fourages... (305). »

Leigonyer demanda le même effort aux départements voisins et partout le recrutement semble avoir été facile. Dès le 23 septembre, le directoire angevin pouvait écrire :

> « Nos concitoyens sentant comme nous la nécessité d'augmenter la cavalerie se présentent en foule ; nous en avons déjà 45 d'enrôlés, mais nous n'avons encore que 30 chevaux parmis (sic) lesquels il en est de poussifs, de trop vieux, et d'autres qui ne sont propres qu'au tirage... ».

---

(303) 1 L 601³. C. PORT, *Dictionnaire ...*, *op. cit.*, art. « Bardon ».
Sur les circonstances de la mort de Bardon, cf. Abbé Félix DENIAU, curé de Saint-Macaire-en-Mauges, *Histoire de la guerre de la Vendée*, 1906-1908, vol. 5, p. 126.
(304) 1 L 566⁴. La requête de Leigonyer au Département, qui n'est pas datée, doit être du 8 ou 9 septembre 1792.
(305) 1 L 566⁴, arrêté du 19 septembre.

Il annonçait en même temps l'envoi par la Mayenne de 95 hommes et 90 chevaux (306).

Leigonyer avait donné l'impulsion initiale, mais il ne pouvait prendre en main lui-même l'organisation du dépôt. Sur la recommandation des administrateurs départementaux, il délégua ses pouvoirs à Charles Boisard. Ce Saumurois qui était alors lieutenant de gendarmerie dans sa ville natale, reçut mission de se rendre à Angers avec le grade de capitaine de cavalerie afin de travailler conjointement avec les autorités civiles à lever, organiser, armer et instruire le corps des troupes à cheval du Maine-et-Loire, ainsi que ceux envoyés par les départements voisins. Leigonyer remit à Boisard un plan de conduite précisant les deux possibilités d'engagement ainsi que la façon d'habiller, d'armer les hommes et de les monter sur des chevaux de grandeur différente selon leur propre taille (307).

Au 28 novembre, le dépôt de cavalerie d'Angers regroupait 710 hommes et 608 montures, les plus nombreux ayant été fournis par le Maine-et-Loire comme le prouve le tableau suivant :

Département d'origine	Hommes	Chevaux
Maine-et-Loire	168	141
Mayenne	135	136
Sarthe	83	80
Indre-et-Loire	44	45
Loir-et-Cher	52	4
Ille-et-Vilaine	107	99
Loire-Inférieure	53	48
Vendée	68	55
TOTAL	710	608 (308)

Les cavaliers donnèrent, selon les départements, la préférence à l'un ou l'autre mode d'engagement. C'est ainsi que dans la Mayenne, sur 117 hommes dont nous connaissons les modalités de recrutement, 109 étaient des volontaires et huit seulement avaient été engagés avec prime pour trois ans. Au contraire, la totalité des Angevins avaient choisi la seconde possibilité. Il n'y avait donc parmi eux aucun volontaire véritable (309).

La coexistence, dans la même ville, des fantassins du 3e bataillon et des cavaliers du dépôt fut un facteur de désordre. La forte prime d'engagement

---

(306) 1 L 566[4], lettre du Département à Leigonyer.

(307) 1 L 566[4]. Ordre de Leigonyer daté du 25 septembre. Ce Boisard était celui qui avait commandé l'expédition des gardes nationaux de Cholet à Châtillon-sur-Sèvre en août 1792. Cf. *supra*, p. 145.

(308) 1 L 566[4]. Il est à noter qu'à l'époque où cet état a été réalisé, 64 cavaliers dont 21 Angevins se trouvaient à La Flèche pour contribuer à réprimer l'insurrection que nous avons évoquée *supra*, p. 219.

(309) Nous n'avons pas pris en compte dans notre échantillon de volontaires, les cavaliers de la compagnie angevine, que rien ne distingue des troupes de ligne, à l'exception de ceux qui s'étaient portés volontaires pour le 3e bataillon avant d'opter pour la cavalerie.

était une tentation considérable pour les volontaires mais les « trahisons » provoquaient la colère des officiers et la jalousie des camarades restés au bataillon. Une lettre de Leigonyer, en date du 17 septembre, nous apprend que les autorités civiles et militaires se sont heurtées à une « petite aparence d'insurection (sic) » de la part des soldats du 3ᵉ bataillon qui exigeaient le renvoi dans leur corps d'origine des volontaires qui s'étaient inscrits dans les troupes à cheval. Il faudra désormais, estime l'officier, dépêcher un détachement de la garde nationale à la caserne Saint-Nicolas où sont stationnés les volontaires afin de permettre l'engagement dans la cavalerie de ceux que leur haute taille rendrait précieux. Par la même occasion, il conseille « de purger ce bataillon de la petite mauvaise graine, et des sujets vicieux dont il est farcy (sic) » (310).

Les relations entre cavaliers et fantassins continuèrent à se tendre ; les officiers des deux unités se vouaient une véritable haine. Le Département ayant, en toute légalité, pris au mois d'octobre deux arrêtés qui autorisaient les volontaires à changer de corps, le commandant Duboys réunit son bataillon qui décida de mettre en arrestation tout soldat qui s'engagerait dans une autre troupe. Une minorité des volontaires s'insurgea cependant contre cette décision et deux hommes menacèrent même le lieutenant-colonel de lui « brûler la cervelle ». Cela n'empêcha pas les officiers de réclamer du ministre la cassation des arrêtés départementaux. Ils durent finalement se résoudre à accepter la loi, mais leur autorité en souffrit (311).

Le départ du 3ᵉ bataillon, le 14 novembre, devait laisser les cavaliers maîtres de la place. Mais les habitudes d'indiscipline étaient prises. L'insubordination et la désertion progressaient rapidement, entretenues par l'incertitude sur l'organisation définitive du dépôt, les officiers n'étant nommés qu'à titre temporaire et se souciant peu de seconder utilement Boisard (312). Enfin, par décret du 17 février 1793, le dépôt fut incorporé dans les armées de la République avec le titre de 19ᵉ dragon et Boisard en fut nommé colonel (313).

4. - La destinée des volontaires de la deuxième levée

Les deux bataillons devaient connaître un sort bien différent. Le 2ᵉ bataillon, rappelons-le, avait quitté Angers pour Soissons le 14 septembre. Cependant, le 2 octobre, alors qu'il se trouvait près des murs de la ville, il reçut un contrordre et rebroussa chemin vers Compiègne où on lui remit une nouvelle route pour Maubeuge (314). La carrière du bataillon se déroula d'abord à l'Armée du Nord. Après les premières défaites infligées aux

---

(310) 1 L 566⁴, lettre adressée au Département.
(311) 1 L 566⁴. X. DE PÉTIGNY, Un bataillon ..., op. cit., p. 68-70.
(312) 1 L 566⁴, extrait de la délibération du directoire du Département en date du 12 février 1793.
(313) Le 19ᵉ dragon combattra en Vendée, participant notamment à la bataille de Bois-Grolleau le 19 avril (cf. Cl. PETITFRÈRE, Les Vendéens d'Anjou, op. cit., p. 180), puis à la défense de Saumur. Boisard se retirera en 1797 après 26 ans de service et mourra en 1816 (C. PORT, Dictionnaire ..., op. cit., art. « Boisard »).
(314) 1 L 591 bis, lettre du conseil d'administration du 2ᵉ bataillon au Département, écrite le 22 octobre au village d'Aumont près de Maubeuge.

«Bleus» par les Vendéens, les volontaires adressèrent une pétition à la Convention pour demander l'autorisation d'aller combattre les «brigands». Le Département fit à l'Assemblée une requête parallèle (315). Malgré cela, le bataillon resta aux frontières. Le 30 nivôse an II (19 janvier 1794), il fut amalgamé dans la 97ᵉ demi-brigade de première formation avec laquelle il fut versé, en l'an III, à l'armée de Sambre et Meuse. Ainsi, le 2ᵉ bataillon fut, des trois unités de volontaires formées en Maine-et-Loire avant 1793, la première à perdre son autonomie (316). Nous n'avons que fort peu de renseignements sur la vie du bataillon pendant les seize mois de son existence. Nous savons seulement qu'il souffrit, comme les autres, de la désertion, sans pouvoir mesurer la portée de ce mal (317).

Quant au 3ᵉ bataillon, il avait quitté l'Anjou à destination de Brest le 14 novembre 1792. Au passage, il fit étape à Nantes et la grande ville exerça sur les jeunes soldats la même fascination qu'avait éprouvée l'année passée leurs camarades de la première levée. En témoigne cet extrait de lettre adressée le 23 novembre par le quartier-maître Jubin au citoyen Brichet administrateur du Département :

> «Je ne vous parlerai point de cette ville que vous connoissez aussi bien que moi ; un jeune homme qui pour la première fois quitte son gite est toujours émerveillé ; néanmoins mon étonnement est juste quand je veux comparer Nantes à Angers. Tout y est si supérieur, qu'il n'y a point de comparaison à faire ; cependant il ne suffit pas de jetter (sic) les yeux sur de beaux bâtiments ; on en est bientôt satisfait. C'est aux habitants qu'il faut s'attacher ; je n'ai pu les voir qu'en courant... Les femmes ont un air qui attire les regards, on dit que leur caractère ne répond pas toujours à leur bonne mine (...)» (318).

Au lieu de se rendre à Brest, le bataillon s'arrêta finalement à Saint-Pol-de-Léon. On parlait de l'envoyer à la Martinique, mais c'est en vain qu'il attendit son embarquement. La déclaration de guerre avec l'Angleterre fit, en effet, ajourner l'expédition. Le 9 février 1793, le bataillon partit pour Lorient puis pour Vannes où il séjourna dix mois. C'est donc contre l'ennemi intérieur que les volontaires allaient être employés, participant à plusieurs petites expéditions contre les Chouans du Morbihan. Au début de juillet, un détachement de 400 hommes commandés par Duboys reçut l'ordre de se porter sur Nantes où il resta jusqu'au 22 août avant d'être rapatrié sur Vannes. La compagnie des grenadiers commandée par Verger mena une existence séparée. Elle fut en effet incorporée en août 1793 dans le 2ᵉ bataillon de grenadiers dont Verger devint lieutenant-colonel. Dès lors,

---

(315) 1 L 591 bis. La copie de la pétition figure dans une lettre envoyée par le conseil d'administration au Département depuis Maubeuge, le 11 mai 1793.

(316) C. ROUSSET, *Les volontaires ... op. cit.*, p. 348.

(317) 1 L 591 bis. Une lettre du maire de Rochefort-sur-Loire au District d'Angers, datée du 11 décembre 1792, nous apprend que 4 volontaires sans congé ont été arrêtés puis dirigés sur la citadelle d'Angers. Le 21 décembre, de leur prison, ces hommes «pénétrés de repentir», sollicitent la permission de rejoindre. Une autre lettre adressée d'Angers au procureur général syndic, le 14 avril 1793 (signée d'une façon illisible), nous apprend l'arrestation de deux déserteurs angevins par la municipalité de la Ferté-Bernard.

(318) 1 L 600³.

elle participa à la lutte contre les Vendéens, se signalant notamment à la victoire de Cholet, dans « la virée de galerne » et à la bataille de Savenay. Les autres compagnies du bataillon firent partie tour à tour de l'armée des côtes de Brest en 1794 et de l'armée de l'Ouest en 1795 avant d'être amalgamées le 29 octobre 1796 (8 brumaire an V) dans la 68ᵉ demi-brigade de seconde formation (319).

Dominé par de fortes personnalités comme celles de Duboys et Jubin, le 3ᵉ bataillon était très politisé. C'est ainsi qu'après la trahison de Dumouriez, il rédigea une adresse à la Convention condamnant le général et assurant les représentants du peuple de sa protection contre les entreprises du traître. En faisant passer la copie de cette adresse aux autorités départementales, le lieutenant-colonel Duboys leur demanda de lui donner la plus grande publicité et notamment de la faire connaître aux volontaires des deux autres bataillons de Maine-et-Loire :

> « Dans les circonstances difficiles où nous nous trouvons, il faut imprimer à l'armée un grand mouvement, il faut que les soldats de la Liberté prennent une attitude fière et imposante. » (320)

Ne nous leurrons pas : cette hostilité à Dumouriez, qui passait pour l'ami des Brissotins, ne signifiait nullement une adhésion politique aux idées de la Montagne. Comme la plupart des révolutionnaires angevins, les volontaires du 3ᵉ bataillon tenaient pour la Gironde. Ils manifestèrent d'ailleurs leur opinion hautement et fort imprudemment. En effet, le 6 juin 1793, les officiers envoyèrent à la Convention une protestation véhémente contre le coup de force du 31 mai et la suppression de la Commission des Douze. L'adresse dont nous reproduisons le début page 227, invitait l'Assemblée à écraser « de toute la puissance du Souverain, une minorité despotique qui, depuis trop long-tems (sic), retarde le règne de l'Ordre et des Lois ». Elle se terminait sur une sorte de manifeste de Brunswick angevin :

> « Eh ! s'il faut recourir aux moyens extrêmes... Dites un mot... Les François sont armés et ils vous entendront.
> LEUR MARCHE ÉGALERA LA RAPIDITÉ DE L'ÉCLAIR, ET CELLE QUI VOULUT ÊTRE ROME MODERNE DISPAROITRA BIENTÔT. » (321)

Cette violente diatribe, certainement inspirée de la célèbre phrase d'Isnard ripostant à la Commune de Paris, le 25 mai : « Si, par ces insurrections toujours renaissantes, il arrivait qu'on portât atteinte à la représentation nationale, je vous le déclare au nom de la France entière, Paris serait anéanti... », était une grave erreur politique puisqu'à la date du 6 juin la Montagne était maîtresse de la Convention. Duboys et ses amis surent pourtant se racheter habilement. Le lieutenant-colonel saisit une première occasion à Nantes lorsqu'il refusa de signer, comme le lui

---

(319) X. DE PÉTIGNY, Un bataillon ..., op. cit., passim, chap. III, XI, XII, XIII et XIV. Cf. également, A.G., contrôle du 3ᵉ bataillon de Maine-et-Loire.
(320) 1 L 600³. Lettre adressée au Département, de Rochefort-en-Terre, le 8 avril 1793.
(321) 1 L 600³. Exemplaire imprimé à Vannes, chez J.M. Galles.

demandait Beysser, l'adresse du 5 juillet, nouvelle condamnation de la Montagne et de la Commune de Paris par les corps administratifs de Nantes, les districts de Clisson, Ancenis et Machecoul, les villes de Paimbœuf et de Châteaubriant. En s'élevant avec force contre les intrigues de Beysser, Duboys sauva très certainement sa tête. La chute des Hébertistes qui l'avaient dénoncé écarta définitivement le risque mortel. Duboys fut arrêté en mai 1794 mais fut relâché au bout de quelques jours. Il fut, à nouveau, consigné à Dol au mois d'août, mais alors le vent avait tourné et notre lieutenant-colonel n'avait plus rien à redouter... (322).

Aucun document ne permet de retracer la destinée des volontaires du deuxième bataillon comme nous l'avions fait pour quelques-uns de leurs camarades de la levée précédente. Il existe par contre deux documents intéressants concernant le 3ᵉ bataillon. Il s'agit tout d'abord d'un contrôle conservé aux Archives de la Guerre, daté de Paris le 14 thermidor an III (31 juillet 1795) mais qui contient en réalité des renseignements bien postérieurs. Une mention manuscrite, signée du capitaine Mouton faisant fonction de secrétaire, indique d'ailleurs que le double du contrôle a été envoyé de Strasbourg au ministre de la guerre le 25 nivôse an V (14 janvier 1797). L'autre document est un état conservé aux Archives nationales qui donne des renseignements sur certains officiers du bataillon ainsi que sur deux sous-officiers et un canonnier. Ces renseignements ont été certifiés à Dol par les membres du conseil d'administration le 8 fructidor an II (25 août 1794). Sont consignés pour chaque homme la date et le lieu de naissance, la profession ainsi que celle des parents, l'état de santé et les moyens physiques, les talents et la moralité, les services accomplis, les actions et la conduite tenue avant et pendant la Révolution, les emplois auxquels le volontaire paraît propre (323).

De ces deux sources, la plus intéressante, parce que la plus précise et abondante, est le contrôle des Archives de la Guerre. Nous y avons relevé 855 volontaires enrôlés entre juillet 1792 et mars 1793. Les renseignements sont complets pour la presque totalité d'entre eux et permettent de savoir ce que sont devenus les soldats au début de l'an V.

Nous apprenons d'abord qu'il y a eu, de 1792 à 1797, 129 décès (réels ou présumés), c'est-à-dire 15,08 %, proportion intermédiaire entre celle relevée, pour la période an II-an VII, parmi les volontaires engagés à la formation du premier bataillon (13,46 %) et celle des volontaires engagés après la formation de cette unité (18,18 %) (324). La plupart du temps, la cause du décès n'est pas mentionnée. Il est précisé toutefois que 43 individus sont morts au combat ou des suites de blessures tandis que 11 sont décédés de maladie ou par suite des fatigues de la guerre. Par exemple, le jeune Jean Bécot, né en 1773 à Saint-Martin-de-la-Place, est mort d'épuisement et de chagrin à l'hôpital de Chalonnes le 24 germinal an IV (13 avril 1796). Il faut dire qu'il avait été estropié à la cuisse droite lors d'une chute de cheval

---

(322) X. DE PÉTIGNY, *Un bataillon ...*, *op. cit.*, p. 112-145.
(323) A.G., contrôle du 3ᵉ bataillon de Maine-et-Loire, non coté. Arch. nat. AF II 382, liasse 3 111. Comme le document similaire concernant le premier bataillon (cf. *supra*, p. 190, note 185), celui-ci a dû être réalisé en réponse à l'arrêté du 1ᵉʳ thermidor an II.
(324) Cf. *supra*, p. 187.

LES OFFICIERS

DU TROISIÈME BATAILLON

DE

MAINE ET LOIRE,

A LA

CONVENTION NATIONALE.

CITOYENS,

Nous avons frémi de rage & d'indignation au récit des luttes fcandaleufes dont le Temple des Lois eft devenu le théâtre. Nos armes fe font agitées dans nos mains, prêtes à exterminer les nouveaux defpotes qui dictent des Lois aux Légiflateurs des François......

Quel eft donc ce talifman redoutable qui fait taire le vœu prononcé

survenue en janvier 1793 à Saint-Pol-de-Léon. Signalons en outre qu'un soldat est mort accidentellement : Jean Girardeau, un perrayeur d'Angers, qui s'est noyé à Nantes en se baignant le 1ᵉʳ août 1793.

Durant ces quatre années, beaucoup de volontaires ont déserté : 269 soit 31,46 % du total de l'échantillon. Pour 28 d'entre eux, le départ n'est peut-être pas définitif : 15 hommes sont restés en arrière, 13 n'ont pas regagné leur unité à la suite de leur congé, mais on peut espérer encore que quelques-uns rejoindront. La date de la désertion est connue pour 228 individus. Quatre volontaires ont quitté leur corps en 1792 et 17 en 1793. Ceux-là peuvent être considérés comme de véritables déserteurs puisqu'ils n'ont pas achevé la campagne. Mais l'immense majorité a fait au moins une campagne et donc, aux yeux de la loi, rempli son contrat. En effet, 16 hommes sont partis en l'an II, 149 en l'an III (notamment au printemps de 1795 après les traités de Bâle et de La Haye), 36 en l'an IV et 6 au début de l'an V.

Quelques-uns de ces déserteurs ont trahi la Révolution. Il est, évidemment, impossible d'en connaître le nombre exact. Si l'on s'en tient aux précisions apportées par le contrôle (mais que peuvent-elles valoir ?) six volontaires seulement seraient « passés aux Rebelles de la Vendée » ou de la Chouannerie. René Fournier, bêcheur de Doué-la-Fontaine, a rejoint les Vendéens le 16 nivôse an III (5 janvier 1795) mais a été tué le 3 germinal suivant (23 mars 1795). Julien Godivier, tailleur d'habits à Brissarthe a gagné les bandes chouannes le 1er prairial an III (20 mai 1795), tout comme Pierre Joulain, bêcheur à Marcé, qui « est passé aux Chouans où il sert en qualité de Chef » le 1er messidor an III (19 juin 1795). André Meunier, journalier de Saint-Augustin-des-Bois a quitté l'armée pour la Vendée le 16 pluviôse an III (4 février 1795). Pierre Réthoré, vigneron à Faye, est le seul « traître » résidant sur les marges du pays insurgé. Il a choisi la Vendée en désertant le 15 ventôse an II (5 mars 1794). Quant à Pierre Mornard (ou Morinard), élu caporal des grenadiers à la formation du bataillon, il déserta dès le 29 septembre 1792. Lorsqu'éclata l'insurrection, il combattit avec les « Blancs » et fut fusillé à Angers, sa ville natale, le 26 frimaire an II (16 décembre 1793).

Il est intéressant de connaître le nombre d'hommes restés fidèles au bataillon durant ses quatre années de vie autonome. Ils sont 207 qui furent incorporés dans la 68e demi-brigade le jour de l'amalgame. Donc près du 1/4 des volontaires, exactement 24,21 % des 855 soldats de l'échantillon, étaient encore présents dans leur corps d'origine le 8 brumaire an V (29 octobre 1796). Cette proportion nous semble considérable, surtout si l'on songe qu'elle a été calculée après les traités de 1795 qui enlevaient aux jeunes patriotes beaucoup de raisons de rester sous les drapeaux (325).

Signalons enfin que 17 volontaires ont été traduits devant les tribunaux civils ou devant une commission militaire et condamnés pour vol, désertion ou désobéissance. C'est à la suite d'un vol qu'Urbain Salmon fut remis, le 12 juillet 1793, aux mains de la justice civile (326). Le grenadier Pierre Conin, blessé deux fois à des dates rapprochées, d'abord à Nantes, puis à Tiffauges le 6 octobre 1793, avait déserté le 10 germinal an IV (30 mars

---

(325) Ces 207 individus ne sont sans doute pas les seuls volontaires restés à l'armée. En effet, le contrôle nous apprend que 50 hommes ont été versés dans la compagnie des canonniers, 8 sont passés au dépôt de cavalerie d'Angers, 9, classés dans la marine, ont dû quitter l'infanterie et 61 se sont engagés, régulièrement ou non, dans d'autres unités. Nous ne savons pas ce qu'étaient devenus ces hommes en octobre 1796.

(326) Cet homme était un cordier de Saumur qui n'a rien à voir avec le médecin Philippe Urbain Salmon, volontaire au premier bataillon (cf. *supra*, p. 63).

1796), mais il eut le tort de rejoindre son corps le 14 messidor (2 juillet) ce qui lui valut d'être traduit devant une commission militaire. Quant à Jean Dénécheau, une forte tête, il dut aller « en prison à Tours pour être jugé comme chef de la désobéissance » aux ordres qu'avait donnés le capitaine des grenadiers (327).

Parmi les 855 soldats de l'échantillon, 49 seulement avaient déjà servi dans la Ligne soit 5,73 %. Cette proportion est bien inférieure à celle calculée pour les volontaires du premier bataillon puisqu'il y avait 16,35 % d'anciens « culs blancs » parmi les engagés du 15 septembre 1791, et 9,09 % parmi les hommes de la « queue de levée » (328). Cependant, on ne peut tirer de cette comparaison aucun enseignement sur la représentation relative des « lignards » dans les volontaires de 1791 et de 1792 car nous considérions, dans le contrôle du premier bataillon, une élite de 159 « fidèles » qui avaient fait carrière à l'armée, alors que le contrôle du 3e bataillon nous présente la masse des 855 soldats, morts ou vivants, déserteurs ou présents au corps.

Comme nous l'avions fait pour les volontaires du premier bataillon, résumons en un tableau la carrière militaire des hommes du 3e bataillon telle qu'elle ressort du contrôle de cette unité (329).

Grades	Nombre de volontaires de ce grade à leur entrée au bataillon	Nombre de volontaires ayant atteint ce grade par la suite (ou y étant restés)
Soldats......................	749	649
Armurier....................	1	1
Maître-cordonnier.............	0	1
Maître-tailleur	0	1
Tambours	7	18
Tambour-maître	1	1
Chirurgiens..................	1	2
Caporaux	36	86
Sergents	18	43
Sergents-majors	9	11
Quartier-maître	1	0
Adjudants-sous-officiers........	1	2
Sous-lieutenants..............	9	10
Lieutenants..................	9	11
Capitaines...................	10	13
Adjudants-majors	1	2
Aide-de-camp (330)	0	1
Lieutenants-colonels...........	2	1
Adjudants-généraux, chefs de brigade	0	2
TOTAL	855	855

(327) Il faut se garder d'additionner les nombres que nous avons donnés, plusieurs renseignements pouvant concerner un même individu. Ainsi un soldat mort après l'amalgame pourra être à la fois compté parmi les présents au corps le 29 octobre 1796, et parmi les décédés.
(328) Cf. *supra*, p. 188.
(329) Cf. *supra*, p. 189.
(330) L'aide de camp est Honoré Chrysostome Tharreau, ancien adjudant-major au 3e

Nous constatons qu'à leur entrée au corps, les simples soldats, au nombre de 749 sur 855, formaient une proportion de 87,60 %. Ce pourcentage est nettement supérieur à celui des soldats parmi les volontaires inscrits dès l'origine au premier bataillon (72,11 %), mais bien inférieur à celui des hommes de troupe de la « queue de levée » du bataillon à leur entrée dans l'unité (94,55 %). Cela s'explique facilement : notre échantillon de volontaires du 3ᵉ bataillon comprend à la fois ceux qui ont été inscrits dès l'origine et qui ont dû se partager les grades, comme dans la première liste des volontaires de 1791, et ceux qui ont été enrôlés alors que tous les grades étaient pourvus, comme les hommes de la « queue de levée » du premier bataillon.

Les volontaires qui n'ont obtenu ni grade ni spécialisation au cours de leurs années de service sont au nombre de 649 soit 75,91 %. Parmi eux, il y a d'ailleurs quelques individus qui ont été rétrogradés. Ainsi, le capitaine de la 3ᵉ compagnie, Charles Couscher, fut destitué pour désertion le 24 nivôse an IV (14 janvier 1796). Cette proportion reste incomparablement plus forte que celle que nous avons calculée pour les hommes enrôlés dès la formation du premier bataillon (13,46 %). Elle est même très supérieure à celle calculée pour les soldats de la « queue de levée » du bataillon de 1791 (63,64 %). C'est que le contrôle du 3ᵉ bataillon est infiniment plus complet que celui du premier qui ne contient que les hommes restés attachés à leur drapeau malgré les vagues successives de désertions, c'est-à-dire en fait les volontaires les plus aptes au commandement ou les plus favorisés par le sort.

Comme nous l'avons noté pour la première levée, la promotion des hommes de troupe a été, la plupart du temps, modeste. C'est ainsi que 73 soldats sont devenus caporaux, 20 sont devenus sergents, tandis que deux ont atteint le grade de sergent-major et un seul, Jean Vétault, « garçon fermier » à Saint-Melaine, s'est élevé au grade de sous-lieutenant. Promotion modeste également pour les caporaux dont quatre ont été destitués, 13 ont conservé leur grade, 14 n'ont franchi qu'un échelon de la hiérarchie pour se retrouver sergents, 4 sont devenus sergents-majors et un adjudant sous-officier. Parmi les sergents, 2 ont été destitués, 10 ont conservé leur grade, 3 ont été promus sergents-majors et 3 sous-lieutenants. Par contre, 7 sergents-majors sur 9 ont été nommés à un grade supérieur. L'un est même devenu capitaine, Pierre Paimparé, ancien professeur de musique vocale rue Chaussée-Saint-Pierre à Angers, versé d'ailleurs dans la compagnie des canonniers. Le quartier-maître, Jean-René-Toussaint Jubin, est devenu capitaine à l'ancienneté le 29 messidor an III (17 juillet 1795). Parmi les officiers, peu de promotions fulgurantes. Notons cependant que Pierre Verger dit Desbarreaux dont nous avons signalé qu'il avait été supplanté lors de l'élection du lieutenant-colonel en chef alors qu'il avait commandé le bataillon durant les semaines précédant sa formation officielle, connut une belle ascension. Capitaine des grenadiers à l'origine, il fut nommé lieutenant-colonel commandant du 2ᵉ bataillon de grenadiers le 15 août 1793, puis élevé au grade de chef de bataillon adjudant-général provisoire le 5 nivôse an II (25 décembre 1793), puis d'adjudant-général chef de brigade le 25 prairial an III (13 juin 1795). Un autre officier est devenu chef de brigade, mais il était parti de plus haut. Il s'agit de Jean-Jacques Duboys, lieutenant-colonel commandant en second le 3ᵉ bataillon à sa formation qui fut promu au grade de chef de brigade le 10 germinal an III (30 mars 1795), mais se retira peu après dans ses foyers (le 15 brumaire an V — 5 novembre 1796 —) (331). Quant au lieutenant-colonel en chef de 1792, Guillaume Guinhut, toujours malade ou prétendu tel, il obtint son congé de réforme le 1ᵉʳ messidor an III (19 juin 1795).

L'état conservé aux Archives nationales fournit des renseignements surtout qualitatifs sur 37 volontaires, officiers pour la plupart nous l'avons dit. La moitié d'entre eux environ (18 exactement), sont considérés comme « susceptibles d'avancement ». Parmi ces derniers un certain nombre, peu aptes à la vie militaire proprement dite, devraient être dirigés vers les bureaux de l'administration. Augustin Beauvais, ancien commis au District de Saumur, élu lieutenant de la 6ᵉ compagnie à la formation du bataillon puis affecté à l'état-major général de l'armée, est jugé « susceptible d'avancement, et de bien remplir un emploi dans la comptabilité » (332). Hildefonse Régnier employé des domaines à Saumur, est considéré comme un « officier instruit et de bonnes mœurs » mais comme il est de santé faible, on le juge digne d'avancement à condition d'occuper, lui aussi, un emploi dans la comptabilité. C'est pour une autre raison que Sébastien Moreau, avoué auprès du tribunal de district de Vihiers, se voit recommandé pour « être employé dans un état-major ou dans une administration militaire ». Ce capitaine rempli de bonne volonté et qui met beaucoup d'ordre dans l'administration de sa compagnie, possède un caractère un peu vif. Il semble plus doué pour manier des papiers que commander à des hommes.

Certaines appréciations sont modérément élogieuses. Tel officier ne devra pas dépasser son grade actuel parce qu'il pèche par manque de connaissances ou manque d'application. Ainsi Jean Paulet, un ancien soldat de ligne originaire du Gard, est le type du bon troupier, de santé robuste, marcheur infatigable. Il est lieutenant des grenadiers depuis la formation du bataillon et « s'est bien conduit dans la Vendée où il a fait toute la guerre ». Mais il ne sait ni lire ni écrire, tout juste est-il capable de signer son nom. Aussi ne le propose-t-on pas pour un avancement. Nicolas Guignon, commis marchand chez son père, négociant en vins à Saumur, sait par contre parfaitement lire et écrire et possède le calcul. Mais on le juge bien à sa place comme capitaine de la 4ᵉ compagnie, c'est donc qu'il ne mérite pas d'avancement. Il fut, toutefois, nommé aide de camp du général Lemoine, un autre Saumurois, le 11 germinal an III (31 mars 1795) (333).

Pour quelques-uns, les jugements portés sont vraiment médiocres ou mauvais. Guy Allaire, orfèvre à Angers, sait certes lire et écrire, il est rempli de bonne volonté, mais son caractère est un peu faible et on lui reconnaît en définitive assez peu de talents. L'appréciation de ses supérieurs sur la façon

---

bataillon, qui fut appelé à exercer cette fonction auprès de son frère, le général Jean-Victor Tharreau en pluviôse an II. Nous ne connaissons pas le grade qui était alors le sien.

(331) Sur Duboys, cf. *supra*, p. 212.

(332) D'après le contrôle du 3ᵉ bataillon (A.G.), Augustin Beauvais fut destitué le 25 nivôse an IV (15 janvier 1796) parce que considéré comme fuyard devant la réquisition. Cependant, nous savons qu'il terminera sa carrière comme capitaine (série Q, Enregistrement, bureau d'Angers, reg. des mutations après décès n° 167, acte n° 12 du 30 mars 1846).

(333) Cf. A.G. contrôle du 3ᵉ bataillon de Maine-et-Loire.

dont il s'acquitte de sa charge de lieutenant au bataillon est significative : « s'est toujours *assez bien* conduit » (334). Les jugements les plus sévères concernent Henri-Pierre Montassier et Pierre Amiot. Le premier, ancien horloger du chef-lieu de Maine-et-Loire, est un homme « peu instruit » et qui montre « beaucoup de frivolité dans les goûts ». En outre, c'est un mauvais marcheur, défaut grave pour un capitaine d'infanterie... Le contrôle des Archives de la Guerre nous donne la raison de cette tare. Montassier souffre de fièvre et de transpiration continuelles et il a une dartre sur le scrotum qui l'écorche à la moindre marche. Il sera d'ailleurs réformé pour cela le 1ᵉʳ messidor an III (19 juin 1795). Quant à Pierre Amiot qui était, avant de s'engager, tonnelier à Saumur et que l'élection avait porté au grade de sous-lieutenant de la première compagnie, c'est un soldat « peu instruit des manœuvres », bien plus un « crapuleur sans principe et mauvais officier ».

Quelques hommes de valeur se détachent du petit groupe des volontaires soumis à la critique. Nous en citerons deux : Philippe Gallais et Augustin Cœur-de-Roy. Le premier, fils d'un chirurgien du Puy-Notre-Dame, paraît allier toutes les qualités : c'est un jeune homme de bonne santé, solide marcheur, connaissant les manœuvres et les devoirs de sa place de sergent-vaguemestre, sachant lire et écrire, possédant même des connaissances mathématiques et littéraires (il poursuivait ses études à Poitiers au moment de son engagement). Par-dessus tout, c'est un sous-officier « d'une exactitude, d'une probité et d'une activité peu commune (sic) généralement estimé ». Augustin Cœur-de-Roy, batelier à Montjean, est par contre un homme inculte mais c'est un soldat intrépide, vigoureux, agile et de santé robuste. Avant son passage dans la marine le 1ᵉʳ thermidor an II (19 juillet 1794), il était canonnier au bataillon. Il s'y comporta en héros lors du combat livré à Pontorson contre les Vendéens le 28 brumaire (18 novembre 1793). Il vit tomber à ses côtés son capitaine et tous les camarades qui étaient attachés à sa pièce. il eut cependant le courage de continuer à charger son canon tout seul et à tirer pendant plus d'une demi-heure. Puis, s'attelant à la pièce, il la traîna sur plus de cent pas jusqu'à ce que les « brigands » qui l'entouraient l'eussent forcé de l'abandonner, non sans qu'il ait réussi à leur arracher un drapeau. C'est sans doute cette action qui mérita à Cœur-de-Roy son surnom de « diable ». On peut lire sur son curriculum vitae : « ce trait fut écrit dans les temps au ministre de la guerre, et il est resté dans l'oubli ».

Malgré ces exemples, on peut affirmer sans crainte que les bataillons de la 2ᵉ levée ne furent pas une pépinière de gloires nationales ou locales au même titre que leur devancier de 1791. Sans doute cette constatation est-elle le reflet des différences sociales dans le recrutement. Nous aurons l'occasion de le vérifier dans les prochains chapitres. Toutefois, quelques-uns des hommes engagés au cours de l'été 1792 furent appelés à jouer un rôle éminent. Nous citerons tout d'abord Pierre-François Verger-Desbarreaux dont nous avons signalé déjà l'ascension rapide du grade de capitaine des grenadiers jusqu'à celui d'adjudant-général chef de brigade, en l'an III (335).

---

(334) C'est nous qui soulignons.
(335) Cf. *supra*, p. 230.

Il faut préciser qu'à son inscription dans les volontaires, le premier août 1792, Verger avait déjà derrière lui un passé élogieux. Ce Nantais, né le 5 novembre 1755, s'était engagé en mars 1773 comme simple soldat au régiment de Vivarais-infanterie d'où il était parti avec son congé en septembre 1774. Il avait servi ensuite comme sous-lieutenant dans les milices de Saint-Domingue durant un an et demi, de janvier 1775 à septembre 1777, puis s'était embarqué l'année suivante comme volontaire d'honneur à bord du «Vaillant», vaisseau de l'escadre du comte d'Estaing dans la guerre d'Amérique. Sous-lieutenant aux chasseurs volontaires de Saint-Domingue qui devinrent bientôt chasseurs royaux (1780), lieutenant l'année d'après, capitaine de remplacement en décembre 1782, il participa aux expéditions de Sainte-Lucie, La Grenade, et fut grièvement blessé à l'attaque de Savannah, ce qui lui valut d'être réformé en janvier 1784. Rentré en France en 1788, Verger servit dans la garde nationale avant de s'inscrire au 3ᵉ bataillon de Maine-et-Loire. Sa nomination comme adjudant-général chef de brigade le 13 juin 1795 n'était pas encore son bâton de maréchal. Il continuera sa carrière sous le Consulat et l'Empire et, après avoir été blessé devant Vienne, le 12 mai 1809, il sera nommé général de brigade le 19 juin suivant. Il prendra sa retraite le 18 août 1815 avec les distinctions d'officier de la légion d'honneur et de chevalier de Saint-Louis (336).

Jean-Victor Tharreau était, lui, un Angevin de souche puisqu'il était né au May-sur-Evre le 15 janvier 1767. Il était négociant à Cholet au début de la Révolution. Il s'enrôla le 7 août 1792 et fut élu adjudant-major du 2ᵉ bataillon le 17 de ce mois. Parti avec ses camarades pour l'Armée du Nord, il fut retenu comme ordonnance puis aide de camp par le général Tourville avec lequel il assista au siège de Namur. Il fut ensuite aide de camp du général Jacques Ferrand puis nommé provisoirement adjudant-général chef de brigade par les représentants du peuple à l'Armée des Ardennes (20 novembre 1793), et enfin, toujours à titre provisoire, nommé général de brigade et chef d'état-major de cette armée le 24 mars 1794. Il fut confirmé dans son grade et son emploi le 2 avril suivant. Suspendu de ses fonctions le 19 juin 1794, il bénéficia du renversement politique du 9 thermidor et fut remis en activité à l'Armée de Rhin-et-Moselle en juin 1795. Sa carrière connut une seconde éclipse. Il fut en effet mis en disponibilité le 23 septembre 1802 pour avoir voté contre le Consulat à vie et fut laissé à l'écart jusqu'en 1808, année où Napoléon lui accorda le titre de baron. Tharreau fut remis en activité en mars 1809 à l'Armée d'Allemagne, blessé sous les murs de Vienne en mai, promu officier de la légion d'honneur au mois d'août. Il fut mortellement blessé à la bataille de la Moskova le 7 septembre 1812 (337).

Jacques Jardin dit Desjardins connut le même sort tragique. Né à Angers le 18 février 1759, fils d'un simple voiturier, il s'engagea au régiment de Vivarais, comme l'avait fait Verger, le 8 décembre 1776. Il passa caporal

(336) A.G., contrôle du 3ᵉ bataillon de Maine-et-Loire.
G. Six, *Dictionnaire ...*, *op. cit.*
(337) C. Port, *Dictionnaire ...*, *op. cit.*
G. Six, *Dictionnaire ...*, *op. cit.*

en 1781, sergent en 1788 avant de recevoir son congé le 5 février 1790. Il fut alors chef instructeur de la garde nationale d'Angers puis adjudant-général en août 1791. Comme lieutenant-colonel en chef du 2ᵉ bataillon, il assista, à l'Armée du Nord, à la victoire de Jemmapes et à la prise de Namur. Il fut nommé général de brigade le 3 septembre 1793 et général de division le 19 mars 1794. Il fit ensuite toutes les guerres de la Révolution. Mis en disponibilité en septembre 1801, il fut rappelé en février 1804 comme commandant de la première division du camp de Brest. En juin de la même année, il fut élevé à la dignité de commandant de la légion d'honneur. Sa carrière sous l'Empire fut brève puisqu'il mourut le 11 février 1807 à la suite d'une blessure que lui fit, à la bataille d'Eylau, un éclat d'obus qu'il reçut à la tête (338).

Nous terminerons en évoquant les destinées curieuses de deux hommes de tempérament opposé, Jacques Allain et Jean Gauchais. Le premier était né à Saumur le 7 janvier 1773 et il y exerçait la profession de commis marchand ... lorsqu'il n'était pas sous l'uniforme car, dès l'âge de 16 ans, Allain passa aux armées le plus clair de son temps, d'abord dans les carabiniers où il s'engagea en mai 1789 et resta deux ans, puis dans la garde constitutionnelle du roi qu'il semble avoir quittée quelque temps avant son licenciement. Il s'enrôla à Saumur le 25 juillet 1792 pour le 2ᵉ bataillon de volontaires où il fut élu capitaine de la première compagnie. C'est vraisemblablement son passé de garde du roi qui lui coûta sa destitution devant Maubeuge le 1ᵉʳ frimaire an II (21 novembre 1793). Cela ne l'empêcha pas de reprendre du service puisqu'on le retrouve à Angers en l'an III dans les fonctions provisoires d'adjudant de place, puis en Italie où il fut nommé adjudant-général après Marengo. Ayant servi le roi et la république, il servit l'empereur jusqu'en septembre 1810. Les événements de 1814-1815 devaient être l'occasion de palinodies que rapporte Célestin Port. En mai 1814, ses opinions lui valurent d'être choisi par les colonels de l'armée pour présenter leurs protestations de fidélité à Louis XVIII. «Le 13 juin 1815, il portait un toast «à l'union générale de tous les français» et chantait des couplets patriotiques dans un banquet de soixante électeurs de Maine-et-Loire, réunis par l'empereur aux Tuileries». A sa mort, survenue à Passy le 14 juillet 1852, Allain était maréchal de camp honoraire et chevalier de Saint-Louis (339).

Jean Gauchais, originaire de Dampierre où il avait vu le jour le 22 juin 1766, était commis négociant chez son père, à Saumur, au début de la Révolution. Inscrit le 9 septembre 1792 dans les volontaires, il fut élu dix jours plus tard capitaine de la 6ᵉ compagnie du 3ᵉ bataillon. L'état conservé aux Archives nationales nous le décrit comme un homme sachant bien lire et écrire, possédant le calcul et s'appliquant à sa charge «avec assez de fruit». Il s'agit là d'une appréciation somme toute bien moyenne. Or Gauchais devait

---

(338) C. PORT, Dictionnaire ..., op. cit.
G. SIX, Dictionnaire ..., op. cit.
(339) 1 L 589 bis, 1 L 590 bis, Arch. mun. Saumur H I 74 (1).
Série Q, bureau de Saumur, registre des mutations par décès n° 133, acte n° 352.
C. PORT, Dictionnaire ..., op. cit.

faire une belle carrière dans les armées révolutionnaires puis celles de Napoléon. Il fut, d'ailleurs, gravement blessé à Essling (mai 1809). Quand il revint à Saumur, en 1814, il avait le grade de chef de bataillon et la dignité de commandant de la légion d'honneur. Serviteur fidèle de l'empereur, il fut promu lieutenant-colonel pendant les Cent Jours. Mais, c'est sous la Restauration que se déroula l'épisode le plus romanesque de sa carrière. Il fut en effet mêlé à la conspiration républicaine du général Berton qui, parti de Thouars avec 150 hommes, tenta de soulever Saumur en 1822. Après l'échec de ce coup de force, Gauchais s'enfuit en Angleterre et fut condamné à mort par contumace. Il passa ensuite en Espagne et combattit en 1823 dans les rangs des libéraux contre les Français. Il finit par être livré après la capitulation et fut conduit en prison à Toulouse où le procureur-général Mangin lui fit couper les moustaches, péripétie qui eut quelque célébrité à l'époque. Une ordonnance de janvier 1825 commua sa peine capitale en vingt années de détention que la Révolution de 1830 vint interrompre. Il mourut à Saumur le 11 novembre 1845 (340).

III. - CONCLUSION

La levée des trois premiers bataillons de volontaires de Maine-et-Loire fut un incontestable succès. En 1791, le plus grand enthousiasme présida aux enrôlements et le nombre des volontaires dépassa largement les besoins et les espoirs les plus optimistes. En 1792, alors que la guerre tournait à l'échec et que les divisions internes s'affirmaient, l'engouement fut moindre. Pourtant, l'élan patriotique fut encore suffisant, non seulement pour combler les vides du premier bataillon et porter son effectif à 800 hommes, mais pour lever coup sur coup deux bataillons nouveaux alors que le gouvernement n'exigeait que six compagnies. Au total, nous avons relevé 4 089 inscriptions au cours de ces deux années sur les registres de volontaires, dont 2 700 à 2 800 furent suivies d'une incorporation effective. Si l'on ajoute que le Maine-et-Loire fournit en même temps 1 385 soldats de ligne, on peut, avec le capitaine Jouon, « reconnaître l'effort vraiment colossal qu'il a dû produire en dépit des troubles violents dont il était le théâtre » (341).

Pareil élan peut sembler paradoxal dans un département où la levée décidée le 24 février 1793 allait occasionner le soulèvement vendéen. Le paradoxe n'est qu'apparent. La correspondance des commissaires montre abondamment que les Angevins réagirent aux sollicitations patriotiques de manière différente selon qu'ils habitaient à l'est, au nord-ouest ou au sud-ouest du département. Dans les districts orientaux, ceux de Baugé, Saumur, Angers, il n'y eut aucun problème de recrutement, les bonnes volontés excédant toujours les besoins. Dans ceux du nord-ouest, Segré,

---

(340) A.G., contrôle du 3ᵉ bataillon.
Arch. nat., AF II 382.
Série Q, Enregistrement, bureau de Saumur, registre des mutations par décès nᵒ 128, acte nᵒ 79.
C. PORT, *Dictionnaire ..., op. cit.*
(341) A.G. Xw 59, M. JOUON, *op. cit.,* fᵒ 45 verso.

Châteauneuf-sur-Sarthe, la réponse à l'appel de la patrie fut incertaine : on sent beaucoup de réticence dans ces pays d'opinions mêlées. Quant au sud-ouest (districts de Vihiers, Cholet et Saint-Florent-le-Vieil), c'est une véritable hostilité qu'il manifesta envers les recruteurs, et cela dès 1791.

Il n'est pas dans notre propos de juger de la valeur militaire des bataillons. Le premier se vida en grande partie après un an de vie commune, dès qu'il rencontra l'ennemi. Mais en déduire que les volontaires qui le composaient n'avaient aucune vertu guerrière, serait faire preuve de mauvaise foi. Ce n'est point la lâcheté qui désorganisa le premier bataillon, c'est le traumatisme causé par la capitulation de Verdun, dans laquelle il n'avait aucune part, et par la mort de Beaurepaire, son chef bien aimé. Quant aux 2ᵉ et 3ᵉ bataillons, il semble qu'ils aient eu une carrière honorable. Les «désertions» qui furent cause de tant de critiques envers les unités de volontaires se produisirent pour la plupart après les traités de 1795. Il est remarquable que près du 1/4 des soldats du 3ᵉ bataillon aient été encore présents sous leur drapeau d'origine le jour de l'amalgame, après 4 ans de service, alors qu'ils s'étaient engagés pour une seule campagne.

Avec le grand nombre de désertions, on a reproché aux bataillons de volontaires le choix de leurs officiers. Camille Rousset écrit que, dans la plupart des cas, «l'intrigue, l'ambition, la camaraderie, la vantardise, le jargon révolutionnaire surtout enlevèrent ou égarèrent les suffrages» (342). Des intrigues, il y en eut lors des élections (mais les promotions par voie d'autorité ne donnent-elles pas lieu également à des manœuvres?). Elles furent surtout occasionnées par les rivalités de clocher et le résultat du scrutin fut parfois décevant : un Guillaume Guinhut, élevé au commandement du 3ᵉ bataillon par exemple... Dans l'ensemble, toutefois, le choix des officiers nous paraît judicieux. Les Beaurepaire, Lemoine, Guillot, Desjardins, Duboys, Verger, Jubin, Cordier et autres, alliaient à des qualités militaires qui se révélèrent à l'épreuve, une foi solide dans les idéaux révolutionnaires.

Le nouveau régime pouvait-il compter sur le soutien de la masse des soldats comme sur celui des gradés? En d'autres termes, l'ensemble des volontaires nationaux forme-t-il un échantillon représentatif du mouvement révolutionnaire angevin? La question est d'importance puisque de sa réponse dépend le bien-fondé de notre étude. Pour 1791, aucun doute n'est permis. Les hommes s'engagèrent de leur plein gré, sans qu'aucune pression ne soit venue amoindrir leur libre-arbitre. La plupart d'entre eux étaient assurés d'une vie confortable et il a fallu un motif bien puissant pour qu'ils offrent d'abandonner le pays, la famille, les études, le métier... Mais en 1792? Si bien des hommes se présentèrent encore spontanément aux recruteurs, il est vrai que l'on dut relancer de futurs soldats jusque dans les villages et les hameaux. On ne fut pourtant jamais contraint de recourir à l'élection, à la désignation d'office, au remplacement monnayé, toutes méthodes qui prouvent une profonde hostilité populaire. Si l'on distribua quelques pourboires, voire quelques primes d'engagement, ce ne fut pas le cas général et, de toute façon, les sommes versées sont sans commune mesure avec celles que touchèrent les soldats de ligne qui, pourtant,

(342) C. Rousset, Les volontaires ..., op. cit., p. 10.

donnèrent à la Révolution des troupes fidèles. Rien ne permet, a priori, de suspecter le patriotisme de ces volontaires « passifs ». En fait, s'il se vérifie par l'étude du pays « bleu » que nous allons maintenant entreprendre, que les régions réfractaires au recrutement de 1792 comme à celui de 1791 sont bien celles qui se lancèrent quelques mois plus tard dans l'aventure vendéenne, que les pays et les villes qui furent une pépinière de volontaires sont les mêmes qui résistèrent à la Contre-Révolution, il sera démontré tout à fait que, globalement et malgré quelques exceptions remarquables, les volontaires nationaux angevins sont bien représentatifs du courant révolutionnaire local.

CHAPITRE III

LES VOLONTAIRES NATIONAUX : LE PAYS

L'origine géographique des volontaires constitue un des problèmes essentiels de notre recherche. L'empressement à remplir le devoir militaire a-t-il été partagé par les habitants de toutes les communes du département ou bien, comme le laisse prévoir la correspondance des commissaires chargés de la levée (1), les jeunes gens ont-ils répondu différemment aux sollicitations pratriotiques selon les régions où ils vivaient et selon qu'ils habitaient les villes ou les campagnes ? En d'autres termes, existe-t-il un pays des « Bleus » que l'on pourrait opposer à celui des « Blancs » (2) ? Pour répondre à cette question, nous disposons d'une documentation assez riche.

Concernant les hommes qui ont offert leurs bras à la Patrie au cours de l'été 1791, que leur démarche ait abouti ou non à l'enrôlement dans le premier bataillon, l'on peut consulter les registres tenus par les municipalités ou par le Département. Les registres communaux (il s'agit surtout de ceux d'Angers et de Saumur (3)) comprennent uniquement des gardes nationaux de la ville intéressée, qui ont par définition leur résidence dans l'agglomération. Au niveau départemental, le registre d'engagement par districts et par municipalités n'est pas toujours aussi sûr car on y a porté soit le domicile, soit la commune de recrutement (4). Il est souvent impossible de distinguer l'un de l'autre avec certitude, ce qui nous a sans doute conduit à exagérer l'importance des contingents fournis par certains bourgs particulièrement actifs dans la recherche des nouveaux soldats, celui de Mazé par exemple. Toutefois ces erreurs de localisation ne peuvent rendre caduque l'interprétation du comportement patriotique des diverses régions angevines car, outre qu'elles ne concernent qu'un nombre d'individus assez faible, elles ne sauraient avoir une grande amplitude géographique : le recrutement se

---

(1) Cf. *supra*, p. 153-156 et 204-205.
(2) Cf. Cl. PETITFRÈRE, *Les Vendéens d'Anjou, op. cit.,* p. 91-138.
(3) Arch. mun. Angers, H3-61 : liste de « Messieurs de la Garde Nationale d'Angers qui s'obligent volontairement de partir, pour la défense de la Patrie, partout où il leur sera ordonné d'aller conformément aux décrets de l'Assemblée Nationale du 21 juin 1791 ».
Arch. mun. Saumur H 1-74 (1) : « Registre pour l'inscription des Gardes Nationales à mettre en activité en exécution de l'art. IV du décret du 21 juin 1791 ... ».
(4) 1 L 590 bis.

faisait dans un périmètre restreint autour de la commune d'enrôlement. Il existe cependant une autre source d'approximation, la grande mobilité de certains volontaires. Ainsi, François Leroy né à Sainte-Gemmes-sur-Loire indique comme adresse : «chez Poulain», rue Baudrière à Angers où il exerce le métier de garçon passementier. En réalité, c'est un individu très instable. En juillet 1789 il devait être à Paris puiqu'il se targue du titre de «vainqueur de la Bastille» ; par contre, peu de temps après avoir offert ses services, il quittera Angers, partant «faute d'ouvrage pour Combray (sic) près Segré» (5). Autre exemple, celui de Jean Frise (il faut sans doute lire Fritz) né à Lutterbach et pour cela qualifié d'«étranger» et d'«Allemand» dans nos sources (6). Agé de 20 ans seulement, il a déjà fait quatre ans de service dans la Ligne : c'est donc forcément un Angevin de fraîche date. D'ailleurs, il semble avoir changé d'adresse en peu de temps. Un document précise qu'il demeure chez le sieur Louis devant la Trinité à Angers, un autre qu'il habite à Savennières chez Picotte, faiseur de bas (7). Il y a évidemment quelque abus à considérer ces hommes comme des habitants d'Angers ou de Savennières. Toutefois rares sont les situations aussi embrouillées et l'on peut tenir pour négligeables les erreurs dont elles sont la cause.

Quelques-uns des volontaires enrôlés au premier bataillon ne figurent sur aucun des registres d'engagements dont nous avons connaissance. Nous avons recherché leur résidence dans le contrôle nominatif établi en application de la loi du 28 décembre 1791 — 3 février 1792 destiné notamment au calcul des indemnités de 3 sols par lieue accordées aux hommes pour le voyage qu'ils avaient eu à faire depuis leur domicile jusqu'au lieu du rassemblement général, Angers en l'occurence. (8) Mais dans ce document le quatier-maître, ou son secrétaire, a parfois substitué le chef-lieu de canton à la commune de résidence exacte. Ainsi l'on donne Contigné pour origine de Julien Boutreux qui habitait en réalité Miré (9). Ce n'est pas une règle générale. On a bien indiqué, comme domicile de Jacques Benoît, Montjean et non le chef-lieu de canton La Pommeraye, pour Michel Bernay Chambellay et non le Lion-d'Angers, de sorte que l'incidence des erreurs commises est très faible. Dans certains cas nous avons pu d'ailleurs rétablir la vérité en recourant aux fiches signalétiques dressées par le conseil d'administration du bataillon en exécution de l'arrêté du 1er thermidor an II (19 juillet 1794). (10)

En ce qui concerne les volontaires engagés postérieurement à l'été 1791, c'est-à-dire ceux destinés à compléter le premier bataillon (les gens de la «queue de levée») et ceux qui furent recrutés en application de la loi du

---

(5) 1 L 590 bis et arch. mun. Angers H 3-61.

(6) Lutterbach faisait partie en 1789 de l'enclave de Mulhouse alliée aux cantons suisses. Le territoire de Mulhouse sera annexé à la France le 28 janvier 1798 (Cf. J. GODECHOT, *La Grande Nation* ..., Paris, 1956, tome I, p. 237.)

(7) 1 L 590 bis et Arch. mun. Angers H 3-61.

(8) 1 L 582. La loi du 3 février 1792 prévoyait aussi, rappelons-le, une allocation pour la durée du séjour au chef-lieu, depuis la date du rassemblement jusqu'à celle de la revue de constitution du bataillon.

(9) D'après 1 L 590 bis.

(10) Arch. nat. AF II-382, liasse 3 112.

22 juillet 1792, le domicile est généralement porté sur les registres d'inscription (11). Cependant, là encore, on a parfois indiqué la commune où le jeune homme avait souscrit son engagement au lieu de celle de sa résidence. Cela contribue à grossir artificiellement les contingents des chefs-lieux de canton car c'est dans leurs municipalités que la loi du 22 juillet et l'arrêté départemental du 24 prévoyaient la tenue des registres (12). La substitution du lieu d'engagement au domicile est surtout fréquente dans le registre qui servit à inscrire les volontaires du premier contingent de l'été 1792 (1 L 589 bis). Par contre, dans celui qui fut utilisé à partir de la mi-août (1 L 595), la résidence exacte est précisée la plupart du temps lorsqu'elle est différente de la commune où le volontaire a signé son engagement. Ainsi nous apprenons que François Benoît, né à Saint-Saturnin et enrôlé à Gennes loge chez Macé paroisse de Grézillé, que Jean Benoît né à Vaulandry a été engagé à Seiches où il demeure chez Lelouet ou encore que Louis Boireau né à Chinon et enrôlé aux Rosiers habite chez son père à Saumur ... Le recours à quelques sources complémentaires a permis en outre de rectifier certaines erreurs (13).

Au total, les localisations abusives ne sauraient concerner qu'un faible pourcentage des 3 594 volontaires dont nous connaissons la résidence en 1791-92. Par rapport à l'ensemble des 3 929 « Bleus » de notre échantillon (14), ce nombre constitue une proportion considérable (91,47 %) qui permet une précision fort acceptable malgré les quelques faiblesses de la documentation.

Dans un premier temps nous étudierons la carte où nous avons reporté le domicile de tous les volontaires angevins après quoi nous verrons, étape par étape, comment la physionomie du pays « bleu » a évolué en 1791 et 1792.

I. - La carte des volontaires angevins (1791-1792)

Dès le premier coup d'œil, la carte frappe par son équilibre (cf. p. 242-243). Tandis que le centre de gravité de la Vendée angevine se situe en pleines Mauges, quelque part dans la vallée de l'Evre entre Beaupréau et Jallais, c'est-à-dire dans une position tout à fait excentrique par rapport à l'ensemble de la province (15), le pays des « Bleus » est ordonné harmonieu-

---

(11) 1 L 588 bis pour la « queue de levée », 1 L 589 bis pour le premier contingent de la levée de 1792 (jusqu'à la mi-août à peu près),
1 L 595 pour le 2ᵉ contingent.
(12) Cf. *supra*, p. 196.
L'expérience apprend toutefois que l'on s'est également fait inscrire dans les municipalités des simples communes.
(13) Ces sources sont, notamment, pour le premier contingent de la seconde levée, les liasses 1 L 589, 1 L 591 (en ce qui concerne le district de Baugé), voire 1 L 588 bis et aussi Arch. mun. Saumur H 1-74 (1). Pour le 2ᵉ contingent, 1 L 588 bis, 1 L 589, 1 L 591 bis, 1 L 592, 1 L 594, 1 L 597 bis, 1 L 600 (8), Arch. mun. Saumur H 1-74 (1), Arch. nat. AF 11-382, liasse n° 3 111.
(14) Nous ne prenons pas en compte les chasseurs de la compagnie franche de Bardon dont le registre de contrôle (1 L 601₃) mentionne le lieu d'enrôlement (Baugé la plupart du temps) et non le domicile.
(15) Cf. Cl. Petitfrère, *Les Vendéens d'Anjou, op. cit.*, p. 94.

LES VOLONTAIRES ANGEVINS (1791 - 1792)

ECHELLE = 1 : 200 000

domicile de 1 à 9 volontaires
10 à 19
20 à 49
50 à 99
100 à 200
plus de 200

les noms des chefs-lieux du département et des districts sont soulignés

moranne

S   A   R   T   H   E

r-sarthe

durtal

LOIR

cheviré-le-rouge

BAUGE

le plessis grammoire

NGERS

andard

TRELAZE

MAZE

BEAUFORT

LATHAN

surl.

longué

blou

BRISSAC

les rosiers

AUTION

LOING

arcé

M A I N E   E T   L O I R E

SAUMUR

VIENNE

DOUE

le coudray-macouard

concourson

brézé

les verchers

THOUET

montreuil-bellay

LAYON

S E V R E S
R

sement autour de la capitale. Aux quatre coins du département, les villes importantes par leur chiffre de population ou leur fonction administrative se distinguent par l'ampleur de leur contingent de volontaires : Saumur au sud-est, Baugé au nord-est, Cholet au sud-ouest voire même Segré au nord-ouest. Par-dessus tout ressort le nom d'Angers qui figurait bien modestement au contraire sur la carte de la Vendée. Si l'on s'en tient à un examen superficiel, on ne retrouve donc pas l'opposition ouest-est qui nous a paru éclatante en étudiant le pays des « Blancs ». Alors que la moitié orientale du Maine-et-Loire n'a pratiquement donné aucun des siens à l'Armée Catholique et Royale, toutes les régions du département ont participé à la défense de la Révolution. Mais si l'on accorde une attention plus soutenue à la carte des « Bleus », on s'aperçoit vite que le semis des points indiquant la résidence de moins de 50 volontaires est particulièrement dense à proximité de la Loire, zone où se remarquent en outre des cercles plus importants révélateurs de gros contingents. Il est au contraire plus diffus dans les régions septentrionales du département et encore bien davantage dans les pays s'étendant au sud du fleuve et à l'ouest du Layon qui correspondent à peu près au plateau des Mauges. Pour une interprétation judicieuse du document, il faut donc descendre au niveau des petites régions naturelles.

1. - Le Val de Loire

Au voisinage immédiat de la Loire et de ses deux affluents de rive droite, la Maine et l'Authion, qui se conjuguent pour ouvrir une vaste plaine au cœur de l'Anjou, l'on recense 55 communautés regroupant 2 373 volontaires, soit 66,03 % de l'échantillon dont le domicile est connu. Parmi ces villes et ces villages, figurent les trois communes représentées ici par 100 des leurs ou davantage (Angers, Saumur et Beaufort) et deux autres parmi les cinq ayant fourni de 50 à 99 volontaires (Chalonnes et Mazé). Or, nous remarquons que c'est dans la zone ligérienne que se situent presque toutes les communautés urbaines du Maine-et-Loire : Angers, Saumur, Beaufort, Rochefort-sur-Loire, Chalonnes, voire Saint-Florent-le-Vieil. Hors de ce périmètre, il n'existe en effet que deux petites villes : Cholet et Baugé, car on ne saurait tenir pour vraiment citadins les chefs-lieux de district Segré, Châteauneuf-sur-Sarthe et Vihiers.

Le comportement des populations ligériennes en face du devoir patriotique n'a cependant pas été le même à l'ouest et à l'est. Vers l'aval, au-delà de Chalonnes étalée à l'embouchure du Layon, les communes de la rive sud du fleuve, du côté des Mauges, n'ont pas donné une réponse enthousiaste aux invitations des recruteurs. Deux d'entre elles seulement ont proposé plus de 10 volontaires : Saint-Florent-le-Vieil (27 hommes) et Montjean, le petit bourg minier (19). La rive nord paraît avoir été plus réceptive puisqu'Ingrandes a offert à la Patrie 18 de ses habitants, Champtocé 21 et Saint-Georges-sur-Loire 40. Cela ne saurait nous surprendre si nous nous souvenons que les hommes demeurant sur les rives septentrionales de la Loire ont peu participé à la Contre-Révolution, à l'inverse des gens de la rive méridionale dont un assez grand nombre s'engagea dans l'Armée Catholique, ainsi que des habitants des plateaux cristallins du nord, le Segréen notamment, que tenta fort la Chouannerie. Lorsqu'on suit la Loire venant de l'ouest, le véritable pays des « Bleus » semble commencer à la hauteur de Chalonnes. De cette ville jusqu'aux confins de l'Indre-et-Loire, la grande majorité des communes riveraines du fleuve, tout comme celles du val de Maine et du val d'Authion, ont offert en 1791 et 92 au moins un de leurs enfants à la Patrie. Quinze d'entre elles ont même donné plus de 10 volontaires chacune. Parmi les contingents les plus importants citons ceux de Chalonnes et de Rochefort-sur-Loire (respectivement 80 et 35 « Bleus ») déjà remarquées dans notre étude des Vendéens comme des cités plutôt patriotes aux lisières du pays « blanc » (16), ceux des Ponts-de-Cé et de Trélazé aux portes de la capitale provinciale (32 volontaires pour la première, 27 pour la seconde) et surtout, dans le val d'Authion, ceux de Mazé (87 « Bleus ») et de Beaufort (168). Ces deux dernières bourgades, à défaut de pouvoir se targuer d'avoir puisé dans leur seule population communale tous ces candidats au service armé, peuvent au moins prétendre avoir été les centres cantonaux de recrutement les plus actifs au sein des zones rurales du département. Par-dessus tout se distinguent les deux grandes villes : Saumur avec 405 inscrits sur les registres de volontaires et Angers avec 1 153, soit respectivement 11,27 % et 32,08 % de l'échantillon. Les deux villes principales du Maine-et-Loire ont donc fourni ensemble plus de 43 % des « Bleus », le chef-lieu offrant à lui seul à peu près le 1/3 des volontaires. Voilà qui suffit à souligner le caractère citadin du recrutement patriotique qui s'oppose tout à fait à celui des Vendéens, rural avant tout.

Au sud-est de la zone étudiée, le triangle formé par la Loire et le Layon (que l'on nommera par commodité le Saumurois) paraît être une sorte d'apophyse de la région ligérienne, ses habitants ayant eu devant le service militaire une attitude comparable à ceux des plaines fluviales.

2. - Le Saumurois et les pays du Layon

De toutes les régions purement rurales du département, celle-ci est la mieux représentée sur la carte. Presque toutes les communes ont donné quelques-uns de leurs enfants à la Patrie révolutionnaire. Une exception cependant : le pays situé immédiatement à l'ouest de Saumur vers Saint-Hilaire-Saint-Florent, Verrie, Milly, Louerre. Le territoire de ces paroisses, d'ailleurs faiblement peuplées, correspond à peu près au grand massif de bois et de landes qui, par sa pauvreté, contraste avec la prospérité des bas plateaux alentour (17). Les autres communes saumuroises sont franchement favorables au recrutement, tant celles que l'on trouve dans la pointe du triangle formé par le Layon et la Loire, où domine la vigne, que vers le sud, celles des grandes « campagnes » des environs de Doué et de Montreuil-Bellay qui constituent un des rares greniers à blé du Maine-et-

---

(16) *Ibid.* p. 120.
(17) Cf. la description du Saumurois et des pays du Layon par F. LEBRUN dans *Les Hommes et la Mort* , *op cit.*, p. 58-63.

Loire. Pour rendre compte de l'empressement des habitants de Brissac (22 volontaires), Mûrs et Erigné (15 « bleus » pour l'ensemble de ces deux communes), Juigné-sur-Loire (11 volontaires), faut-il mettre en avant le dynamisme des recruteurs d'Angers tout proche? Pour expliquer le patriotisme des habitants de Doué (66 volontaires), Le Coudray-Macouard (14), Brézé (13) ou Montreuil-Bellay (10) faut-il tirer argument de l'exemple donné par Saumur? Il est certain que l'impulsion partie des centres urbains a dû jouer un rôle. Il ne faudrait pas cependant l'exagérer en oubliant qu'au XVIIIᵉ siècle les distances, évaluées en temps de parcours, étaient au moins dix fois supérieures à ce qu'elles sont aujourd'hui.

Aux confins occidentaux du Saumurois se trouve la vallée du Layon. Nous avons souligné, en étudiant le pays « blanc », que les habitants de ces contrées avaient participé à la Contre-Révolution, mais modérément, ce qui nous a donné à penser qu'aristocrates et patriotes y voisinaient. Un examen de la carte du pays « bleu » ne peut que renforcer cette opinion. Le recrutement des volontaires a, en effet, été satisfaisant le long du Layon puisque sept communes de la vallée et de ses abords immédiats ont offert plus de 10 hommes chacune (et même huit si l'on compte Chalonnes que nous avons classée parmi les communautés ligériennes). Il s'agit, du nord au sud, de Chaudefonds (13 volontaires), Saint-Aubin-de-Luigné (21), Saint-Lambert-du-Lattay (11), Rablay, Thouarcé (18 volontaires chacune), Concourson et Les Verchers (14 chacune). On constatera aisément que les « Bleus » se sont recrutés aussi bien sur la rive gauche que sur la rive droite. C'est que, nous l'avions fortement souligné en étudiant la Vendée, le Layon ne fut point une ligne de partage politique mais une frontière militaire. C'est l'ensemble de la vallée et des pays voisins, une bande de territoire d'une dizaine de kilomètres de part et d'autre de la rivière, qui constitue une zone charnière où les opinions politiques sont mêlées. C'est surtout vrai pour le nord de la région, de Chalonnes à Thouarcé où l'on trouve des communes bien représentées dans l'Armée Catholique et Royale comme chez les volontaires nationaux : ainsi Saint-Aubin-de-Luigné et Saint-Lambert-du-Lattay (sans doute plutôt « blanches » en définitive) ou Chalonnes et Rochefort-sur-Loire (sans doute plutôt « bleues »). Par contre, en amont de Thouarcé, dans cette boucle du Layon où nous avons noté la faiblesse du recrutement vendéen, les patriotes paraissent nettement majoritaires, vers les communes de Concourson et des Verchers qui fournirent beaucoup de volontaires et peu ou pas de soldats catholiques.

Enfonçons-nous maintenant vers l'ouest pour gagner le pays des Mauges, la future Vendée angevine.

3. - Les Mauges

Pour qui considère simultanément la carte des « Blancs » et celle des « Bleus », le contraste est évident. La première apparaît ici complètement noircie alors que sur la seconde on relève seulement un semis très lâche de points indiquant chacun le domicile de quelques volontaires. C'est tout juste si ressortent les noms de Cholet et Chalonnes, et, dans une moindre mesure, ceux de Saint-Florent-le-Vieil, Chemillé et Vihiers, c'est-à-dire les villes et bourgades principales. Entre Loire et Layon, dans un périmètre qui inclut par conséquent les communes riveraines des deux rivières que nous avons déjà étudiées, on recense 425 volontaires. En d'autres termes, 11,82 % des « Bleus » sont répartis sur un territoire correspondant grosso modo au quart de la superficie départementale. Si, au lieu de recenser les hommes, nous comptons maintenant les paroisses d'où ils sont originaires, nous en trouvons 47 alors que 101 communautés étaient représentées sur la carte de la Vendée angevine. Ce rapprochement suffit à nous éclairer, même si l'on admet que le chiffre de 47 est un peu faible par suite de quelques identifications abusives de la commune de recrutement à celle de la résidence. En particulier, il est révélateur que beaucoup de paroisses du nord des Mauges et de la vallée de l'Evre qui constituent le « sanctuaire » de la Vendée en Anjou soient totalement absentes de la carte du pays « bleu » : Liré, Bouzillé, Le Marillais, La Chapelle-Saint-Florent, Saint-Laurent-du-Mottay, Botz-en-Mauges, Chaudron, Saint-Pierre-Montlinart, Saint-Rémy-en-Mauges, Le Fief-Sauvin, Jallais etc. ...

Pour plus de clarté, tenons-nous en maintenant au plateau des Mauges lui-même, en excluant les communes riveraines de la Loire et celles de la zone du Layon d'où sont issus d'assez gros contingents de « Bleus » et de « Blancs », ce qui traduit la coexistence d'opinions divergentes. Nous éliminerons par conséquent de nos calculs La Varenne, Saint-Florent-le-Vieil, Le Mesnil, Montjean, les paroisses de la vallée du Layon et de ses abords et d'une façon générale toutes celles qui sont situées à l'est de Vihiers où les Vendéens sont rares. Dans ces nouvelles limites correspondant au pays « blanc » proprement dit, nous recensons 235 volontaires soit 6,54 % de l'échantillon de résidence connue. Plus de la moitié d'entre eux (57 % environ) proviennent de trois communes, celles de Cholet, Chemillé et Vihiers où étaient domiciliés respectivement 62, 39 et 33 « Bleus ». Or, nous savons que ces villes constituent des cas particuliers dans les Mauges, Vihiers étant un chef-lieu de district, Chemillé une cité manufacturière, Cholet cumulant les deux fonctions. En définitive, 101 volontaires seulement habitent les paroisses rurales des Mauges, celles qui se jetteront à corps perdu dans la Contre-Révolution, soit moins de 3 % de l'échantillon (2,81 % exactement). Même si l'on tient compte d'une éventuelle sous-représentation de ces communes dans la documentation (qui ne saurait excéder en tout cas 1 %), il est démontré que les Mauges paysannes ont fort mal répondu à l'appel de la Patrie. Nous ne saurions d'ailleurs en être surpris, connaissant le pessimisme des commissaires chargés du recrutement dans cette région (18). Parmi les communautés rurales, celles qui ont offert les contingents les plus importants sont Beaupréau (14 volontaires), Saint-Georges-du-Puy-de-la-Garde et Vézins (12 « Bleus » pour la première, 11 pour la seconde). Il n'est pas très étonnant de trouver dans cette liste Saint-Georges-du-Puy-de-la-Garde et Vézins. Nous avons dit les antagonismes socio-politiques qui opposaient les habitants du bourg de Saint-Georges à ceux du village des Gardes (19) ; quant à Vézins, c'est une commune relativement peuplée (1 915

---

(18) Cf. *supra*, p. 155-156 et 205.
(19) Cf. Cl. PETITFRÈRE, *Les Vendéens d'Anjou*, op. cit., p. 195-196.

H. d'après le recensement de 1790) et assez médiocrement représentée parmi les « Blancs ». Le cas de Beaupréau est plus surprenant. La ville était située au cœur même du pays vendéen et sa municipalité avait une solide réputation d'« aristocratie ». Mais elle avait 2 677 âmes et, pour une population aussi nombreuse, offrir 14 candidats au service armé ne constitue pas une performance (20). Il faudrait d'ailleurs pouvoir tester la qualité du patriotisme de chacun de ces hommes ... (21).

Ainsi, les trois régions étudiées jusqu'à présent ont eu une attitude fort contrastée. Le Val de Loire et le Saumurois furent une pépinière de volontaires tandis que le plateau des Mauges resta sourd aux exhortations des recruteurs. En 1793, quand il s'agit de former les compagnies vendéennes, les rôles furent exactement inversés... Les dispositions manifestées par les habitants du nord du département, de la Bretagne à la Touraine, semblent avoir été intermédiaires entre celles des gens du Val-de-Loire-Saumurois et celles des habitants des Mauges. Dans cette région que l'on peut assimiler, pour simplifier, au Segréen et au Baugeois, on recense en effet beaucoup de petits contingents, mais peu de communes ont été de gros pourvoyeurs des bataillons de volontaires. Penchons-nous d'abord sur le cas du Segréen qui, sans avoir opposé aux patriotes de 1793 la même résistance quasi unanime que les Mauges, a donné à la Contre-Révolution l'appui non négligeable de ses bandes de Chouans.

4. - Le Segréen

421 volontaires résident entre Bretagne, Loire et Loir, soit 11,71 % de l'échantillon. Chiffre et proportion sont pratiquement identiques à ceux que nous avons établis pour la région sud-occidentale du département, entre Bretagne et Layon, dont la superficie est comparable. L'enthousiasme paraît donc avoir été aussi faible dans le Segréen que dans les Mauges. Cependant, nos calculs englobent les communes de la vallée de la Loire peu sensibles aux invitations des insurgés de 1793. Afin de connaître les réactions face au devoir militaire des habitants des régions chouannes correspondant au plateau segréen proprement dit, nous retrancherons donc de nos comptes les 130 individus originaires d'Ingrandes, Champtocé, Saint-Germain-des-Prés, Saint-Georges-sur-Loire, Savennières (et La Possonnière), Béhuard, Bouchemaine, Pruniers et Avrillé (22). Il reste 281 volontaires offerts par les communes du plateau, soit 8,10 % de l'échantillon, proportion légèrement supérieure à celle du plateau des Mauges (6,54 % rappelons-le).

L'examen attentif de la carte montre que les « Bleus » ne sont pas répartis de la même façon au nord et au sud de la Loire. Tandis que dans les Mauges, des régions pratiquement vierges contrastaient avec quelques centres gros pourvoyeurs des bataillons révolutionnaires, dans le Segréen les

---

(20) Le recensement de 1790 figure dans 1 L 402.

(21) A ce sujet, cf. *supra*, p. 206 note 238 et p. 244.

(22) Sous l'Ancien Régime, le hameau de la Possonnière dépendait de la paroisse de Saint-Georges-sur-Loire. Il fut rattaché à la commune de Savennières en 1790, avant de devenir une commune autonome en 1851 (F. LEBRUN, *Paroisse et communes de France*, Paris, 1974, p. 339.

zones qui n'ont fourni aucun volontaire sont aussi rares que les contingents importants. Un semis diffus de petits points rappelle étrangement la carte des Vendéens (23). La grande majorité des paroisses ont, en effet, offert au moins un de leurs enfants à la Patrie, si l'on met à part la région de Combrée, à l'ouest de Segré, qui entretiendra une chouannerie fort active. Par contre, une seule commune a fourni plus de 20 volontaires : Segré. Comment interpréter cela ? Il semble que les patriotes étaient présents partout, hormis peut-être les alentours de Combrée, mais en faible nombre. Les effectifs les plus importants, supérieurs à 10 individus, proviennent des communes les plus peuplées. C'est le cas notamment de Durtal, Morannes, Le Lion-d'Angers et Le Louroux-Béconnais qui comptaient 2 000 habitants ou davantage en 1790. La seule exception est celle de Saint-Augustin-des-Bois, petite paroisse de 400 habitants qui, avec ses 13 volontaires, se distingue comme un centre patriote. Il est vrai que cette commune est située au sud de la région, bien près du val de Loire. Le cas des deux chefs-lieux de district, Segré et Châteauneuf-sur-Sarthe (33 « Bleus » pour la première, 16 pour la seconde) est à mettre à part. Leur contingent, surtout celui de Segré, a sans doute été grossi par l'apport de quelques communes environnantes. Avec respectivement 740 et 1 081 habitants, Segré et Châteauneuf ne sauraient passer pour des villes. Il est vraisemblable que la faiblesse de l'urbanisation contribue à expliquer la modestie des effectifs offerts par les communes du Segréen.

A parcourir sur la carte les plateaux du nord-ouest, en nous rappelant ce que l'étude des Vendéens d'Outre-Loire nous a appris, on a l'impression globale d'un pays d'opinions partagées où le patriotisme est représenté presque partout, mais où les « Bleus » sont rarement en force. Cela correspond tout à fait aux renseignements fournis par les commissaires recruteurs (24).

A l'est du Loir, le Baugeois paraît avoir eu, à l'égard du service militaire, des réactions voisines de celles du Segréen.

5. - Le Baugeois

Contrairement aux bocages de l'ouest du Maine-et-Loire, le Baugeois reste fidèle à la République en 1793. Pourtant, les gros contingents de volontaires sont presque aussi rares ici et là. En effet, si on laisse de côté les communes proches de la vallée de l'Authion et de la Loire, on ne relève dans le nord-est du département que deux bourgades représentées dans notre échantillon de « Bleus » par une dizaine de leurs habitants au moins : Cheviré-le-Rouge et Baugé. Au contraire, tout comme dans le Segréen, les petits contingents sont assez nombreux. Le Baugeois présente cependant une différence essentielle avec le Segréen, c'est qu'il possède un très important centre patriote, Baugé. Le nombre de candidats à l'uniforme bleu fourni par le chef-lieu de district (86 au total) est d'autant plus remarquable que c'est à Baugé que fut organisée la compagnie franche de Bardon : la ville dut faire

(23) Cf. Cl. PETITFRÈRE, *Les Vendéens d'Anjou, op. cit.*, p. 94.
(24) Cf. *supra*, p. 154-155 et 204.

un gros effort afin de la pourvoir en hommes (25). Est-ce le recrutement des chasseurs qui épuisa les ressources des communes rurales alentour? On pourrait le croire car elles sont bien mal représentées sur notre carte. Au contraire, la densité des petits contingents est forte vers l'est du plateau, en bordure de la Touraine, ainsi que vers le sud. Il est vrai que les communes proches de la vallée de l'Authion et du grand axe de circulation ligérien ont peut-être été entraînées dans le mouvement patriotique qui souleva les habitants de la plaine alluviale, ne serait-ce que parce qu'elles étaient plus accessibles pour les recruteurs. Mais on ne peut s'empêcher de remarquer que les terres de la périphérie du Baugeois, celles qui avoisinent le Loir, la vallée d'Anjou et la Touraine, sont particulièrement ingrates (26). L'engagement militaire a pu y être un exutoire pour les plus pauvres.

Au total, il nous semble que l'étude régionale a éclairé un document cartographique qui, au premier abord, paraissait ne présenter aucun caractère marquant. Nous avons pu distinguer trois grandes zones correspondant à trois types de réponse aux exhortations patriotiques : l'une enthousiaste, le Saumurois et la grande plaine fluviale du centre de l'Anjou, la seconde fort réticente, le plateau des Mauges, la dernière dans laquelle le recrutement a connu un succès mitigé, le Segréen et le Baugeois (si l'on met à part le centre révolutionnaire que constitue la ville de Baugé).

Comme nous l'avons fait pour les Vendéens, nous allons maintenant essayer de mesurer la part respective que les communes du Maine-et-Loire ont prise dans l'élan patriotique de 1791-92. Pour cela, nous rapporterons le nombre des volontaires fournis par chacune d'elles au chiffre de sa population totale (27). Cette méthode permet en quelque sorte de réduire toutes les communautés du département au même dénominateur, éliminant l'avantage apparent que donne aux villes et aux gros bourgs le chiffre brut des effectifs qu'ils ont offerts pour la défense de la Révolution.

II. - ESSAI DE MESURES COMPARATIVES
DE LA REPRÉSENTATION DES COMMUNES D'ANJOU
PARMI LES VOLONTAIRES DE 1791-1792

Pour mener cette étude, nous avons eu recours à la même source qui nous avait servi à mesurer l'engagement des paroisses des Mauges et du Segréen au service de la Contre-Révolution : le recensement réalisé à la fin de 1790 et au début de l'année suivante, en réponse à l'enquête du Comité de Mendicité de la Constituante. Il nous a fourni des chiffres de population que nous jugeons très acceptables pour l'ensemble des communautés du Maine-et-Loire, à deux exceptions près : celle de La Ménitré qui dépendait

---

(25) Cf. *supra*, p. 217-221.

Il est malheureusement impossible de déterminer le nombre des Bardonais originaires de Baugé.

(26) Cf. F. LEBRUN, *Les Hommes et la Mort ...*, *op. cit.*, p. 58. Le rapport entre la pauvreté du territoire et le grand nombre des volontaires n'est pas toujours évident. Ainsi, dans le Saumurois, c'est la région la moins fertile, celle du massif boisé de Milly, qui a fournir le moins d'hommes (cf. *supra*, p. 245).

(27) Cf. Cl. PETITFRÈRE, *Les Vendéens d'Anjou*, *op. cit.*, p. 110-112

de la commune des Rosiers dont elle ne sera détachée qu'en 1824 et celle de
Saint-Macaire-du-Bois qui, en 1790, était revendiquée par le département
des Deux-Sèvres (28).

La carte de la p. 252-253 est plus facile à interpréter que la précédente
car les caractéristiques principales du recrutement y ressortent beaucoup
mieux. L'essentiel est le contraste, ici fort net, entre la région du sud-ouest
vraiment peu sensible à l'appel de la Patrie, et les autres zones du
département. En effet, à l'ouest du méridien Rablay-Vihiers, c'est-à-dire à
l'intérieur du plateau des Mauges, aucune commune n'a offert 2 % de sa
population aux trois premiers bataillons de Maine-et-Loire. Partout ailleurs
au contraire, l'on trouve des communautés ayant fourni à notre échantillon
2 % de leurs enfants ou davantage. Toutefois, une zone a été plus
particulièrement réceptive à l'appel des commissaires recruteurs. Il s'agit
d'un territoire ayant grossièrement la forme d'un triangle dont les côtés
seraient formés par les lignes joignant Ingrandes au Plessis-Grammoire et à
Concourson et qui couvrirait la région s'étendant du Layon au val de Loire et
au val d'Authion, depuis les confins de la Touraine jusqu'à ceux de la
Bretagne. En effet, sur 14 communes ayant offert à l'armée nouvelle 2 % des
leurs ou davantage, 11 se trouvent comprises dans cette zone : du sud au
nord Concourson, Le Coudray-Macouard, Saumur, Rablay, Brissac, Beaufort, Mazé, Trélazé, Angers, Le Plessis-Grammoire et Saint-Augustin-des-
Bois. Seules Segré, Baugé et Vihiers sont situées hors de ce triangle. Comme
la plupart des villes et des grosses bourgades du département sont implantées
dans la même région, on peut se demander s'il existe un lien entre
l'importance de la population communale et le patriotisme manifesté par les
habitants. Le tableau suivant répond à cette préoccupation.

Communes	Population	Contingent de volontaires	Rapport du contingent à la population
Segré	740	33	4,46 %
Angers	28 314 (29)	1 153	4,07 %
Saumur	11 831	405	3,42 %
Saint-Augustin-des-B.	400	13	3,25 %
Rablay	582	18	3,09 %
Beaufort	5 500	168	3,05 %
Vihiers	1 100	33	3,00 %
Baugé	3 162	86	2,72 %
Le Coudray-Macouard	585	14	2,39 %
Trélazé	1 156	27	2,33 %
Le Plessis-Grammoire	517	12	2,32 %
Brissac	1 000	22	2,20 %
Mazé	3 982	87	2,18 %
Concourson	688	14	2,03 %

(28) 1 L 402 pour tous les districts, sauf pour celui de Vihiers pour lequel il faut se reporter
à 9 L 32.

Sur la Ménitré et Saint-Macaire-du-Bois, cf. F. LEBRUN, *Paroisses et Communes de France,
Maine-et-Loire, op. cit., p. 248. (La Ménitré), et C. PORT, Dictionnaire ..., op. cit.*
(Saint-Macaire).

(29) Rappelons que le chiffre de population d'Angers donné par le recensement de 1790 est

REPRESENTATION
COMPAREE
DES

COMMUNES D'ANJOU

PARMI LES VOLONTAIRES

DE 1791-1792

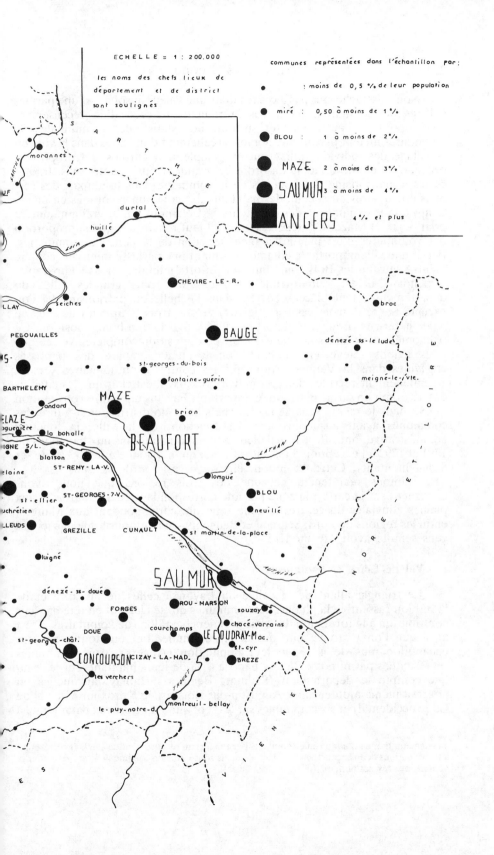

ECHELLE = 1 : 200.000

les noms des chefs lieux de
département et de district
sont soulignés

communes représentées dans l'échantillon par:

• : moins de 0,5 % de leur population

● miré : 0,50 à moins de 1 %

● BLOU : 1 à moins de 2 %

● MAZE 2 à moins de 3 %

● SAUMUR 3 à moins de 4 %

■ ANGERS 4 % et plus

Nous n'attacherons pas à ces résultats une valeur absolue : d'une part les chiffres de population n'ont pas la rigueur de ceux d'un recensement contemporain, d'autre part et surtout, nos statistiques communales de volontaires mêlent parfois aux hommes réellement domiciliés dans la ville ou le village des individus qui y ont été simplement enrôlés. La proportion obtenue ne donne donc qu'un ordre de grandeur qui, à notre avis, traduit certes le patriotisme des hommes de la commune dans la plupart des cas, mais quelquefois aussi celui des habitants des communes voisines en même temps que le dynamisme des recruteurs ... Cela nous paraît vrai notamment pour Segré et Mazé. Ces réserves faites, il faut remarquer que la proportion des volontaires n'est pas directement fonction de la taille des communes. Ainsi, une ville importante comme Saumur et une paroisse miniscule comme Saint-Augustin-des-Bois ont fait un effort militaire très comparable. Cependant il est remarquable que les deux plus grandes villes du département soient placées en tête dans l'échelle du patriotisme (si l'on excepte Segré dont le cas est litigieux) et que trois bourgades de plus de 3 000 habitants, Baugé, Beaufort et Mazé y figurent en bonne position. Ce phénomène doit être souligné car il est en opposition complète avec ce que nous avions relevé en étudiant l'engagement comparé des paroisses angevines dans la Vendée. Alors que les contre-révolutionnaires se sont essentiellement recrutés dans les milieux ruraux, il est clair que les citadins ont accompli un effort patriotique important. Faisons une autre constatation qui va dans le même sens : tous les chefs-lieux de district, c'est-à-dire des communes ayant au moins une des fonctions de la ville, la fonction administrative, ont offert 1 % de leur population au moins aux bataillons de 1791 et 1792 à l'exception d'un seul : Cholet qui n'a donné que 0,73 % de ses 8 444 habitants. Cette exception, elle aussi, est lourde de sens.

Etudions maintenant chacune des trois régions que nous avons discernées sur la carte : la zone patriote correspondant au Saumurois et aux plaines alluviales du centre, la zone réticente correspondant aux Mauges, enfin les régions du nord, Segréen et Baugeois, où l'enthousiasme des jeunes gens semble avoir été modéré.

1. - Val de Loire et Saumurois

Le triangle allant de la vallée du Layon à celles de la Loire et de l'Authion rassemble la plupart des communes qui se classent en tête par leur contribution à la formation des trois premiers bataillons de volontaires. C'est ainsi que l'on y trouve une des deux communes qui ont fourni à notre échantillon plus de 4 % de leur population (Angers), trois communes représentées parmi nos «Bleus» par 3 à 4 % de leurs habitants sur les cinq que compte le département (Saumur, Beaufort, Rablay, auxquelles on pourrait même ajouter Saint-Augustin-des-Bois située à proximité du val de Loire occidental) et six communes sur les sept qui ont offert aux bataillons 2 à

en augmentation de quelque 3 000 habitants par rapport au recensement de 1769, et correspond aux évaluations de François LEBRUN (dans « Angers sous l'Ancien Régime ... », *art. cit.*) pour la période pré-révolutionnaire (27 à 30 000 âmes).

3 % des leurs (Le Coudray-Macouard, Concourson, Brissac, Mazé, Trélazé et Le Plessis-Grammoire). Plus précisément, les communautés patriotes paraissent se répartir en deux nébuleuses de taille inégale autour d'Angers et de Saumur, la zone de séparation se faisant à la hauteur du massif boisé de Milly dont nous avons noté la tiédeur des habitants en étudiant la carte précédente.

Au nord, d'Ingrandes à Beaufort et de Montreuil-Belfroy à Thouarcé, presque toutes les communes ont fait un effort considérable lors du recrutement de 1791-92. Cependant, on peut noter une nouvelle fois que les paroisses de la rive vendéenne de la Loire ont réagi moins favorablement que celles situées de l'autre côté du fleuve. En effet, si l'on remonte la Loire en suivant la rive gauche, il faut atteindre Chalonnes pour voir se multiplier les communes représentées dans notre échantillon par 0,5 % de leur population au moins. Plus à l'ouest, deux bourgades seulement satisfont à ce critère, le chef-lieu de district Saint-Florent-le-Vieil qui a offert 27 de ses 2 417 habitants soit 1,12 % et le bourg minier de Montjean qui a donné 19 candidats à l'uniforme bleu sur 2 165 habitants soit 0,88 %. Sur la rive droite par contre, Ingrandes (1 385 habitants), Champtocé (1 600 H.) et Saint-Georges-sur-Loire (2 349 H.) ont fait un effort assez considérable en offrant aux bataillons 1 à 2 % des leurs. Cela ne nous étonnera pas de la part de communes dont nous avions noté la contribution bien modeste au soulèvement de 1793 (30). Le foisonnement des centres patriotes à proximité immédiate d'Angers est un autre enseignement remarquable du document cartographique. En effet, dans un rayon de 15 à 20 km autour du chef-lieu du département, la grande majorité des communes ont fourni à l'échantillon de « Bleus » au moins 0,50 % de leur population. Outre la ville d'Angers elle-même qui, nous l'avons vu, vient au 2ᵉ rang des communes du département pour sa participation massive au recrutement, nous trouvons trois paroisses classées dans la catégorie 2 à 3 %, Le Plessis-Grammoire (517 H.), Trélazé (1 156 H.) et Brissac (1 000 H.), puis huit communes classées dans la catégorie 1 à 2 %, Montreuil-Belfroy (201 H.), Briollay (925 H.), Pellouailles (510 H.), Saint-Barthélémy (772 H.), Juigné-sur-Loire (1 100 H.), Rochefort-sur-Loire (2 404 H.), Bouchemaine (830 H.) et Saint-Martin-du-Fouilloux (160 H.). On constate que ces communautés sont d'importance très variable. Certes, pour les plus petites d'entre elles le pourcentage calculé n'a pas grande signification : il a suffi de deux volontaires pour gratifier Saint-Martin-du-Fouilloux de la proportion de 1,25 %. Mais ce qui est remarquable, c'est le nombre des paroisses bien placées dans l'échelle du patriotisme, surtout si l'on ajoute aux précédentes 14 autres communes ayant offert de 0,5 à 1 % des leurs : Avrillé, Soulaire, Andard, La Bohalle, La Daguenière, Blaison, Les Ponts-de-Cé, Sainte-Gemmes-sur-Loire, Saint-Jean-de-la-Croix, Mûrs et Erigné que nous avons réunies dans nos calculs), Saint-Melaine, Béhuard, Savennières et Saint-Léger-des-bois.

Au sud du massif forestier de Milly, nous trouvons une seconde nébuleuse de communes patriotes constituée autour de Saumur. Il est à noter

---

(30) Cf. Cl. PETITFRÈRE, *Les Vendéens d'Anjou, op. cit.,* p. 101 et 119-120.

qu'elle s'inscrit dans le demi-cercle méridional ayant la ville pour centre et atteignant en périphérie Doué et Montreuil-Bellay. En effet, dans l'autre demi-cercle situé au nord de Saumur, nous ne relevons que deux communes placées dans la catégorie 1 à 2 %, Cunault et Blou (respectivement 360 et 995 habitants) et trois autres dans la catégorie 0,5 à 1 %, Longué (3 089 H.), Neuillé (726 H.) et Saint-Martin-de-la-Place (912 H.). Par contre, au sud du parallèle de Saumur on recense une paroisse ayant donné à notre échantillon 2 à 3 % de ses enfants, Le Coudray-Macouard (585 habitants) et cinq autres ayant offert 1 à 2 % des leurs, Rou-Marson (475 H.), Forges (184 H.), Doué (3 550 H.), Cizay-la-Madeleine (555 H.) et Brézé (855 H.). Enfin, il faut mentionner six communautés classées dans la catégorie 0,5 à 1 % : Souzay, Chacé-Varrains, Saint-Cyr-en-Bourg, Courchamps, Denezé-sous-Doué et Montreuil-Bellay. Trois des communes citées seulement regroupent une population importante : Saumur, Doué et Montreuil-Bellay (qui avait 1 828 habitants d'après le recensement de 1790). On en conclura que, dans la région de Saumur comme dans celle d'Angers, le recrutement a eu du succès dans les zones purement rurales aussi bien que dans les gros bourgs et dans les villes.

Concentrons maintenant notre attention sur la lisière méridionale du triangle patriote, la vallée du Layon. Nous y apercevons une commune fort bien classée, Rablay qui a offert aux bataillons de volontaires 3,09 % de ses 582 habitants. Viennent ensuite Concourson (688 H.) qui se place dans la catégorie 2 à 3 %, puis quatre communes représentées dans notre échantillon par 1 à 2 % de leurs enfants : Chalonnes (5 209 H.), Chaudefonds (1 223 H.), Saint-Aubin-de-Luigné (1 400 H.) et, un peu à l'écart, Rochefort-sur-Loire (2 404 H.). Enfin, mentionnons cinq paroisses dont les contingents de « Bleus » équivalent à 0,5 à 1 % de leurs habitants : Saint-Lambert-du-Lattay (1 130 H.), Thouarcé (2 512 H.), Aubigné (475 H.), Saint-Georges-Châtelaison (830 H.) et Les Verchers (1 497 H.). D'une façon générale, les communes de la vallée du Layon et de ses abords ont donc répondu très favorablement à l'appel des commissaires recruteurs.

Le patriotisme des paroisses de la vallée supérieure concorde avec leur refus de participer à l'insurrection de 1793 puisqu'au sud de Saint-Lambert-du-Lattay, aucune commune riveraine du Layon n'a fourni 1 % de sa population à notre échantillon de Vendéens (31). Ainsi les habitants de Rablay ont fait en faveur de la Révolution un effort sans commune mesure avec celui auquel ils consentiront pour aider les révoltés. Autre exemple, celui de Concourson bien représentée dans l'échelle du patriotisme et absente de la carte de la Vendée. Dans la partie nord de la vallée, les attitudes sont moins tranchées. Nous remarquons cependant que Chalonnes, Chaudefonds et Rochefort-sur-Loire, figurant en bonne place parmi les communes patriotes, ont joué dans l'insurrection un rôle médiocre. A l'opposé, Beaulieu qui apparaissait comme un centre contre-révolutionnaire assez actif ne s'est guère illustrée par son effort patriotique. Deux communautés seulement semblent avoir soutenu aussi énergiquement le

---

(31) *Ibid.*, p. 215.

parti « blanc » et le parti « bleu », Saint-Aubin-de-Luigné et Saint-Lambert-du-Lattay, encore que la dernière penche plutôt en faveur des Vendéens. En résumé, il est incontestable que, dans la zone du Layon, les deux cartes de l'engagement des communes en faveur de la Révolution et en faveur de la Vendée se complètent. Les paroisses les plus méridionales ont une attitude proche de celle du Saumurois patriote tandis que les habitants des communes de la vallée inférieure se partagent en deux camps souvent inégaux : les « Bleus » dominant à Chalonnes, Rochefort-sur-Loire ou Chaudefonds, les « Blancs » l'emportant par contre à Beaulieu, voire à Saint-Lambert-du-Lattay.

2. - Les Mauges

La carte des Mauges est particulièrement facile à interpréter. En dehors des communautés bordant la Loire et le Layon, rares sont celles qui ont fait un effort patriotique remarquable. Il n'y en a guère que deux, Vihiers et Montrevault. La première a fourni tout juste 3 % de ses 1 100 habitants à notre échantillon de volontaires. Nous ne serons par surpris de la trouver en si bon rang. Ce chef-lieu de district situé dans les marges armoricaines et déjà orienté vers le Saumurois, est connu dans l'histoire locale pour ses sympathies révolutionnaires. Le 2 octobre 1793, le commissaire civil Hubert déplorant la destruction systématique de la ville par les troupes de la Convention, affirmait que « ses habitants ont toujours été patriotes et bons patriotes » (32). Montrevault, de son côté, a offert aux bataillons de « Bleus » 1,46 % de ses 617 habitants. Cette proportion ne doit pas nous leurrer : sur les neuf volontaires domiciliés dans la paroisse, cinq appartenaient à la même famille, celle des Lemonnier (33). Il faut remarquer, toutefois, que Montrevault ne se classera pas en 1793 parmi les communes les plus favorables à la Vendée.

Hormis ces deux cas particuliers, six communes des Mauges seulement ont consenti à un effort patriotique notable en se classant dans la catégorie 0,5 à 1 %. Il s'agit de Beaupréau (2 677 H.) et de Joué-Etiau (1 147 H.) qui seront en 1793 des centres contre-révolutionnaires fort importants, et de quatre paroisses dont le comportement sera moins favorable à la Vendée : Saint-Georges-du-Puy-de-la-Garde (1 297 H.), Vézins (1 915 H.), Chemillé (3 940 h.) et Cholet (8 444 H.) (34). Il faut noter que toutes ces communes

---

(32) 1 L 862. Hubert n'avait pu obtenir qu'on épargnât Vihiers dont l'incendie passait pour indispensable à la réalisation de la stratégie républicaine (Cf. Cl. PETITFRÈRE, *Les Vendéens d'Anjou, op. cit.,* p. 305).

(33) Cf. *supra*, p. 155.

(34) Il est intéressant de noter, par exemple, que l'on trouve dans le contingent des « Bleus » recrutés à Chemillé, les représentants de deux familles bourgeoises qui comptaient parmi les·chefs de file du parti révolutionnaire, les Prévost et les Thubert. Jean-Alexandre Prévost, fils de Charles notaire et maire de Chemillé, fut élu caporal de la 5ᵉ Compagnie du premier bataillon. Prosper Thubert, fils d'un autre notaire prénommé Jean-René, faisait son droit à Angers quand il fut admis comme fusilier à la 8ᵉ Compagnie du premier bataillon. Benjamin Thubert qui s'engagea au 2ᵉ bataillon était peut-être le frère du précédent car, comme lui, il était né à Chemillé. Au moment de la Révolution il était commerçant aux Gardes (sans doute négociant en toile de mouchoirs)
Un des fils Thubert avait été élu curé constitutionnel de Melay, village voisin de Chemillé. Il

ont une population relativement importante ; aucune paroisse de moins de 1 000 H. n'a donné, dans les Mauges, 0,5 % de ses enfants aux bataillons révolutionnaires. Cette constatation confirme de façon éclatante la résistance des ruraux à la pénétration des idées nouvelles dans les deux années précédant l'insurrection, mais elle n'a rien qui puisse nous surprendre à ce stade de notre étude. Par contre, la modestie de l'effort consenti par Cholet est assez inattendue. La ville ne semble pas avoir montré plus d'enthousiasme pour la cause des « Bleus » que pour celle des « Blancs ». Il faudrait donc admettre que seule une minorité des habitants de la capitale des Mauges aurait milité dans un parti ou dans l'autre.

Reportons-nous maintenant, au nord de la plaine alluviale, dans ces plateaux du Segréen et du Baugeois dont l'attitude patriotique paraît se tenir à mi-chemin entre l'enthousiasme du val de Loire et du Saumurois et l'hostilité presque unanime des Mauges.

3. - Segréen et Beaugeois

Le Segréen a fourni la seule communauté qui, avec Angers, a offert plus de 4 % de sa population aux bataillons de 1791 et 1792 : Segré. Avec 33 volontaires pour 740 habitants, soit 4,46 %, cette bourgade viendrait en première position dans l'échelle du civisme. En réalité, cette place est sans doute usurpée : Segré, chef-lieu de district, a été un centre fort actif de recrutement et nous sommes certain qu'une partie des volontaires inscrits sur les registres de la municipalité étaient domiciliés dans les communes environnantes.

C'est plutôt à Saint-Augustin-des-Bois que devrait revenir le trophée du civisme pour le nord-ouest de l'Anjou. Cette petite paroisse peuplée de 400 habitants, fort misérables pour beaucoup d'entre eux, et qui n'était même pas un chef-lieu de canton, a donné à notre échantillon 3,25 % de ses enfants (35). Il faut remarquer à nouveau que Saint-Augustin est située tout au sud des plateaux du Segréen, bien près de la vallée de la Loire et qu'elle participe à l'élan patriotique des communes proches d'Angers.

Un grand nombre de communautés se classent dans la catégorie 1 à 2 % ; du nord au sud : La Ferrière-de-Flée (450 H.), Montguillon (345 H), Châteauneuf-sur-Sarthe (1 081 H.), Champigné (1 114 H.), Chazé-sur-Argos (1 257 H.), La Pouëze (1 200 H.), sans parler de Briollay et de Montreuil-Belfroy déjà étudiées avec les autres paroisses de la couronne angevine. Nous mentionnerons enfin dix communes figurant dans la catégorie 0,5 à 1 % : Durtal, Huillé, Morannes, Miré, Juvardeil, Cheffes-sur-

---

devait être assailli d'outrages par les « aristocrates » avant de périr lors d'un massacre perpétré par une colonne républicaine en janvier 1794. Lors de la prise de Chemillé par les Vendéens, en mars 1793 Prévost et Thubert, pères, furent emmenés en otages mais délivrés par une expédition nocturne des « Bleus ». Ch. TILLY, « Local conflicts in the Vendée before the Rebellion of 1793 », dans *French Historical Studies*, 1961, p. 209-231. C. PORT, *Dictionnaire ... op. cit.*, art. « Melay ». 1 L 590 bis, 1 L 444.)

(35) « Mauvais canton, beaucoup de misérables ... » indique à propos de Saint-Augustin-des-Bois le subdélégué de Cholet en 1773 dans l'enquête dite de Terray (d'après F. LEBRUN, *Les Hommes et la Mort ..., op. cit.*, p. 376).

Sarthe, Le Lion-d'Angers, Candé, La Cornuaille et Le Louroux-Béconnais. Au total, se sont une vingtaine de communautés dont l'effort patriotique est digne d'être noté. Le recrutement a donc connu un certain succès dans ces plateaux du nord-ouest qui alimenteront pourtant la Chouannerie à partir de 1793. Toutefois, la comparaison des deux cartes de la participation communale aux levées patriotiques et à l'insurrection vendéenne montre que les noms figurant sur l'une et l'autre ne sont jamais les mêmes, si l'on met à part les deux chefs-lieux de district, Segré et Châteauneuf-sur-Sarthe. Ce sont en effet les paroisses suivantes qui ont donné au moins 1 % de leur population à notre échantillon de « Blancs » : Combrée, Le Tremblay, Bourg-d'Iré, Sainte-Gemmes-d'Andigné, Marans, Gené, Loiré, La Jaille-Yvon, Chenillé-Changé, Marigné, Daumeray, Saint-Sigismond et Villemoisan. Convenons qu'aucune d'elles n'est nommée sur la carte des « Bleus ». En outre, les centres « aristocrates » sont groupés dans le nord de la carte à deux exceptions près (celles de Villemoisan et de Saint-Sigismond), alors que les paroisses favorables aux patriotes sont plutôt situées vers le sud, ou à l'est de la Mayenne. Il se confirme donc que les plateaux du nord-ouest de l'Anjou constituent des pays d'opinions mêlées, certaines communes penchant pour le nouveau régime, d'autres pour la Contre-Révolution. Souvenons-nous que les administrateurs du district de Segré avaient déjà fait cette constatation lors de la réorganisation, en 1792, de la garde nationale. Le tableau signé par Charlery, vice-président du directoire et chef de la légion du district, cite en effet parmi les communes bien disposées envers la Révolution Chazé-sur-Argos et La Ferrière-de-Flée que nous retrouvons sur notre carte des « Bleus » et parmi les communes mal disposées, Sainte-Gemmes d'Andigné, Loiré, Bourg-d'Iré qui figurent sur la carte de la participation des paroisses angevines à la Vendée (36).

A l'est du Loir, les plateaux du Baugeois paraissent avoir eu un comportement comparable à celui du Segréen devant le devoir militaire. En effet, si nous laissons à l'écart les communes de la couronne angevine telles que Pellouailles et le Plessis-Grammoire, ainsi que celles de la plaine alluviale de l'Authion comme Mazé et Beaufort, nous remarquons un centre de patriotisme actif, le chef-lieu de district, Baugé, qui a offert aux bataillons de 1791-1792 un contingent de 86 hommes soit 2,72 % de ses 3 162 habitants, et une dizaine de communes représentées dans notre échantillon par 0,5 à 2 % de leur population. Le reste du territoire a répondu fort médiocrement aux invitations des commissaires recruteurs. En outre, tout comme pour le Segréen, les communes patriotes sont groupées surtout au sud de la région à proximité de la plaine alluviale et du grand axe de communication ligérien. C'est là que se trouvent Blou, paroisse qui a fourni 1,71 % de ses 995 habitants à l'échantillon, ainsi que les communautés suivantes classées dans la catégorie 0,5 à 1 % : Seiches, Saint-Georges-du-Bois, Fontaine-Guérin, Brion, Longué, et Neuillé. Une autre région s'est montrée assez favorable au recrutement, les confins de l'Indre-et-Loire dans l'extrême nord-est du département, avec les paroisses de Broc, Dennezé-sous-le-Lude et Meigné-le-Vicomte qui ont offert chacune de 0,5 à 1 % de leur population.

---

(36) 1 L 567. Cf. *supra*, p. 135.

Par contre, une seule commune du nord du plateau baugeois s'est signalée par son élan patriotique : Cheviré-le-Rouge dont 1,15 % des 1 562 habitants se sont proposés pour le service militaire.

En définitive, la contribution du Baugeois à l'organisation des trois premiers bataillons de Maine-et-Loire est modeste. Pour expliquer la tiédeur d'une région dont le soutien ne fera pas défaut à la République en 1793 peut-on retenir l'hypothèse déjà formulée d'un épuisement des ressources patriotiques par le recrutement des chasseurs de Bardon ? Dans l'affirmative, ce doit être en 1792, année de la formation de la compagnie des Bardonais, que les habitants du Baugeois prirent la part la plus faible à la levée des volontaires. Ce peut être vérifié par une étude comparée du domicile des hommes de la première levée et de celui des soldats de la seconde. En effet, les documents cartographiques qui ont servi de base à notre étude donnent une vue figée d'un recrutement qui, en deux ans, a eu le temps de se modifier dans une large mesure. Sans doute est-il bon de chercher à remplacer ce cliché synthétique par une sorte de film montrant, grâce à plusieurs cartes successives, comment a évolué la physionomie du pays « bleu ».

III. - L'ÉVOLUTION DU PAYS DES BLEUS DE 1791 À 1792

1. - Les volontaires de la première levée

Nous connaissons le domicile de 1 586 individus ayant offert leurs bras à l'occasion de la première levée c'est-à-dire, rappelons le, de juin 1791 à la décision de former un second bataillon, prise le 24 juillet 1792 par le conseil général du Maine-et-Loire. Nous avons reporté la résidence de ces volontaires sur la carte de la page 261. Nous y remarquons surtout la concentration des candidats au service en un nombre assez restreint de communes. C'est ainsi que la seule ville d'Angers a proposé 742 hommes, soit 46,78 % du total des volontaires de cette levée. De son côté, Saumur a offert 156 individus, c'est-à-dire 9,84 % de l'échantillon. Par conséquent, les deux cités principales du département ont fourni ensemble 898 volontaires, bien plus de la moitié du total (56,62 %). Quatre autres communes ont donné chacune de 50 à 99 hommes : Baugé (64 volontaires), Beaufort (51), Mazé et Chalonnes (50 chacune). Si l'on ajoute les effectifs de deux autres centres classés dans la catégorie 20 à 49, Cholet (36 candidats au service) et Segré (23), on s'aperçoit que les huit premiers contingents du Maine-et-Loire totalisent à eux seuls près des 3/4 de l'effectif global : 1 172 volontaires, soit 73,90 %.

Nous ferons une autre constatation : si l'on excepte la région saumuroise, le nombre des « Bleus » va décroissant d'Angers vers la périphérie du département. On en conclura que le rôle d'entraînement des villes, et spécialement celui de la capitale provinciale, a été essentiel à l'époque de la première levée. Enfin, nous remarquerons que les Mauges ont été particulièrement réticentes à l'égard du devoir patriotique. Si l'on excepte Chalonnes, située dans une position excentrique, deux communes seulement ont fourni plus de 9 volontaires : Cholet et Chemillé. Cela

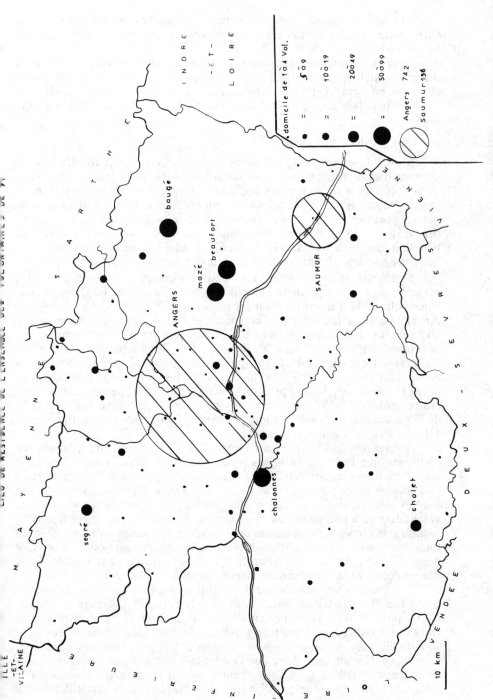

confirme la conclusion tirée de l'étude des gardes nationaux et de la correspondance des commissaires recruteurs : la partition géo-politique du Maine-et-Loire existait dès 1791.

Voyons maintenant comment se répartissent à travers le territoire départemental les hommes qui se sont inscrits sur les registres de volontaires au cours de l'été 1791 et, d'autre part, ceux de la «queue de levée» du premier bataillon engagés de l'automne 1791 au début de l'été suivant.

a. - Les volontaires de l'été 1791

Il est intéressant de savoir si les soldats effectivement enrôlés dans le premier bataillon furent puisés au hasard dans les contingents communaux ou si l'on a favorisé les recrues originaires des centres urbains au détriment des campagnards ou encore si les villes ont été traitées différemment les unes par rapport aux autres. Pour répondre à cette préoccupation, nous avons dressé deux cartes, l'une montrant le domicile des volontaires admis au bataillon lors de sa formation (cf. p. 263), l'autre indiquant la résidence des hommes que les administrateurs départementaux ont rejetés (cf. p. 264).

Signalons d'abord que les deux documents ont une même caractéristique : la suprématie des contingents urbains. Sur 1 332 volontaires ayant sollicité leur inscription sur les registres, 597 soit 44,82 % résidaient à Angers ou dans les environs immédiats et 141 habitaient à Saumur soit 10,58 %. Les deux cités ont donc fourni ensemble 55,40 % des hommes qui se proposèrent pour la défense de la patrie de juillet à septembre 1791. C'est Angers qui a consenti l'effort principal. En effet, le contingent des Saumurois ne représente que 23,62 % de celui des Angevins alors que la population de la cité ligérienne équivaut à près de 42 % de celle du chef-lieu départemental. Autrement dit, les 597 volontaires originaires d'Angers représentent 2,11 % de la population de la ville, tandis que les 141 Saumurois ne constituent que 1,19 % des habitants de la cité.

A première vue, la comparaison des deux cartes ne permet pas d'affirmer que l'on a favorisé les citadins aux dépens des ruraux lors de la constitution du premier bataillon. En effet, Angers paraît occuper une place encore plus grande sur la carte des laissés pour compte que sur celle des enrôlés. A l'inverse, le semis des points indiquant la résidence des volontaires ruraux engagés au bataillon est au moins aussi dense que celui montrant le domicile des hommes dont on n'a point voulu. Il faut se souvenir toutefois que ce sont les chiffres bruts des contingents qui nous ont servi de base ; or, pour un volontaire enrôlé il y en eut près de deux rejetés. Il est donc nécessaire d'entreprendre une comparaison plus détaillée.

La carte des volontaires enrôlés mentionne seulement trois communes ayant fourni au bataillon plus de 20 soldats : Angers, Saumur et Cholet, c'est-à-dire les trois villes principales du département. Par contre, sur la carte des laissés pour compte on relève six communes représentées par 20 individus au moins : Angers, Saumur, Baugé, Beaufort, Mazé et Chalonnes. Il semblerait donc que l'on ait favorisé la représentation au sein du premier bataillon de Cholet, centre urbain tenu pour favorable à la Révolution au cœur d'un pays hostile. Au contraire, l'on aurait défavorisé

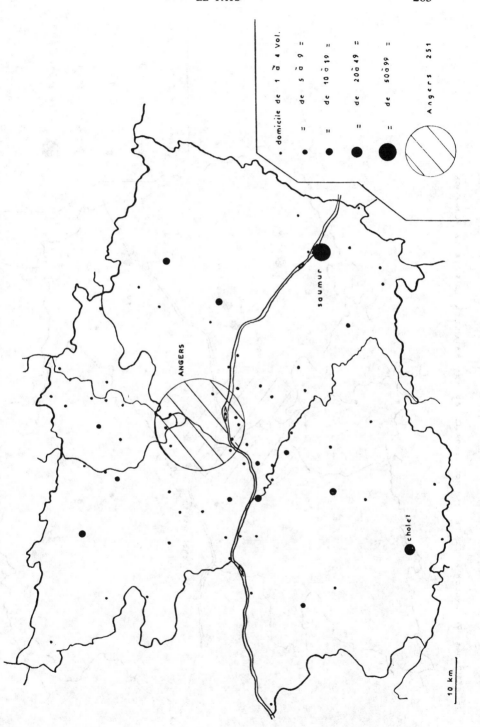

domicile de 1 à 4 vol.
de 5 à 9 =
de 10 à 19 =
de 20 à 49 =
de 50 à 99 =

Angers 251

Saumur

ANGERS

cholet

10 km

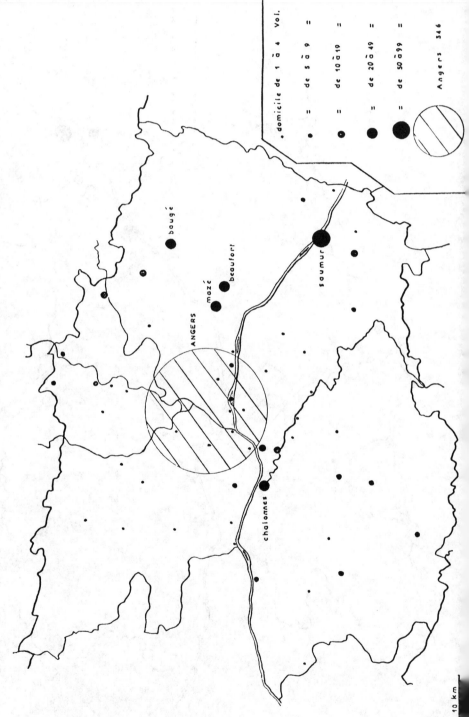

. LIEU DE RÉSIDENCE DES VOLONTAIRES DE 91 NON ENGAGÉS AU 1er BATAILLON LORS DE SA FORMATION .

Baugé, Beaufort, Mazé et Chalonnes. Nous allons vérifier cette hypothèse grâce au tableau suivant :

Communes	Nombre de volontaires offerts	Nombre de volontaires enrôlés	Proportion des volontaires enrôlés
Angers	597	251	42,04 %
Saumur.................	141	81	57,45 %
Baugé	62	14	22,58 %
Mazé..................	50	1	2 %
Beaufort...............	44	19	43,18 %
Chalonnes	40	15	37,50 %
Cholet.................	36	27	75 %

Les résultats sont nets : on a engagé par ordre de préférence les habitants de Cholet, Saumur, Beaufort et Angers tandis qu'on a dédaigné beaucoup des volontaires proposés par Chalonnes, plus encore de ceux offerts par Baugé. Enfin, on a rejeté presque tous les individus domiciliés ou recrutés à Mazé. Comment expliquer favoritisme et ostracisme ? Il faut sans doute faire intervenir le souci d'équilibre qui a conduit à incorporer une proportion importante des volontaires originaires des trois villes principales du département. Mais pourquoi Baugé, chef-lieu de district, a-t-il été relativement méprisé alors que l'on a mieux traité Chalonnes, simple chef-lieu de canton ? Pourquoi enfin avoir incorporé près de la moitié des individus proposés par Beaufort et rejeté pratiquement tous ceux de la commune voisine de Mazé ? Pour comprendre les réactions des autorités départementales, il faut préciser que Baugé et Mazé sont des agglomérations à prédominance rurale dans lesquelles les paysans forment une grande partie de la population, cela est surtout vrai pour Mazé. Par contre, Chalonnes est un port actif où commerçants et artisans sont nombreux tandis que Beaufort est un important centre de tissage (37). Il est vraisemblable que c'est la composition socio-professionnelle des contingents communaux qui explique la plus ou moins grande faveur dont ils ont bénéficié auprès des administrateurs. On aurait rejeté les paysans au profit de la bourgeoisie commerçante ou des classes populaires urbaines. Nous soumettrons cette hypothèse à vérification dans un chapitre ultérieur, en comparant la structure sociale du premier bataillon et celle de la masse des laissés pour compte de l'été 91 (38).

b. - Les volontaires de la « queue de levée » du premier bataillon

Reportons-nous à la carte montrant le domicile des soldats recrutés pour compléter le bataillon de Mayenne-et-Loire depuis le 26 septembre 1791,

---

(37) La manufacture de toile de Beaufort, autorisée par lettres patentes du 14 mars 1750, occupait 136 métiers en 1790 (selon C. PORT, *Dictionnaire ...*, *op. cit.*).
(38) Cf. *infra*, ch. V. Malheureusement, la profession des volontaires de Mazé a été fréquemment omise sur les registres, notamment dans 1 L 590 bis.

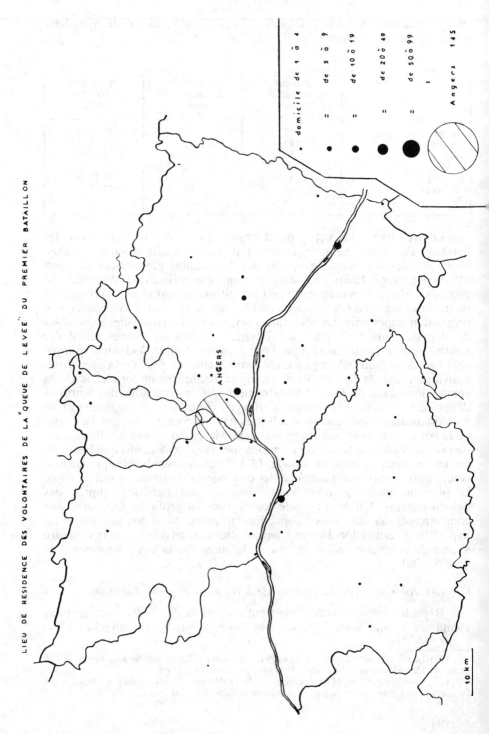

LIEU DE RESIDENCE DES VOLONTAIRES DE LA "QUEUE DE LEVÉE" DU PREMIER BATAILLON

domicile de 1 à 4
" de 5 à 9
" de 10 à 19
" de 20 à 49
" de 50 à 99
Angers 145

ANGERS

10 km

date de sa constitution officielle, jusqu'à la seconde levée, celle de l'été 1792 (cf. p. 266). Elle révèle une concentration des volontaires encore supérieure à celle que nous avons observée sur les documents précédents. En effet, le contingent des Angevins domine le lot de façon écrasante puisque le chef-lieu a fourni 145 volontaires sur les 254 dont la résidence est connue, soit 57,09 %. Le contingent des Saumurois vient en deuxième position mais très loin derrière puisqu'on recense seulement 15 habitants de Saumur soit 5,90 % de l'échantillon. Les deux grandes villes du département ont donc fourni ensemble presque les 2/3 du contingent total (62,99 % exactement). Deux autres communes ont donné au moins dix volontaires : Trélazé (13) et Chalonnes (10). De son côté, Beaufort a offert sept nouveaux « Bleus ». Remarquons que toutes ces communes sont situées dans la grande plaine alluviale qui a fourni, en outre, une bonne partie des contingents les plus petits. Le caractère essentiel de la « queue de levée » du premier bataillon est donc d'être, plus encore que la troupe recrutée dans l'été 1791, citadin et avant tout angevin.

Nous étudierons maintenant le domicile des volontaires de la seconde levée, celle qui fut faite à la suite de la loi du 22 juillet 1792 et de l'arrêté départemental du 24 et qui se prolongea jusqu'à la conscription de mars 1793.

2. - Les volontaires de la deuxième levée

Alors que nous avions souligné l'extrême concentration des « Bleus » sur la carte de la levée de 1791, celle de 1792 frappe par la dispersion géographique des soldats (cf. p. 268). En effet, si l'on met à part quelques zones de faible étendue situées dans le Baugeois, dans l'extrême nord-ouest du Segréen ou dans le centre et l'ouest des Mauges, toutes les régions du Maine-et-Loire sont représentées sur le document par des communes ayant fourni au moins cinq volontaires. C'est, par conséquent, en 1792 que la campagne angevine est entrée massivement dans les bataillons. Il est cependant à remarquer que la densité des contingents moyens et forts, est plus particulièrement grande au centre de la carte, dans le territoire s'étendant de la vallée du Layon à la plaine alluviale de la Loire et de l'Authion. Corrélativement à l'augmentation du rôle des ruraux, on note l'affaiblissement de celui des habitants du chef-lieu. Angers a fourni 411 hommes sur un total de 2 008 dont le domicile est connu soit 20,47 % de l'échantillon contre 46,78 % dans la première levée. Par contre, la ville de Saumur est un peu mieux représentée qu'en 1791 avec 249 volontaires soit 12,40 % contre 9,84 %. Les deux cités principales ont encore offert, ensemble, une part très appréciable du contingent, presque exactement le 1/3 (32,87 %), mais c'est une proportion bien inférieure à celle que nous avions calculée pour les hommes de la première levée (56,62 %). Hormis Angers et Saumur, une troisième commune compte un effectif de plus de cent volontaires, Beaufort qui a plus que doublé le contingent qu'elle avait offert lors de la première levée (117 individus contre 51). Les communes classées à la suite viennent loin derrière : Doué (48 volontaires), Mazé (37), Vihiers (31), Chalonnes (30), Cholet (26), Saint-Georges-sur-Loire (24), Baugé (22),

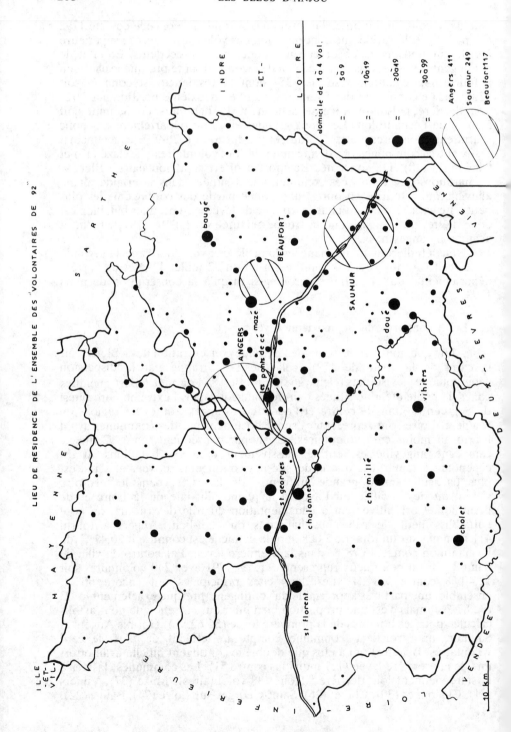

Saint-Florent-le-Vieil, Chemillé et les Ponts-de-Cé (20 chacune). Remarquons le recul de Baugé qui se place seulement en 11ᵉ position alors qu'elle occupait le 3ᵉ rang dans la levée de 1791. Nous y verrons une confirmation de l'hypothèse avancée plus haut (39). C'est en effet au cours de l'été 1792 que Pierre-Antoine Bardon constitua le noyau de sa compagnie de chasseurs : il est vraisemblable que les jeunes gens de Baugé ont préféré servir dans une compagnie commandée par un des leurs et casernée dans leur propre cité plutôt que dans les bataillons formés à Angers. Par contre, nous voyons que la campagne environnant la petite ville a fourni plus de volontaires en 1792 qu'en 1791. Ce qui vaut pour Baugé ne vaut donc pas pour les communes rurales voisines et n'explique pas le patriotisme médiocre dont ont fait preuve les villages de cette région.

Comparons maintenant l'origine géographique des soldats des deux contingents, celui qui fut recruté en juillet et jusqu'à la mi-août et fournit l'ossature du 2ᵉ bataillon de Maine-et-Loire et celui qui fut levé à partir de la mi-août et donna l'essentiel des hommes du 3ᵉ bataillon.

a. - Les volontaires du premier contingent

La dispersion des « Bleus » inscrits sur les registres d'engagement entre le 24 juillet et le 15 août 1792 est moins grande qu'on aurait pu s'y attendre au vu de la carte précédente. En effet, l'essentiel de l'effectif est encore fourni par le val de Loire et ses abords ainsi que par le Saumurois jusqu'à la vallée du Layon incluse (cf. p. 270). C'est là que se trouve la grande majorité des communes ayant offert moins de dix hommes. On y voit aussi presque toutes celles qui ont donné de 10 à 19 candidats au service militaire : Champtocé, Saint-Georges-sur-Loire, Chalonnes, Rochefort-sur-Loire, Les Ponts-de-Cé, Blou, Thouarcé, Rablay et Brissac. Deux communes de cette catégorie seulement sont situées hors de ce périmètre, Baugé et Chemillé. C'est enfin dans cette région que l'on trouve toutes les villes et les bourgades où sont domiciliés 20 volontaires ou plus : Angers, Saumur, Beaufort, Mazé et Doué. Par contre, il est remarquable que les Mauges d'une part, le nord-ouest du Segréen de l'autre, apparaissent sur la carte comme des zones presque vierges. Le recrutement s'est donc fait dans les mêmes régions qu'en 1791.

Toutefois, par rapport à la première levée, on note une tendance à l'éparpillement des volontaires dans les communes rurales. Ainsi, les contingents fournis par les deux grandes villes du département, forts de 383 individus, ne représentent que 43,72 % de l'échantillon total. L'apport proprement urbain a donc fortement baissé si on le compare à celui de l'été 1791 (55,40 %), plus encore si l'on prend pour référence la « queue de levée » du premier bataillon (62,99 %). Cette évolution est due seulement à la ville d'Angers. En effet, le chef-lieu départemental n'a offert que 213 « Bleus » soit 24,31 % du total alors que Saumur a donné 170 soldats c'est-à-dire 19,41 % de l'échantillon. Autrement dit, les volontaires d'Angers représentent 0,75 % de la population de la ville, ceux de Saumur en constituent 1,44 %. Alors que dans le contingent de l'été 1791, la troupe saumuroise

_____

(39) Cf. *supra*, p. 260.

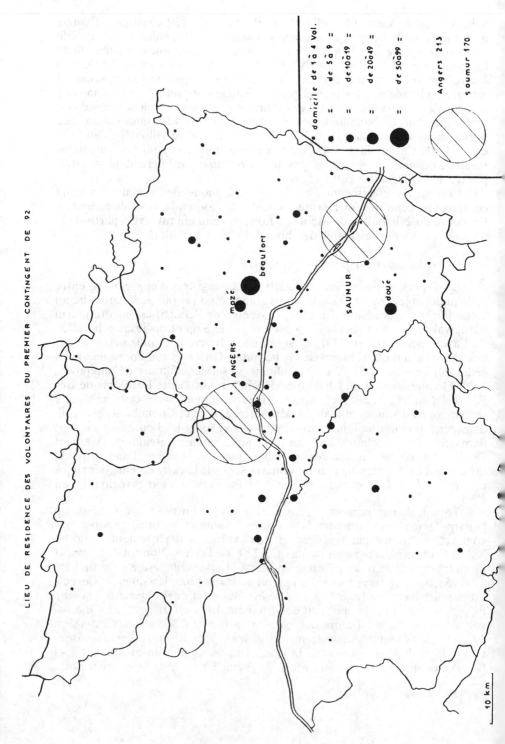

LIEU DE RESIDENCE DES VOLONTAIRES DU PREMIER CONTINGENT DE 92

domicile de 1 à 4 Vol. =
=   de 5 à 9 =
=   de 10 à 19 =
=   de 20 à 49 =
=   de 50 à 99 =

Angers 213
Saumur 170

mozé
beaufort
ANGERS
SAUMUR
doué

10 km

équivalait à peine au quart de celle des Angevins (23,62 %), elle en représente plus des 3/4 (79,81 %). Donc, si le recrutement du début de l'été 1792 s'est effectué, pour l'essentiel, dans les régions traditionnellement patritotes du Saumurois et de la plaine centrale, il s'est étendu dans les campagnes et les petites villes de cette zone au détriment de la capitale angevine.

b. - *Les volontaires du deuxième contingent*

La carte de la répartition géographique des hommes qui se sont fait inscrire entre le 15 août 1792 et le 1ᵉʳ mars 1793 est assez différente de la précédente (cf. p. 272). En effet, le semis des points les plus petits (ceux qui indiquent la résidence de moins de 10 volontaires) est beaucoup plus diffus. On a l'impression désormais que le recrutement s'étend à la totalité du département à l'exception des zones peu nombreuses que nous avions déjà distinguées sur les cartes générales : centre et ouest des Mauges, extrémité nord occidentale du Segréen, plateau baugeois. Les communes qui ont fourni 20 volontaires au moins au premier contingent de 1792, Angers, Beaufort, Saumur et Doué, apparaissent encore ici comme des centres patriotes importants, mais il s'y ajoute Vihiers et Cholet tandis que Mazé s'efface.

A Angers et dans ses alentours immédiats habitaient 198 candidats au service militaire sur un total de 1 132 dont le domicile est connu, soit 17,49 %. Il s'agit là de la proportion la plus basse de toutes celles que nous ayons enregistrées pour le chef-lieu depuis l'été 1791. De son côté, Saumur a offert 79 hommes soit 6,98 % de l'échantillon. Ce pourcentage est également inférieur à celui calculé dans les autres contingents, à l'exception de la « queue de levée » du premier bataillon. Les deux grandes cités ont donc fourni 277 volontaires, à peine le 1/4 de l'effectif total (24,47 %). La baisse relative du contingent citadin est extrêmement forte : elle est de plus de 19 points si l'on prend pour référence le premier contingent de 1792, de près de 31 points par rapport à celui de l'été 1791 et même de plus de 38 points par rapport à la « queue de levée » du premier bataillon. Les deux villes ont fait à peu près le même effort patriotique, le contingent d'Angers représentant 0,70 % de sa population, celui de Saumur 0,67 %. On voit que la différence est très faible. D'ailleurs, l'effectif saumurois équivaut à 39,90 % de celui des Angevins, c'est-à-dire à peu de choses près le rapport de population des deux cités.

Si l'on met à part Angers et Saumur, les gros contingents sont rares. Beaufort a donné 51 volontaires, Vihiers 26, Doué-la-Fontaine 25 et Cholet 21. Vihiers apparaît pour la première fois parmi les communes les mieux placées dans l'échelle du civisme.

Il est donc clair que le recrutement s'est fait surtout dans les communes rurales à partir de la mi-août 1792. Faut-il y voir la conséquence d'un engouement nouveau des campagnes pour la Révolution ? Il y a une autre explication, qui nous paraît plus adéquate : la multiplication au fil des semaines des opérations de racolage que nous avons décrites dans le chapitre précédent (40). Les commissaires recruteurs ont sillonné méthodiquement

(40) Cf. *supra* p. 200-207.

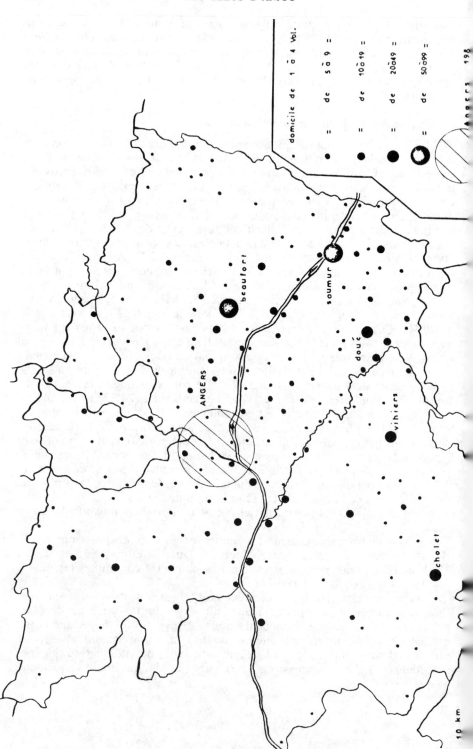

LIEU DE RESIDENCE DES VOLONTAIRES DU DEUXIEME CONTINGENT DE 92

domicile de 1 à 4 vol.

" de 5 à 9 "

" de 10 à 19 "

" de 20 à 49 "

" de 50 à 99 "

Angers 198

10 km

villages et hameaux et c'est très certainement à leur zèle que nous devons l'augmentation du nombre des vocations rurales dont l'étude socio-professionnelle nous dira si elles ont été, en outre, des vocations paysannes (41).

Ainsi, la population des volontaires qui avait une forte ossature urbaine pour l'ensemble de la première levée, avec même une représentation quasi exclusive des villes dans la « queue de levée » du premier bataillon, s'est enrichie de plus en plus de ruraux qui sont devenus très largement majoritaires à la fin de l'été 1792 parmi les soldats destinés à former le 3ᵉ bataillon. Ce transfert des villes vers les campagnes s'est accompagné d'un élargissement de la zone géographique de recrutement. Très groupée autour d'Angers et accessoirement de Saumur en 1791, l'aire de résidence des « Bleus » a occupé tout le val de Loire et le Saumurois au début de l'été 1792 puis s'est étendue, avec le 2ᵉ contingent de la nouvelle levée, à la totalité du département mises à part quelques rares zones totalement réfractaires.

Malgré cette arrivée progressive des campagnards parmi les recrues, le trait primordial de la géographie du pays « bleu » reste l'influence des villes sur le recrutement et le rôle de leurs habitants dans la défense de la patrie révolutionnaire qui constrate avec leur absence à peu près totale des rangs de l'armée vendéenne. C'est pourquoi il nous a paru intéressant de nous pencher de plus près sur ces citadins par excellence que sont les volontaires domiciliés à Angers.

IV. - LE CAS D'ANGERS

La précision des sources est suffisante pour localiser le domicile d'un grand nombre de « Bleus » sur un plan de la ville. Nous avons en effet l'adresse exacte de 985 volontaires résidant à Angers et dans ses faubourgs sur un total de 1 153 soit la proportion remarquable de 85,43 %. Plus précisément, nous connaissons le domicile de 537 volontaires de l'été 1791 sur 597 (enrôlés ou non au premier bataillon) c'est-à-dire 89,95 %, et celui de 126 jeunes gens inscrits sur le registre de la « queue de levée » sur 145 soit 86,90 %. Pour les volontaires de 1792, la proportion est un peu moins bonne : 321 sur 411 ce qui représente 78,10 %.

Nous avons reporté ces données sur un fond de carte tiré d'un plan de la ville d'Angers dressé par L. Simon en 1736 (cf. p. 274-275). Ce document, connu sous le nom de « Plan des Echevins » est le plus détaillé et le plus lisible de ceux qui furent dessinés pour notre cité à la fin de l'Ancien Régime. Deux autres cartes ont été réalisées au xvIIIᵉ siècle, mais elles sont beaucoup plus petites et moins exactes : il s'agit d'une part du « plan historique de la ville d'Angers » par Dubois et Moithey datant de 1776, d'autre part du « plan géométrique de la ville d'Angers levé en 1775 par Dubois, corrigé par le même en 1789 » (42). Que le « Plan des Echevins » soit antérieur de plus de

_____
(41) Cf. *infra*, ch. V.
(42) Ces plans sont conservés à la Bibl. mun. Angers. Le plan des Echevins qui s'étend sur une partie de la campagne environnant la ville, comporte sur son pourtour des gravures représentant les principaux monuments. Il a des dimensions imposantes (environ 1,20 m × 1 m),

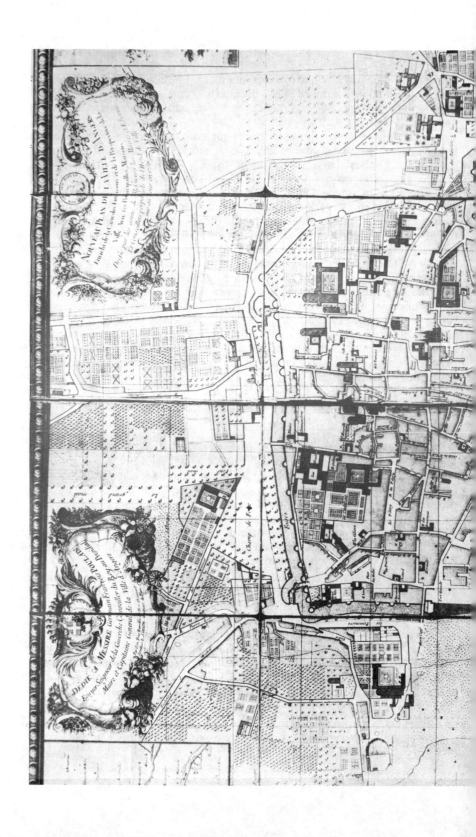

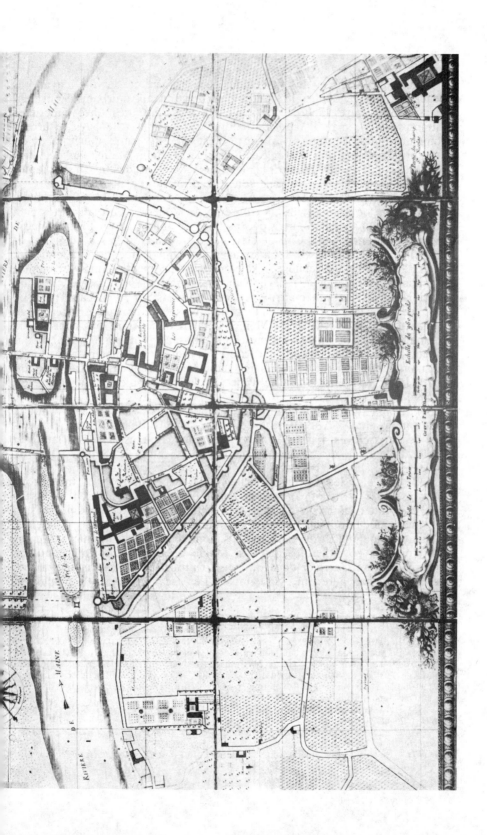

cinquante ans à la Révolution ne nous gênera guère car la ville n'avait pas beaucoup changé depuis 1736. Les premiers travaux d'urbanisme avaient bien débuté entre 1780 et 1785 avec la fermeture des onze cimetières intramuros (43), mais il faudra attendre 1791 pour que le paysage urbain commence à se modifier vraiment. C'est en effet cette année-là qu'on entreprit la démolition des églises Saint-Pierre, Saint-Maimbœuf et Saint-Maurille qui permettra d'ouvrir la place du Ralliement, destinée à supplanter l'antique place des Halles dans son rôle de cœur de la cité.

A l'époque révolutionnaire, Angers, avec ses quelque 28 000 habitants, faisait figure de grande ville, la troisième de l'Ouest. Elle était certes bien plus modeste que Nantes, mais plus peuplée que Le Mans ou Tours et guère moins que Rennes (44). Cité de clercs et d'étudiants avec ses 70 églises et chapelles, ses 17 paroisses, ses 5 abbayes, son Université, son Académie des Belles-Lettres et son collège d'Oratoriens, Angers était aussi un centre administratif et judiciaire, siège d'un gouvernement, d'une élection, d'un présidial, possédant une maîtrise des eaux et forêts, un grenier à sel (45). La foule des gens de robe contribuait à cette atmosphère feutrée caractéristique de la vie sur les bords de la Maine. Il ne faut pourtant pas exagérer la somnolence de la ville. Commerçants, artisans, bateliers, ouvriers des manufactures textiles ou des carrières d'ardoise, formaient un monde remuant et apportaient à Angers une activité économique qui, pour ne point soutenir la comparaison avec celle de la métropole nantaise, n'était cependant pas négligeable.

Pour le voyageur qui l'abordait en remontant la rivière, la cité avait une allure imposante. « Angers, raconte le nonagénaire Besnard, était environnée de murs élevés, parsemés de grosses tours, revêtus de fossés larges et profonds, percés de six portes, dont celles dites de Saint-Aubin, de Saint-Michel, de Saint-Nicolas et Lyonnaise, étaient couronnées de tours ... » (46). Mais, les portes franchies, la « ville noire aux mille toits d'ardoise » (47) n'offrait pas un visage bien séduisant à l'étranger bientôt saisi par l'humidité de l'air, surtout dans les quartiers proches de la Maine, voisine fort incommode pour ses riverains : « toute la partie basse de la ville, depuis le Haute jusqu'à la Basse-Chaîne, était inondée lorsqu'il survenait des crues tant soit peu considérables dans la Maine ou dans la Loire, ce qui ne manquait guère d'arriver deux ou trois fois tous les ans ». Aucune grande percée ne venait aérer un plan confus. « Les rues étroites, et la plupart en

ce pourquoi nous avons dû le réduire fortement. Des fac-similés de ces plans ont été reproduits par J. SAILLOT, *Dictionnaire des rues d'Angers*, Angers, 1975 (volume annexe).

(43) J. MAILLARD, *Angers, des lendemains de la Fronde...*, op. cit., p. 688-698.

(44) Le Mans avait 16 241 habitants en 1764, Tours environ 21 500 en 1789 (F. LEBRUN, *Histoire des Pays de la Loire, op. cit.*, p. 244). Rennes avait environ 35 000 habitants agglomérés (J. MEYER, *Histoire de Rennes*, Toulouse, 1972, p. 246) ; enfin Nantes était peuplée de quelque 80 à 90 000 âmes à la veille de la Révolution (J. MEYER, *Histoire de la Bretagne*, sous la direction de J. DELUMEAU, Toulouse, 1969, p. 316).

(45) F. LEBRUN, *René Lehoreau, cérémonial de l'Eglise d'Angers (1692-1721) ...*, Rennes, 1967, p. 26 et 34.

(46) C. PORT, *Souvenirs d'un nonagénaire. Mémoires de François-Yves Besnard*, Angers, 1880, vol. I, p. 117.

(47) C'est ainsi que la qualifie René Lehoreau (F. LEBRUN, *Cérémonial ...*, op. cit., p. 24).

pente plus ou moins rude, étaient souvent bordées de maisons dont le premier étage débordait le rez-de-chaussée, et était lui-même débordé par le deuxième, lequel l'était à son tour par le grenier, disposition qui les rendait tristes et obscures ...»(48). Le promeneur attentif pouvait cependant découvrir une multitude de richesses dans le fouillis des maisons que le Moyen-Age avait léguées, intactes ou presque, aux temps modernes. Il pouvait aussi s'émerveiller devant les grâces des hôtels de la Renaissance comme celui de Lancreau, les logis Barrault et Pincé et de nombreuses autres demeures que s'étaient fait construire les grandes familles, dont les plus récentes étaient les hôtels de Lantivy, de Maquillé et, gloire de l'architecture Louis XVI, l'hôtel de Besnardière (49). Mais les avantages les plus précieux, pour les habitants, étaient cette multitude de cours cachées par des façades austères, ces grands jardins abrités derrière les murs des abbayes qui, avec les cimetières, maintenant désaffectés, donnaient à Angers l'air et la lumière qui, sans eux, lui eussent fait cruellement défaut.

Nous avons reporté sur deux fonds de carte distincts le domicile des volontaires de la première levée et celui des candidats au service dans les second ou troisième bataillons. La lecture du premier plan est aisée (cf. p. 278). On y a indiqué par des signes différents la résidence des hommes qui offrirent leurs bras lors de la formation du premier bataillon et celle des soldats de la « queue de levée ». Les volontaires de l'été 1791 se concentrent d'une part dans un quadrilatère situé au cœur de la ville, sur la rive gauche de la Maine, d'autre part le long de quatre artères qui forment un X à l'intérieur des remparts et se prolongent par des faubourgs. Le quadrilatère est circonscrit vers l'est (c'est-à-dire vers le haut du plan) par la rue Chaussée Saint-Pierre et la rue du Pilori, vers l'ouest par la Maine, vers le nord par la place des Halles, la rue Saint-Jacques et la rue Boisnet, vers le sud par la rue Bourgeoise que prolonge la montée Saint-Maurice. Quant aux branches du grand X, elles sont constituées par la rue Saint-Laud, la rue des Poëliers, la rue Saint-Michel continuée par le faubourg Saint-Michel au-delà de la porte du même nom, du côté du nord-est, par la rue Bourgeoise, la rue Baudrière, la place Neuve, la place Sainte-Croix et la rue Saint-Aubin qui se poursuit, hors les murs, par le faubourg Bressigny, du côté du sud-est. Dans la Doutre les branches occidentales sont formées d'une part de la rue des Ponts, de la rue de la Trinité, de la montée des Forges, de la rue Lionnaise prolongée par les faubourgs Saint-Lazare et Gauvin, d'autre part de la rue Saint-Nicolas jusqu'au faubourg du même nom.

Contrastant avec les rues et les quartiers que nous venons de citer, l'ensemble des zones périphériques longeant les murailles, du côté intérieur, paraissent presque vides de volontaires. Il n'est pas besoin de chercher longtemps l'explication. Ces quartiers sont plus faiblement peuplés que les autres et habités surtout par des ecclésiastiques. Là se trouvent les grands

(48) D'après François-Yves Besnard (C. PORT, Souvenirs ..., op. cit., tome I, successivement p. 131 et p. 119.)

(49) C. POR", Dictionnaire ..., op. cit., art. « Angers ».

C. PORT, Souvenirs ..., op. cit., tome I, p. 119.

F. LEBRUN, Histoire d'Angers, op. cit., p. 89. (La planche X de cet ouvrage reproduit la photo de l'hôtel de Besnardière construit de 1775 à 1790 et démoli en 1893.)

couvents (à l'exception des abbayes Saint-Serge et Saint-Nicolas situées hors
les murs), les établissements hospitaliers, les maisons de charité ou
d'enseignement. Ainsi, de la porte Saint-Michel à la porte Toussaint se
succèdent notamment les Oratoriens et leur collège, les Cordeliers, les
Ursulines, la grande abbaye Saint-Aubin, les deux séminaires et l'abbaye
Toussaint.

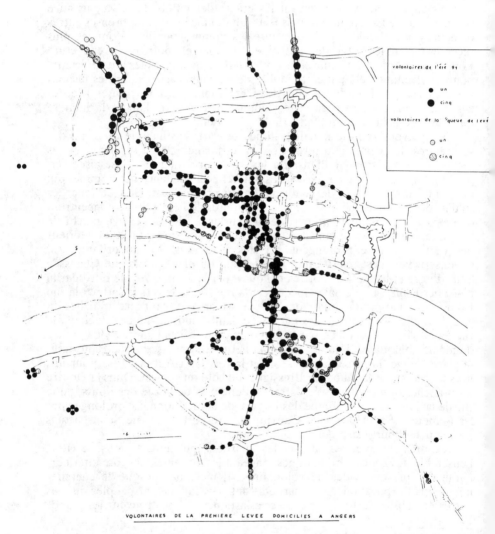

VOLONTAIRES DE LA PREMIÈRE LEVÉE DOMICILIÉS A ANGERS

Dans la Doutre, de la Haute vers la Basse Chaîne, l'hôpital Saint-Jean
que prolonge vers le sud l'abbaye du Ronceray, les Carmélites, les
Repenties, l'hôpital général ou des Renfermés. Remarquons également que
les volontaires sont bien peu nombreux dans tout le quartier situé entre la rue

Toussaint et le port Ligny, la cathédrale et le château. C'est que cette partie de la ville que l'on appelle la « Cité », une zone de faible densité de population (50), est aussi le domaine de l'Eglise : outre les moines Jacobins, les chanoines de la cathédrale et de nombreux prêtres y ont leur résidence. D'autre part, ce quartier est de ceux que préfèrent l'aristocratie et la bourgeoisie de robe. C'est en effet dans les paroisses Saint-Aignan et Saint-Evroult dont le territoire recouvre, grosso-modo, la « Cité » que l'on recense en 1769 la plus grande proportion de domestiques par rapport à l'ensemble de la population. Il est intéressant de remarquer que les paroisses Saint-Julien et Saint-Denis qui, avec Sainte-Croix, viennent juste derrière les précédentes dans la hiérarchie des quartiers les mieux pourvus en serviteurs, n'ont pas fourni non plus beaucoup de volontaires (51). A l'autre bout de l'échelle sociale, certains quartiers très populaires ne se sont guère distingués par le nombre des « Bleus » qu'ils ont offerts. Ainsi le port Ayrault, le faubourg de l'Esvière dont les habitants, selon Lehoreau, sont « tous gens d'eau bateliers (sic) et autres pauvres gens » (52), ou encore le Tertre Saint-Laurent où abondent les tisserands. C'est, en définitive, le long des artères commerçantes que résident la plupart des volontaires : les rues Saint-Aubin, Baudrière, une des plus longues, des plus larges et des plus fréquentées de la ville (53), la rue Bourgeoise où l'habitat des « Bleus » est le plus dense, la rue Saint-Laud qui coupe l'axe précédent à angle droit selon le dessin légué par l'Antiquité, les rues des Poëliers et Saint-Michel prolongeant la précédente. Les volontaires sont également nombreux dans la rue Boisnet où abondent marchands et artisans (54), dans la rue des Ponts qui continue la rue Bourgeoise vers la Doutre, très animée elle aussi. Sur la rive droite de la Maine, on recense beaucoup de « Bleus » rue Lionnaise (« une des plus belles d'Angers par sa longueur et sa largeur dont la plupart des maisons sont assez bien bâties » (55), rue de la Trinité, montée des Forges, rue de la Tannerie et rue Saint-Nicolas où vivent un grand nombre d'artisans, cabaretiers, savetiers, revendeurs, tailleurs, tisserands, fileurs de laine, cardeurs et autres filassiers (56).

En définitive, ce sont les rues les plus vivantes, les plus dynamiques, celles où foisonnent le commerce et l'artisanat qui ont donné les contingents de volontaires les plus importants. La découverte n'est pas bien grande puisqu'il s'agit là des artères les plus peuplées. D'ailleurs, la carte n'est pas toujours facile à interpréter car la ségrégation socio-professionnelle par

---

(50) F. LEBRUN, « Angers sous l'Ancien Régime ... », art. cit.

(51) F. LEBRUN, Les Hommes et la Mort ..., op. cit., p. 169.

Il est intéressant de comparer notre carte à celle de la répartition de la population à Angers en 1769 dressée par François LEBRUN dans l'Histoire d'Angers (op. cit., p. 88). La sous-représentation dans l'échantillon patriotique des quartiers périphériques et des zones populeuses apparaît clairement

(52) F. LEBRUN, Cérémonial ..., op. cit., p. 26.

(53) C. PORT, Description de la Ville d'Angers (...) par M. Péan de la Tuillerie (sic), Angers, s.d. (1869), p. 127-128.

(54) F. LEBRUN, Cérémonial ..., op. cit., p. 24.

(55) C. PORT, Description ..., op. cit., p. 481.

(56) Ibid., note de la p. 436.

quartiers est toute relative (57). Il semble toutefois que, sans solliciter le document, nous puissions retenir le rôle très modeste des quartiers aristocratiques et, à l'inverse, des plus pauvres dans la levée de l'été 1791.

Si nous nous intéressons maintenant au domicile des volontaires de la « queue de levée » du premier bataillon, nous enregistrons quelques différences notables avec l'habitat de leurs prédécesseurs. Certes, la distinction est toujours valable entre les quartiers longeant les remparts, presque vides de « Bleus », et les deux axes formant un X où les candidats à l'uniforme sont nombreux. Mais les nouveaux enrôlés sont assez rares au cœur de la cité commerçante. Alors que leur contingent représente près du 1/4 de celui de l'été 1791, on n'en trouve que quatre rue Saint-Laud, tandis que l'on y recensait 34 inscrits à la veille de la création du bataillon, 2 rue Baudrière contre 24 et un seul rue Bourgeoise contre 22. A l'inverse, les nouveaux soldats habitent fréquemment les quartiers pauvres des bords de Maine : on en trouve 5 au port Ligny contre 9 l'été précédent et 7 contre 15 sur le quai de la Poissonnerie. Ils sont également nombreux dans les rues de la Doutre peuplées d'artisans : on en dénombre 5 rue Pinte, soit le même nombre que précédemment, et 4 rue Normandie contre 5 volontaires de l'été 1791. De plus, beaucoup résident loin du centre, soit dans les rues menant vers les portes Saint-Aubin et Saint-Michel, soit dans les faubourgs. Par exemple, on compte 7 volontaires de la « queue levée » rue Saint-Aubin, 10 faubourg Bressigny, 12 faubourg Saint-Michel et même 16 si l'on ajoute les rues voisines, 6 val Saint-Samson dont 3 dans la rue Saint-Samson proprement dite et 3 dans la rue des Pommiers (58). Il semble au total que les hommes recrutés de l'automne 1791 à l'été 1792 habitent plus souvent que leurs prédécesseurs les quartiers populeux de la ville. Cela doit correspondre à un glissement du recrutement des classes aisées vers les plus pauvres. Nous pourrons vérifier cette hypothèse en comparant la structure socio-professionnelle des deux contingents (59).

Reportons-nous maintenant au plan où l'on a indiqué le domicile des volontaires de la 2e levée (cf. p. 281). Pour comparer cette carte au document précédent, il est bon de se rappeler que les « Bleus » de 1792 dont l'adresse exacte nous est connue sont bien moins nombreux que leurs camarades de l'été 1791 : ceux-là représentent à peine 60 % de ceux-ci. Toutes proportions gardées, on s'aperçoit que les deux plans ont beaucoup de points communs. C'est ainsi que les volontaires de la seconde levée continuent à se recruter comme leurs prédécesseurs, essentiellement le long des deux axes qui se croisent à l'intérieur des remparts. Les quartiers périphériques, intra-muros, n'ont pas donné plus de « Bleus » que l'année précédente

---

(57) Par exemple, François LEBRUN fait remarquer que, dans une paroisse comme Saint-Michel-du-Tertre : « La présence des hôtels des officiers municipaux, gens de robe ou riches marchands dans les rues proches des halles, n'exclut pas celle de toute une population de gens plus humbles : artisans, journaliers, modestes institutions ecclésiastiques ou charitables ... » (*Cérémonial ..., op. cit., p. 25*)

(58) Avec respectivement 1 492 habitants et 1 422 H., les faubourgs Bressigny et Saint-Michel étaient les plus peuplés en 1769 (F. LEBRUN, « Angers sous l'Ancien Régime ... », *art. cit.*)

(59) Cf. *infra*, ch. V.

et pour cause. Quelques différences sont toutefois nettement perceptibles si l'on compare, rue après rue, le domicile des hommes inscrits de juillet à septembre 1791 et de ceux qui se sont offerts pour former les second et troisième bataillons. Elles rappellent d'ailleurs celles que nous avons soulignées en étudiant la résidence des soldats de la « queue de levée ».

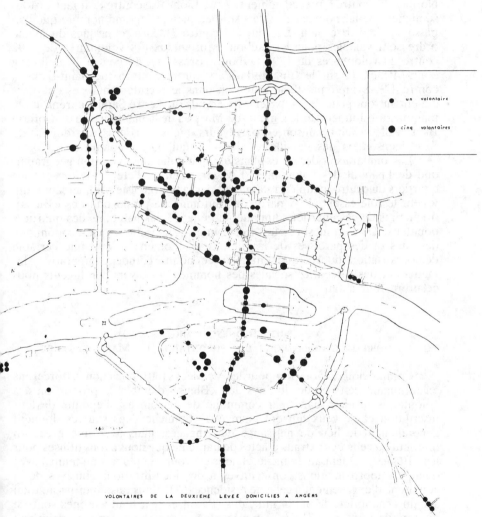

VOLONTAIRES DE LA DEUXIEME LEVEE DOMICILIES A ANGERS

On observe notamment que les rues où étaient localisés les riches commerçants, celles qui descendent vers la rive gauche de la Maine, ont donné un nombre particulièrement faible de volontaires de 1792. Ils ne sont que 3 à résider rue Baudrière contre 24 l'été précédent, un seul habite place Cupif contre 8, et 7 rue Bourgeoise contre 22. Egalement faible est la représentation dans le nouveau contingent des rues qui constituent le centre administratif de la ville. On recensait 16 volontaires de l'été 1791 dans les parages de la place des Halles, ils ne sont plus que 2 l'année suivante. Par contre la grand'rue d'Angers, la rue Saint-Laud, continue à fournir beaucoup de «Bleus» (29 contre 34 dans l'été 1791). De même un grand nombre de volontaires résident dans les quartiers artisanaux de la Doutre : 6 rue Normandie contre 5 précédemment, 7 rue Lionnaise contre 8. Il faut surtout souligner que les nouveaux soldats sont en bien plus grand nombre que l'an passé sur le Tertre Saint-Laurent (13 contre 3). Des remarques du même ordre sont valables pour les faubourgs orientaux (18 volontaires de 1792 contre 20 volontaires de 1791 faubourg Bressigny, 10 contre 14 faubourg Saint-Michel, 11 sur le Champ-de-Mars contre 3 et 16 rue Saint-Samson contre 12). Symptôme d'une mutation dans le recrutement : ces quartiers étaient surtout peuplés d'ouvriers, tisserands du Tertre Saint-Laurent, de la manufacture Joubert sur le Champ-de-Mars ou de la manufacture du Cordon Bleu vallée Saint-Samson, «perrayeurs» des carrières d'ardoises de Saint-Samson ou des Persillières dans les faubourgs septentrionaux.

La comparaison des deux plans indique donc une évolution géographique de l'habitat des volontaires d'Angers. Durant l'été 1791, ce sont les quartiers du centre, peuplés notamment par la bourgeoisie commerçante, qui jouent le rôle essentiel. A partir de l'automne, la proportion des «Bleus» originaires de ces quartiers diminue au bénéfice des habitants des quartiers populeux. Dans la mesure où il existe une spécialisation socio-économique des rues et des paroisses de la ville, ce phénomène traduit une certaine démocratisation du recrutement. Sur ce point, l'étude comparative des métiers et des catégories sociales des hommes des divers contingents nous éclairera tout à fait.

V. - AUTOCHTONES ET MIGRANTS : LA MOBILITÉ GÉOGRAPHIQUE DES VOLONTAIRES DE MAINE-ET-LOIRE

Comme nous l'avons fait pour les Vendéens (60), nous nous efforcerons en terminant cette étude du pays des «Bleus» d'établir la proportion des volontaires résidant dans leur commune de naissance à l'époque de leur inscription et de ceux qui ont changé de domicile. Nos sources donnent généralement le lieu de naissance des engagés, mais avec une précision inférieure à celle des extraits d'actes de baptême que nous avons utilisés pour les «Blancs». Quant au domicile, il nous est connu la plupart du temps, avec quelques approximations consécutives à des identifications abusives de la commune d'engagement à celle de résidence (61). Nous raisonnerons au total sur un échantillon de 3 104 individus. Parmi eux, les autochtones sont au nombre de 1 584, soit 51,03 %, pourcentage nettement inférieur à celui que nous avions établi pour les Vendéens (63 %). Les «Bleus» sont donc plus souvent que les «Blancs» des déracinés (62). Cela ne nous étonnera guère,

(60) Cf. Cl. PETITFRÈRE, Les Vendéens d'Anjou, op. cit., p. 127-134.
(61) Cf. supra, p. 239-240.
(62) Les migrants sont très certainement sur-représentés non seulement par rapport aux Vendéens, mais aussi par rapport à l'ensemble des habitants du département. A titre d'exemple,

connaissant la cohésion des insurgés dont un des mobiles fondamentaux était d'ailleurs le refus de s'expatrier. Pour plus de précisions, examinons séparément le cas de chaque contingent. Nous connaissons le lieu de naissance et la résidence de 931 volontaires de l'été 1791. 549 d'entre eux sont des autochtones c'est-à-dire 58,97 %, proportion nettement plus élevée que la moyenne calculée pour l'ensemble des «Bleus». Le pourcentage des individus habitant leur commune de naissance à l'époque de leur inscription est encore supérieur si l'on prend comme référence les soldats effectivement enrôlés à la formation du premier bataillon. On recense en effet dans cet échantillon restreint 308 autochtones sur 437 soit 70,48 %. Par contre, parmi les 494 autres volontaires de l'été, ceux dont les administrateurs départementaux n'ont pas voulu au bataillon, on compte seulement 241 autochtones, soit une proportion de 48,78 %. Il est donc clair que l'on a enrôlé de préférence les hommes qui avaient de profondes racines dans leur milieu géographique, rejetant plus souvent les immigrants, sans doute parce qu'il était difficile de tester la valeur de leur civisme, peut-être aussi parce que, dans l'ensemble, leur niveau social était moindre.

En ce qui concerne la «queue de levée» du premier bataillon, le pourcentage des autochtones s'établit à un niveau très inférieur à celui que nous avons calculé pour leurs prédécesseurs. En effet, 98 individus sur 224, c'est-à-dire seulement 43,75 % ont pour résidence leur commune de naissance. Le recul est de 27 points par rapport aux volontaires enrôlés à la formation du bataillon, il est encore de plus de 5 points si l'on se réfère aux laissés pour compte de septembre. Il est vraisemblable que la proportion des migrants est fonction du niveau socio-professionnel des hommes recrutés. Nous constatons en tout cas que le pourcentage des allogènes augmente en même temps qu'à Angers le recrutement glisse des quartiers aisés vers les zones populeuses.

Parmi les hommes de la seconde levée, ceux qui furent engagés de juillet 1792 à mars 1793, on compte 1 949 individus dont sont connues à la fois la paroisse d'origine et la commune de résidence. Sur ce total, les autochtones forment une proportion de 48,07 % représentant 937 volontaires. Ce pourcentage, supérieur à celui des soldats de la «queue de levée», reste beaucoup plus faible que celui que nous avons établi pour les enrôlés du premier bataillon puisqu'il est pratiquement identique au pourcentage des autochtones parmi les laissés pour compte de septembre. Or, dans leur majorité, ces volontaires de 1792 ont été effectivement incorporés dans les deux nouveaux corps de troupe organisés par le Département (63). Les soldats angevins de 1792 sont donc beaucoup moins bien enracinés dans leur milieu géographique que leurs prédécesseurs. Il est intéressant de chercher à savoir si ce phénomène a évolué du premier contingent de l'été 1792 au

---

signalons que François LEBRUN a constaté que le 1/4 des hommes qui se sont mariés à Angers de 1741 à 1745 venaient d'une paroisse extérieure à la ville. D'un autre côté, les étrangers à la cité constituent 48 % des pauvres décédés à l'Hôpital Général d'Angers entre 1737 et 1792, proportion pratiquement identique à celle de nos volontaires migrants (*Histoire d'Angers, op. cit.*, p. 90)

(63) Nous avons compté 1 695 enrôlés pour 2 250 recrues soit 75,33 %.

second. Dans le contingent qui forma l'ossature du 2ᵉ bataillon, les autochtones sont 393 sur 857 soit 45,86 %. Dans le second contingent qui servit essentiellement à constituer le 3ᵉ bataillon, ils sont 544 sur un échantillon de 1 092, ce qui représente une proportion de 49,82 %. La différence est faible et à notre avis, ne tire pas à conséquence. Nous avons vu en effet que le registre destiné à l'inscription des hommes du premier contingent de l'été 1792 avait substitué, plus souvent que le suivant, la commune de recrutement à celle de la résidence, nous amenant à surévaluer les migrations (64). Nous estimons par conséquent que la proportion des volontaires indigènes est à peu près semblable dans les deux échantillons, de l'ordre de la moitié.

Non seulement les migrants sont plus nombreux dans les bataillons de volontaires que dans les compagnies vendéennes, mais ils viennent souvent de plus loin. Ainsi, des 3 384 « Bleus » dont nous savons le lieu de naissance, 677 soit 20 % sont originaires d'une commune étrangère au département. Le 1/5ᵉ des hommes qui s'offrirent pour porter le nom de Maine-et-Loire sur les champs de bataille révolutionnaires n'étaient donc pas des Angevins de souche. (65) Trente trois d'entre eux résidaient d'ailleurs toujours dans leur département d'origine au moment de leur engagement. Ce sont évidemment, dans leur quasi-totalité, des habitants des départements limitrophes. 644 de nos « Bleus » avaient immigré, définitivement ou temporairement, en Maine-et-Loire. Parmi eux, cinq étaient nés à l'étranger : deux en Espagne, un en Allemagne, un dans l'évêché de Liège et un en Suisse. Six autres étaient originaires des « îles » d'Amérique. Il reste 633 volontaires nés hors du Maine-et-Loire dans les limites de la France de 1789. Nous laisserons de côté huit d'entre eux dont le lieu de naissance prête à confusion par homonymie ou a été déformé par le scribe au point de n'être pas indentifiable. Nous avons reporté sur la carte de la page 285 le lieu de naissance des 625 autres en utilisant le cadre départemental tel qu'il avait été adopté par la Constituante en 1790. (66)

On constate, et cela semble bien naturel, que ce sont les départements voisins du Maine-et-Loire qui lui ont donné le plus grand nombre de futurs « Bleus ». Viennent en tête la Mayenne et la Sarthe avec respectivement, 116 et 92 volontaires nés sur leur territoire. Si l'on est surpris de voir figurer en aussi bonne position des départements qui seront bientôt agités par la Chouannerie (de fait, ils ont fourni 17 des Vendéens de notre échantillon (67)), il faut se rappeler que l'Anjou avait été amputé en 1790 d'une vaste région, le Craonnais cédé à la Mayenne et le pays de La Flèche annexé par la Sarthe. Il est normal que beaucoup d'habitants de cette zone aient vécu dans la mouvance d'Angers. La Loire-Inférieure vient en 3ᵉ

---

(64) Cf. *supra*, p. 241.
(65) Tout au moins si l'on admet l'équivalence Angevins = habitants du Maine-et-Loire. En réalité, les habitants de la Mayenne et de la Sarthe méridionales ainsi que ceux de l'ouest d'Indre-et-Loire sont aussi des Angevins selon l'acception donnée à ce mot sous l'Ancien Régime.
(66) Le fond de carte est emprunté à l'ouvrage de J. GODECHOT, *Les institutions ...*, 1968, *op. cit.* (entre les pages 112 et 113).
(67) Cf. Cl. PETITFRÈRE, *Les Vendéens d'Anjou, op. cit.*, p. 110.

position avec 63 volontaires. De ce côté-là, la limite départementale suit celle des généralités de Tours et de Rennes. Le fort contingent de « Bleus » du département breton ne s'explique donc point par un remaniement territorial mais par une très longue limite commune avec le Maine-et-Loire et par l'importance de la population de sa capitale (Nantes a donné à elle seule 9 des futurs « Bleus » d'Anjou). Les échanges sont d'ailleurs fréquents et traditionnels entre les deux départements. N'est-ce pas la Loire-Inférieure qui fournira le plus nombreux des contingents allogènes de nos Vendéens ?

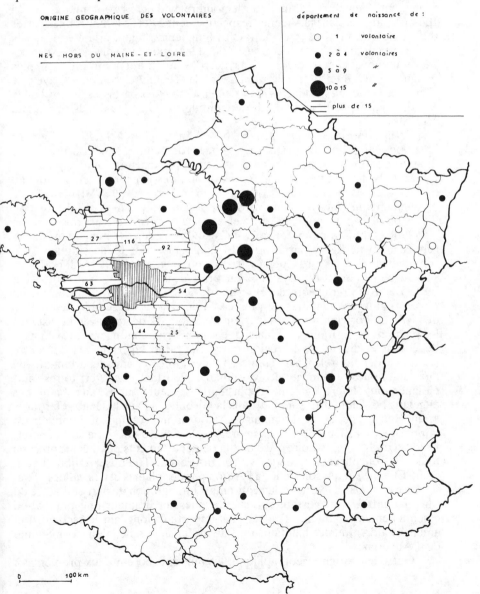

ORIGINE GEOGRAPHIQUE DES VOLONTAIRES

NES HORS DU MAINE-ET-LOIRE

département de naissance de :

○   1   volontaire
●   2 à 4   volontaires
●   5 à 9   ''
●   10 à 15   ''
─── plus de 15

0 ⊢——⊣ 100 km

Au 4e rang des départements d'origine des volontaires immigrés se trouve l'Indre-et-Loire avec un contingent de 54 hommes. Comme sur ses limites septentrionales, en 1790 l'Anjou a dû abandonner vers l'est une large bande de territoire, au profit du département tourangeau cette fois. Mais cette région dont Bourgueil est la ville principale fait partie de l'«interland» naturel de Saumur. Remarquons encore le contingent assez important des «Bleus» originaires des Deux-Sèvres (ils sont 44). Ce département participera à l'insurrection vendéenne, mais dans sa moitié occidentale seulement. Par contre, il faut noter le nombre médiocre de volontaires nés en Ille-et-Vilaine et dans la Vienne (respectivement 27 et 25), limitrophes certes du Maine-et-Loire, mais sur de faibles longueurs. Quant à la Vendée, elle vient au dernier rang de tous les départements voisins. Avec ses 14 volontaires, elle se place même derrière le Loiret pourtant bien plus éloigné. Plus que la faible longueur de la limite commune avec le Maine-et-Loire, c'est «l'incivisme» de l'ensemble des paroisses du nord de la Vendée qui explique la modestie du contingent de «Bleus» nés dans cette région.

Si la contribution des départements limitrophes à la formation des bataillons angevins n'a rien qui puisse surprendre, on constate avec étonnement que presque tous les autres départements du royaume sont représentés dans notre échantillon de volontaires par un de leurs natifs au moins. C'est la preuve de l'existence dans la France du XVIIIe siècle de mouvements migratoires d'une très grande amplitude, même à destination d'une province qui pourrait sembler un peu à l'écart des grands axes de circulation, tout au moins des axes nord-sud. Les départements dont aucun représentant ne figure parmi nos «Bleus» sont moins d'une vingtaine. Ce sont évidemment les plus éloignés de l'Anjou, aux extrémités nord, nord-est, sud-est ou sud-ouest du royaume. Encore faut-il préciser que le Haut-Rhin ou le Bas-Rhin ou encore les Bouches-du-Rhône ont fourni chacun un ou plusieurs futurs volontaires de Maine-et-Loire. Dans l'ensemble, le nombre des «Bleus» originaires des départements éloignés décroît avec la distance les séparant de l'Anjou. C'est ainsi que les plus gros contingents proviennent de l'ouest et du sud de la région parisienne, des départements du centre (Loir-et-Cher, Loiret, Cher, Haute-Vienne) et de certains départements de l'extrême ouest (Manche et Morbihan). Pourtant, des territoires plus éloignés ont offert également plusieurs de leurs natifs aux bataillons angevins : 6 volontaires sont nés dans la Gironde, 4 dans la Haute-Garonne, et la Bourgogne ou le Lyonnais ont fourni un contingent relativement important (5 «Bleus» sont originaires de la Côte-d'Or, 7 de la Saône-et-Loire, 6 du Rhône-et-Loire). Il s'agit là de départements possédant, presque tous, une ou plusieurs grandes villes (Bordeaux, Toulouse, Dijon, Lyon, Saint-Etienne) et qui sont reliés à l'Anjou par des plaines et des vallées. Tout se passe comme s'il existait deux courants d'immigration de part et d'autre du Massif-Central, l'un glissant sur la face ouest et drainant une population essentiellement aquitaine, l'autre, plus important, longeant la face nord et amenant à l'Anjou des habitants du Bassin Parisien, du couloir de la Saône, de l'Auvergne.

Outre leur origine géographique, les migrants posent deux problèmes :

dans quels milieux sociaux se recrutent-ils de préférence et par quelles communes du Maine-et-Loire sont-ils le plus attirés ? Nous connaissons le métier de 1 393 individus sur les 1 520 volontaires ayant quitté leurs paroisses de naissance, (que celles-ci fassent partie ou non du Maine-et-Loire) c'est-à-dire une proportion de 91,64 %. Nous les avons répartis en grandes catégories socio-professionnelles ainsi que nous l'avions fait pour les Vendéens (68) :

Répartition socio-professionnelle des volontaires résidant au moment de leur engagement dans une autre commune que celle de leur naissance

Catégories	Nombre	Pourcentage
Agriculture	285	20,46 %
Métiers de l'artisanat et du petit commerce	934	67,05 %
Professions « bourgeoises »	136	9,76 %
Métiers « divers »	38	2,73 %
TOTAL	1 393	100,00 %

Ces résultats sont évidemment très éloignés de ceux que nous avions obtenus pour les migrants vendéens : les paysans formaient les 2/3 de l'effectif tandis que la proportion des « bourgeois » était infime. C'est que la structure sociale des immigrés est fonction de celle de l'ensemble de la population étudiée, autochtones et allogènes confondus. Or, nous le verrons, il existe des différences fondamentales dans la composition socio-professionnelle des « Blancs » et des « Bleus » (69). En dehors de ces considérations générales, il est intéressant de souligner quelques particularités significatives du tableau. Si les paysans et les individus exerçant des métiers classés dans la catégorie « divers » occupent la même place dans l'échantillon des volontaires immigrés et dans la population totale des « Bleus », il n'en va pas de même pour les « bourgeois » dont le pourcentage parmi les migrants est inférieur d'environ 2 points 1/2 à celui de l'échantillon total et pour les artisans et boutiquiers légèrement sur-représentés chez les allogènes. Ces constatations appellent quelques explications. D'abord, on peut s'étonner une nouvelle fois que le monde de la terre ne soit pas plus stable (70). C'est sans doute que chez les « Bleus » comme chez les « Blancs », les cultivateurs sont le plus souvent des locataires voire des ouvriers agricoles, beaucoup moins enracinés que les propriétaires. On pourrait multiplier les exemples, mais nous nous bornerons à en citer trois caractéristiques. Charles Bourreau, né à Montjean, était bêcheur chez Etienne Bourdais dans l'île de Chalonnes toute proche quand il s'offrit à servir la patrie. Guillaume Hérissé, natif de Montigné-les-Rairies, était garçon bêcheur chez Ricard, dans la paroisse de Saint-Léonard à Durtal.

(68) Cf. Cl. PETITFRÈRE, Les Vendéens d'Anjou, op. cit., p. 132.
(69) Cf. infra, ch. V.
(70) Cf. Cl. PETITFRÈRE, Les Vendéens d'Anjou, op. cit., p. 132.

Etienne Paillard, né à Angrie, qui s'enrôla le 7 juillet 1792, était « sorti de la St Jean de chés le sieur Chopin de Champtocé » (71). Les migrations paysannes, pour être fréquentes, avaient la plupart du temps très peu d'ampleur. Au contraire, les ouvriers venaient assez souvent de loin. Certains participent aux courants d'émigration traditionnels des régions pauvres, tel Jean Berthelot, un maçon de Saumur originaire de Chamberaud en Haute-Marche ou Antoine Jarige, marchand de parapluies né à Vigean près de Mauriac en Haute-Auvergne et qui s'enrôla lui aussi à Saumur où il logeait provisoirement à l'hôtel du sieur Randouin (72). On relève parmi les allogènes, et surtout ceux qui sont nés loin du Maine-et-Loire, nombre de garçons perruquiers. La profession exigeait une main d'œuvre abondante et il n'était pas nécessaire d'être bien qualifié pour faire la barbe au nobles et aux bourgeois. Citons quelques-uns de ces « merlans » : Adrien Louvel né à Marseille et enrôlé à Saumur, Jean Taillandier originaire du Berry et perruquier chez Favien à Brissac, Gervais Lambert de Paris perruquier chez Dupont place Cupif à Angers, Jean-Baptiste Jouhanneau, né à Limoges employé chez Bernard rue du Figuier ou encore Bernard Lamarche originaire de Dijon et garçon perruquier à Angers, lui aussi, mais chez Colin (73). Remarquons enfin que les ouvriers du textile (tisserands, cardeurs, sergers ...) sont en grand nombre parmi les migrants. On en compte 217 soit 15,58 % de l'échantillon total, c'est-à-dire qu'ils sont légèrement sur-représentés chez les allogènes. Beaucoup d'entre eux viennent des Mauges. Voici quelques exemples choisis parmi les sergers et les tisserands travaillant à Angers : Mathurin Chemineau est né à Gonnord, Joseph Bouet à Trémentines ainsi que Jacques et Joseph Bourigault, Louis Grellier est natif de Saint-Lézin, Martin Bourmeau de Chemillé, René Plessis de La Tourlandry, Mathurin Boisneau de Cholet (74). Une partie de la main d'œuvre de la manufacture de Beaufort provient également de cette région, nous le verrons (75). Le patriotisme des tisserands originaires des Mauges a de quoi nous étonner puisque, nous l'avons vu, leurs collègues restés au pays s'engagèrent en grand nombre dans la Vendée. Les gens du textile auraient donc été, selon le mot de Charles Tilly, des « activistes », militant pour une cause ou une autre mais rarement neutres. Réduits à la misère par la crise qui paralysait le tissage dans les premières années de la Révolution, ils n'auraient eu d'autre ressource que de s'enrôler, mais l'auraient fait selon le courant majoritaire de la région où ils vivaient : « Blancs » dans les Mauges, ils auraient été « Bleus » à Angers ou à Beaufort (76).

---

(71) Successivement, 1 L 588 bis, 1 L 595, 1 L 588 bis.
(72) Concernant Berthelot, cf. Arch. mun. Saumur H 1 74 (1) et A. G., contrôle du premier bataillon de Mayenne-et-Loire.
Concernant Jarige, cf. 1 L 589 bis et Arch. mun. Saumur H 1 74 (1).
(73) Concernant tous ces volontaires, sauf Jouhanneau, cf. 1 L 589 bis. Concernant Jouhanneau, cf. 1 L 595.
(74) 1 L 590 bis et Arch. mun. Angers H 3-61 (pour Chemineau, Bouet, Grellier et Jacques Bourigault),
1 L 589 bis (pour Joseph Bourigault, Bourmeau et Plessis), 1 L 595 (pour Boisneau).
(75) Cf. infra, p. 292.
(76) Cf. Ch. TILLY, La Vendée, op. cit., p. 228.

La catégorie sociale qui montre la propension la plus faible à changer de résidence est cette «bourgeoisie» qui, rappelons-le, s'identifie à peu près dans notre propos à la moyenne et haute bourgeoisie. Cependant, certains métiers ou certaines situations temporaires poussent les gens instruits à quitter leur commune natale. Il en est ainsi des étudiants. Jean Dugué est né à Chazé-Henry mais il apprend la chirurgie à Angers ; c'est pourquoi il s'est installé chez son oncle place des Halles. Son camarade Pierre Rottier étudie la médecine. Il est né au Grand-Lucé (son père est d'ailleurs administrateur du département de la Sarthe), mais il habite rue Saint-Laud à Angers. Antoine Fouquet et Prosper Thubert sont deux étudiants en droit. Le premier, né au Lude, a pris une chambre rue Toussaint chez le perruquier Coudreau ; le second, fils d'un notaire de Chemillé, demeure chez un faïencier de la rue Saint-Laud. Quant à Jacques Leroy, natif de La Flèche, il prend pension chez les Frères, faubourg Bressigny (77). D'autre part, l'attrait des nouveaux emplois de bureau pousse bien des jeunes gens de la campagne vers les chefs-lieux de district ou celui du département. Ainsi, François Turpin, commis au District de Segré est né à Bouillé-Ménard, Louis Maugeais employé au District de Saumur est né à Montreuil-Bellay, Gabriel Rigalleau, originaire de Tigné est commis au Département et réside par conséquent à Angers (78).

Voyons maintenant quelles sont les communes qui ont le plus attiré les immigrants qui se proposèrent pour servir dans les bataillons de volontaires. Angers et Saumur viennent en tête, comme on pouvait s'y attendre. En effet, 436 allogènes résident au chef-lieu du département, 181 dans la cité ligérienne, soit au total 617 sur 1 520 ou 40,59 %. Beaufort vient en troisième position avec 87 immigrés. Nous examinerons tour à tour le cas de ces trois communes.

LE CAS D'ANGERS		
	Volontaires domiciliés en 1791-92	
	Nombre	Pourcentage
Origine inconnue	206	
Autochtones	511	53,96 %
Allogènes :	436	46,04 %
— natifs du Maine-et-Loire 179		
— nés hors du département 257		
TOTAL	1 153	

Le pourcentage des autochtones est légèrement supérieur à la moyenne calculée pour l'ensemble du département (51,03 % rappelons-le). Cela peut nous étonner : la grande ville offre bien plus de débouchés que les petites communes ; elle avait par conséquent toutes chances de se classer parmi les

---

(77) 1 L 590 bis. Pour Dugué, Fouquet et Thubert, voir aussi Arch. mun. Angers H 3-61.
(78) Concernant Rigalleau, cf. 1 L 589 bis.
Concernant Maugeais et Turpin, cf. 1 L 590 bis.

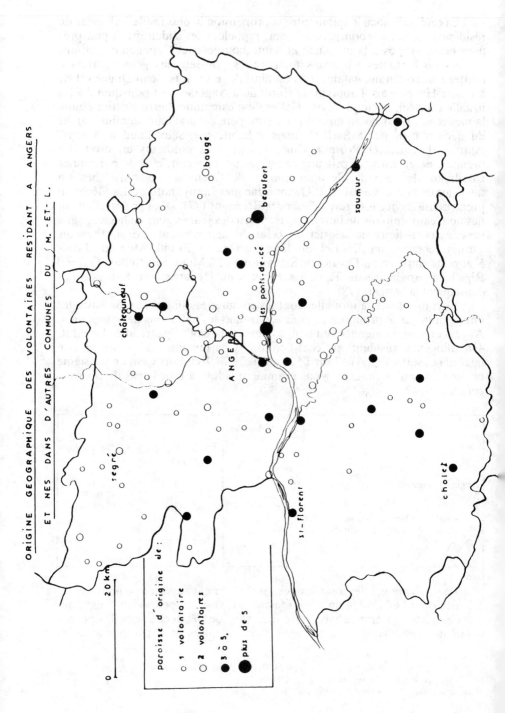

ORIGINE GEOGRAPHIQUE DES VOLONTAIRES RESIDANT A ANGERS
ET NES DANS D'AUTRES COMMUNES DU M.-ET-L.

paroisse d'origine de:
○ 1 volontaire
◯ 2 volontaires
● 3 à 5.
● plus de 5

plus attirantes. La nature de l'échantillon explique le phénomène. Les volontaires de l'été 1791 sont ici sur-représentés. Or, l'on se souvient que les autochtones constituaient parmi eux une proportion jamais retrouvée par la suite.

Si le taux d'allogènes des « Bleus » d'Angers n'est pas des plus élevés, par contre, il est remarquable que la plupart d'entre eux viennent d'assez loin : 257 soit 58,94 % sont nés hors des limites départementales. C'est la Mayenne qui en a fourni le plus grand nombre (52) suivie de la Sarthe (41), de la Loire-Inférieure et de l'Indre-et-Loire (15 chacune), des Deux-Sèvres (13), de l'Ille-et-Vilaine (11). De la Vienne ne sont originaires que six volontaires et deux seulement de la Vendée. Nous avons représenté sur la carte de la p. 290 les 179 autres migrants, ceux qui sont nés dans le Maine-et-Loire. Ils sont originaires de 100 paroisses différentes réparties sur l'ensemble du département. Si l'on met à part la région incivique des Mauges, on constate que l'attraction de la grande ville s'exerce sur l'ensemble du territoire, mais en s'essoufflant vers les régions périphériques. C'est notamment le cas dans le sud-est où Saumur prend le relais d'Angers. Il est d'ailleurs étonnant que cinq seulement des « Bleus » domiciliés au chef-lieu soient nés dans la cité ligérienne. Y aurait-il donc eu si peu d'échanges entre les deux villes ? Nous savons au moins que beaucoup de jeunes Saumurois venaient étudier à Angers, mais sans doute ont-ils préféré se faire inscrire dans leur ville natale avec leurs camarades d'enfance : nous connaissons les rivalités de clocher qui opposaient les habitants des deux cités (79).

LE CAS DE SAUMUR			
		Volontaires domiciliés en 1791-92	
		Nombre	Pourcentage
Origine inconnue		35	
Autochtones		189	51,08 %
Allogènes :		181	48,92 %
— natifs du Maine-et-Loire	87		
— nés hors du département	94		
TOTAL		405	

Le pourcentage des autochtones se situe dans la moyenne départementale. Ici comme à Angers, la majorité des immigrants sont originaires d'autres départements que le Maine-et-Loire, mais dans une proportion assez nettement inférieure à celle que nous avons calculée pour les volontaires du chef-lieu. En effet, les « Bleus » de Saumur nés hors du département ne représentent que 51,93 % des immigrants dans la commune.

(79) Cf. *supra*, p. 161 et 210.
Ce n'est qu'en 1793 que l'Université fermera ses portes, avant sa suppression légale par le décret du 15 septembre. (D'après B. Bois, *La vie scolaire et les créations intellectuelles en Anjou pendant la Révolution*, Paris, 1929, p. 102-103.)

Plus de la moitié d'entre eux proviennent des départements limitrophes dont la hiérarchie s'établit autrement que pour les volontaires d'Angers puisque Saumur est située à une extrémité du Maine-et-Loire. C'est ainsi que les natifs de l'Indre-et-Loire viennent en tête avec 17 individus, puis ceux de la Vienne et ceux de la Sarthe (8 dans les deux cas). L'on trouve ensuite les natifs des Deux-Sèvres (7), de la Loire-Inférieure (5), de la Mayenne (3), de l'Ille-et-Vilaine (2), enfin de la Vendée (un seul). La carte de la p. 293 représente les paroisses du Maine-et-Loire d'où sont originaires les « Bleus » immigrés à Saumur. Elles sont seulement au nombre de 41, ce qui ne donne pas exactement la mesure de la force d'attraction de la ville car une partie de son arrière-pays est située en Indre-et-Loire et dans la Vienne. A l'intérieur du département angevin, l'attraction saumuroise ne s'étend pas très loin : elle est limitée à la moitié orientale, ne dépassant pas Vihiers, Chemillé et Chalonnes.

	LE CAS DE BEAUFORT	
	Volontaires domiciliés en 1791-92	
	Nombre	Pourcentage
Origine inconnue	20	
Autochtones	61	41,22 %
Allogènes :	87	58,78 %
— originaires du M. & L. 63		
— nés hors du département 24		
TOTAL	168	

La proportion des autochtones est ici particulièrement faible. D'autre part, contrairement à la tendance observée dans les deux grandes villes, près des 3/4 des immigrants (72,41 %) sont originaires d'autres communes du Maine-et-Loire dont la carte montre la répartition (cf. p. 294). On y constate que, si la plupart des paroisses de naissance des volontaires de Beaufort sont bien situées à proximité immédiate de la petite cité, ou tout au moins dans le 1/4 nord-est du département, neuf d'entre elles se trouvent disséminées loin de là, dans les Mauges. La connaissance des professions permet de résoudre cette énigme. Tous les « Bleus » de Beaufort natifs des Mauges sont des tisserands attirés par la manufacture de toile, ou des sergers. (80)

---

(80) Il s'agit des sergers :
Gabriel Rochard   né à La Chapelle-Aubry (1 L 590 bis),
Louis Gourdon   né à Saint-Laurent-de-la-Plaine (1 L 588 bis),
et des tisserands :
Louis Boisiau   né au Fuilet (1 L 588 bis),
Jean Rivière   né à Chemillé (1 L 595),
Jean Chetou   né à La Jumellière (1 L 591),
François Gaschet   né au Fief-Sauvin (1 L 591),
Jacques Legagneux   né à Vézins (1 L 591),
Martin Sénin   né à Chemillé (1 L 591),
Jean Vivion   né à La Romagne (1 L 591).

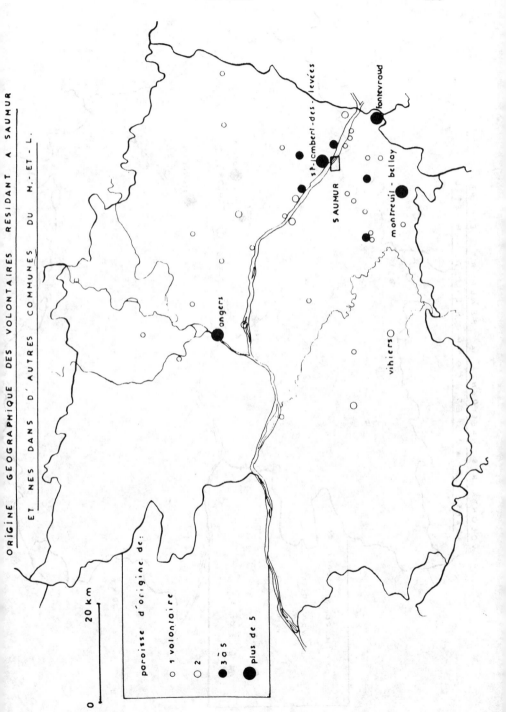

ORIGINE GÉOGRAPHIQUE DES VOLONTAIRES RÉSIDANT A SAUMUR
ET NÉS DANS D'AUTRES COMMUNES DU M.-ET-L.

20 km

paroisse d'origine de:

○ 1 volontaire

○ 2

● 3 à 5

● plus de 5

montsoreau

st-lambert-des-levées

SAUMUR

montreuil-bellay

angers

vihiers

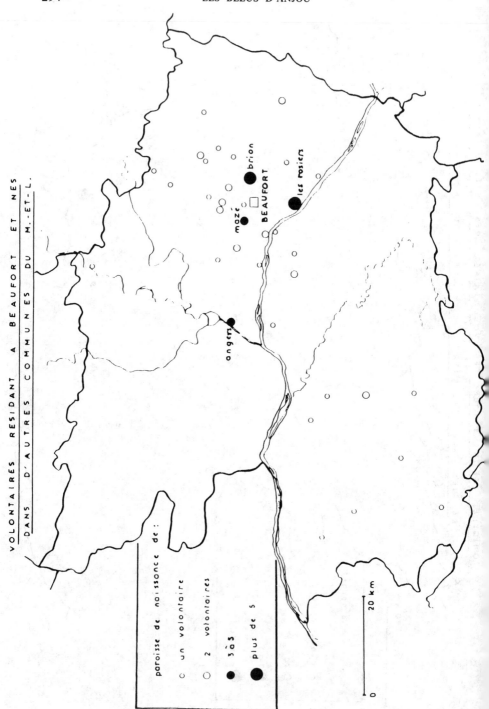

VOLONTAIRES RESIDANT A BEAUFORT ET NÉS
DANS D'AUTRES COMMUNES DU M.-ET-L.

paroisse de naissance de :

○ un volontaire

○ 2 volontaires

● 3 à 5

● plus de 5

brion

maze

BEAUFORT

les rosiers

angers

0   20 km

Il pourrait être intéressant de multiplier les analyses locales et de calculer la proportion des immigrants dans la plupart des contingents communaux de « Bleus » ainsi que nous l'avions fait pour les compagnies de paroisse vendéennes (81). Malheureusement les effectifs sont insuffisants pour permettre des statistiques fiables : huit d'entre eux seulement comprennent au minimum 50 volontaires dont nous ne connaissons d'ailleurs pas toujours et le lieu de naissance et le domicile. Nous nous en tiendrons, par conséquent, aux trois exemples étudiés ci-dessus.

VI. - Conclusion

Nous nous demandions au début de ce chapitre s'il existait un pays des « Bleus » que l'on pourrait opposer à celui des « Blancs ». La réponse est affirmative. Certes, les limites de ce pays ont évolué de juin 1791 à mars 1793. D'abord circonscrit aux communes proches d'Angers et de Saumur, fortement dominé par les contingents urbains, le recrutement a gagné l'ensemble des campagnes patriotes du val de Loire et du Saumurois au début de l'été 1792 pour s'étendre dans les mois suivants à tout le département, excepté de rares zones excentriques, celles du nord du plateau baugeois, du nord-ouest du Segréen, surtout celles du centre et de l'ouest des Mauges. Cette irruption massive des ruraux parmi les « Bleus », due en partie à la substitution progressive du racolage au pur volontariat, s'est certainement accompagnée d'une démocratisation. En témoignent, à Angers, le glissement du centre de gravité patriote des quartiers commerçants de la rive gauche vers ceux, plus populaires, de la Doutre, des ports, des faubourgs, et, sur un plan général, l'augmentation du nombre des immigrés dans les contingents de volontaires. La présence d'un fort pourcentage d'allogènes dont une notable partie provient de départements éloignés est d'ailleurs une caractéristique qui oppose notre population de « Bleus » aux compagnies de paroisse où les migrants, même s'ils représentent une minorité importante, ne sont jamais de véritables étrangers.

Il existe bien un Anjou patriote distinct de l'Anjou contre-révolutionnaire. C'est d'abord le monde des villes, ces adversaires privilégiés des Vendéens : Angers et Saumur en tête, évidemment, mais aussi les plus petites qui se sont toutes distinguées , peu ou prou, par l'effort auquel elles ont consenti en faveur des bataillons. C'est aussi la zone du plateau saumurois et des plaines alluviales du centre qui resteront fidèles à la République en 1793, en quasi-totalité à l'est du Layon, de façon plus nuancée à l'ouest.

Anjou « blanc » et Anjou « bleu » s'interpénètrent parfois, mais jamais ne se confondent. Ainsi dans les Mauges, les rares foyers où le patriotisme, à défaut d'être majoritaire, reste vivant, sont bien les bourgades les plus réfractaires aux séductions des « aristocrates » : Cholet, Chemillé, Vihiers, ou aux lisières septentrionales, Chalonnes, Montjean. Dans le Segréen, la multiplicité des petits contingents de volontaires confirme l'existence,

---

(81) Cf. Cl. Petitfrère, *Les Vendéens d'Anjou, op. cit.,* p. 131.

presque partout, de minorités révolutionnaires dans un pays suspect d'incivisme. Dans la zone du Layon, aussi, la carte des « Blancs » et celle des « Bleus » se complètent sans se contredire : les patriotes dominent le sud presque sans partage tandis que, vers le nord, les opinions s'affrontent au sein d'une même commune, la majorité revenant parfois aux révolutionnaires comme à Chalonnes, Rochefort-sur-Loire, Chaudefonds ou Rablay, d'autres fois aux « aristocrates » comme à Beaulieu ou à Saint-Lambert-du-Lattay.

Notre connaissance des options politiques des « pays » angevins s'est enrichie de nuances. Nous avons constaté que l'opposition est-ouest était en place dès 1791 et ce phénomène demeure fondamental. Mais désormais, nous savons aussi que, si au-delà du Loir et du Layon aucune minorité contre-révolutionnaire ne parvint à s'exprimer en 1793, à l'ouest de ces rivières, il existait à la veille de l'insurrection des noyaux de patriotes que la Vendée submergera provisoirement.

CHAPITRE IV

LES VOLONTAIRES NATIONAUX : L'HOMME

Ces « Bleus » d'Anjou dont nous connaissons désormais le mode de recrutement et l'origine géographique, quels hommes étaient-ils ? Quelle était la proportion des jeunes et celle des plus âgés, des grands et des petits, des « savants » et des analphabètes, voire des beaux et des laids ? Il existe une documentation pour cela, peu utile au niveau de l'individu mais que le nombre rend significative. Elle a ses richesses et ses insuffisances. Côté richesses : le signalement plus ou moins complet qui figure souvent sur les registres d'engagements. Non seulement l'âge y est noté, mais la taille, la couleur des yeux, la forme du visage, d'autres détails encore qui permettront un essai d'anthropologie de nos volontaires. Côté faiblesses : l'approximation due tant à la subjectivité du recruteur ou de son scribe qu'à l'ignorance du recruté. Beaucoup de jeunes gens, par exemple, n'avaient encore qu'une connaissance très vague de leur date de naissance et donc de leur âge.

I. - La fiche d'état civil du volontaire

1. - Nom ...

Nous avons recensé, rappelons-le, 4 089 individus qui se proposèrent pour servir dans l'un des trois premiers bataillons de volontaires nationaux du Maine-et-Loire ou dans la compagnie franche de Bardon, de juin 1791 à mars 1793. Nous connaissons le nom de famille de chacun d'entre eux. Compte tenu des patronymes communs à plusieurs « Bleus », c'est une liste de 2 063 noms que nous avons classés par lettre alphabétique (1).

Les patronymes des « Bleus » sont beaucoup plus variés que ceux des « Blancs ». Chez les Vendéens on compte en moyenne 3,8 individus par nom propre puisque l'on recense 1 426 patronymes différents pour 5 405 anciens soldat de l'Armée Catholique de nom connu (2). Par contre, on relève

(1) Voir cette liste en annexe. Nous avons adopté l'orthographe qui nous a paru la plus courante en Anjou. Les noms propres ayant le plus souvent une écriture phonétique, nous avons regroupé ceux qui nous ont semblé identiques : par exemple Guillet, Guillier, Guyet, Guiet etc.
(2) Cl. Petitfrère, Les Vendéens d'Anjou, op. cit., p. 154.

seulement 1,9 volontaire par nom de famille, en moyenne, soit exactement la moitié. Cette différence s'explique évidemment par la diversité de l'origine géographique des «Bleus», incomparablement supérieure à celle des «Blancs». Les Vendéens étaient presque tous des «gars» des Mauges tandis que l'aire de recrutement des soldats de la Révolution s'étend non seulement à l'ensemble du Maine-et-Loire mais déborde largement, nous l'avons vu, sur le reste du territoire national. Certains volontaires portent donc des patronymes qui ne sont manifestement pas angevins. Le père de Hockausen était Prussien. Fritz et Rebstock sont nés en Alsace, Cousty et Jouhanneau sont deux Limousins, le premier de Pompadour, le second de Limoges. Jarige est originaire de Vigean en Haute-Auvergne ; Rodadèse de Clermont est son compatriote et l'on relèverait bien d'autres noms fleurant les pays d'Oc : ceux des Roumegous originaires de Gascogne, de Daniosse le Bordelais, de Sintis le Toulousain, de Fitte, Delmur, Palmade, Poujade, etc.

Les plus fréquents des patronymes sont celui de Martin commun à 29 candidats à l'uniforme national, puis ceux de Gautier et Besnard portés respectivement par 23 et 20 individus. L'ordre était sensiblement différent chez les «Blancs» Si l'on trouvait bien Martin en 2ᵉ position, le nom le plus souvent donné était Pineau qui vient seulement à la 8ᵉ place chez les volontaires, tandis qu'en 3ᵉ position venait Ménard patronyme de 45 Vendéens alors qu'il n'est porté que par 7 «Bleus». A l'inverse, Gautier, second chez les volontaires est 28ᵉ chez les «Blancs». Vingt «Bleus» s'appellent Besnard alors que 11 Vendéens seulement étaient ainsi nommés. Si l'on examine la trentaine de patronymes les plus répandus dans l'une ou l'autre population, on peut dresser une liste de noms de famille fréquents dans toute la province puisque portés aussi souvent par les hommes des Mauges que par ceux d'autres régions angevines. Ce sont les Chevalier, Delaunay, Gautier, Girard, Martin, Oger, Pineau et autres Terrien. Par contre, on peut considérer comme caractéristiques des Mauges les patronymes très répandus chez les «Blancs» et relativement rares chez les «Bleus», tels Allard, Bidet, Bondu, Cesbron, Chesné, Chiron, Chupin, Coiffard, Froger, Gallard, Gourdon, Grimaud, Humeau, Ménard, Onillon, Rimbault, Rochard, Sécher. De leur côté, Besnard, Breton et Lebreton, Bruneau, Cailleau, Esnault, Girault, Joubert, Pelletier, Pillet sont des patronymes que l'on trouve peu souvent dans les Mauges mais qui sont très répandus dans le reste de l'Anjou.

2. - Prénom ...

Nous connaissons le prénom usuel de presque tous les volontaires : 4 066 sur 4 089 (99,44 %). Par contre, il est rare que les registres d'enrôlement mentionnent les second ou troisième prénoms pour lesquels nous ne pourrons donc faire aucune statistique (3).

---

(3) Il n'est pas possible non plus de comparer les prénoms des soldats à ceux de leur père comme nous l'avons fait pour les Vendéens, à cause de l'insuffisante fréquence de la mention du prénom paternel dans les engagements. (sur les prénoms des «Blancs», cf. Cl. PETITFRÈRE, *Les Vendéens d'Anjou, op. cit.,* , p. 155-156). Cf. la liste en annexe.

On recense 144 prénoms différents alors qu'on en comptait seulement 108 pour un échantillon de 5 394 Vendéens. Il y a donc en moyenne 1 prénom pour 28,2 « Bleus » contre 1 pour 49,9 « Blancs ». Corollairement, la proportion des Pierre, Jean, René et autres noms de baptême les plus répandus est inférieure chez les soldats de la Révolution. C'est ainsi que l'on recense parmi eux 588 Pierre soit 14,46 % de la population tandis que les hommes de l'Armée Catholique portant le même prénom représentent 17,61 % de leur échantillon. On peut faire la même remarque pour les Jean (14,38 % des « Bleus » se prénomment ainsi contre 17,39 % des « Blancs ») et pour les René (9,02 % contre 11,99 %). La plus grande diversité des prénoms confirmant celle que nous avons soulignée pour les patronymes est l'indice d'une moindre homogénéité de la population. Elle s'explique sans doute, comme pour les noms de famille, par l'aire géographique beaucoup plus considérable du recrutement des volontaires : il doit y avoir des modes ou des coutumes régionales et locales dans le choix du prénom. Peut-être s'explique-t-elle aussi par l'élargissement de l'éventail socio-professionnel : le fait qu'il y ait beaucoup plus de citadins chez les « Bleus » que chez les « Blancs », ou un niveau social moyen plus élevé, peut avoir joué un rôle.

Quoi qu'il en soit, la hiérarchie est assez semblable à celle que nous avons établie pour les Vendéens.

Chez les « Bleus » comme chez les « Blancs », les Pierre sont les plus nombreux suivis, dans l'ordre, des Jean et des René. François et Louis gagnent une place tandis que Jacques en perd deux. Ces prénoms sont d'ailleurs ceux que l'on retrouve le plus couramment dans le Chinonais. Ils figurent même parmi les plus usités en Ile-de-France, exception faite de René dont la vogue est facile à expliquer en Anjou (4). Remarquons d'autre part que Maurice et Martin que l'on aurait cru rencontrer fréquemment sur les bords de la Loire ne figurent pas en meilleure position chez nos volontaires que parmi les soldats catholiques.

On peut noter quelques petites différences dans les usages des deux populations. C'est ainsi que le prénom de Laurent n'est donné que 15 fois à un volontaire contre 42 fois à un Vendéen (est-ce à cause de la vogue des missions de Saint-Laurent-sur-Sèvre ?). Celui de Maurille est porté par 10 Vendéens mais par aucun soldat-citoyen. Par contre on relève 54 Urbain chez les « Bleus » et 13 seulement chez les « Blancs », 22 Henri contre 5, 33 Guillaume contre 11 et 17 Alexandre contre 4. Enfin, on voit apparaître 18 fois la forme Auguste alors qu'il n'existait que des Augustin chez les Vendéens.

3. - Age ...

L'âge des candidats au service militaire n'est connu que par les déclarations qu'ils ont faites eux-mêmes aux recruteurs. La précision n'a rien de comparable avec celle des extraits de baptême des combattants de

---

(4) B. MAILLARD, *Recherches sur la population de la Touraine au XVIIIᵉ siècle,* th. 3ᵉ cycle, dact., Paris, 1974, p. 191-192.
J. GANIAGE, *Trois villages d'Ile-de-France au XVIIIᵉ siècle ...,* Paris, 1963, p. 40.

l'Armée Catholique où figuraient le jour, le mois et l'année de naissance. De telles sources on peut tirer « l'idée de la connaissance que les soldats avaient de leur âge » (5) plus que le nombre exact des années. Malgré tout, l'approximation ne peut être de grande amplitude : sauf rares exceptions, elle porte sans aucun doute sur les années voisines de l'âge réel de l'individu.

Nous étudierons d'abord la répartition par âge de l'ensemble des volontaires puis nous nous pencherons sur le cas de chaque contingent.

a. - Etude globale

Mettons à part les 160 Bardonais pour lesquels le renseignement n'est jamais porté sur le registre de contrôle (6). Il reste 3 929 volontaires dont 3 524 ont indiqué leur âge, soit 89,69 %. L'âge moyen de cette population se situe un peu au-dessous de 23 ans (22,89 exactement). Rappelons que l'âge moyen des Vendéens était de 25 ans 1/2 soit environ 2 années 1/2 de plus seulement, mais l'échantillon était formé essentiellement de survivants épargnés par la mort jusqu'en 1823-24. La mortalité sélective ayant favorisé les plus jeunes des soldats contre-révolutionnaires, l'âge moyen réel des Vendéens en 1793 devait être beaucoup plus élevé, se situant vraisemblablement entre 30 et 40 ans. A peu de chose près, l'Armée Catholique et Royale devait avoir la moyenne d'âge de l'ensemble de la population masculine en état de porter les armes. La moyenne d'âge des « Bleus » se rapproche bien plus de celle d'une armée conventionnelle.

La répartition par âge de l'ensemble des volontaires est représentée par la pyramide de la p. 301. Le graphique a une forme à peu près régulière, sans accident notable. En particulier, on ne relève pas de gonflement très net des âges remarquables, ceux qui correspondent aux dizaines ou aux demi-dizaines (7). C'est la preuve que, globalement et avec des approximations d'une ou deux années, les renseignements donnés par les candidats au service sont fiables.

On peut relever sur la pyramide quatre caractéristiques principales. La première est la très grande amplitude entre les extrêmes : 13 et 67 ans. L'histogramme regroupe par conséquent trois générations, tout comme celui des Vendéens. La seconde particularité est, à l'inverse, la concentration de la grande majorité des individus en dix classes d'âge s'échelonnant de 16 à 25 ans, qui ont fourni chacune plus de 5 % de l'effectif total. Ces dix classes regroupent ensemble 2 701 volontaires soit 76,64 %. Les candidats au service patriotique sont donc, en grande partie, des jeunes gens. La classe la plus

---

(5) A. Corvisier, *L'armée française ...*, *op. cit.*, tome II, p. 615.
Sur ce problème, cf. également J. Ganiage, *op. cit.*, p. 39.
Pour la comparaison avec les soldats de l'Armée Catholique, se reporter à Cl. Petitfrère, *Les Vendéens d'Anjou, op. cit.*, p. 156-158.

(6) Seuls les noms et les prénoms figurent, avec le lieu d'enrôlement, sur le registre 1 L 601₃. En conséquence, les chasseurs de Bardon seront exclus de tous les calculs à venir.

(7) André Corvisier a noté dans les contrôles de la Ligne au XVIIIᵉ siècle un gonflement anormal de ces classes d'âge, mais qui tend à diminuer d'intensité à mesure que l'on avance dans le siècle. En 1786, les contrôles sont d'ailleurs rédigés sur des feuilles imprimées où une colonne est réservée aux dates de naissance et non plus aux âges (*L'Armée française ...*, *op. cit.*, tome II, p. 616).

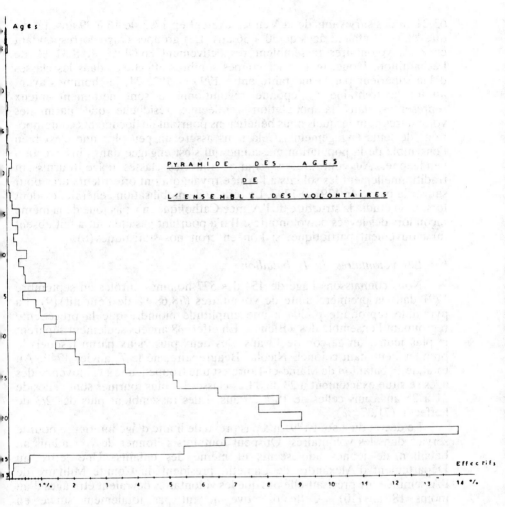

PYRAMIDE DES AGES

DE

L'ENSEMBLE DES VOLONTAIRES

nombreuse, et de très loin, correspond aux garçons de 18 ans qui forment à eux seuls 13,93 % de l'effectif. Troisième constatation : de 26 à 36 ans, le recul de la pyramide se fait moins rapide mais 624 individus seulement appartiennent à ces onze classes, c'est-à-dire 17,71 % de l'échantillon. Enfin, il faut souligner la lenteur du rétrécissement de la pyramide vers le haut après 36 ans. Il est remarquable que la figure se poursuive sans hiatus jusqu'à l'âge de 60 ans. Si plus des 3/4 des volontaires sont de jeunes hommes, une importante minorité de patriotes ayant atteint largement l'âge mûr n'ont pas craint de se présenter devant les recruteurs.

Il n'est pas possible de comparer avec précision la pyramide des âges des volontaires et celle des Vendéens puisque ces derniers ne forment qu'une population résiduelle. Malgré tout, il n'est pas inutile de faire quelques remarques qui peuvent nous éclairer. Par exemple, nous avons noté que

63,24 % des survivants de la Vendée avaient en 1793 de 16 à 29 ans, tandis que 18,37 % étaient âgés de 30 à 36 ans. Les groupes d'âge correspondant chez les volontaires rassemblent respectivement 86,04 % et 8,31 % de l'échantillon. Donc, malgré les coupes sombres effectuées dans les classes d'âge supérieur par la mortalité entre 1793 et 1823-24, les hommes ayant atteint la trentaine à l'époque révolutionnaire sont nettement mieux représentés dans la population vendéenne résiduelle que parmi les volontaires pour lesquels nous bénéficions pourtant de documents contemporains de leurs engagements. Cela nous assure un peu plus que c'est bien l'ensemble de la population masculine qui s'est engagée dans l'insurrection vendéenne. Au contraire, ce sont surtout les classes d'âge fournissant traditionnellement les soldats à l'armée royale qui ont offert leurs bras pour sauver la patrie en 1791 et 1792. Le réflexe de mobilisation générale, évident lorsqu'on étudie la structure de l'Armée Catholique, n'a pas joué de la même façon lors des levées de volontaires. Il n'a pourtant pas été tout à fait absent du mouvement patriotique, si l'on en croit nos statistiques (8).

b. - Les volontaires du 1ᵉʳ bataillon

Nous connaissons l'âge de 454 des 577 hommes enrôlés en septembre 1791 dans la première unité de volontaires (78,68 % de l'effectif) (9). La pyramide reproduite p. 304 a une amplitude moindre que la précédente regroupant l'ensemble des « Bleus ». En effet, 38 années seulement séparent le plus jeune, un garçon de 13 ans, des deux plus vieux parmi lesquels le premier lieutenant-colonel, Nicolas Beaurepaire, né le 7 janvier 1740. Au total, le 1ᵉʳ bataillon de Maine-et-Loire est une troupe jeune : la moyenne des âges se situe exactement à 23 ans. Les classes les plus fournies sont celles de 21 à 25 ans, puis celles de 18 à 20 ans. Elles rassemblent plus des 2/3 de l'effectif (71,37 %).

Le décret du 4 août 1791 n'a pas prévu de limite d'âge inférieur pour le service dans les volontaires. On peut toutefois s'étonner de voir admis au bataillon de jeunes adolescents et même des enfants. Une lettre au Département d'Alexandre de Lameth, président du Comité Militaire de l'Assemblée, ne précisait-elle pas que les volontaires devraient être âgés d'au moins 18 ans (10) ? Cette directive ne fut pas totalement suivie en

---

(8) André Corvisier, (L'Armée ..., op. cit., tome I, p. 476-478) souligne la tendance à s'engager plus jeune dans la Ligne au cours du xviiiᵉ siècle. En 1737, les hommes âgés d'au moins 26 ans représentaient 39,3 % des engagés, en 1763 ils n'en représentent plus que 13,4 % (en réalité, ces chiffres sont sujets à caution à cause des conséquences des réformes de 1736-1737 et de 1763 qui aboutirent pour la première à renvoyer de préférence les jeunes, pour la seconde les vieux ; d'autre part, ces pourcentages ne sont pas directement comparables aux nôtres à cause de la fréquence des rengagements, dans la Ligne). Le renversement de la tendance chez nos volontaires (22,45 % d'entre eux avaient 26 ans ou davantage lorsqu'ils ont signé leur engagement) nous semble être l'indice d'un réflexe de mobilisation dans l'ensemble de la population masculine.

(9) Les âges figurent surtout dans les sources suivantes : 1 L 590 bis ; A. G., contrôle du premier bataillon ; Arch. nat. AF II 382.

(10) 1 L 578, lettre datée du 12 août 1791, écrite sans doute en réponse aux questions posées par le directoire départemental.

Sous l'Ancien Régime, une ordonnance du temps de Choiseul (1ᵉʳ février 1763) avait fixé

Maine-et-Loire puisque 26 des nouveaux soldats (5,72 %) n'ont pas atteint l'âge minimum à l'époque de leur incorporation. Il faut préciser toutefois que, la plupart du temps, ce n'est pas comme fusiliers mais comme tambours que l'on a employé les plus jeunes : c'est le cas du garçon de 13 ans et de deux des trois garçons de 14 ans (11).

Nous pouvons comparer la structure par âge du bataillon angevin à celle d'autres unités similaires. Les volontaires du premier bataillon des Bouches-du-Rhône sont nettement plus âgés. Les hommes de 30 à 40 ans y représentent presque 20 % de l'effectif, ceux de 40 à 50 ans près de 10 % contre, respectivement 7,05 % et 1,76 % pour les soldats du Maine-et-Loire. (12) A l'opposé, les volontaires du 2ᵉ bataillon de l'Ain sont plus jeunes puisque près de la moitié (49,52 %) ont moins de 21 ans contre 38,54 % pour nos Angevins. (13) La structure par âge du premier bataillon de Maine-et-Loire paraît donc assez équilibrée. Elle est d'ailleurs semblable à celle de l'échantillon national étudié par J.-P. Bertaud dans *Valmy* à cette exception près que l'on a engagé en Anjou moins de jeunes adolescents (5,72 % contre 10,2 % n'ont pas atteint 18 ans) et par contre plus de garçons de 18 à 20 ans (32,82 % contre 27,77 %) (14).

c. - Les volontaires de l'été 1791 non enrôlés lors de la formation du premier bataillon

Nous raisonnerons sur une population de 566 individus dont l'âge est indiqué sur les registres d'engagements, c'est-à-dire 73,51 % des 770 hommes de cette catégorie (15). La pyramide des âges (p. 304) s'étend de 13 à 67 ans,

---

l'âge minimum à 17 ans en temps de paix et 18 ans en temps de guerre (à cause des fatigues et des privations à supporter). D'après A. Corvisier, « La société militaire et l'enfant », dans *Annales de démographie historique*, 1973, p. 327-343.

(11) Le Maine-et-Loire ne fut pas le seul département à accepter des enfants dans les premiers bataillons de volontaires. Ce fut aussi le cas, entre autres, de l'Ain (J.-M. Lévy, « La levée du 2ᵉ bataillon de volontaires de l'Ain ... », *art. cit.* et de Paris (Ch. L. Chassin et L. Hennet, *Les volontaires nationaux pendant la Révolution*, Paris, 1899-1906, *passim.*). Par contre, à Marseille, un seul volontaire incorporé avait moins de 18 ans (S. Vialla, *L'Armée-Nation ..., op. cit.*, p. 64).

Dans l'échantillon national des 8 072 volontaires de 1791 étudiés par Jean-Paul Bertaud, 10,2 % ont moins de 18 ans (*Valmy, op. cit.*, p. 289).

(12) S. Vialla, *L'Armée-Nation ..., op. cit.*, p. 64.

(13) J.-M. Lévy, « La levée du 2ᵉ bataillon ... », *art. cit.*

(14) J.-P. Bertaud, *op. cit.*, p. 289.

D'autre part, le bataillon de Maine-et-Loire est, en moyenne, plus âgé que l'armée de ligne sous l'Ancien Régime. D'après l'enquête d'André Corvisier (*L'Armée ..., op. cit.*, tome I, p. 476-478) il y aurait eu, en 1763, 55,1 % de recrues de moins de 21 ans, contre 38,54 % parmi nos volontaires.

Avec la Ligne au début de la Révolution, il n'existe pas de point de comparaison exact. Samuel Scott utilise comme sources les contrôles, qui rassemblent évidemment tous les soldats sous les armes et non les seuls recrues. Cependant, comme près des 2/3 des soldats ont moins de 4 ans de service, le rapprochement est permis. Les pourcentages calculés par S. Scott pour les soldats, caporaux et sergents d'infanterie sont les suivants : moins de 18 ans 3,96 %, 18-25 ans 53,26 %, 26-30 ans 20,58 %, 31-35 ans 10,71 %, plus de 35 ans 11,49 %. (« Les soldats de l'armée de ligne en 1793 », *art. cit.*). Les volontaires angevins sont, on le voit, nettement plus jeunes.

(15) Les renseignements sont tirés principalement des registres 1 L 590 bis et Arch. mun. Saumur H 1-74 (1).

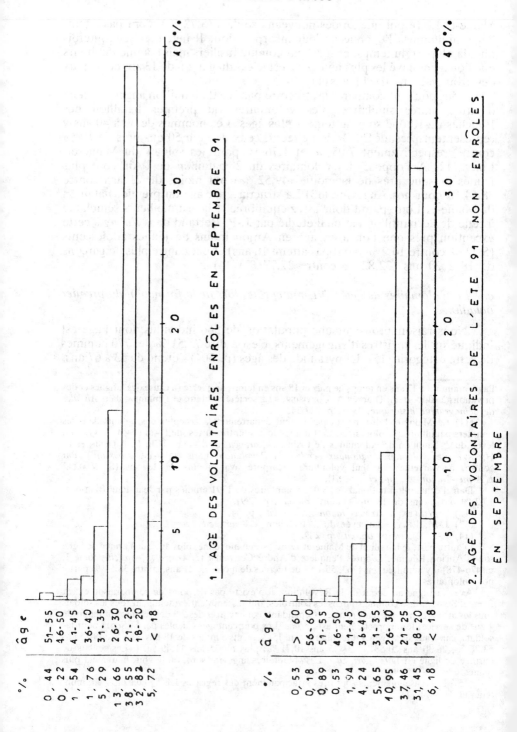

1. AGE DES VOLONTAIRES ENRÔLÉS EN SEPTEMBRE 91

âge	%
51-55	0,44
46-50	0,22
41-45	1,54
36-40	1,76
31-35	5,29
26-30	13,66
21-25	38,55
18-20	32,82
< 18	5,72

2. AGE DES VOLONTAIRES DE L'ÉTÉ 91 NON ENRÔLÉS EN SEPTEMBRE

âge	%
> 60	0,53
56-60	0,18
51-55	0,89
46-50	0,53
41-45	1,94
36-40	4,24
31-35	5,65
26-30	10,95
21-25	37,46
18-20	31,45
< 18	6,18

une amplitude de 54 années, bien supérieure à celle que nous avons relevée pour le contingent des volontaires incorporés au 1er bataillon (38 ans, rappelons-le). Les plus jeunes sont deux enfants de 13 ans qui se proposent comme tambours. Parmi les plus âgés, l'on trouve deux chirurgiens qui ne craignent pas, à 65 et 67 ans, de solliciter la place de chirurgien-major du bataillon. Le premier est Maurice Tardif (sic), de Durtal, le second Claude Bachelier d'Angers, le doyen de tous les «Bleus» d'Anjou (16). Entre les deux, un homme de 66 ans dont nous ignorons la profession, Calixte Humeau, de Thouarcé.

La pyramide des laissés pour compte de l'été 1791 a de fortes ressemblances avec celle des volontaires enrôlés au 1er bataillon. Nous y retrouvons notamment la domination des classes d'âge de 18 à 25 ans. Les classes 21-25 constituent encore la tranche-type de l'histogramme, avec toutefois une valeur légèrement inférieure (37,46 % contre 38,55 %), le groupe 18-20 ans venant toujours en deuxième position mais un peu en retrait, lui aussi, par rapport à la valeur qu'il atteignait dans la pyramide précédente (31,45 % au lieu de 32,82 %). Ces quelques variations négatives sont compensées par le gonflement des classes d'âge inférieures et supérieures, significatif même s'il est de faible ampleur. Les moins de 18 ans sont un peu plus nombreux parmi les volontaires qui n'ont pas été incorporés que parmi ceux qui ont été admis au bataillon (6,18 % au lieu de 5,72 %), mais ce sont surtout les classes correspondant aux hommes de plus de 35 ans qui sont plus fournies sur la pyramide des laissés pour compte. Elles regroupent 8,31 % de l'effectif contre 3,96 % dans le graphique précédent. Ce phénomène, joint à la plus grande amplitude des âges des volontaires dédaignés, montre que l'âge a joué un certain rôle dans la sélection à laquelle ont procédé les autorités départementales en septembre 1791.

Un âge trop tendre a pu, dans quelques cas, constituer un motif d'exclusion de l'unité en formation, mais le rejet des vétérans a été beaucoup plus fréquent. La moyenne d'âge traduit cet ostracisme : 24,06 ans pour les laissés pour compte, c'est-à-dire un an de plus que pour les soldats incorporés.

d. - Les volontaires de la « queue de levée » du premier bataillon

Sur 332 individus, 317 ont précisé leur âge au recruteur, soit 95,48 %, proportion bien supérieure à celles établies pour les volontaires de l'été précédent (17). Le benjamin a 15 ans, le plus âgé 53, ce qui fait une amplitude de 38 années comme pour les soldats incorporés à la création du bataillon, mais avec un décalage de deux ans vers le haut. Reportons-nous à la pyramide de la p. 306. Son aspect général évoque les deux graphiques précédents. Pourtant, l'on constate tout ensemble un rajeunissement et un vieillissement de l'effectif. Le rajeunissement est notable tant si l'on se réfère à la pyramide du premier bataillon qu'à celle des laissés pour compte. Il se

---

(16) Claude Bachelier avait été reçu maître-chirurgien à Angers le 9 juin 1752 (C. PORT, *Dictionnaire ...*, *op. cit.*,). Il mourra le 7 juin 1806 à l'âge de 82 ans (série Q, Enregistrement, bureau d'Angers, table des décès).

(17) 1 L 588 bis.

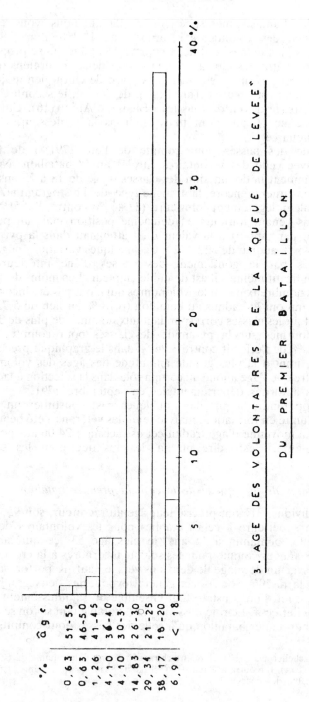

3. AGE DES VOLONTAIRES DE LA "QUEUE DE LEVÉE"
DU PREMIER BATAILLON

âge	%
51-55	0,63
46-50	0,63
41-45	1,26
36-40	4,10
30-35	4,10
26-30	14,83
21-25	29,34
16-20	38,17
< 18	6,94

marque par le gonflement du groupe des moins de 18 ans, surtout sensible par rapport à l'histogramme des soldats incorporés en septembre (18), et plus encore par le glissement de la tranche-type vers le bas. C'est maintenant le groupe des 18-20 ans qui est le plus nombreux avec 38,17 % de l'effectif et non plus celui des 21-25 ans comme sur les pyramides n° 1 et 2. Quant au vieillissement, il est notable si l'on se réfère aux soldats incorporés en septembre 1791 puisque 6,62 % des hommes de la «queue de levée» ont dépassé 35 ans contre 3,96 % pour les volontaires enrôlés dès la première heure. Ce pourcentage reste, par contre, inférieur à celui des «vétérans» parmi les laissés pour compte de l'été dont, rappelons-le, 8,31 % avaient dépassé 35 ans.

Vieillissement et rajeunissement se neutralisant à peu près, la moyenne d'âge de la nouvelle vague des volontaires (23, 14 ans) est très voisine de celle de leurs camarades admis naguère parmi l'élite patriote. Le renflement de la pyramide vers le haut et vers le bas est pourtant l'indice d'une certaine dégradation de la qualité du recrutement : les meilleurs soldats sont sans doute ceux qui peuvent allier jeunesse et maturité (19).

e. - Les volontaires du premier contingent de la levée de 1792

Les âges de 919 individus nous sont connus, sur un total de 938 soit la proportion remarquable de 97,97 %. Ils s'échelonnent sur 46 années, de 14 à 60 ans, ce qui constitue une amplitude plus grande que celle relevée dans les deux contingents incorporés au premier bataillon mais inférieure à celle des exclus de l'été 1791. L'arrêté départemental du 24 juillet 1792 avait fixé les limites d'âge à 18 et 50 ans, mais les garçons de 16 à 18 ans furent autorisés à s'engager par le décret voté le même jour par la Législative (20). Cela n'empêcha pas des hommes plus jeunes ou plus âgés de se présenter devant les recruteurs et, parfois, de se faire admettre. Des deux benjamins, qui n'avaient que 14 ans, l'un fut rejeté mais l'autre, Jean Emery, fut bien incorporé à la 8ᵉ compagnie du 2ᵉ bataillon comme soldat et non comme tambour. C'est qu'il était assez grand pour son âge (5 pieds) et qu'il avait menti sur sa date de naissance, prétendant être âgé de 17 ans. Toutefois, le registre d'enrôlement porte au crayon la mention «n'a que 14 ans, réclamé par ses parents» et il est possible que cet enfant ait été libéré (21). Des 6 volontaires âgés seulement de 15 ans, un fut incorporé comme tambour, trois comme soldats, les deux derniers ayant sans doute été renvoyés. A l'autre bout de l'échelle des âges, un homme de 58 ans fut incorporé au 2ᵉ bataillon. Il s'agit de Jacques Poulet, un ancien tambour-major qui affirme avoir passé 49 ans dans la Ligne et fut admis dans la compagnie des

---

(18) L'arrêté départemental du 11 juin 1792 enjoignait pourtant aux commissaires recruteurs de n'admettre au bataillon que des hommes âgés de 18 à 45 ans. (Cf. *supra*, p. 173).

(19) En ce qui concerne la structure par âge, le nouveau contingent se rapprocherait donc des recrues de l'armée d'Ancien Régime : 45,11 % des volontaires ont moins de 21 ans contre 55,1 % pour les recrues de 1763. (Cf. *supra* note 14).

(20) Ce décret ne pouvait évidemment pas être connu des autorités départementales (cf. *supra*, p. 197 note 211).

(21) 1 L 589 bis. L'âge des recrues de ce contingent est tiré principalement des sources suivantes : 1 L 588 bis, 1 L 589, 1 L 589 bis, 1 L 591, Arch. mun. Saumur H I-74 (1).

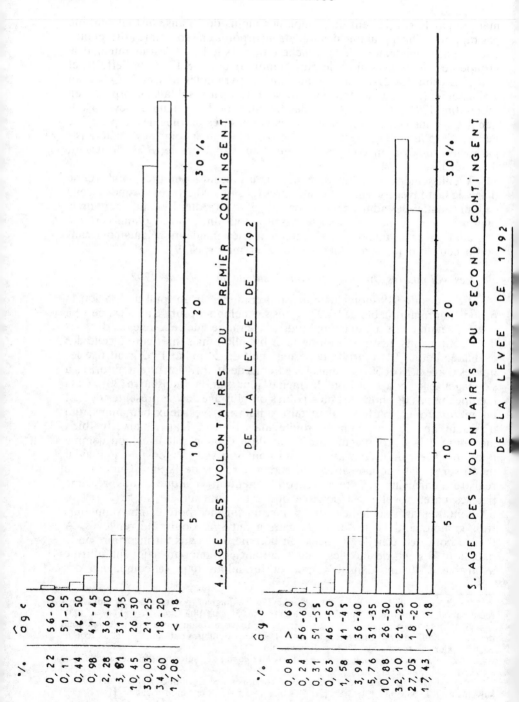

âge	%
56 - 60	0, 22
51 - 55	0, 11
46 - 50	0, 44
41 - 45	0, 98
36 - 40	2, 28
31 - 35	3, 81
26 - 30	10, 45
21 - 25	30, 03
18 - 20	34, 60
< 18	17, 08

4. AGE DES VOLONTAIRES DU PREMIER CONTINGENT

DE LA LEVEE DE 1792

âge	%
> 60	0, 08
56 - 60	0, 24
51 - 55	0, 31
46 - 50	0, 63
41 - 45	1, 58
36 - 40	3, 94
31 - 35	5, 76
26 - 30	10, 88
21 - 25	32, 10
18 - 20	27, 05
< 18	17, 43

5. AGE DES VOLONTAIRES DU SECOND CONTINGENT

DE LA LEVEE DE 1792

grenadiers. Mais le doyen est Charles-Gabriel Rataud-Duplais né à Angers le 5 mars 1732. Reçu maître en chirurgie dans sa ville natale en 1758 puis docteur en médecine à l'Université de Caen en 1775, il devint avec la Révolution chirurgien-major de la garde nationale angevine et fut incorporé au 3ᵉ bataillon pour y tenir une place similaire (22). Ces deux hommes constituent toutefois des exceptions car le plus âgé après eux n'a que 51 ans.

La pyramide n° 4 de la p. 308 se caractérise, par rapport aux précédentes, par un élargissement de la base, indice de rajeunissement. C'est ainsi que les adolescents de moins de 18 ans constituent 17,08 % de l'effectif soit plus de 10 points gagnés sur la tranche correspondante de l'histogramme de la «queue de levée» du premier bataillon où, jusqu'alors, ils étaient le mieux représentés. La tranche type reste celle des 18-20 ans avec 34,60 % de la population contre 38,17 % dans la pyramide précédente. La décroissance des groupes d'âge est rapide à partir de 26 ans. Les gens de plus de 35 ans forment seulement 4,03 % de l'effectif, une proportion semblable à celle des volontaires enrôlés à la formation du premier bataillon (3,96 %), mais très inférieure à celle des laissés pour compte de l'été 1791 et des hommes de la «queue de levée». Malgré la présence de quelques individus ayant dépassé la cinquantaine, le contingent est donc très nettement rajeuni par rapport à celui de 1791. La moyenne d'âge traduit ce phénomène. Elle est légèrement inférieure à 22 ans (21,88) alors qu'elle atteignait 23 ans pour les soldats incorporés à la création du premier bataillon ainsi que pour les hommes de la «queue de levée» et même 24 pour les laissés pour compte de l'été 1791.

La répartition de nos volontaires dans l'échelle des âges est voisine de celle des «Lignards» de 1763 étudiés par A. Corvisier, à cela près que les moins de 20 ans sont un peu moins bien représentés chez les «Bleus» d'Anjou et les plus de 30 ans un peu mieux (23). Même similitude avec l'échantillon national des 2 423 volontaires d'âge connu présenté par J.-P. Bertaud dans *Valmy*, mais cette fois il y a peu plus de jeunes et un peu moins de «vieux» parmi les hommes du Maine-et-Loire (24).

Tranches d'âge	Armée royale en 1763 (A. Corvisier)	Volontaires angevins	Echantillon national (J.-P. Bertaud)
16-20 ans................	55,1 %	51,68 %	46,3 %
21-25 ans................	31,5 %	30,03 %	30,7 %
26-30 ans................	9,1 %	10,45 %	11,0 %
31-35 ans................	2,9 %	3,81 %	4,6 %
au-dessus	1,4 %	4,03 %	7,4 %
TOTAL	100 %	100 %	100 %

(22) 1 L 589 bis ; A.G. contrôle du 3ᵉ bataillon ; C. PORT, *Dictionnaire ...*, *op. cit.*. Rataud-Duplais mourra à Angers le 24 novembre 1806 à 74 ans (série Q, Enregistrement, bureau d'Angers, reg. des mutations après décès n° 112, acte n° 334).

(23) A. CORVISIER, *L'Armée française ...*, *op. cit.*, tome I, tableau de la p. 476-III. Rappelons toutefois les réserves de l'auteur concernant ces statistiques (cf. *supra*, note 8).

(24) J.-P. BERTAUD, *op. cit.*, p. 300.

f. - Les volontaires du second contingent de la levée de 1792

Registres d'engagement et contrôles de troupe permettent de connaître l'âge de 1 268 volontaires, c'est-à-dire 96,65 % du contingent total qui s'élève à 1 312 individus (25). Ces âges s'échelonnent de 13 à 65 ans, ce qui représente une amplitude de 52 années, la plus forte après celle des candidats au premier bataillon dédaignés par le Département en septembre 1791. En réalité, le volontaire de 65 ans constitue une exception. Il s'agit de Jean Rozé, né en 1727 à Champtocé qui fut élu caporal de la 5ᵉ compagnie du 3ᵉ bataillon le 1ᵉʳ octobre 1792 puis sergent le 13 novembre. Cet homme est le plus âgé de tous ceux qui réussirent à se faire enrôler dans l'un des trois premiers bataillons de Maine-et-Loire puisque, rappelons-le, ni Claude Bachelier (67 ans), ni Calixte Humeau (66 ans), ni Maurice Tardif (65 ans) n'obtinrent cette faveur. C'est, n'en doutons pas, l'expérience militaire de Jean Rozé qui valut son incorporation car il avait passé 20 ans au régiment de Piémont (26). Mis à part ce cas unique, le plus vieux des hommes du 2ᵉ contingent de 1792 n'a que 58 ans, c'est-à-dire que l'éventail des âges ne s'étend plus que sur 45 années si on le prend comme référence. Nous retrouvons, à un an près, le chiffre du premier contingent. Tout comme le doyen, le benjamin de notre échantillon, Louis Ratouis, né à Angers en 1779 et donc âgé de 13 ans seulement, parvint à se faire incorporer dans le 3ᵉ bataillon, comme tambour de la 6ᵉ compagnie (27). Par contre, il semble que l'on n'admit au service que 5 des 15 volontaires de 15 ans, les plus jeunes après Louis Ratouis : l'un comme tambour, les 4 autres comme simples soldats.

La pyramide des âges du second contingent de 1792 (nᵒ 5, p. 308) présente les indices d'un léger vieillissement par rapport à l'échantillon précédent. Si les adolescents de moins de 18 ans occupent une place quasi identique sur les deux graphiques, la tranche type n'est plus celle des 18-20 ans mais redevient, comme en 1791, celle des 21-25 ans. En outre, à partir de 21 ans, toutes les tranches d'âge sont légèrement plus fournies sur la pyramide du second contingent. Les plus de 35 ans forment ainsi 6,78 % de l'effectif au lieu de 4,03 % dans l'échantillon précédent. Enfin, la moyenne d'âge s'établit aux alentours de 23 ans (22,98 exactement) comme pour les hommes admis au premier bataillon, au lieu de 22 dans le premier contingent de 1792. Au total, avec sa forte proportion de tout jeunes gens et le gonflement des tranches supérieures, la pyramide révèle de nouvelles difficultés dans le recrutement. L'on s'éloigne encore un peu plus, malgré les moyennes, de la structure par âge particulièrement satisfaisante que présentait le premier bataillon à sa formation. Mais il faut remarquer que la situation n'est pas plus mauvaise en Anjou que dans le reste du pays : la répartition par âge du dernier contingent des volontaires du Maine-et-Loire

---

(25) Essentiellement 1 L 595, mais aussi 1 L 588 bis, 1 L 589, 1 L 591 bis, 1 L 592, 1 L 594, 1 L 597 bis ; Arch. mun. Saumur H I-74 (1) ; Arch. nat. AF II-382 ; A.G., contrôle du 3ᵉ bataillon.
(26) 1 L 595 ; A.G., contrôle du 3ᵉ bataillon.
(27) *Ibid.*

est tout à fait proche de celle de l'échantillon national présenté par J.-P. Bertaud (28).

g. - *La répartition par âge des soldats et des gradés*

Nous nous sommes intéressé jusqu'ici à l'ensemble des «Bleus», étudiant indistinctement ceux qui ont été incorporés dans l'un des trois bataillons et ceux dont les offres ont été méprisées. Nous concentrerons maintenant l'éclairage sur les volontaires effectivement enrôlés. Les archives de Maine-et-Loire conservent les procès-verbaux des premières élections et les contrôles des unités à l'époque de leur formation (29). Ces documents permettent d'établir si l'âge fut un des critères retenus par les volontaires pour l'attribution des grades. Afin de faire la comparaison avec l'Armée Catholique, nous adopterons les mêmes tranches d'âge que pour les Vendéens : moins de 21 ans au moment de l'élection, 21 à 30 ans, 31 à 40 et plus de 40 ans (30).

● - *Les volontaires du premier bataillon*. — Les 454 volontaires dont nous connaissons l'âge se répartissent selon les grades de la façon suivante :

Grades	Moins de 21 ans en 1791		de 21 à 30 ans		de 31 à 40 ans		Plus de 40 ans		Total
	Nbre	%	Nbre	%	Nbre	%	Nbre	%	
Soldats	160	44,44	180	50,00	15	4,17	5	1,39	360
Tambours	4	66,67	0	0	2	33,33	0	0	6
Caporaux	7	23,33	16	53,33	5	16,67	2	6,67	30
S/Officiers	3	11,11	19	70,37	4	14,82	1	3,70	27
Officiers .... (E.M. compris)	1	3,23	22	70,97	6	19,35	2	6,45	31
TOTAL	175	38,55	237	52,20	32	7,05	10	2,20	454

Alors que chez les Vendéens les officiers mais non les sous-officiers étaient, dans leur ensemble, plus âgés que les soldats, il existe chez les «Bleus» du premier bataillon un lien très net entre l'âge et l'accession aux

---

(28) Cf. *supra*, p. 309. Nous avons en effet, pour le Maine-et-Loire : 44,48 % de moins de 21 ans, 32,10 % de 21 à 25 ans, 10,88 % de 26 à 30 ans ; 5,76 % de 31 à 35 ans, et 6,78 % de plus de 35 ans.

Par contre, la structure par âge du second contingent des volontaires angevins de 1792 s'éloigne, par son vieillissement, de celle de l'armée de ligne en 1763.

(29) Pour le premier bataillon : 1 L 579 et 1 L 582.

pour le 2e bataillon : 1 L 592 bis

pour le 3e bataillon : 1 L 596.

Nous laisserons de côté les hommes de la «queue de levée» du premier bataillon dont nous ne connaissons les grades qu'occasionnellement grâce au contrôle du premier bataillon conservé aux A.G.

(30) Cf. Cl. PETITFRÈRE, *Les Vendéens d'Anjou*, op. cit., p. 273.

grades du haut en bas de la hiérarchie. Malgré la faiblesse des échantillons, il semble que l'on puisse tenir pour règle générale que la proportion des hommes mûrs augmente à mesure que l'on s'élève dans l'échelle des grades. C'est ainsi que 7 caporaux ont moins de 21 ans alors que l'on trouve seulement dans cette catégorie 3 sous-officiers (deux sergents de 20 ans et un sergent-major de 19 ans) et un officier : René Tricault, un praticien de Saumur élu lieutenant de la 3ᵉ compagnie (31).

Cette constatation, somme toute très logique, ne saurait cacher une autre réalité : la remarquable jeunesse d'ensemble des gradés. Plus de 80 % des sous-officiers et près des 3/4 des officiers n'ont pas dépassé 30 ans au moment de leur élection. Ainsi, René Bariller devint capitaine de la 3ᵉ compagnie à 23 ans. Le lieutenant-colonel en second, Louis Lemoine, est né le 23 novembre 1764 : il avait par conséquent moins de 27 ans. Quant à Abel Guillot qui le remplacera à la tête du bataillon en nivôse an II, il était âgé de 31 ans à peine lorsqu'il fut choisi comme capitaine par les grenadiers puisqu'il était né le 27 novembre 1760 (32). Ceux qui ont dépassé la quarantaine sont généralement des « notables » ou bien de vieux « baroudeurs » de la Ligne. Il en va ainsi pour le lieutenant-colonel en premier, Beaurepaire, qui avait 51 ans, pour Pierre Maugars, un lieutenant de 44 ans qui était déjà capitaine de la garde nationale d'Angers et même, au premier niveau de la hiérarchie, pour Pierre Blondel qui a sans doute été élu caporal par les grenadiers malgré ses 44 ans parce qu'il avait servi 4 années dans la cavalerie (33). A l'échelon national comme dans notre département, la jeunesse caractérise les cadres des unités de volontaires : sur un échantillon de 6 026 chefs de bataillon, capitaines, lieutenants et sous-lieutenants, Jean-Paul Bertaud a calculé que 3 440, soit 57,08 %, n'avaient pas atteint 30 ans l'année suivant leur engagement (34). Les officiers de volontaires se distinguent ainsi très nettement de ceux de la Ligne (35).

● - *Les volontaires des 2ᵉ et 3ᵉ bataillons.* — Nous étudierons ensemble les hommes de la 2ᵉ levée, celle de 1792. Sur un total de 2 250 recrues rappelons que 1 695 (75,33 %) furent effectivement incorporées. La plupart furent enrôlées dans l'un des deux bataillons formés à Angers à un mois d'intervalle. Quelques-unes furent également versées, comme renforts, au premier bataillon, ce qui explique le chiffre de 1 695 qui dépasse le complet des deux unités (1 600 hommes). Plus exactement, on a incorporé

---

(31) 1 L 582 et 1 L 590 bis.
(32) Pour Bariller, cf. 1 L 582 et 1 L 590 bis,
pour Lemoine, cf. *supra*, p. 162,
pour Guillot, cf. A.G., contrôle du premier bataillon.
(33) Pour Beaurepaire, cf. *supra*, p. 161-162,
pour Maugars, cf. 1 L 582, 1 L 590 bis,
pour Blondel, cf. 1 L 582, 1 L 590 bis et Arch. mun. Saumur H I-74 (1).
(34) J.-P. Bertaud, *Valmy, op. cit.*, p. 296.
(35) D'après Samuel Scott, seulement 3,7 % des colonels, 10,3 % des lieutenants-colonels, 14,2 % des capitaines et 36,3 % des lieutenants et sous-lieutenants n'avaient pas atteint 31 ans en 1793 (« Les officiers de l'infanterie de ligne à la veille de l'amalgame », dans *A.H.R.F.*, oct.-déc. 1968, p. 455-471). D'autre part, 28,9 % des sergents étaient dans ce cas (S.F. Scott, « Les soldats de l'armée de ligne en 1793 », *art. cit.*).

758 volontaires sur les 938 inscrits du premier contingent formé, rappelons-le, de tous ceux qui ont offert leurs services avant la mi-août (80,81 %) et 937 sur les 1 312 recrues du second contingent (71,42 %).

Voyons la répartition suivant les grades des 1 670 nouveaux soldats dont nous connaissons l'âge, qui constituent 98,52 % des hommes incorporés.

Grades	Moins de 21 ans en 1792		de 21 à 30 ans		de 31 à 40 ans		Plus de 40 ans		Total
	Nbre	%	Nbre	%	Nbre	%	Nbre	%	
Soldats.............	721	49,01	629	42,76	94	6,39	27	1,84	1 471
Tambours..........	13	81,25	2	12,50	0	0	1	6,25	16
Caporaux..........	38	53,52	27	38,03	4	5,63	2	2,82	71
S/Officiers.........	17	33,33	27	52,94	5	9,81	2	3,92	51
Officiers............	8	13,11	44	72,13	7	11,48	2	3,28	61
(E.M. compris)									
TOTAL..............	797	47,72	729	43,65	110	6,59	34	2,04	1 670

Comme nous l'avons souligné pour le premier bataillon, la maturité a joué un rôle déterminant dans l'accession aux grades de sous-officiers et d'officiers des 2ᵉ et 3ᵉ unités de volontaires angevins. C'est ainsi que la proportion des sous-officiers de plus de 30 ans (13,73 %) est supérieure des 2/3 à celle des soldats de la catégorie correspondante (8,23 %). Le pourcentage des officiers du même âge est encore plus élevé (14,76 %). A l'inverse, un sous-officier sur trois et guère plus d'un officier sur 8, ont moins de 21 ans alors qu'un soldat sur deux appartient à ce groupe d'âge.

Autre similitude avec le premier bataillon : la plupart des sous-officiers et des officiers se recrutent dans la tranche d'âge de 21 à 30 ans. Toutefois, de 1791 à 1792 on discerne un rajeunissement des cadres ; la proportion des sous-officiers qui n'ont pas atteint 21 ans est 3 fois supérieure parmi les hommes de la seconde levée, celle des officiers d'âge similaire est même 4 fois plus grande. A l'inverse, les pourcentages des groupes de plus de 21 ans sont presque toujours inférieurs parmi les officiers et sous-officiers des 2ᵉ et 3ᵉ bataillons. Donnons quelques exemples. Deux volontaires furent élus sergents à l'âge de 16 ans : René Mariet, un boulanger du chef-lieu du département choisi par la 2ᵉ compagnie du 2ᵉ bataillon et Jean-Baptiste Corneau de la 3ᵉ compagnie du 3ᵉ bataillon. On découvre même dans la 4ᵉ compagnie du 3ᵉ bataillon un sergent-major aussi jeune : René Thierry apprenti imprimeur à Angers (36). Les benjamins des officiers ont quelques années supplémentaires. Si l'on met à part les deux armuriers, celui du 2ᵉ bataillon Antoine Lieutaud (18 ans) et celui du 3ᵉ bataillon Louis Ollivier (19 ans) que nous avons classés parmi les officiers parce qu'ils appartiennent à

(36) Pour le premier, cf. 1 L 589 bis et 1 L 592 bis. Pour les deux autres, 1 L 595, 1 L 596 ; A.G. contrôle du 3ᵉ bataillon.

l'Etat-Major, les plus jeunes sont trois sous-lieutenants et un lieutenant de 19 ans. Deux sous-lieutenants sont enrôlés au 2ᵉ bataillon, Pierre Dufresne commis au District de Saumur élu par la 6ᵉ compagnie et Claude Talbert son compatriote, boisselier de son métier, choisi par la 3ᵉ compagnie. L'autre est un volontaire du 3ᵉ bataillon inscrit à la 3ᵉ compagnie : Augustin Dutertre, Saumurois lui aussi, étudiant et fils de riches rentiers. Quant au lieutenant, il s'agit de Frédéric Tertrais, un marchand d'Angers, élu par les hommes de la 5ᵉ compagnie du 2ᵉ bataillon (37). Comme on pouvait s'y attendre, les capitaines sont un peu plus âgés. Il en existe pourtant un de moins de 20 ans, Jacques Allain né le 7 janvier 1773, commis marchand à Saumur, élevé à ce grade par les volontaires de la première compagnie du 2ᵉ bataillon. Allain s'était engagé en 1789 dans les carabiniers, était entré en 1792 dans la garde constitutionnelle du roi mais avait dû la quitter avant qu'elle ne fût licenciée (38). Même les officiers de l'Etat-Major sont des hommes encore bien jeunes : Jacques Desjardins commandant le 2ᵉ bataillon né le 18 février 1759 n'a que 33 ans, Guillaume Guinhut, le premier lieutenant-colonel du 3ᵉ bataillon est son cadet de 10 mois puisqu'il est né le 31 décembre de la même année. Les commandants en second sont encore moins âgés : celui du 2ᵉ bataillon, Charles Houdet, n'a que 31 ans, quant à Jean-Jacques Duboys qui dirigea en fait le 3ᵉ bataillon devant l'incapacité de Guinhut, il était né le 17 octobre 1766 et avait donc moins de 26 ans lorsqu'il s'enrôla le 9 septembre 1792. Il est vrai que les trois premiers compensaient leur jeunesse par un service déjà long comme bas-officiers de ligne (39).

Le rajeunissement d'une levée à l'autre est encore plus sensible au niveau des caporaux. Contrairement à ce que l'on remarque pour le premier bataillon, la structure par âge de l'ensemble des caporaux est très proche de celle des soldats. On pourrait presque dire que la maturité a été un facteur négatif lors des élections. L'on trouve nombre de caporaux très jeunes : 4 n'ont que 16 ans et 12, 17 ans. Si, exceptionnellement, un homme de 65 ans, Jean Rozé, devint caporal dans la 5ᵉ compagnie du 3ᵉ bataillon, c'est qu'il était un vieux briscard du régiment de Piémont. Enfin, il faut mettre à part les tambours presque toujours choisis parmi les enfants ou les adolescents comme l'année précédente. C'est pourtant un vétéran de 58 ans, Jacques Poulet, qui devint le tambour des grenadiers du 2ᵉ bataillon : l'expérience avait plaidé en sa faveur puisqu'il avait servi comme tambour-major dans la Ligne (40).

4. - Situation de famille ...

Nos documents ne permettent malheureusement pas d'établir une statistique des hommes mariés, des veufs et des célibataires. Certes, le mot

---

(37) Pour Dufresne, cf. 1 L 589 bis, 1 L 590 bis, 1 L 592 bis.
Pour Talbert et Tertrais, cf. 1 L 589 bis et 1 L 592 bis. Pour Dutertre, cf. 1 L 595, 1 L 596 ; Arch. nat. AF II-382, et A.G. contrôle du 3ᵉ bataillon. Cet homme mourra, fort riche, le 13 novembre 1850 (cf. infra, p. 421-422).
(38) Cf. supra, p. 234.
(39) Cf. supra, p. 210-212.
(40) Pour Rozé, cf. 1 L 595 et A.G., contrôle du 3ᵉ bataillon.
Pour Poulet, cf. 1 L 589 bis.

«garçon» figure assez souvent dans les formules d'engagement mais il est ambigu. Comme il précède presque toujours le métier, on est tenté de le traduire par «ouvrier» ou «salarié». L'on est sans doute dans le vrai quand il s'agit de l'association «garçon laboureur». Mais que penser de «garçon domestique» dont les deux termes formeraient une expression pléonastique, de «garçon journalier» ou encore de «garçon bourgeois» (41)? Il est vraisemblable que dans ce cas et dans beaucoup d'autres «garçon» signifie célibataire. Nous le vérifions par exemple dans l'engagement de Guy Allaiton : le mot y a été barré, remplacé par «marié» (42). S'il est impossible d'utiliser une mention qui peut être chargée de sens différents, l'on peut recenser les termes «marié» ou «veuf» qui ne présentent aucune équivoque. Nous le ferons à titre purement indicatif sachant que la situation matrimoniale des engagés n'a pas été précisée systématiquement sur les registres (43).

En ce qui concerne les volontaires de l'été 1791, le seul document utilisable est le registre d'engagement par district (44). Nous y apprenons que 12 hommes effectivement enrôlés dans le premier bataillon étaient mariés. Sept d'entre eux étaient même pères de famille : trois avaient un enfant et quatre en avaient deux. Ce sont des nombres bien faibles par rapport aux quelque 420 individus pour lesquels le renseignement nous paraît susceptible d'exister. Parmi les volontaires non enrôlés dont les fiches sont à peu près complètes (nous en avons décompté 356), on recense 24 hommes mariés dont 14 chargés de famille et 8 veufs dont 5 ont des enfants. La plupart des pères ont un ou deux enfants mais cinq d'entre eux en ont trois et l'un en a même quatre. A nous en tenir à cet échantillon, il semblerait donc que l'on ait rejeté du bataillon en formation tous les veufs, tous les pères de famille nombreuse (trois enfants ou plus), mais que l'on n'ait pas fait fi systématiquement des hommes mariés. Il est vrai que la plupart de ceux que l'on a acceptés au bataillon sont d'anciens militaires que leurs connaissances techniques rendaient précieux. Parmi les volontaires de la «queue de levée», on relève 10 hommes mariés sur 332, dont deux pères d'un enfant, et deux veufs dont l'un avait deux enfants (45) Dans le 1er contingent de 1792 dont, rappelons-le, le total s'élève à 938, les hommes mariés paraissent fort peu nombreux. Nous en avons compté douze auxquels s'ajoute un veuf. Presque tous sont chargés de famille. Cinq d'entre eux furent rejetés des deux nouveaux bataillons en formation comme Pierre Lambert qui avait «2 enfants en bas âge» ou Pierre

---

(41) L'association «garçon journalier» se rencontre surtout dans le registre 1 L 588 bis. C'est aussi dans ce registre que Charles Chesneau est qualifié de «garçon bourgeois». Le terme «garçon laboureur» est très fréquent dans 1 L 595.

(42) Cette précision se trouve dans le registre 1 L 589 bis, engagement n° 1 981.

(43) C'est ainsi que l'engagement de Rataud-Duplais, chirurgien-major du 3e bataillon, ne comporte aucune précision sur sa situation de famille (1 L 589 bis). Or, nous savons qu'il fut marié deux fois (C. PORT, *Dictionnaire ...*, *op. cit.*).

(44) 1 L 590 bis.
A titre de comparaison, signalons que 120 des 558 inscrits sur le registre des volontaires de Besançon en juin-juillet 1791 étaient mariés (soit 21,5 %) d'après P. BELPERRON, «Les levées de volontaires à Besançon en 1791 et 1792», dans *Annales Révolutionnaires*, nov-déc. 1921, p. 490-500.

(45) 1 L 588 bis.

Henry qui avait, lui aussi, deux enfants et dont la femme était enceinte (46). D'autres furent acceptés après hésitation tel Joseph Poulard inscrit à la 8ᵉ compagnie du 2ᵉ bataillon, «renvoyé par ordre du pʳ gᵃˡ, ayant des enfants en bas âge», et finalement incorporé à la 7ᵉ compagnie du 3ᵉ bataillon d'où il désertera d'ailleurs le 10 prairial an III (29 mai 1795)(47). Enfin, sur les 1 312 individus formant le second contingent de la levée de 1792, on recense 22 hommes mariés et deux veufs. Sept d'entre eux seulement seraient chargés de famille. Si René Thomas paraît bien avoir été incorporé comme renfort dans le premier bataillon malgré ses trois enfants, il semble que la plupart des autres pères de famille aient été remerciés à l'exemple de Pierre Nobileau «renvoyé étant marié et ayant des enfants» ou de Louis Ossant «réclamé par sa femme qui est enceinte et a déjà un enfant»(48).

Au total, et quelles que soient les lacunes des sources, le nombre de volontaires mariés est toujours bien faible, un peu plus élevé toutefois dans les contingents où les hommes d'âge mûr sont plus nombreux : laissés pour compte de l'été 1791, «queue de levée» du premier bataillon et 2ᵉ contingent de la seconde levée. Que les «Bleus» d'Anjou aient été presque tous des célibataires ne nous surprendra pas mais ce fait constitue, sans nul doute, un nouvel élément de différenciation avec les Vendéens puisque ceux-ci s'identifient à l'ensemble de la population masculine, pères de famille compris.

II. - ESSAI D'ANTHROPOLOGIE

Comme tout soldat, les volontaires nationaux devaient être soumis à un contrôle d'aptitude préalable à leur incorporation. Les registres d'engagement comportent à cet effet des précisions d'ordre physique (taille, signalement, infirmités éventuelles) qui sont totalement absentes des documents relatifs aux Vendéens. La donnée qui paraît le plus susceptible d'une étude statistique, parce que la seule qui soit chiffrée, concerne les tailles.

1. - La taille

Apparemment, la mesure de la taille des recrues destinées aux trois premiers bataillons de Maine-et-Loire semble avoir fait l'objet de quelque soin. Dans la quasi-totalité des cas, en effet, elle est exprimée en pieds, pouces et lignes, ce qui suppose que les volontaires aient passé sous la toise. En réalité, l'on sait combien est sujette à caution l'expression chiffrée de la taille humaine au XVIIIᵉ siècle. Théoriquement, la recrue devait être toisée pieds nus, mais il arrive que l'on rencontre dans les engagements la mention «chaussé» et nul ne peut dire si le secrétaire a eu l'honnêteté intellectuelle d'ajouter cette précision chaque fois qu'il y avait lieu ...

Au total, plus que les valeurs absolues, nous retiendrons l'évolution relative d'un contingent à l'autre. Pour chacun d'eux nous répartirons les tailles en 11 tranches correspondant aux mensurations suivantes :

(46) 1 L 589 bis.
(47) 1 L 589 bis et A.G. contrôle du 3ᵉ bataillon.
(48) 1 L 595.

Nº des tranches	Taille en pieds	Taille en mètres (49)
1	moins de 4 p. 9 p. 6 l.	1,557 m.
2	environ 4. 10. (soit de 4.9.6 à moins de 4.10.6)	1,570 (soit de 1,557 à moins de 1,584)
3	environ 4. 11. (de 4.10.6 à moins de 4.11.6)	1,597 (de 1,584 à moins de 1,611)
4	environ 5 p. (de 4.11.6 à moins de 5.0.6)	1,624 (de 1,611 à moins de 1,638)
5	environ 5. 1. (de 5.0.6 à moins de 5.1.6)	1,651 (de 1,638 à moins de 1,665)
6	environ 5. 2. (de 5.1.6 à moins de 5.2.6)	1,678 (de 1,665 à moins de 1,692)
7	environ 5. 3. (de 5.2.6 à moins de 5.3.6)	1,705 (de 1,692 à moins de 1,719)
8	environ 5. 4. (de 5.3.6 à moins de 5.4.6)	1,732 (de 1,719 à moins de 1,746)
9	environ 5. 5. (de 5.4.6 à moins de 5.5.6)	1,759 (de 1,746 à moins de 1,773)
10	environ 5. 6. (de 5.5.6 à moins de 5.6.6)	1,786 (de 1,773 à moins de 1,800)
11	5.6.6 et plus	1,800 et plus

a. - Les volontaires du 1ᵉʳ bataillon

Nous avons relevé la taille de 448 des 577 individus incorporés en septembre 1791 dans la première unité de volontaires du Maine-et-Loire, soit une proportion de 77,64 % (50). Le plus grand mesurait 5 pieds 8 pouces (1,841 m), le plus petit 4 pieds 1 pouce 3/4 (1,347m). Toutefois les tailles inférieures à 4 pieds 9 pouces 6 lignes (1,557 m) constituent des exceptions puisqu'on n'en compte que 6. Presque tous ces soldats lilliputiens sont des enfants engagés comme tambours et qui conservaient l'espoir de grandir. C'est le cas pour le plus petit des volontaires du premier bataillon, André Lemesle, un garçon de 14 ans. On a pourtant enrôlé à la 3ᵉ compagnie Adrien

(49) D'après L.D. GUYOT, *Tables et instructions pour opérer facilement (...) la conversion des anciennes mesures en celles du système métrique*, Angers, s.d., annexe *in fine*.

(50) Le renseignement est tiré du registre 1 L 590 bis, de l'état des Arch. nat. coté AF II-382, ou du contrôle du premier bataillon de Maine-et-Loire (A.G.).

Routiau, un jeune homme de 4 pieds 8 pouces (1,516 m) qui avait pratiquement achevé sa croissance puisqu'il était âgé de 21 ans, mais il fut congédié ultérieurement pour défaut de taille (51). Reportons-nous à l'histogramme de la p. 319. La tranche type est celle qui porte le n° 6. Elle regroupe par conséquent les individus mesurant autour de 5 pieds 2 pouces (1,678 m.). Un peu plus du 1/5ᵉ de la troupe était de cette grandeur que l'on peut considérer comme relativement élevée pour l'époque. Cependant, la structure par taille de nos « Bleus » est fort semblable à celle de l'échantillon national des volontaires de 1791 étudié par J.-P. Bertaud dans *Valmy* : il y a dans les deux populations une proportion quasi identique de « grands » de plus de 5 pieds 2 pouces et de « petits » dont la taille ne dépasse pas 5 pieds. (52) Au total, les hommes du premier bataillon étaient d'assez belle stature et supportaient la comparaison avec les soldats de l'infanterie de ligne (53). Le rapprochement avec l'ensemble des conscrits angevins de la Restauration est significatif : 32,33 % de ces derniers ne dépassaient pas 5 pieds, tandis que 14,29 % seulement des volontaires du premier bataillon ont une taille inférieure à 5 pieds 6 lignes ; à l'inverse, 29,74 % des conscrits mesuraient plus de 5 pieds 2 pouces mais 47,10 % de nos « Bleus » atteignent au moins 5 pieds 2 pouces 6 lignes (54)

b - Les volontaires de l'été 1791 non enrôlés lors de la formation du premier bataillon

Nous connaissons la taille de 493 candidats malheureux au service sur 770 (64,02 %). Elle s'échelonne sur un éventail d'amplitude comparable à celle relevée pour les volontaires incorporés, mais avec un léger décalage vers le haut puisque le plus petit des laissés pour compte atteint 4 pieds 3 pouces (1,380 m.) alors que le plus grand mesure 5 pieds 10 pouces 6 lignes (1,909m), ce qui constitue la plus haute taille connue pour l'ensemble de nos « Bleus ». Comme précédemment les mensurations inférieures à 4 pieds 9 pouces 6 lignes sont exceptionnelles (on en relève seulement 10) et concernent surtout des enfants briguant une place de tambour. Les deux plus petits qui mesurent respectivement 4 pieds 3 pouces et 4 pieds 5 pouces (1,380 m. et 1,434 m.) sont âgés de 13 ans. On trouve cependant un adulte de 32 ans, infirme, qui n'atteint que 4 pieds 6 pouces (1,461 m). Nous avons reporté la structure par taille de l'échantillon sur l'histogramme n° 2 de la p. 319. On constate que la classe de plus grande fréquence est, comme précédemment, la tranche n° 6, celle des individus mesurant à peu près 5 pieds 2 pouces. Sa valeur en pourcentage est pratiquement identique à celle

---

(51) 1 L 585 bis, état dressé par Beaurepaire le 9 mars 1792.

(52) J.-P. BERTAUD, *Valmy, op. cit.*, p. 290.

(53) Tout au moins si l'on prend comme référence les hommes qui servaient en 1793 (d'après S.-F. SCOTT, « Les soldats de l'armée de ligne en 1793 », *art. cit.*). Les soldats de 1763 étaient beaucoup plus grands : si 4,22 % d'entre eux ne dépassaient pas 5 pieds, 66,36 % atteignaient au moins 5 pieds 2 pouces 6 lignes (A. CORVISIER, *L'Armée française ..., op. cit.*, tome II, p. 640-641).

(54) J.-P. ARON, P. DUMONT, E. LE ROY LADURIE, *Anthropologie du conscrit français d'après les comptes numériques et sommaires du recrutement de l'armée (1819-1826) ...*, Paris, 1972, p. 54-55 et 86-91.

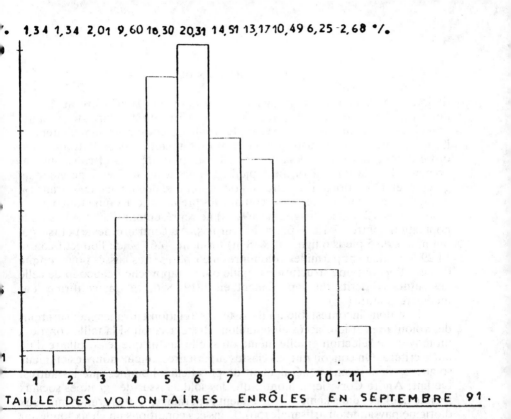

1,34 1,34 2,01 9,60 10,30 20,31 14,51 13,17 10,49 6,25 2,68 °/₀

TAILLE DES VOLONTAIRES ENRÔLES EN SEPTEMBRE 91.

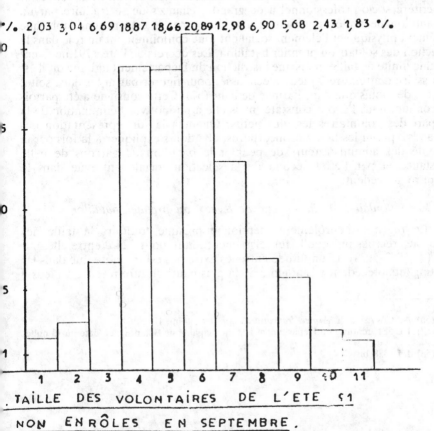

°/₀ 2,03 3,04 6,69 18,87 18,66 20,89 12,98 6,90 5,68 2,43 1,83 °/₀

TAILLE DES VOLONTAIRES DE L'ETE 91
NON ENRÔLES EN SEPTEMBRE.

de la classe similaire dans la figure n° 1, légèrement supérieure au 1/5ᵉ de l'effectif. Là s'arrêtent les ressemblances. En effet, dans le premier graphique venaient aux 2ᵉ et 3ᵉ rangs les tranches encadrant immédiatement la classe type alors que dans le nouvel histogramme, la seconde tranche par ordre d'importance décroissante est celle qui porte le n° 4 et rassemble les hommes dont la taille avoisine 5 pieds. Les tranches n° 5 et 7 ne viennent qu'en 3ᵉ et 4ᵉ positions. En outre, si l'on reprend le découpage en « grands », « moyens » et « petits », on s'aperçoit que les premiers, ceux qui atteignent au moins 5 pieds 2 pouces 6 lignes (1,692 m) ne représentent que 29,82 % de la population contre 47,10 % parmi les enrôlés. Au contraire, les « petits » qui ont moins de 5 pieds 6 lignes (1,638 m) forment 30,63 % de l'effectif contre 14,29 % seulement parmi les volontaires incorporés. Les laissés pour compte de l'été 1791 ont une structure par taille qui se rapproche beaucoup de celle des futurs conscrits du département en 1819-1826, ce qui confirme leur médiocre stature (55).

Il est donc incontestable qu'il existe une relation entre les mensurations des volontaires et leur accès au bataillon. Reste à savoir si la taille constitua un moyen de sélection en elle-même ou si elle ne fut que le corollaire d'un autre critère. On conçoit que les classes supérieures, mieux nourries et mieux soignées, aient donné généralement de plus beaux hommes que les autres. De fait, André Corvisier a montré que les soldats issus des groupes sociaux les mieux placés dans la hiérarchie étaient généralement plus grands que ceux d'origine paysanne ou artisanale (56). Dans ces conditions un choix fondé sur un critère socio-professionnel a de grandes chances de se traduire par un échantillon de tailles supérieures à la moyenne. Il est vraisemblable que l'élément physique et l'élément social ont joué conjointement un rôle dans la sélection des soldats du premier bataillon. Les décrets de l'été 1791 ne fixent aucune limite de taille, mais une instruction du Département indique qu'il est nécessaire d'atteindre 5 pieds, déchaussé, pour figurer parmi les élus, soit 2 pouces de moins que dans l'armée de ligne (57). Cette consigne a été parfois méconnue, nous l'avons constaté, mais elle a pu motiver l'élimination de la plupart des volontaires les plus petits. Quant à la sur-représentation des « grands » parmi les hommes incorporés, elle doit s'expliquer à la fois par la volonté des administrateurs de peupler le bataillon de garçons de belle prestance et par l'effet second de la sélection sociale entrevue dans le chapitre précédent.

c. - Les volontaires de la « queue de levée » du premier bataillon

Le registre d'enrôlement mentionne presque toujours la taille des nouvelles recrues puisque le renseignement figure pour 324 d'entre elles sur 332 (97,59 %) (58). L'amplitude entre les extrêmes est moindre que dans les contingents précédents. L'homme de la plus haute stature mesure 5 pieds 8

---

(55) *Ibid.*
(56) A. Corvisier, *L'Armée française ...*, *op. cit.*, tome II, p. 648.
(57) 1 L 581, réponse du Département à la municipalité de Beaufort, en date du 13 juillet 1791.
(58) 1 L 588 bis.

pouces (1,841 m), taille identique à celle du plus grand des volontaires enrôlés en septembre 1791, mais inférieure de 2 pouces 1/2 à celle du plus grand des laissés pour compte. A l'autre bout de l'échelle l'on rencontre des volontaires de 4 pieds 10 pouces (1,570m), 7 pouces de plus que le dernier des gardes nationaux rejetés du bataillon en formation et même 8 pouces 1/4 de plus que le plus petit des enrôlés de septembre. Cela s'explique par l'augmentation des âges des plus jeunes d'un contingent à l'autre : le benjamin des volontaires de la «queue de levée» a 15 ans, tandis que des enfants de 13 ans s'étaient offerts durant l'été précédent.

La répartition par taille des nouvelles recrues est représentée par l'histogramme n° 3 (p. 322). Cette figure est tout à fait différente des deux précédentes. La classe type n'est plus, comme dans les graphiques n° 1 et 2, la tranche 6 regroupant les hommes dont la taille est voisine de 5 pieds 2 pouces, mais la tranche 4 correspondant aux tailles proches de 5 pieds seulement. Elle rassemble à elle seule 28,70 % de l'effectif total. D'autre part, les hommes les plus petits, ceux qui n'atteignent pas 5 pieds 6 lignes représentent 37,96 % de l'échantillon soit une proportion supérieure de près de 24 points à celle des volontaires de taille comparable incorporés au bataillon en septembre et encore supérieure de plus de 7 points à celle des «petits» parmi les laissés pour compte. Corollairement, on remarque que les individus les plus grands, ceux qui ont au moins 5 pieds 2 pouces 6 lignes équivalent à 21,30 % des soldats de la «queue de levée» seulement, contre 29,82 % des gardes nationaux n'ayant pu se faire admettre au bataillon dans l'été précédent et 47,10 % des volontaires enrôlés à la formation de l'unité. Par conséquent, le nouveau contingent est, dans son ensemble, de taille particulièrement médiocre, ce que ne saurait expliquer à elle seule l'augmentation, somme toute modeste, du pourcentage des adolescents (45,11 % de moins de 21 ans contre 38,54 % parmi les enrôlés de septembre 1791 et 37,63 % parmi les laissés pour compte). Pour colmater les brèches ouvertes dans le premier bataillon par les désertions et pour en porter l'effectif à 800 hommes conformément à la loi des 5-6 mai 1792, on a été obligé d'accepter des individus de taille nettement inférieure à celle d'hommes dont on avait fi quelques mois auparavant(59).

d. - Les volontaires du premier contingent de la levée de 1792

Les documents à notre disposition mentionnent la plupart du temps la taille des individus enregistrés depuis la décision du Département de lever un deuxième bataillon, le 24 juillet 1792, jusqu'à la mi-août(60). La précision est donnée pour 919 hommes sur une population de 938 volontaires, c'est-à-dire 97,97 % du contingent. L'arrêté départemental fixait à 5 pieds la taille minimum requise(61). En réalité, 351 recrues ne l'atteignent pas (38,19 %). Le plus petit des candidats au service militaire, Jean Defais, est un

(59) Un décret du 10 février 1792 interdisait d'ailleurs le renvoi ou la réforme pour défaut de taille des volontaires déjà incorporés, afin de ne pas affaiblir les bataillons (E. DEPREZ, Les Volontaires nationaux ..., op. cit., p. 163).

(60) Principalement 1 L 589 bis, mais aussi 1 L 588 bis, 1 L 589, 1 L 591 et Arch. mun. Saumur H I-74 (1).

(61) Cf. supra, p. 197.

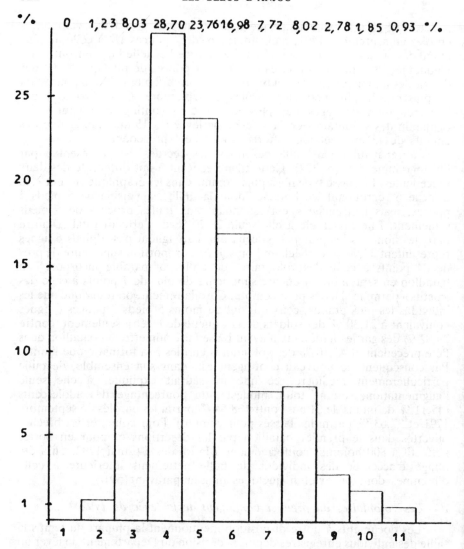

3. TAILLE DES VOLONTAIRES DE LA ˇQUEUE DE LEVEE DU PREMIER BATAILLON.

tambour de 16 ans mesurant 4 pieds 5 pouces (1,434 m). Deux autres volontaires n'ont que 4 pieds 6 pouces (1,461 m) : Germain Guéry âgé de 16 ans lui aussi et Michel Rabin de 28 ans. Ce dernier ne semble d'ailleurs pas avoir été incorporé. A l'opposé, Jacques Poulet, doyen des tambours du 2^e

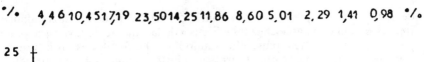

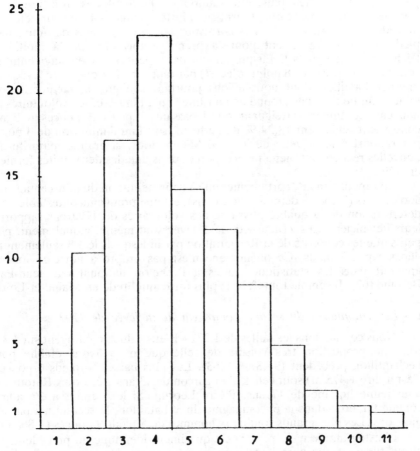

4. TAILLE DES VOLONTAIRES DU PREMIER CONTINGENT DE LA LEVEE DE 1792.

bataillon (58 ans) est également le plus grand des hommes de ce contingent : il mesure 5 pieds 10 pouces (1,895 m).

L'histogramme n° 4 ci-dessus offre quelque ressemblance avec le précédent. Ici et là, la classe type est la 4e tranche qui rassemble sur le nouveau graphique près du 1/4 de la population (23,50 %). Le volontaire moyen du début de l'été 1792 est donc nettement plus petit que son camarade de l'an passé : 5 pieds environ contre 5 pieds 2 pouces. La tendance au rapetissement constatée chez les « Bleus » de la « queue de levée » se poursuit par conséquent. Bien plus, elle s'amplifie : l'effectif des trois premières tranches est nettement plus fourni sur l'histogramme n°4 que sur celui qui précède. Au total, les 4 classes correspondant aux hommes de moins de 5 pieds 6 lignes regroupent pour la première fois plus de la moitié de l'échantillon (55,60 %). La proportion des « petits » est en augmentation considérable (près de 18 points d'écart) par rapport à la « queue de levée » du premier bataillon dont nous avions pourtant souligné la médiocrité des tailles. On ne sera pas étonné de constater qu'à l'inverse, les volontaires du nouveau contingent atteignant ou dépassant 5 pieds 2 pouces 6 lignes constituent seulement 18,29 % de l'effectif, soit une diminution de 3 points par rapport à la « queue de levée ». Malgré tout, la grande majorité des nouvelles recrues ont bien été incorporées dans une des deux unités formées en 1792.

Le rapetissement, partiellement lié à l'augmentation du pourcentage des adolescents (51,68 % de moins de 21 ans), est une preuve incontestable de la détérioration de la qualité physique des volontaires de 1792 par rapport à leurs devanciers. Les « Bleus » de la 2e levée sont même, globalement, plus petits que les conscrits de la Restauration parmi lesquels le 1/3 seulement ne dépasse pas 5 pieds. Ce phénomène n'est pas propre à notre région : il apparaît dans les statistiques faites à l'échelon national par Jean-Paul Bertaud (62). Il semble toutefois de plus forte amplitude en Maine-et-Loire.

e. - Les volontaires du second contingent de la levée de 1792

Nous connaissons les tailles de 1 271 « Bleus » du 2e contingent sur 1 312 soit une proportion très voisine de celle que nous avons établie pour l'échantillon précédent (96,87 %) (63). Les plus basses (4 pieds 6 pouces, c'est-à-dire 1,475 m) sont celles d'un garçon de 13 ans 1/2, Louis Ratouis, et d'un jeune homme de 17 ans, Pierre Lebrun. Si le premier a été admis comme tambour dans la 6e compagnie du 3e bataillon, le second n'a pas été incoporé. Les plus grands sont deux hommes de 5 pieds 9 pouces (1,868 m).

L'histogramme n° 5 (p. 325) est quasiment identique au précédent. La classe type est toujours la tranche n° 4 groupant les hommes d'environ 5 pieds. Elle rassemble 22,42 % de l'effectif. Les « petits », ceux de moins de 5 pieds 6 lignes, sont, toutes proportions gardées, légèrement moins nombreux que leurs homologues du premier contingent (50,03 % contre 55,60 %), ce qui correspond à la légère diminution du pourcentage des adolescents (44,48 % de moins de 21 ans contre 51,68 %), tandis que les « grands » d'au moins 5 pieds 2 pouces 6 lignes sont un peu plus nombreux (21,25 % contre 18,29 %). Par ailleurs, on recense 385 individus (30,29 %) n'atteignant pas la taille, théoriquement exigée, de 5 pieds. C'est là une

---

(62) J.-P. Aron, R. Dumont, E. Le Roy Ladurie, op. cit., p. 87. J.-P. Bertaud, Valmy, op. cit., p. 301.

(63) Les renseignements sont tirés principalement de 1 L 595, mais aussi de 1 L 589, 1 L 591 bis, 1 L 592, 1 L 594, 1 L 597 bis, Arch. mun. Saumur H I-74 (1), Arch. nat. AF II-382 et A.G., contrôle du 3e bataillon de Maine-et-Loire.

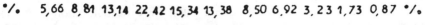

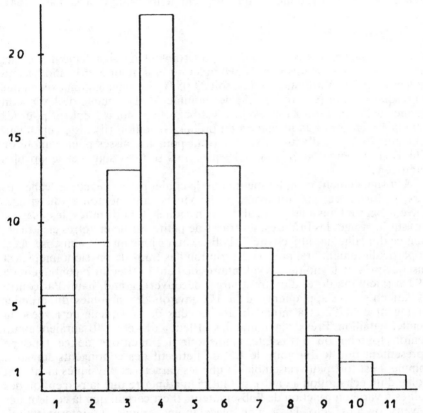

5. TAILLE DES VOLONTAIRES DU SECOND CONTINGENT DE LA LEVEE DE 1792.

proportion légèrement plus faible que celle relevée pour le contingent antérieur, ce qui montre bien qu'il n'y a pas eu de nouvelle détérioration de la stature des volontaires. Malgré tout, s'il y a eu stabilisation dans la qualité physique du recrutement, elle s'est fait à un niveau tout à fait médiocre. Il subsiste un fossé entre la prestance des « Bleus » de 1792, et celle des volontaires incorporés dans le premier bataillon, véritable corps d'élite, et même celle des hommes dont on avait dédaigné les offres devant l'importance du mouvement patriotique. Cette fois, il semble que l'on ait dû faire flèche de tout bois. Sans doute faut-il mettre en rapport l'amoindrissement global des tailles non seulement avec le rajeunissement de l'échantillon, mais avec l'élargissement géographique du recrutement, son glissement des villes vers les campagnes, sans doute aussi avec des mutations dans les couches socio-professionnelles qui offrirent leurs enfants à la Patrie (64).

2. - Le signalement

Les engagements comportent le plus souvent un signalement succinct des recrues. Nous l'avons recensé, complet ou non, pour 3 263 candidats au service sur 3 929, Bardonais exclus, soit 83,05 %. Le signalement existe pour la presque totalité (environ 95 %) des hommes de la « queue de levée » du premier bataillon et de la 2ᵉ levée. Il est beaucoup moins fréquent pour les volontaires enrôlés à la formation du premier bataillon (il existe cependant pour plus de 71 % d'entre eux) et surtout pour les laissés pour compte de l'été 1791 (à peine 50 %), pour lesquels nos sources sont beaucoup plus hétérogènes.

Un signalement complet mentionne la couleur des cheveux et celle des yeux, la forme du nez, du front, de la bouche, du menton et du visage. Souvent figurent aussi les particularités physiques, les infirmités, les « seins » (sic) sur le visage, les brûlures, les traces de petite vérole et autres cicatrices. Dans ce domaine, la subjectivité de l'observateur joue un rôle immense. Ceci est particulièrement vrai pour la description des traits de physionomie. C'est ainsi que près de la moitié des volontaires de l'été 1791 et du 2ᵉ contingent de 1792 auraient été dotés d'un front large, découvert, grand, haut. Par contre ces adjectifs ne s'appliquent qu'au 1/3 environ des hommes du premier contingent de 1792 et à moins du 1/4 de ceux de la « queue de levée » du premier bataillon. Près de la moitié des « Bleus » de l'été 1791 auraient eu un menton fourchu ou à fossette tandis que les mentons de ce type ne représentent que le 1/4 voire le 1/5ᵉ de l'effectif des contingents suivants. Comme il est fort peu vraisemblable que les caractères physiques aient tant évolué d'un échantillon à l'autre, il faut bien admettre que la perception des réalités a varié en fonction de l'observateur. Il est certain que la couleur des cheveux ou des yeux laisse une place moins grande à l'interprétation. Cependant, les quelques individus dont nous possèdons deux signalements d'origine différente réservent parfois des surprises. Un recruteur voit Germain Farineau châtain aux yeux gris, un autre noir aux yeux roux. Mais il y a pire : un signalement présente René Culvert comme un homme aux cheveux noirs et aux yeux roux, un second comme un individu blond aux yeux gris ! (65) Des statistiques fondées sur de telles sources ont une valeur toute relative...

Dans notre essai de restitution des apparences physiques des volontaires angevins, nous retiendrons trois groupes d'éléments : la couleur des yeux et celle des cheveux grâce auxquelles nous tenterons d'établir une typologie globale, la forme du visage, du nez, du front, de la bouche et du menton, enfin les particularités et handicaps physiques.

---

(64) Cf. *supra*, ch. III, et *infra* ch. V
(65) 1 L 595 et Arch mun. Saumur H I-74 (1).

a. - Le type

D'après la teinte des cheveux et des yeux, nous définirons un type plutôt
« septentrional » et un type plutôt « méridional », bien conscient des limites
de l'entreprise : dans un pays d'aussi vieille histoire et de sang aussi mêlé que
la France, les nuances sont infinies. Nous rangerons parmi les individus de
type plutôt « méridional » tous ceux qui ont les cheveux noirs ou bruns, que
leurs yeux soient noirs, châtains ou roux, ce qui est le cas général, ou bien
comme pour un petit nombre d'entre eux, bleus ou gris. Nous compterons
aussi parmi les volontaires de ce type les hommes aux cheveux châtains qui
ont des yeux de nuance foncée : noirs, châtains ou roux. A l'opposé, nous
classerons parmi les gens de type plutôt « septentrional » tous les blonds,
qu'ils aient les yeux bleus ou gris comme c'est presque toujours le cas, ou
bien roux, marrons ou noirs. Nous y ajouterons les volontaires aux yeux
bleus ou gris dont les cheveux sont vus châtains par le recruteur ou son
scribe : la transition est insensible et fort subjective du blond au châtain et
l'on sait que la couleur des cheveux fonce avec l'âge. Quant aux recrues au
chef totalement gris ou blanc, évidemment très rares (on en compte 24), nous
les classerons d'après la couleur de leurs yeux : 17 chez les « septentrionaux », 7 chez les « méridionaux ». Enfin nous mettrons à part 14 individus à
la chevelure flamboyante, décrite « rouge » ou « blond ardent » dont les yeux
sont de couleur variée.

Les 3 205 volontaires de l'échantillon se répartissent en 1 884 de type
plutôt « méridional » (58,78 %) et 1 321 de type plutôt « septentrional »
(41,22 %). Voici le détail en pourcentage par contingent :

	Type « septentrional »	Type « méridional »
Volontaires incorporés à la formation du 1er bataillon	35,00 %	65,00 %
Volontaires rejetés à la formation du 1er batail- lon	37,27 %	62,73 %
Volontaires de la « queue de levée »	44,48 %	55,52 %
Volontaires du 1er contingent de la 2e levée	40,73 %	59,27 %
Volontaires du 2e contingent de la 2e levée	43,92 %	56,08 %

Il existe une certaine différence entre les « Bleus » de l'été 1791 et les
suivants. Parmi les premiers, les individus de complexion plus foncée seraient
plus nombreux que parmi les seconds. Bien que le classement par ordre
décroissant des « méridionaux » suive à peu de chose près la hiérarchie des
niveaux sociaux des contingents (66), il est très difficile de voir entre les deux
phénomènes autre chose qu'une coïncidence ! Les variations de pourcentage
sont sûrement le résultat d'une perception différente des couleurs par les

---

(66) Cf. *infra,* ch. V

observateurs. Si l'on met à part les engagements individuels, d'origine fort variée, il y aurait eu au moins trois juges différents : un pour les volontaires de l'été 1791, un pour les hommes de la « queue de levée » du premier bataillon, un pour ceux de la 2ᵉ levée.

Il faut malgré tout souligner que les individus de type plutôt « méridional » sont, dans tous les cas, majoritaires. Cela, au moins, doit correspondre à une réalité que l'on pourrait d'ailleurs vérifier de nos jours en parcourant le Maine-et-Loire. (67)

b. - Les traits de physionomie

La perception de la forme générale du visage ou des particularités de ses composants, front, nez, bouche, menton, est encore beaucoup plus subjective que celle de la teinte des cheveux ou des yeux et par suite plus sujette à caution. Nous ferons donc d'expresses réserves sur la précision toute illusoire des statistiques que l'on peut faire à ce propos.

- *la forme générale du visage.* - Six indications se rencontrent dans les signalements : visage ovale, long, rond, large, carré ou plat. Négligeant les visages « plats » au nombre de 30 seulement, dont nous ne voyons point à quoi ils peuvent correspondre, nous regrouperons les qualificatifs afin de définir trois types habituels : visages ovales, longs, ronds (ou larges, carrés).

	Nombre	Pourcentage
Visages ovales.	1 330	54,91 %
Visages longs.	314	12,97 %
Visages ronds	778	32,12 %
Echantillon total.	2 422	100 %

- *la forme du front.* - Les adjectifs décrivant le front peuvent se ramener à trois : large (grand, haut, découvert), bas (petit, étroit, buté) et moyen avec les interprétations différentes que ce mot peut recouvrir.

	Nombre	Pourcentage
Fronts moyens	430	23,52 %
Fronts bas	644	35,23 %
Fronts larges	754	41,25 %
Echantillon total.	1 828	100 %

---

(67) Il ne faut pas oublier cependant qu'un cinquième des volontaires étaient nés hors du Maine-et-Loire, mais leur origine géographique est assez bien répartie entre la France du nord et du sud de la Loire (cf. *supra*, p. 284-286).

Contrairement à ce que nous avons noté pour l'Anjou, les blonds aux yeux bleus ou clairs dominent largement parmi les volontaires du début de 1792 au Mesnil-Thérieux dans l'Ile-de-France (d'après J. GANIAGE, *Trois villages ...*, *op. cit.*, p. 38).

- la forme du nez. - On trouve dans les documents des nez grands, allongés, pointus, aquilins, petits, gros, larges, retroussés, écrasés, camards et bien sûr des nez moyens. Nous les regrouperons en quatre catégories :

	Nombre	Pourcentage
Nez moyens	571	21,25 %
Nez longs (ou pointus)	557	20,73 %
Nez aquilins	286	10,64 %
Nez petits (ou retroussés, écrasés)	1 273	47,38 %
Echantillon total	2 687	100 %

- la forme de la bouche. - Trois adjectifs sont utilisés pour décrire cette partie de la figure : moyenne, grande, petite. Que l'on recense près de 65 % de bouches moyennes contre moins de 24 % de grandes et à peine plus de 11 % de petites montre assez la perplexité des observateurs... Peut-être est-ce pour palier ce défaut que certains scribes ont parsemé les signalements de « lèvres épaisses » ou « lèvres grosses », mentions qui se retrouvent surtout dans les registres de la première levée.

- la forme du menton. - Les qualificatifs permettent de distinguer sept types différents :

	Nombre	Pourcentage
Mentons moyens	60	2,01 %
'' longs (ou pointus)	590	19,80 %
'' petits	267	8,96 %
'' ronds	1 141	38,29 %
'' fourchus (ou à fossette)	842	28,26 %
'' larges (ou plats)	48	1,61 %
'' à galoche (ou relevés)	32	1,07 %
Echantillon total	2 980	100 %

On remarquera que les observateurs ont éprouvé beaucoup moins de difficulté pour définir la forme du menton que les autres parties du visage puisqu'on ne trouve que 2 % de mentons moyens contre plus de 20 % de fronts et de nez moyens sans parler des 65 % de bouches ainsi qualifiées.

Au total et toutes réserves faites sur les chances de ressemblance, on pourrait esquisser un portrait-robot du volontaire type : figure ovale, front large, nez petit, bouche moyenne et menton rond

c. - Particularités et handicaps physiques

Les particularités du visage le plus souvent mentionnées dans les signalements sont d'une part les « seins » dont nous ne savons s'ils correspondent toujours aux grains de beauté et que nous dédaignerons, d'autre part les marques de petite vérole et cicatrices diverses.

Nous relevons 1 042 mentions de petite vérole depuis le simple grain jusqu'à la figure entièrement « grêlée » Or, nous avons compté 2 876 dossiers dont le signalement paraît assez complet pour que le renseignement soit susceptible d'y être mentionné. La proportion de « vérolés » serait donc égale à 36,23 %. Certes, on note des différences selon les contingents : parmi les hommes de la « queue de levée » du premier bataillon 31,23 % seulement auraient eu le visage marqué contre 40,19 % chez les volontaires incorporés en septembre 1791. L'amplitude n'est cependant pas très considérable. Serait-il donc possible d'admettre que les Angevins jeunes atteints de la variole et en ayant réchappé auraient représenté un bon 1/3 de la population du même âge ? (68) Rien n'est moins sûr car les recruteurs ou les médecins chargés d'examiner les candidats au service ont pu confondre les séquelles de la petite vérole avec les traces d'autres maladies, du simple furoncle à la syphilis, voire même avec les cicatrices de légères blessures ... (69)

Les registres d'engagement précisent que 445 volontaires portent des traces de brûlures ou diverses cicatrices. Cela représenterait 15,47 % de l'échantillon retenu (2 876 dossiers, rappelons-le) mais on ne peut guère ajouter foi à cette proportion étant donné l'amplitude séparant le pourcentage calculé pour le premier bataillon (26,88 %) et pour le 2e contingent de la levée de 1792 (9,22 %). La variable principale nous paraît être, beaucoup plus que le phénomène recensé, la conscience ou l'acuité visuelle du recruteur ou du médecin. Le problème est tout à fait différent pour les infirmités nettement perceptibles. On comprend que Charles Louet, un bossu, René Gaudin et Pierre Laire, deux boiteux dont le second a une cheville démise, se soient vu refuser l'entrée au premier bataillon. Mais des hommes souffrant d'infirmités moins importantes, tel Louis Bénestreau qui a un « bras court » ou René Courbalay dont une phalange du petit doigt de la main droite est « sans mouvement », ne purent pas non plus trouver grâce auprès des administrateurs départementaux (70). Par contre, Charles Chaudet fut bien incorporé avec son doigt « croche » à la main droite de

(68) Un mémoire de La Condamine à l'Académie des Sciences (1754) estime à 13 ou 14 sur « cent personnes échappées aux premiers dangers de l'enfance » le nombre de ceux qui portent les stigmates de la variole (F. LEBRUN, *Les Hommes et la Mort ...*, *op. cit.*, p. 280).

(69) A. CORVISIER, signale l'existence dans les régiments d'Ancien Régime, d'hommes marqués de petite vérole, en proportion variable selon les âges et les catégories sociales (*L'Armée ...*, *op. cit.*, tome II, p. 667-670). Par contre, la petite vérole ne semble plus figurer dans les signalements des conscrits de 1819-1826. Sans doute faut-il y voir un effet de « l'effacement de l'ancien lexique médical », (J.P. ARON, P. DUMONT ET E. LE ROY LADURIE, *Anthropologie ...*, *op. cit.*, p. 232) plus que la preuve de l'efficacité totale de la vaccination. En effet, étudiant des listes de conscrits du Monastier (Haute-Loire), J. MERLEY a constaté le lent recul de la maladie : 42 % de vérolés en 1812, encore 29 % en 1837, plus aucun en 1910 (« Une source d'histoire sociale méconnue : les listes de recrutement », dans Rencontres franco-suisses d'hist. éc. et soc., Lyon, 1965, *Cahiers d'histoire publiés par les Universités de Clermont-Lyon-Grenoble*, 1967, n° 1-2, p. 115-132).

Rappelons qu'avant la vaccination avait été pratiquée l'inoculation consistant à communi-quer la maladie à un être sain convenablement préparé (J. BOURGEOIS-PICHAT, « Evolution générale de la population française depuis le xviiie siècle », dans *Population*, 1951, n° 4, p. 635-662). En Anjou, l'inoculation fut introduite peu après le milieu du xviiie siècle, au bénéfice d'une poignée de gens éclairés. Une expérience massive avait cependant été faite avec succès sur les élèves de l'école royale militaire de La Flèche de 1769 à 1776 (F. LEBRUN, *Les Hommes et la Mort ...*, *op. cit.*, p. 286-288).

(70) 1 L 590 bis.

même que Mathurin Petit et Symphorien Ledroit qui ne pouvaient fléchir l'auriculaire (71). C'est surtout parmi les « Bleus » de la 2ᵉ levée que les infirmes sont nombreux, ce qui confirme la dégradation du recrutement. Une trentaine d'entre eux furent renvoyés à leur domicile par le chirurgien chargé de la visite d'incorporation, mais l'examen ne dut pas être très sévère : on se souvient que plusieurs congés de réforme avaient été accordés dans les premiers mois d'existence du bataillon de 1791 (72).

Les faiblesses de la vue ne furent pas toujours retenues comme vice rédhibitoire (73). Cinq borgnes proposèrent leurs services. Julien Repussard se vit remercié assez rudement en 1792 (74) mais Toussaint Testu et Jacques Trouvé furent bel et bien incorporés au premier bataillon. Testu sera bientôt congédié mais son camarade ne sera réformé qu'en frimaire an IV après avoir acquis tour à tour les grades de caporal et de sergent (75). Deux autres borgnes, Jean Gousseau et François Leblanc furent enrôlés au 3ᵉ bataillon. Si ces hommes furent incorporés, c'est sans doute qu'ils avaient perdu l'œil gauche et que l'on vise habituellement avec le droit. Parmi les autres affections oculaires, on trouve une cataracte qui n'empêcha pas François Denain de servir au premier bataillon (76). Par contre, Jean Briguenen et André Thibault en furent évincés, le premier à cause d'un « œil tiré et pleureux et attaqué d'humeur froide », le second parce qu'il avait l'œil « un peu endomagé (sic) » (77). Parmi les affections bénignes de la vue, le strabisme est mentionné bien plus souvent que la myopie. A en croire les signalements, une vingtaine de garçons louchaient mais les « vues basses » étaient rares. En réalité, beaucoup de myopes durent être acceptés dans les bataillons sans même que l'on se rendît compte de leur infirmité. Il fallait que le cas de Jean Vossion ou celui de Pierre Hocdé fussent bien graves pour que ces hommes aient été évincés des troupes patriotes (78).

Un très petit nombre de malades sont signalés sur les registres d'engagements, soit que les visites d'incorporation aient été si mal faites que seules les infirmités visibles à l'œil nu furent décelées, soit que le secrétaire n'ait pas pris la peine de mentionner la maladie en face du nom des volontaires évincés. Parmi les rares affections précisées, nous avons déjà relevé l'épilepsie dont étaient atteints Antoine Cosnard et Maxime Stenclmi. Le premier fut rejeté du bataillon en formation en septembre 1791, le second incorporé sans doute à cause de son appartenance, par son père, à une des grandes familles de la bourgeoisie angevine (79). On relève quelques autres notations médicales bien vagues : Antoine Fouquet est « maladif », Jean

---

(71) 1 L 595 pour le premier, 1 L 588 bis pour les deux derniers.
(72) Cf. *supra*, p. 170 et 172.
(73) A. CORVISIER, note que « les faiblesses naturelles (...) ne constituent pas un obstacle absolu au service » dans la France de Louis XV (*L'Armée* ..., *op. cit.*, tome II, p. 662).
(74) Cf. *supra*, p. 209.
(75) Concernant Testu, on se reportera à l'état des mutations de Beaurepaire en date du 9 mars 1792 (1 L 585 bis) ; concernant Trouvé, au contrôle du premier bataillon (A.G.).
(76) Pour Gousseau et Leblanc, cf. 1 L 595. Pour Denain, cf. *supra*, p. 158-159.
(77) 1 L 590 bis.
(78) Cf. 1 L 590 bis (pour Vossion) et 1 L 588 bis (pour Hocdé).
(79) Cf. *supra*, p. 158.
Les épileptiques étaient nombreux en Anjou. Sur les principales maladies dans la province, se reporter à F. LEBRUN, *Les Hommes et la Mort* ..., *op. cit.*, p. 276-281.

Lalouet a la « tête remuante », Pierre Delalaine est « dertreux » (sic) et souffre de maux de tête chroniques (80). François Gastecel se vit refuser le certificat médical du chirurgien « étant attaqué de la galle (sic) » et Pierre Chemineau qui briguait une place dans le 3ᵉ bataillon « a été envoyé à l'hôpital pour se faire guérir d'une espèce de teigne » (81).

Les signalements indiquent aussi certaines particularités physiques qu'on ne saurait réellement tenir pour des infirmités. Il y a parmi les candidats au service militaire quatre chauves et un cinquième « portant perruque » (82). Gabriel Bodin a le sourcil droit brûlé à moitié et pareille mésaventure doit être arrivée à Etienne Patarin dont une partie du sourcil gauche est « épillé » (sic) (83). Louis Lambert et Valentin Roussel ont les dents avancées (84). Deux autres volontaires ont la bouche « mal ornée ». René Normand a « un surdent du côté droit » (85). Bon nombre ont des verrues, comme René Hubault qui en possède une au-dessus du sourcil droit, Jean Landelle qui en a trois, une près du nez et une sur chaque joue, Jean Breton dont le visage s'orne d'une excroissance de la taille d'une olive au côté droit du nez. Louis Venvier a une grosseur au bas de l'oreille gauche. La figure de Louis Delaunay est remplie d'une infinité de petits boutons rouges. François Hardouin et Pierre Rabin ont chacun une envie, le premier au front, le second sur la joue gauche. Enfin, Joachim Tisseau a « les oreilles percées » sans doute parce qu'il portait des boucles (86)

Les recruteurs paraissent fort sensibles à la tournure générale des volontaires, vieille habitude héritée de la Ligne (87). Certaines de leurs remarques ont sans doute un intérêt militaire telles les mentions « fort et robuste », « bien corporré » (sic), « bien fait dans sa taille » ou « bien pris dans sa taille » (88). D'autres appréciations paraissent allier des soucis pratiques et esthétiques comme celles dont sont gratifiés Joseph Fourmi qui avait, paraît-il, la jambe « effilée », ou encore Joseph Granval et René Lebreton, garçons à la « jambe menue » (89). Enfin l'on trouve des jugements inattendus sous la plume d'un recruteur. Hilaire Gastecol a « la jambe bien faite », Nicolas Gourdon a le nez, la bouche et le menton « bien », le visage joli et il est mince de taille, Henri Avril, François Boumier et Olivier Chalopin ont une jolie figure, Nicolas Martin une « jolie petite figure » et que dire de Louis Chapeau que le scribe voit avec des yeux « bleus et tendres » ou encore de Sébastien Duchemin un garçon aux « yeux noirs petits tendres et enfoncés » ... (90)

(80) Fouquet fut incorporé au premier bataillon, les deux autres évincés (cf. *supra*, p. 158).
(81) Successivement 1 L 588 bis, 1 L 595.
(82) Ce dernier se nomme Laurent Sézeur (1 L 588 bis).
(83) 1 L 588 bis.
(84) 1 L 590 bis.
(85) Arch. mun. Baugé 1 H 1.
(86) 1 L 588 bis (Delaunay, Hubault et Landelle),
1 L 589 bis (Tisseau et Venvier),
1 L 590 bis (Breton et Hardouin),
1 L 595 (Rabin).
(87) A. CORVISIER, *L'Armée ...*, *op. cit.*, tome II, p. 652-653.
(88) Voir notamment 1 L 588 bis, 1 L 589 bis et 1 L 595.
(89) Pour le premier, cf. 1 L 590 bis, pour les deux autres 1 L 588 bis.
(90) 1 L 588 bis (Chapeau, Duchemin, Gastecol, Gourdon),
1 L 589 bis (Avril, Boumier, Chalopin, Martin).

III. - Alphabétisés et illettrés

Comme nous l'avons fait pour les Vendéens, nous tenterons d'évaluer le degré d'alphabétisation des volontaires d'après les signatures, bien conscient des limites du procédé (91).

Nous raisonnerons sur une population de 3 083 individus pour lesquels existe dans les documents, soit la signature, soit l'attestation de l'incapacité à signer (92). Sur ce total, 1 635 (53,03 %) sont dans l'impossibilité de tracer les lettres de leur nom. Par conséquent, les signatures sont au nombre de 1 448 soit une proportion de 46,97 %. Rappelons que, parmi les Vendéens, le pourcentage des signatures s'élevait à 17,84 %. Les «Bleus» possédant quelques rudiments d'écriture ou, pour le moins, ayant assez conscience de la valeur sociale de celle-ci pour avoir appris à dessiner les lettres de leur nom sont donc environ deux fois et demie plus nombreux que les «Blancs». Ce rapprochement nous paraît d'autant plus significatif que la proportion des volontaires capables de signer est sans doute sous-estimée. En effet, notre échantillon n'est pas parfaitement représentatif de la population totale des «Bleus». L'aptitude à signer est beaucoup mieux connue pour les hommes de la «queue de levée» du premier bataillon et ceux de la 2e levée que pour les volontaires de l'été 1791 (respectivement 86,14 %, 89,96 % et 57,39%). Or, nous l'avons déjà pressenti et le prochain chapitre le montrera tout à fait, le niveau social (et donc le niveau d'instruction) des hommes de l'été 1791, est supérieur à celui de leurs successeurs.

Dans ces conditions, il est remarquable que la proportion des signatures chez les volontaires soit sensiblement plus élevée que tous les pourcentages prenant comme référence un échantillon représentatif de l'ensemble de la société angevine pour la même période ou une période voisine. Rappelons que l'enquête de Maggiolo fait état de 18,45 % de signatures parmi les époux de la fin de l'Ancien Régime, celle d'Yves Blayo et Louis Henry de 19,60 % parmi les garçons mariés dans la décennie 1780-1789 (93). Enfin, 23,63 % seulement des conscrits de la période 1819-1826 sauront lire et écrire (94).

Nos volontaires représentent donc une élite dans l'ensemble de la population du Maine-et-Loire. La grande majorité d'entre eux ont d'ailleurs une signature aisée indiquant une réelle habitude de cette pratique. Les écritures hésitantes ne représentent guère que 7 à 8 % du total (95).

---

(91) Cf. Cl. Petitfrère, *Les Vendéens d'Anjou, op. cit.*, p. 175-179.

(92) La signature est parfois remplacée par la mention «sait signer». Ceci, sans doute, dans le cas où le secrétaire recopie, en l'absence du volontaire, un engagement individuel où figure la signature.

(93) Cf. P. Bois, *La vie scolaire et les créations intellectuelles en Anjou ..., op. cit.*, p. 34 et 493 et Y. Blayo et L. Henry, «Données démographiques sur la Bretagne et l'Anjou de 1740 à 1829», dans *Annales de démographie historique*, 1967, p. 92-171.

(94) Il faudrait ajouter à ce pourcentage 5,90 % de garçons sachant seulement lire (J.-P. Aron, P. Dumont, E. Le Roy Ladurie, *Anthropologie ..., op. cit.*, p. 174-179).

(95) Une belle signature ne traduit pas forcément une grande habitude de l'écriture. Il est certain que les individus que leur profession appelle à de fréquentes signatures (des commerçants par exemple) peuvent avoir acquis une parfaite maîtrise de cet exercice tout en étant incapable d'écrire. Sur ce problème, voir Y. Castan, *Honnêteté et relations sociales en Languedoc (1715-1780)*, Paris, 1974, p. 117.

Nous nous souvenons qu'il existe un lien fort net entre l'aptitude à la signature et l'accès aux grades dans l'Armée Catholique et Royale dont une partie au moins des cadres moyens et inférieurs furent désignés par élection (96). L'existence de pareille corrélation chez les « Bleus » est une question digne d'intérêt. Il en est une autre à ne pas négliger : le rapport entre le niveau présumé d'alphabétisation et l'admission dans les bataillons.

En ce qui concerne les volontaires de l'été 1791, notre échantillon est très incomplet. Il regroupe 321 des 577 soldats incorporés en septembre (55,63 %) et 452 laissés pour compte sur 770 (58,70 %) (97). Il n'est d'ailleurs point parfaitement représentatif car les ruraux y sont légèrement sous-représentés (98). Malgré tout, il nous semble incontestable que le choix des administrateurs départementaux a privilégié les hommes capables de signer. On relève en effet 279 signatures parmi les 321 incorporés (86,92 %) contre 307 pour 452 non admis au bataillon (67,92 %). Il reste à savoir si l'écriture a constitué un critère de sélection par elle-même ou si elle ne fut que le corollaire d'un critère d'ordre social. Nous retrouvons là le problème posé à propos des tailles mais la relation entre l'argent et l'écriture est beaucoup plus évidente que celle qui peut lier la forturne à la constitution physique ...

Voyons maintenant si l'on peut établir un rapport entre la signature et le grade obtenu lors des élections constitutives du premier bataillon (99).

		Soldats	Caporaux	Sous-officiers	Officiers	Etat-major
Nombre	de signatures	205	21	21	27	5
	d'absences de signatures	40	2	0	0	0
%	de signatures	83,67	91,30	100	100	100
	d'absences de signatures	16,33	8,70	0	0	0

Tous les gradés de notre échantillon savent signer à l'exception de deux caporaux, anciens soldats de ligne et sans nul doute choisis pour cette raison par leurs camarades. Le premier, Jacques Jallet, fabricant de bas d'Angers, avait passé 8 ans comme soldat au régiment de Provence ; le second, Charles Tamisier, fabricant de mouchoirs à Chemillé, avait fait 18 ans 7 mois de service dont deux campagnes en Corse dans le régiment de Monsieur (100). Par contre, la proportion de signatures parmi les simples fusiliers ou grenadiers, tout en étant très forte, est notablement inférieure à celle calculée pour les caporaux et à plus forte raison pour les hommes de grade plus élevé. Comme les Vendéens le feront en 1793, les volontaires de 1791

---

(96) Cf. Cl. PETITFRÈRE, Les Vendéens d'Anjou, op. cit., p. 273-274.
(97) C'est surtout le registre 1 L 590 bis qui est utile pour le recensement des signatures.
(98) La différence est cependant assez faible : environ 5 points entre le pourcentage des ruraux dans l'échantillon des soldats dont l'aptitude à signer est connue et le pourcentage des ruraux dans l'ensemble des volontaires de l'été 1791.
(99) 1 L 582.
(100) Arch. nat. AF II-382 ; A.G., contrôle du premier bataillon.

ont désigné le plus souvent pour les commander, des hommes qui savaient écrire leur nom : choix délibéré des plus aptes à remplir leur tâche ou effet second d'une sélection fondée sur le prestige social ? Les deux critères sont étroitement liés.

Négligeant les soldats de la « queue de levée » du premier bataillon dont nous ignorons les grades, nous nous intéresserons maintenant aux hommes du premier contingent de la levée de l'été 1792. La plupart d'entre eux furent incorporés au 2ᵉ bataillon tandis que d'autres furent inscrits au 3ᵉ bataillon, voire, comme renforts, au premier. Nous connaissons l'aptitude (ou l'incapacité) à signer de 810 volontaires, soit 86,35 % de l'ensemble du contingent. Les contrôles de troupe fournissent le grade de 689 d'entre eux (85,06 %) (101). Les 121 individus dont on ne retrouve pas le nom sur les contrôles peuvent être assimilés avec quelque approximation, aux volontaires éliminés par le Département des deux bataillons en formation (102). Parmi les 689 incorporés, 301 savent signer, soit 43,69 % tandis que 43 seulement des 121 individus présumés rejetés des unités en formation sont en mesure de tracer les lettres de leur nom, c'est-à-dire une proportion de 35,54 %. Comme l'été précédent, l'aptitude à l'écriture figure donc parmi les critères, directs ou indirects, de sélection. Cependant, le niveau général est inférieur de moitié. Voyons maintenant comment se répartissent selon les grades les hommes capables de signer leur engagement et ceux qui ne le peuvent.

		Soldats	Caporaux	Sous-officiers	Officiers	Etat-major
Nombre	de signatures	209	32	27	26	7
	d'absences de signatures	386	2	0	0	0
%	de signatures	35,13	94,12	100	100	100
	d'absences de signatures	64,87	5,88	0	0	0

Les élections des 17 et 18 août 1792 conférèrent le monopole des grades d'officiers et sous-officiers aux hommes capables, pour le moins, d'écrire leur nom. La sélection a donc joué dans le même sens que l'an passé mais elle fut beaucoup plus sévère étant donné le niveau général du contingent, très inférieur à celui du 1791. Cette fois, la différence entre le pourcentage des signatures chez les simples soldats et chez les gradés est tout à fait considérable. Même les caporaux savent signer en quasi-totalité. Les deux exceptions sont celles d'un tailleur de pierres saumurois, Michel Callouard, choisi par les volontaires de la 4ᵉ compagnie du 2ᵉ bataillon, et d'un

---

(101) Pour le 2ᵉ bataillon, cf. 1 L 592 bis.
Pour le 3ᵉ bataillon, cf. 1 L 596.
(102) Certains d'entre eux ont été incorporés comme renforts au premier bataillon. Quelques-uns ont pu être admis dans les nouvelles unités pour en combler les vides, ultérieurement à la date des contrôles. Cette remarque s'applique aussi aux hommes du 2ᵉ contingent.

perruquier angevin, Pierre Frouin, élu par les grenadiers du même bataillon. Le second avait passé 8 ans comme fusilier au Royal-Infanterie (103). Quatre autres caporaux devaient avoir une instruction des plus rudimentaires, si l'on se fie à leur signature hésitante : le chamoiseur Gilles Bobot, le laboureur Louis Bessonneau, le tonnelier Louis Poitevin, tous trois du second bataillon, et le domestique Michel Papin enrôlé au 3ᵉ bataillon (104).

Pour terminer, penchons-nous sur le cas des volontaires constituant le second contingent de la levée de 1792. Les plus nombreux furent incorporés au 3ᵉ bataillon mais certains rejoignirent aussi les deux unités précédentes. L'aptitude à signer est connue pour 1 214 individus soit 92,53 % de l'effectif total du contingent. Les contrôles donnent le grade de 896 de ces hommes (73,80 %). Il est vraisemblable que la quasi-totalité des 318 autres se sont vu remerciés par les autorités départementales. Parmi les volontaires incorporés, on relève 270 signatures soit 30,13 %. Il y a donc 626 nouveaux soldats incapables de signer (69,87 %). Dans le lot des laissés pour compte, on recense 106 signatures (33,33 %) et 212 absences de signatures ou plutôt attestations d'incapacité (66,67 %). De ces proportions l'on peut tirer deux enseignements. D'une part le nombre des alphabétisés, ou passant pour tels, est encore inférieur, toutes proportions gardées, à ce qu'il était dans le contingent précédent (105). D'autre part, pour la première fois, l'aptitude à l'écriture ne paraît pas avoir été un critère de sélection. Le tableau ci-dessous indique la répartition par grades des volontaires présumés alphabétisés et illettrés :

		Soldats	Caporaux	Sous-officiers	Officiers	Etat-major
Nombre	de signatures	183	32	24	23	8
	d'absences de signatures	621	2	2	1	0
%	de signatures	22,76	94,12	92,31	95,83	100
	d'absences de signatures	77,24	5,88	7,69	4,17	0

La corrélation reste fort claire entre l'aptitude à écrire son nom et l'accession aux grades. C'est ainsi que les analphabètes intégraux constituent plus des 3/4 des simples soldats et moins de 6 % des caporaux. On remarque toutefois qu'à tous les niveaux, excepté ceux des caporaux et de l'Etat-Major, la situation s'est dégradée par rapport au contingent précédent. Non seulement la proportion des simples volontaires incapables de signer est passée de moins des 2/3 à plus des 3/4, mais on a élu quelques analphabètes parmi les sous-officiers ou les officiers, ce qui est l'indice d'une relative démocratisation

---

(103) 1 L 589 bis et 1 L 592 bis.

(104) Pour les trois premiers, cf. 1 L 589 bis et 1 L 592 bis, pour le dernier, 1 L 589 bis et 1 L 596.

(105) La baisse du pourcentage des signatures est à mettre en liaison avec l'augmentation massive du nombre des paysans. (Cf. *infra*, p. 370-371).

Les deux caporaux incapables de signer furent élus, respectivement, par la 2ᵉ et la 5ᵉ compagnie du 3ᵉ bataillon. Il s'agit de Jean Blot, un tailleur de pierres d'Allonnes, et de Joachim Briand, originaire d'Auverné près de Châteaubriant et travaillant comme menuisier dans la paroisse de Nantilly, à Saumur (106). Les deux sous-officiers inaptes à l'écriture sont Gabriel Jouhanneau, un habitant d'Angers de profession inconnue, choisi comme premier sergent par les hommes de la 2ᵉ compagnie du 3ᵉ bataillon, et Charles Busson, tailleur d'habits à Beaufort, qui fut élu sergent-major de la 3ᵉ compagnie du 2ᵉ bataillon (107). Ce dernier dessine bien une signature au bas de son engagement, mais composée de signes informes. Parmi les analphabètes, nous avons même découvert un officier : Jean Paulet, originaire du Bas-Languedoc qui arrive tout droit d'Amérique. Notre homme sait bien écrire son nom, mais c'est là toute sa science (c'est pourquoi nous l'avons classé avec les gens incapables de signer). Ses supérieurs l'attestent en l'an II, ce qui confirme l'impossibilité de retenir la signature comme preuve certaine de l'acquisition des mécanismes de l'écriture (108). Ce sont les 13 ans que Paulet a passés au régiment d'Artois qui lui ont valu son élévation au grade de lieutenant des grenadiers du 3ᵉ bataillon, n'en doutons point.

IV. - Conclusion

Pierre Martin, 18 ans, 5 pieds, cheveux châtains, yeux roux, ne sachant signer, le volontaire-type pourrait répondre à ce signalement. Le volontaire-moyen serait âgé de 5 années supplémentaires et aurait un pouce de plus … Mais moyennes ou courbes de plus grande fréquence sont encore plus inadéquates pour décrire la foule des candidats au service patriotique que celle des soldats catholiques (109). Car c'est la diversité qui caractérise avant tout les « Bleus » et les différencie des Vendéens. A la variété des origines géographiques décrite dans le chapitre précédent correspond la multiplicité des patronymes et des noms de baptême et s'ajoute la divergence des aptitudes physiques ou intellectuelles que traduisent le large échantillonnage des tailles et le partage en deux camps presque égaux des signataires et des hommes incapables de tenir la plume. A l'opposé des défenseurs du drapeau fleurdelisé, les « enfants de la Patrie » ne forment point un clan ou une tribu.

Entre « Bleus » et « Blancs », il est d'autres facteurs de différenciation. La proportion des signatures très supérieure chez les premiers est révélatrice d'un niveau social plus élevé. Enfin les volontaires sont beaucoup plus jeunes que les Vendéens : plus des trois-quarts d'entre eux n'ont pas dépassé les 25 ans. C'est qu'il n'y eut point parmi les patriotes de 1791-92 une mobilisation universelle comparable à celle que déclenchera en Vendée la

---

(106) 1 L 595 ; Arch. mun. Saumur H I-74 (1) ; A.G., contrôle du 3ᵉ bataillon de Maine-et-Loire.
(107) Pour le premier, cf. 1 L 595, 1 L 596 et A.G., contrôle du 3ᵉ bataillon. Pour le second, cf. 1 L 592 bis et 1 L 595.
(108) 1 L 595 ; A.G., contrôle du 3ᵉ bataillon ; Arch. nat. AF II-382.
(109) Cf. Cl. Petitfrère, Les Vendéens d'Anjou, op. cit., p. 209.

levée des 300 000 hommes. Pourtant, ne nous y trompons pas : que des barbons ou des gamins de 13 ou 14 ans aient proposé leurs bras prouve que le péril brutalement aggravé par Varennes, puis la «patrie en danger» animèrent les Angevins d'un véritable élan patriotique et suscitèrent un réflexe d'auto-défense de même nature que celui qui ébranlera les «aristocrates» en 1793. Ce trait commun de comportement n'est d'ailleurs pas unique. Le choix, pour commander la troupe, de ceux à qui quelques années de plus, ou un passage dans la Ligne, peuvent avoir donné de l'expérience, la sélection des élites intellectuelles (autant qu'on puisse les juger à l'aune grossière de la signature) sont des pratiques communes aux frères ennemis.

Fort hétérogène quand on le considère en bloc, le recrutement l'est un peu moins si l'on examine l'un après l'autre les contingents. On perçoit alors clairement l'évolution d'une levée à la suivante, la dégradation progressive de la qualité des volontaires. En 1791, tous étaient disponibles et beaucoup se sont offerts. Il n'y eut que l'embarras du choix pour peupler le bataillon de jeunes gens de belle taille, alliant l'agilité de l'adolescent à la sagesse présumée de l'homme fait, issus de «bonnes familles» si l'on en croit les rangs serrés des signatures orgueilleuses alignées sur le registre d'engagements. En 1792 il fallut se contenter de ce que l'on trouva : souvent de très jeunes gens, plus petits et moins savants. Signe d'un épuisement des meilleures recrues ? Sans doute, mais pas uniquement. Les laissés pour compte de l'été précédent étaient, dans leur ensemble, de qualité supérieure à ceux qui furent incorporés par la suite dans les trois unités de Maine-et-Loire. Alors que ne les a-t-on enrôlés en 1792 ? C'est que, pour la plupart, ils ne se sont pas offerts de nouveau. On pouvait être volontaires pour défendre le système constitutionnel de 1791, non pour voler au secours de la République dont les orages de juillet-août 1792 laissaient prévoir l'avènement. La diminution des tailles, la forte baisse du pourcentage des signatures sont peut-être l'indice d'une mutation sociale dans le recrutement, d'une démocratisation que le prochain chapitre nous permettra d'évaluer.

CHAPITRE V

LES VOLONTAIRES NATIONAUX :
MÉTIERS ET MILIEUX SOCIAUX

Les historiens des bataillons de volontaires ont été généralement prolixes sur le recrutement et la formation des unités, leur attitude au combat ou la carrière des soldats illustres sortis de leurs rangs mais, faute de sources ou d'intérêt, fort peu ont cherché à connaître les origines sociales de la masse des combattants (1). Nous avons la chance, quant à nous, de pouvoir lire dans les registres d'engagements conservés aux Archives de Maine-et-Loire non seulement le métier des volontaires incorporés, mais celui de la plupart des hommes qui proposèrent leurs bras pour la défense de la Grande Nation (2). Par l'étude statistique, nous chercherons à atteindre trois objectifs principaux : établir la structure socio-professionnelle de cette population spécifique que constitue l'ensemble des « Bleus » d'Anjou ce qui permettra de la comparer à celle des soldats de l'Armée Catholique (3), vérifier si, comme nous l'avons déjà pressenti, il y eut de 1791 à 1792 des

---

(1) Certains auteurs se bornent à noter que tous les corps de métier sont représentés parmi les volontaires, tel X. DE PÉTIGNY (Un bataillon de volontaires ..., op. cit., p. 17), ou, avec une précision un peu plus grande, H. POULET (Les volontaires de la Meurthe aux Armées de la Révolution (levée de 1791), Paris, Nancy, 1910, p. 113). D'autres reproduisent des listes d'engagés où figurent les métiers, mais sans donner eux-mêmes de statistiques, par exemple Ch.-L. CHASSIN et L. HENNET (Les volontaires nationaux ... op. cit., passim), DULAC (Les levées départementales dans l'Allier ..., op. cit., p. 6-14), J. DELMAS (« La patrie en Danger », art. cit.), S. VIALLA (L'Armée-Nation ..., op. cit., p. 63) et, plus récemment, J.-M. LEVY (La formation de la première armée de la Révolution ..., op. cit., p. 127, 178-179, 209, 286-287). Cependant P. BELPERRON a fait des comptages dans « Les levées de volontaires à Besançon en 1791 et 1792 » (art. cit.) et surtout J.-P. BERTAUD s'est livré à une étude statistique intéressante dans Valmy, op. cit.

(2) Pour le premier bataillon, 1 L 590 bis. Pour la « queue de levée » du premier bataillon 1 L 588 bis. Pour les 2ᵉ et 3ᵉ bataillons 1 L 589 bis et 1 L 595. Nous avons aussi utilisé certaines sources complémentaires citées supra, p. 241, note 13. Il est curieux que Xavier de PÉTIGNY n'ait tiré aucun parti pour une étude sociale des registres 1 L 589 bis et 1 L 595 qu'il connaissait. L'orientation générale des études historiques avant la guerre de 1914, sa formation de soldat, l'empêchèrent sans doute de saisir l'intérêt de ces problèmes. Pourtant notre auteur a pensé au milieu social originel des cadres du 3ᵉ bataillon comme élément explicatif de leur attitude pro-girondine (Un bataillon de volontaires ..., op. cit., p. 106).

(3) Cf. Cl. PETITFRÈRE, Les Vendéens d'Anjou, op. cit., p. 311-402.

mutations sociologiques parmi les soutiens du nouveau régime, examiner enfin si le critère social fut bien retenu par les administrateurs départementaux dans la sélection des futurs combattants et par ces derniers dans le choix des futurs chefs.

I. - LA RÉPARTITION SOCIO-PROFESSIONNELLE DES « BLEUS » D'ANJOU

Nous avons relevé sur les registres ou les engagements individuels la profession de 3 254 volontaires, c'est-à-dire 82,82 % de l'ensemble des 3 929 « Bleus » (4). Afin de permettre la comparaison avec les « Blancs », nous avons réparti les métiers parmi les cinq groupes définis dans : *Les Vendéens d'Anjou* (5) : agriculture, artisanat et petit commerce à l'exclusion du textile dont nous avons formé une catégorie particulière, professions « bourgeoises » qui équivalent à peu près à la grande et moyenne bourgeoisie au-dessus du patronat de boutique et d'atelier, enfin métiers « divers » comprenant essentiellement ceux que l'on peut qualifier de métiers de service, public (Armée, Eglise) ou privé (les domestiques). Comme pour les « Blancs », nous serons malheureusement obligé de compter ensemble patrons et salariés faute de pouvoir les distinguer sûrement : les précisions du genre « maître », « commis » ou « apprenti » sont très rares sur les registres et le terme « compagnon » est quasiment inconnu. Seule notation fréquente, mais non dans tous les registres, celle de « garçon » dont nous avons déjà souligné l'ambiguïté (6).

Présentons d'abord le résultat de la ventilation socio-professionnelle de l'ensemble des volontaires en la rapprochant de celle des Vendéens :

Catégories socio-professionnelles	« Bleus »		« Blancs »	
	Nombre	%	Nombre	%
Professions « bourgeoises »	403	12,38 %	77	1,63 %
Métiers de l'artisanat et du petit commerce (sauf textile)	1 635	50,25 %	900	19,09 %
Métiers du textile	469	14,41 %	728	15,44 %
Métiers de la terre	663	20,38 %	2 962	62,82 %
Professions « diverses »	84	2,58 %	48	1,02 %
TOTAL	3 254	100 %	4 715	100 %

(4) A l'exclusion des Bardonais dont nous ne connaissons pas le métier. Dans de rares cas nous avons été amené à prendre en compte le métier du père, dans l'ignorance de celui du soldat.

(5) Cf. Cl. PETITFRÈRE, *Les Vendéens d'Anjou*, op. cit., p. 314-318.

(6) Cf. *supra*, p. 315. Nous nous risquerons cependant à utiliser la mention « garçon » en ce qui concerne les métiers de la terre pour le 2e contingent de la levée de 1792 car cette précision est fréquente dans le registre 1 L 595 (cf. p. 370).

A. CORVISIER a rencontré des difficultés similaires aux nôtres concernant le statut des gens de métier car les contrôles de troupe sous l'Ancien Régime sont aussi imprécis à cet égard que les registres de volontaires (*L'Armée française ...*, op. cit., t. I, p. 456).

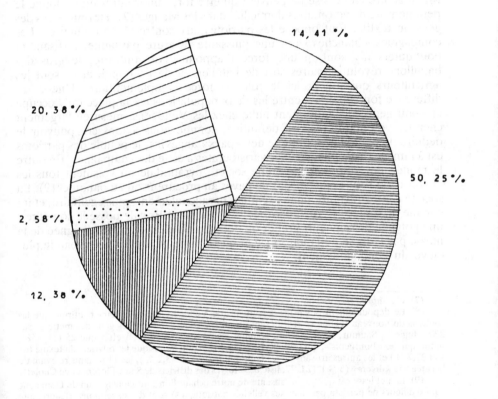

métiers de la terre

professions "bourgeoises"

métiers du textile

divers

artisanat courant et boutique

14, 41 %

20, 38 %

50, 25 %

2, 58 %

12, 38 %

REPARTITION   SOCIO - PROFESSIONNELLE

DES   VOLONTAIRES   DE   MAINE - ET - LOIRE

Des « Blancs » aux « Bleus » le contraste est éclatant. Si l'on met à part le groupe peu nombreux des métiers « divers », la seule catégorie représentée de façon presque identique chez les uns et chez les autres est celle du textile. Encore faut-il préciser que le statut des tisserands « aristocrates » et de leurs collègues « patriotes » est souvent différent. Les premiers, en grande majorité originaires des Mauges, relèvent presque tous de la Manufacture dispersée de Cholet. Par contre, la plupart des ouvriers de la toile et du drap candidats aux bataillons tricolores sont des citadins, travailleurs des manufactures « rassemblées » d'Angers ou de Beaufort. D'autres sont des tisserands indépendants qui alimentent le marché local. Les ouvriers de la Manufacture choletaise ne peuvent qu'être fort minoritaires étant donné le petit nombre de volontaires domiciliés dans les Mauges (7). Hormis le cas des gens du textile, tout oppose les patriotes aux contre-révolutionnaires. Les compagnies « blanches » ont une puissante ossature paysanne. Artisans et boutiquiers n'y sont qu'une force d'appoint. Au contraire, le gros des bataillons révolutionnaires sort de l'atelier ou de l'échoppe et ce sont les agriculteurs qui jouent ici le rôle de force complémentaire. Une autre différence fondamentale entre les deux populations est la place qu'y occupe la « bourgeoisie » : quasiment nulle chez les Vendéens, mesurée largement chez les volontaires (8). En définitive, comme nous avions cru pouvoir le déduire de l'étude géopolitique des « pays » angevins, le peuple des patriotes est à l'image de la ville, celui des aristocrates à celle des campagnes. En outre le monde des volontaires est une société pyramidale où voisinent tous les degrés de la roture, du casseur de pavés au procureur ou au banquier (9). La société contre-révolutionnaire semble, paradoxalement, plus égalitaire, étant comme décapitée. Certes, l'Armée Catholique et Royale possède son élite : une poignée de seigneurs grands ou petits, mais c'est une élite éloignée de la masse par le fossé de la naissance et que l'on ne trouve qu'au niveau le plus élevé du commandement.

---

(7) Cf. *supra*, p. 246-248.

(8) Le dépouillement des listes de réfugiés de Vendée en pays « bleu » confirme que les soutiens du nouveau régime se recrutèrent parmi les « bourgeois » et les gens des métiers. Sur 220 réfugiés à Saumur, de profession connue, les paysans ne sont en effet que 25 (11,4 %), moins que les « bourgeois », qui sont 28 (12,7 %), beaucoup moins que les ouvriers du textile (61 soit 27,7 %) et les autres artisans ou les boutiquiers (95 soit 43,2 %), les 11 restants relevant de la catégorie « divers » (5 %). (7 L 77, liste de réfugiés des districts de Saint-Florent et de Cholet).

(9) La noblesse est quasiment absente de notre échantillon : un Delaâge, un de Domaigné (qui d'ailleurs ne persista pas dans ses velléités patriotiques) sont des exceptions. Beaurepaire était roturier bien qu'il fît parfois précéder son nom de la particule (Cf. Xavier de PÉTIGNY, *Beaurepaire ..., op. cit.*, p. 2-3).

A titre de référence, nous indiquons ci-dessous la structure d'un contingent de 12 085 soldats de 1763 dont le métier paternel est cité par A. CORVISIER (*L'Armée française ..., op. cit.*, t. I, p. 504-505). Nous avons coulé les chiffres de l'auteur dans le moule de nos catégories socio-professionnelles.

— « bourgeois » .... 13,47 %
— artisans et boutiquiers (textile compris) .... 44,43 %
— paysans .... 39,51 %
— « divers » .... 2,59 %

Chez nos volontaires le poids du monde agricole est, on le voit, bien inférieur et compensé par celui des gens de métier.

La vision synthétique est un peu déformante car elle oblige à confondre les contingents successifs. Pour la corriger, nous nous engagerons dans une étude diachronique en distinguant trois étapes : l'époque des premiers enrôlements, ceux de l'été 1791, le temps de la « queue de levée » du premier bataillon, enfin celui de la 2e levée, à partir de l'été 1792.

1. - Les volontaires de l'été 1791

Nous connaissons le métier de 1 056 individus sur les 1 347 qui s'inscrivirent avant la formation du premier bataillon (78,40 %). Cet échantillon serait tout à fait suffisant s'il n'avait l'inconvénient de sur-représenter les habitants des villes principales, tout au moins parmi les gardes nationaux qui furent réellement incorporés : les hommes originaires d'Angers, Saumur ou Cholet y constituent en effet 68,70 % des soldats de métier connu alors qu'ils ne forment que 62,50 % de ceux dont nous savons le domicile. Cette distorsion ne nous paraît cependant pas de nature à compromettre gravement la valeur des statistiques.

Catégories socio-professionnelles	Ensemble des volontaires de 1791	
	Nombre	%
Professions « bourgeoises »	241	22,82 %
Métiers de l'artisanat et du petit commerce (sauf textile)	565	53,50 %
Métiers du textile.........................	165	15,63 %
Métiers de la terre	63	5,97 %
Professions « diverses »	22	2,08 %
TOTAL	1 056	100 %

Ce tableau renforce l'image qui s'est dégagée de l'étude globale en exagérant les traits essentiels de la société patriote : rôle déterminant des professions de type urbain (le monde artisanal et boutiquier, dans son ensemble, dépassant les 2/3 de l'effectif et la « bourgeoisie » étant représentée par un pourcentage imposant), effacement corrélatif des agriculteurs vraiment perdus dans la masse. Ces caractères sont d'autant plus remarquables qu'ils s'appliquent à une population qui s'est déterminée en toute liberté et peut être tenue, par conséquent, pour très représentative du courant révolutionnaire dans l'Anjou de 1791. L'opposition spectaculaire avec la structure de la société vendéenne n'en prend que plus de valeur.

L'échantillon que nous venons d'étudier comprend à la fois les gardes nationaux qui eurent le privilège de se faire admettre dans la première unité de volontaires en formation et ceux qui furent laissés pour compte. L'examen successif de la composition socio-professionnelle de ces deux contingents contribuera à nous éclairer sur les motifs qui guidèrent le choix des administrateurs départementaux.

a. - *Les volontaires du 1ᵉʳ bataillon*

Le total des professions connues s'élève à 428, soit 74,18 % des 577 enrôlés de septembre. Nous les classerons à l'intérieur de chaque catégorie sociale selon les secteurs d'activité professionnelle qui nous ont servi à l'étude similaire des Vendéens.

PROFESSIONS « BOURGEOISES »

Bourgeoisie d'affaires

Banquier	1	Fabricant de chaux	1
Négociants	5	Fabricant d'eau-de-vie	1
Marchands	15	Maître imprimeur	1

Métiers de l'administration, professions libérales et intellectuelles

Directeur des aides	1	Notaires	2
Employés aux aides ou aux traites	3	Clercs de notaire	3
Directeur de la loterie	1	Praticiens	17
Commis au Département	4	Huissier	1
” ” District	10	Commis greffier	1
” à la municipalité	2	Architecte	1
” voyer	1	Arpenteur	1
Chirurgiens	2	Ecrivain	1
Médecin	1	Maître d'école	1
Apothicaires	2	Etudiants	19
Procureur	1	Philosophe	1
Avocats	2	Musicien	1

Rentiers et oisifs

Bourgeois	43

MÉTIERS DE L'ARTISANAT ET DU PETIT COMMERCE

Bâtiment et ameublement

Perrayeurs	3	Peintre	1
Tailleurs de pierre	7	Vitriers	5
Maçons	2	Serruriers	5
Couvreurs	3	Tapissiers	2
Charpentiers	4	Tabletier	1
Menuisiers	9	Potier d'étain	1
Faïencier	1		

Vêtement et chaussure

Tailleurs d'habits	21	Tanneurs	3
Culottier	1	Gantier	1
Sabotiers	4	Chapeliers	4
Cordonniers	15		

Alimentation

Meuniers	2	Raffineur	1
Boulangers	6	Confiseur	1
Bouchers	4	Aubergiste	1

Charcutier	1	Limonadier	1
Epiciers	3	Marchand de vin	1
Commis épiciers	4	Cuisiniers	2
Huilier	1	Traiteur	1

Métiers annexes de l'agriculture

Charron	1	Bourrelier	1
Taillandier	1	Selliers	6
Tonneliers	10	Boisselier	1

Transport

Marinier	1
Voituriers	2

Divers

Mineur	1	Imprimeurs	2
Marchand de ferraille	1	Cartier	1
Ferblantiers	3	Relieur	1
Cloutier	1	Ciriers	2
Couteliers	3	Vanniers	3
Orfèvres	6	Peigniers, marchands de peignes	4
Horlogers	2	Perruquiers	11
Graveur	1	Commis marchands	8
Armurier	1		
Arquebusier	1		

MÉTIERS DU TEXTILE

Ouvrier drapier	1	Tisserands	21
Droguetier	1	Faiseurs de bas	15
Sergers	3	Filassiers	5
Fabricant de toile	1	Foulonnier	1
Fabricants de mouchoirs	9	Teinturiers	4

MÉTIERS DE LA TERRE

Cultivateur	1	Bêcheur	1
Laboureurs	5	Jardinier	1
Fermiers	8	Grêleur	1

PROFESSIONS « DIVERSES »

Militaires	4	Garde-messier	1
Gendarme	1	Ancien Bénédictin	1

A partir de cette liste détaillée, calculons la structure socio-profession-nelle du premier bataillon :

	Catégories		Sous-groupes	
	Nombre	%	Nombre	%
Professions « bourgeoises »	146	34,11 %		
Bourgeoisie d'affaires			24	16,44 %
Administration, etc			79	54,11 %
Rentiers et oisifs			43	29,45 %
			146	100 %
Métiers de l'artisanat et du petit commerce	197	46,03 %		
Bâtiment, ameublement			44	22,34 %
Vêtement, chaussure			49	24,87 %
Alimentation...........................			29	14,72 %
Annexes agriculture			20	10,15 %
Transport..............................			3	1,52 %
Divers.................................			52	26,40 %
			197	100 %
Métiers du textile..........................	61	14,25 %		
Métiers de la terre	17	3,97 %		
Professions « diverses »	7	1,64 %		
TOTAL	428	100 %		

C'est parmi les élus de septembre 1791 que se retrouvent affirmées de la façon la plus nette les trois caractéristiques principales de la société patriotique angevine (qui semblent d'ailleurs communes à beaucoup de bataillons de la première levée (10)) : primauté des artisans et boutiquiers, importance relative du contingent bourgeois, faiblesse de la représentation paysanne. Plus précisément, c'est l'emprise de la grande et moyenne bourgeoisie sur le bataillon qui semble tout particulièrement remarquable. Plus d'un soldat sur trois appartient à cette catégorie sociale alors que la proportion était, à la même époque, d'un sur quatre dans la garde nationale d'Angers et d'un sur cinq dans celle de Saumur où nous avions pourtant déjà souligné le poids de l'élite (11). Cela confirme tout à fait l'impression plusieurs fois exprimée d'un « bataillon doré » pour reprendre la formule de Xavier de Pétigny (12). A l'intérieur de la catégorie « bourgeoise », les

(10) Cf. J.-P. BERTAUD, *Valmy, op. cit.,* p. 199.
Les 3 caractéristiques retenues semblent exagérées en Maine-et-Loire par rapport à la moyenne française, puisque J.-P. BERTAUD parle d'environ 15 % de paysans, 11 % de bourgeois et plus de 66 % d'artisans et boutiquiers. Comme exemple inverse de la tendance soulignée, on peut citer la compagnie des grenadiers du 2ᵉ bataillon de l'Ain (J.-M. LEVY, *La formation de la première armée de la Révolution ..., op. cit.,* p. 127). On y recense environ 76 % d'agriculteurs contre près de 21 % d'artisans et boutiquiers et à peine plus de 3 % de « bourgeois ». On remarque la diversité des situations locales.
(11) Cf. *supra,* p. 100 et 108.
(12) *Beaurepaire ..., op. cit.* p. 2.
Cela fait justice de quelques affirmations partisanes dans le genre de celle-ci : « Lorsque les

membres des professions libérales ou intellectuelles, les gens des anciens offices ou de la nouvelle administration se taillent la part du lion. Remarquons en particulier le fort contingent d'étudiants qui constituent un milieu largement politisé, fer de lance de la Révolution en Anjou, ainsi que le grand nombre des commis du Département ou des Districts et des hommes de loi qui, les uns et les autres, avaient fait souvent partie des « jeunes gens » de 1789 (13). Les rentiers auxquels nous avons assimilé ceux que les registres dénomment « bourgeois » (en nous fondant sur la définition de Viger, le futur conventionnel), sont également bien représentés tandis que les hommes d'affaires sont tout à fait minoritaires (14).

Malgré l'hypertrophie de la « bourgeoisie », c'est l'artisanat et le petit commerce qui constituent l'armature du bataillon puisque sur 100 volontaires 60 appartiennent à cette catégorie, si l'on y comprend les métiers du textile. Cette proportion est à peu près identique à celle que nous avions calculée pour la garde nationale de Saumur en 1791 (61,23 %), mais reste inférieure de plus de 11 points au pourcentage des gens de métier dans la milice nationale du chef-lieu (71,60 %). En outre, la répartition en sous-groupes des travailleurs de l'échoppe et de l'atelier est assez semblable à ce qu'elle était à la même époque dans la garde nationale d'Angers, avec toutefois une représentation nettement moindre des métiers de l'alimentation compensée par la place bien supérieure des professions annexes de l'agriculture, ce qui s'explique évidemment par la présence d'artisans d'origine rurale au premier bataillon (15). Il est intéressant également de comparer l'importance des corps de métier présents dans l'unité patriote et dans l'Armée Catholique et Royale. Les divergences sont considérables : chez les « Bleus », les travailleurs du bâtiment et de l'ameublement jouent un

---

11 et 13 juin 1791, l'Assemblée décrète qu'une partie des gardes nationales sera mise en activité permanente, elle trouve un peu partout des chômeurs qui prennent volontiers les armes» (A. Picq, *La législation militaire de l'époque révolutionnaire. Introduction à l'étude de la législation militaire actuelle,* Paris, 1931, p. 86).

L'exemple du Maine-et-Loire fait penser qu'Albert Mathiez a peut-être procédé à une généralisation un peu hâtive, en partant de cas comme ceux de Marseille ou de la Marne. Il écrivait dans *La victoire en l'an II,* Paris, 1916, p. 63. «En fait, beaucoup de volontaires, peut-être la majorité, se recrutèrent en dehors de la garde nationale parmi les citoyens passifs …».

(13) Sur la continuité des sociétés d'étudiants aux gardes nationales puis aux bataillons de volontaires, cf. Cl. Petitfrère, «La jeunesse angevine et les débuts de la Révolution française», *art. cit.*

(14) Voir la définition du bourgeois d'Angers par Viger, *supra,* p. 101.

Nous avons rangé dans la «bourgeoisie» un maître-imprimeur de Saumur, Dominique Degouy. Par contre, les employés d'imprimerie (ou ceux qui nous paraissent tels), ont été classés avec les artisans.

A Angers (mais tous nos volontaires ne sont pas originaires du chef-lieu), les commerces du drap, de l'épicerie, de la pharmacie, de la quincaillerie, de la mercerie (les «cinq corps») constituaient une sorte d'aristocratie marchande fournissant au XVIIIᵉ siècle 71 % des consuls et 81 % des juges consulaires (J. Chassagne, «Comment pouvait-on être juge consul? (à Angers au XVIIIᵉ siècle)», dans *Annales de Bretagne,* juin-septembre 1969, p. 407-431).

Sur la hiérarchie des métiers à Angers, consulter S. Chassagne, «Le contrôle des actes, source globale de l'activité et des structures socio-économiques d'une cité au XVIIIᵉ siècle. L'exemple d'Angers», dans *Bulletin du Centre d'Hist. éc. et soc. de la région lyonnaise,* 1975, n° 4, p. 1-38.

(15) Cf. *supra,* p. 102.

rôle beaucoup moins grand que chez les Vendéens, de même que ceux de l'alimentation et ceux du transport, en nombre insignifiant parmi les révolutionnaires. A l'inverse, la proportion des métiers « divers » est chez les volontaires près de 9 fois supérieure au chiffre qui indique leur place parmi les « Blancs » (16). On peut rendre compte de plusieurs façons de ces différences : en mettant en avant les besoins particuliers de la troupe contre-révolutionnaire (en voituriers par exemple) ou la structure dissemblable de l'artisanat rural et de l'artisanat urbain. Plusieurs métiers classés parmi les « divers » sont communs dans les villes mais rares dans les Mauges, tels les perruquiers ou les orfèvres.

Parcourons rapidement chaque sous-groupe. Nous y relèverons les métiers représentés par le plus grand nombre de volontaires. Cela nous permettra de suivre ultérieurement, de contingent en contingent, l'évolution des effectifs, témoignage éventuel de modifications dans l'engagement politique. Parmi les métiers du bâtiment et de l'ameublement, les ouvriers du bois (charpentiers, menuisiers) sont un peu moins nombreux que ceux de la pierre et de l'ardoise (perrayeurs, tailleurs de pierres, maçons, couvreurs). Il faut pourtant remarquer que l'on recense seulement 3 perrayeurs, ces carriers de Trélazé et des environs qui constituent un prolétariat mis en vedette par la révolte de septembre 1790 (17). Deux professions dominent largement par leurs effectifs le sous-groupe du vêtement et de la chaussure : celles de tailleur d'habits et de cordonnier. On relèvera l'écart entre ces derniers, ouvriers de la ville ou du bourg, et les sabotiers, ruraux et parents pauvres de la profession qui sont ici près de quatre fois moins nombreux que leurs collègues. Les métiers de l'alimentation sont variés et représentés chacun par un petit nombre d'individus. Seuls les boulangers, les bouchers, les épiciers et leurs commis qui, par exception, sont toujours distingués de leurs patrons dans les registres, ont fourni plus de deux volontaires. Les métiers annexes de l'agriculture sont dominés par les tonneliers, sorte d'aristocratie artisanale habitant fréquemment la ville, Saumur surtout. Les selliers dont les clients doivent être souvent des citadins, nous paraissent aussi occuper un bon rang dans la hiérarchie sociale. Parmi les métiers disparates rassemblés dans le sous-groupe « divers », remarquons l'importance du contingent de perruquiers que l'on retrouve d'ailleurs en grand nombre dans toutes les unités de volontaires (18). On serait tenté de voir dans l'enrôlement de ces Figaro le signe d'une crise de la profession : la poudre et la perruque ne sont-elles pas, malgré Robespierre, des attributs d'Ancien Régime ? On peut aussi prêter une conscience civique particulièrement développée à ces hommes toujours en contact avec le monde et dont le salon était propice à la discussion. Il semble en outre qu'il y ait eu une certaine tradition militaire chez les perruquiers (19). Avec ces derniers, seuls

---

(16) Cf. Cl. PETITFRÈRE, *Les Vendéens d'Anjou, op. cit.*, p. 358-359.
(17) Cf. *supra*, p. 116-123.
(18) J.-P. BERTAUD, *Valmy, op. cit.*, p. 200.
(19) André CORVISIER (*op. cit.*, t. I, p. 466) signale le grand nombre de perruquiers chez les miliciens dont beaucoup, par substitution ou remplacement, étaient des volontaires.
Rappelons que les perruquiers sont, semble-t-il, après les épiciers, les gens de métier qui s'enrôlèrent de meilleure grâce dans la garde nationale d'Angers en 1790-91 (Cf. *supra*, p. 103).

sont en nombre conséquent parmi les soldats du premier bataillon les orfèvres, auxquels on peut adjoindre les horlogers, et les commis marchands qui occupent les uns et les autres une place enviée dans l'échelle des métiers. Examinons maintenant en détail le groupe des travailleurs du textile. On peut distinguer parmi eux les ouvriers de la préparation du fil ou de la laine (ici les 5 filassiers), ceux de l'apprêt du tissu élaboré (teinturiers et foulonnier qui rassemblent le même nombre d'individus) et la masse de ceux qui participent à la fabrication proprement dite de la toile et du drap, soit 51 personnes. Parmi ces derniers, les plus nombreux sont les tisserands mais il s'agit là d'une dénomination bien vague qui peut aussi bien désigner le maître et le compagnon, l'ouvrier de manufacture et l'artisan indépendant. Viennent ensuite les faiseurs de bas au métier, une spécialité de la ville d'Angers (20), enfin les fabricants de mouchoirs assez bien représentés parmi nos volontaires. Rappelons que, si le terme est employé à bon escient, il désigne de petits patrons du textile choletais, échelon intermédiaire entre les simples tisserands et ces véritables maîtres de la Manufacture que sont les négociants (21).

Au regard des « bourgeois » et des artisans ou boutiquiers, les hommes de la terre jouent un rôle négligeable au premier bataillon. Mettons à part les laboureurs et cultivateurs dont le statut est impossible à préciser (22). La dénomination la plus fréquente est celle de « fermier » que les registres appliquent à 8 volontaires. Nous avons l'impression que le terme implique une certaine considération de la part des rédacteurs des livres d'enrôlements et qu'il s'agit là de personnages de quelque importance (23). A l'inverse l'on recense seulement 3 agriculteurs dont on peut deviner la pauvreté : un jardinier, un bêcheur, exploitant manuel qui a toutes chances d'être un salarié au moins à temps partiel, et un grêleur, simple ouvrier saisonnier.

Soulignons enfin l'absence des domestiques parmi les volontaires classés dans la catégorie des professions « diverses ». A l'exception d'un clerc, ces derniers font ou ont fait le métier des armes (24), ou exercent une fonction de surveillance ; il s'agit en effet de quatre militaires, d'un gendarme et d'un garde-messier, sorte de garde-champêtre employé pour les moissons. Le représentant du clergé est un ancien Bénédictin qui a passé 4 ans dans la cavalerie et s'offre à « servir gratis ayant un traitement de la Nation » (25).

Des gardes nationaux incorporés en septembre, passons maintenant à ceux dont la candidature a été écartée par les administrateurs chargés d'organiser le premier bataillon des volontaires de Maine-et-Loire.

---

(20) V. DAUPHIN, *Une ancienne corporation d'Angers. Les fabricants de bas au métier,* Paris, Marcel Rivière, 1932, 6 p.

(21) Cf. Cl. PETITFRÈRE, *Les Vendéens d'Anjou, op. cit.,* p. 348.

(22) Cf. *Ibid.,* p. 320-323.

(23) Peut-être doit-on assimiler nos hommes à ces « marchands-fermiers » que François LEBRUN distingue des simples « fermiers ». Ces agriculteurs prennent à bail assez de terre « pour avoir régulièrement un important excédent commercialisable ». (*Les Hommes et la Mort ..., op. cit.,* p. 96, note 103).

(24) Nous avons classé dans la catégorie « divers » les anciens militaires dont les registres d'inscription parmi les volontaires ne mentionnent aucun métier civil. Ils sont évidemment loin de représenter tous ceux qui, à un moment de leur vie, ont servi dans l'armée. Cf. *supra,* ch. II, p. 189 et 229.

(25) Il s'agit de Pierre Blondel (1 L 590 bis et Arch. mun. Saumur H 1-74 (1)).

b. - *Les volontaires non enrôlés lors de la formation du premier bataillon*

Nous avons relevé 628 mentions professionnelles sur un total de 770 individus, ce qui représente une proportion de 81,56 %, assez nettement supérieure par conséquent à celle de l'échantillon précédent. Nous établirons tour à tour la liste des métiers et la structure socio-professionnelle du contingent des laissés pour compte.

PROFESSIONS « BOURGEOISES »

Bourgeoisie d'affaires

Négociants	4	Marchands-fabricants	2
Marchands	10	Maître imprimeur	1
Marchand d'étoffes	1		

Métiers de l'administration, professions libérales et intellectuelles

Conseiller à l'Election	1	Accusateur public	1
Commissaire à la Marine	1	Avoués	4
Receveur des Aides	1	Clerc d'avoué	1
Commis " "	1	Notaires	3
Officier au grenier à sel	1	Praticiens	8
Secrétaire de l'Hôtel-de-ville	1	Feudistes	2
Commis au Département	1	Huissier	1
" " District	3	Greffiers	3
" à la municipalité	1	Commissaire-priseur	1
" du Trésorier du District	1	Architecte	1
Chirurgiens	8	Archivistes	2
Médecins	2	Maître d'école	1
Apothicaire	1	Etudiants	13
		Musiciens	3

Rentiers et oisifs

Bourgeois	10

MÉTIERS DE L'ARTISANAT ET DU PETIT COMMERCE

Bâtiment et ameublement

Perrayeurs	17	Faïencier	1
Tailleurs de pierre	13	Marbriers	2
Maçons	11	Plafonneur	1
Couvreurs	11	Peintres	3
Scieur de long	1	Vitriers	2
Charpentiers	12	Serruriers	12
Menuisiers	15	Tabletier	1
Marchand de bois	1	Poëliers	4
Tourneurs	10		

Vêtement et chaussure

Tailleurs d'habits	19	Cordonniers	31
Mercier	1	Tanneurs, chamoiseurs	5
Passementier	1	Gantier	1
Sabotiers	13	Chapeliers	13

Alimentation

Meuniers	5	Aubergistes, cabaretiers	3
Boulangers	16	Garçon limonadier,	
Bouchers	7	'' cafetier	2
Epicier	1	Marchand vinaigrier	1
Commis épicier	1	Cuisinier	1
Confiseur	1	Marchands de tabac	2

Métiers annexes de l'agriculture

Taillandiers	18	Boisseliers	4
Tonneliers	15	Pileur de tabac	1
Bourrelier	1		

Transport

Mariniers, bateliers	9
Voituriers	2

Divers

Fabricant	1	Marchands de peignes	2
Mineurs	4	Perruquiers	30
Ferblantiers	6	Parfumeur	1
Cloutiers	4	Chapeletier	1
Couteliers	4	Cordier	1
Epinglier	1	Marchand-revendeur	1
Bijoutiers, orfèvres	3	Commis-marchands	2
Baguier	1	Colporteurs	2
Horlogers	2	Porte-faix	1
Graveur	1	Rémouleur	1
Arquebusiers	3	Porteur de chaise	1
Imprimeur	1	Manœuvre	1
Relieur	1		
Vannier	1		

MÉTIERS DU TEXTILE

Garçons drapiers	3	Fileurs de laine	2
Sergers	6	Cardeur	1
Fabricant de mouchoirs	1	Filassiers	10
Tisserands	49	Blanchisseur	1
Faiseurs de bas	26	Teinturiers	4
Bonnetier	1		

MÉTIERS DE LA TERRE

Cultivateur	1	Jardiniers	2
Laboureurs	13	Journaliers	18
Fermier	1	Domestique agricole	1
Vignerons	6	Pêcheur	1
Bêcheurs	3		

PROFESSIONS « DIVERSES »

Militaires	3	Ancien Cordelier	1
Capitaine de gendarmerie	1	Maître d'hôtel	1
Seigneur	1	Domestiques particuliers	4
Abbé	1	Sans état	2
Chanoine	1		

STRUCTURE SOCIO-PROFESSIONNELLE DE L'ENSEMBLE DES VOLONTAIRES NON ENRÔLÉS	Catégories		Sous-groupes	
	Nombre	%	Nombre	%
Professions « bourgeoises »	95	15,13 %		
Bourgeoisie d'affaires			18	18,95 %
Administration, etc			67	70,52 %
Rentiers et oisifs			10	10,53 %
			95	100 %
Métiers de l'artisanat et du petit commerce	368	58,60 %		
Bâtiment, ameublement			117	31,79 %
Vêtement, chaussure			84	22,83 %
Alimentation...........................			40	10,87 %
Annexes agriculture			39	10,60 %
Transport..............................			11	2,99 %
Divers.................................			77	20,92 %
			368	100 %
Métiers du textile..........................	104	16,56 %		
Métiers de la terre	46	7,32 %		
Professions « diverses ».....................	15	2,39 %		
TOTAL	628	100 %		

La répartition socio-professionnelle des laissés pour compte de septembre présente quelques différences significatives avec celle des volontaires incorporés : la proportion des paysans, quoique toujours très faible, est près de deux fois supérieure (26), celle des boutiquiers et artisans (textile compris) est en augmentation de près de 15 points, et surtout la place de la grande et moyenne bourgeoisie est réduite de plus de moitié. Tandis que la structure du premier bataillon est encore plus choisie que celle de la milice nationale d'Angers en 1790-91, la composition de l'échantillon des évincés se rapproche beaucoup de celle de la garde démocratisée de 1792 (27). Cela suffirait à nous persuader que les administrateurs du Département ont bien pratiqué une sorte d'écrémage parmi les candidats afin de peupler de garçons de « bonne famille » l'unité en formation, mais cette politique apparaît plus clairement encore lorsqu'on calcule, pour chaque catégorie socio-professionnelle, la proportion des incorporés par rapport à la masse de ceux qui offrirent leurs services :

(26) On doit cependant tenir compte de la légère sous-représentation des ruraux dans l'échantillon des enrôlés de métiers connus.
(27) Cf. *supra*, p. 136.

	Incorporés	Effectif total	% des incorporés
«Bourgeois»..........................	146	241	60,58
Artisans, boutiquiers	197	565	34,87
Travailleurs du textile...................	61	165	36,97
Agriculteurs...........................	17	63	26,98
«Divers»..............................	7	22	31,82
TOTAL	428	1 056	40,53

La préférence accordée aux volontaires issus de la grande et moyenne bourgeoisie est patente puisque leur indice d'incorporation est supérieur de 20 points à la moyenne. A l'inverse apparaît la méfiance à l'égard des agriculteurs dont l'indice est inférieur à la moyenne de plus de 13 points. Quant au sort réservé aux tisserands et aux autres travailleurs de l'atelier ou de l'échoppe, il est équivalent et ne traduit ni le favoritisme réservé à l'élite ni le discrédit dont furent victimes les paysans.

L'étude de détail confirme ces impressions en les nuançant. Parmi les «bourgeois», on a donné priorité aux rentiers ou fils de rentiers qui constituent près de 30 % des enrôlés contre à peine plus de 10 % des laissés pour compte. Au contraire, le pourcentage des deux autres sous-catégories «bourgeoises» est légèrement plus fourni chez les gardes nationaux rejetés que chez les volontaires incorporés. Certaines professions semblent avoir été particulièrement choyées. C'est ainsi que les administrateurs n'ont pas craint de dépeupler leurs bureaux en admettant sous les drapeaux 14 commis au Département ou aux Districts alors qu'ils en excluaient seulement 4. Ils ont enrôlé 17 praticiens et n'en ont écarté que 8 mais ils n'ont pas voulu des 2 feudistes (trop suspects d'attachement à l'Ancien Régime?). Peu de médecins ou chirurgiens ont trouvé place dans l'unité en formation : 3 sur 13 seulement. Mais dans leur cas, plutôt qu'à l'ostracisme des autorités, il faut penser à un refus des candidats eux-mêmes d'occuper un autre poste que celui, évidemment unique, de chirurgien-major. D'ailleurs, il faudrait passer en revue chacun des postulants pour espérer comprendre les raisons qui ont amené à choisir celui-ci plutôt que celui-là ; il ne s'agit pas toujours de méfiance ou d'hostilité. Rappelons que certains ont été gardés en «réserve» ; c'est le mot même qui fut employé pour l'accusateur public Choudieu qui venait d'être élu député à la Législative ou pour l'étudiant en médecine Jean-Baptiste Maillocheau jugé «excellent, brullant (sic) de partir» mais qui était un des membres les plus éminents des Amis de la Constitution (28). Le commissaire de la Marine connut le même sort. C'était le commandant de la garde nationale du chef-lieu en personne, de Soland, trop précieux depuis la répression de l'émeute de septembre 1790 pour que l'on se privât de lui à Angers. Des deux maîtres imprimeurs qui offrirent leurs bras à la patrie, l'un trouva grâce auprès des administrateurs, le Saumurois Dominique Degouy, l'autre non. C'est que le second était Charles-Pierre Mame, le fondateur de

---

(28) Cf. *supra*, p. 159.

la dynastie encore présente aujourd'hui sur les bords de la Loire et dont l'utilité comme imprimeur officiel du Département n'est point à démontrer. De même, si les deux marchands-fabricants, patrons de l'industrie toilière du Choletais, furent l'un et l'autre éconduits c'est peut-être parce que l'on pensait leur présence plus nécessaire au cœur d'un pays « perdu d'Aristocratie » que sur de lointaines frontières (29).

La comparaison de la représentation des sous-groupes de l'artisanat et du petit commerce parmi les volontaires incorporés d'une part, les laissés pour compte de l'autre, est également révélatrice de l'attitude des administrateurs. On remarque que les métiers du bâtiment et de l'ameublement, et même ceux du transport (mais la faiblesse de leurs effectifs rend les conclusions plus aléatoires), occupent une place supérieure dans la population des gardes nationaux rejetés. Au contraire, c'est parmi les soldats admis au bataillon que les travailleurs du vêtement et de la chaussure, ceux de l'alimentation et ceux de la catégorie « divers » sont le mieux représentés. Or, l'inflation, dans le lot des évincés, des métiers cités en premier lieu est due surtout aux plus modestes d'entre eux. Prenons des exemples précis. Dans les professions du bâtiment et de l'ameublement les travailleurs de la pierre et de l'ardoise l'emportent cette fois nettement sur ceux du bois, généralement mieux placés qu'eux dans la hiérarchie sociale. C'est ainsi que l'on recense chez les laissés pour compte 17 perrayeurs, 13 tailleurs de pierre, 11 maçons, 11 couvreurs qui sont sans nul doute, pour la plupart, des ouvriers besogneux. Or, s'il y a 7 tailleurs de pierre parmi les soldats du premier bataillon, il ne s'y trouve que 3 perrayeurs, 2 maçons et 3 couvreurs. Parmi les représentants des métiers du transport, mariniers et bateliers qui constituent avec les perrayeurs l'essentiel du prolétariat dans l'agglomération angevine, furent impitoyablement rejetés par les administrateurs puisqu'un seul trouva grâce auprès d'eux sur les 10 qui offrirent leurs services. Même dans les sous-groupes aussi bien ou mieux représentés au premier bataillon que parmi les laissés pour compte, l'examen attentif permet de constater souvent le lien entre la place plus ou moins élevée des métiers dans la hiérarchie sociale et la faveur plus ou moins grande dont ils bénéficièrent. Ainsi parmi les professions du vêtement et de la chaussure, la sélection n'a pas été très forte pour les tailleurs d'habits qui sont à peu près à égalité, à 21 contre 19, chez les enrôlés et parmi les gardes nationaux évincés. Elle a déjà été plus sévère pour les cordonniers dont on a pris seulement le tiers, bien plus encore pour les sabotiers dont les administrateurs n'ont accepté que le quart environ. Dans le couple cordonniers-sabotiers, les premiers ne l'emportent plus qu'à moins de 2,5 contre 1 parmi les laissés pour compte au lieu de près de 4 contre 1 chez les volontaires incorporés. Des métiers de l'alimentation, seuls les bouchers et les boulangers sont en nombre. Les premiers ont eu accès au bataillon de façon assez satisfaisante puisqu'on en a enrôlé 4 sur 11, les seconds ont eu un peu moins de chance avec 6 incorporés sur 22. En ce qui concerne les métiers annexes de l'agriculture, il est frappant

---

(29) Il s'agit de Louis Guyard de Chemillé et de Joseph Martineau de la famille bien connue du Puy-de-la-Garde (cf. Cl. PETITFRÈRE, *Les Vendéens d'Anjou, op. cit.,* p. 192, 195 et 196).

de constater à quel point les tonneliers et les maréchaux-ferrants ou taillandiers ont été traités différemment. Un seul de ces derniers sur 19 postulants a trouvé grâce auprès des autorités tandis que 10 tonneliers sur 25 furent acceptés dans la troupe citoyenne. Si l'on considère enfin les professions artisanales et boutiquières classées dans la catégorie «divers», l'on remarque l'importance du contingent des perruquiers chez les laissés pour compte : ils furent 41 à se présenter aux recruteurs mais les 3/4 furent rejetés. De même 4 mineurs, employés à extraire le charbon du gisement de Montjean, furent éliminés sur les 5 qui s'étaient portés volontaires. Par contre on incorpora 3 couteliers sur 7, 2 horlogers sur 4 et même 6 bijoutiers ou orfèvres sur 10. Au total, et toutes réserves faites sur la rigueur de la hiérarchie des métiers et sur la valeur de proportions établies sur un trop petit nombre d'individus dans chaque profession, ces exemples renforcent bien l'impression d'une sélection des plus riches ou des mieux considérés.

Semblable conclusion peut d'ailleurs être tirée de l'étude des métiers du textile. Fileurs de laine et cardeur furent écartés de l'unité en formation ainsi que les 2/3 des filassiers. Or, ces professions se situent tout au bas de l'échelle. On élimina aussi beaucoup de tisserands (49 sur 70) et de faiseurs de bas (26 sur 41). A l'opposé, on incorpora 4 teinturiers sur 8 et l'on ne rejeta qu'un seul des fabricants de mouchoirs (dont nous avons rappelé la place relativement élevée dans la hiérarchie professionnelle), sur les 10 qui se proposèrent.

L'examen de la catégorie des agriculteurs achèvera de nous persuader du fondement social du choix des autorités. En effet, si 8 fermiers sur 9 furent enrôlés sous la bannière tricolore, on n'y admit que 3 «pauvres» alors qu'ils furent 25 (jardiniers, journaliers, bêcheurs, domestique agricole et pêcheur) à se voir remerciés (30).

Enfin dans la catégorie des professions «diverses», il paraît logique que plus de la moitié des militaires ou des gendarmes (5 sur 9) aient trouvé grâce auprès des administrateurs. Par contre, un seul des ecclésiastiques fut admis sous les drapeaux sur les 4 qui offrirent le secours de leurs bras à la patrie (31). Fait significatif, tous les gens de maison furent remerciés (32). Furent éconduits également deux individus prétendus «sans état» dont nous ne savons s'il s'agissait de rentiers ou, tout à l'opposé, de vagabonds et de mendiants. Quant au seigneur (qui n'est autre que le maître de La

---

(30) Compte non tenu des dénominations qui ne permettent pas de déterminer le statut des hommes à qui elles s'appliquent (cultivateurs, laboureurs, vignerons). Il est vraisemblable que plusieurs ouvriers agricoles se cachent derrière le substantif de «laboureur». Nous en sommes certain pour Pierre Janneteau, que le registre 1 L 590 bis présente comme «laboureur» chez Jollivet à La Basse Dignière à Chalonnes. Treize laboureurs furent rejetés du premier bataillon en formation et cinq admis.

(31) Il est vrai qu'un autre ecclésiastique, l'ancien abbé de Toussaint, Henri Perrochel, fut admis ultérieurement au bataillon si l'on en croit Célestin Port qui précise qu'il assista avec cette unité à la bataille de Jemmapes (*Dictionnaire ..., op. cit.*). En tout cas, Perrochel ne figure pas dans le contrôle 1 L 582; il n'était donc pas présent lors de la constitution du bataillon.

(32) Parmi eux, l'ex-maître d'hôtel de Milord Sodwel. C'est dans l'ancien hôtel particulier de Sodwel qui siégea provisoirement l'administration du district d'Angers en 1790 (d'après *l'Observateur Provincial*, n° 24). Cet hôtel était vraisemblablement situé dans le quartier Saint-Aubin. Peut-être s'agit-il du Cheval Blanc ?

Galonnière à Joué, de Domaigné, le futur organisateur de la cavalerie vendéenne), on peut se demander s'il revint de lui-même sur sa première décision de s'engager sous les drapeaux ou si ce furent les gens du Département qui ne jugèrent pas son civisme assez sincère pour l'incorporer.

Après cette revue d'effectifs, il nous paraît indubitable que le critère socio-professionnel, même s'il ne fut pas le seul retenu, joua un rôle fondamental dans le choix des candidats au service patriotique.

2. - Les volontaires de la « queue de levée » du 1ᵉʳ bataillon

Nous avons recensé 286 hommes de profession connue sur un total de 332 (86,14 %). Voici leur répartition par métier :

PROFESSIONS « BOURGEOISES »

Bourgeoisie d'affaires

Entrepreneur	1		
Marchands	2		

Métiers de l'administration, professions libérales et intellectuelles

Fils du Procureur Général Syndic	1	Praticiens	2
Commis au District	2	Huissier	1
Fils de médecin	1	Etudiants	2

Rentiers et oisifs

Bourgeois	2

MÉTIERS DE L'ARTISANAT ET DU PETIT COMMERCE

Bâtiment et ameublement

Perrayeurs, ardoisiers	33	Menuisiers	14
Tailleurs de pierre	10	Tourneurs	2
Maçons	6	Marbrier	1
Couvreurs	4	Serrurier	1
Charpentiers	4	Poëliers	2

Vêtement et chaussure

Tailleurs d'habits	9	Cordonniers	11
Culottier	1	Tanneur	1
Sabotiers	6	Chapeliers	6

Alimentation

Meuniers	4	Huilier	1
Boulangers	10	Cabaretier	1
Bouchers	2	Cuisiniers	3
Epicier	1		

Métiers annexes de l'agriculture

Charrons	2	Cerclier	1
Maréchaux-ferrants et taillandiers	10	Sellier	1
Tonneliers	2	Pileur de tabac	1

Transport

Mariniers, bateliers	9	Voituriers, rouliers	2
Flotteur de bois de marine	1	Postillons	2

Divers

Mineur	1	Perruquiers	7
Ferblantier	1	Cordier	1
Cloutier	1	Commis-marchands	2
Couteliers	4	Portefaix	1
Emailleur	1	Homme de peine	1
Orfèvre-horloger	1	Journaliers de ville	5
Horlogers	2	Ouvrier aux travaux de charité	1
Imprimeur	1		
Salpêtrier	1		

MÉTIERS DU TEXTILE

Sergers	3	Filassiers	4
Tisserands	26	Teinturier	1
Faiseurs de bas	5		

MÉTIERS DE LA TERRE

Laboureurs	9	Jardiniers	4
Fermier	1	Journaliers de campagne	8
Bêcheur	1		

PROFESSIONS « DIVERSES »

Militaires	10
Domestiques particuliers	4
Sans état	1

STRUCTURE SOCIO-PROFESSIONNELLE DE L'ENSEMBLE DES VOLONTAIRES DE LA « QUEUE DE LEVÉE »				
	Catégories		Sous-groupes	
	Nombre	%	Nombre	%
Professions « bourgeoises »	14	4,90 %		
Bourgeoisie d'affaires			3	21,43 %
Administration, etc			9	64,28 %
Rentiers et oisifs			2	14,29 %
			14	100 %
Métiers de l'artisanat et du petit commerce	195	68,18 %		
Bâtiment, ameublement			77	39,49 %
Vêtement, chaussure			34	17,43 %
Alimentation			22	11,28 %
Annexes agriculture			17	8,72 %
Transport			14	7,18 %
Divers			31	15,90 %
			195	100 %
Métiers du textile	39	13,64 %		
Métiers de la terre	23	8,04 %		
Professions « diverses »	15	5,24 %		
TOTAL	286	100 %		

Le contingent recruté dans les trois derniers mois de 1791 et le premier semestre de 1792 a une structure fort dissemblable de celle de l'ensemble des volontaires de l'été précédent. Ce qui frappe surtout, d'une population à l'autre, c'est la démocratisation accentuée de la levée. Il y a moins de 5 % de «bourgeois» dans le nouvel échantillon alors qu'ils constituaient près de 23 % de l'effectif enregistré de juin à septembre 1791. Par contre, si l'on met à part les gens du textile dont la proportion est en légère baisse, toutes les autres catégories socio-professionnelles sont mieux représentées dans la «queue de levée». C'est le cas pour les métiers de l'échoppe et de l'atelier qui, de 53,5 % sont passés à plus de 68 % de la population, pour les professions classées dans la catégorie «divers» dont le pourcentage a plus que doublé, enfin pour les paysans dont la proportion a augmenté de plus de deux points.

La démocratisation du recrutement, ou si l'on veut la paupérisation des volontaires, est encore de plus grande ampleur si l'on ne prend plus pour référence l'ensemble des «Bleus» de l'été 1791, mais les seuls éléments incorporés sous les drapeaux avec lesquels les hommes de la «queue de levée» sont directement comparables puisqu'ils ont été, eux aussi, admis au service effectif en quasi-totalité.

Assez différent du contingent de l'été, l'échantillon des nouvelles recrues ne se rapproche guère pour autant de l'armée vendéenne. Si l'élite roturière est bien mal représentée ici et là, l'opposition ville-campagne continue à distinguer «Bleus» et «Blancs». En effet, la très grande majorité des volontaires exercent toujours des métiers de type citadin puisque les paysans, malgré leur augmentation relative, constituent à peine plus de 8 % de l'effectif total. C'est encore le monde de l'atelier et de la boutique, non celui de la terre, qui donne au contingent patriotique son ossature.

L'étude détaillée des catégories socio-professionnelles permet de vérifier l'abaissement du niveau des recrues. Passons rapidement sur la «bourgeoisie» dont l'effectif très restreint rend illusoire la précision des pourcentages de rentiers, bourgeois d'affaires ou membres de professions libérales ou administratives. Deux individus rangés dans cette catégorie nous ont d'ailleurs posé un problème et nous les avons fait figurer ici à cause de la profession paternelle. Il s'agit d'abord de Louis-Julien-François Boullet, un jeune homme de 18 ans, ancien sous-lieutenant de la garde nationale de Fontevraud, qui avait servi un an comme officier dans la marine marchande mais dont le rang dans la société angevine nous a semblé beaucoup mieux défini par la situation de son père Julien-Pierre Boullet, ex-avocat au Parlement et intendant de l'abbaye de Fontevraud, qui était à l'époque procureur général syndic du Département (33). L'autre cas particulier est

---

(33) Julien-Pierre Boullet fut élu procureur général syndic le 14 septembre 1791. Successivement commissaire du pouvoir exécutif auprès du tribunal criminel puis juge au tribunal civil et au tribunal de cassation, il terminera sa carrière comme conseiller à la Cour impériale. Quant au fils, notre jeune volontaire, il servit au 19e dragon avant de passer en 1798 dans la gendarmerie du Maine-et-Loire. Il combattit les Chouans, ce qui lui valut, en nivôse an IX un sabre d'honneur et une grave blessure. Promu capitaine en 1813, mis à la retraite en 1814, il reprit du service comme chef d'escadron de 1832 à 1835. Il est mort à Angers le 1er décembre 1853 (C. PORT, Dictionnaire ..., op. cit.).

celui de Charles Provost, fils adoptif d'un médecin qui l'avait sans doute recueilli tardivement car le jeune homme ne possédait aucune instruction : il fut incapable de signer son engagement que parapha son parrain, Rataud-Duplais, le futur chirurgien-major du 3ᵉ bataillon.

En examinant la place des sous-catégories de l'artisanat et du petit commerce les unes par rapport aux autres dans les contingents successifs, on découvre pour quatre d'entre elles une évolution qui nous semble révélatrice. Des volontaires incorporés en septembre aux laissés pour compte puis aux recrues de la « queue de levée », on note en effet une augmentation continue du pourcentage des métiers du bâtiment et de l'ameublement (22,34 % dans le premier échantillon, 31,79 % dans le 2ᵉ et 39,49 % dans le 3ᵉ) et des professions du transport (respectivement 1,52 %, 2,99 % et 7,18 %) et une évolution de sens inverse pour le vêtement et la chaussure (24,87 % , 22,83 % et 17,43 %) ainsi que pour les métiers « divers » (26,40 %, 20,92 % et 15,90 %). Or, nous avions remarqué ces mêmes mouvements contraires dans la composition de la garde nationale d'Angers de 1790-91 à 1792 ; nous avions cru pouvoir en déduire une certaine paupérisation d'un contingent à l'autre (34). Dans le détail, le phénomène se vérifie la plupart du temps, si l'on suit l'évolution du pourcentage des métiers qui groupent un assez grand nombre de travailleurs, ceux que nous avons retenus comme témoins dans l'étude des échantillons précédents. Ainsi l'on relève une forte augmentation de la proportion des perrayeurs et ardoisiers dans les métiers du bâtiment et de l'ameublement. Représentant moins de 7 % de leur sous-groupe parmi les volontaires enrôlés à la formation du bataillon et 14,5 % chez les laissés pour compte, ils en constituent près de 43 % parmi les hommes de la « queue de levée » où les métiers de la pierre sont trois fois plus nombreux que ceux du bois. Dans la catégorie des travailleurs du vêtement et de la chaussure, notons l'augmentation progressive de la place des sabotiers d'un contingent à l'autre. Pour la première fois leur nombre dépasse la moitié de celui des cordonniers. Signalons aussi parmi les métiers annexes de l'agriculture l'inflation des taillandiers et autres maréchaux-ferrants ou forgerons. Exclus en quasi-totalité du premier bataillon lors de sa formation, ils sont représentés ici par 10 des leurs. A l'inverse, les tonneliers, nombreux au sein de l'élite des enrôlés de septembre, ne sont plus que deux dans la « queue de levée ». Parmi les métiers classés dans la catégorie « divers » on peut également relever des changements symptomatiques. Si les perruquiers continuent à affluer, les travailleurs des métiers « nobles » sont en diminution ou disparaissent. Il n'y a plus, dans le nouveau contingent, qu'un seul orfèvre exerçant d'ailleurs en même temps la profession d'horloger alors qu'ils étaient 4 (en incluant le baguier) chez les laissés pour compte, et 6 chez les volontaires enrôlés. Les armuriers, graveurs, relieurs, ne sont plus représentés. Au contraire on voit admettre au bataillon des journaliers, hommes de peine, portefaix et même un ouvrier des travaux de charité, c'est-à-dire un chômeur.

La dégradation de la levée se traduit aussi dans les métiers du textile où les fabricants de mouchoirs ont totalement disparu et où les teinturiers sont

---

(34) Cf. *supra*, p. 138.

réduits à un représentant, tandis que figurent en bonne place les professions plus modestes de filassier, serger, faiseur de bas et aussi de tisserand. Il faut préciser que la plupart des individus désignés comme tisserands sont des ouvriers des manufactures d'Angers, partie intégrante du prolétariat urbain (35). Comme les autres catégories, celle des métiers de la terre reflète la modestie du niveau social des nouvelles recrues. La comparaison du contingent des fermiers d'une part, des « pauvres » de l'autre est nettement à l'avantage des seconds puisque l'on recense un seul fermier contre 13 journaliers, jardiniers ou bêcheur. Le rapport des forces était semblable chez les gardes nationaux évincés en septembre de l'unité en formation, mais il était inverse chez les volontaires incorporés. Les professions « diverses » témoignent elles-mêmes du laxisme nouveau des autorités qui acceptent cette fois dans la troupe citadine des domestiques alors que leurs semblables avaient été refoulés quelques mois auparavant. Ce n'est pourtant pas aux représentants de ce métier qu'est due l'inflation de la catégorie des professions « diverses », mais à la présence d'un fort contingent de soldats de ligne reprenant du service.

Au total, la structure socio-professionnelle de la « queue de levée » donne l'image d'un contingent d'origine citadine et populaire à la fois, nettement plus démocratique encore que la garde nationale d'Angers en 1792 où grands et moyens bourgeois étaient près de trois fois mieux représentés (36). L'impression déjà éprouvée en découvrant les caractères physiques des nouvelles recrues se confirme donc : si les administrateurs avaient pu se montrer sévères en septembre 1791 devant l'afflux des gardes nationaux qui avait dépassé tous les espoirs, ils durent ensuite se contenter du « tout-venant » au moins jusqu'à la proclamation de la Patrie en danger qui donna au recrutement son deuxième souffle.

3. - Les volontaires de la seconde levée

Rappelons que 2 250 hommes sollicitèrent ou acceptèrent leur enregistrement entre le 24 juillet 1792, date de la décision du Département d'organiser un nouveau bataillon, et le 1er mars 1793 que nous avons choisi comme terme de notre étude des volontaires. Sur ce total nous avons retrouvé la profession de 1 912 individus, soit une proportion de 84,98 %.

Dans un premier temps nous établirons la structure socio-professionnelle de l'ensemble de cet échantillon afin de le comparer aux contingents précédents.

---

(35) Les domiciles mentionnés sur le registre 1 L 588 bis le prouvent. Certains de ces tisserands étaient sans doute réduits au chômage étant donné les difficultés des manufactures angevines au début de la Révolution.
(36) Cf. *supra*, p. 136.

Catégories	Deuxième levée		« Queue » de la 1re levée	Première levée
	Nombre	%	%	%
« Bourgeois »	148	7,74 %	4,90 %	22,82 %
Artisans, boutiquiers (sauf textile)	875	45,76 %	68,18 %	53,50 %
Travailleurs du textile	265	13,86 %	13,64 %	15,63 %
Agriculteurs	577	30,18 %	8,04 %	5,97 %
« Divers »	47	2,46 %	5,24 %	2,08 %
TOTAL	1 912	100 %	100 %	100 %

Un élément nouveau d'importance considérable ne peut manquer de nous frapper : le pourcentage relativement élevé des paysans qui constituent dans la 2e levée près du tiers des volontaires de métier connu. Le Maine-et-Loire n'échappe donc pas à ce qui paraît une tendance nationale : la multiplication des hommes des champs dans les bataillons de 1792 (37). A vrai dire le phénomène ne peut vraiment nous surprendre : nous le pressentions après l'étude des cartes du recrutement qui, de 1791 à 1792, ont montré l'affaiblissement du poids des villes et l'entrée en force des ruraux parmi les candidats au service militaire. On ne saurait toutefois qualifier sans abus de « soldats-paysans » les volontaires angevins : ce sont toujours les métiers de type citadin qui forment l'armature du contingent puisque les artisans et boutiquiers regroupent, en incluant les tisserands, près de 60 % de l'effectif. Cette proportion est cependant la moins importante que nous ayons jamais rencontrée dans notre département, surtout après l'inflation des travailleurs de l'échoppe et de l'atelier parmi les gars de la « queue de levée ».

Si la forte poussée des agriculteurs et la diminution corrélative de la représentation des petits commerçants et artisans permettent d'opposer le nouveau contingent à celui de l'été 1791 aussi bien qu'à la « queue de levée », par contre la place qu'y occupe la « bourgeoisie » situe l'échantillon entre les deux précédents. Grands et moyens bourgeois sont en effet trois fois moins bien représentés parmi les hommes de 1792 que chez les volontaires qui sollicitaient leur enrôlement dès septembre 1791, ce qui prouve l'importante démocratisation du recrutement. Ils ont cependant une place supérieure à celle qu'ils occupaient dans la « queue de levée » qui constitue décidément le contingent le plus populaire rassemblé durant ces deux années.

Tout compte fait, la structure sociale de la seconde levée est moins éloignée que les précédentes de celle de l'Armée Catholique. Néanmoins, la sous-représentation paysanne qui reste nette parmi les « Bleus », le poids des gens de métier et la présence non négligeable des « bourgeois » font que les deux populations sont encore beaucoup plus complémentaires que semblables.

Nous avons constaté qu'une sévère sélection fondée sur la richesse ou la

---

(37) Cf. J.-P. BERTAUD, *Valmy, op. cit.*, p. 239.

considération avait été opérée lors de la formation de la première unité patriotique. Voyons si les administrateurs chargés d'organiser, durant l'été 1792, les deux nouveaux bataillons ont pratiqué un semblable « écrémage » parmi les recrues. Nous connaissons le métier de 1 489 des 1 695 volontaires qui furent effectivement incorporés dans l'un de ces corps de troupe ou dirigés comme renforts vers le premier bataillon (87,85 %) (38). D'un autre côté, nous savons la profession de 423 laissés pour compte sur 555, c'est-à-dire 76,22 %. Il est donc possible de comparer la structure des deux échantillons.

Catégories	Enrôlés		Evincés	
	Nombre	%	Nombre	%
Professions « bourgeoises »	124	8,33 %	23	5,44 %
Métiers de l'artisanat et du petit commerce	692	46,47 %	183	43,26 %
Métiers du textile...........................	183	12,29 %	82	19,39 %
Métiers de la terre	455	30,56 %	122	28,84 %
Professions « diverses »	35	2,35 %	13	3,07 %
TOTAL	1 489	100 %	423	100 %

La différence n'est pas grande entre les deux populations. Cependant le contingent des enrôlés représente une société un peu plus choisie que celui des laissés pour compte : plus forte proportion de « bourgeois », d'artisans et boutiquiers, mais aussi de paysans. Par contre, le pourcentage des travailleurs du textile, essentiellement le prolétariat manufacturier d'Angers et de Beaufort, est nettement moindre chez les volontaires admis sous les drapeaux que parmi les évincés. La faveur accordée aux professions les mieux considérées apparaît davantage lorsqu'on calcule la proportion d'incorporés à l'intérieur de chaque catégorie socio-professionnelle :

Catégories	Incorporés	Effectif total	% des incorporés
« Bourgeois »	124	147	84,35
Artisans, boutiquiers	692	875	79,08
Travailleurs du textile....................	183	265	69,06
Agriculteurs.............................	455	577	78,86
« Divers »	35	48	72,92
TOTAL	1 489	1 912	77,88

La préférence accordée aux « bourgeois », déjà soulignée dans l'étude du premier bataillon, se lit clairement sur ce tableau. On y découvre également une nette méfiance envers les gens du textile. Quant aux paysans ils ont été aussi largement admis que les artisans et boutiquiers. Ces deux derniers

---

(38) D'après les contrôles 1 L 592 bis et 1 L 596. Cf. *supra*, p. 208.

phénomènes constituent une nouveauté par rapport au premier bataillon où l'on avait rejeté la plupart des agriculteurs et accepté les travailleurs de la toile et du drap au moins aussi facilement que les autres artisans (39). Dans le détail, les professions ont été traitées de façon fort diverse. C'est ainsi que furent incorporés plus de 90 % des sabotiers contre 74 % environ des cordonniers, ce qui est une pratique inverse de celle de 1791 et symbolique de la pénétration des ruraux dans les nouvelles unités. Ont trouvé grâce devant les administrateurs 75 % des perruquiers, 80 % des tailleurs de pierre mais moins de 66 % des perrayeurs. Parmi les ouvriers du textile 80 % des sergers, mais seulement 67 % des tisserands. Enfin, chez les agriculteurs, sur 11 fermiers ou métayers qui offrirent leurs services 10 furent acceptés (près de 91 %), tandis que l'on n'incorpora que 30 journaliers sur 58 (environ 65 %). D'une façon générale, il semble donc que l'on ait fait quelque difficulté aux plus pauvres, notamment à ces prolétaires du chef-lieu, perrayeurs et tisserands des manufactures, qui avaient mis la bourgeoisie en émoi en septembre 1790. Malgré tout, la sélection a été beaucoup moins sévère que l'année précédente. L'engouement avait été nettement moindre et il fallut bien se contenter de ce que l'on trouva.

Nous allons maintenant étudier d'une façon plus détaillée les deux contingents que nous sommes habitué à distinguer dans la seconde levée, le premier composé des hommes recrutés avant la mi-août qui formèrent l'épine dorsale du 2ᵉ bataillon, le second de ceux qui furent enregistrés après cette date et constituèrent l'essentiel du 3ᵉ bataillon.

a. - Les volontaires du premier contingent

Les 884 professions connues pour une population de 938 individus représentent la meilleure proportion jamais atteinte (94,24 %).

PROFESSIONS « BOURGEOISES »

Bourgeoisie d'affaires

Entrepreneur de bâtiment	1	Marchands	6
Négociants	3	Manufacturier	1
Commerçants	3		

Métiers de l'administration, professions libérales et intellectuelles

Receveur de l'arriéré	1	Substitut du procureur	1
Secrétaire de la Maison Commune	1	Praticiens	10
Commis au Département	6	Homme de loi	1
” au District	13	Huissier	1
” du receveur du District	2	Architecte	1
Chirurgiens	2	Etudiants	4
Médecin	1	Comédiens	2
Apothicaires, pharmaciens	3	Maître d'armes	1
Juge du tribunal de district	1		

Rentiers et oisifs

Bourgeois	8

---

(39) Cf. *supra*, p. 353.

Métiers de l'artisanat et du petit commerce

Bâtiment et ameublement

Perrayeurs	19	Tourneurs	8
Tailleurs de pierre	36	Faïencier	1
Paveur	1	Scieur de marbre	1
Terrasseurs	3	Verriers	3
Maçons	7	Vitriers	2
Couvreurs	7	Miroitier	1
Scieurs de long	3	Serruriers	13
Charpentiers	13	Tapissier	1
Menuisiers	17	Poëliers	5

Vêtement et chaussure

Tailleurs d'habits	22	Chamoiseurs, tanneurs,	
Culottier	1	corroyeurs	7
Passementier	1	Gantier	1
Ravaudeur	1	Pelletier	1
Sabotiers	14	Chapeliers	11
Cordonniers	35		

Alimentation

Meuniers	12	Confiseur	1
Boulangers	17	Aubergistes, cafetiers	3
Bouchers	7	Garçon-cafetier	1
Commis-épicier	1	Traiteur	1
Huiliers	4		

Métiers annexes de l'agriculture

Charrons	8	Bourreliers	4
Maréchaux-ferrants		Selliers	2
et taillandiers	16	Boisseliers	4
Tonneliers	7		

Transport

Mariniers, bateliers	11	Voituriers, rouliers	5
« Gaboteur (sic) »	1	Charretiers	2
Charpentier de navire	1	Postillon	1

Divers

Mineurs	2	Joncheur	1
Fondeurs	6	Vanniers	2
Chaudronnier	1	Peigniers,	
Ferblantiers	3	marchands de peignes	3
Cloutiers	6	Perruquiers	30
Quincailliers	3	Chapeletiers	4
Couteliers	2	Cordiers	4
Eperonnier	1	Marchand de parapluies	1
Emailleur	1	Commis-marchands	6
Orfèvres	2	Raccomodeur de soufflets	
Horloger	1	et faïence	1
Armuriers	3	Portefaix	1
Imprimeurs	5	Manœuvre	1
Papetiers	3	Ouvriers	3
		Journaliers de ville	5

MÉTIERS DU TEXTILE

Sergers	11	Cardeurs	2
Tisserands	92	Filassiers	18
Faiseurs de bas	8	Teinturiers	2

MÉTIERS DE LA TERRE

Cultivateurs	23	Journaliers de campagne	15
Laboureurs	70	Domestiques	8
Fermiers	3	Garçons-laboureurs,	
Métayer	1	Domestiques-laboureurs	3
Closier	1	Bouviers	4
Vignerons	10	Garçons d'écurie, palefreniers	2
Bêcheurs	52	Grêleurs	2
Jardiniers	18	Pêcheur	1

PROFESSIONS « DIVERSES »

Militaires	2	Chantre	1
Marin	1	Domestiques particuliers	13
Clercs tonsurés	2	Sans état	1

STRUCTURE SOCIO-PROFESSIONNELLE DU PREMIER CONTINGENT DES VOLONTAIRES DE LA DEUXIÈME LEVÉE				
	Catégories		Sous-groupes	
	Nombre	%	Nombre	%
Professions « bourgeoises »	73	8,26 %		
Bourgeoisie d'affaires			14	19,18 %
Administration, etc.			51	69,86 %
Rentiers et oisifs			8	10,96 %
			73	100 %
Métiers de l'artisanat et du petit commerce	445	50,34 %		
Bâtiment, ameublement			141	31,69 %
Vêtement, chaussure			94	21,12 %
Alimentation			47	10,56 %
Annexes agriculture			41	9,21 %
Transport			21	4,72 %
Divers			101	22,70 %
			445	100 %
Métiers du textile	133	15,04 %		
Métiers de la terre	213	24,10 %		
Professions « diverses »	20	2,26 %		
TOTAL	884	100 %		

Le premier contingent de la levée de 1792 reste dominé par les métiers de type citadin, mais de façon beaucoup moins nette que les précédents. Représentant près du quart des effectifs, les paysans font en effet leur entrée en nombre chez les volontaires même s'ils restent largement minoritaires. D'autre part, le recrutement est beaucoup plus populaire que celui de l'été 1791, puisque la proportion des « bourgeois » représente à peine le quart de celle que nous avons calculée pour les soldats incorporés au premier bataillon et tout juste plus de la moitié de celle des laissés pour compte. Toutefois, l'élite occupe dans le nouvel échantillon une plus large place que dans la « queue de levée » de la première unité de volontaires angevins. Tout se passe comme si la solennité donnée à la proclamation de la Patrie en danger avait provoqué un sursaut de patriotisme dans les classes supérieures. En réalité une autre explication, qui pour être moins honorable n'en est pas moins plausible, peut rendre compte de l'empressement relatif des fils de la grande et moyenne bourgeoisie à s'enrôler en ce début d'été 1792. C'est que la formation d'un nouveau corps de troupe supposait la création d'un nombre important d'officiers et de sous-officiers alors que, dans le premier bataillon, les bonnes places étaient occupées depuis septembre.

La répartition des « bourgeois » en sous-catégories (rentiers, hommes d'affaires, membres des professions libérales ou administratives) est pratiquement identique à ce qu'elle était parmi les volontaires écartés du premier bataillon en septembre 1791. C'est dire que, par rapport aux soldats admis sous les drapeaux à cette époque, les rentiers sont en forte diminution tandis que les hommes d'affaires sont en faible augmentation et les employés d'administration et membres des professions libérales ou intellectuelles en augmentation considérable. Peut-être l'effacement relatif des rentiers peut-il s'interpréter comme le désaveu d'une partie des notables traditionnels de la province à l'égard du tournant démocratique pris par la Révolution ? (40) A l'inverse les jeunes employés de la nouvelle administration paient toujours de leur personne. Les plus nombreux proviennent cette fois-ci des Districts, le Département ayant sans doute épuisé ses possibilités...

La ventilation en sous-groupes des travailleurs de l'artisanat et du petit commerce est, elle aussi, très proche de celle des évincés de septembre 1791 ce qui témoignerait d'une structure moins choisie que chez les gardes nationaux incorporés à la formation du premier bataillon mais plus relevée que chez les recrues de l'hiver 1791 et du printemps 1792. C'est ainsi que, dans les métiers du bâtiment, les ouvriers de la pierre et de l'ardoise l'emportent sur ceux du bois plus nettement que dans les deux échantillons de l'été précédent mais moins que parmi les hommes de la « queue de levée ». Les plus nombreux sont les tailleurs de pierre et non les perrayeurs. Ces derniers représentent près de 13,5 % de leur sous-groupe soit à peu près la même proportion que chez les laissés pour compte de septembre (14,5 %), deux fois plus environ que parmi les volontaires incorporés lors de la constitution du premier bataillon, mais beaucoup moins que chez les soldats de la « queue de levée ». On constate un phénomène semblable pour les représentants des métiers du transport, les mariniers en particulier. Leur place est ici plus importante que dans aucun autre contingent à l'exception de

---

(40) L'idée que le tournant pris par la Révolution dans l'été 1792 ait pu effrayer les notables de province (rentiers, notaires ... que l'on ne trouve plus parmi nos volontaires de la 2ᵉ levée) est formulée, par exemple, par M. VOVELLE, *La chute de la Monarchie, 1787-1792*, Paris, 1972, p. 234.

la « queue de levée ». Parmi les métiers de l'habillement et de la chaussure remarquons le nombre toujours important de chapeliers et surtout de tailleurs d'habits. Ces derniers, avec 22 unités, ne représentent pas loin du quart de leur sous-groupe. C'est là un pourcentage comparable à celui que l'on peut calculer parmi les gardes nationaux écartés du bataillon en septembre 1791. De même, la proportion de sabotiers par rapport aux cordonniers (14 pour 35) est semblable à celle relevée dans l'échantillon des laissés pour compte, malgré l'élargissement du recrutement vers la campagne qui laissait prévoir une augmentation substantielle du nombre des sabotiers. Parmi les métiers annexes de l'agriculture, la place occupée par les maréchaux-ferrants, forgerons ou taillandiers (environ 39 % de l'effectif de leur sous-groupe) est très supérieure à celle que l'on peut calculer parmi les soldats du premier bataillon en cours de formation (5 %), mais très inférieure à celle de la « queue de levée » (près de 59 %). Là encore c'est de l'échantillon des laissés pour compte de septembre 1791 que le contingent se rapproche le plus. Par contre, la proportion des tonneliers est inférieure de plus de moitié à celle des évincés de septembre et tendrait plutôt vers celle de la « queue de levée ». Dans les métiers de l'alimentation les plus gros effectifs sont, comme toujours, fournis par les boulangers mais les meuniers sont également nombreux puisqu'ils représentent un bon quart des volontaires de leur sous-groupe. Cela s'explique sans aucun doute par le glissement du recrutement des villes vers les campagnes. Penchons-nous enfin sur les métiers « divers ». On y remarque pour la première fois plusieurs chapeletiers (ils sont au nombre de 4). On est étonné que ce métier, qui constitue une des grandes spécialités de Saumur, ne soit pas mieux représenté parmi nos « Bleus ». François Lebrun estime à un millier le nombre des petits artisans qui « fabriquent, dans le faubourg de Fenet, des chapelets et des médailles vendus dans toute l'Europe » (41). Par contre, les perruquiers forment à leur habitude un groupe important qui constitue à lui seul plus de 29 % de la sous-catégorie. Ils étaient cependant proportionnellement encore plus nombreux parmi les volontaires de l'été 1791 qui ne furent pas admis sous les drapeaux (39 % environ). Quant aux journaliers et travailleurs des petits métiers (porte-faix, raccomodeur de soufflets et faïence), ils représentent près de 11 % du sous-groupe, proportion largement supérieure à celle que l'on trouve parmi les gardes nationaux de l'été précédent (il n'y en avait aucun chez les enrôlés et moins de 4 % chez les laissés pour compte) mais inférieure de plus de moitié à celle que l'on peut calculer chez les soldats de la « queue de levée » (plus de 24 %). Au total, presque tous ces exemples confirment que les hommes du nouveau contingent ont souvent des origines sociales beaucoup plus modestes que celles des volontaires engagés à la création du premier bataillon, mais supérieures la plupart du temps à celles des gens de la « queue de levée ».

Si l'on examine la représentation des divers métiers du textile, on constate la raréfaction des plus spécialisés. Il n'y a aucun fabricant de mouchoirs dans le premier contingent de la 2ᵉ levée et seulement deux teinturiers. La proportion des faiseurs de bas est également en baisse. Au

(41) F. LEBRUN, Les Hommes et la Mort, op. cit., p. 62.

contraire, on note une progression du pourcentage des ouvriers dont le métier ne demande qu'un faible apprentissage, les cardeurs et filassiers. On remarque surtout l'inflation de la proportion des travailleurs que les registres dénomment simplement « tisserands ». Ils sont passés de 34 % de l'effectif de leur catégorie dans le premier bataillon à son origine, à 47 % chez les non engagés de septembre, près de 67 % dans la « queue de levée » et plus de 69 % dans le présent contingent. Ce phénomène contribue à la coloration populaire de la nouvelle levée, la plupart des tisserands étant des ouvriers des manufactures d'Angers, représentants des « classes dangereuses » du chef-lieu.

Comme les volontaires issus des métiers de la toile et du drap, ceux qui exercent une profession agricole nous semblent faire partie le plus souvent des couches besogneuses puisque l'on recense seulement 5 fermiers, métayers ou closiers contre 18 jardiniers, 52 bêcheurs et 34 journaliers ou domestiques de diverse sorte. Il existe malheureusement un lot très important d'individus dont la dénomination ne permet pas de préciser le statut : vignerons, cultivateurs et surtout laboureurs qui sont ici particulièrement nombreux (42). Enfin, nous remarquons que les pauvres dominent aussi la catégorie des professions « diverses » où l'on recense 13 domestiques privés contre 3 militaires, 3 ecclésiastiques ou assimilés et 1 volontaire dit « sans état ».

En définitive, si le niveau social des nouvelles recrues n'est pas aussi bas que celui des soldats de complément enrôlés au fur et à mesure des besoins durant l'hiver 1791 et le printemps 1792, il n'en reste pas moins largement inférieur à celui des hommes qui répondirent dans l'enthousiasme aux premiers appels de la patrie. Tout comme la garde nationale du chef-lieu, et peut-être plus encore (43), les bataillons de la 2e levée portent la marque de la poussée démocratique qui, du 20 juin au 10 août, relança le cours de la Révolution.

b. - Les volontaires du second contingent

La proportion des volontaires de métier connu est moins bonne que celle du premier contingent puisqu'elle représente seulement 78,31 % de l'effectif total (1 028 candidats au service sur 1 312). Elle suffit toutefois à l'établissement de statistiques convenables dans la mesure où les professions ignorées paraissent réparties de façon fortuite entre les régions, ainsi qu'entre les villes et les campagnes.

---

(42) La fréquence du terme « laboureur » par rapport à celui de fermier ou de métayer tendrait à prouver que le mot est employé ici dans son acceptation générale par des rédacteurs étrangers au milieu agricole et peu soucieux de précision.
(43) Les bataillons de la 2e levée ne peuvent cependant être comparés aux milices urbaines à aussi bon droit que le contingent des volontaires de 1791, à cause de l'inflation des ruraux parmi les engagés.

Bourgeoisie d'affaires

Entrepreneur	1	Marchands	8
Négociants	3	Marchand de lin	1
Commerçant	1	” ” toile	1

Métiers de l'administration, professions libérales et intellectuelles

Chef du bureau des Contributions	1	Apprenti apothicaire	1
Commis au bureau des Contributions	3	Assesseur de juge de paix	1
Commis du receveur des Domaines	2	Avoués	4
Commis du receveur de District	1	Praticiens	7
Commis au District	5	Géomètres	2
Ancien officier seigneurial	1	Ecrivains	2
Chirurgiens	3	Etudiants	13
Médecins	2	Maîtres de danse	2
Apothicaire	1	Professeur de musique	1

Rentiers et oisifs

Bourgeois	8

Métiers de l'artisanat et du petit commerce

Bâtiment et ameublement

Perrayeurs, ardoisiers	16	Tuilier	1
Tailleurs de pierre	25	Plafonneur	1
Casseurs de pavés	2	Peintre	1
Terrasseurs	3	Verriers	2
Maçons	15	Vitriers	3
Couvreurs	6	Serruriers	6
Charpentiers	14	Tapissier	1
Menuisiers	20	Tabletier	1
Tourneurs	4	Poëliers	3
		Potier d'étain	1

Vêtement et chaussure

Tailleurs d'habits	33	Cordonniers	23
Marchand mercier	1	Chamoiseurs, tanneurs	6
Sabotiers	29	Chapeliers	9

Alimentation

Meuniers	21	Huilier	1
Boulangers	12	Aubergistes, cafetiers	4
Bouchers	5	Garçons cafetiers	2
Epicier	1	Cuisinier	1
Commis-épicier	1		

Métiers annexes de l'agriculture

Charrons	6	Cerclier	1
Maréchaux-ferrants,		Sellier	1
Taillandiers	12	Boisselier	1
Tonneliers	11		

Transport

Mariniers, bateliers	12	Charretier	1

Charpentiers en bateaux	3	Postillon	1
Voituriers, rouliers	5		

Divers

Facturier	1	Cirier	1
Mineurs	24	Salpêtrier	1
Tireur d'étain	1	Vannier	1
Chaudronnier	1	Peigniers,	
Ferblantiers	2	marchands de peignes	2
Cloutiers	3	Perruquiers	18
Quincaillier	1	Chapeletier	1
Couteliers	3	Cordiers	9
Emailleur	1	Commis-marchands,	
Orfèvres	2	” négociants	3
Horlogers	2	Garçon de boutique	1
Graveur	1	Colporteur	1
Imprimeurs	5	Portefaix	2
Papetier	1	Ménétrier	1
Cartier	1	Marchands de guenilles	2
		Manœuvre	1
		Journaliers de ville	9

MÉTIERS DU TEXTILE

Sergers	9	Flanelier	1
Fabricant de mouchoirs	1	Ouvrier en laine	1
Tisserands	93	Cardeur	1
Faiseurs de bas	5	Filassiers, poupeliers	18
Bonnetiers	2	Teinturier	1

MÉTIERS DE LA TERRE

Cultivateurs	7	Laboureurs-domestiques	2
Laboureurs	38	Domestiques-vignerons	3
Fermiers	3	Garçons-laboureurs	102
Métayers	4	” cultivateurs	33
Vignerons	29	Bouviers	13
Bêcheurs	59	Garçons d'écurie	2
Jardiniers	8	Grêleur	1
Journaliers de campagne	43	Métivier	1
Domestiques	15	Pêcheur	1

PROFESSIONS « DIVERSES »

Militaires	11	Curé (44)	1
Clerc tonsuré	1	Domestiques particuliers	14

---

(44) Le curé (constitutionnel évidemment) est Jacques Louis Depeigne, ancien vicaire de Blaison, installé à Notre-Dame-de-Landemont, dans les Mauges, le 1ᵉʳ octobre 1791 mais qui, menacé par ses paroissiens, avait dû s'enfuir (C. PORT, *Dictionnaire ..., op. cit.*). Il s'était porté volontaire le 12 septembre 1792 en donnant comme profession « Ministre du culte salarié », mais ne fut pas incorporé dans le 3ᵉ bataillon en formation.

STRUCTURE SOCIO-PROFESSIONNELLE DU SECOND CONTINGENT DES VOLONTAIRES DE LA DEUXIÈME LEVÉE				
	Catégories		Sous-groupes	
	Nombre	%	Nombre	%
Professions « bourgeoises »	75	7,29 %		
Bourgeoisie d'affaires			15	20,00 %
Administration, etc......................			52	69,33 %
Rentiers et oisifs			8	10,67 %
			75	100 %
Métiers de l'artisanat et du petit commerce	430	41,83 %		
Bâtiment, ameublement			125	29,07 %
Vêtement, chaussure			101	23,49 %
Alimentation			48	11,16 %
Annexes agriculture			32	7,44 %
Transport			22	5,12 %
Divers			102	23,72 %
			430	100 %
Métiers du textile	132	12,84 %		
Métiers de la terre	364	35,41 %		
Professions « diverses »	27	2,63 %		
TOTAL	1 028	100 %		

Le phénomène le plus important est sans nul doute la nouvelle augmentation de la proportion des agriculteurs : plus de 11 points de différence avec le contingent précédent. Par suite diminue le pourcentage de l'ensemble des métiers de l'artisanat et du petit commerce (textile compris) de même que celui des professions « bourgeoises » mais dans une plus faible mesure. Cette évolution due à l'afflux des recrues de la campagne bien visible sur la carte de la p. 272, est sans doute liée au recours de plus en plus intensif au racolage. L'armée puise désormais dans toutes les couches de la population et la société militaire donne une image moins déformée de la société civile. C'est ce qui explique que notre contingent soit celui qui se rapproche le plus de la troupe vendéenne, elle-même fidèle reflet du peuplement rural du Sud-Ouest angevin. Malgré tout, les échantillons de « Bleus » et de « Blancs » sont encore très dissemblables : deux fois moins de paysans chez les « patriotes » que chez les « aristocrates », deux fois plus d'artisans et boutiquiers et au moins quatre fois plus de « bourgeois ».

Parmi ces derniers, on remarque la très grande stabilité de la répartition en sous-groupes d'un contingent à l'autre de la levée de 1792 puisque les chiffres sont les mêmes à deux unités près. Continuité aussi dans les métiers de l'artisanat et du petit commerce où les pourcentages attribués aux divers groupes professionnels sont presque identiques aux précédents. Nous nous bornerons donc à signaler quelques évolutions singulières. Par exemple, dans les métiers du vêtement et de la chaussure, la proportion des sabotiers qui n'a jamais été aussi élevée : avec 29 unités, ils forment pour la première fois un groupe supérieur à celui des cordonniers, au nombre de 23 seulement. C'est à n'en point douter le résultat d'un recrutement plus campagnard. Autres conséquences du même phénomène, la représentation considérable des meuniers au sein des professions alimentaires (on en recense 21 qui constituent près de 44 % du sous-groupe) et peut-être la chute de la proportion des boulangers (près de 32 % de la sous-catégorie parmi l'ensemble des volontaires de l'été 1791, 45 % dans la « queue de levée », 36 % dans le premier contingent de la seconde levée et seulement 25 % dans le deuxième). Le cultivateur mange son pain, non celui du boulanger.

Remarquable aussi est, dans la classe des métiers annexes de l'agriculture, l'évolution comparée des taillandiers et des tonneliers. La proportion des premiers reste semblable à celle du contingent précédent (37,5 % contre environ 39 %), mais celle des seconds a doublé passant d'à peu près 17 % à plus de 34 %. Or, l'on a toujours constaté jusqu'ici une coïncidence entre l'augmentation du pourcentage des taillandiers et la baisse du niveau social moyen de la levée et le phénomène inverse pour les tonneliers. Si cette concordance est encore valable dans le cas présent, on peut penser qu'il n'y a pas eu de nouvelle détérioration du recrutement. Mais ce ne peut être là qu'une impression.

Passons enfin aux métiers artisanaux « divers ». On y soulignera la chute du nombre des perruquiers. Ils ne sont plus que 18 alors qu'on en recensait 30 dans le premier contingent de 1792 où les effectifs du sous-groupe étaient pratiquement identiques. Cela nous paraît un nouveau témoignage de la diminution du poids des citadins parmi les volontaires. Désormais la profession la mieux représentée est celle de mineur : les charbonniers des petits gisements du Layon et du val de Loire occidental constituent en effet près du quart des effectifs de la sous-catégorie. Les métiers « nobles » occupent à peu près la même place que dans l'échantillon précédent : on relève un nombre identique d'orfèvres, d'imprimeurs auxquels s'ajoute cette fois un cartier (la fabrication des cartes à jouer est une spécialité traditionnelle de la ville d'Angers). Par contre, les petits métiers sont un peu plus nombreux : 14 journaliers de ville, manœuvres, portefaix ou marchands de « guenilles » (c'est-à-dire de chiffons dans le parler local) contre 11. C'est seulement dans la « queue de levée » du premier bataillon que ce sous-prolétariat urbain était représenté plus largement.

Dans la catégorie des travailleurs du textile, c'est encore la stabilité par rapport au contingent précédent, qui domine. Pour un total de volontaires identique à une unité près, nous relevons le même nombre de ces sans-grade de la profession que sont les filassiers (parfois appelés poupeliers (45)), et 93 tisserands au lieu de 92.

Penchons-nous enfin sur le cas des agriculteurs dont le nombre seul différencie vraiment les deux derniers contingents de nos « Bleus ». Nous tenterons de cerner parmi eux le groupe des exploitants et celui des salariés, ou tout au moins celui des pauvres. Parmi les premiers sont évidemment à ranger les fermiers et métayers. Parmi les seconds les domestiques de toute nature, les journaliers de campagne y compris ceux qui se disent plus ou

---

(45) Le poupelier est celui qui prépare les « poupées, ou quenouillées de lin et de chanvre ». (D'après A.-A. GELLUSSEAU, *Histoire de Cholet et de son industrie*, Angers, 1862, t. II, p. 81).

moins spécialisés (grêleurs, métiviers (46)), les bouviers et autres garçons d'écurie. Nous y ajouterons les « garçons laboureurs » et « garçons cultivateurs » que l'on trouve en grand nombre dans le registre d'engagements qui constitue l'essentiel de notre documentation (47). Nous classerons aussi dans ce groupe les jardiniers et les bêcheurs car il est vraisemblable que la plupart d'entre eux tirent du travail salarié une part importante de leurs revenus. Au total, nous aurions 7 exploitants seulement (2,42 %) contre 282 salariés ou assimilés (97,58 %). Certes, nous n'ignorons pas le caractère fort approximatif de tels pourcentages. Nous avons été obligé de laisser de côté les 74 cultivateurs, laboureurs ou vignerons, faute de savoir comment se répartissent parmi eux les ouvriers et les chefs d'exploitation. D'autre part, nous avons admis pour la circonstance qu'il existait une équivalence absolue entre les termes « garçon » et « salarié » alors que le premier substantif, nous le savons, est quelquefois employé dans le sens de « célibataire » (48). Seule l'étude des niveaux de fortune permettra d'estimer correctement la place des agriculteurs patriotes dans la hiérarchie sociale. Il ne nous semble cependant pas trop hasardeux d'affirmer que l'échantillon des paysans qui acceptèrent de s'inscrire sur les registres de volontaires possède une structure plus populaire que celui de l'Armée Catholique et Royale où les exploitants agricoles étaient plus nombreux que les salariés (49). Nous serions loin de ce compte chez les « Bleus » même s'il fallait ranger parmi les chefs d'exploitation tous les paysans dont le statut est indéterminé. La différence dans la composition du groupe des agriculteurs « patriotes » et de leurs collègues « aristocrates » pourrait d'ailleurs s'expliquer sans trop de difficulté. La contre-révolution vendéenne est un mouvement de masse auquel il fut malaisé de se soustraire une fois qu'il fut lancé. Le métayer, le bordier payèrent de leur personne tout comme le journalier. Au contraire, l'enrôlement chez les volontaires resta toujours un acte facultatif, accompli seulement par une minorité. D'autre part, si le métier agricole était compatible avec la guérilla vendéenne, du moins jusqu'à la « virée de Galerne », l'enrôlement sous la bannière tricolore supposait l'exil sur de lointaines frontières. Il fallait rompre avec le pays pendant une longue année pour le moins, par conséquent abandonner complètement les travaux des champs. Cela ne pouvait concerner que des salariés que rien ne retenait à la terre, ou des fils en surnombre d'exploitants agricoles. De fait, nous avons constaté la résistance de la paysannerie à l'appel aux armes. Les pourcentages d'agriculteurs sont incroyablement faibles parmi les hommes qui, sans que l'on n'exerçât aucune pression sur eux, offrirent leur jeunesse à la Révolution dans l'été 1791. Ils ne le sont pas moins parmi les soldats de la « queue de levée ». Pourtant la situation change à partir de juillet 1792. Ce tournant est-il dû à la conjoncture politique, à l'impact de la proclamation de la Patrie en danger ou au quadrillage des campagnes par des recruteurs-racoleurs particulièrement persuasifs ? Les choses sont liées puisque les

---

(46) Employés pour la métive, la moisson.
(47) 1 L 595.
(48) Cf. *supra*, p. 315.
(49) Compte non tenu des agriculteurs de statut indéterminé. Cf. Cl. Petitfrère, *Les Vendéens d'Anjou, op. cit.*, p. 319-320.

envoyés du Département dans les bourgs et les villages y répercutent l'exhortation sacrée. Mais les plus nombreux des paysans qui se décidèrent à partir le firent seulement après la mi-août, époque qui coïncide à la fois avec le recours au racolage sur une grande échelle, avec la fin des gros travaux des champs, fenaisons et moissons, et avec l'avènement de fait sinon de droit de la République. Il est logique que, si la terre accepte enfin de se priver de certains de ses enfants, ce soit des plus disponibles, les plus pauvres dans la plupart des cas. Il n'est pas déraisonnable non plus de croire que la défense du régime nouveau ait surtout intéressé ceux qui avaient tout à en attendre puisque la monarchie constitutionnelle n'avait guère amélioré leur sort.

Au total, le second contingent de 1792 n'offre pas de bien grandes différences avec son devancier. Tout au plus voyons-nous se poursuivre un mouvement déjà largement amorcé : l'arrivée massive des agriculteurs dans les unités de volontaires. Le dernier échantillon des « Bleus » d'Anjou paraît d'un niveau social très inférieur à celui de l'été 1791 mais plus élevé que celui de la « queue de levée » du premier bataillon et il ne semble pas qu'il y ait eu depuis la mi-août une nouvelle paupérisation dans le recrutement. Celui-ci s'est stabilisé à un échelon modeste tout comme il s'est maintenu à un niveau physique médiocre (50).

Nous connaissons désormais de façon convenable la profession des volontaires. Nous savons combien, avant leur engagement, maniaient la bêche et combien la navette ou le rabot. Nous pouvons évaluer sans trop de risque la proportion des « beaux métiers » et celle des occupations méprisées. Cependant, l'appartenance à un milieu professionnel ne suffit pas toujours à persuader l'individu d'adopter les idéaux dominants, de défendre les intérêts communs. Encore faut-il qu'il se sente « installé » dans son milieu. C'est pourquoi il ne nous paraît pas sans intérêt d'essayer de mesurer la continuité socio-professionnelle d'une génération à l'autre, tâchant, comme nous l'avons fait pour les contre-révolutionnaires, de déterminer le poids de la tradition familiale afin de mieux comprendre les choix politiques.

4. - La continuité socio-professionnelle chez les volontaires

Tenter d'apprécier l'insertion des hommes dans leur catégorie socio-professionnelle en comparant les métiers des pères et ceux des soldats est une entreprise plus hasardeuse pour les volontaires que pour les Vendéens. Si en effet, concernant les seconds, nous avons pu recourir aux actes de baptême, pour les premiers nous devons nous contenter des mentions de la profession paternelle figurant dans les engagements. Or celles-ci sont rares ; elles n'existent guère que dans un seul registre, ouvert durant l'été 1791 (51). Notre échantillon sera donc sélectif puisque restreint aux hommes de la première levée. Il sera aussi réduit : nous avons recensé seulement 498 métiers paternels pour 1 056 volontaires de profession connue (47,16 %). Cependant la représentativité de l'échantillon par rapport à la population considérée est bonne : sa structure socio-professionnelle est tout à fait proche de celle de l'ensemble des volontaires de 1791.

(50) Cf. *supra,* p. 324-325.
(51) 1 L 590 bis.

Après avoir calculé la proportion des soldats que leur métier permet de classer dans la même catégorie que leur père, nous essaierons de déterminer les principaux courants d'une génération à l'autre.

RÉPARTITION DES SOLDATS EXERÇANT UN MÉTIER CLASSÉ DANS
LA MÊME CATÉGORIE SOCIO-PROFESSIONNELLE QUE LE MÉTIER PATERNEL

Catégories socio-professionnelles	Echantillon total	Soldats classés dans la même catégorie que leur père	
		Nombre	%
Professions « bourgeoises »	125	96	76,80 %
Métiers de l'artisanat et du petit commerce (sauf textile)	266	183	68,80 %
Métiers du textile	76	36	47,37 %
Métiers de la terre	25	19	76,00 %
Professions « diverses »	6	2	33,33 %
TOTAL..	498	336	67,47 %

Globalement, et compte tenu du fait que notre échantillon ne vaut que pour les hommes de la première levée, la continuité des pères aux enfants paraît relativement importante chez les «Bleus». Elle est toutefois moindre que parmi les Vendéens où dans près de 74 % des cas les fils exercent un métier appartenant à la même catégorie que celui de leur père (52). Cette différence n'a rien qui puisse nous étonner : la mobilité géographique beaucoup plus grande des volontaires laissait supposer une mobilité sociale également supérieure.

Comme chez les «Blancs», la stabilité socio-professionnelle va en diminuant des paysans aux travailleurs du textile en passant par les autres artisans et boutiquiers. Au contraire le cas de la «bourgeoisie» oppose «aristocrates» et «patriotes». Chez les premiers, en effet, les pères des «bourgeois» appartiennent, trois fois sur quatre, à une catégorie sociale inférieure à celle de leurs enfants tandis que, chez les seconds et dans la même proportion, les «bourgeois» sont fils de «bourgeois». Bien qu'on ne puisse accorder un crédit absolu aux calculs réalisés pour les Vendéens à cause du chiffre vraiment trop restreint sur lequel nous avons raisonné (21 individus), il n'est pas absurde d'imaginer que les rares membres de l'élite roturière qui choisirent la Contre-Révolution étaient précisément les moins enracinés dans leur catégorie sociale, par conséquent ceux qui avaient gardé un contact avec les couches inférieures. Par contre, ce serait, pour la plupart, des bourgeois de souche qui auraient opté pour les bataillons révolutionnaires. Les volontaires «bourgeois» dont les pères n'appartenaient pas à leur classe proviennent surtout du monde de l'échoppe et de l'atelier. C'est le cas de 17 d'entre eux. La promotion était relativement facile

(52) Cf. Cl. PETITFRÈRE, *Les Vendéens d'Anjou, op. cit.*, p. 372.

de l'artisan au commis d'administration, elle était, en quelque sorte, normale du petit commerçant au marchand ; d'ailleurs la frontière entre les catégories socio-professionnelles est floue et l'imprécision du vocabulaire employé dans les registres a pu nous faire assimiler abusivement quelques « marchands » à la grande ou moyenne bourgeoisie alors qu'il ne s'agissait en fait que de modestes boutiquiers. Neuf autres « bourgeois » sont nés de pères agriculteurs dont six étaient des fermiers, ce qui confirme que ceux-ci appartiennent à la fleur de la société terrienne. Restent trois cas particuliers. Un étudiant est le fils du concierge de la prison d'Angers, un commis de la municipalité celui du concierge des halles. Plus exceptionnelle est la promotion d'un volontaire né d'un tisserand et devenu commis aux traites (53).

Nettement moindre que dans la catégorie des « bourgeois », la stabilité professionnelle des pères aux fils est encore supérieure à la moyenne chez les artisans et petits commerçants. Elle est même plus grande que dans le groupe correspondant des Vendéens (68,80 % contre 56,70 %). Signalons en outre qu'environ la moitié des volontaires pratiquent exactement le métier paternel. Quant à ceux qui proviennent d'un autre milieu, la plupart ont un père « bourgeois » ou paysan (37 sont dans le premier cas, 32 dans le second), peu nombreux sont ceux qui ont un père tisserand (12 seulement). C'est dans la catégorie des métiers du textile que, tout comme pour les Vendéens, l'on rencontre le plus d'instabilité (si du moins l'on ne tient pas compte des professions « diverses » dont l'échantillon est négligeable). Plus d'un tisserand sur deux est issu d'un autre milieu. Près des 3/4 des « allogènes » ont un père exerçant une des professions artisanales ou boutiquières ; les autres proviennent presque à égalité de la paysannerie et de la « bourgeoisie ». Il apparaît une nouvelle fois que les métiers du textile constituent une sorte de catégorie réceptacle où aboutissent de nombreux déclassés ; par contre, il est difficile à un fils de tisserand de sortir de sa condition.

Plus de trois agriculteurs sur quatre sont fils de paysans. Les autres sont tous originaires du milieu artisanal ou boutiquier à l'exception d'un journalier dont le père était filassier. Bien que grande, la stabilité professionnelle des cultivateurs est nettement moindre que parmi les « Blancs » où elle atteignait 92,56 %. Il est vrai que notre échantillon de « patriotes » est très restreint (25 individus seulement), mais il n'est pas impossible que la proportion supérieure des « allogènes » chez les volontaires soit un nouvel indice de l'existence d'un contingent plus important de salariés. Nous avons remarqué en effet, en étudiant les soldats catholiques, que les « allogènes » étaient un peu plus nombreux chez les ouvriers agricoles que chez les exploitants.

Au total, l'enracinement social des volontaires légèrement inférieur à celui des contre-révolutionnaires, symbolise bien l'opposition de deux mondes : l'un urbanisé, ouvert aux courants de migrations, l'autre terrien et replié sur lui-même. Mais il n'est pas sans intérêt de noter que le taux de stabilité d'une génération à l'autre est, pour chaque catégorie sociale, inférieure dans le camp où elle est le moins bien représentée : chez les

---

(53) Il s'agit de Jacques Aubry qui avait passé 16 ans dans la Ligne, il est vrai, avant de devenir employé aux traites à Nantes (Arch. nat. A.F. II 382 et A.G., contrôle du premier bataillon).

« Blancs » pour la « bourgeoisie » ainsi que l'artisanat et la boutique, chez les « Bleus » pour la paysannerie (les tisserands qui se partagent à peu près équitablement entre les deux camps y ayant un taux de stabilité voisin). Les individus dont le choix politique est contraire au choix majoritaire de leur classe seraient donc, plus souvent que les autres, des nouveaux venus.

Pour compléter notre connaissance de la population patriote, nous tenterons d'apprécier maintenant le niveau d'instruction moyen des diverses catégories socio-professionnelles d'après les signatures, selon la méthode déjà employée au cours de cette étude.

5. - Métiers et instruction

L'ensemble des volontaires dont nous connaissons les aptitudes à l'égard de l'écriture est, rappelons-le, de 3 083 soit 78,47 % des « Bleus » du Maine-et-Loire,Bardonais exclus. Sur ce total, nous savons déjà que 1 448 (46,97 %) sont capables de tracer les lettres de leur nom, que leur signature s'étale au bas de l'engagement ou que le secrétaire atteste de leur savoir-faire (54).

Dans un premier temps, répartissons signataires et analphabètes parmi les 5 congingents traditionnels : les gardes nationaux admis au premier bataillons en septembre 1791 (désignés dans les tableaux qui suivent par le sigle I B), ceux qui n'ont pu se faire enrôler (N.E.), les hommes de la « queue de levée » du premier bataillon (Q.I.B.), les volontaires du premier contingent de la levée de 1792 (92.1.) et enfin ceux du second contingent (92.2.).

	I B		N.E.		Q. I B.		92.1.		92.2.	
	Nbre	%	Nbre	%	Nbre	%	Nbre	%	Nbre	%
Savent signer	279	86,92 %	307	67,92 %	142	49,65 %	344	42,47 %	376	30,97 %
Ne savent pas	42	13,08 %	145	32,08 %	144	50,35 %	466	57,53 %	838	69,03 %
TOTAL..............	321	100 %	452	100 %	286	100 %	810	100 %	1 214	100 %

RÉPARTITION PAR CONTINGENT DES VOLONTAIRES SACHANT SIGNER ET DE CEUX QUI EN SONT INCAPABLES

La proportion des analphabètes ne cesse d'augmenter d'un contingent à l'autre. Equivalant à peu près au 1/8ᵉ des soldats incorporés au premier bataillon à l'époque de sa formation, elle représente plus des 2/3 des hommes inscrits sur les registres patriotiques entre la mi-août 1792 et le 1ᵉʳ mars 1793. La diminution du pourcentage des signatures semble parallèle à la chute du niveau social des recrues. C'est ainsi que les analphabètes sont deux fois 1/2 plus nombreux parmi les laissés pour compte de l'été 1791 que dans l'élite

---

(54) Cf. *supra,* p. 333. Rappelons que le pourcentage réel des volontaires capables de signer devait être un peu plus élevé car notre échantillon sous-estime les recrues de 1791 qui sont d'un niveau social supérieur aux suivantes.

admise au bataillon. De même, la « queue de levée », dont la plupart des soldats sont issus d'un milieu très modeste, se signale par une augmentation de plus de 18 points de la proportion des illettrés par rapport aux gardes nationaux évincés en septembre de l'unité patriotique. Remarquons toutefois que la part de l'ignorance continue d'augmenter dans les deux derniers contingents bien que leur niveau social moyen soit légèrement supérieur au précédent. C'est qu'un autre phénomène est intervenu depuis juillet 1792 : l'inflation du nombre des paysans. En effet l'analphabétisme n'est pas seulement un attribut de la pauvreté, il est aussi plus fréquent chez les hommes des champs que dans toute autre catégorie socio-professionnelle, comme le montrent les statistiques suivantes :

RÉPARTITION SOCIO-PROFESSIONNELLE DES VOLONTAIRES
CAPABLES DE SIGNER

	I B.	N.E.	Q. I B.	92.1.	92.2.	Total	
						Nbre	%
« Bourgeois »	129	90	12	71	73	375	29,07 %
Artisans, boutiquiers	107	141	73	202	170	693	53,72 %
Travailleurs du textile	22	28	13	33	27	123	9,53 %
Agriculteurs	5	10	3	13	27	58	4,50 %
« Divers »	2	8	10	9	12	41	3,18 %
Total des métiers connus	265	277	111	328	309	1 290	100 %
Métiers inconnus	14	30	31	16	67	158	
TOTAL	279	307	142	344	376	1 448	

RÉPARTITION SOCIO-PROFESSIONNELLE DES VOLONTAIRES
INCAPABLES DE SIGNER

	1 B.	N.E.	Q. I B.	92.1.	92.2.	Total	
						Nbre	%
« Bourgeois »	0	0	1	1	1	3	0,21 %
Artisans, boutiquiers	33	98	94	208	242	675	46,42 %
Travailleurs du textile	8	24	21	76	104	233	16,02 %
Agriculteurs	0	14	18	147	331	510	35,08 %
« Divers »	0	5	3	10	15	33	2,27 %
Total des métiers connus	41	141	137	442	693	1 454	100 %
Métiers inconnus	1	4	7	24	145	181	
TOTAL	42	145	144	466	838	1 635	

Ces tableaux sont très clairs. La catégorie des artisans et boutiquiers qui forme le gros de la troupe est majoritaire à la fois chez les alphabétisés ou présumés tels et chez les illettrés mais sa place est légèrement plus grande parmi les premiers. A l'inverse c'est chez les analphabètes que les travailleurs du textile sont sur-représentés. Les « bourgeois » qui ne constituent pas très loin du tiers des volontaires capables de signer sont presque totalement absents de la population illettrée. La situation des agriculteurs est exactement opposée : très peu nombreux dans l'échantillon des hommes qui savent manier la plume, ils représentent un bon tiers des ignorants. Ces résultats ne sauraient nous surprendre : ils sont tout à fait conformes à ceux que nous avions tirés de l'étude des signatures dans les demandes de pension des anciens Vendéens (55).

La relation entre l'instruction des volontaires et leur place dans la hiérarchie sociale est encore plus facile à saisir si l'on établit, à l'intérieur de chaque catégorie, la proportion des hommes capables de signer. On s'aperçoit alors que trois groupes socio-professionnels ont un pourcentage de signatures dépassant la moyenne qui est, rappelons-le, de 46,97 %. Il s'agit des « bourgeois » dont 99,21 % savent signer, des métiers « divers » avec 55,41 % de signatures et des professions de l'artisanat et de la boutique, textile exclu, dont les volontaires capables d'écrire leur nom constituent 50,66 %. A l'inverse, deux catégories ont un niveau d'alphabétisation inférieur à la moyenne : les ouvriers de la toile et du drap avec 34,55 % de signatures et les agriculteurs, bons derniers avec 10,21 % seulement. La hiérarchie des métiers était la même chez les Vendéens mais le niveau était très inférieur pour toutes les catégories sociales, à l'exception toutefois des paysans dont 13,51 % avaient été capables de signer eux-mêmes leur demande de secours (56).

Laissant de côté les professions « diverses » dont l'échantillon est réduit ainsi que les « bourgeois » qui ne posent guère de problème puisqu'ils sont pratiquement tous alphabétisés et sans doute instruits pour la plupart (57), penchons-nous davantage sur le cas des gens de métier et celui des agriculteurs. Parmi les premiers, les travailleurs du textile semblent des parents pauvres puisque le pourcentage des signatures est inférieur chez eux de plus de 16 points au taux calculé pour les autres professions de l'artisanat et du petit commerce. Cela renforce notre conviction d'une large prolétarisation de cette catégorie sociale, refuge d'un grand nombre d'indigents plus ou moins déclassés. Il faut remarquer toutefois que le niveau d'alphabétisation présumée des tisserands patriotes est supérieur de 10 points à celui de leurs collègues contre-révolutionnaires (24,53 %). L'influence de la grande ville peut sans doute expliquer cela. Alors que la quasi-totalité des tisserands vendéens habitent les Mauges, soit en campagne, soit dans de bien petites cités puisque Cholet est la plus grande, beaucoup des ouvriers de la

---

(55) Cf. Cl. PETITFRÈRE, *Les Vendéens d'Anjou, op. cit.,* p. 375-378.

(56) Il est à remarquer, notamment, que le pourcentage des signatures est deux fois plus élevé chez les « bourgeois » volontaires que parmi leurs homologues vendéens. Nous avons affaire ici, bien plus souvent que dans l'échantillon des « aristocrates », à des gens de la bonne bourgeoisie.

(57) Nous avons noté (*supra,* p. 190 et 226) que les fiches signalétiques des gradés des premier et troisième bataillons (Arch. nat. AF II-382) contenaient des jugements sur le degré d'instruction des officiers ou sous-officiers de ces unités, issus en majorité de la bourgeoisie. Ces documents, qui ne concernent malheureusement qu'un petit nombre d'individus, nous persuadent que la quasi-totalité des gradés savaient au moins lire, écrire et calculer couramment.

toile volontaires pour les bataillons nationaux demeurent à Angers. Ils ont pu y acquérir plus facilement que leurs confrères ruraux un vernis d'instruction ou pour le moins la volonté de paraître savant. La ville, lieu de rencontres et d'émulation est plus favorable que la campagne à la curiosité intellectuelle et elle offre aussi de plus grandes possibilités à l'apprentissage des connaissances (58). Nous en avons la preuve non seulement par l'insignifiance du pourcentage des paysans capables d'écrire leur nom mais aussi par la comparaison du niveau d'alphabétisation des métiers artisanaux ou commerciaux les plus urbanisés et de ceux qui se pratiquent habituellement hors des villes, ainsi que le montre le tableau suivant :

HIÉRARCHIE SOCIO-CULTURELLE DE QUELQUES MÉTIERS DE L'ARTISANAT
ET DU PETIT COMMERCE

Professions	Pourcentage de signatures	Importance de l'échantillon
Commis-marchands et commis-épiciers	100 %	26 volontaires
Imprimeurs (ouvriers)	100 %	14 "
Orfèvres	100 %	11 "
Perruquiers	81,18 %	85 "
Boulangers	73,47 %	49 "
Menuisiers	71,88 %	64 "
Tonneliers	71,43 %	35 "
Tailleurs d'habits	53,49 %	86 "
Cordonniers	51,16 %	86 "
Maréchaux-ferrants, taillandiers	39,62 %	53 "
Bouchers	38,10 %	21 "
Tailleurs de pierre	28 %	75 "
Mariniers, bateliers	24,39 %	41 "
Sabotiers	23,21 %	56 "
Perrayeurs	16,67 %	78 "
Meuniers	16,22 %	37 "

Remarquons d'abord la grande variété des situations allant de l'alphabétisation totale pour les membres de trois professions où, il est vrai, les échantillons sont de faible importance (commis-marchands ou épiciers, imprimeurs, orfèvres) jusqu'au pourcentage très modeste relevé chez les

(58) Cf. P. GOUBERT, « Le contour social de l'analphabétisme correspond aux délimitations majeures de ce que nous avons appelé les «groupes dominés» avec une importante péjoration rurale. Dans l'ensemble, à niveau social comparable, la ville est moins ignare que la campagne... » (L'Ancien Régime, t. I, La société, Paris, A. Colin, Col. U, 1969, p. 244-245).
Dans le même sens, M. VOVELLE souligne l'analphabétisme paysan en Provence et remarque que les artisans de village signent moins souvent que leurs confrères des villes («Y a-t-il une révolution culturelle au XVIIIe siècle ? A propos de l'éducation populaire en Provence», dans Rev. Hist. Mod. et Cont., janvier-mars 1975, p. 89-141).
Le retard de l'alphabétisation des ruraux sur les citadins est encore bien visible en plein XIXe siècle pour les départements pauvres du Centre (Cf. A. CORBIN, Archaïsme et modernité en Limousin au XIXe siècle, Paris, 1975, t. I, p. 322-330 et, du même auteur, «Pour une étude sociologique de la croissance de l'alphabétisation au XIXe siècle. L'instruction des conscrits du Cher et de l'Eure-et-Loir (1833-1883) », dans Revue d'Hist. éc. et soc., 1975, n° 1, p. 99-120. Dans l'Eure-et-Loir, contrairement au Cher et aux trois départements limousins, le décalage entre ruraux et citadins disparaît au cours du siècle).

perrayeurs ou les meuniers. La hiérarchie des métiers se trouve globalement confirmée. Au sommet, les orfèvres, commis-marchands, imprimeurs (même si ce ne sont que des compagnons), forment une élite. Les perruquiers sont également bien placés, moins sans doute à cause de leur aisance matérielle que par le vernis culturel que leur confèrent l'exercice de leur métier dans les villes et la fréquentation des classes supérieures. Parmi les métiers du bâtiment et de l'ameublement, un fossé sépare ceux du bois (ici la menuiserie) qui supposent un sérieux apprentissage et ceux de la pierre ou de l'ardoise (tailleurs et surtout perrayeurs) accessibles à des ouvriers beaucoup moins qualifiés. Dans le sous-groupe du vêtement et de la chaussure, tailleurs d'habits et cordonniers font assez bonne figure. La différence déjà soulignée entre cordonniers et sabotiers se vérifie. Les premiers exerçant un métier plus difficile peut-être, surtout plus urbanisés, ont un taux de signature deux fois supérieur. La situation relative, au sein des professions annexes de l'agriculture, des tonneliers et forgerons ou taillandiers est identique : le niveau d'alphabétisation des uns dépasse largement la moyenne tandis que celui des autres est nettement inférieur. La différence entre boulangers et bouchers est plus difficile à expliquer. Les premiers sont toutefois plus urbanisés que les seconds (71 % des boulangers et 57 % des bouchers habitent une des deux grandes villes du département). Enfin, nous ne serons pas surpris de constater la faible proportion des signataires parmi les mariniers et bateliers qui sont, avec les perrayeurs et les tisserands, les représentants principaux du prolétariat d'Angers.

En définitive le niveau d'alphabétisation présumée nous semble un bon révélateur de la hiérarchie des métiers. Cette étude confirme qu'il n'était pas totalement vain d'essayer d'évaluer la qualité du recrutement à la proportion des orfèvres, commis-marchands, tonneliers, voire tailleurs d'habits ou cordonniers, de mesurer la démocratisation au rythme d'augmentation du pourcentage des tailleurs de pierre, perrayeurs, mariniers, maréchaux-ferrants ou sabotiers. Il y a pourtant une exception, celle des meuniers qui sont en général des personnages bien considérés et qui occupent cependant le dernier rang par la proportion des signatures. On pourrait, pour expliquer ce paradoxe, avancer l'hypothèse d'un nombre particulièrement élevé de compagnons parmi les volontaires-meuniers. Ce n'est pas impossible car les meuniers vendéens paraissent plus savants (59). Mais il faut ajouter que ces meuniers appartiennent au monde rural et il est assez naturel qu'ils en suivent la règle générale. Il paraît certain en effet, que le niveau des connaissances est proportionnel à la fois à la richesse moyenne et au degré d'urbanisation du métier. C'est ainsi que les artisans les plus aisés et les plus citadins comme les orfèvres ou les imprimeurs viennent en tête. A l'opposé, l'analphabétisme est lié à la pauvreté ou à un habitat campagnard. C'est le premier de ces facteurs qui rend compte du faible pourcentage des signatures chez les perrayeurs, domiciliés pour la plupart dans les faubourgs d'une grande ville, mais c'est le second qui nous paraît essentiel pour expliquer le cas des meuniers, tout comme celui des maréchaux-ferrants ou taillandiers ou celui des sabotiers.

---

(59) Cf. Cl. PETITFRÈRE, *Les Vendéens d'Anjou, op. cit.*, p. 377.

Les agriculteurs qui forment évidemment la moins urbanisée des catégories socio-professionnelles sont aussi les plus faiblement alphabétisés puisqu'un dixième d'entre eux seulement sont capables de tracer les lettres de leur nom. Il est intéressant d'affiner ce résultat en calculant le pourcentage des signatures dans les sous-groupes de statut différent.

Sous-groupes de la catégorie des agriculteurs	Pourcentage de signatures	Importance de l'échantillon
Exploitants	56,25 %	16 volontaires
Salariés	8,97 %	390 "
Travailleurs de statut indéterminé	8,64 %	162 "

Que la misère intellectuelle aille de pair avec la misère matérielle, la comparaison du pourcentage des signatures chez les exploitants et chez les salariés nous en persuaderait décidément si l'échantillon des premiers nommés était moins squelettique. Précisons que les exploitants doivent leur taux d'alphabétisation fort convenable aux seuls fermiers dont 9 sur 10 sont capables d'écrire leur nom. La proportion des signataires est particulièrement basse parmi les ouvriers agricoles et assimilés puisqu'elle est deux fois inférieure au pourcentage le plus modeste relevé chez les travailleurs industriels, celui des perrayeurs et des meuniers. Les jardiniers tranchent toutefois sur cette médiocrité avec un taux de signatures légèrement supérieur à 25 %, sans doute parce qu'ils habitent le plus souvent près des villes, principalement autour d'Angers. Enfin, il est remarquable que le niveau d'alphabétisation des agriculteurs de statut indéterminé ne dépasse pas celui des salariés. Nous avions fait pour les Vendéens une toute autre constatation (60). Le fait que les volontaires désignés sur les registres sous le nom de vigneron, cultivateur ou laboureur ne soient pas plus instruits que les bêcheurs, journaliers ou domestiques, prouve que ces substantifs désignent la plupart du temps des individus appartenant aux mêmes couches sociales. L'immense majorité des paysans qui acceptèrent de servir sous la bannière tricolore nous paraît donc constituée de prolétaires. Dès lors, on ne sera point étonné que leur niveau intellectuel moyen soit inférieur à celui des cultivateurs vendéens, plus représentatifs de l'éventail des professions agricoles (61).

Nous sommes désormais en mesure d'évaluer, malgré l'évolution considérable d'une année à l'autre, l'ampleur des oppositions socio-professionnelles des « Blancs » aux « Bleus ». Ce contraste pourrait nous faire adopter un manichéisme simple : pour le Roi les villages, les hameaux et les fermes de l'Anjou armoricain, pour la République les villes et les campagnes du val de Loire et de l'Anjou oriental. En réalité, l'opposition ne relève pas seulement d'une partition géographique mais d'un affrontement de classe à l'intérieur d'un même territoire. La comparaison de la structure des populations civiles et militaires nous a appris que, même dans les

---

(60) *Ibid.*, p. 376.
(61) 10,12 % de signatures chez les « Bleus » ; 13,51 % chez les « Blancs ».

bourgades contre-révolutionnaires, la bourgeoisie constituait une « Vendée patriote » (62). A l'inverse, toutes les couches sociales ne mirent pas une pareille bonne volonté à répondre à l'appel de la Patrie, même dans les régions les plus fidèles à la Révolution. Le simple examen de la structure des contingents a révélé le phénomène, l'étude comparée de la population patriotique et de l'ensemble des habitants permettra de le mesurer.

II. - COMPARAISON DES STRUCTURES SOCIO-PROFESSIONNELLES DES POPULATIONS CIVILES ET MILITAIRES

Dans quelle mesure les contingents de volontaires nationaux sont-ils l'image de la société qui les offrit à la Révolution ? Il serait séduisant pour l'esprit de rapprocher, comme on l'a fait pour les « Blancs », la composition socio-professionnelle de chaque commune, ou au moins de la plupart d'entre elles, et celle de l'échantillon de « Bleus » qui s'y trouvaient domiciliés. Pour les deux villes principales, l'entreprise est assez aisée puisqu'on connaît déjà les grands traits de la pyramide sociale d'Angers et de Saumur grâce aux recensements de 1769 pour la première, de 1790 pour la seconde. En ce qui concerne les autres communes, nous pouvons recourir aux registres paroissiaux selon la méthode déjà employée pour les Vendéens (63). Pourtant, notre champ d'investigation sera beaucoup moins étendu. En effet, les contre-révolutionnaires étant presque tous regroupés dans les Mauges, de nombreuses paroisses de la région offraient à notre étude des contingents d'importance raisonnable. Au contraire, nous ne disposons que d'un petit nombre d'échantillons communaux de « Bleus » suffisamment fournis pour autoriser des statistiques, à la fois parce que le recrutement est concentré dans les villes et disséminé sur toute l'étendue du territoire départemental. Outre Angers et Saumur, nous avons retenu 9 communes dont l'effectif de volontaires, après élimination de ceux dont nous ignorons le métier, est au moins égal à 30. Malheureusement elles sont mal réparties sur la carte car 5 d'entre elles représentent les Mauges et leurs abords, pays en grande majorité hostile à la Révolution mais dont les petites villes se distinguèrent par leur patriotisme (il s'agit de Cholet, Chemillé, Chalonnes, Rochefort et Vihiers), 3 autres sont situées dans le Baugeois de tradition révolutionnaire (Baugé, Beaufort et Mazé), une seule (Doué) dans le Saumurois rural qui est pourtant une région très favorable au recrutement mais où les contingents de taille raisonnable sont aussi rares que les gros bourgs. Enfin le Segréen n'est pas du tout représenté : médiocre fournisseur de volontaires, il ne possède aucune agglomération de quelque importance et donc n'a donné aucun contingent patriotique digne de figurer ici. Trente-trois « Bleus » se sont bien enrôlés au chef-lieu de district, Segré, mais nous ignorons la profession de 19

---

(62) C'est le titre d'un des ouvrages de Ch.-L. CHASSIN, *La Vendée patriote*, Paris, 4 vol., 1893-1895.

Voir un exemple des conflits de classe d'une communauté dans L. WYLIE, *Chanzeaux, village d'Anjou*, Paris, 1970, p. 52.

(63) Cf. Cl. PETITFRÈRE, *Les Vendéens d'Anjou, op. cit.*, p. 383-385.

d'entre eux et bon nombre nous paraissent d'ailleurs originaires des communes voisines.

1. - Les contingents des grandes villes : Angers et Saumur

a. - Le cas d'Angers

Rappelons que 1 153 habitants de la ville ou de son agglomération s'offrirent pour la défense de la Patrie révolutionnaire. Nous connaissons le métier de 1 053 d'entre eux (91,33 %). Nous comparerons d'abord la structure de l'ensemble de cet échantillon à celle de la population masculine de la ville tirée du recensement de 1769 puis étudierons séparément le cas de chacune des deux levées (64).

Catégories socio-professionnelles	Ensemble des « Bleus »		Ensemble de la population	
	Nombre	%	Nombre	%
Professions « bourgeoises »	190	18,04 %	1 304	19,32 %
Métiers de l'artisanat et du petit commerce (sauf textile)	633	60,11 %	2 950	43,71 %
Métiers du textile	167	15,86 %	746	11,05 %
Métiers de la terre	31	2,95 %	609	9,02 %
Domestiques	18	1,71 %	751	11,13 %
Professions « diverses »	14	1,33 %	389	5,77 %
TOTAL	1 053	100 %	6 749	100 %

Une seule catégorie se voit attribuer des pourcentages comparables dans les deux échantillons considérés, la « bourgeoisie », légèrement sous-représentée toutefois parmi les volontaires. Pour tous les autres groupes socio-professionnels, il existe des différences importantes. C'est ainsi que les gens de métier qui représentent seulement une bonne moitié (en incluant les travailleurs du textile) des habitants de la ville, forment à eux seuls les 3/4 de l'effectif des « Bleus ». Le monde de l'atelier et de la boutique pèse décidément de tout son poids sur le contingent des patriotes. A l'opposé, les agriculteurs (bêcheurs et jardiniers des faubourgs) sont fortement sous-représentés chez les volontaires de même que les domestiques et les hommes classés dans la catégorie des métiers « divers » (il s'agit surtout des ecclésiastiques).

Penchons-nous maintenant sur le détail de la représentation des métiers dans la troupe patriotique. A l'intérieur de la catégorie « bourgeoise », on peut reprendre les distinctions habituelles entre hommes d'affaires, membres de l'administration et des professions libérales ou intellectuelles, rentiers et oisifs. Trente-six volontaires se classent dans le premier sous-groupe (18,95 %), 113 dans le deuxième (59,47 %) et 41 dans le troisième

---

(64) Cf. *supra*, p. 100.

(21,58 %). Or, l'on recensait en 1769 dans la ville d'Angers moins de 8 % de représentants de la bourgeoisie d'affaires, plus de 71 % d'hommes exerçant des professions libérales ou intellectuelles ou appartenant à la bourgeoisie d'offices et plus de 20 % de rentiers (65). Si l'on s'en tient à ces chiffres bruts, manufacturiers et négociants auraient été les plus enthousiastes pour la cause patriotique tandis que les administrateurs et membres des professions libérales se seraient montrés les moins empressés à se faire inscrire sur les registres de volontaires. Mais la réalité n'est pas si simple car, nous l'avons vu, ce dernier sous-groupe était gonflé par un nombre très important d'étudiants et d'écoliers dans le recensement de 1769. Or, si les étudiants figurent très honorablement parmi les « Bleus », il est certain que les seconds étaient trop jeunes pour offrir leurs services. Compte tenu de cela, la répartition en sous-groupes des volontaires « bourgeois » de la ville ne doit pas être très éloignée de celle de l'ensemble de la population.

Descendons la hiérarchie sociale d'un échelon afin d'étudier le cas des artisans et boutiquiers.

Groupes de métiers	Ensemble des « Bleus »		Ensemble de la population	
	Nombre	%	Nombre	%
Bâtiment et ameublement	211	33,33 %	661	22,40 %
Vêtement et chaussure	120	18,96 %	539	18,27 %
Métiers de l'alimentation	67	10,58 %	507	17,19 %
Métiers annexes de l'agriculture	30	4,74 %	161	5,46 %
Métiers du transport ....,....	20	3,16 %	389	13,19 %
Divers	152	24,01 %	414	14,03 %
Journaliers	33	5,22 %	279	9,46 %
TOTAL	633	100 %	2 950	100 %

Seuls les métiers du vêtement et de la chaussure, où l'on remarque le grand nombre des tailleurs d'habits (47 volontaires) et des cordonniers (35), et les professions annexes de l'agriculture occupent à peu près la même place dans les deux populations. Les métiers qui ont fourni le plus gros effort patriotique sont ceux du bâtiment et de l'ameublement et ceux que l'on a classés dans la catégorie « divers ». Parmi les premiers, on relève un fort contingent de perrayeurs (51 individus), mais aussi un nombre très respectable de menuisiers (34). C'est surtout le lot des perruquiers qui gonfle la proportion des métiers « divers » : ils ne sont pas moins de 48, chiffre qui prend toute sa signification si l'on sait qu'en 1769 Angers comptait seulement 65 perruquiers dont 39 compagnons. Si ce nombre était resté immuable jusqu'à la Révolution, ce serait donc près des 3/4 des membres de la profession qui auraient offert leur sang à la Patrie. Nous tenons là sans nul doute les champions du civisme... à moins que ce ne soient les principales victimes du chômage.

(65) Cf. *supra*, p. 101.

A l'opposé, les métiers de l'alimentation sont fortement sous-représentés parmi les volontaires. Si le lot des boulangers n'est pas très fourni puisqu'ils ne sont que 24 à s'être proposés alors qu'on en comptait 110 dans l'ensemble de la population en 1769, ce sont surtout les meuniers qui sont rares dans le contingent patriotique où l'on en recense 6 seulement alors qu'ils étaient 82 dans l'agglomération angevine, presque tous domiciliés dans les campagnes entourant la ville. Même sous-représentation des métiers du transport : les bateliers dont le nombre avoisinait 200 dans la cité de 1769 ont délégué 17 des leurs seulement chez les «enfants de la Patrie». Enfin les journaliers sont, toute proportion gardée, presque deux fois moins nombreux parmi les «Bleus» que dans l'ensemble de la population. Leur sous-représentation qui s'ajoute à celle des domestiques, des bateliers voire des tisserands et faiseurs de bas montre que, mis à part peut-être les perrayeurs (66), les gens de l'ancien «quatrième état» sont loin d'occuper parmi les candidats à l'uniforme bleu la place qui leur revenait à la ville. C'est bien la sans-culotterie, le monde des boutiquiers et artisans et non le prolétariat qui se montra le plus enthousiaste pour voler au secours de la Révolution. Elle n'eut cependant point le monopole du patriotisme à Angers où la grande et moyenne bourgeoisie assuma normalement ses responsabilités.

Pour plus de précisions, distinguons maintenant les volontaires de la première levée, c'est-à-dire l'ensemble des hommes recrutés de juin 1791 à juillet 1792, puis ceux de la 2ᵉ levée.

- *Les volontaires de la première levée.* - Nous rapprocherons la structure socio-professionnelle de l'échantillon des patriotes de 1791 de celle de la population totale de la ville mais aussi de celle des citoyens actifs et de la garde nationale dont, théoriquement, les volontaires devaient être issus.

Catégories socio-professionnelles	Volontaires		Population totale	Citoyens actifs	Gardes Nationaux
	Nbre	%	%	%	%
«Bourgeois»..............	135	19,76 %	19,32 %	21,60 %	24,08 %
Artisans, boutiquiers (textile compris)..........	530	77,60 %	54,76 %	62,34 %	71,60 %
Agriculteurs	6	0,88 %	9,02 %	11,12 %	2,25 %
Domestiques.............	7	1,03 %	11,13 %	0	0
Divers	5	0,73 %	5,77 %	4,94 %	2,07 %
TOTAL..................	683	100 %	100 %	100 %	100 %

---

(66) Il y avait, d'après le recensement de 1769, 161 perrayeurs dans la ville et la proche campagne, mais le chiffre de ces ouvriers est trop fluctuant selon la conjoncture pour qu'on puisse le retenir pour les années 1791-1792. Nous avons avancé pour cette époque et pour l'ensemble des communes ardoisières de l'agglomération angevine (Trélazé notamment) le chiffre de 2 000 perrayeurs, *supra,* p. 138.

Comparé à l'ensemble de la population, le niveau social du contingent est décalé vers le haut car les domestiques y jouent un rôle presque négligeable. L'échantillon patriotique est aussi plus spécifiquement urbain, la proportion des agriculteurs étant infime. Ce dernier facteur de différenciation se retrouve si l'on rapproche les volontaires des citoyens actifs, un autre élément d'opposition étant le pourcentage des professions «diverses» (essentiellement les ecclésiastiques), très faible chez les «Bleus», notable parmi les citoyens actifs. Au total, c'est avec la garde nationale que le contingent de 1791 a le plus d'affinités, ce qui tend à prouver qu'à Angers les volontaires se sont bien recrutés dans la milice citoyenne, comme le voulait la loi. Toutefois, la «bourgeoisie» est un peu mieux représentée parmi les gardes nationaux, l'atelier et la boutique un peu mieux parmi les volontaires. Les responsables de ce phénomène sont les hommes de la «queue de levée» du premier bataillon dont, nous l'avons vu, le niveau social est très inférieur à celui de leurs prédécesseurs.

- Les volontaires de la deuxième levée. - Nous comparerons la structure socio-professionnelle de ce contingent à celle de l'ensemble de la population d'Angers et à celle de la garde nationale réformée de 1792.

Catégories socio-professionnelles	Volontaires		Population totale	Gardes Nationaux de 1792
	Nbre	%	%	%
«Bourgeois»......................	55	14,86 %	19,32 %	13,64 %
Artisans, boutiquiers (textile compris)....................	270	72,98 %	54,76 %	77,75 %
Agriculteurs	25	6,76 %	9,02 %	6,24 %
Domestiques.......................	11	2,97 %	11,13 %	0
Divers.............................	9	2,43 %	5,77 %	2,37 %
TOTAL.............................	370	100 %	100 %	100 %

Trois changements essentiels différencient cette levée de la précédente : la baisse de la proportion des artisans et boutiquiers, celle du pourcentage des «bourgeois» plus sensible encore par rapport à un effectif moindre, et l'apparition d'un contingent notable d'agriculteurs. Ainsi la structure de l'échantillon des volontaires s'est quelque peu rapprochée de celle de l'ensemble de la population. Néanmoins, des différences importantes subsistent. Agriculteurs, membres des professions «diverses» et surtout domestiques restent sous-représentés parmi les candidats au service militaire. La grande et moyenne bourgeoisie s'ajoute maintenant à cette liste. Par contre, les gens de l'atelier et de la boutique continuent à occuper parmi les patriotes une place beaucoup plus grande qu'à la ville. Les professions le plus souvent rencontrées restent les mêmes que l'année précédente : perruquiers, perrayeurs, tailleurs d'habits par exemple. On peut cependant considérer comme l'indice d'une démocratisation le recul de certains métiers «nobles» comme ceux du bois et la progression en pourcentage des tailleurs de pierre ou encore des tisserands des manufactures de la cité. Au total, la pyramide socio-professionnelle des volontaires de 1792 est plus tassée que celle de l'ensemble de la population urbaine puisque les extrêmes, «bourgeoisie» et personnel domestique y sont moins bien représentés. Ce sont les classes moyennes, mais aussi les pauvres à l'exclusion des gens de condition la plus subalterne, qui fournissent le gros des effectifs. La convergence est tout à fait remarquable entre les volontaires de la 2ᵉ levée et les gardes nationaux. Les apprentis-soldats ont donc continué à se recruter dans la milice citoyenne, mais une milice largement démocratisée par rapport à celle des précédentes années.

b. - Le cas de Saumur

Le total des volontaires saumurois est de 405 dont 363 de métier connu (89,63 %). Calculons d'abord la représentation dans ce contingent des catégories socio-professionnelles et comparons les résultats à la structure de l'ensemble de la population masculine de la ville tirée du recensement de février 1790 (67).

Catégories socio-professionnelles	Ensemble des «Bleus»		Ensemble de la population	
	Nombre	%	Nombre	%
«Bourgeois»	66	18,18 %	378	13,10 %
Artisans, boutiquiers (textile compris)...............	253	69,42 %	1 769	61,32 %
Journaliers	6	1,93 %	178	6,17 %
Agriculteurs	22	6,06 %	119	4,12 %
Domestiques	11	3,03 %	271	9,40 %
Divers	5	1,38 %	170	5,89 %
TOTAL	363	100　%	2 885	100　%

Les volontaires saumurois composent une société choisie qui fait la part belle à la jeunesse dorée. Les «bourgeois» y sont en effet nettement sur-représentés tout comme les artisans et boutiquiers. Au contraire la place des journaliers et des domestiques est beaucoup plus restreinte dans la société militaire que dans la société civile. Le contingent de Saumur présente une grande similitude avec celui d'Angers. La seule différence notable est la proportion des paysans deux fois supérieure au moins dans la troupe patriotique de la cité ligérienne. Les agriculteurs sont même mieux représentés parmi les volontaires que dans la population totale. En réalité le phénomène est sans doute exagéré par les caractéristiques du recensement saumurois de 1790 strictement limité à la ville, contrairement à celui qui fut réalisé à Angers en 1769 et s'étendait à la campagne hors les murs (68).

---

(67) Cf. supra, p. 108.
(68) En outre, un certain nombre d'agriculteurs habitant des paroisses rurales toutes

A l'intérieur des catégories sociales les plus nombreuses, essayons de déterminer l'importance relative des sous-groupes professionnels que nous avons pris l'habitude de distinguer. Nous nous apercevons d'abord que la «bourgeoisie» est, plus nettement encore qu'à Angers, dominée par les professions libérales ou administratives qui regroupent 77,27 % des effectifs de la catégorie. Les métiers ou occupations les plus fréquemment rencontrés sont ceux de praticien et d'étudiant représentés chacun par 12 volontaires, puis de commis au District (10 volontaires). Par contre, les hommes d'affaires (13,64 %) et les rentiers (9,09 %) n'ont pas la même importance qu'au chef-lieu départemental. Parmi les artisans et boutiquiers, les travailleurs du textile sont fort peu nombreux : 12 tisserands et 1 faiseur de bas. C'est qu'il n'existe pas à Saumur de manufactures comparables à celles d'Angers (69). Les autres volontaires du secteur industriel et commercial se répartissent de la façon suivante :

Groupes de métiers	Nombre	Pourcentage
Bâtiment et ameublement..........................	54	21,95 %
Vêtement et chaussure	45	18,29 %
Métiers de l'alimentation	28	11,38 %
Métiers annexes de l'agriculture...................	35	14,23 %
Métiers du transport	6	2,44 %
Divers..	72	29,27 %
Journaliers......................................	6	2,44 %
TOTAL...	246	100 %

La proportion des travailleurs du vêtement et de la chaussure, de l'alimentation, du transport, est très proche de celle que nous avons calculée pour les volontaires du chef-lieu. Par contre, les journaliers et surtout les ouvriers du bâtiment et de l'ameublement sont beaucoup moins bien représentés à Saumur où il n'existe aucune carrière comparable aux ardoisières de l'agglomération angevine. Enfin, la proportion des métiers «divers» et surtout celle des professions annexes de l'agriculture sont très supérieures dans le contingent saumurois. On ne sera pas étonné de la présence d'un groupe de 13 tonneliers dans la ville du Père Grandet.

Considérons maintenant l'un après l'autre les contingents des deux levées.

- *Les volontaires de la première levée.* - Comme nous l'avons fait pour Angers, nous rapprocherons la structure socio-professionnelle des recrues de la première levée successivement de la composition de l'ensemble de la population, des citoyens actifs et de la garde nationale (70).

---

proches (comme Saint-Lambert-des-Levées, Villebernier, Saint-Hilaire-Saint-Florent) ont pu venir se faire enrôler en ville sans préciser leur domicile.
(69) Cependant, en 1734, Pierre Deshays avait fondé à Saumur une manufacture de mouchoirs mais elle fut transférée à Angers, dans les bâtiments dits du Cordon Bleu en 1769 (F. LEBRUN, *Les Hommes et la Mort...*, *op. cit.*, p. 62-63 et 85-86).
(70) Cf. *supra*, p. 108-109.

Catégories socio-professionnelles	Volontaires		Population totale	Citoyens actifs	Gardes Nationaux de 1791
	Nbre	%	%	%	%
«Bourgeois».............	39	33,05 %	13,10 %	18,36 %	20,96 %
Artisans, boutiquiers (textile compris)..........	73	61,86 %	61,32 %	58,30 %	61,23 %
Journaliers	3	2,54 %	6,17 %	11,02 %	7,61 %
Agriculteurs	0	0	4,12 %	8,48 %	7,97 %
Domestiques.............	1	0,85 %	9,40 %	0	0
«Divers»................	2	1,70 %	5,89 %	3,84 %	2,23 %
TOTAL...................	118	100 %	100 %	100 %	100 %

Le contingent des volontaires saumurois de 1791 a un niveau social nettement plus élevé que celui qui fut recruté à Angers pendant la même période. C'est ici la grande et moyenne bourgeoisie qui a fourni l'effort principal et non le monde de l'atelier et de la boutique. En effet, les gens de métier sont représentés de façon identique chez les volontaires et dans l'ensemble de la population. Les plus nombreux sont les perruquiers, les tonneliers et les commis-marchands (on recense 8 volontaires de chacune de ces professions). Au contraire, les «bourgeois» sont deux fois 1/2 mieux représentés parmi les «Bleus» que dans la population globale. Dans cette catégorie ce sont les étudiants qui viennent en tête suivis des praticiens puis des rentiers (respectivement 9, 8 et 5 volontaires). Au bas de l'échelle, on trouve deux fois 1/2 moins de journaliers dans le contingent patriotique qu'en ville et les domestiques y sont à peine représentés. Les volontaires de 1791 constituent donc à Saumur une élite triée sur le volet. La société qu'ils composent est d'ailleurs plus choisie que toutes celles que nous avons prises en référence. Elle est même beaucoup plus relevée que la garde nationale qui constituait pourtant elle-même une élite par rapport à l'ensemble des citoyens actifs dans lesquels elle se recrutait.

Une autre caractéristique du contingent saumurois est d'être uniquement citadin. Le fait qu'aucun agriculteur n'y figure contribue à le distinguer de la milice nationale comme de la population des citoyens actifs où les paysans sont assez largement représentés.

- Les volontaires de la deuxième levée. - Le second contingent de volontaires peut être rapproché de la garde nationale de 1792 en même temps que de l'ensemble de la population masculine de Saumur (71) :

---

(71) Cf. *supra,* p. 142.

Catégories socio-professionnelles	Volontaires		Population totale	Gardes Nationaux de 1792
	Nbre	%	%	%
«Bourgeois»	27	11,02 %	13,10 %	19,40 %
Artisans, boutiquiers (textile compris)	180	73,46 %	61,32 %	64,13 %
Journaliers	3	1,23 %	6,17 %	8,85 %
Agriculteurs	22	8,98 %	4,12 %	5,85 %
Domestiques	10	4,08 %	9,40 %	0
«Divers»	3	1,23 %	5,89 %	1,77 %
TOTAL	245	100 %	100 %	100 %

Contrairement à ce que nous avons noté pour l'année précédente, la structure du nouvel échantillon de volontaires saumurois est semblable à celle du contingent du chef-lieu, à quelques nuances près : entre autres une proportion légèrement inférieure de « bourgeois » et un pourcentage un peu plus élevé d'agriculteurs et de domestiques. Ce qui frappe le plus, ce sont évidemment les différences considérables dans la composition des deux contingents recrutés à Saumur d'une année à l'autre. Qu'on en juge : on enregistre une diminution de plus de 22 points du pourcentage des « bourgeois », une augmentation de près de 12 points de celui des artisans et boutiquiers, une entrée en masse des paysans et, toute proportion gardée, des domestiques. Par rapport à la levée de 1791, celle de 1792 est donc à la fois moins exclusivement citadine et beaucoup plus démocratique. Il faut cependant remarquer que les couches inférieures de la société montrent encore une certaine réticence envers l'institution militaire. Bien que le nombre des domestiques ait décuplé d'une levée à l'autre, leur place dans le contingent reste deux fois 1/2 inférieure à celle qu'ils occupent dans la population totale. Quant au pourcentage de journaliers inscrits sur les registres de volontaires, il est toujours infime et même plutôt en régression par rapport à l'an passé. Comme à Angers, les « Bleus » de 1792 se recrutent dans les classes moyennes et pauvres plus fréquemment que dans le sous-prolétariat ou dans l'élite. A la décharge de cette dernière, il faut rappeler toutefois l'effort considérable fourni à l'occasion de la première levée qui a peut-être épuisé en partie les possibilités de la grande et moyenne bourgeoisie.

Voyons maintenant quelles sont les professions le plus souvent rencontrées dans le second contingent de Saumur. Parmi les « bourgeois », les rentiers ont une représentation réduite à l'extrême puisqu'on n'en trouve plus qu'un seul. Les effectifs des étudiants et des praticiens ont également diminué par rapport à l'année précédente, des 2/3 pour les premiers (3 volontaires en 1792), de la moitié pour les seconds (4 volontaires). Ce sont les commis au District qui ont réalisé l'effort principal : on en dénombre 9 parmi les nouvelles recrues contre un seul en 1791. Chez les artisans et boutiquiers, le plus gros contingent est celui des cordonniers dont le nombre a été multiplié par 5 d'une levée à l'autre (ils sont 20 en 1792). Les perruquiers sont certes nombreux (12), mais la proportion des volontaires qu'ils représentent est en diminution. Cette tendance est encore plus nette pour les commis-marchands et les tonneliers : on ne trouve plus que 5 membres de chacune de ces professions dans la troupe patriotique de 1792. Par contre, on enregistre une augmentation de la proportion des chapeletiers (au nombre de 4 dans le nouveau contingent contre 1 seul dans le précédent) et l'on note l'apparition de nombreux métiers qui n'étaient pas représentés en 1791 : on recense par exemple 10 tailleurs de pierre, 7 meuniers, 6 sabotiers, 6 fondeurs, 5 voituriers ou charretiers. Cette évolution traduit une baisse du niveau social du recrutement mais correspond aussi à son extension vers la campagne telle que l'indique par ailleurs le nombre respectable des cultivateurs : 7 laboureurs, 5 vignerons, 3 jardiniers, 1 bêcheur et 6 ouvriers agricoles.

Remarquons enfin qu'à l'inverse de ce que l'on a observé à Angers, la structure du contingent saumurois de 1792 s'écarte sensiblement de celle de la garde nationale. C'est que les registres de celle-ci ont été établis avant le tournant du 10 août : ils ne répercutent donc pas la poussée démocratique bien visible dans la composition de l'échantillon des volontaires.

Après l'exemple des deux villes principales du département, nous étudierons plus succinctement les contingents de quelques grosses bourgades situées tant dans les pays de « campagne » généralement favorables à la Révolution que dans les bocages le plus souvent hostiles.

2. - Les contingents des pays de « campagne » : Baugé, Beaufort Mazé et Doué

Des quatre communes considérées, seule Doué, située au sud de la Loire, appartient au Saumurois. Les trois autres font partie du Baugeois, ou, pour le moins, de ses marges.

a. - Le cas de Baugé

L'échantillon des volontaires résidant à Baugé s'élève à 86. Nous connaissons le métier de 69 d'entre eux (80,23 %) dont nous comparerons la répartition à la structure socio-professionnelle de l'ensemble de la population

Catégories socio-professionnelles	Volontaires		Population totale	Citoyens actifs	Gardes Nationaux
	Nbre	%	%	%	%
« Bourgeois »...............	27	39,13 %	13,10 %	28,39 %	33,56 %
Artisans, boutiquiers (textile compris)...........	41	59,42 %	65,50 %	58,90 %	63,70 %
Agriculteurs	1	1,45 %	20,62 %	8,90 %	2,06 %
« Divers ».................	0	0	0,78 %	3,81 %	0,68 %
TOTAL...................	69	100 %	100 %	100 %	100 %

calculée d'après les registres paroissiaux, à celle des citoyens actifs et à celle de la garde nationale de 1790-1791 (72).

La structure du contingent militaire rappelle, dans une très large mesure, celle de la garde nationale. A Baugé, tout comme à Angers et Saumur, les volontaires sont bien issus de la milice citoyenne. Cependant l'élite roturière pèse d'un poids encore plus considérable chez eux que dans la garde nationale où elle est pourtant déjà fortement sur-représentée. Pour mieux comprendre ce phénomène, il faut se rappeler que le contingent de Baugé est essentiellement formé de volontaires de la première levée, plus précisément d'hommes recrutés pendant l'été 1791 c'est-à-dire à l'époque de l'élan majeur de la bourgeoisie. L'état le plus souvent mentionné sur les registres d'inscription est précisément celui de « bourgeois » dont nous avons admis l'équivalence avec « rentier », puis viennent les praticiens. Les membres de l'administration sont également bien représentés. Par contre, la bourgeoisie d'affaires se réduit à trois marchands, ce qui paraît normal dans cette petite cité somnolente.

Si la grande et moyenne bourgeoisie est la seule catégorie sociale qui fait meilleure figure chez les volontaires que parmi l'ensemble des habitants, les artisans et boutiquiers ne sont pas loin d'occuper dans le contingent patriotique la place qui est la leur dans la population totale. Les plus nombreux sont les travailleurs du textile qui ont fourni 10 candidats aux bataillons, suivis par les cordonniers (5 volontaires) et les taillandiers (4). Il faut enfin souligner la quasi-absence des paysans parmi les recrues. Elle est significative puisque les agriculteurs constituent le cinquième de la population totale et guère moins du dixième des citoyens actifs.

b. - Le cas de Beaufort

Les registres d'engagements mentionnent la profession de 144 des 168 volontaires domiciliés à Beaufort (85,71 %). En voici la répartition comparée à celle de la population totale :

Catégories socio-professionnelles	Volontaires		Population totale	
	Nombre	%	Nombre	%
« Bourgeois »	11	7,64 %	94	5,50 %
Artisans, boutiquiers (sauf textile)	36	25,00 %	355	20,76 %
Travailleurs du textile	65	45,14 %	519	30,35 %
Agriculteurs	30	20,83 %	728	42,57 %
« Divers »	2	1,39 %	14	0,82 %
TOTAL	144	100 %	1 710	100 %

---

(72) Cf. *supra*, p. 113. La structure de la population totale est calculée sur un échantillon de 771 pères.

La structure de la population beaufortaise est différente de celle de Baugé. Simple chef-lieu de canton, Beaufort compte peu de véritables bourgeois. A l'inverse, les paysans occupent dans la société locale une place deux fois plus grande qu'au chef-lieu de district voisin. En outre, l'existence d'une importante manufacture de toile à voile confère à la population une grande originalité (73). Ce sont d'ailleurs les tisserands qui forment le gros du contingent des volontaires parmi lesquels ils sont largement sur-représentés. Il est remarquable que près des 3/4 d'entre eux (exactement 47 sur 65) furent recrutés à l'occasion de la 2e levée dont nous avons souligné à plusieurs reprises le caractère démocratique. Les autres professions du secteur industriel et commercial ont aussi contribué au succès du recrutement. Les volontaires les plus nombreux ont été offerts par les charpentiers, les sabotiers et les tailleurs d'habits. Comme les gens de métier, les « bourgeois » sont mieux représentés parmi les « Bleus » que dans la population totale. A l'exception de deux médecins, il s'agit soit de rentiers, soit d'hommes de loi. Contrairement à toutes ces catégories sociales, les professions terriennes n'ont pas consenti l'effort patriotique que leur place dans la société beaufortaise permettait d'espérer. Pour plus de vérité, il faut cependant distinguer les deux levées. Aucun paysan n'offrit le secours de ses bras à la Patrie en 1791. Les 30 agriculteurs qui figurent dans l'échantillon de volontaires de Beaufort doivent donc être rapportés au contingent de la 2e levée dont ils constituent plus de 28 %. A part 7 cultivateurs et 1 laboureur dont on ne peut préciser le statut, il s'agit de petites gens, des bêcheurs ou garçons-bêcheurs. Il faut dire que les bêcheurs formaient plus des 3/4 de la population paysanne de la paroisse d'après les registres de catholicité. François Lebrun évoquant la « Vallée », sur les franges de laquelle se situe Beaufort, souligne l'exceptionnelle densité des cultivateurs qui se pressent sur ces sols à la fois fertiles et malsains : « le travail de jardinage patient et ininterrompu auquel ils se livrent sur des parcelles trop exiguës leur permet tout juste de vivre », écrit-il (74). On comprend qu'un certain nombre de ces malheureux se soient laissé tenter par la sécurité que leur offrait l'armée.

c. - Le cas de Mazé

Les professions étant rarement mentionnées sur les registres paroissiaux de Mazé, nous avons eu recours pour tenter de reconstituer la pyramide socio-professionnelle du village, aux registres d'état-civil de 1793 puis de l'an II à l'an X. Cette méthode ne présente pas d'inconvénient majeur car les habitants de Mazé, à l'inverse de ceux des Mauges, n'ont pas connu de transferts massifs à l'époque révolutionnaire.

Nous ne connaissons malheureusement qu'une minorité des métiers des « Bleus » originaires du gros bourg de la « Vallée » : 37 sur 87 soit 42,53 % de l'effectif. Plus exactement, le renseignement fait défaut pour les 50 volontaires de la première levée, à deux exceptions près, mais il existe pour

---

(73) C'est le « Saumurois » déjà cité Pierre Deshays qui fonda en 1750, la manufacture de Beaufort (F. LEBRUN, *Les Hommes et la Mort...*, *op. cit.*, p. 82).

(74) F. LEBRUN, *Les Hommes et la Mort...*, *op. cit.*, p. 68.

35 des 37 hommes recrutés à partir de juillet 1792. C'est donc pratiquement la structure sociale du contingent de la 2ᵉ levée que nous allons reconstituer.

Catégories socio-professionnelles	Volontaires		Population totale	
	Nombre	%	Nombre	%
« Bourgeois »	1	2,70 %	33	2,80 %
Artisans, boutiquiers (sauf textile)	8	21,62 %	118	9,99 %
Travailleurs du textile	4	10,81 %	22	1,86 %
Agriculteurs	24	64,87 %	1 003	84,93 %
« Divers »	0	0	5	0,42 %
TOTAL	37	100 %	1 181	100 %

La structure sociale de Mazé est celle d'un gros village à très forte majorité paysanne. On ne sera donc pas étonné que les cultivateurs forment aussi l'ossature du contingent de volontaires de la commune. Même dans ce cas extrême, les paysans sont toutefois assez largement sous-représentés chez les « Bleus ». Il est malheureusement impossible de préciser leur statut car ils figurent la plupart du temps sur les registres sous l'appellation de « cultivateur ». Il est vraisemblable pourtant qu'il s'agit essentiellement de bêcheurs, tout comme à Beaufort dont Mazé n'est distante que de 4 ou 5 km. A l'inverse des hommes de la terre, les « bourgeois » sont fort rares dans la commune et donc également dans le contingent de volontaires où figure seulement un chirurgien. Quant aux artisans et petits commerçants, très peu nombreux dans l'ensemble de la population, ils sont nettement sur-représentés chez les candidats au service patriotique, notamment les tisserands dont la proportion est presque six fois plus élevée dans la troupe qu'au pays.

Malgré la médiocrité des chiffres sur lesquels nous raisonnons, nous pouvons conclure sans crainte d'erreur que le niveau social du contingent recruté à Mazé en 1792 était particulièrement modeste. Celui des volontaires de 1791 ne devait pas être plus élevé puisque, rappelons-le, les administrateurs départementaux ont rejeté 49 des 50 jeunes gens qui avaient offert leurs services (75).

d. - Le cas de Doué

L'échantillon des volontaires de métier connu se compose de 60 des 66 hommes recrutés à l'occasion des deux levées (90,91 %).

---

(75) Cf. *supra,* p. 265.

Catégories socio-professionnelles	Volontaires		Population totale	
	Nombre	%	Nombre	%
« Bourgeois »	7	11,67 %	59	8,84 %
Artisans, boutiquiers (sauf textile).............................	41	68,33 %	269	40,33 %
Travailleurs du textile	8	13,33 %	50	7,50 %
Agriculteurs	3	5,00 %	274	41,08 %
« Divers »	1	1,67 %	15	2,25 %
TOTAL	60	100 %	667	100 %

A Doué, la grande et moyenne bourgeoisie est peu nombreuse. La population se partage à peu près équitablement entre les paysans et les gens de métier. Or, les uns et les autres ont réagi de façon opposée aux sollicitations de la Révolution. Les cultivateurs se sont abstenus presque totalement tandis qu'artisans et boutiquiers ont montré un grand empressement. Ces derniers constituent plus des 4/5ᵉ du contingent patriotique alors qu'ils forment moins de la moitié de la population totale. Les plus nombreux sont les travailleurs du textile (76), puis viennent les cordonniers, les cloutiers et les maréchaux-ferrants et taillandiers. Avec les travailleurs de l'artisanat et de la boutique, les « bourgeois » composent la fraction des habitants la plus favorable au recrutement. On recense parmi les volontaires de cette catégorie trois rentiers, un étudiant, un praticien, un architecte et un marchand.

Quittons maintenant les pays de « campagne » et intéressons-nous à quelques contingents recrutés dans les Mauges ou sur les bordures du plateau.

3. - Les contingents du bocage :
Cholet, Chemillé, Chalonnes, Rochefort et Vihiers

Nous étudierons tour à tour les exemples de Cholet et de Chemillé, principaux centres de tissage des Mauges et villes de réputation patriote au cœur du pays « aristocrate », puis ceux de Chalonnes, Rochefort-sur-Loire et Vihiers, autres bourgades plus ou moins favorables au nouveau régime, mais situées sur les marges de la Vendée angevine. Pour l'ensemble de ces communes à l'exception de Vihiers, nous aurons la chance de pouvoir rapprocher la structure des contingents de volontaires non seulement de la population totale mais de l'échantillon des soldats catholiques étudié dans Les Vendéens d'Anjou (77).

---

(76) On est étonné de ne pas trouver de blanchisseur parmi eux. Les « blanchiries » de Doué traitaient au XVIIIᵉ siècle une partie des toiles de Beaufort et de Cholet (F. LEBRUN, Les Hommes et la Mort..., op. cit., p. 61, note 125, p. 63 note 138 et p. 68).
(77) Cf. Cl. PETITFRÈRE, Les Vendéens d'Anjou, op. cit., p. 383-399.

a. - Le cas de Cholet

Nous avons recensé 62 volontaires domiciliés dans la capitale des Mauges dont 49 de métier connu (79,03 %). Nous comparerons la pyramide sociale des « habits bleus » à celle des Vendéens originaires de la ville et à la structure socio-professionnelle de la population de la paroisse Saint-Pierre telle qu'elle a été établie par Charles Tilly (78).

Catégories socio-professionnelles	Volontaires		Pop. totale paroisse St-Pierre		Vendéens	
	Nombre	%	Nombre	%	Nombre	%
« Bourgeois »	8	16,33 %	105	11,12 %	3	1,38 %
Artisans, boutiquiers (sauf textile)	11	22,45 %	133	14,08 %	39	17,97 %
Travailleurs du textile	29	59,18 %	390	41,31 %	104	47,93 %
Agriculteurs	0	0	316	33,46 %	70	32,26 %
« Divers »	1	2,04 %	0	0	1	0,46 %
TOTAL	49	100 %	944	100 %	217	100 %

L'on perçoit immédiatement les deux phénomènes primordiaux. Le premier est l'absence totale des paysans parmi les volontaires alors qu'ils forment le tiers de la population et de la troupe vendéenne. Le second traduit la réaction diamétralement opposée des « bourgeois » : très rares parmi les « Blancs », ils sont sur-représentés chez les « Bleus ». Les plus nombreux sont les commis d'administration qui constituent plus de la moitié de l'effectif de la catégorie. Entre la paysannerie entièrement acquise à la cause des « aristocrates » et la « bourgeoisie » patriote, le monde de l'échoppe et de l'atelier, mais aussi celui des caves où besognent les tisserands, compte à la fois de nombreux partisans et adversaires du nouveau régime. Sur-représentés dans les deux camps, les travailleurs du secteur industriel, artisanal et boutiquier se seraient donc comportés en « activistes » pour reprendre le vocabulaire de Charles Tilly (79). Mais, entre Révolution et Contre-Révolution ont-ils tenu la balance égale ? Les pourcentages sont légèrement favorables à la première, cependant, l'examen des chiffres bruts paraît inverser le rapport des forces. 29 travailleurs du textile choisirent le drapeau tricolore, tandis qu'on en trouve 104 parmi les survivants de l'Armée Catholique et Royale, 30 ans après l'événement. La proportion est à peu près la même pour les autres artisans et les boutiquiers : ils sont 11 chez les « Bleus » et 39 parmi les rescapés de l'épopée vendéenne. En réalité, la conjoncture de 1791-92 et celle de 1793 étaient trop différentes pour permettre la comparaison. La pression sociologique en faveur de l'engagement patriotique était bien faible, celle qui poussa les habitants des Mauges à

---

(78) Cf. Ch. TILLY, *La Vendée*, Paris, 1970, p. 75.
(79) *Ibid.*, p. 228.

suivre le drapeau blanc fut immense. Il faut rappeler que lors du « tirage au sort » de mars 1793, les tisserands déserteront leurs ateliers et prendront la fuite. Ouvriers et paysans seront ensemble taxés d'incivisme par la municipalité de Cholet, par opposition aux « commerçants et chefs de Manufacture » bien disposés en faveur de la Révolution (80). En fait, le contingent des travailleurs de la toile mérite que l'on s'y intéresse de plus près, s'agissant de la capitale angevine du tissage. Les 2/3 d'entre eux, ou presque (18 sur 29), ont attendu 1792 pour se faire inscrire sur les registres de volontaires et, d'une levée à l'autre, la hiérarchie du textile n'est pas représentée de la même façon. Parmi les « Bleus » de la première levée, on recense un teinturier, trois tisserands et surtout sept fabricants de mouchoirs. Or, ces derniers sont (si du moins le vocable est employé à bon escient), les moins pauvres, les moins exploités des hommes des caves. En 1792 par contre, un seul fabricant offrit ses services contre 17 tisserands. La conclusion paraît s'imposer : réticents pour défendre une révolution bourgeoise, les simples tisserands participent au courant démocratique qui caractérise la 2ᵉ levée. Gardons-nous toutefois d'une interprétation trop abrupte. Nous ne pouvons sonder les cœurs et les reins pour savoir si chacun de ceux qui répondirent à l'appel de la Patrie posa un acte de foi révolutionnaire. Le chômage grandissant fut sans doute un des pourvoyeurs de l'armée et le racolage confère une certaine ambiguïté aux engagements, comme d'ailleurs, dans l'autre camp, l'intense pression sociologique.

Les nuances que nous avons été amené à introduire dans notre discours, ne doivent pas obscurcir les choix primordiaux. Celui de la paysannerie mène à la révolte, celui de la grande et moyenne bourgeoisie implique le soutien vigoureux du nouveau régime. Entre les deux, le monde des métiers est traversé par une ligne de partage opposant ceux qui optèrent pour la Révolution en 1791-92, et ceux qui préférèrent, en 1793, la Contre-Révolution.

b. - Le cas de Chemillé

Notre échantillon se compose de 38 volontaires de métier connu sur un effectif total de 40 (95 %).

Catégories socio-professionnelles	Volontaires		Population totale		Vendéens	
	Nombre	%	Nombre	%	Nombre	%
« Bourgeois »................	7	18,42 %	81	6,15 %	3	3,53 %
Artisans, boutiquiers (sauf textile)	15	39,47 %	342	25,99 %	25	29,41 %
Travailleurs du textile	14	36,84 %	362	27,51 %	24	28,23 %
Agriculteurs	2	5,27 %	509	38,68 %	32	37,65 %
« Divers ».................	0	0	22	1,67 %	1	1,18 %
TOTAL....................	38	100 %	1 316	100 %	85	100 %

(80) Cf. Cl. PETITFRÈRE, Les Vendéens d'Anjou, op. cit., p. 357.

La structure du contingent patriotique de Chemillé ressemble à celle de la troupe choletaise à cette différence près que le rapport des forces entre tisserands et travailleurs des autres métiers de l'artisanat et de la boutique est inversé au bénéfice des seconds. Dans les deux villes, on constate la même désaffection des paysans à l'égard de l'armée révolutionnaire contrastant avec leur engagement sans réticence dans la Vendée, la même faveur accordée au recrutement par les «bourgeois» très réservés par contre à l'égard de la cause royaliste (81). Enfin à Chemillé comme à Cholet, les gens de métier se partagent entre les deux camps. Les ouvriers de la toile qui sont ici presque tous des tisserands sont plus nombreux dans la 2ᵉ levée que dans la première, tandis que les travailleurs des autres corps de métier se sont surtout engagés en 1791.

c. - Le cas de Chalonnes

Nous raisonnerons sur une population de 73 volontaires de métier connu sur un total de 80 (91,25 %).

Catégories socio-professionnelles	Volontaires		Population totale		Vendéens	
	Nombre	%	Nombre	%	Nombre	%
«Bourgeois»	5	6,85 %	57	4,09 %	0	0
Artisans, boutiquiers (sauf textile)	44	60,27 %	374	26,83 %	10	23,25 %
Travailleurs du textile	9	12,33 %	28	2,01 %	2	4,65 %
Agriculteurs	14	19,18 %	923	66,21 %	31	72,10 %
«Divers»	1	1,37 %	12	0,86 %	0	0
TOTAL	73	100 %	1 394	100 %	43	100 %

Le contingent des «Bleus» apparaît comme une sorte de négatif de la troupe vendéenne. C'est ainsi que les paysans, qui constituent les 2/3 de la population communale, forment à peine le 1/5ᵉ de l'échantillon des volontaires contre près des 3/4 de celui des «Blancs». De son côté, la «bourgeoisie», faiblement représentée dans la ville, figure chez les patriotes en position relativement bonne alors qu'elle est totalement absente de l'Armée Catholique. Enfin, l'ensemble des gens de métier (boutiquiers, tisserands et autres artisans réunis) qui équivalent à un peu plus du 1/4 des habitants de Chalonnes et des soldats contre-révolutionnaires qui en sont issus, ne représentent pas loin des 3/4 des candidats au service patriotique. Parmi eux, les cordonniers et les sabotiers (respectivement au nombre de 9 et de 5) ont fait un effort particulier. Certes, comme à Cholet et Chemillé le monde de l'artisanat et de la boutique s'est partagé, mais il est clair que la cause révolutionnaire eut la faveur de la majorité. On comprend la

---

(81) Sur les 7 «bourgeois», 6 se sont portés volontaires en 1791. Il se trouve parmi eux un marchand-fabricant qui devait appartenir à l'élite dirigeante de la manufacture choletaise. Cf. *supra*, p. 354 note 29.

réputation exécrable des habitants de Chalonnes auprès de ceux de la Vendée angevine (82).

d. - Le cas de Rochefort-sur-Loire

Nous connaissons le métier de 34 des 35 volontaires enregistrés à Rochefort soit 97,14 %.

Catégories socio-professionnelles	Volontaires		Population totale		Vendéens	
	Nombre	%	Nombre	%	Nombre	%
« Bourgeois »	0	0	46	5,96 %	3	7,89 %
Artisans, boutiquiers (sauf textile)	21	61,76 %	187	24,22 %	9	23,69 %
Travailleurs du textile	5	14,71 %	22	2,85 %	0	0
Agriculteurs	8	23,53 %	513	66,45 %	26	68,42 %
« Divers »	0	0	4	0,52 %	0	0
TOTAL	34	100 %	772	100 %	38	100 %

Deux phénomènes sont conformes aux observations le plus souvent faites à propos des contingents communaux de volontaires : la nette sous-représentation des paysans par rapport à la troupe vendéenne et à la population totale, corrélativement la sur-représentation non moins remarquable de l'ensemble des gens de métier. Groupant à peine le 1/4 des soldats catholiques de Rochefort, ce qui correspond à peu près à leur place parmi les habitants de cette ville, ils forment plus des 3/4 des « Bleus ». Une troisième remarque est exceptionnelle dans cette étude : aucun membre de la grande et moyenne bourgeoisie ne s'est proposé pour le service patriotique alors qu'ils sont trois à figurer parmi les survivants de l'Armée Catholique et Royale.

e. - Le cas de Vihiers

Catégories socio-professionnelles	Volontaires		Population totale	
	Nombre	%	Nombre	%
« Bourgeois »	11	34,38 %	49	14,94 %
Artisans, boutiquiers (sauf textile).......................	15	46,88 %	148	45,12 %
Travailleurs du textile......................	5	15,62 %	18	5,49 %
Agriculteurs	1	3,12 %	106	32,32 %
« Divers »	0	0	7	2,13 %
TOTAL	32	100 %	328	100 %

_____

(82) Cf. *supra*, p. 128.

Nous avons retrouvé la profession de 32 volontaires domiciliés à Vihiers sur un total de 33, soit 96,97 %. Les habitants de Vihiers, minuscule chef-lieu de district des marges armoricaines, passaient pour patriotes. De fait, la ville n'est représentée dans notre échantillon de Vendéens que par un contingent négligeable. Aussi, c'est seulement à la structure de l'ensemble de la population calculée d'après les registres de baptême des deux paroisses, Notre-Dame et Saint-Nicolas, que nous comparerons la petite troupe des volontaires.

Dans le contingent patriotique, recruté en 1792 à deux exceptions près, les métiers de type citadin sont presque seuls représentés. On n'y recense en effet qu'un journalier alors que les hommes des champs composent le tiers de la population totale. On trouve par contre, toute proportion gardée, au moins deux fois plus de « bourgeois » parmi les volontaires qu'à la ville. C'est que l'administration à elle seule a offert à l'armée nouvelle huit de ses chefs de bureau ou de ses commis. Les ouvriers du textile ont, eux aussi, payé de leur personne. Il faut cependant remarquer que deux d'entre eux sont des sergers, étrangers par conséquent à la Manufacture choletaise dont le centre est d'ailleurs relativement éloigné de Vihiers. Quant aux autres artisans et aux boutiquiers, ils occupent une place similaire parmi les « Bleus » et dans la population totale.

Les 11 contingents communaux que nous venons d'étudier regroupent ensemble 1 952 volontaires. Ce nombre représente une proportion assez considérable des « Bleus » de métier connu (presque exactement 60 %) pour que les résultats auxquels nous sommes parvenu semblent difficiles à mettre en doute. Le plus évident est la sous-représentation paysanne parmi les candidats au service patriotique. Le phénomène est constant à une exception près (celle du contingent saumurois de 1792) et son amplitude est presque toujours considérable. L'opposition, ou la résistance, des travailleurs de la terre au recrutement des bataillons nationaux, quasi totale en 1791, moins farouche l'année suivante, contraste avec l'engagement universel de la paysannerie des Mauges dans les compagnies insurgées de 1793. Autre enseignement fondamental de l'étude comparative des « militaires » et des civils, la participation sans réticence du monde de l'atelier et de la boutique à la défense révolutionnaire. Partout, sauf à Baugé où ils sont légèrement sous-représentés parmi les « habits bleus », les gens de métier ont payé de leur personne plus qu'on était en droit de l'espérer et partout ils constituent l'ossature de la troupe patriotique. La grande et moyenne bourgeoisie a eu généralement la même attitude. Le contingent de Rochefort, peu représentatif, est la seule exception à la règle qui veut que les « bourgeois » soient sur-représentés parmi les volontaires ou au moins (à Angers et Mazé) qu'ils occupent à peu près la même place à l'armée et au pays. Cependant, à cet égard, l'évolution est nette d'une levée à l'autre. Celle de 1791, très élitaire, inclut un fort contingent « bourgeois », au contraire de celle de 1792 bien plus démocratique.

Les échantillons de volontaires offrent donc une image très gauchie de la société angevine, exagérant le rôle des citadins et, parmi ces derniers, majorant l'importance des classes supérieures. Cette image est encore plus déformée si l'on prend pour référence, non l'ensemble des jeunes gens qui s'offrirent à porter les armes, mais seulement les privilégiés admis aux bataillons puisque le critère social fut un de ceux qui guidèrent le choix des administrateurs départementaux. Il reste à savoir si l'élite urbaine sut profiter de cette position de force pour se faire donner le commandement des unités en formation. Nous terminerons ce chapitre par une étude socio-professionnelle comparée des « Bleus » élus aux divers échelons de la hiérarchie militaire et de ceux qui demeurèrent simples soldats.

III. - MÉTIERS, MILIEUX SOCIAUX ET ACCESSION AUX GRADES

Les critères de l'argent, de la considération sociale, ont-ils été retenus, consciemment ou non, par les nouveaux incorporés lorsqu'ils eurent à désigner les cadres qui devaient assurer leur formation militaire et les mener au combat ? En d'autres termes, existe-t-il une relation entre la classe d'origine et le grade acquis par le volontaire lors de la constitution des unités ? Pour répondre à cette question, nous examinerons séparément le cas du bataillon organisé en septembre 1791, puis celui des deux unités formées à un mois d'intervalle l'année suivante.

1. - Les volontaires du premier bataillon

Si nous connaissons le grade de chacun des 577 enrôlés (83), nous savons seulement le métier de 428 d'entre eux (74,18 %). A cet égard, nous sommes mieux renseigné sur les officiers et sous-officiers que sur les caporaux et simples soldats. Nous avons en effet retrouvé les professions de 31 officiers sur 33, de 25 sous-officiers sur 27, mais seulement celles de 29 caporaux sur 36 et de 343 hommes de troupe sur 481 (84).

Calculons dans un premier temps la structure socio-professionnelle du groupe des volontaires composant chaque échelon du commandement.

RÉPARTITION DES GROUPES SOCIO-PROFESSIONNELS DANS LES ÉCHELONS DE LA HIÉRARCHIE MILITAIRE					
I. NOMBRE	Soldats	Caporaux	Sous-Officiers	Officiers	Total
« Bourgeois »	94	11	16	22	143
Artisans, boutiquiers (sauf textile)	176	11	6	7	200
Travailleurs du textile	55	4	1	1	61
Agriculteurs	16	1	0	0	17
« Divers »	2	2	2	1	7
TOTAL	343	29	25	31	428

(83) Grâce au contrôle 1 L 582.
(84) Rappelons que chaque compagnie est encadrée par 4 caporaux, 3 sous-officiers (un sergent-major et deux sergents) et 3 officiers (capitaine, lieutenant, sous-lieutenant). Aux 27 officiers de compagnies, nous avons joint le chirurgien-major et les 5 volontaires composant

II. Pourcentage	Soldats	Caporaux	Sous-Officiers	Officiers	Moyenne
«Bourgeois»	27,41 %	37,93 %	64,00 %	70,96 %	33,41 %
Artisans, boutiquiers (sauf textile)	51,31 %	37,93 %	24,00 %	22,58 %	46,73 %
Travailleurs du textile	16,04 %	13,79 %	4,00 %	3,23 %	14,25 %
Agriculteurs	4,66 %	3,45 %	0	0	3,97 %
«Divers»	0,58 %	6,90 %	8,00 %	3,23 %	1,64 %
Total	100 %	100 %	100 %	100 %	100 %

Les « bataillons de 1791, écrit Jean-Paul Bertaud, sont la projection d'autant de communautés villageoises ou urbaines et les hommes y retrouvent et y répètent les gestes de subordination appris dans la vie civile. La hiérarchie militaire traduit la hiérarchie sociale et les "fusiliers" obéissent à des hommes qu'ils ont élus en raison de l'autorité que leur famille détenait dans la cellule sociale d'origine» (85). Ceci se vérifie parfaitement dans le premier bataillon de Maine-et-Loire. Les grades d'officiers et de sous-officiers furent pratiquement monopolisés par les classes supérieures. C'est la structure du corps des officiers (auxquels nous avons assimilé les membres de l'Etat-Major) qui est la plus choisie (86). Aucun volontaire de cet échelon ne sort du monde paysan et si l'on sait que l'officier classé dans la catégorie «divers», le commandant Beaurepaire, avait acquis dans la Ligne un rang qui lui conférait déjà la respectabilité d'un bourgeois (il était capitaine et avait reçu la croix de chevalier de Saint-Louis), on peut dire que les 3/4 des officiers appartiennent à la grande ou moyenne bourgeoisie qui s'est donc assurée du pouvoir au bataillon comme à la ville (87). Ce sont les rentiers qui ont fourni le plus gros contingent (8 des futurs officiers se parent du titre de «bourgeois» sur les registres d'engagements), suivis par les employés d'administration puis les gens de justice. Par contre deux marchands et un étudiant seulement eurent accès aux échelons les plus élevés de la hiérarchie militaire. La situation des sous-officiers est très comparable à celle de leurs supérieurs à cela près qu'ils comptent dans leurs rangs deux anciens «culs-blancs» au lieu d'un seul, d'où le pourcentage plus que double des métiers divers. Au contraire, entre eux et les caporaux, il existe un fossé. Ces

l'Etat-Major à la constitution du bataillon : les deux lieutenants-colonels, le quartier-maître trésorier, le tambour-maître et l'armurier. L'adjudant-major et l'adjudant sous-officier ayant été désignés ultérieurement, ils figurent en septembre 1791 parmi les gradés de compagnie.

(85) J.-P. Bertaud, «Notes sur le premier amalgame...», art. cit.

(86) La structure socio-professionnelle des officiers du 1er bataillon fait à l'élite une place bien supérieure à celle qui est la sienne dans l'infanterie de ligne. S.F. Scott y dénombre en effet 8 % de nobles, 35 % d'individus exerçant dans le civil une profession que nous classerions dans la «bourgeoisie», 25 % d'hommes que nous classerions parmi les artisans et boutiquiers, plus de 16 % d agriculteurs et 2,3 % de «divers». Nous ne pouvons que souligner le décalage, même en tenant compte du fait que des nobles et des bourgeois figurent sans doute parmi les quelque 13 % d'officiers de profession indéterminée, («Les officiers de l'infanterie de ligne à la veille de l'amalgame», dans A.H.R.F., oct.-déc. 1968, p. 455-471).

(87) Si ce phénomène se vérifie généralement à l'échelon national (cf. J.-P. Bertaud, Valmy, op. cit., p. 298), à l'échelon départemental il existe des exceptions (cf. J.-M. Levy, La formation de la première armée de la Révolution..., op. cit., p. 209).

derniers se rapprochent bien plutôt des simples soldats : les agriculteurs apparaissent seulement à ce niveau de la hiérarchie et la catégorie la mieux représentée est celle des artisans et boutiquiers (à égalité, il est vrai, avec les « bourgeois » parmi les caporaux).

Pour plus de précisions, inversons les termes du rapport statistique et calculons la représentation des différents échelons militaires dans chaque catégorie socio-professionnelle.

RÉPARTITION DES ÉCHELONS DE LA HIÉRARCHIE MILITAIRE
DANS LES GROUPES SOCIO-PROFESSIONNELS (88)

	« Bourgeois »	Artisans, boutiqu.	Travailleurs du textile	Agriculteurs	« Divers »
Soldats	65,73 %	88,00 %	90,16 %	94,12 %	28,57 %
Caporaux	7,69 %	5,50 %	6,56 %	5,88 %	28,57 %
Sous-officiers........	11,19 %	3,00 %	1,64 %	0	28,57 %
Officiers	15,39 %	3,50 %	1,64 %	0	14,29 %
TOTAL	100 %	100 %	100 %	100 %	100 %

La proportion des simples soldats diminue au fur et à mesure que l'on grimpe dans l'échelle sociale. Elle est maximum chez les agriculteurs, un peu plus faible chez les travailleurs du textile, ces parents pauvres de l'artisanat, encore moindre parmi les autres artisans et les petits commerçants, minimum enfin chez les « bourgeois ». Il faut cependant remarquer que l'écart des pourcentages n'est considérable qu'entre artisans - boutiquiers et « bourgeois ». Plus de 22 points les séparent alors que la différence est seulement de 4 points entre la proportion des soldats chez les cultivateurs et les tisserands, de deux points entre ces derniers et les autres travailleurs de l'échoppe et de l'atelier.

Dès qu'on aborde le premier grade de la hiérarchie militaire, on s'aperçoit que les catégories socio-professionnelles se classent dans un ordre différent : c'est dans la « bourgeoisie » que les caporaux occupent la place la plus importante. Toutefois, les écarts sont minimes d'un groupe social à l'autre et l'on peut admettre que chacun a fourni un nombre de caporaux à peu près proportionnel à son importance numérique dans le bataillon. Au contraire, à partir de l'échelon des sous-officiers, le classement des catégories professionnelles est significatif : il est exactement l'inverse de ce qu'il était chez les simples soldats. En effet, on ne compte aucun officier ni sous-officier parmi les agriculteurs, une proportion infime chez les tisserands, très faible chez les autres artisans et boutiquiers, mais on relève un pourcentage notable de ces gradés parmi les « bourgeois ». La répugnance des volontaires à élire un paysan est d'autant plus remarquable que près de la moitié des agriculteurs incorporés au premier bataillon nous semblent appartenir à une

---

(88) Nous ne reproduisons pas dans ce tableau les chiffres bruts que l'on peut évidemment retrouver par une lecture horizontale de la première partie du tableau précédent.

élite (89). Ce phénomène traduit bien le mépris de l'homme de la ville pour celui des champs. Au total le lien est évident entre l'argent, la considération que donne l'exercice d'une « belle » profession et l'accès au commandement. Nous avions remarqué, en étudiant *Les Vendéens d'Anjou*, que l'attribution de certains grades par voie élective était une des caractéristiques rapprochant curieusement l'armée vendéenne des unités de volontaires (90). Nous pouvons affirmer maintenant que la sur-représentation des classes supérieures parmi les hommes chargés de commander leurs camarades est un autre trait commun aux deux armées. La troupe catholique semble toutefois beaucoup plus démocratique puisqu'environ la moitié des grades d'officiers et de sous-officiers y revinrent aux agriculteurs tandis que la grande et moyenne bourgeoisie se vit attribuer moins de 3 % des places d'officiers et 1,5 % de celles de sous-officiers. La composition socio-professionnelle de l'armée vendéenne rend compte de ce paradoxe apparent. En réalité, si les paysans avaient plus de chance chez les « Blancs » que chez les « Bleus » de parvenir à un grade au moins égal à celui de sous-lieutenant (cet honneur fut accordé à 7,30 % des agriculteurs vendéens tandis qu'il fut refusé à tous leurs collègues servant au premier bataillon), les rares « bourgeois » qui avaient choisi la Contre-Révolution avaient encore plus d'espoir de promotion que ceux qui suivirent le drapeau tricolore : plus de 29 % des membres de la catégorie « bourgeoise » figurant dans notre échantillon de Vendéens parvinrent à l'un des grades d'officier (91). Bien que le petit nombre des « bourgeois » chez les « Blancs » et des agriculteurs chez les « Bleus » rende l'interprétation délicate, il nous paraît certain que les riches et les notables bénéficièrent d'autant de popularité auprès des soldats de la Contre-Révolution que parmi les défenseurs de la Patrie.

2. - Les volontaires des 2ᵉ et 3ᵉ bataillons

Les registres d'inscription mentionnent la profession de 1 489 volontaires de grade connu sur 1 695 (87,85 %). Plus précisément, nous savons le métier de 60 des 72 caporaux des deux bataillons, 48 des 54 sous-officiers et 64 des 70 officiers. Voyons tour à tour comment se répartissent les catégories socio-professionnelles à l'intérieur de chaque échelon hiérarchique puis les échelons à l'intérieur de chaque catégorie.

---

(89) 8 paysans sur 17 étaient des « fermiers ». Cf. *supra*, p. 345.
(90) Cf. Cl. PETITFRÈRE, *Les Vendéens d'Anjou, op. cit.*, p. 267-268.
(91) La comparaison entre « Bleus » et « Blancs » est toutefois un peu abusive car nous recensons d'un côté les seuls gradés promus à l'issue des premières élections, de l'autre ceux qui accédèrent aux grades à un moment quelconque de leur carrière.

RÉPARTITION DES GROUPES SOCIO-PROFESSIONNELS DANS LES ÉCHELONS DE LA HIÉRARCHIE MILITAIRE					
I. EFFECTIF	Soldats	Caporaux	Sous-Officiers	Officiers	Total
« Bourgeois »	55	12	22	37	126
Artisans, boutiquiers (sauf textile)	613	38	23	18	692
Travailleurs du textile	177	4	1	1	183
Agriculteurs	450	2	0	2	454
« Divers »	22	4	2	6	34
TOTAL	1 317	60	48	64	1 489
II. POURCENTAGE					Moyenne
« Bourgeois »	4,18 %	20,00 %	45,83 %	57,81 %	8,46 %
Artisans, boutiquiers (sauf textile)	46,54 %	63,33 %	47,92 %	28,13 %	46,48 %
Travailleurs du textile	13,44 %	6,67 %	2,08 %	1,56 %	12,29 %
Agriculteurs	34,17 %	3,33 %	0	3,13 %	30,49 %
« Divers »	1,67 %	6,67 %	4,17 %	9,37 %	2,28 %
TOTAL	100 %	100 %	100 %	100 %	100 %

Comme pour le premier bataillon, on constate que les niveaux de la hiérarchie ont une structure de moins en moins relevée au fur et à mesure que l'on descend vers la base. C'est ainsi que les « bourgeois » constituent la catégorie la mieux représentée, et de loin, parmi les officiers. Par contre, chez les sous-officiers, ils sont devancés de peu par les artisans et boutiquiers qui, par ailleurs, sont largement majoritaires chez les caporaux et les simples soldats. On note, par rapport à l'unité précédente, un glissement vers le haut des gens de l'atelier et de la boutique et un tassement de la représentation « bourgeoise » à tous les niveaux, les deux phénomènes s'expliquant par la nette réduction des hommes de la grande et moyenne bourgeoisie qui se portèrent volontaires lors de la 2ᵉ levée. Au bas de la hiérarchie sociale, tisserands et agriculteurs sont rares parmi les gradés, y compris les caporaux. Il est remarquable que les paysans, qui ont pourtant donné aux nouvelles unités plus d'un de leurs soldats sur trois, ne soient représentés que par un caporal et un officier sur 30 et soient totalement absents de l'échelon des sous-officiers. Encore faut-il préciser que les deux officiers classés parmi les paysans car ils se disent jardiniers en 1792, ont un passé de soldat ce qui explique aisément leur promotion (92). La même explication vaut d'ailleurs pour les métiers « divers ». Rappelons que nous avons rangé dans cette

_____

(92) Il s'agit d'André Lebreton qui avait passé 3 ans au régiment d'Agenais et vivait chez Nicolas Lebreton (son père ?) jardinier à Angers, et de François Leroy qui avait servi 8 ans au 28ᵉ d'infanterie où il avait terminé comme caporal. Le premier fut élu sous-lieutenant de la 4ᵉ Cⁱᵉ du 2ᵉ bataillon, le second capitaine de la 6ᵉ Cⁱᵉ de la même unité (1 L 589 bis et 1 L 592 bis).

catégorie tous les volontaires qui n'ont pas fait état, lors de leur engagement, d'une autre profession que celle de militaire. Or, sur les dix anciens « lignards » qui se trouvent dans ce cas, six furent immédiatement élus comme officiers.

RÉPARTITION DES ÉCHELONS DE LA HIÉRARCHIE MILITAIRE
DANS LES GROUPES SOCIO-PROFESSIONNELS

	« Bourgeois »	Artisans, boutiqu.	Travailleurs du textile	Agriculteurs	Divers
Soldats	43,65 %	88,58 %	96,72 %	99,12 %	64,71 %
Caporaux	9,52 %	5,49 %	2,18 %	0,44 %	11,76 %
Sous-officiers	17,46 %	3,33 %	0,55 %	0	5,98 %
Officiers	29,37 %	2,60 %	0,55 %	0,44 %	17,65 %
TOTAL	100 %	100 %	100 %	100 %	100 %

On relève sans surprise la très forte proportion des simples soldats dans les classes populaires rurales et urbaines. Comme au premier bataillon, elle est maximum chez les paysans, presqu'aussi importante parmi les tisserands, un peu moindre chez les autres artisans et les boutiquiers. A l'inverse, le pourcentage des hommes de troupe est relativement modeste dans la « bourgeoisie » ; il est même en retrait de 22 points par rapport à l'unité précédente. Les chances d'être promus à un grade, notamment comme officier et sous-officier, étaient d'autant plus grandes pour les « bourgeois » qu'ils furent moins nombreux à s'enrôler en 1792. A cet égard la situation rappelle, toute proportion gardée, celle que nous avons relevée pour l'Armée Catholique. Ce sont les commis d'administration qui furent le plus souvent choisis par leurs camarades comme officiers ou sous-officiers (on en compte 17), puis les divers marchands et négociants (9) et les étudiants (8). Ce classement tendrait à prouver que les capacités, le prestige conféré par le savoir jouèrent un rôle aussi important que la richesse et la position sociale, encore que nombre d'étudiants ou d'employés du Département ou des Districts pouvaient être des fils de marchands... Alors que ce sont les rentiers qui donnèrent au premier bataillon le plus grand nombre d'officiers et sous-officiers, on en recense seulement deux appartenant à ces échelons hiérarchiques dans les 2e et 3e unités de volontaires. Certes les rentiers furent beaucoup moins nombreux à proposer leurs bras en 1792 que l'année précédente mais il est incontestable que leur cote a baissé auprès de leurs camarades d'une levée à l'autre ; la proportion de promus est d'environ 15 % dans les deux derniers bataillons contre 30 % à peu près dans le premier. Pour les étudiants, on peut faire la remarque inverse : 3 promus sur 19 (moins de 16 %) en 1791, 8 sur 14 (plus de 57 %) en 1792. De même pour les marchands et négociants dont en 1791 seulement 3 devinrent officiers ou sous-officiers sur un total de 21 dont le grade est connu (à peu près 14 %) tandis que l'année suivante 9 sur 22 (près de 41 %) bénéficièrent de la faveur de leurs camarades. Au sein de la « bourgeoisie », il y aurait donc eu un report de la popularité des rentiers vers les éléments les plus dynamiques de la catégorie, qui étaient sans doute aussi les plus avancés politiquement. Les artisans et petits commerçants eurent cinq fois moins de chances d'accéder à l'un des grades de sous-officier que les « bourgeois » et environ onze fois moins de chances de devenir officiers. Parmi les gens de métier, les plus favorisés furent les mieux placés dans la hiérarchie sociale. Chez les 41 volontaires d'un grade supérieur à celui de caporal, on recense 8 commis-marchands, commis-négociants ou commis-épiciers, 6 perruquiers et 5 orfèvres ou horlogers mais seulement 1 marinier et 1 « ouvrier ». Encore ce dernier qui travaillait à Trélazé, sans doute dans les carrières d'ardoise, avait-il passé 12 ans comme fourrier au régiment de Vermandois. Ce détail rend moins étonnante son élection comme capitaine par les hommes de la 3ᵉ Cⁱᵉ du 2ᵉ bataillon (93). Les espoirs de promotion que pouvaient avoir les volontaires appartenant aux couches inférieures de la société étaient donc infimes. Les pourcentages négligeables d'officiers et de sous-officiers exerçant dans le civil un des métiers du textile ou une profession du secteur agricole le confirment sans équivoque. Les paysans, en particulier, souffrent d'un véritable ostracisme que ne connaîtront pas leurs semblables dans l'Armée Catholique et Royale. Cette fois, contrairement à ce que nous avons noté pour le premier bataillon, ce n'est pas seulement leur nombre minoritaire au sein des unités révolutionnaires qui peut expliquer ce phénomène, mais aussi leur rang très modeste, la plupart du temps dans la hiérarchie des professions terriennes.

IV. - CONCLUSION

Large domination des gens de métier, participation imposante de la grande et moyenne bourgeoisie, effacement du monde agricole, la population patriote angevine est comme le « moule en creux » de l'Armée Catholique. Celle-ci, à quelques nuances près, est le miroir fidèle du peuplement rural des Mauges, celle-là diffère spectaculairement de la structure sociale des communes du Maine-et-Loire même les plus attachées à la Révolution. La profonde réticence paysanne à l'égard de l'institution militaire nouvelle en est la cause principale. Que ce soit dans les bourgs du Beaugeois et du Saumurois patriotes, dans les petites cités des Mauges et de leurs abords, ou dans l'ancienne capitale de la province, partout les hommes des champs ont marqué leur distance à l'égard du nouveau régime. En 1793, les cultivateurs du Sud-Ouest du département se lèveront en masse contre la République et ils seront les seuls à le faire, mais il faut reconnaître que, nulle part dans le Maine-et-Loire, la Révolution n'avait soulevé l'enthousiasme des gens de la terre. Pour l'essentiel, ce sont les artisans et boutiquiers qui ont occupé dans les bataillons de « Bleus » la place laissée libre par les paysans. En Anjou, les « enfants de la Patrie » sont avant tout les fils des

---

(93) Il s'agit de Jean-François Bazille qui terminera sa carrière militaire comme chef de bataillon (1 L 589 bis, 1 L 592 bis, série Q, Enregistrement, bureau d'Angers, registre mutations-décès n° 126, acte n° 420 du 12 juin 1818).

classes moyennes et populaires des villes et des bourgs, à l'exclusion toutefois des plus démunis ou des plus dépendants, tels les ouvriers du port d'Angers ou les domestiques pourtant si nombreux dans les cités.

En réalité, les deux levées sont fort dissemblables. En 1791, l'élan révolutionnaire paraît venir d'en-haut. Que près de 23 % des hommes qui (dans l'allégresse et en pleine liberté, rappelons-le) vinrent se faire inscrire parmi les volontaires durant l'été qui suivit Varennes soient issus de la bonne bourgeoisie, voilà qui ne peut laisser d'impressionner. Avec elle cette élite entraîne largement les gens de l'échoppe, de la boutique et de l'atelier. Mais la masse des terriens reste parfaitement indifférente (moins de 6 % de paysans !) et le prolétariat urbain ne se sent guère plus concerné : perrayeurs de Trélazé, chapeletiers de Saumur, mariniers et bateliers d'Angers, domestiques et gagne-petit, tous ceux-là sont rares parmi les recrues. Les vœux de la Constituante sont comblés et au-delà : en Anjou les « passifs » se sont abstenus d'eux-mêmes (94). Le choix auquel purent se livrer les administrateurs départementaux devant l'abondance des volontaires, accentua l'écrémage : on se retrouva entre gens de « bonne famille » au premier bataillon...

Le contraste est grand avec la levée de 1792. « Le drame du 10 août avec ses prologues et ses épilogues, écrit Jean Jaurès, transforme à la fois, par un effort immense et lié, l'institution sociale, l'institution militaire » (95). De fait, le recrutement s'ouvre aux classes inférieures ; tisserands, perrayeurs, bateliers, besogneux de toutes sortes, s'inscrivent beaucoup plus nombreux que l'année précédente. Il n'y a guère que les domestiques à rester presque complètement à l'écart, puisque les paysans si réservés en 1791, font leur entrée en nombre parmi les volontaires. Non tous les paysans cependant, mais les moins favorisés surtout, journaliers et bêcheurs. Encore ne se décident-ils que tardivement pour la plupart ; après les moissons ... c'est-à-dire aussi après le 10 août. Le prolétariat terrien participe ainsi à la démocratisation de la 2e levée, phénomène dont l'interprétation est malaisée, obscurcie encore par le recours au racolage inconnu pendant l'été 1791. Est-ce la misère, est-ce la foi dans une Révolution enfin devenue sienne qui poussa le petit peuple vers les bataillons ? Mais les deux éléments ne sont-ils pas liés ? S'engager, c'était pour l'immédiat manger à sa faim et parer au chômage ; c'était à plus longue échéance assurer le triomphe d'une Révolution qu'on pouvait espérer plus juste, plus égalitaire que celle de 1789-91. Contrairement au peuple, la moyenne et grande bourgeoisie naguère si prodigue de ses enfants, se fait presque avare. Aurait-elle accompli tant de sacrifices qu'elle s'y serait épuisée ? Certes on doit tenir compte des engagements nombreux de l'année passée, mais on ne peut s'empêcher de relever des changements symptomatiques : 53 volontaires de l'été 1791 sont qualifiés de « bourgeois » sur les registres d'engagements, 16 seulement des « Bleus » de 1792. Au contraire, les commis d'administration, anciens « jeunes gens » et volontaires des gardes nationales, sont plus

---

(94) Ce ne fut pas le cas dans tous les départements. Cf. A. Soboul, *Les Soldats de l'An II*, *op. cit.*, p. 74-75.

(95) J. Jaurès, *L'Armée nouvelle*, Paris, 1915, p. 154-155.

nombreux à se proposer lors de la 2e levée qu'à l'époque des premières inscriptions. La bonne bourgeoisie rentière ne s'y trompe pas ; elle ne suit plus une révolution républicaine (96).

Pour intéressantes qu'elles soient, les différences entre les deux levées ne doivent pas faire oublier que la « bourgeoisie » s'assure chaque fois le contrôle des unités, grâce aux élections. Elles ne doivent surtout pas rejeter dans l'ombre les oppositions, combien plus tranchées, entre l'ensemble des « Bleus », ceux de 1792 comme ceux de 1791, et les soldats improvisés qui lèveront les armes contre la République. Le dernier chapitre consacré au niveau de fortune des volontaires permettra peut-être d'éclairer un peu plus ce contraste primordial.

---

(96) La majorité de la bourgeoisie angevine (considérée dans son ensemble) est d'orientation girondine. Dès le 4 mai 1792, à Angers, la société populaire de l'est a proposé à la municipalité parisienne une légion pour la protéger contre les sections. Cf. S. CHASSAGNE, *Histoire d'Angers, op. cit.,* p. 163.

CHAPITRE VI

LES NIVEAUX DE FORTUNE
DES VOLONTAIRES NATIONAUX

Selon la méthode suivie dans *Les Vendéens d'Anjou (1)*, nous avons recherché systématiquement les successions de tous les volontaires habitant, en 1791 ou 1792, dans l'une des neuf circonscriptions de l'Enregistrement suivantes : Angers, Baugé, Beaufort, Châteauneuf-sur-Sarthe, Doué, Longué, Saint-Georges-sur-Loire, Saumur et Thouarcé. Nous avons laissé de côté, outre les hommes résidant hors du Maine-et-Loire à l'époque de leur engagement, ceux qui étaient dispersés dans l'étendue des autres bureaux départementaux. Leur faible densité aurait entraîné un rendement disproportionné au temps passé. Au total, ce sont les successions de 2 257 « Bleus » que nous avons recherchées dans les Tables des décès, soit environ 800 individus de plus que pour les « Blancs ». Première déception, la proportion des déclarations retrouvées est très inférieure à celle que nous avons obtenue concernant les Vendéens. Cette dernière s'élevait, en effet, à 56,01 %, pourcentage remarquable dont nous avions souligné l'importance par rapport aux résultats d'autres chercheurs. Or, nous n'avons découvert que 407 déclarations de succession d'anciens volontaires, c'est-à-dire 18,03 % du nombre recherché. C'est là une proportion comparable à celle enregistrée par Adeline Daumard pour le XIIe arrondissement de Paris en 1847, mais encore trois fois supérieure à celle obtenue par Jean Sentou à Toulouse (2).

Le relatif insuccès de notre quête tient d'abord à la mobilité géographique et sociale plus grande chez les volontaires que chez les Vendéens. Ce phénomène est renforcé par la date différente à laquelle ont été rassemblés les échantillons. Nous connaissons les combattants du roi par des documents établis en 1824-25, les « habits bleus » grâce à des sources de l'époque révolutionnaire. Quand nous les avons rencontrés, les premiers étaient, généralement, plus près de leur mort que les seconds et leur domicile avait moins de chances d'être modifié avant leur décès. Une autre raison du

---

(1) Cf. Cl. Petitfrère, *Les Vendéens d'Anjou, op. cit.*, p. 403-416.
(2) A. Daumard, « Une source d'histoire sociale : l'enregistrement des mutations par décès. Le XIIe arrondissement de Paris en 1820 et 1847 », dans *Revue d'Hist. éc. et soc.*, 1957, p. 52-78.

médiocre rendement de nos recherches est sans doute le caractère citadin de la population des volontaires. Il était certainement plus difficile à un employé d'un bureau urbain de recenser tous les décès qu'à son confrère rural. Ajoutons que la proportion des indigents a des chances d'être supérieure en ville, restreignant ainsi le pourcentage des déclarations utiles.

I. - LES RÉSULTATS D'ENSEMBLE

Rappelons d'abord que les « sommiers certains » regroupant les déclarations de successions définitivement réglées par les services de l'Enregistrement, à l'exclusion des indigents, fournissent une indication intéressante sur la fréquence des contrats de mariage et des testaments. Nous avons relevé 38 contrats (en comprenant dans ce total deux donations entre vifs au profit du conjoint), sur 157 déclarations susceptibles d'en mentionner un (3). La proportion est de 24,20 %, incomparablement supérieure par conséquent au pourcentage calculé pour les Vendéens (4,41 %). La différence s'explique à la fois par le fait que beaucoup de volontaires étaient des citadins (4) et parce qu'il y avait parmi eux un bon nombre de bourgeois dont la fortune au mariage exigeait la protection d'un contrat. La preuve en est que la proportion des contrats s'élève à 36,73 % parmi les volontaires engagés en septembre 1791 au premier bataillon, qui constituent le contingent le plus bourgeois et le plus urbain, alors qu'elle tombe à 6,8 % dans le 2ᵉ contingent de 1792 (un pourcentage voisin de celui calculé pour les Vendéens) dans lequel les ruraux et les pauvres sont bien plus nombreux.

Les testaments se retrouvent avec une fréquence semblable à celle des contrats de mariage. On en a dénombré 67 sur 267 successions où nous les pensons susceptibles de figurer (5). La proportion est de 25,09 %, fort supérieure encore à celle trouvée parmi les « Blancs » (10,57), bien que l'écart, des Vendéens aux volontaires, soit moindre que pour les contrats (6). C'est également parmi les déclarations d'anciens soldats du premier bataillon, que la fréquence des testaments est la plus élevée (32,50 %). Dans les autres contingents, le pourcentage varie de 20 à 25 %, sauf pour la « queue de levée » du premier bataillon où l'on n'a retrouvé qu'un seul testament pour 11 déclarations dans lesquelles la mention était susceptible de figurer (9,09 %). Ce contingent était, nous le savons, le plus populaire de tous.

J. SENTOU, *Fortunes et groupes sociaux à Toulouse sous la Révolution*, Toulouse, Privat, 1969, p. 29.

(3) C'est-à-dire les déclarations des hommes mariés à leur décès. Toutefois, exceptionnellement, l'existence d'un contrat peut être mentionnée dans les déclarations de veufs.

(4) Guy BILLARD a trouvé 37, 82 contrats pour 100 mariages célébrés à Angers de 1785 à 1789. (*Recherche sur les structures et les relations sociales à Angers de 1785 à 1789 d'après les contrats de mariage*, Mém. maîtrise, Poitiers, 1979, p. 18-26).

(5) Il s'agit des successions positives auxquelles s'ajoutent quelques déclarations relatives à des indigents. Il nous semble toutefois exceptionnel que la mention d'un testament figure dans les « Tables des décès », seule source qui permette de relever les déclarations des indigents.

(6) A titre de référence, rappelons que Michel VOVELLE fait état de 60 à 70 % de testaments chez les notables de la Provence rurale au xviiiᵉ siècle,(*Piété baroque et déchristianisation en Provence au xviiiᵉ siècle*, Paris, Le Seuil, 1978, p. 27).

Des 407 déclarations retrouvées, 69 sont inutilisables, soit à cause d'une inscription au « sommier douteux », soit parce qu'elles sont, ou paraissent, incomplètes. C'est notamment le cas pour certaines successions « bourgeoises » qui comprennent des biens situés hors du Maine-et-Loire. Les 338 déclarations utiles se répartissent en 259 successions positives (76,63 %) et 79 successions négatives ou nulles (23,37 %), que le détail de la déclaration fasse apparaître un bilan passif, ou que la « Table des décès » comporte la simple mention « indigent » qui laisse présumer une succession d'un montant négligeable. Plus exactement, nous avons recensé 8 successions passives et 71 déclarations d'indigence. Au total, la proportion des indigents et des successions passives est légèrement supérieure à celle que nous avons relevée pour les Vendéens (18,65 %).

Avant d'analyser les résultats de la recherche, il est bon de s'assurer de la conformité de l'échantillon à la population totale. Pour cela, nous répartirons d'abord l'ensemble des successions trouvées entre les cinq contingents que nous avons coutume de distinguer.

Contingents (7)	1 B	N.E.	Q. 1 B.	92.1	92.2	Total
Population totale (%).....	14,69 %	19,60 %	8,45 %	23,87 %	33,39 %	100 %
Successions trouvées (nombre)	103	69	19	103	113	407
Succes. trouvées (%)	25,31 %	16,95 %	4,67 %	25,31 %	27,76 %	100 %

Ce tableau montre que le succès de la recherche fut variable selon les contingents. Les volontaires du premier bataillon sont largement surreprésentés parmi les successions trouvées, ainsi que, de façon moins nette toutefois, les hommes du premier contingent de 1792. En d'autres termes, on a retrouvé 17,85 % des successions de « Bleus » du premier bataillon et 10,98 % de celles des hommes du contingent 92-1 contre seulement 8,96 pour les volontaires de l'été 1791 non engagés dans l'unité en formation, 8,61 pour les hommes du 2ᵉ contingent de 1792 et 5,72 pour les garçons de la « queue de levée » du premier bataillon. Si nous avons été beaucoup plus heureux dans notre quête des fortunes des soldats du premier bataillon, c'est sans doute, par suite du grand nombre des notables qui peuplaient cette unité et dont la succession ne pouvait passer inaperçue. Il est donc à craindre que la structure socio-professionnelle de l'échantillon ne coïncide pas avec celle de l'ensemble des volontaires. Pour vérifier cela, nous avons réparti les « Bleus » pour lesquels nous disposons de déclarations utilisables dans les cinq catégories sociales que nous avons pris l'habitude de distinguer au cours de ce travail.

(7) Rappelons la signification des abréviations :
1 B. = volontaires enrôlés au premier bataillon en septembre 1791
N.E. = volontaires non enrôlés au premier bataillon en septembre 1791
Q. 1 B. = volontaires de la « queue de levée » du premier bataillon,
92. 1. = volontaires du premier contingent de la 2ᵉ levée,
92. 2. = volontaires du deuxième contingent de la 2ᵉ levée.

Catégories socio-professionnelles	Ensemble des volontaires	Volontaires dont les successions sont utilisables	
	%	Nombre	%
« Bourgeois »	12,38 %	85	25,37 %
Artisans, boutiquiers (sauf textile)	50,25 %	147	43,88 %
Travailleurs du textile	14,41 %	34	10,15 %
Agriculteurs	20,38 %	62	18,51 %
« Divers »	2,58 %	7	2,09 %
TOTAL métiers connus	100 %	335	100 %

Il est évident que notre échantillon n'est pas représentatif. Si l'on met à part les métiers « divers », on s'aperçoit que la « bourgeoisie » est très nettement surévaluée dans l'échantillon des fortunes retrouvées, alors que toutes les autres catégories sont sous-représentées. En fait, les déclarations « bourgeoises » découvertes dans les livres de l'Enregistrement représentent 21,09 % de l'ensemble des volontaires de cette catégorie, les pourcentages correspondants étant de 8,99 % seulement pour les artisans et petits commerçants, 7,25 % pour les tisserands et assimilés et 9,35 % pour les paysans (8).

Afin de rendre l'échantillon conforme, nous avons décidé de ne retenir que la moitié des successions « bourgeoises » puisqu'il apparaît que notre quête a été au moins deux fois plus rentable pour elles que pour les autres catégories socio-professionnelles. Nous avons confié au hasard le soin de déterminer les 42 successions d'anciens volontaires appartenant à la « bourgeoisie » dont nous ferons rentrer le montant en ligne de compte. Désormais, notre échantillon se monte à 295 déclarations de succession après décès, dont 292 de profession connue qui se répartissent de la façon suivante :

	« Bour-geois »	Artisans, boutiqu.	Tisse-rands	Paysans	« Divers »	Total
Nombres	42	147	34	62	7	292
Pourcentages	14,38 %	50,34 %	11,65 %	21,23 %	2,40 %	100 %

Cette fois, l'échantillon des fortunes au décès est à peu près semblable à la population totale des volontaires, bien que la « bourgeoisie » soit encore légèrement sur-représentée et la place des gens du textile assez nettement sous-estimée (9). Si l'on tient compte des trois déclarations se rapportant à

---

(8) Ces proportions sont données à titre indicatif puisque nous n'avons pas recherché la fortune au décès de tous les volontaires.

(9) Dans l'étude détaillée des fortunes, catégorie par catégorie, nous reprendrons néanmoins la totalité des successions « bourgeoises » afin de donner une meilleure assise numérique à notre échantillon. Cf. *infra*, p. 420 sq.

des «Bleus» dont la profession nous est inconnue, on recense
217 successions positives (73,56 %) et 78 indigents ou successions négatives
(26,44 %) dont la figure n° I montre la répartition respective selon les cinq
catégories sociales habituelles. (cf. ci-dessous.)

La comparaison de la place occupée par les différentes catégories dans
l'ensemble des successions positives d'une part, passives ou nulles de l'autre,
est tout à fait significative. Une seule catégorie est représentée à peu près de
la même façon dans les deux échantillons, celle des artisans et boutiquiers.
Par contre, les «bourgeois» qui constituent 18,43 % des volontaires dont la

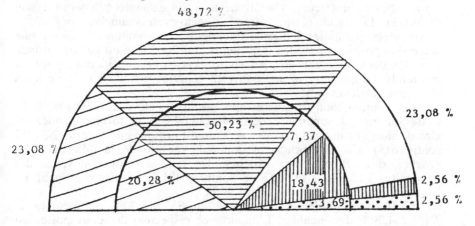

1 – Répartition comparée des catégories socio-professionnelles dans
    l'échantillon des successions positives et dans celui des succes-
    sions négatives ou nulles.

Le 1/2 cercle de plus petit rayon représente les successions positives.
Le 1/2 cercle de plus grand rayon représente les successions négatives
ou nulles (indigents).

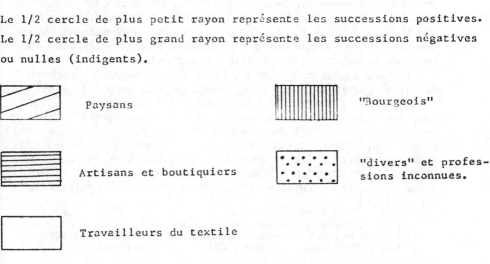

succession est positive, ne représentent que 2,56 % de ceux qui ne laissent rien à leurs héritiers. Encore ne s'agit-il point d'individus qui meurent dans la misère et se voient gratifiés du qualificatif d'indigent sur les Tables des décès. Les deux « bourgeois » classés parmi les hommes sans fortune laissent une succession passive. Le premier, Pascal Baudouin, est un ancien praticien de Saumur qui, après avoir servi au premier bataillon, a dû poursuivre une carrière militaire car, après sa mort survenue le 4 juillet 1814, la Table des décès le qualifie de « pensionné » (10). Le second est l'imprimeur Dominique Degouy dont la succession n'est négative que parce que les reprises de sa veuve sont très supérieures à la fortune de la communauté, à l'époque de son décès (11). Les deux autres catégories socio-professionnelles sont mieux représentées parmi les indigents que parmi les volontaires laissant une succession positive : pour les agriculteurs la différence n'est pas très grande entre les deux pourcentages ; par contre, l'écart est considérable pour les tisserands, ce qui indique une pauvreté générale évoquant celle de leurs confrères vendéens (12).

Le montant total des successions positives s'élève à 3 009 109, 59 F. Cette somme est supérieure de 2 145 114,69 F à la fortune vendéenne globale alors que le nombre des successions est presque inférieur des 2/3 (217 contre 615). Ce rapprochement donne la mesure de la différence des échelles, des «Blancs» aux «Bleus». De fait, la fortune moyenne des volontaires s'établit à 13 866,86 F contre 1 404,87 F seulement pour les Vendéens, soit un écart de 12 461,99 F.

La fortune totale se décompose en 857 875,30 F de meubles et 2 151 234,29 F d'immeubles. L'importance respective des deux postes est très différente de celle que nous avons notée en étudiant les soldats royalistes : chez les «Bleus», la fortune immobilière représente 71,49 % de la fortune globale contre 56,35 % chez les «Blancs». Le nombre des successions mobilières s'élevant à 212 la fortune mobilière moyenne est égale à 4 046,58 F. Comme l'on compte 122 successions immobilières, la fortune immobilière moyenne représente 17 633,06 F. La différence est considérable avec les moyennes calculées pour l'échantillon vendéen (respectivement 623,33 F et 1 803,25 F). La fortune mobilière moyenne des anciens volontaires est 6,5 fois plus élevée que celle de leurs adversaires, leur fortune immobilière moyenne près de 10 fois plus grande.

Reportons-nous maintenant à la figure n° 2 qui indique la répartition de la fortune globale entre les groupes socio-professionnels (Cf. p. 417).

La hiérarchie est particulièrement nette. Les «bourgeois» qui regroupent, rappelons-le, 18,43 % des successions positives accaparent 70,93 % de la fortune totale. En conséquence, toutes les autres catégories socio-professionnelles sont sous-représentées si l'on considère la part de la fortune globale qu'elles possèdent au décès. Les boutiquiers et artisans, les ouvriers du textile, sont deux fois et demie moins bien représentés dans la fortune globale que dans l'échantillon des successions positives, les paysans quatre fois et demie.

---

(10) Série Q, bureau de Saumur — Table des décès n° 4.
(11) Bureau de Beaufort, registre des mutations par décès n° 83, acte n° 323.
(12) Cf. Cl. PETITFRÈRE, Les Vendéens d'Anjou, op. cit., p. 410-411.

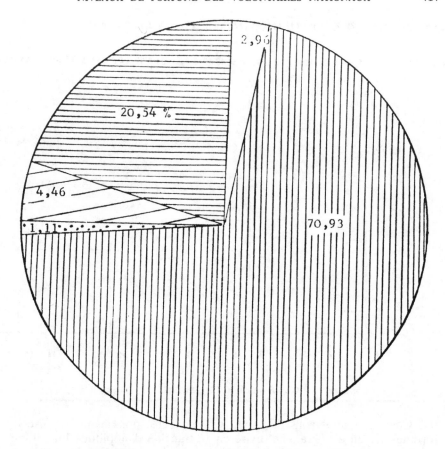

2 - Répartition de la fortune globale entre les catégories socio-professionnelles.

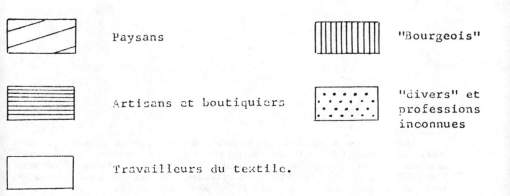

Paysans

"Bourgeois"

Artisans et boutiquiers

"divers" et professions inconnues

Travailleurs du textile.

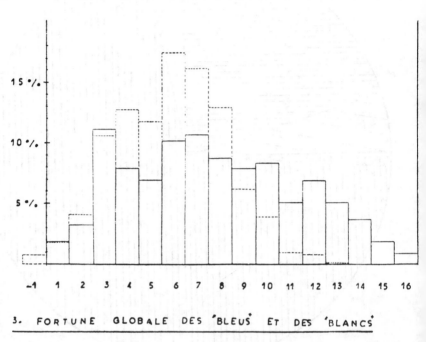

"Blancs" °/.   0,81 1,79 4,07 10,57 12,66 11,71 17,40 16,10 12,84 6,18 3,90 0,98 0,81 0,16

"Bleus" °/.   1,84 3,23 11,06 7,83 6,91 10,14 10,60 8,76 7,83 8,30 5,07 6,91 5,07 3,69 1,84 0,92

3. FORTUNE GLOBALE DES 'BLEUS' ET DES 'BLANCS'

    Comme nous l'avons fait pour les Vendéens, nous avons reporté les fortunes sur un histogramme divisé en 16 tranches d'amplitude logarithmique constante, s'étageant de la fortune la plus basse (20 F) à la plus haute (345 836,26 F) selon la progression suivante (13) :

Numéro de la tranche	Montant des successions		
1	20	à	36,80 F
2	36,80	à	67,73 F
3	67,73	à	124,63 F
4	124,63	à	229,35 F
5	229,35	à	422,04 F
6	422,04	à	776,64 F
7	776,64	à	1 429,2 F
8	1 429,2	à	2 629,9 F
9	2 629,9	à	4 839,6 F
10	4 839,6	à	8 906,0 F

    (13) Nous tenons à remercier pour sa participation au traitement mathématique notre collègue de l'Université de Tours, Monsieur Guy Morel. Le logarithme décimal de la succession la plus basse parmi celle des «Bleus» (20 F) est de 1,30103, celui de la fortune la plus haute (345 836,26 F) de 5,53887. La différence entre les deux est égale à 4,23784, ce qui, divisé par 16, donne une amplitude logarithmique de 0,264865 pour chaque tranche.

11	8 906,0	à	16 389	F
12	16 389	à	30 159	F
13	30 159	à	55 498	F
14	55 498	à	102 126	F
15	102 126	à	187 933	F
16	187 933	à	345 838	F

Afin de pouvoir comparer les successions des volontaires à celles des Vendéens, nous avons reporté en pointillés sur l'histogramme de la fortune globale des « Bleus » le graphique représentant l'ensemble des sucessions des « Blancs », en utilisant bien entendu le même étalonnement (cf. figure n° 3, p. 418). Comme la fortune vendéenne la plus haute ne dépasse pas 44 024,37 F, elle figure dans la tranche n° 13. Vers le bas, nous avons dû ouvrir une 17ᵉ classe, portant le n° −1 (10,87 à 20 F) afin de pouvoir y loger les successions du montant le plus faible, la plus petite de toutes représentant une valeur de 13,50 F seulement.

Les deux histogrammes ont une forme vraiment différente. En premier lieu, celui des « Blancs » est beaucoup plus tassé que celui des « Bleus ». Non seulement il occupe 14 tranches au lieu de 16, mais surtout 81,30 % du nombre de ses successions sont comprises entre les classes 3 et 8, alors que la proportion n'est que de 55,30 % pour les fortunes des volontaires. Tandis que l'histogramme des Vendéens tombe brutalement au-delà de la tranche 8, celui des « Bleus » s'efface lentement, se maintenant à des valeurs appréciables jusqu'à la tranche 14, ce qui montre l'importance des grandes fortunes parmi les anciens « habits bleus ». Pourtant, paradoxalement, la tranche-type des volontaires est celle qui porte le n° 3 (67,73 à 124,63 F), alors que celle des Vendéens est la classe n° 6 (422,04 à 776,64 F). Il y aurait donc à la fois beaucoup de riches et beaucoup de pauvres parmi les anciens défenseurs de la Révolution. De fait, leur histogramme est moins homogène que celui de leurs adversaires. Un vaste ensellement sépare la tranche-type de la classe 7 (776,64 à 1 429,2 F) qui n'est pas loin d'atteindre à la même valeur, un autre sépare les tranches 10 (4 839,6 à 8 906 F) et 12 (16 389 à 30 159 F). Nous utiliserons les variations du rythme de l'histogramme pour distinguer, dans l'étude catégorielle, plusieurs sous-groupes.

Nous ferons correspondre les 5 premières tranches (20 à 422,04 F) aux fortunes inférieures. A l'opposé de la hiérarchie sociale, les fortunes supérieures rassembleront les successions de la tranche 11 et au-delà, c'est-à-dire celles d'un montant au moins égal à 8 906 F. Au milieu de l'histogramme, les tranches 6 à 10 (422,04 à 8 906 F) équivaudront aux fortunes moyennes (14).

Attachons-nous maintenant à définir la fortune de chaque groupe socio-professionnel, en commençant par le plus riche, sinon le plus nombreux, la « bourgeoisie ».

---

(14) Le décalage vers le haut de l'histogramme des « Bleus » ne permettra évidemment pas une comparaison des groupes de fortune avec ceux que nous avons distingués dans l'étude des Vendéens.

II. - LA FORTUNE DES « BOURGEOIS »

Afin de donner une assise plus grande à nos statistiques et d'élargir notre champ d'expérience, nous réintroduirons dans l'étude catégorielle les 43 successions « bourgeoises » éliminées de l'étude générale dans le but de rendre l'échantillon représentatif de l'ensemble de la population des volontaires.

Les successions positives représentent la quasi-totalité des déclarations concernant la « bourgeoisie » : 81 sur 85, soit 96,43 %. Nous avons déjà évoqué 2 des 4 successions négatives, celles qui ont été prises en compte dans l'échantillon global (15). Les deux autres sont celles de Jacques Bertry qui était qualifié de « bourgeois » sur le registre de la garde nationale angevine (16), et de Jacques Aubry, un ancien employé des Aides et Traites de Nantes, mais d'extraction modeste puisque son père était tisserand, lui-même ayant passé 17 ans dans la Ligne avant de troquer l'épée pour la plume. Après le décès de ces deux hommes, leurs héritiers ont fourni un certificat d'indigence (17).

Les 81 successions positives représentent une fortune totale de 3 709 967,24 F, soit une fortune moyenne par défunt de 45 802,06 F. C'est une somme relativement considérable, plus de trois fois supérieure à la fortune moyenne globale des volontaires (13 866,86 F), d'une toute autre importance que la fortune moyenne des « bourgeois » vendéens qui n'était que de 6 352,48 F (18).

La fortune mobilière des volontaires classés dans la « bourgeoisie » se monte à 1 148 907,71 F, soit 30,97 % de la fortune totale de la catégorie. Le poste immobilier l'emporte de loin puisque, s'élevant à 2 561 059,53 F, il constitue 69,03 % de la fortune totale. La moyenne mobilière des 76 successions « bourgeoises » comportant un poste de ce type s'établit à 15 117,21 F, c'est-à-dire 11 070,63 F de plus que la moyenne mobilière de l'ensemble des « Bleus ». La moyenne immobilière des 65 successions

---

(15) Cf. *supra*, p. 416.

(16) 1 L 590 bis.

(17) Pour Jacques Bertry, cf. Bureau d'Angers — Table des décès 514. Pour Jacques Aubry, cf. Bureau d'Angers — Table des décès 513. Aubry est mort à près de 62 ans, le 25 janvier 1813 à l'hospice civil d'Angers, sans autre ressource que sa retraite d'officier. Cf. *supra*, p. 376.

(18) La moyenne de fortune des volontaires « bourgeois » est deux fois supérieure à celle de la bourgeoisie toulousaine (22 205 F). Elle se situerait entre la fortune moyenne des rentiers (49 028 F) et celle du monde des affaires (42 290 F) (Jean SENTOU, *Fortunes et groupes sociaux à Toulouse ...*, *op. cit.*, p. 146, 186 et 152). Toutefois, outre que notre échantillon est beaucoup plus petit que celui de Jean SENTOU, les deux populations ne sont pas directement comparables, d'une part parce que la bourgeoisie toulousaine comprend le monde de l'artisanat et de la boutique dont nous avons fait une catégorie séparée, d'autre part parce que les époques ne sont pas les mêmes. Décédés pour la plupart après la Révolution, nos volontaires ont pu s'enrichir durant cette période dont un autre ouvrage de Jean SENTOU a montré, pour Toulouse, combien elle avait été favorable à la bourgeoisie. (*La fortune immobilière des Toulousains et la Révolution française*, Paris, 1970, p. 53-116).

Dans la comparaison de la fortune moyenne des volontaires « bourgeois » et de l'ensemble des « Bleus », on prendra garde au fait que cette dernière a été établie en faisant entrer en ligne de compte la moitié des successions « bourgeoises » seulement.

foncières est de 39 400,92 F, ce qui représente 21 767,86 F de plus que la moyenne immobilière générale. Il y a un monde entre les « bourgeois » qui servirent la Révolution et ceux qui optèrent pour le roi puisque la fortune mobilière moyenne des rares « bourgeois » vendéens, dont nous avons retrouvé la succession est seulement de 3 131,65 F, et la fortune immobilière moyenne de 3 865 F.

Reportons-nous à l'histogramme des fortunes « bourgeoises » (cf. p. 422). Il est tout à fait caractéristique et très différent du graphique représentant la totalité des successions de volontaires. Il est en effet décalé de deux tranches vers le haut puisqu'il ne commence qu'avec la classe n° 3 qui semble elle-même une exception car un vide la sépare de la tranche n° 5. Ces deux classes, qui représentent à elles seules le groupe des fortunes inférieures, ne rassemblent qu'une partie infime des successions (3,70 %). A l'opposé, les fortunes supérieures qui commencent, rappelons-le, à la tranche 11, comprennent plus des 2/3 des successions (71,61 % exactement). C'est d'ailleurs là que se situent les trois classes-types, qui portent les numéros 11, 12 et 13. Si l'on ajoute que plus de 12 % des volontaires « bourgeois » terminent leur vie à la tête d'un capital supérieur à 100 000 F, on aura une idée de la richesse générale de cette catégorie sociale.

Comme nous l'avons fait pour les Vendéens, nous donnerons quelques exemples de successions de chaque groupe qui nous paraissent caractéristiques.

1. - Les fortunes supérieures

Elles sont au nombre de 58 qui s'échelonnent de la tranche 11 à la tranche 16. Dans cette dernière, l'on trouve 4 successions. La plus élevée, dont le montant total est de 345 836,26 F, n'est pas, comme on aurait pu s'y attendre, celle d'un soldat de cette unité d'élite que fut le premier bataillon de Maine-et-Loire. Il s'agit de la fortune d'un ancien sous-lieutenant de la 3e Cie du 3e bataillon, Augustin Dutertre, un Saumurois enrôlé dans sa ville natale le 25 août 1792. N'étant âgé, à l'époque, que de 19 ans, il était étudiant, mais ses parents étaient aisés puisqu'ils vivaient de leurs revenus, si l'on en croit la fiche concernant Dutertre qui fut adressée au Comité de Salut public en l'an II (19). Notre ancien volontaire, qui faisait ajouter à son patronyme le surnom de Desroches, meurt à son domicile de Brézé le 13 novembre 1850, à l'âge de 77 ans. Il n'exerçait sans doute aucun métier, l'employé de l'Enregistrement le saluant du nom de « propriétaire ». Ses biens mobiliers se montent à la somme relativement modeste de 9 786,66 F. L'essentiel en est constitué de rentes sur particuliers et du produit de très nombreux fermages. Les meubles meublants sont seulement évalués 2 200 F. Ce qui fait la fortune d'Augustin Dutertre, ce sont ses nombreuses propriétés foncières d'un montant total de 336 049,60 F, dispersées sur l'étendue de six bureaux de l'Enregistrement, ceux de Montreuil-Bellay, Saumur et Baugé, mais aussi, loin vers l'ouest, ceux de Vihiers, Chalonnes et Saint-Florent-le-Vieil. C'est dans la circonscription de Baugé que Dutertre possède le plus de

---

(19) Arch. nat. AF II-382, liasse 3111.

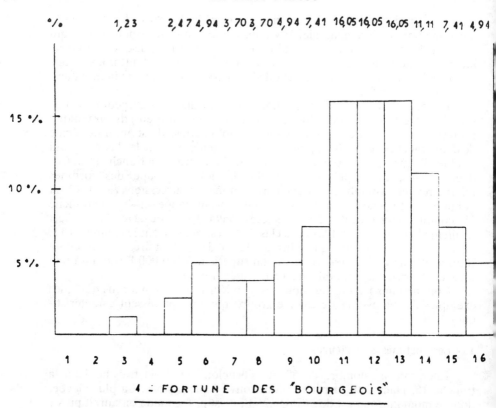

%   1,23   2,47 4,94 3,70 3,70 4,94 7,41 16,05 16,05 16,05 11,11 7,41 4,94

1   2   3   4   5   6   7   8   9   10   11   12   13   14   15   16

4 - FORTUNE DES "BOURGEOIS"

biens. Il y est propriétaire de deux fermes situées à Noyant dont nous ne connaissons malheureusement pas l'importance, si ce n'est par le prix du loyer : 1 000 F par an pour la première, 3 243 F pour l'autre dans laquelle notre homme se réservait une cuisine, cinq chambres, un petit caveau, l'avenue menant à la maison de maître et une futaie, le tout formant un pied-à-terre lorsqu'il était en visite. Dans l'étendue du bureau de Montreuil-Bellay, l'essentiel des biens de Dutertre se situe à Brézé où il avait sa résidence. Il occupait une maison avec servitudes entourée de 3 ha 70 de terres et de vignes, et se réservait aussi 28 ha 86 ares 80 de terres, vignes et landes, ses autres propriétés du lieu étant affermées à six locataires différents. Pour nous faire une juste idée de la richesse d'Augustin Dutertre au soir de sa vie, il n'est que de considérer que sa fortune dépasse de quelque 300 000 F celle de René Leroy, l'ancien Vendéen le plus aisé !... (20).

    La seconde succession par ordre d'importance décroissante est celle d'un

(20) Concernant René Leroy, cf. Cl. Petitfrère, *Les Vendéens d'Anjou, op. cit.*, p. 421-422. Concernant Augustin Dutertre, bureau de Montreuil-Bellay, reg. 61, acte n° 244, bureau de Saumur, reg. 132, acte n° 17, bureau de Baugé, reg. 43, acte n° 119, bureau de Chalonnes, reg. 67, actes n° 230 et 231, bureau de Saint-Florent, reg. 43, acte n° 354, bureau de Vihiers, reg. 28, acte n° 27. Augustin Dutertre avait épousé une fille Verdier de La Miltière, sans doute la fille de Marie René François Verdier, né à Angers en 1751, auditeur des comptes de Bretagne en 1778, qui avait fait une carrière au Tribunal de première instance puis à la Cour

grenadier du premier bataillon enrôlé à Baugé dès le 29 juin 1791, Laurent Ferrière. Exerçant le métier de praticien à l'époque de la Révolution, cet ancien volontaire a, lui aussi, droit au qualificatif de «propriétaire» sur le registre des mutations. Il meurt dans sa ville d'origine le 12 avril 1837, âgé de 71 ans, laissant une fortune de 258 790,56 F. Sa richesse est notablement inférieure à celle d'Augustin Dutertre puisque plus de 87 000 F séparent le montant des deux successions. Les meubles représentent une valeur de 15 730,56 F dont l'argent liquide constitue près du 1/4, les créances plus du 1/3, le reste étant constitué par les meubles meublants dont le montant est relativement considérable (l'inventaire notarié fait état, pour l'ensemble de la communauté, il est vrai, d'un mobilier de 8 643,70 F dans la maison principale du couple au Vieil Baugé, d'un autre de 4 424 F dans une maison sise à Baugé, et d'un troisième de 1 445,50 F dans une maison de Milon). Les immeubles, d'un montant total de 243 060 F étaient, pour la plupart, possédés en propres par le défunt. On relève, dans la circonscription du bureau de Baugé, une maison de ville avec jardin rue Saint-Pierre à Baugé, une maison de maître au Vieil Baugé comprenant jardin, verger, vigne et bosquets, et pas moins de 9 métairies et 3 closeries auxquelles s'ajoutent des parcelles disséminées. Dans le bureau de Beaufort, on recense 2 métairies, 1 closerie, plusieurs parcelles de pré, terre, taillis et futaie, ainsi que des moulins (21).

La 3ᵉ succession est celle de Camille Guillier de La Touche, descendant d'une des familles les plus honorables d'Angers. Son père, Louis-Jean, était en effet doyen de la Faculté de droit et fut membre du directoire départemental de 1790 à août 1791 (22). Camille qui avait servi dans la 4ᵉ compagnie du premier bataillon, meurt au cœur de sa ville natale, place du Ralliement, le 13 juin 1849. Il est alors âgé de 76 ans. Sa succession, uniquement mobilière, se monte à 63 112,33 F dont près de 87 % sont constitués par des créances actives. L'absence d'immeubles s'explique par le partage fait par Camille, peu de temps avant sa mort, au bénéfice de ses 2 fils. Il convient donc, pour mieux évaluer la richesse de l'ancien volontaire, d'ajouter à sa déclaration de succession le montant des biens de la donation soit 163 650 F d'immeubles et la moitié d'une rente foncière (moitié évaluée au capital de 150 F). La fortune ainsi reconstituée se compose de 63 262,33 F de meubles (près de 28 %, une proportion beaucoup plus considérable que celle des deux premières successions) et 163 650 F d'immeubles, ce qui représente un total de 226 912,33 F.

Les biens immobiliers, qui sont en grande partie des propres, se composent de la maison occupée par le ménage Guillier place du Ralliement (qui devait être fort importante puisqu'elle est évaluée à 12 000 F de capital),

---

d'Appel et qui fut conseiller municipal d'Angers où il mourut en 1830 (C. Port, *Dictionnaire ...*, *op. cit.*). Notre «habit bleu» terminait sa vie à la tête d'une fortune supérieure de quelque 60 000 F à celle du rentier toulousain le plus riche à l'époque de la Révolution (J. Sentou, *Fortunes et groupes sociaux ..., op. cit*, p. 189).

(21) Bureau de Baugé, registre n° 28, acte n° 170 et Bureau de Beaufort, registre n° 77, actes 117 et 190.

(22) Le père de Camille fut élu maire en décembre 1792, mais refusa la charge (selon C. Port, *Dictionnaire ..., op. cit.*).

d'une maison de maître à Ecouflant, entourée de 36 ha 83 ares de terre, d'une métairie de 30 ha 66 ares 87 à Juigné-Béné, d'une vaste prairie de 12 ha 68 ares dans la grande île Saint-Aubin, jadis acquise comme bien national (23), de deux prés d'une surface totale de 2 ha 79 ares 51, situés aux Ponts-de-Cé, et enfin d'une autre prairie de 2 ha 76 ares 30 à Saint-Laurent-du-Mottay dans les Mauges. Au total Camille Guillier de La Touche possédait en propres 69 ha 64 ares 98 et en acquêts de communauté 16 ha 08 ares 70 (24). Avec son hôtel urbain, sa résidence d'été des bords de Sarthe, ses vastes terres de rapport des environs d'Angers, la succession de Camille Guillier de La Touche est un exemple typique des grandes fortunes bourgeoises du chef-lieu.

La dernière succession de la tranche 16 est celle d'un ancien soldat de la 7ᵉ Compagnie du 2ᵉ bataillon, Paul-Simon Bergette. A l'époque de son engagement, le jeune homme était apprenti apothicaire à Angers, mais c'est à Paris qu'il meurt le 21 mars 1847, âgé de quelque 75 ans. Par une chance exceptionnelle, le montant de la succession parisienne figure dans les registres de mutations des bureaux d'Angers et de Beaufort où le défunt avait également des biens. Nous pouvons donc évaluer sa fortune totale : 215 057,35 F qui se partagent presque à égalité entre les meubles entièrement concentrés à Paris, et les immeubles constitués de deux maisons à Angers, d'une ferme de 28 ha 41 ares 14 à Cantenay-Epinard et de deux très vastes prés mesurant ensemble 25 ha 79 ares 07 dans la commune de Corné (25).

Dans la tranche n° 15, nous découvrons six successions dont deux dépassent encore 150 000 F, celle d'un ancien notaire de Varennes, Pierre Bruneau, qui se monte à 153 300 F (26) et celle de Jean-Jérôme Poilpré d'une valeur de 167 114 F, sur laquelle nous nous étendrons davantage car elle contient quelques détails intéressants. Poilpré, un «bourgeois» de Baugé, avait eu l'intention de partir avec le premier bataillon, mais finalement il n'avait pas été enrôlé, soit qu'il eût été refusé par les commissaires, soit qu'il eût renoncé de lui-même à son projet. Il meurt à l'hospice de Jarzé le 10 octobre 1850 à 83 ans. Sa fortune est presque uniquement immobilière. Les meubles de communauté se montent en effet à 1 728 F seulement (c'est-à-dire 864 F pour la part du défunt), se décomposant en 50 F d'argent comptant, 578 F de meubles meublants et 1 100 F de créances constituées par des fermages. Presque toute la succession mobilière est employée à des legs. Poilpré donne à la supérieure de l'hospice cinq couverts d'argent et des bouteilles de vin, le tout évalué 200 F, il lègue à Marie Robineau, une petite fille élevée dans le même établissement pour laquelle il s'était sans doute pris

---

(23) Les Guillier de La Touche furent de grands acquéreurs de biens d'Eglise. Notre collègue Serge CHASSAGNE nous a signalé l'achat par le père de Camille d'une maison rue Haute Saint-Martin d'une valeur de 8 275 F et d'une autre valant 14 600 F près de Saint-Maimbœuf qui est peut-être celle où mourut notre ancien volontaire (d'après 3 Q 1-2 et 12 Q 216).

(24) Bureau d'Angers, reg. des mutations par décès 176, acte n° 128 et reg. des actes civils publics n° 513.

(25) Bureau d'Angers, reg. n° 171, acte n° 75 et Bureau de Beaufort, reg. n° 83, acte n° 33. Nous ignorons si Bergette a exercé toute sa vie le métier d'apothicaire. Les employés de l'Enregistrement le qualifient de «propriétaire».

(26) Pierre Bruneau est décédé à Saumur le 18 juin 1834 à 59 ans. Bureau de Saumur, reg. 116, acte n° 336 et acte n° 351.

d'affection, une somme de 470 F pour payer sa pension, enfin à Julie Chrétien, la femme de chambre de son épouse, il laisse « une paire de draps de maître, une paire de draps de domestique (sic), deux souilles d'oreiller (c'est-à-dire des taies), six essuie-mains », ainsi que « son lit dans lequel elle couche garni d'une paillasse en guinche (27), l'armoire dont elle se sert, les petites tables et autres meubles qui sont dans sa chambre », le tout évalué 87 F. En fait d'immeubles, le défunt ne possédait plus au moment de sa mort que deux maisons à Baugé représentant un capital de 7 000 F, mais nous avons pu reconstituer sa fortune antérieure en dépouillant la donation faite en décembre 1848 à sa fille et à ses petites-filles. Outre les deux maisons de Baugé, la communauté possédait une maison à Angers, 12 métairies, une ferme, au moins 2 closeries, et un vignoble avec bâtiment. Ces biens étaient éparpillés dans un large rayon sur l'étendue des communes du Vieil Baugé, Pontigné, Dénezé, Jarzé, La Ménitré, Le Plessis-Grammoire, Saint-Germain-des-Prés, Savennières, Saint-Georges-sur-Loire, Gené, Rablay, Champ-sur-Layon, Joué-Etiau, La Tourlandry, Mée et Pommérieux, ces deux dernières situées dans la Mayenne. Au total, le ménage Poilpré ne possédait pas moins de 442 ha 14 ares 25, dont la moitié pour la part du mari. L'ensemble de la fortune immobilière de l'ancien volontaire peut se chiffrer à 166 250 F. (28).

Une autre succession avoisine les 150 000 F, celle de François Pananceau, un notaire originaire de Beaufort et décédé à Angers le 23 juillet 1824 à 49 ans. Les biens meubles constituent l'essentiel de la fortune (113 075,50 F sur 145 645,50 F, soit près de 78 %), ce qui est naturel pour cet homme frappé en pleine activité professionnelle. Parmi eux figurent la moitié du prix de vente de l'étude et du cautionnement fourni à la caisse d'amortissement (l'étude avait été cédée pour 50 000 F et le cautionnement représentait 11 757 F avec les intérêts courus à la date du décès, mais le ménage vivait sous le régime de la communauté), la part du défunt dans les meubles meublants (soit près de 6 500 F revenant aux héritiers), 7 rentes foncières et hypothécaires (dont la moitié représente presque 3 500 F) et surtout un grand nombre de créances sur particuliers. Les biens immeubles d'une valeur de 32 570 F sont constitués par les propres du défunt (une maison de maître avec cour et jardin occupée par la mère et les sœurs de François Pananceau et une petite closerie, sises l'une et l'autre à Beaufort) et la moitié des propriétés communautaires : deux maisons à Angers et quelques pièces de terre, prés et bois dans la même commune, notamment dans l'île Saint-Aubin, ainsi qu'à Trélazé, Corné et Mazé (29).

Les trois dernières successions de la tranche 15 sont d'un montant nettement inférieur. Celle de Sylvestre Berthelot Grandmaison, un bourgeois de Saumur, ancien capitaine de la première compagnie du 3ᵉ bataillon,

---

(27) La « guinche » ou « rouche » est une herbe de marais (ou une sorte de varech) servant au rembourrage des matelas (A.-J. VERRIER et R. ONILLON, Glossaire étymologique ..., op. cit.).

(28) Bureau de Seiches, reg. nᵒ 46, acte nᵒ 12 et Bureau de Baugé, reg. nᵒ 43, acte nᵒ 168 (la donation datée du 21-12-48 a été enregistrée au bureau d'Angers, registre des actes civils publics nᵒ 259).

(29) Bureau d'Angers, reg. nᵒ 134, acte nᵒ 427 et Bureau de Beaufort, reg. nᵒ 71, acte nᵒ 343 et reg. nᵒ 72, acte nᵒ 151.

atteint 120 689,18 F dont le 1/4 en biens meubles (30). Celle de Charles Chesneau, qualifié de « bourgeois » sur le registre des volontaires (31) mais dont l'employé de l'Enregistrement nous apprend qu'il avait exercé le métier d'orfèvre à Angers, ne se monte qu'à 8 119 F. Toutefois l'ancien « habit bleu » ayant fait le partage anticipé de ses biens 11 ans avant sa mort au profit de ses enfants, c'est un total de 103 119 F, les 3/4 représentés par des immeubles, que nous retiendrons pour exprimer sa fortune (32). Enfin la succession d'Olivier Gaignard, négociant en bois de la rue Boisnet à Angers, s'élève à 102 554,51 F. Décédé jeune encore (il avait 53 ans) le 23 pluviôse an XIII (12 février 1805), Gaignard laisse un mobilier de 29 474,51 F, ce qui représente près de 29 % de sa fortune. Pour plus de la moitié, ce mobilier est constitué de créances, le reste se répartissant à peu près à égalité en meubles meublants et argent liquide. Les biens fonciers, dont la valeur est estimée 73 080 F, font une place assez grande aux immeubles urbains. Gaignard possédait en propres, mais dans l'indivision avec son frère et sa sœur, les quatre maisons d'Angers venant de la succession de ses parents : deux au Port-Ligny, une rue Baudrière et une en Pierre-Lise dans le faubourg Saint-Michel. S'y ajoutaient deux maisons acquises, rue Boisnet, en communauté avec son épouse. Comme tout bon bourgeois d'Angers, notre homme possédait aussi de la terre proche de la ville. D'abord, celle qui représentait sa part de la succession parentale, notamment les deux closeries de Saint-Sylvain d'Anjou, puis les propres qu'il avait achetés durant son célibat, dont surtout une métairie à Ecouflant, enfin une closerie de Saint-Barthélémy que le ménage avait acquise en communauté (33).

La tranche 14 est forte de 9 successions. Elles comportent toutes un poste immobilier, à l'exception d'une seule. Toutefois, dans 3 cas, les biens meubles sont plus importants que les immeubles. Il s'agit, chaque fois, de successions de notaires qui, avec les praticiens, constituent plus de la moitié de l'effectif (on en compte 5). Ainsi, dans la fortune de Denis Jouanne, un notaire de Saumur décédé à Saint-Cyr le 25 mars 1829 à 66 ans, la part du mobilier représente près de 89 % du total (79 563 F sur 89 703 F). L'étude, tenue en biens propres, vaut à elle seule 45 000 F. Le reste de la fortune mobilière est surtout constitué de rentes diverses et de créances. En regard, les immeubles sont de valeur modeste (10 140 F). Ce sont deux maisons acquises en communauté et situées à Saumur l'une rue du Temple, l'autre « montée du fort » et des prairies dans les communes d'Artannes et de Chacé (79 ares 66 de propres et 2 ha 95 ares 96 de conquêts) (34).

La succession purement mobilière de la tranche 14 est celle de René-Jacques Berthelot, originaire du Coudray-Macouard, qui était géomètre lorsqu'il partit le 8 septembre 1792 pour rejoindre le premier bataillon

---

(30) Bureau de Saumur, reg. n° 199, acte n° 418 et Bureau de Doué, reg. n° 42, acte du 13-11-1816.
(31) 1 L 588 bis.
(32) Bureau d'Angers, reg. n° 160, acte n° 15 et Bureau de Saint-Florent-le-Vieil, registre des actes civils publics n° 64, acte enregistré le 6-12-1833.
(33) Bureau d'Angers, reg. n° 109, acte du 6 floréal an XIII (26 avril 1805) et reg. n° 110, acte du 26 thermidor an XIII (14 août 1805).
(34) Bureau de Saumur, reg. n° 111, acte n° 668.

en Lorraine. Il devait faire une belle carrière dans l'armée puisqu'il prit sa retraite comme « officier supérieur » du génie (35). La fortune de Berthelot peut être évaluée à 55 827,50 F car, s'il ne laisse à son décès que 10 827,50 F en biens mobiliers, il avait en 1834, 13 ans avant sa mort, fait donation à son épouse d'une rente viagère de 45 000 F de capital qui avait été constituée à son profit par un neveu.

Dans la même tranche figure la succession d'un autre militaire, Henri-Pierre Delaâge, maréchal de camp, que Napoléon avait fait en 1808 baron de Saint-Cyr en souvenir de ses exploits contre Charette (36). Le montant total de sa fortune est de 72 219,40 F, se subdivisant en 24 839,40 F de meubles (environ 34 %) et 47 380 F d'immeubles. Parmi ces derniers, les propres représentent une valeur de 27 000 F. Ils se composent de la « campagne » de Vaugoyau à Saint-Barthélémy où fut d'ailleurs inhumé le héros (37) comprenant les bâtiments d'exploitation et d'habitation, avec grange, pressoir, cave, cellier, écurie, étable, jardin, pièce d'eau (en tout 3 ha 18 ares 91 d'un seul tenant), d'une vigne de 2 ha 20 ares 24 nommée le « clos Henry » et d'une maison avec verger et terre sans doute également plantée en vigne, le « clos de Monfriloux », ces deux dernières propriétés sises également sur le territoire de la commune de Saint-Barthélémy. La part du défunt dans les immeubles de communauté représente 20 380 F. A Angers, ces biens sont constitués d'une partie de la maison que le ménage devait occuper, rue Saint-Maurille et dont le reste appartient en propres à l'épouse et d'une portion de maison, rue de l'hôpital, servant alors d'écurie. S'y ajoutent en campagne diverses propriétés, dans la commune de Saint-Barthélémy : la closerie du Petit Moulin de 6 ha 98 ares 85 de surface, celle de la Sablerie de 7 ha 1 are 8, une exploitation plus petite comprenant maison, cour, jardin, terre et vigne, en tout 2 ha 2 ares 91, une maison et jardin au pâtis de la Vaugoyau (16 ares 57), la moitié indivise du bois des Landes dont la surface totale est de 3 ha 85 ares 57, et encore quelques petites portions de terre, vigne et chemins dans le même secteur. En réalité, la succession de Delaâge donne une faible idée de la richesse du ménage. C'est que son épouse, Marie-Madeleine Lemonnier, avait elle-même une fortune respectable. A son décès, qui survient seulement 4 mois après celui de son mari, le 29 avril 1841, elle lègue à ses héritiers un capital de 60 790 F dans l'étendue du bureau de Chemillé (constitué notamment par trois métairies à Chemillé, Melay et Saint-Georges-du-Puy-de-la-Garde) et un autre de 142 180 F dans le ressort du bureau de Beaupréau (représenté par diverses métairies et closeries à Jallais, Le Pin-en-Mauges et Villedieu-la-Blouère). Si l'on ajoute la part possédée par Marie-Madeleine Lemonnier dans les biens de communauté situés dans l'arrondissement du bureau d'Angers, on peut calculer que c'est d'une fortune de 335 000 F environ dont pouvait jouir le ménage (38).

---

(35) Bureau de Saumur, reg. n° 127, actes n° 244 et 245. D'après Célestin PORT, Berthelot était aide de camp du général de brigade Toussard quand il demanda sa retraite en 1811. (*Dictionnaire* ..., *op. cit.*).
(36) Cf. *supra*, p. 193-194.
(37) Selon C. PORT, *Dictionnaire* ..., *op. cit.*
(38) Delaâge est mort à Angers le 22 décembre 1840, âgé de près de 75 ans. Bureau

La tranche 13 contient 13 déclarations, comportant toutes un poste immobilier. Nous n'y trouvons plus de notaires, mais 5 anciens volontaires ayant exercé une profession commerciale et 4 paraissant avoir vécu de leurs seuls revenus. Caractéristique des fortunes bourgeoises est encore celle de Julien Allard dont le père était négociant et qui est qualifié de « propriétaire » sur le registre des mutations. Allard est décédé à Angers le 11 septembre 1813 laissant à ses trois enfants mineurs une succession de 42 970,45 F. La valeur de ses biens mobiliers est particulièrement médiocre : 2 736,05 F, dont 900 F de rentes sur particuliers, le surplus représentant la part du défunt dans les biens de communauté (mobilier du domicile angevin et de la « campagne », argenterie et fermages dus). L'essentiel de la succession est donc constitué par les immeubles dont le montant est évalué 40 234,40 F, et que Julien Allard possédait en propres. Il s'agit de deux maisons à Angers, l'une qui semble de quelque importance, rue Beaurepaire, l'autre bien moindre, rue de la Chapelle-Fallet, cette dernière étant louée 155 F par an. A cela s'ajoute la « campagne » qu'en bon bourgeois angevin possédait notre ancien volontaire. Située à Bouchemaine au lieu du Pin, elle se compose de quatre maisons avec un jardin, un taillis, 29 pièces de terre labourable et 28 morceaux de vigne (en tout 17 arpents 76 perches soit près de 12 ha) (39). En outre, Allard possédait une terre de rapport à Saint-Lambert-la-Potherie, la métairie de la Chaussée Marquet de 39 ha environ (40).

La succession de Louis Bretault, chirurgien d'Angers qui avait vainement brigué la place de chirurgien-major au premier bataillon en 1791, est moins typique car elle ne comporte, en fait d'immeubles, que des maisons citadines. Bretault meurt à 78 ans le 13 février 1826 dans son domicile du Chef-de-Ville près de la porte Saint-Nicolas. Sa fortune globale est de 43 154 F dont les meubles constituent presque exactement le 1/3 (14 154 F). Hormis sa part du mobilier de communauté (1 954 F), notre homme possédait une créance de 1 000 F datant de thermidor an XIII (juillet-août 1805), une rente hypothécaire de 160 F au capital de 3 200 F, acquise de deux tiers en 1809, et une rente viagère de 800 F au capital de 8 000 F représentant la moitié du prix de vente de divers immeubles de Chalonnes et Montjean cédés en 1817. C'est donc seulement depuis cette date que les biens immobiliers de Bretault sont concentrés en ville. Il s'agit de trois maisons qui sont des biens propres, celle occupée au Chef-de-Ville par le défunt le jour de sa mort qui comprenait divers corps de bâtiments, des dépendances et cours, un jardin de 8 ares 23 et un clos de vigne de 31 ares 30, une autre sur le Tertre Saint-Laurent et une troisième rue Tuliballe. S'y ajoutent deux maisons de rapport, faubourg Saint-Jacques, acquises en communauté. La propriété foncière est évaluée 29 000 F (41).

Dans la même tranche se place la succession d'Alexandre-Pierre

---

d'Angers, reg. n° 157, acte n° 110.

Concernant Marie-Madeleine Lemonnier, cf. bureau de Beaupréau, reg. n° 20, acte n° 22 et bureau de Chemillé, reg. n° 16, acte n° 22.

(39) L'arpent d'Anjou, qui valait 100 perches carrées de 25 pieds, équivaut à 0,6593 ha (F. Lebrun, *Les Hommes et la Mort ... op. cit.*, p. 499).

(40) Bureau d'Angers, reg. 121, acte n° 389. Allard était âgé d'environ 49 ans.

(41) Bureau d'Angers, reg. n° 135, acte n° 583.

Changion qui, à l'époque où il s'est proposé vainement pour le service de la patrie, était qualifié de « bourgeois » (42), mais qui finalement entra dans les ordres. Quand il meurt le 5 septembre 1830 à 75 ans, sa fortune se monte à 43 758,35 F. Les meubles entrent pour une faible part dans ce total : 3 318,35 F (7,5 %). Il s'agit pour la quasi-totalité de meubles meublants auxquels il faut ajouter le linge et les ornements sacerdotaux de faible valeur (30 F) et une somme de 100 F en argent léguée à la domestique. Les immeubles d'un montant total de 40 440 F se composent de l'ancien presbytère de Saint-Quentin-les-Beaurepaire où, semble-t-il, est mort Changion, d'une petite maison et de deux planches de jardin dans le même bourg, d'une maison de maître à Cheviré-le-Rouge entourée d'un jardin, de vignobles, d'une prairie et de deux taillis, le tout représentant une surface de 2 ha 05 ares 36, d'une métairie à Vaulandry de surface non précisée, de trois closeries, différentes autres parcelles de terre, de vigne et de taillis, et enfin de 4 étangs. Poète ou contemplatif, le vieux prêtre s'était réservé une chambre auprès de trois de ces étangs (43).

Enfin, pour en finir avec les exemples de la tranche 13, mentionnons la succession du libraire Charles-Pierre Mame. C'est à 78 ans qu'il s'éteint, le 2 mars 1825, à Angers. La succession qu'il laisse (48 743,83 F) est, pour la plus grande part, mobilière. En effet, les meubles représentent une valeur de 42 043,83 F, soit 86 % du total. Ils se décomposent en 6 032,80 F de numéraire, 9 367 F de créances actives, 7 409,23 F de « mobiliers retenus par les héritiers », 15 802,47 F représentant le prix de vente d'une terre dû par un notaire d'Angers, 3 220 F constituant le produit de la vente d'une partie des meubles meublants et enfin 212,33 F représentant des intérêts provenant de la « Société de la promenade » (44). Les biens immobiliers se limitent à la maison occupée par le défunt à Angers d'une valeur de 6 700 F. Il est évident que cette succession ne rend pas compte de la richesse de Charles-Pierre Mame au temps de sa splendeur. A la date de sa mort, il était retiré des affaires. C'est son fils aîné, Charles-Mathieu, qui menait l'entreprise et qui devait posséder l'essentiel de la fortune familiale, la partageant toutefois avec ses frères et sœurs : Emilie demeurant à Paris, Marie-Thérèse épouse du libraire angevin Louis Fourier, Louis, négociant à Paris et Ferdinand-Augustin, imprimeur à Tours. Mame venait de perdre son second fils, Philippe-Auguste, qui avait d'abord pris sa succession mais avait perdu l'esprit en 1818 et était mort en janvier 1824 (45).

La tranche 12 contient 13 successions, soit le même nombre que la précédente et toutes comportent encore des biens fonciers. Les métiers représentés sont variés, dominés par les « bourgeois » ou « propriétaires » et les gens de justice (ils sont respectivement 4 et 3). Nous prendrons comme

---

(42) 1 L 590 bis.

(43) C'est auprès des trois étangs dits de Belleville que Changion s'était réservé une chambre. Bureau de Baugé, reg. n° 24, acte n° 483 et reg. n° 25, acte n° 26.

(44) Cette succession est une des seules où soient mentionnées des actions mobilières, avec celle de Jean Landais (*infra*, p. 439).

(45) C. PORT, *Dictionnaire ..., op. cit.*

Le nom des enfants de Charles-Pierre, ses héritiers, figurent dans sa déclaration de succession (Bureau d'Angers, reg. n° 135, acte n° 285).

premier exemple la fortune de Michel Sallé, ce volontaire qui avait fait parler de lui par ses démêlés avec les chasseurs de Bardon (46). Il meurt dans sa ville natale de Baugé à 76 ans le 26 février 1845, après avoir mené une carrière de magistrat. Ses biens se montent à 23 048,04 F, assez équitablement répartis entre les meubles (12 388,04 F, soit près de 54 % du total) et les immeubles (10 660 F). Ces derniers se résument en une maison à Baugé avec un petit jardin de 5 ares et une closerie à cheval sur les communes de Baugé et du Vieil Baugé (47). La succession de Jean Gautreau est beaucoup moins bien équilibrée. Cet ancien sergent du 2ᵉ bataillon qui était en 1792 élève en chirurgie et exerça plus tard le métier d'officier de santé, s'éteint à Doué le 22 août 1854, âgé de 81 ans. Il est alors à la tête d'une fortune de 28 062,88 F, essentiellement immobilière puisque les meubles, d'une valeur de 2 502,88 F, représentent moins de 9 % de la succession. Ils se composent de deux postes d'importance inégale : le mobilier évalué 700 F (du moins pour ce qui concerne la part du défunt dans la communauté) et les fermages, rentes, obligations et créances diverses, les unes en argent, les autres en nature telle celle que doit un meunier de Douces, Nicolas Richardin (un chapon et 29 dal 7 l 36 de froment), celle d'un autre habitant du même village, nommé Vaslin (14 dal 8 l 66 de froment) ou encore celle de Richardin et Jean Robin (3 dal 7 l 17 de froment) (48). Les immeubles sont estimés 25 560 F. Hormis une parcelle de 44 ares de vigne, ce sont tous des acquêts de communauté, situés sur les communes de Doué, Soulanger, Douces, Les Verchers et Concourson. Il s'agit d'une maison à Doué, avec cour et jardin, d'une petite exploitation à Soulanger avec bâtiments, cour, jardin et terre (en tout 1 ha 08 a 43), d'une ferme aux Verchers, dont la contenance n'est pas précisée mais qui est louée, pour neuf années, contre le paiement annuel de 230 F en argent, 450 dal de froment (estimés 760,50 F), 2 chapons (estimés 3 F) et 2 canards (estimés 2 F), enfin de diverses parcelles de terre labourable, prés et bois, représentant ensemble 17 ha 84 ares 45 (49).

La fortune au décès du juge honoraire Jean-René-Toussaint Jubin, l'ancien quartier-maître du 3ᵉ bataillon (50), qui meurt à Angers le 2 juillet 1841 à 72 ans n'est guère mieux équilibrée que la précédente. Elle est évaluée à 18 278,88 F, dont 2 278,88 F de meubles (environ 12,5 %) constitués par la pension militaire restant due et la part du défunt dans un mobilier de communauté évalué 4 400 F. Les immeubles se résument en la maison familiale de la rue Saint-Michel, possédée en propres, qui devait être fort belle puisqu'elle est estimée 16 000 F (51).

Donnons enfin quelques exemples de successions qui se situent dans la tranche n° 11, la dernière de celles que nous rangeons parmi les fortunes supérieures. La profession la mieux représentée est, à nouveau, celle de notaire exercée par quatre anciens volontaires sur 13 individus composant

---

(46) Cf. *supra*, p. 220.
(47) Bureau de Baugé, reg. n° 37, actes n° 150 à 154.
(48) Les 3 rentes sont évaluées ensemble au capital de 1 693 F, dont la moitié revient à la succession.
(49) Bureau de Doué, reg. n° 88, acte n° 44.
(50) Cf. *supra*, p. 61-62.
(51) Bureau d'Angers, reg. n° 158, acte n° 113.

l'échantillon. Toutes les successions comportent un poste immobilier, mais d'importance fort variable puisqu'il représente presque toute la fortune de Claude Bachelier, contre 58 % environ de celle de Pierre Briguenen et à peine plus de la moitié de celle de Jean-Baptiste Legendre.

Claude Bachelier meurt à Angers, le 7 juin 1806, à 82 ans. Cet ancien maître-chirurgien avait sollicité, sans succès, la place de chirurgien-major au premier bataillon en 1791 (52). Il laisse à sa fille unique un héritage de 11 850 F dont 100 F seulement de mobilier. Peut-être notre homme vivait-il chez son gendre, le médecin Michel Chevreul, père du célèbre chimiste, qui s'illustra d'ailleurs lui-même dans sa spécialité, l'obstétrique. Les immeubles se composent de quatre maisons acquises en communauté, trois rue Godeline et une rue de l'Aiguillerie, dont la valeur globale est de 23 500 F, la moitié revenant à l'héritière représentant par conséquent 11 750 F (53).

Pierre Briguenen, d'une famille de marchands angevins, meurt dans sa ville natale le 13 janvier 1848 à 75 ans. Il ne devait plus disposer de ses esprits puisqu'il était assisté d'un tuteur, un cousin germain. Sa fortune se monte à 13 075,96 F. Les meubles d'un total de 5 445,96 F, sont constitués par le reliquat du compte de gestion du tuteur (3 569,65 F), la moitié de la succession mobilière de la mère du défunt composée de deux créances (1 676,31 F) et par la garde-robe du défunt estimée 200 F. En fait d'immeubles, Briguenen possédait une portion de maison située rue du Port-Ligny et la moitié d'une closerie sise dans les communes d'Angers, Trélazé et Les Ponts-de-Cé et dont la superficie totale était de 7 ha 18 ares 95. Ces biens fonciers représentent un total de 7 630 F (54).

Enfin, nous nous pencherons sur la succession de Jean-Baptiste Olivier Legendre qui avait été élu lieutenant par les soldats de la première Compagnie du premier bataillon en septembre 1791. Fils d'un notaire et clerc de notaire lui-même dans sa jeunesse, il est appelé « propriétaire » sur le livre de l'Enregistrement à l'époque de sa mort survenue à Angers en janvier 1852 alors qu'il était âgé de 91 ans. Le poste mobilier n'est pas loin de représenter la moitié de la succession d'un montant total de 15 529,60 F. Les meubles sont, en effet, estimés 7 529,60 F. Sur cette somme, la domestique du défunt, Jeanne Brisset, recueille 3 256 F (200 F en meubles meublants et le surplus constitué par une rente viagère). Les autres biens mobiliers sont composés d'une somme de 2 320 F en dépôt chez un notaire, de deux créances d'un locataire, l'une de 450 F pour trois années de loyer impayé et l'autre de 49 F pour frais de saisie, des deniers comptants (370 F) et du reliquat du mobilier (1 084,60 F). Quant aux immeubles, ils consistent en une seule maison située quai du Rideau à Angers, mais qui devait être assez importante puisqu'elle est estimée 8 000 F (55).

Au long de notre étude des fortunes supérieures, nous avons mentionné les professions les plus souvent représentées. En terminant, essayons de dresser une statistique rapide. Sur 58 volontaires, 17 soit 29,3 % nous

---

(52) Cf. *supra*, p. 158.
(53) C. Port, *Dictionnaire ...*, *op. cit.* Bureau d'Angers, reg. n° 111, acte du 24-11-1806.
(54) Bureau d'Angers, reg. n° 181, acte n° 336 et Bureau des Ponts-de-Cé, reg. n° 8, acte n° 235.
(55) Bureau d'Angers, reg. n° 183, acte n° 171.

paraissent avoir vécu de leurs rentes, du moins autant qu'on puisse se fier aux vocables de « bourgeois » ou de « propriétaire », le premier employé sous la Révolution, le second au xixᵉ siècle. Puis viennent à égalité d'une part les notaires et praticiens, d'autre part les commerçants (13 individus dans chaque catégorie, soit 22,4 %). Les carrières judiciaires et administratives sont représentées respectivement par 5 et 4 anciens « habits bleus » (8,6 et 6,9 %). Enfin nous trouvons les carrières médicales (3 volontaires soit 5,2 %). Signalons en outre que parmi les « bourgeois » de 1791-92, trois individus ont fait une carrière militaire.

2. - Les fortunes moyennes

Vingt déclarations de succession s'échelonnent de la tranche 6 à la tranche 10, représentant à peine le 1/4 de l'effectif (24,69 %). Contrairement aux fortunes étudiées dans la catégorie précédente, seule une minorité des successions moyennes (exactement 7 d'entre elles) comportent un poste immobilier. D'autre part, la répartition des professions est nettement différente de celle que nous avons relevée dans les fortunes supérieures. Représentant 20 % du total, les 4 « bourgeois » ou « propriétaires » se classent ex-aequo avec les officiers en retraite issus de la grande et moyenne bourgeoisie. Ensuite, viennent les marchands ou négociants, au nombre de 3 (15 %). Signalons enfin que trois successions concernent des jeunes gens morts au combat, ce qui leur enlève beaucoup d'intérêt puisque ces hommes étaient encore à l'aube de leur vie. Il s'agit de Jean-Baptiste Cordier, de Marie-Constant Justeau et de Fleury Lemanceau qui ne laissent tous trois qu'une petite fortune immobilière correspondant à leur part dans les biens de la famille (56).

Dans la tranche 10, seules 2 des 6 successions comportent un poste immobilier. Elles émanent d'anciens officiers retraités. Le plus aisé est Abel Guillot qui, élu capitaine de la compagnie des grenadiers du premier bataillon en septembre 1791, avait terminé sa carrière comme colonel (57). C'est le 29 avril 1827 que Guillot meurt à Angers à 66 ans, laissant une fortune de 7 736 F. Les meubles, d'un montant de 2 736 F, représentent l'apport de l'ancien volontaire par son contrat de mariage (2 400 F), sa garde-robe (186 F) et 150 F de pension militaire qui lui était due au jour de son décès. La fortune immobilière se compose d'une maison avec cour et jardin possédée en biens propres. L'immeuble est situé à Angers, rue des Bordeaux (sic) et il est estimé 5 000 F (58).

L'autre officier retraité est Augustin Beauvais, fils d'un boulanger de Saumur et commis au District lorsqu'il s'engagea au 3ᵉ bataillon où il fut élu

---

(56) Sur J.-B. Cordier, cf. *supra*, p. 213. Bureau d'Angers, reg. nº 96, acte nº 135 du 12 fructidor an II (Cordier est mort le 28 brumaire an II — 18 novembre 1793).

Marie-Constant Justeau est décédé le 8 février 1807, mais sa succession n'a été enregistrée que le 30-6-1829 (Bureau de Saumur, reg. nº 111, acte nº 576). C'était un ancien architecte.

Fleury Lemanceau, « bourgeois », est mort « aux frontières » en 1793 (Bureau d'Angers, reg. nº 96, acte nº 381 du 17 prairial an III-5 juin 1795).

(57) Cf. *supra*, p. 192-193.

(58) Bureau d'Angers, reg. nº 137, acte nº 66.

lieutenant de la 6ᵉ Compagnie. Notre ancien volontaire, qui termina sa carrière comme capitaine, s'éteint à Angers, rue Saint-Nicolas, le 25 janvier 1846 à 75 ans. Sa succession se monte à 6 808,26 F. Elle est essentiellement foncière puisque les immeubles sont évalués 6 600 F. Il s'agit de la maison familiale de la rue Saint-Nicolas, d'une autre partie de maison située dans la même rue et d'une maison avec cour et jardin de 7 ares 59 sise au village des Roncières non loin des Ponts-de-Cé. Fait assez rare pour les successions de «Bleus», la liste détaillée des biens mobiliers figure sur le sommier de l'Enregistrement. Nous la reproduisons ci-dessous :

— ustensiles de cuisine estimés	18	F
— un bois de lit garni de sa paillasse, couette, etc.	90	
— un autre lit garni	80	
— lingerie	50	
— 2 tables en bois blanc, 10 chaises, une vieille commode et une armoire, le tout prisé	30	
— le vestiaire de la veuve	20	
— le vestiaire du mari	20	
— prorata de la pension du défunt couru à son décès	40	
— prorata de loyer de la maison située au 45 de la rue St-Nicolas à Angers	8,34	
— prorata du loyer de la maison située au n° 65	16,67	
— prorata de fermages d'autres immeubles situés hors du bureau (la maison des Roncières)	43,50	
TOTAL	416,51 F	

Ces meubles étant des biens communautaires, la moitié seulement figure dans la succession d'Augustin Beauvais, soit 208,26 F (59).

Dans la même tranche se trouve la succession de l'ancien chirurgien-major du 3ᵉ bataillon, Charles Gabriel Rataud-Duplais décédé à Angers le 24 novembre 1806 à l'âge de 74 ans (60). Sa fortune, purement mobilière, est évaluée 6 150,95 F. Elle se compose d'un mobilier de 950,95 F, d'une rente viagère annuelle de 400 F représentant, au denier 10, un capital de 4 000 F, et de 1 200 F exprimant la jouissance d'une portion de maison. Ces détails prouvent que Rataud-Duplais avait vendu en viager l'immeuble qu'il habitait, rue Courte.

Parmi les 4 fortunes de la tranche 9, 2 présentent un poste immobilier : celle de Jean-Baptiste Cordier sur laquelle nous n'insisterons pas, étant donné le jeune âge du volontaire lorsqu'il fut tué à Pontorson, et celle de René Randouin. Ce dernier était écrivain à Saumur quand il s'engagea pour le 3ᵉ bataillon où il fut élu sergent de la 7ᵉ Compagnie. Rendu à la vie civile, il exerça la profession de maître d'école. A son décès, survenu à Saumur le 24 janvier 1829 alors qu'il avait 66 ans, Randouin était à la tête d'une modeste fortune de 3 900 F. Sur ce total, les meubles ne représentent que 250 F. Les biens immobiliers, qui sont des acquêts de communauté, sont constitués par une maison sise rue du Champ-de-Mars dans la cité des bords de Loire et un petit clos viticole à Saint-Florent, composé de 25 boisselées de

(59) Bureau d'Angers, reg. n° 167, acte n° 12 et Bureau des Ponts-de-Cé, reg. n° 21, acte n° 144.

(60) Bureau d'Angers, reg. n° 112, acte n° 334.

vigne (1 ha 37 ares 25) (61) et d'une chambre dans le roc avec cave et pressoir comme il y en a beaucoup dans la région (62).

Avec la tranche 8, nous abordons des fortunes déjà modestes. Une seule des trois successions dont se compose l'effectif possède un poste immobilier. Il s'agit de celle de Michel François Chevalier mort à Bouchemaine le 20 janvier 1828, à 64 ans. Cet ancien soldat du premier bataillon est dénommé « bourgeois » sur le registre d'engagements et « rentier » sur celui des mutations après décès (63). Bien que sa fortune totale ne se monte qu'à 2 266,80 F, on peut dire qu'elle est assez équilibrée puisqu'elle se partage entre 826,80 F de meubles (environ 36,5 %), représentant la valeur de la moitié du mobilier de communauté vendu aux enchères, et 1 440 F d'immeubles constitués par deux petites maisons et un jardin possédés en propres au village de La Pointe.

Dans la même classe, signalons la succession de Jean Gauchais, colonel en retraite, mort à Saumur à l'âge de 79 ans le 11 novembre 1845. Cet homme n'est autre que le fameux conspirateur mêlé sous la Restauration à l'aventure du général Berton (64). Ses tribulations ne l'avaient pas enrichi puisqu'il laisse pour toute fortune 1 620,13 F de biens mobiliers dont l'essentiel (1 288,53 F) est d'ailleurs formé par les arrérages des deux pensions dont Gauchais jouissait en tant que colonel et commandeur de la légion d'honneur, le reste représentant le montant de la vente des meubles effectuée après sa mort, c'est-à-dire 331,60 F (65).

Des trois successions de la tranche 7, seule celle de Jacques Hudoux, homme de loi selon le sommier de l'Enregistrement, comporte un poste immobilier. Lorsque meurt à Angers le 9 août 1839 cet ancien volontaire de 1792 resté célibataire, il laisse à sa sœur un petit mobilier évalué 194,70 F et un capital immobilier de 940 F représentant sa part d'héritage dans la succession des parents Hudoux, soit le 1/4 d'une maison rue Cordelle à Angers. Cet homme de 69 ans était donc à la tête d'une fortune de 1 134,70 F au total (66).

Enfin, dans la tranche 6, toutes les successions sont purement mobilières. Nous prendrons en exemple celle de René Toussaint Vantage, ancien soldat du premier bataillon, qui était en 1791 écrivain tout comme son compatriote saumurois René Randouin cité plus haut. Mais, à la différence de ce dernier, Vantage fit une carrière dans l'armée puisqu'il est qualifié d'officier retraité sur le livre de l'Enregistrement, à l'époque de sa mort survenue dans la cité ligérienne le 10 mai 1832 alors qu'il était âgé de 59 ans. Ce célibataire laisse pour tout bien son mobilier et les arrérages de sa pension militaire, le tout évalué 649 F (67).

(61) La boisselée du Saumurois valait 0,0549 ha (F. LEBRUN, *Les Hommes et la Mort ...*, *op. cit.*, p. 499).

(62) Bureau de Saumur, reg. n° 112, acte n° 91.

(63) 1 L 590 bis. Bureau d'Angers, reg. n° 137, acte n° 539.

(64) Cf. *supra*, p. 234-235.

(65) Bureau de Saumur, reg. n° 128, acte n° 79. Cette source donne pour valeur du mobilier la somme de 248,40 F, mais nous avons pris en compte le montant de la vente tel qu'il figure sur la Table des décès n° 14 du bureau de Saumur.

(66) Volontaire pour le 3e bataillon, Hudoux n'avait pas été enrôlé. Bureau d'Angers, reg. n° 154, acte n° 149.

(67) Bureau de Saumur, reg. n° 114, acte n° 95.

3. - Les fortunes inférieures

Elles sont au nombre de trois seulement et l'on peut dire qu'elles constituent des exceptions parmi les fortunes de la « bourgeoisie ». Deux d'entre elles figurent dans la tranche 5. La première est celle de Jacques Lauzeral qualifié de « marchand » sur le registre d'engagements, mais qui fit une carrière d'officier, terminant sa vie comme commandant du château d'Angers, transformé en prison, le 5 décembre 1832 à 67 ans (68). La seule richesse du capitaine Lauzeral consiste dans la moitié du mobilier de communauté, ce qui représente 396 F (69).

La seconde succession de la tranche 5 est celle de Pierre Frédéric Tertrais qui se disait lui aussi « marchand » à Angers lors de son engagement pour le 2ᵉ bataillon où il devint lieutenant de la 5ᵉ Compagnie. Quand il termina sa vie dans sa cité natale le 5 décembre 1833 à 61 ans, il était « employé de la Régie ». Comme Lauzeral, il avait pour tout bien la moitié du mobilier communautaire ce qui représentait 230,89 F (70).

La plus basse de toutes les successions « bourgeoises » se place dans la tranche 3. Il s'agit de celle de Jacques Loir-Mongazon qui était praticien à Saumur lorsqu'il fut élu sous-lieutenant de la 8ᵉ Compagnie du premier bataillon, en septembre 1791. Sa promotion fut le début d'une carrière militaire qui lui valut une retraite d'officier et un débit de tabac. Pourtant, lorsqu'il meurt le 27 novembre 1840 dans son domicile de la Grande Rue à Saumur, à l'âge de 76 ans, il ne laisse à ses trois enfants qu'un infime mobilier de 120 F (71). Décidément, l'Armée pouvait bien conférer du prestige à ses officiers, elle ne les mettait pas forcément à l'abri du besoin. Mais peut-être l'ancien volontaire avait-il distribué son bien à ses enfants longtemps avant sa mort (72).

III. - LA FORTUNE DES ARTISANS ET BOUTIQUIERS

Nous avons recensé dans cette catégorie 109 successions positives cumulant une fortune totale de 617 972,82 F. Cette somme est inférieure de 3 091 994,42 F à la fortune globale des « bourgeois » que nous venons

---

(68) Cf. *supra*, p. 132 et le registre d'engagements 1 L 590 bis. La fiche adressée par le conseil d'administration du 1ᵉʳ bataillon au Comité de Salut Public (Arch. nat. AF II-382) nous apprend que Lauzeral était, au début de la Révolution, employé chez son père, tailleur pour femmes. Le jeune homme qui savait lire, écrire et connaissait les éléments du calcul, appartenait donc, en fait, à la petite bourgeoisie.

(69) Bureau d'Angers, reg. n° 142, acte n° 489.

(70) Bureau d'Angers, reg. n° 143, acte n° 728.

(71) Bureau de Saumur, reg. n° 122, acte n° 156.

La famille Loir-Mongazon est bien connue dans le Saumurois. Plusieurs de ses enfants servirent dans les volontaires, à des époques diverses. Adrien Charles (est-ce le frère de Jacques ?) simple soldat au premier bataillon en 1791, devint lieutenant-colonel du 3ᵉ bataillon en avril 1793 (C. PORT, *Dictionnaire ..., op. cit.*).

(72) Nous avons recherché vainement si Jacques Loir-Mongazon possédait d'autres biens dans les bureaux d'Angers, Beaufort, Doué et Montreuil-Bellay. Peut-être avait-il fait une donation qui n'aurait pas été signalée ?

d'étudier dont le nombre était pourtant plus petit que celui des artisans et boutiquiers puisqu'on en comptait seulement 81. On ne sera donc pas étonné de la médiocrité de la fortune moyenne des gens de métier comparée à celle de l'élite de la société roturière. Elle est en effet de 5 669,47 F, soit une diminution de 40 132,59 F par rapport à la fortune « bourgeoise » moyenne. Autrement dit l'artisan ou boutiquier type est presque neuf fois moins riche que le « bourgeois » type. La fortune moyenne des petits commerçants et artisans est même assez nettement inférieure à la fortune moyenne générale des volontaires qui la dépasse de 8 197,39 F (73). Elle est pourtant très supérieure à celle des artisans et boutiquiers vendéens qui s'établissait à 1 678,05 F (74). Il y a, entre les deux chiffres, une différence de 3 991,42 F et un rapport de 3,4 environ.

A première vue, la structure de la fortune des artisans et boutiquiers est semblable à celle des « bourgeois », la place relative des meubles et de l'immobilier étant presque la même ici et là : chez les gens de métier, la fortune mobilière qui se monte à 179 535,34 F, représente 29,05 % du total, la fortune immobilière, 438 437,48 F, en constitue 70,95 %. En réalité, les successions immobilières sont beaucoup moins fréquentes parmi les artisans et petits commerçants. Alors que 65 fortunes « bourgeoises » sur 81 comportaient un poste foncier (environ 80 %), c'est seulement le cas de 50 successions de travailleurs des métiers sur 109 (moins de 46 %). De cette double constatation résulte un écart beaucoup plus grand entre fortune mobilière moyenne et fortune immobilière moyenne chez les gens de l'échoppe et de la boutique.

La moyenne des 106 successions comportant un poste mobilier s'établit à 1 693,72 F. La fortune mobilière moyenne des « bourgeois » (15 117,21 F) était environ 8,9 fois plus élevée. Cependant, la moyenne mobilière des artisans et boutiquiers « bleus » est encore supérieure de 1 201,43 F à celle de leurs homologues « blancs », le rapport étant entre les deux de 1 à 3,4.

La moyenne de la fortune immobilière des 50 successions ayant un poste de ce type est de 8 768,74 F. La fortune immobilière des « bourgeois » (39 400,92 F) était environ 4,5 fois supérieure. La disproportion entre les fortunes foncières moyennes des deux catégories socio-professionnelles est donc moins forte que celle notée pour les fortunes mobilières. Si l'on fait la même comparaison avec les fortunes moyennes des artisans et boutiquiers vendéens, le phénomène est inverse ; la fortune immobilière moyenne des gens de métier engagés derrière le drapeau blanc est de 1 880,27 F, soit une différence de 6 888,47 F et un rapport de 4,6 environ avec la fortune moyenne correspondante des artisans et boutiquiers « bleus ». En résumé tout se passe comme s'il existait dans notre échantillon un grand nombre de successions médiocres, surtout mobilières, et une minorité de successions importantes possédant un poste immobilier d'un montant non néglibeable. L'histogramme des fortunes pourrait confirmer cette hypothèse (cf. p. 437).

---

(73) Cette moyenne est non seulement très inférieure à la moyenne générale de la fortune des petits commerçants toulousains (16 521 F), mais elle est même plus basse que celle des artisans de la capitale languedocienne (8 642 F) (J. Sentou, *Fortunes et groupes sociaux ...,* op. cit., p. 293 et 350).

(74) Cf. Cl. Petitfrère, *Les Vendéens d'Anjou, op. cit.,* p. 450

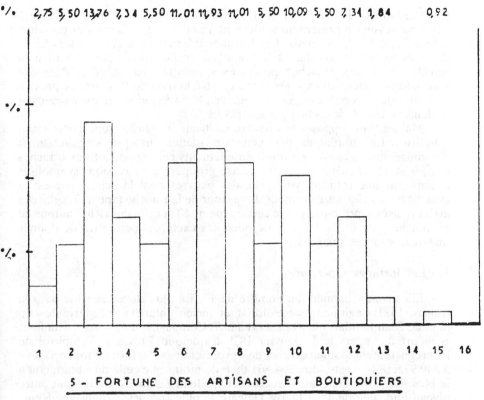

% 2,75 5,50 13,76 7,34 5,50 11,01 11,93 11,01 5,50 10,09 5,50 7,34 1,84   0,92

5 - FORTUNE DES ARTISANS ET BOUTIQUIERS

(travailleurs du textile exclus)

Le graphique traduit sans ambiguïté la différence de structure entre les fortunes « bourgeoises » et celles du monde de l'atelier et de la boutique. Contrairement à l'histogramme précédent, celui-ci démarre dès la tranche n° 1 mais, par contre, il n'atteint pas la classe la plus élevée, s'arrêtant à celle qui porte le n° 15. Encore celle-ci est-elle détachée du corps du graphique, puisqu'il n'existe aucune succession dans la tranche n° 14. Le dessin général de l'histogramme est l'inverse de celui de la figure représentant les fortunes « bourgeoises » : il comporte une montée rapide vers la tranche 3, puis une lente descente vers les classes supérieures. La dissymétrie était de sens opposé sur l'histogramme de la « bourgeoisie ». Autre constatation symptomatique : la classe type est ici la tranche 3, qui correspond à des successions d'un montant très faible (67,73 à 124,63 F), c'est-à-dire qu'il existe un recul de 8 tranches vers le bas par rapport à la classe type inférieure des « bourgeois », celle qui porte le n° 11 (rappelons en effet que l'histogramme des fortunes « bourgeoises » comportait trois tranches types, les classes n° 11, 12 et 13).

La place de la richesse est donc infiniment moins grande, le poids de la pauvreté infiniment plus lourd, parmi les artisans et boutiquiers que chez les représentants de l'élite roturière. De fait, les fortunes supérieures (tranches 11 et au-dessus) représentent seulement 15,60 % de l'effectif des premiers contre 71,61 % des seconds. Les fortunes inférieures rassemblent 34,85 % des successions artisanales et boutiquières, celles qui appartiennent à la tranche 5 et aux tranches plus basses, contre seulement 3,70 % des successions « bourgeoises ». De la tranche 6 à la tranche 10 se trouve près de la moitié des effectifs des gens de métier (49,54 %) alors qu'on y recensait seulement le 1/4 des « bourgeois » (24,69 %).

Malgré tout, opposer le « pauvre » artisan au « riche » bourgeois serait simpliste. Le graphique des gens de métier manque singulièrement d'homogénéité, avec ses profonds ensellements correspondant aux tranches 4, 5, 9 et 11. Il existe en réalité quatre groupes de successions symbolisés chacun par une tranche type, celle des pauvres dont la classe type est la tranche n° 3, celle des gens modestes autour de la tranche type n° 7, celle des artisans aisés représentés par la classe type n° 10 et celle des riches autour de la tranche type n° 12. L'étude de quelques exemples permettra de donner une réalité à ces nuances.

1. - Les fortunes supérieures

Elles sont seulement au nombre de 17. La plus élevée se situe dans la tranche 15. Il s'agit de la succession d'un ancien « marchand de ferraille » du nom de Jean Landais qui avait servi à la 7e Compagnie du premier bataillon. Il meurt à Angers le 17 janvier 1828 à quelque 70 ans et l'employé de l'Enregistrement le salue du nom de « propriétaire ». Sa fortune totale s'élève à 140 975,18 F, c'est-à-dire 204 861,08 F de moins que celle du « bourgeois » le plus riche. Malgré tout, la succession de Jean Landais est d'un tout autre niveau que celle de Jean-Pierre Daviau, le plus aisé des artisans vendéens, qui se montait à 23 676,84 F seulement (75). Les biens meubles de l'ancien marchand de ferraille sont évalués 17 718,18 F, ce qui représente 12,57 % de la fortune totale. Ils se composent d'un mobilier considérable, estimé par notaire à la somme de 13 218,18 F et d'une part d'intérêts (1/48e) dans la carrière d'ardoise d'Avrillé évaluée au capital de 4 500 F.

A la fin de sa vie Jean Landais était devenu, sans conteste, un bourgeois. La structure de sa fortune immobilière le prouve. Comme tout riche habitant d'Angers, notre homme possédait une maison en ville, une à la campagne et des exploitations agricoles. Dans le cas présent, la maison urbaine, située rue Bourgeoise en plein centre commerçant, devait être fort grande puisqu'elle est estimée à la somme considérable de 24 000 F. La « campagne » était sise à la Haie aux Bonshommes en Avrillé, c'est-à-dire près du lieu de supplice des Vendéens. Autour de la maison, notre homme se réservait jardin, terre, et prés marécageux. Le tout est évalué 3 600 F. Dans le même lieu s'étendait une métairie à cheval sur les communes d'Avrillé et d'Angers, dénommée métairie de la Haie des Bonshommes, affermée pour 1 830 F par an, ce qui représente un capital de 36 600 F. Non loin se trouvait la métairie de la Grande Planche consistant en maison et bâtiments d'exploitation, cour,

---

(75) Cl. Petitfrère, *Les Vendéens d'Anjou, op. cit.*, p. 452-453.

jardin, terres labourables, bois taillis, prés et pâtures, au total 21 ha loués 1 400 F, soit un capital de 28 000 F. La closerie voisine de la Petite Planche était affermée 730 F, ce qui équivaut à 14 600 F de capital. En outre, et c'est plus original, Jean Landais était propriétaire du terrain servant d'emplacement à la carrière d'ardoise de « La Désirée », commune d'Avrillé, de 23 ha 50 de surface. L'ancien volontaire en avait abandonné l'exploitation à une société (sans doute celle où il possédait 1/48ᵉ d'intérêts), ce qui explique que la carrière soit seulement évaluée au capital de 600 F dans la succession. Si l'on ajoute à la valeur des biens fonciers le montant des impôts laissés à la charge des fermiers, la fortune immobilière de Jean Landais se monte à 123 257 F (87,43 % de la succession) (76).

La fortune qui vient au second rang dans la catégorie des artisans et boutiquiers se situe dans la tranche 13 qui comprend seulement deux déclarations. Il s'agit de l'héritage de Jean Jérôme Ayasse, horloger qui meurt au chef-lieu du Maine-et-Loire le 23 août 1834 à 59 ans. La succession est composée du seul poste immobilier car, à la suite de son contrat de mariage, l'épouse exerce des reprises épuisant, et au-delà, le total des biens mobiliers du ménage qui s'élève à 14 665,25 F. Ayasse possédait en propres deux maisons à Angers, l'une rue Saint-Aubin estimée 12 000 F, l'autre rue Saint-Gilles (10 000 F). La communauté possédait également deux maisons urbaines, la première rue de La Chapelle Falet évaluée 14 000 F, la seconde rue du Mont de l'Esvière estimée 12 000 F. Le ménage était, en outre, propriétaire d'une terre de 47 ares 6 en Saint-Laud et d'un pré de 74 ares évalués ensemble 3 340 F. En sus du montant des biens propres (22 000 F), la quasi-totalité de la valeur des conquêts revient à la succession, en vertu des reprises importantes du défunt consécutives à son apport au mariage et à la vente de propres. C'est en définitive un total de 47 755,25 F qui revient aux héritiers (77).

L'autre succession de la tranche 13 est celle de Pierre Bordillon dont le patronyme est illustre en Anjou grâce à son fils, Grégoire, l'ardent fourrier de la République qui fut en 1848 préfet du Maine-et-Loire et qui était à l'époque du décès de son père préfet de l'Isère, mais ne devait pas tarder à être révoqué par Louis-Napoléon (78). Pierre Bordillon qui avait été élu en août 1792 caporal de la 2ᵉ Cie du 2ᵉ bataillon, s'éteint à l'âge de 75 ans, le 16 juin 1849, dans sa maison de la rue Beaurepaire. Il laisse à ses deux fils une fortune de 46 887, 20 F dont 9 687,20 F de meubles (20,66 %). L'essentiel de la succession mobilière est constitué par une reconnaissance de dette de 7 000 F de Théodore Bordillon, le frère de Grégoire. Viennent ensuite 1 429 F représentant la part du défunt dans le mobilier de communauté de la maison d'Angers et de la « campagne » de La Barre, aux portes de la ville. Le reste est constitué de diverses créances. Le défunt possédait en propres deux immeubles. D'abord, la maison de la rue Beaurepaire (estimée 28 000 F) dont la plus grande partie était occupée par un certain Billard, poëlier, qui avait dû prendre la succession de Bordillon

---

(76) Bureau d'Angers, reg. nᵒ 137, acte nᵒ 528.
(77) Bureau d'Angers, reg. nᵒ 144, acte nᵒ 85.
(78) C. PORT, *Dictionnaire ...*, *op. cit.*

dans ce métier. En second lieu, la closerie de la Petite Barre, dans le canton des Fouassières à Angers, qui était louée verbalement, à l'exception d'un petit logement et d'une vigne de 1 ha 14 que Pierre Bordillon se réservait. Cette « campagne » représente un capital de 9 200 F (79).

La tranche 12 est beaucoup plus fournie que les précédentes puisqu'elle regroupe 8 déclarations. Ces dernières concernent des hommes qui étaient, à l'époque de leur engagement orfèvre, marchand de bois, commis-marchand, boisselier, tanneur, gantier, cordier, et sabotier. Mais plusieurs ont changé de métier ou, surtout, ont grimpé dans l'échelle sociale depuis leur jeunesse. Le commis-marchand est devenu marchand lui-même, le boisselier a fait une carrière militaire, le sabotier est devenu cabaretier et il est honoré, sur le sommier de l'Enregistrement, du titre de « propriétaire » tout comme l'orfèvre, le marchand de bois, le gantier et le cordier.

Deux successions de la tranche 12 sont purement mobilières. Nous citerons l'exemple de Michel François Viot, un orfèvre de la rue Saint-Laud, capitaine en second de la garde nationale d'Angers en 1791, qui s'était porté volontaire pour le premier bataillon mais n'avait pas été admis, peut-être parce qu'il était marié. C'est à Bouchemaine que meurt cet ancien « habit bleu » le 8 juillet 1822, à 63 ans. Sa fortune se monte à 27 921 F. Elle se compose d'un mobilier important évalué 10 221 F (soit 36,6 % du total) par inventaire notarié, d'une bibliothèque « composée de livres de diverse nature » estimée 700 F et de 6 rentes, l'une de 5 000 F de capital, une autre de 4 000 F, les 4 dernières de 2 000 F chacune. Veuf et sans enfant, Viot lègue ses biens à différentes personnes. En particulier, la rente de 4 000 F revient à sa cuisinière, deux rentes de 2 000 F à un domestique et à un jardinier, la bibliothèque à un médecin, et la plus forte rente à l'ancien relieur André Berthe, le fameux sergent de la garde nationale qui avait pris part à la défense d'Angers contre les perrayeurs révoltés en septembre 1790 (80).

A l'inverse de la fortune de Michel Viot, celle d'André Fontaine, qui est de montant presque identique (28 013 F) est en quasi-totalité immobilière. Lorsque meurt le 12 mai 1847, à 71 ans, cet ancien cordier saumurois, il ne laisse qu'un petit mobilier de 513 F représentant sa part des biens communautaires. Par contre, ses immeubles ont une valeur de 27 500 F, constituant 98,2 % du total de la succession. Il s'agit de la moitié des conquêts qui regroupent 4 maisons urbaines, une propriété suburbaine et deux clos de vigne. Deux des maisons sont bâties sur le quai de Limoges. La première comprend caves, rez-de-chaussée distribué en boutique et arrière-boutique, 3 étages surmontés d'un grenier. La seconde est semblable, mais plus petite puisqu'elle n'a que 2 étages. Un troisième immeuble s'élève rue de la Croix des Capucins. Il se compose d'une boutique avec cheminée, d'une cuisine derrière la boutique, d'une chambre au premier, et d'un « petit derrière ». Il y a aussi un jardinet donnant sur la rue et un petit bâtiment de deux chambres. Enfin, la maison de la rue des Saulais est constituée de deux chambres surmontées d'un grenier, d'une petite cour, d'un jardin avec un puits. La propriété suburbaine est située à l'entrée de « la prée d'Ossard ».

(79) Bureau d'Angers, reg. n° 177, acte n° 249.
(80) Bureau d'Angers, reg. n° 132, acte n° 538. Concernant Berthe, cf. *supra*, p. 116 et 122-123.

Elle comprend une maison, une corderie, divers bâtiments dont une habitation pour fermier, une écurie, un jardin, une prairie, en tout 3 ha 50. Les immeubles qui ont le plus de valeur sont ceux du quai de Limoges estimés 16 000 F chacun, puis vient la propriété suburbaine (12 000 F) et les deux autres maisons (4 000 et 2 000 F). Quant aux clos de vigne qui portent les noms pittoresques de « Clos du pied tord et de la violette », ils contiennent 2 ha 83 ares 62 et représentent un capital de 5 000 F (81).

Dans la tranche 11 enfin, nous trouvons 6 successions. Elles concernent des volontaires exerçant les métiers de menuisier, boulanger, cordonnier, perruquier et commis-marchand (profession de deux de nos hommes). Le perruquier termine sa vie comme aubergiste et maître de poste, l'un des commis-marchands est devenu marchand à l'époque de son décès, l'autre est gratifié du titre de « propriétaire » sur le livre de l'Enregistrement, tout comme, d'ailleurs, le cordonnier.

Joseph Batailleau, un Saumurois engagé au 2ᵉ bataillon, meurt dans sa ville natale à 50 ans le 6 juin 1826. Ayant commencé sa vie professionnelle comme perruquier, il avait réussi à amasser un peu d'argent puisqu'il était aubergiste et maître de poste lors de son décès. Aucun doute n'est possible sur l'identité de l'ancien volontaire car on retrouve dans le sommier de l'Enregistrement le surnom de Chalopin déjà mentionné en août 1792 sur le registre d'engagements. Sa fortune s'élève à 13 144,50 F dont les meubles, d'un montant de 4 894,50 F constituent 37,24 %. En réalité, la part du défunt dans les meubles de communauté donne une idée affaiblie de l'aisance du ménage, la veuve ayant exercé ses droits de reprise pour la somme de 5 984,50 F sur un total chiffré 15 773,50 F. Quant aux immeubles, qui sont des conquêts, ils se résument en une maison située à Saumur, quartier de la Croix-Verte, servant d'auberge et de poste à chevaux que l'expertise évalue 16 500 F dont la moitié, soit 8 250 F, revient à la succession (82).

La fortune de Jean Tramblier, ancien sous-lieutenant de la 4ᵉ Compagnie du 3ᵉ bataillon qui était simple commis-marchand à Saumur lors de son engagement, se monte à 11 812,51 F. Notre homme meurt dans la cité ligérienne le 5 mai 1841 à 70 ans. Le mobilier constitue l'essentiel de sa succession : 8 112,51 F soit 68,68 %. Les meubles meublants et autres objets n'en représentent qu'une infime partie puisqu'ils sont évalués 493 F. Resté célibataire, Jean Tramblier se contentait d'un cadre de vie modeste. Le principal poste mobilier est celui des créances : on en dénombre 4 d'un montant respectif de 3 000, 2 400, 1 000 et 400 F, auxquelles s'ajoutent deux rentes de 316 et 130 F de capital. Avec les intérêts courus, cela représente un total de 7 619,51 F. En fait d'immeubles, Tramblier ne possède qu'une maison, rue du Peuple à Saumur, évaluée 3 700 F (83).

Le dernier exemple que nous prendrons pour la tranche 11 est celui d'un ancien cordonnier de Doué, Jean Phelipon, enrôlé comme grenadier au 2ᵉ bataillon, qui meurt le 28 août 1851, à 80 ans, dans sa commune natale. S'il ne laisse pour toute succession qu'un mobilier de 200 F, c'est qu'il avait fait

---

(81) Bureau de Saumur, reg. nᵒ 127, acte nᵒ 414.
(82) Bureau de Saumur, reg. nᵒ 109, acte nᵒ 288.
(83) Bureau de Saumur, reg. nᵒ 122, acte nᵒ 407.

donation à ses enfants et petits-enfants de la plupart de ses biens, quelques semaines avant son décès. Reconstituée, la fortune réelle de Jean Phelipon se monte à 9 712,60 F dont 1 712,60 F de meubles (17,63 %). Outre les 200 F qui représentent la valeur des objets dont disposait l'ancien volontaire le jour de sa mort, ces biens sont constitués de rentes en argent et en blé qui forment ensemble, au denier 10, un capital de 1 512,60 F. Chacune de ces rentes est de faible importance. C'est ainsi que les 14 rentes en nature ne rapportent que 48 dal 58 l 98 de blé au total (soit 92,70 F selon la mercuriale de 1851, représentant un capital de 927 F). Les immeubles, partagés en six lots au bénéfice des enfants et petits-enfants du donateur, sont évalués 8 000 F, soit 82, 37 % de la fortune totale. Il s'agit de 43 parcelles de terre équivalant à une surface de 13 ha 05 ares 36 et de 21 parcelles de vigne de 3 ha 46 ares 60 de surface totale. Phelipon ne possédait aucun immeuble bâti (84).

2. - Les fortunes moyennes

Rassemblant 54 successions, le groupe des fortunes moyennes est, rappelons-le, le plus important chez les artisans et boutiquiers. Une seule des quatre tranches qui le composent regroupe moins de 10 déclarations, celle qui porte le n° 9. Les fortunes de la tranche 10, qui est la plus élevée, sont au nombre de 11. Elles comportent toutes, à deux exceptions près, un poste immobilier. Les volontaires concernés exerçaient sous la Révolution les métiers d'orfèvre, menuisier, tailleur d'habits que l'on rencontre chacun à deux reprises, ceux de tonnelier, boisselier, serrurier, commis-marchand et marchand-cirier. Quatre d'entre eux ont fait carrière dans l'armée ou la gendarmerie et achèvent leur vie avec une pension militaire : les deux tailleurs, le commis-marchand et un des deux menuisiers. Ce dernier n'est autre que Noël Marie Joseph Girard qui entra dans l'armée comme caporal du premier bataillon et la quitta comme maréchal de camp (85). Il meurt à Angers, sa ville natale, le 1er mars 1839 à 65 ans. Sa femme et sa fille étant déjà mortes, c'est à sa petite-fille qu'il laisse sa modeste fortune : 5 394,17 F de biens meubles, se composant de 4 085 F de meubles meublants et effets, 1 166,67 F correspondant aux arrérages de sa pension d'officier de la légion d'honneur, 136,50 F d'« objets de sellerie » et 6 F représentant la valeur d'un portrait de Napoléon et d'un buste du roi de Rome légués à un ami (86). De composition fort différente est la succession d'un autre officier en retraite, François Alexandre Grignon, ancien commis-marchand, décédé à Doué le 10 janvier 1841 alors qu'il était âgé de 69 ans. D'une part, la déclaration comporte un poste immobilier d'un montant de 1 200 F, soit un peu moins du 1/4 (23,55 %) de la fortune totale qui s'élève à 5 096 F (il s'agit de deux vignes situées à Concourson, de 52 ares 80 chacune). D'autre part, les meubles qui sont évalués 3 896 F, sont de nature très différente de ceux de Girard. En effet, les objets mobiliers ne représentent qu'une valeur de

---

(84) Bureau de Doué, reg. n° 86, acte n° 212 et reg. des actes civils publics n° 162 (acte du 11-8-51). Voir aussi l'enregistrement de la succession de Marie Routiau, épouse de Jean Phelipon, dans bureau de Doué, registre n° 75, acte n° 338.
(85) Cf. *supra*, p. 193.
(86) Bureau d'Angers, reg. n° 153, acte n° 220.

500 F. Le surplus se compose de deux créances de 1 000 F chacune, de deux rentes en argent de 200 et 395 F de capital, et de 5 rentes en nature variant de 2 dal 4 1 78 à 8 dal 53 cl de froment, représentant ensemble un capital de 801 F (87).

Contrairement à ses anciens camarades, André Roch Nau a exercé toute sa vie la même profession : menuisier. Il meurt le 20 septembre 1837 à 71 ans environ, à Tours où il devait avoir rendu visite à son fils, Théodore, teinturier dans cette ville. Mais c'est à Saumur que résidait ordinairement André Nau, comme le précise le sommier de l'Enregistrement. La fortune de l'ancien volontaire se monte à 7 263,50 F, assez bien répartie entre meubles et immeubles, les premiers estimés 2 738,50 F (37,70 %), les seconds 4 525 F (62,30 %). La déclaration ne comporte aucun détail sur le mobilier, précisant seulement qu'il s'agit de la moitié de celui de la communauté que formait le défunt avec son épouse Perrine Durand. Les immeubles se résument à une maison, rue de la Porte Neuve à Saumur, évaluée 9 000 F et 4 ares 13 de terre et vigne au Petit Puy dans la même commune, estimés 50 F. L'ensemble de ces biens étant des acquêts, seule la moitié de leur valeur entre en ligne de compte dans la succession (88). Dans la tranche 10, la possession d'immeubles bâtis est encore la règle puisque deux seulement des déclarations comportant un poste immobilier n'en font point état.

La classe 9 est beaucoup moins importante que la précédente. Elle ne comprend que 6 successions qui, cependant, comportent toutes un poste immobilier mentionnant au moins un immeuble bâti. Les professions représentées sont celles d'armurier ou arquebusier (exercée par deux individus), serrurier, boucher, tonnelier et ardoisier. Etienne Riotteau est le premier «perrayeur» que nous rencontrons. Il était ouvrier de carrière à Trélazé lorsqu'il fut admis comme simple volontaire dans la 8ᵉ Compagnie du premier bataillon. L'employé de l'Enregistrement le désigne sous le nom de «compteur d'ardoises» après sa mort survenue le 12 février 1829, à l'âge de 59 ans, à Trélazé. Notre ancien volontaire laisse une succession essentiellement mobilière puisque, sur un total de 3 720,40 F, les meubles entrent en compte pour 3 170,40 F, c'est-à-dire 85,22 %. La part du défunt dans le mobilier de communauté ne représente que 720,40 F. Le gros de la fortune mobilière est constitué par une rente viagère de 245 F représentant un capital de 2 450 F au denier 10, qui provient de la vente d'une maison avec dépendances, jardin et 80 ares de terre, située à Trélazé et aliénée le 29 août 1819. Au moment du décès d'Etienne Riotteau, le ménage n'était plus propriétaire que de la moitié d'une maison et dépendances sise au village du Poirier commune de Trélazé, estimée 1 100 F de capital, soit 550 F revenant à la succession (89).

Nous prendrons comme autre exemple des fortunes de la tranche 9, celui qui concerne Victor Mercier, un ancien serrurier décédé à Blou, son village natal, le 13 février 1846 à 80 ans. La succession se monte à 3 699,50 F, dont

---

(87) Bureau de Doué, reg. n° 79, acte n° 89.
(88) Bureau de Saumur, reg. n° 118, acte n° 308.
(89) Bureau d'Angers, reg. n° 138, acte n° 379.
La rente viagère devait être servie à la veuve jusqu'à son décès, d'où son évaluation au denier 10 et non au denier 20.

3 300 F d'immeubles et 399,50 F (10,80 %) de meubles représentant la moitié du mobilier communautaire dont voici le détail :

— une garniture de cheminée estimée	20 F
— un lit garni	150
— une armoire et soixante draps (sic)	260
— 3 douzaines de serviettes	30
— les vêtements du défunt	80
— les vêtements de la veuve	100
— 12 essuie-mains, 4 nappes et 4 kg de fil	16
— une table, six chaises et de la vaisselle	8
— poële, poëlons et casseroles	5
— un lit garni	100
— une table et 4 chaises	10
— 2 futailles et un monceau de bois	20
TOTAL	799 F

Quant aux immeubles, possédés en propres, ils sont représentés par une maison avec jardin au bourg de Blou, évaluée 2 000 F, l'ouche de Saint-Hubert de 41 ares de surface dans la même commune estimée 800 F et deux hectares de taillis et landes à Vernantes valant 500 F (90).

La tranche 8 comprend 12 successions, celles de deux maréchaux-ferrants ou taillandiers dont l'un termine sa vie comme cabaretier, d'un tailleur d'habits, un arquebusier, un menuisier, un coutelier, un cordonnier, un éperonnier, un tonnelier, un voiturier, un perruquier et un chapelier. Ce dernier, Jean-Baptiste Nicolle a fait carrière dans l'armée. A sa mort, survenue à Angers le 27 février 1846 à l'âge de 81 ans, l'ancien officier était veuf et laissait à ses deux enfants un simple mobilier s'élevant à 2 376,66 F, si l'on y comprend les 925 F de pension militaire dus au jour du décès (91).

Toutes les autres déclarations de cette tranche comportent des immeubles et même, à deux exceptions près, des immeubles bâtis, petite maison ou boutique. Il en va ainsi pour Louis Dubois, cordonnier décédé à Doué en juillet 1832 à 62 ans. Sa fortune totale est de 2 146,50 F. Les meubles en représentent moins du 1/10e, la moitié du mobilier de communauté revenant aux enfants étant estimée 196,50 F. Les immeubles, évalués 1 950 F, consistent en une maison, une boutique et un petit jardin situés à Doué qui sont des conquêts du ménage Dubois et en trois parcelles de vigne possédées en propres par le défunt, l'une de 8 ares 29 à Douces, les autres de 4 ares 90 et 17 ares 70 à La Chapelle-Sous-Doué (92).

La tranche 7 est la première dans laquelle les successions purement mobilières sont majoritaires. Elles sont en effet au nombre de 10 alors qu'on recense seulement trois fortunes immobilières. C'est la profession de boulanger qui est ici la mieux représentée puisqu'elle était exercée par trois volontaires, puis viennent celles de menuisier et de cordonnier (deux volontaires chacune), enfin celles de sellier, tabletier, maréchal-ferrant, tailleur de pierre, couvreur et journalier (un volontaire pour chaque profession). Il faut préciser que le maréchal-ferrant et le sellier ont fait carrière dans l'armée, ainsi qu'un des deux menuisiers.

(90) Bureau de Longué, reg. n° 19, acte n° 506.
(91) Bureau d'Angers, reg. n° 167, acte n° 207 et Table des décès n° 527.
(92) Bureau de Doué, reg. n° 75, acte n° 434.

Jean Maingault est le premier journalier de ville que nous découvrons. Il termine sa vie le 13 juin 1832, à 57 ans, dans la même rue de la Tannerie à Angers où il habitait 40 années plus tôt. Selon l'employé de l'Enregistrement, il est alors maçon. Il laisse à ses 7 enfants, dont trois sont encore mineurs, une succession de 1 221,64 F dont 721,64 F (59,1 %) représentent sa part dans le mobilier de communauté. En fait d'immeubles, le ménage Maingault avait acquis la moitié d'une maison située cour des Landes à Angers, propriété évaluée 1 000 F dont la moitié revient aux héritiers (93).

Dans la même tranche figurent les successions de deux boulangers de Baugé dont la structure est tout à fait différente. La fortune de Jacques Papin, décédé le 25 juillet 1838 à 67 ans, s'élève à 1 177,75 F. Sa part des meubles de communauté est chiffrée 477,75 F, soit 40,56 % du total. A cela s'ajoutent 700 F de capital immobilier : un jardin à Baugé d'une valeur de 100 F, possédé en propres, et des acquêts de communauté constitués par une petite maison, avec jardin et ouche dans la commune de Lasse, estimés au total 400 F et par les 2/3 du « lieu de La Jocheterie » à Bocé, loué à un nommé Benoist pour 40 F charges comprises, ce qui représente un capital de 800 F. Seule la moitié de la valeur des acquêts figure, naturellement, dans la succession. C'est sans doute la petite terre de Bocé qui vaut à Papin d'être honoré du titre de « propriétaire » par l'employé de l'Enregistrement (94).

Les biens de l'autre boulanger baugeois, Edme Robineau, sont uniquement mobiliers. A 84 ans, l'homme n'exerçait plus son métier. Il avait d'ailleurs quitté sa commune d'origine pour s'installer à Morannes, où vivait son fils, ouvrier menuisier, et où il s'éteignit le 6 septembre 1857. Sa succession est d'un montant identique à la précédente, à moins de 2 F près, puisqu'elle s'élève à 1 176,37 F. Pour l'essentiel, elle se compose d'une rente de 4 1/2 % sur l'Etat représentant un capital, au cours du jour (ou plus exactement de la veille car Edme Robineau est mort un dimanche) de 972,37 F. La présence d'une telle rente est tout à fait exceptionnelle, tant chez les anciens volontaires que parmi les Vendéens. Le reste de l'héritage est constitué par le mobilier du vieillard, c'est-à-dire :

— 1 lit complet estimé	50 F
— 1 table et un petit « basset » (un buffet bas)	3
— un vieux buffet	10
— un autre lit garni	66
— une armoire	15
— 10 draps	30
— une petite armoire	12
— 3 vieilles couvertures	8
— la garde-robe du défunt	10
TOTAL	204 F (95)

Sur les 12 artisans et boutiquiers classés dans la tranche 6, la plus basse des fortunes moyennes, les travailleurs du bâtiment sont les plus nombreux puisque l'on recense trois tailleurs de pierre, sans compter un « ouvrier » de

(93) Bureau d'Angers, reg. n° 142, acte n° 57.
(94) Bureau de Baugé, reg. n° 30, acte n° 26.
(95) Bureau de Durtal, reg n° 47, acte n° 50.

Trélazé sans doute un perrayeur, un couvreur, un vitrier, un serrurier et un tourneur. On trouve aussi un imprimeur, un chapeletier, un marinier et un cuisinier. Trois anciens « habits bleus » ont d'ailleurs fait carrière dans l'armée, deux d'entre eux terminant avec le grade de chef de bataillon : François Desnoues et Jean-François Bazille. Le premier était couvreur chez son père, rue des Pommiers à Angers, lorsqu'il s'engagea au premier bataillon où il fut élu sergent de la 4ᵉ Compagnie. C'est dans la rue Saint-Aubin qu'il meurt une soixantaine d'années plus tard, le 8 avril 1852, à 83 ans. Sa succession, purement mobilière, se monte à 750,16 F. Elle est composée de la moitié du mobilier de communauté (736 F) et du reliquat de sa pension militaire (14,16 F) (96).

Jean-François Bazille était « ouvrier » à Trélazé en 1792, c'est-à-dire vraisemblablement carrier. En réalité, il avait passé 12 ans au régiment de Vermandois où il exerçait la fonction de fourrier. C'est ce qui explique son élection immédiate comme capitaine de la 3ᵉ Compagnie du 2ᵉ bataillon. Plus âgé que son camarade, Jean-François Bazille devait vivre beaucoup moins longtemps puisqu'il s'éteint à 61 ans le 29 octobre 1817 à Angers, faubourg Bressigny. Demeuré célibataire, il laisse à sa nièce et à ses deux neveux, ouvriers de carrière comme il le fut lui-même, 516,50 F de biens mobiliers, soit une somme de 52,90 F trouvée lors de l'inventaire, et le montant de la vente des meubles (463,60 F) (97).

Ces deux successions, purement mobilières, sont caractéristiques de la tranche 6. Cependant, trois déclarations sur 12 comportent un poste immobilier. Donnons l'exemple de deux d'entre elles, relatives à des tailleurs de pierre. Le premier, Pierre Goubirard, meurt à Douces près de Doué le 3 novembre 1823 à 62 ans. Il est à la tête d'une fortune de 559,10 F. Sur ce total, les meubles constitués par la moitié du mobilier de communauté, représentent 71,50 F (12,8 %). Les immeubles, d'une valeur de 487,60 F se composent d'une maison avec cour, jardin et treille estimée 190 F et de trois parcelles de terre d'une surface totale de 22 ares 60, le tout situé à Douces et possédé en biens propres, à quoi s'ajoutent quatre pièces de terre de 33 ares 66 de surface qui forment une propriété de communauté (98).

La succession d'André Fresneau mort à Brion en pleine jeunesse puisqu'il avait quelque 33 ans, le 23 juillet 1810, est d'un montant inférieur à la précédente (430 F) mais de structure comparable. Célibataire, sans ascendant ni descendant, André Fresneau a pour tout bien mobilier ses vêtements estimés 30 F. Son seul trésor est ce morceau de terre de 48 ares qu'il possède dans la commune de Brion et qui lui permettait sans doute de faire « bouillir la marmite » lorsque le travail de maçon ou de tailleur de pierre venait à manquer (99). Avec la déclaration d'André Fresneau, nous

---

(96) Bureau d'Angers, reg. nº 183, acte nº 320.
(97) Bureau d'Angers, reg. nº 126, acte nº 420.
(98) Bureau de Doué, reg. nº 71, acte du 1ᵉʳ mai 1824.
(99) Bureau de Beaufort, reg. nº 67, acte nº 64.
Le métier mentionné sur le sommier certain (tailleur d'habits) est, sans nul doute, erroné. C'est tailleur de pierre qu'il faut lire car la Table des décès de Beaufort (nº 6) indique « garçon maçon », ce qui est conforme à la profession figurant sur le livre d'engagements du 2ᵉ bataillon (1 L 589 bis), à savoir tailleur de pierre.

entrons de plain-pied dans la pauvreté qui sera le lot de tous les artisans et boutiquiers que nous prendrons maintenant en exemple.

3. - Les fortunes inférieures

Elles regroupent 38 successions échelonnées de la tranche 5 à la tranche 1. La tranche 5 comprend seulement six déclarations, celles de deux meuniers, d'un boulanger, d'un perruquier et de deux tailleurs de pierre. Malgré la modicité des « fortunes » à ce niveau, deux d'entre elles comportent encore des immeubles. La succession de René Bondu, un boulanger qui avait fait carrière dans l'armée, est même uniquement immobilière. Lorsqu'il meurt à 59 ans dans sa commune natale de Fontevraud, l'ancien militaire possède pour tout bien la moitié de la maison qu'il y avait acquise en communauté avec son épouse, soit 240 F (100). La succession de Jude (ou Jules ?) Martineau, meunier à Beaulieu, est beaucoup moins originale. Lorsqu'il meurt le 22 septembre 1849 à l'âge de 77 ans, il laisse à ses enfants de simples biens meubles s'élevant au total à 238 F, la moitié d'une rente perpétuelle au capital de 110 F et 128 F de mobilier, soit un lit, une armoire, des ustensiles de cuisine et des vêtements (101).

Parmi les 8 volontaires figurant dans la tranche 4, on recense un ancien tonnelier devenu militaire de profession, un boisselier, un maçon, un charpentier, un chapeletier, un « carreyeur », c'est-à-dire un ardoisier, un salpêtrier et le fils d'un épicier qui termine sa vie comme sous-bibliothécaire du muséum d'Angers. Ce dernier se nomme Joseph-Charles Maslin. Ancien soldat de la 8e Compagnie du premier bataillon, il meurt à 63 ans, le 28 septembre 1827 en laissant pour tout bien la moitié du mobilier de communauté, c'est-à-dire 200 F (102).

Dans cette tranche, une seule succession comporte encore un poste immobilier, celle de René Picard qui exerçait la profession de salpêtrier à Souzay, près de Saumur, lorsqu'il fut enrôlé dans les grenadiers du 3e bataillon. Mort dans la même commune le 17 février 1830 aux environs de 65 ans, il laisse à ses deux enfants un héritage de 221,25 F, soit 116,25 F de meubles et 105 F d'immeubles : 2 parcelles de bois de 2 ares 75 et 1 are 83, et une vigne de 4 ares 12. C'est d'ailleurs de la vigne que notre ancien salpêtrier devait tirer sa subsistance à la fin de sa vie car l'employé de l'Enregistrement le qualifie de « vigneron » (103).

Les 15 successions de la tranche 3 sont uniquement mobilières. On ne sera pas étonné de compter parmi ces pauvres 3 tailleurs de pierre et 1 perrayeur. On y recense aussi 3 tailleurs d'habits. Les autres volontaires de cette classe exerçaient à l'époque de leur engagement les métiers de tapissier, vannier, cordonnier, tonnelier, boisselier, taillandier, meunier et perruquiers. Quelques-uns ont changé de profession durant leur vie, instabilité qui est peut-être le signe de la misère. Le perruquier était fabricant de bas lors de

---

(100) Bureau de Saumur, reg. n° 117, acte n° 177.
(101) Bureau de Thouarcé, reg. n° 95, acte n° 224.
(102) Bureau d'Angers, reg. n° 137, acte n° 333.
(103) Bureau de Saumur, reg. n° 112, acte n° 293.

son décès, le meunier fut tour à tour cabaretier puis teinturier, le cordonnier a été aussi militaire de carrière et horloger. Enfin un des tailleurs d'habits de l'époque révolutionnaire, Charles Lesourd, est qualifié sur le sommier de l'Enregistrement d'ancien concierge et de rentier bien qu'il n'ait pour toute fortune qu'un mobilier de 96,50 F lorsqu'il meurt à Angers, âgé de 73 ans, le 13 février 1849 (104).

Trois déclarations de la tranche 3 comportent quelques détails. Ainsi celle d'Alexis Fauveau, un perrayeur du quartier de la Madeleine à Angers. Il meurt rue Saumuroise, le 25 mars 1846, à 77 ans, laissant à ses deux enfants la moitié de ce simple mobilier de communauté (soit 122,50 F) :

— pelle, pince, crémaillère	3 F
— poële, poëlon, chaudron	5
— 4 petits cadres en miroir	2
— 12 assiettes, 3 plats, 5 pots	4
— 4 chaises, 1 « huge » (sic)	5
— 12 chemises	10
— 15 draps	40
— 12 essuie-mains	3
— paire de bas, « coeffes », mouchoirs	15
— 1 bas de buffet	12
— 1 armoire en noyer	25
— 1 lit complet	50
— couchette, paillasse	40
— 1 buffet	25
— 1 table	6
(105) Total	245 F

Etienne Leroux, tailleur d'habits de Cheviré-le-Rouge, décédé à 80 ans le 23 août 1854, est apparemment plus pauvre encore puisqu'il ne possède que 95 F de mobilier, c'est-à-dire :

— des ustensiles de ménage prisés	5 F
— son lit	50
— une armoire	10
— 6 draps	10
— une table, deux chaises et un lot de vaisselle	5
— ses vêtements	15
Total	95 F

Toutefois, il est possible que ce vieillard, veuf à l'époque de sa mort, ait disposé dans sa jeunesse de quelque bien au soleil qu'il aurait vendu ou donné à ses enfants car l'employé de l'Enregistrement l'honore du qualificatif de « propriétaire »... (106).

La succession de Thomas Rousseau est du même ordre que la précédente. Cet ancien vannier décédé à 88 ans à Angers, chemin des Banchais, le 26 octobre 1848 avait été caporal de la première compagnie du « bataillon doré » de 1791. Il n'en termine pas moins sa vie dans le plus

---

(104) Bureau d'Angers, reg. n° 125, acte n° 78.
(105) Bureau d'Angers, reg. n° 169, acte n° 41.
(106) Le fils d'Etienne Leroux était cultivateur, ce qui autorise à penser que le père avait pu, peut-être, exercer ce métier. Bureau de Baugé, reg. n° 45, acte n° 195.

complet dénuement, puisqu'il possède pour toute « fortune » quelques objets mobiliers évalués 85 F :

— sa garde-robe	10 F
— 4 draps, 6 chemises en mauvais état	15
— un lit complet estimé	50
— une vieille armoire évaluée	10
(107) Total	85 F

Les métiers du bâtiment fournissent les 2/3 des effectifs de l'avant-dernière tranche, celle qui porte le n° 2. On y recense en effet deux tailleurs de pierre, un terrassier et un charpentier, sur 6 volontaires rangés dans cette classe. Les deux autres sont un marinier et un chapeletier qui appartiennent également au prolétariat d'Angers et de Saumur.

René Foucher était tailleur de pierre à Saumur lorsqu'il s'inscrivit, en juillet 1792, sur le registre des volontaires de sa ville. Il fit par la suite carrière dans l'armée, ce qui explique que les arrérages de sa pension militaire (32,10 F) constituent environ le 1/3 des biens que possède la communauté (87,10 F dont la moitié, soit 43,55 F revient aux héritiers) le jour de la mort de l'ancien « habit bleu », survenue dans la cité ligérienne le 6 février 1844 alors qu'il avait 69 ans. Les autres objets mobiliers se résument à un lit estimé 37 F et à un buffet et un pétrin évalués 18 F ! (108).

Contrairement à René Foucher, son collègue Joseph Cordé mania toute sa vie le marteau et le ciseau. Lorsqu'il s'éteint à Saumur le 6 mars 1842 à 75 ans, il laisse à ses quatre enfants ces témoins de sa misère que sont :

— son lit estimé	25 F
— sa table	1
— son armoire	10
— ses « hardes »	7
(109) Total	43 F

Dans la première tranche enfin se classent trois indigents. Jean Aubry se disait charretier quand il s'enrôla dans les volontaires le 2 août 1792. Il meurt à Champtocé, son village natal, le 15 avril 1816 à 53 ans sans avoir pu s'élever dans l'échelle sociale. Il est alors journalier et possède pour tout bien un mobilier évalué 36 F (110). René Coullon ne fut point, non plus, enrichi par la profession de ferblantier qu'il exerça toute sa vie. L'inventaire que l'on fit après sa mort, survenue à l'âge de 59 ans, le 16 mai 1827, rue des Forges à Angers, indique que cet ancien volontaire du premier bataillon ne possédait qu'un mobilier évalué 29,90 F (111). Joseph Tessier, enfin, est l'un des deux « habits bleus » qui ont laissé la plus petite succession positive. Bourrelier à Saumur, il meurt le 20 décembre 1835, âgé de 73 ans, possédant seulement

---

(107) Bureau d'Angers, reg. n° 175, acte n° 53.
(108) Bureau de Saumur, reg. n° 124, acte n° 485.
(109) Bureau de Saumur, reg. n° 123, acte n° 214.
(110) Bureau de Saint-Georges, reg. n° 41, acte n° 610.
(111) Bureau d'Angers, Tables des décès n° 518.
A l'époque de son engagement, René Coullon était sans doute ouvrier puisqu'il logeait chez un ferblantier de la rue Baudrière à Angers.

« quelques objets mobiliers prisés dans un état ci-joint à vingt francs » (112).

L'étude détaillée des successions artisanales et boutiquières confirme l'impression d'une grande variété de situations que nous éprouvions en regardant l'histogramme. Cela est dû sans doute à la coexistence dans l'échantillon des patrons et des salariés, mais le phénomène reflète aussi la diversité des professions. Notre champ d'expérience est évidemment trop restreint pour nous autoriser à dresser une hiérarchie rigide des métiers. Ce serait d'ailleurs faire bon marché de « l'équation personnelle » de chaque individu. Il est certain, malgré tout, que les riches et les pauvres sont inégalement distribués dans les diverses professions. Le haut du pavé est occupé par les orfèvres et horlogers (leurs quatre successions sont comprises dans les tranches 10 à 13) et les commis-marchands, sans doute souvent fils de marchands et devenus marchands eux-mêmes à la fin de leur vie (leurs quatre déclarations sont concentrées dans les classes 10 à 12). Au-dessous, nous trouvons les menuisiers dont les fortunes au décès sont généralement moyennes (les six successions s'échelonnent des tranches 7 à 11), puis les boulangers (cinq déclarations de la tranche 5 à la tranche 11, mais trois d'entre elles groupées dans la classe 7) et les cordonniers (quatre fortunes comprises dans les tranches 7 à 11 et une autre dans la tranche 3 seulement). Les tailleurs d'habits se divisent en deux groupes (trois successions moyennes dans les tranches 8 et 10 et trois d'un faible montant, dans la tranche 3). Il en va de même pour les tonneliers (trois déclarations dans les tranches 8 à 10 et deux dans les classes 3 et 4). Ce phénomène pourrait traduire la disparité de situation des patrons et des ouvriers. Les maréchaux-ferrants et taillandiers ont une fortune généralement inférieure à celle des tonneliers puisqu'ils ne dépassent pas la tranche 8 où l'on trouve deux de leurs déclarations, les autres se plaçant dans les tranches 7 et 3. Enfin, les tailleurs de pierre sont bien groupés, dans les tranches moyennes et basses, leurs onze déclarations s'échelonnant des tranches 2 à 7.

Ainsi se trouve confirmée, globalement et compte tenu de la variété des destins individuels, la hiérarchie professionnelle que nous pressentions dans le chapitre précédent, après l'étude des signatures notamment (113).

Pour en terminer avec les gens de métier, abordons maintenant l'univers du textile.

IV. - LA FORTUNE DES TRAVAILLEURS DU TEXTILE

On compte seulement 16 successions positives d'ouvriers de la toile et du drap, c'est-à-dire moins de la moitié des déclarations utiles de cette catégorie puisqu'on recense 18 « tisserands » indigents. Ce nombre est évidemment trop faible pour nous permettre d'établir un histogramme des fortunes. Nous nous bornerons donc à calculer les moyennes des successions et à en donner quelques exemples caractéristiques.

La fortune totale des volontaires qui, au moment de leur engagement,

---

(112) Bureau de Saumur, reg. n° 117, acte n° 454.
(113) Cf. *supra*, p. 380-381.

appartenaient au groupe des travailleurs du textile s'élève à 89 013,88 F, soit une moyenne de 5 563,36 F inférieure de 106,11 F seulement à la fortune moyenne des artisans et boutiquiers. Il y aurait, par conséquent, une différence considérable entre le niveau de vie des « tisserands » qui ont opté pour la défense de la Révolution et de ceux qui ont pris le parti de la Contre-Révolution dont la fortune moyenne n'est que de 861,13 F (114). En réalité, le chiffre qui exprime la fortune moyenne des ouvriers patriotes est exagéré par l'existence d'une grande fortune, unique dans la catégorie, qui se monte à 56 884,75 F. Si l'on n'en tenait pas compte, on obtiendrait une fortune moyenne de 2 141,94 F, somme qui nous paraît bien plus représentative du niveau de vie moyen des « tisserands » patriotes. En définitive, les « Bleus » exerçant une des professions de la toile et du drap laissant une succession positive sont nettement moins pauvres que leurs homologues vendéens, mais les purs indigents sont proportionnellement plus nombreux chez les patriotes : 53 % environ contre 35 % (115).

La valeur des biens meubles des 16 successions positives se monte à 19 402,38 F, soit 21,80 % de la fortune totale de la catégorie, une proportion inférieure de quelque 9 % à celle que nous avions calculée pour les « bourgeois » et d'environ 7 % à celle des autres artisans et des boutiquiers. La moyenne mobilière s'établit à 1 212,64 F, une somme qui est en retrait de 481,08 F sur la moyenne correspondante des travailleurs des métiers traditionnels. Dix successions comportent un poste immobilier. Additionnés, les biens immobiliers représentent un total de 69 611,50 F, la fortune moyenne immobilière étant de 6 961,15 F par conséquent, soit 1 807,59 F de moins que la fortune correspondante des autres artisans et des petits commerçants. La différence serait beaucoup plus grande si l'on ne prenait pas en compte les immeubles du plus riche des « tisserands » puisqu'on aurait alors une moyenne immobilière de 2 023,50 F seulement. Quoi qu'il en soit, ces chiffres sont bien plus élevés que ceux qui se rapportent aux travailleurs du textile qui suivirent le drapeau blanc dont la moyenne mobilière est de 265,91 F et la moyenne immobilière de 1 099,09 F (116).

Plus que les moyennes, sujettes à caution, nous intéressera la répartition des successions dans les trois groupes de fortunes que nous avons pris l'habitude de distinguer. Une seule est susceptible de figurer parmi les fortunes supérieures (tranches 11 et au-dessus), soit 6,25 %, cinq se placent dans les fortunes inférieures (tranches 5 et au-dessous) c'est-à-dire 31,25 %. Entre les deux, les fortunes moyennes rassemblent 10 déclarations, ou 62,50 % de l'effectif. Rappelons que les pourcentages correspondants de la catégorie des artisans et boutiquiers sont de 15,60 %, 34,85 % et 49,54 %. C'est dire que si la pauvreté n'est, apparemment, pas plus fréquente chez les « tisserands » que parmi les travailleurs des autres métiers (en réalité cela n'est pas exact car la proportion des indigents est supérieure chez les gens du textile), l'aisance est nettement plus rare.

(114) Cf. Cl. PETITFRÈRE, Les Vendéens d'Anjou, op. cit., p. 440.
(115) Ibid.
La plus forte proportion des indigents parmi les tisserands « bleus » est peut-être liée au grand nombre de citadins habitant Angers que l'on trouve parmi eux.
(116) Cf. Cl. PETITFRÈRE, Les Vendéens d'Anjou, op. cit., p. 440.

En fait, la richesse est ici une exception. La seule fortune importante est celle de Pierre Noël Deschamps, qui se situerait dans la tranche 14. Fils d'un tisserand, le jeune homme était lui-même tisserand à Doué lorsqu'il s'inscrivit pour le 2ᵉ bataillon en août 1792. Il devait faire fortune puisque c'est à la tête d'un capital de 56 884, 75 F qu'il termine sa vie, à 58 ans seulement, à La Chapelle-sous-Doué, le 12 juillet 1826. Quel est le secret de cette réussite sociale ? Un détail de la déclaration nous apprend que Pierre Deschamps était associé à son beau-frère, un nommé Hublot, mais nous ne savons pour quelle entreprise (117). En tout cas, l'essentiel de la succession est d'ordre immobilier, ce qui vaut à l'ancien volontaire d'être appelé « propriétaire » sur le sommier de l'Enregistrement. En effet, les meubles, d'un montant total de 5 484,75 F, représentent moins du 1/10ᵉ de la fortune (9,64 %). Ils se composent d'abord de la moitié des biens de communauté (soit 7 105,50 F d'objets mobiliers et 1 100 F représentant le principal et les intérêts courus d'une rente et d'une créance que le ménage Deschamps partageait avec le sieur Hublot), en second lieu de trois rentes possédées en propres, l'une de 22 dal de froment estimée au capital de 740 F, une autre de 10 dal de la même céréale valant 338 F et la troisième de 9 dal estimée 304 F.

Les immeubles représentent une valeur totale de 51 400 F. La plupart d'entre eux sont des biens propres. Il s'agit d'abord de la métairie de l'Auvergnière dans la commune de Concourson d'une surface totale de 41 ha 38 ares 80, comprenant logement de fermier, bâtiments d'exploitation, cours, jardin, terres et prairies. Elle est louée à mi-fruits et son revenu est évalué à 1 600 F par an. Dans la même commune le défunt possédait en outre 3 ha 36 ares 50 de vigne et 27 ares 20 de terre labourable. Dans la commune de La Chapelle-sous-Doué, Deschamps était propriétaire de la maison de La Gerbaudière, où il demeurait, située au bourg et qui, avec ses cours, jardin et dépendances, est évaluée 3 000 F. Il y possédait aussi un pré de 1 ha 44 ares 50, deux parcelles de vigne de 8 ares 80 chacune et 10 pièces de terre représentant une superficie de 3 ha 16 ares 65. Dans la commune des Verchers, l'ancien tisserand possédait deux vignes totalisant 1 ha 50 ares 70 et 3 parcelles de terre, soit 1 ha 49 ares 40. A cela s'ajoutent 19 ares 75 de terre dans la commune de Douces, 33 ares 60 en trois parcelles dans la commune de Doué et un petit lopin de 3 ares à Soulanger. L'ensemble des propres représente un capital de 47 480 F. De son côté, la part du défunt dans les acquêts de communauté est évaluée 3 920 F. Les plus importants des conquêts sont situés à La Chapelle-sous-Doué. Il s'agit de 7 ares 70 de vigne en deux parcelles et de 12 pièces de terre d'une surface totale de 7 ha 25 ares 45. A Doué, le ménage possédait un pré de 22 ares 50 et une terre de 95 ares, enfin à Douces, une vigne de 32 ares 59 et une terre de 1 ha 28 ares. Au total, les biens fonciers propres de Pierre Noël Deschamps s'étendaient sur 53 ha 37 ares 70 et ceux qu'il partageait avec son épouse sur 10 ha 11 ares 24 (118).

La seconde fortune des gens du textile est celle de Jean Pananceau, un

---

(117) Peut-être s'agit-il d'une des « blanchiries » de Doué évoquées par E. LEBRUN, dans *Les Hommes et la Mort ...*, *op. cit.*, p. 61.
(118) Bureau de Doué, reg. n° 72, acte n° 275.

ancien tisserand de Beaufort décédé à 78 ans le 20 juillet 1850. Sa fortune totale, très inférieure à la précédente puisqu'elle ne se monte qu'à 6 835 F, est d'un niveau comparable à celle des plus riches parmi les tisserands vendéens (119). Les meubles, constitués par la moitié du mobilier communautaire, représentent une part négligeable de la succession (119,50 F). Les immeubles, estimés 6 715,50 F, sont composés pour l'essentiel de bâtiments, contrairement à ceux de Pierre-Noël Deschamps. Pananceau était propriétaire de quatre maisons à Beaufort, l'une valant 1 600 F, deux autres 700 F chacune, la dernière 600 F. Il possédait également une maison située dans la commune de Gée et louée, avec 1 ha 43 ares de terre à un certain Dupuis, pour la somme annuelle de 126 F, non compris les impôts, ce qui représente, au denier 20, un capital de 2 520 F. Dans la même commune, notre homme possédait 3 ha 26 ares de terre auxquels il faut ajouter un champ de 66 ares et 6 ares de jardin l'un et l'autre situés à Beaufort (120).

La succession de Pananceau qui se placerait dans la tranche 10 est la plus élevée parmi les fortunes moyennes. Comme elle, les autres déclarations de ce groupe, à l'exception de deux, ont un poste immobilier, constitué le plus souvent d'immeubles bâtis pour l'essentiel. Il en est ainsi pour la succession de Claude Benjamin Ducros, fils d'un fabricant de bas originaire de Pont-Saint-Esprit en Languedoc, qui exerçait dans sa jeunesse la même profession que son père. Après sa mort, survenue le 17 janvier 1851 à Angers alors qu'il était âgé de 80 ans, Ducros est qualifié par le secrétaire de l'Enregistrement de « dégraisseur ou rentier » (sic). Sa fortune totale est de 6 400 F, soit 400 F de meubles et effets mobiliers (6,25 %) et 6 000 F représentant sa part de la maison située Place Neuve à Angers, qu'il avait acquise en communauté avec sa femme décédée avant lui (121).

La succession de Joseph Troquereau, mort à Angers à 68 ans le 15 janvier 1842, est bien plus modeste puisqu'elle se monte à 1 895 F seulement. Elle se décompose en 895 F de meubles (47,23 %) et 1 000 F de biens fonciers. Les premiers sont constitués de 694 F de mobilier et d'une créance de 201 F due par un des enfants du défunt. En fait d'immeuble, Joseph Troquereau possédait le 1/5e de la maison familiale où il s'est éteint, rue de l'Hommeau, sur le tertre Saint-Laurent, quartier de résidence de nombreux tisserands angevins (122).

Pierre Mathurin Jourdain, fils de « fabricant », se disait serger à l'époque de son engagement au 2e bataillon dont il fut élu caporal. Il habitait alors à Doué. Après sa mort survenue à La Chapelle-sous-Doué le 20 octobre 1837 à 68 ans, il est désigné sous le nom de « fabricant » sur le livre de l'Enregistrement. Sa fortune totale est évaluée 962,50 F. Le poste mobilier,

---

(119) Le plus aisé parmi les travailleurs de la toile vendéens, François Griffon, laissait une fortune de 8 669,70 F. Venait après lui François Guérif avec une succession de 5 858,38 F. Cf. Cl. PETITFRÈRE, *Les Vendéens d'Anjou, op. cit.*, p. 443.

(120) Bureau de Beaufort, reg. 85, acte n° 88.
Les trois fils de Pananceau sont tisserands à Beaufort, ce qui prouve que la famille appartient toujours à la catégorie socio-professionnelle des métiers du textile, malgré l'enrichissement du père.

(121) Bureau d'Angers, reg. n° 181, acte n° 98.

(122) Bureau d'Angers, reg. n° 159, acte n° 147.

constitué par la moitié des meubles de communauté, se monte à 322,50 F (33,5 %). Les immeubles sont estimés 640 F. Il s'agit de 16 ares de vigne possédés en propres et d'une maison avec jardin d'une valeur de 1 000 F, mais dont la moitié seulement revient aux héritiers puisqu'elle constitue un acquêt de communauté. La composition de la fortune de Jourdain n'est pas très différente de celle de Troquereau, mais à un niveau inférieur (123).

La succession de Jacques Février, un ancien cardeur de Châteauneuf-sur-Sarthe qui résidait dans sa vieillesse au village voisin d'Etriché, est semblable aux précédentes, mais d'un montant encore plus faible. Lorsqu'il meurt le 30 novembre 1852 à 80 ans, notre homme ne peut léguer à son fils Jacques, tisserand, et à sa fille Charlotte qu'un maigre héritage de 450 F : 100 F de meubles et la moitié de la valeur de sa maison du bourg d'Etriché composée d'une chambre basse, une chambre au-dessus et entourée d'un petit jardin d'un are (350 F) (124).

Parmi les cinq déclarations relatives à des travailleurs du textile qui se placeraient dans le groupe des fortunes inférieures, l'une comporte encore un poste immobilier. Il s'agit de celle de Jean Pichery, un tisserand originaire de Chemillé qui était déjà fixé à Saumur en 1791, ville où il devait mourir à 78 ans, le 19 décembre 1844. Il laisse à sa nombreuse descendance un héritage de 362 F, soit un pauvre mobilier de 62 F et la valeur de la moitié de la maison qu'il avait acquise à «La Gueule de Loup» à Saumur, en communauté avec sa défunte épouse (300 F) (125).

Louis Benestreau était, comme Pichery, originaire des Mauges, de Coron exactement, mais c'est à Angers qu'il était venu se fixer dès son jeune âge pour travailler à la manufacture du Cordon Bleu, «Vallée Saint-Samson». C'est dans le même quartier qu'il meurt à 62 ans le 1er mars 1831, exerçant toujours le métier de tisserand. Toute sa fortune consiste en 162 F représentant la moitié du mobilier de communauté (126).

Le plus pauvre de tous les ouvriers du textile est un ancien grenadier du premier bataillon, René Callet. Agé de 45 ans lorsqu'il s'engagea parmi les volontaires, il avait passé huit années au régiment de Vivarais et exerçait la double profession de tisserand et d'huilier, deux spécialités de Beaufort d'où notre homme était originaire. C'est la première de ces deux professions qui figure sur le sommier de l'Enregistrement, après le décès de Callet dans sa ville natale le 30 ventôse an XI (21 mars 1803) à 56 ans. Sa veuve, à qui il a fait don de ses biens, hérite d'un mobilier évalué 70 F (127).

De l'univers des gens de métier, passons à celui des paysans formant la dernière catégorie socio-professionnelle dont nous étudierons les fortunes au décès (128).

---

(123) Bureau de Doué, reg. n° 78, acte n° 126.
(124) Bureau de Durtal, reg. n° 45, acte n° 375.
(125) Bureau de Saumur, reg. n° 125, actes n° 523 et 524.
Les 300 F représentent le prix de vente effectif de la moitié de la maison, selon l'acte enregistré le 13 janvier 1845 (bureau de Saumur, registre des actes civils publics, n° 395).
(126) Bureau d'Angers, reg. n° 140, acte n° 523.
(127) Bureau de Beaufort, reg. n° 62, acte n° 1705.
(128) Rappelons que six successions positives émanent, en outre, d'anciens volontaires classés dans la catégorie des professions «diverses».

V. - LA FORTUNE DES AGRICULTEURS

Les 44 successions positives constituent près de 71 % des déclarations utilisables puisque l'on recense 18 indigents parmi les cultivateurs. Elles représentent une fortune totale de 134 336,93 F, se décomposant en 33 413,37 F de meubles (24,87 %) et 100 923,56 F d'immeubles (75,13 %). La proportion des biens mobiliers se situe entre celle des « tisserands » (21,80 %) et celle des autres travailleurs des métiers (29,05 %). La fortune moyenne est de 3 053,11 F. C'est donc la plus basse de toutes celles que nous avons calculées pour les « Bleus ». Elle est cependant plus de deux fois supérieure à la moyenne des fortunes paysannes vendéennes qui s'établissait à 1 369,20 F (129). La moyenne mobilière, très inférieure à celle de toutes les autres catégories socio-professionnelles distinguées parmi les anciens volontaires, n'est guère plus élevée que celle des cultivateurs contre-révolutionnaires (759,39 F contre 697,47 F), mais la moyenne immobilière est beaucoup plus forte (3 881,67 F contre 2 010,91 F) bien qu'elle soit la plus faible de toutes celles que nous avons calculées pour les « Bleus ». La proportion des propriétaires fonciers est de 59 % environ parmi les paysans laissant une succession positive (26 déclarations comportent un poste immobilier sur 44). C'est là un pourcentage beaucoup plus élevé que celui des agriculteurs vendéens dont moins de 34 % de successions positives comportaient un poste immobilier.

Ces premiers calculs risquent de donner une image trop optimiste du niveau de vie moyen des hommes de la terre. En effet, comme celui des « tisserands », l'échantillon des déclarations paysannes comprend une unique grande fortune (d'un montant de 74 393,46 F) qui grossit beaucoup les moyennes et altère les pourcentages. Si nous n'en tenions pas compte, la fortune moyenne globale des cultivateurs serait de 1 394,03 F, tout à fait comparable par conséquent à celle de leurs homologues vendéens, les moyennes mobilières et immobilières s'établissant respectivement à 478,57 F et 1 574,60 F, c'est-à-dire au-dessous des moyennes calculées pour les paysans « aristocrates » (130).

Nous avons dressé un histogramme des successions, conscient toutefois de la faiblesse numérique de l'échantillon. La forme générale du graphique, tout à fait différente de celle de l'histogramme des fortunes « bourgeoises », se rapprocherait du dessin de l'histogramme des artisans et boutiquiers (cf. p. 456). La figure est cependant plus concentrée dans les tranches inférieures. Mise à part la classe 14 qui est isolée, c'est la tranche 11 qui est la plus élevée, et non la tranche 13 comme sur l'histogramme des travailleurs de la boutique et de l'atelier qui montrait d'ailleurs, également, une classe isolée, la tranche 15. Sur le graphique des paysans, la masse des fortunes figure entre la tranche 3 et la tranche 9 (67,73 F à 4 839,6 F). Plus précisément, l'ensellement formé par les classes 5 et 6 sépare deux groupes

---

(129) Cf. Cl. PETITFRÈRE, *Les Vendéens d'Anjou, op. cit.,* p. 417.

(130) Chez les paysans vendéens les moyennes sont de 697,47 F pour les meubles et de 2 010,91 F pour les immeubles.

de successions, les fortunes moyennes qui ont deux tranches types, celle qui porte le n° 7 et celle qui porte le n° 9, et les fortunes inférieures dont la tranche type est la classe n° 4.

Parmi les agriculteurs, les fortunes supérieures sont aussi rares que chez les « tisserands » : elles constituent seulement 4,54 % de l'effectif (2 déclarations). Les fortunes moyennes, au nombre de 23, forment une bonne moitié des successions positives (52,27 %). Quant aux fortunes inférieures rassemblant 19 déclarations, elles représentent 43,18 % de l'effectif, pourcentage record parmi les catégories socio-professionnelles entre lesquelles se répartissent les anciens volontaires. Toutefois, si aux pauvres nous ajoutons les indigents purs et simples, nous constatons que les paysans sont un peu moins défavorisés que les ouvriers du textile : 59,68 % d'entre eux ne laissent aucune succession ou une fortune inférieure à 422,04 F, contre 67,65 % chez les « tisserands ». Comme nous l'avons observé à propos des Vendéens, nous pouvons dire que l'homme qui tire sa subsistance du travail de la terre est, d'une façon générale, mieux préservé que le prolétaire urbain du dénuement total. Il est à remarquer toutefois que les miséreux sont plus nombreux parmi ceux qui s'engagèrent derrière le drapeau tricolore que parmi ceux qui choisirent le drapeau blanc puisque les paysans vendéens ne laissant aucune succession, ou une fortune inférieure à 464,98 F, représentent seulement 50,24 % de ceux dont la déclaration est utilisable.

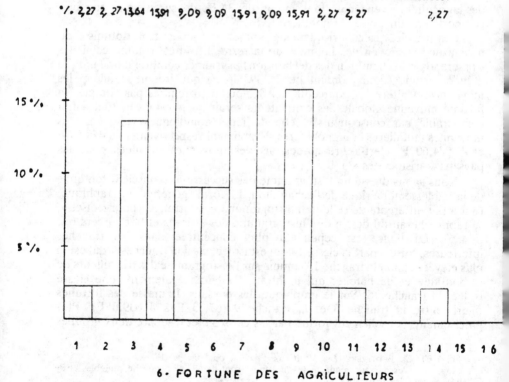

6 - FORTUNE DES AGRICULTEURS

Donnons maintenant quelques exemples de déclarations se situant dans les trois groupes de fortunes supérieures, moyennes et inférieures.

1. - Les fortunes supérieures

Elles sont seulement au nombre de deux, nous l'avons dit. La plus élevée, qui se place dans la tranche 14, est celle de Louis Henri Merlet, que nous avons classé parmi les agriculteurs parce qu'il n'avait mentionné, dans sa formule d'engagement, d'autre métier que celui de son père, fermier à Millé dans la commune de Chavagnes, chez lequel il demeurait (131). En réalité, le père lui-même, Jean Merlet, était déjà un notable de campagne. Il est qualifié de « marchant (sic) fermier » sur l'acte de baptême de son fils Jean-François-Honoré qui sera appelé à une haute destinée puisqu'il deviendra député du Maine-et-Loire à la Législative (132).

Louis Henri Merlet lui-même fut deux fois maire de Martigné-Briand, sous l'Empire d'abord, puis de 1830 jusqu'à sa mort survenue à Angers dans la maison qu'il possédait rue Chaussée Saint-Pierre, le 27 juillet 1834 alors qu'il était âgé de 67 ans (133). Sa fortune s'élève à 74 394,46 F, les meubles se montant à 12 835 F (17,25 %) et les immeubles à 61 558,46 F. L'actif mobilier de la communauté (soit 25 670 F) se compose du mobilier des deux maisons, le domicile principal de La Barre à Villeneuve, commune de Martigné-Briand (dont les objets mobiliers sont estimés 5 330 F) et celui d'Angers (3 340 F de meubles meublants), et de 17 000 F de créances actives représentant le produit de l'aliénation d'une maison destinée à devenir la mairie de la commune des Rosiers, et de la vente de bois ainsi que de divers fermages.

Les 61 558,46 F de fortune immobilière ne donnent qu'une idée insuffisante des biens possédés par le ménage à cause des reprises exercées par la veuve (137 133,70 F). En réalité, le défunt possédait en propres des biens évalués 57 400 F, situés à Martigné-Briand, Aubigné et Tigné. Dans la première commune, un bois de 5 ha 40, 3 parcelles de pré de 4 ha 76 au total et une vigne de 1 ha 40 ; à Aubigné l'ancien château en ruines, les logements du fermier, des bâtiments d'exploitation, les cours, jardin, pâtis, terres labourables, prés et un clos de vigne, (en tout 28 ha 70), biens qui étaient exploités en partie par Merlet lui-même, en partie à titre de colonie partiaire ; à Tigné enfin, une vigne au clos des Brosses d'environ 2 ha 64 ares. En outre, la communauté formée par le défunt et son épouse possédait de fort grandes propriétés. La principale était la terre de Luigné et de Chavagnes, de 318 ha (estimée à elle seule 130 000 F) qui était exploitée

---

(131) 1 L 590 bis.

(132) Série E, registre paroissial de Martigné-Briand, acte du 26 septembre 1761. L'aïeul de l'enfant baptisé ce jour était notaire royal, ce qui achève de nous persuader que la famille Merlet appartenait à la bourgeoisie rurale.

Sur les marchands-fermiers, cf. F. LEBRUN, *Les Hommes et la Mort ...*, *op. cit.*, p. 96, note 103.

(133) C. PORT, *Dictionnaire ...*, *op. cit.*, art. « Martigné-Briand ».

Les biens que possédait Merlet dans divers bureaux de l'Enregistrement ont été rassemblés en une seule déclaration (Bureau de Doué, reg. n° 76, acte n° 322).

partie en faire-valoir direct, partie en métayage tout comme le domaine de La Barre, beaucoup plus petit puisqu'il ne s'étendait que sur une trentaine d'hectares avec maison de maître, logement de fermier et bâtiments d'exploitation (le tout évalué 32 000 F). Il faudrait encore ajouter les moulins à eau et à vent du Boisneau à Aubigné, avec les logements, terres et prés en dépendant (1 ha 32), une parcelle de 2 ha et un pré de 39 ares 54 dans la même commune et quelques vignes et friches à Tigné. Merlet était, on le voit, un riche entrepreneur de culture, un bourgeois de campagne dont le style et le niveau de vie n'avaient aucun rapport avec ceux d'un simple paysan.

La seconde fortune supérieure se place dans la tranche 11 seulement. Elle se chiffre à 9 665,18 F. Elle concerne un personnage dont le patronyme acquit en Anjou une renommée bien supérieure à celle de la famille Merlet. Il s'agit d'André Leroy dont le fils devait atteindre à une sorte de gloire dans l'art botanique en développant le modeste établissement paternel jusqu'à en faire, aux dires de Célestin Port, «le plus considérable de l'Europe et du monde entier»(134). Notre volontaire, André Pierre Leroy dit l'Egalité, était le fils d'un jardinier de la paroisse Saint-Samson et travaillait avec son père lorsqu'il s'engagea au premier bataillon dont il devint caporal de la 6ᵉ Compagnie. Il devait par la suite obtenir les grades de sergent en janvier 1793 puis sous-lieutenant en pluviôse an II avant de recevoir son congé absolu le 25 germinal an IV (14 avril 1796)(135). Sa mort prématurée survint à Angers le 2 juillet 1809 alors qu'il n'avait que 41 ans. Sa succession se compose d'un mobilier de 4 713,18 F (48,8 % de la fortune totale) représentant la valeur de la moitié des meubles de communauté constitués de 9 007,37 F d'objets meublants et de plantations malheureusement non détaillées, et de 419 F de crédits actifs. Les immeubles, d'une valeur de 4 952 F se répartissent en 1 300 F de biens communautaires (dont il convient de retrancher 100 F correspondant à des reprises de la veuve) et 3 752 F de biens propres. Les premiers se résument en une maison rue Châteaugontier, une boisselée de terre près de la Croix Montalier et deux boisselées en Saint-Laud. Les seconds comprennent le 1/5ᵉ des biens suivants : la maison et le jardin du Petit-Pigeon, une chambre, trois quartiers de vigne et 1/2 boisselée de terre, ainsi que le 1/10ᵉ de diverses autres propriétés : maisons et jardin à la Croix Montalier, 10 boisselées de terre au même lieu, 2 quartiers 1/2 de vigne près de la vieille route de Paris, à quoi s'ajoute une pièce de 4 journaux en Saint-Léonard(136).

---

(134) André Leroy fils, né en 1801, mort en 1875, possédait à la fin de sa vie plus de 200 ha de pépinières occupant en hiver près de 300 ouvriers, sans compter de nombreux établissements secondaires. Ses plantations d'arbres fruitiers couvraient 130 ha, celles de rosiers 4 ha, celles de magnolias 3 ha etc. Il avait établi des succursales jusqu'à New-York et son «Catalogue général descriptif et raisonné» paru en 1855 et réimprimé en 5 langues tous les ans, était un véritable dictionnaire d'horticulture résumé (selon C. PORT, Dictionnaire ..., op. cit.).

(135) A.G., contrôle du premier bataillon de Maine-et-Loire.

(136) Bureau d'Angers, reg. n° 117, acte n° 19.
La boisselée d'Angers valait 0,0659 ha et le journal d'Anjou 0,5273 ha (F. LEBRUN, Les Hommes et la Mort ..., op. cit., p. 499).

2. - Les fortunes moyennes

Une seule succession figure dans la tranche la plus élevée des fortunes moyennes, celle qui porte le n° 10. Il s'agit de celle de Louis Ossant appelé « bêcheur » sur le registre d'engagements du 3ᵉ bataillon et « cultivateur » sur le sommier de l'Enregistrement. Il meurt à Fontaine-Guérin le 9 décembre 1848, âgé de 82 ans, ne laissant à ses enfants que la moitié du mobilier de communauté (c'est-à-dire 234,50 F). Mais le ménage avait partagé ses propriétés entre ses deux fils et sa fille 2 ans 1/2 avant le décès du père. Nous avons retrouvé ces biens dont voici le détail :

— une maison à La Pelouse, commune de Fontaine-Guérin, composée d'une chambre à four et cheminée, une autre à la suite avec cheminée, deux chambres hautes également à cheminée et grenier sur le tout. S'y ajoutent une pièce à cheminée surmontée d'un grenier, 2 « toits à porc », une cour, ainsi qu'un puits et un portail communs l'un et l'autre avec un dénommé Gouyon. Le tout forme un enclos d'un seul tenant de 4 ares.

— une pièce de terre de forme irrégulière et de 1 ha 6 ares de superficie, appelée le Moulin de Fontaine, dans la même commune, affermée pour 60 double-décalitres de froment (estimés 204 F).

— 2 parcelles au « Petit Champ », respectivement de 29 et 32 ares.

— la terre dite des « douze boisselées », de 74 ares de superficie.

— « l'ouche du bourg » de 1 ha 1 are.

— enfin une pièce nommée « le champ long » mesurant 64 ares et située, comme les autres articles, à Fontaine-Guérin.

Ces immeubles de communauté, d'une valeur totale de 10 400 F, avaient été acquis entre 1828 et 1836. Si l'on ajoute la moitié de leur montant à la déclaration de Louis Ossant, c'est à 5 434,50 F que s'élève la fortune reconstituée (137).

La tranche 9 est bien plus fournie que la précédente, puisqu'elle comprend 7 successions qui comportent toutes un poste immobilier. Jacques Huet était « garçon-laboureur » à Denezé-sous-Doué lorsqu'il s'inscrivit au 3ᵉ bataillon (d'où il ne tarda d'ailleurs pas à être renvoyé à la suite d'une « réclamation faite par sa mère ») (138). C'est dans la même commune qu'il meurt le 29 octobre 1838 à 70 ans environ. Le montant déclaré de sa fortune n'est que de 160 F, soit 60 F de meubles représentant la moitié de l'avoir communautaire (un lit, divers ustensiles, du linge et quelques autres objets « ne méritant pas description »), et 100 F d'immeubles (la moitié des propriétés de la communauté qui se résument en une vigne de 17 ares 60, trois pièces de terre de 4 ares 40 chacune et trois parcelles de bois de la même superficie). Mais la déclaration donne une image inexacte de la fortune de Jacques Huet à l'époque de sa pleine activité professionnelle. En effet, le ménage avait abandonné à ses enfants la plupart de ses biens fonciers en 1828, 10 ans avant le décès du père. Pour avoir une idée plus juste du niveau

---

(137) Bureau de Beaufort, reg. n° 83, acte n° 407 et registre des actes civils publics n° 223 (acte du 14 août 1846).

(138) 1 L 595 et 1 L 598.

de vie de l'ancien volontaire, il convient d'ajouter la moitié des immeubles communautaires donnés à sa descendance à ceux qui figurent dans le sommier de l'Enregistrement. La fortune réelle de Jacques Huet serait ainsi de 3 706,50 F, dont 3 646,50 F de biens fonciers. Il peut être intéressant de rapporter ici le détail de la donation qui permet de reconstituer une petite exploitation caractéristique de la région d'habitat troglodytique de Doué.

Jacques Huet et son épouse avaient trois enfants, une fille et deux garçons. A la fille, ils ont donné deux caves à cheminée dont l'une surmontée d'un grenier, une troisième cave séparée des premières par un appentis, une « cave à pressoir », une chambre avec grenier au-dessus, une grange, une « cave à écurie », une « cave à bûcher », le 1/3 d'une « cave noire », des portions de cour, 5 ares 50 de jardin en 3 parcelles, des pièces de terre d'une superficie totale de 2 ha 52 ares 22, 2 vignes, l'une de 28 ares 60, l'autre de 17 ares 87, et 1 ha 18 ares 24 de bois et brandes, le tout situé dans les communes de Denezé et Meigné.

Le lot du premier fils se compose d'une grange, de quatre caves dont une à cheminée, avec pressoir et ustensiles, « carrie » devant (139), six autres caves et caveaux, le second tiers de la « cave noire » déjà mentionnée dans le lot de la fille, la moitié d'une cour et 10 ares de jardin. S'y ajoutent 2 ha 57 de terre, trois vignes de 30 ares, 12 ares 65 et 5 ares 50, et 1 ha 22 ares de bois et brandes. Ces biens sont répartis dans les communes de Denezé, Meigné et Forges. Enfin, le lot du second fils est constitué par un logement composé de cinq caves dont une à cheminée avec un jardin de 4 ares 40, le dernier tiers de la « cave noire » et une cour. En plus de cela 2 ha 55 ares de terre, deux vignes de 30 ares 80 et 12 ares 65, et deux parcelles en bois et brandes, l'une de 1 ha 12 ares 93, l'autre de 8 ares 80. Le tout est situé à Denezé et Meigné. En échange de ces dons, le ménage Huet devait se faire servir (jusqu'au décès du dernier survivant) par les trois enfants solidaires, une rente viagère de 80 dal 1/2 de froment, 4 hl d'orge, 3 hl 42 l de vin blanc, 14 kg de beurre, 150 fagots de chêne, 300 fagots de « bourrée », 1 kg 1/2 de laine et 18 F en argent. Au total, si l'on récapitule la superficie des biens énumérés dans la donation et dans la déclaration, on peut calculer que la communauté formée par Jacques Huet et son épouse possédait 13 ha 28 ares 16 de terre, vigne et bois (140).

De la campagne, revenons à la ville où François Barbot était jardinier. En 1792, âgé d'environ 16 ans, il aidait le jardinier de l'ancienne abbaye Saint-Aubin à entretenir vergers et potagers. Vers la fin de sa vie il exerçait son métier dans la proche campagne angevine, chemin de Saint-Léonard. C'est là qu'il meurt à 61 ans le 10 octobre 1838. Il est à la tête d'une petite fortune évaluée 3 399 F. Le mobilier en représente une faible partie, 399 F (11,7 %). Il est constitué, selon l'inventaire notarié, de 351 F de meubles meublants, 45 F en « deniers comptants » et de 3 F de dettes actives. Les immeubles, s'élevant au total à 3 000 F, sont situés au lieu du Petit Bournet, à la Madeleine et ne sont pas affermés, ce qui permet de dire que François

---

(139) La « carrie » est un châssis formant l'encadrement d'une porte (A.-J. VERRIER et R. ONILLON, *Glossaire étymologique ..., op. cit.*).

(140) Bureau de Doué, reg. nº 78, acte nº 379 et registre des actes civils publics nº 125 (acte du 1er août 1828).

Barbot, qui n'avait point d'enfant, continuait à exploiter lui-même sa propriété. Celle-ci se compose de deux petites maisons évaluées chacune 480 F, d'une cour, de deux « sols » de 75 et 71 ca, de deux terres de 28 ares 95 et de 9 ares 87, d'une vigne de 4 ares 85, et d'un pressoir. Les terres cultivées du petit domaine de Barbot avaient donc une surface totale de 43 ares 67 (141).

Nous donnerons un dernier exemple se rapportant à la classe 9, celui de Bonnaventure Gouzai, de Cheviré-le-Rouge. Fils d'un charpentier, le jeune homme avait à peu près le même âge que François Barbot quand il s'offrit comme volontaire, 16 ou 17 ans. Sur les deux registres d'engagements où il figure, sa profession est qualifiée d'un mot différent : « bêcheur » sur l'un, « laboureur » sur l'autre (142). L'employé de l'Enregistrement le désigne sous le nom de « cultivateur » après sa mort qui survient dans son village natal le 31 décembre 1838 alors qu'il est âgé de 64 ans environ. Sa succession se monte à 2 766 F, dont 126 F de meubles (4,5 %) représentant la moitié de la valeur du mobilier communautaire suivant l'inventaire notarié, et 2 640 F d'immeubles possédés en propres à Cheviré. Il s'agit d'une maison avec jardin de 8 ares au bourg et de trois champs de 29,30 et 34 ares de surface respective (143).

La tranche 8 comporte seulement 4 successions dont trois ayant un poste immobilier. Nous prendrons l'exemple de deux paysans de Mazé laissant une fortune d'une valeur comparable mais de structure différente. Celle de Jean Nouchet est, avant tout, immobilière. Il se dit, comme la plupart des volontaires de cette région issus du monde de la terre, « bêcheur » quand il s'engage au 3e bataillon. Il termine sa vie à 77 ans le 26 décembre 1835, léguant à sa fille et à son petit-fils un héritage de 2 162,75 F. Les meubles (162,75 F), (c'est-à-dire la moitié du mobilier communautaire mentionné à l'inventaire notarié), ne représentent que 7,5 % de ce total. Les immeubles, qui sont des biens propres, sont estimés à 2 000 F, soit la valeur d'une maison et dépendances avec chambre à côté et 4 ares 12 de jardin dans la Grande Rue de Mazé où est mort Jean Nouchet, et celle de 55 ares de terre au lieu-dit « La Forêt » (144).

La seconde succession est celle de René Blaisonneau qui, lui, est dénommé « cultivateur » sur le registre du 2e bataillon. Bien que domicilié à Mazé comme son camarade, c'est à La Ménitré qu'il meurt le 23 avril 1839 à 66 ans. Sa fortune, qui s'élève à 1 902,98 F, est mieux équilibrée que la précédente puisque les meubles (972,98 F) constituent 51,1 % du total. Le procès-verbal d'inventaire dressé par le notaire précise que la valeur globale des meubles de la communauté était de 1 545,97 F, dont 200 F de récolte, mais la succession a le droit de prélever plus de la moitié de ce montant à cause des reprises à exercer au nom du défunt en vertu de son contrat de mariage. En fait d'immeubles, René Blaisonneau possédait en biens propres 7 ares 75 de vigne et 2 ares 75 de terre à Mazé. Dans la même commune, il

---

(141) Bureau d'Angers, reg. n° 152, acte n° 209.
(142) 1 L 591 et 1 L 590 bis.
(143) Bureau de Baugé, reg. n° 30, acte n° 187.
(144) Bureau de Beaufort, reg. n° 76, acte n° 131.

avait acquis en communauté avec son épouse une maison avec 5 ares 50 de terre, estimée 520 F, et une parcelle de prairie de 16 ares 50. La part des immeubles revenant aux héritiers se chiffre à 930 F (145).

La tranche 7 comporte encore six successions immobilières sur sept. On peut voir dans ce phénomène le symbole de l'attachement du paysan à son outil de travail. En effet, à ce niveau, les successions de ce type sont largement minoritaires chez les «bourgeois» et les artisans boutiquiers. En conséquence, le poste mobilier des agriculteurs propriétaires d'un lopin se limite au minimum : de 91,50 à 169 F pour les six déclarations considérées. Il en va ainsi pour celle de René Trouillard «garçon laboureur» au Puy-Notre-Dame en 1792 et que l'employé de l'Enregistrement, se souciant peu des subtilités du vocabulaire, appelle comme les autres paysans «cultivateur». Notre ancien volontaire s'éteint à 65 ans dans sa commune natale le 2 avril 1836. Il laisse à son fils unique un héritage de 1 067,10 F dont 139,50 F représentent la moitié des objets mobiliers du ménage (13,07 % de la succession) et 927,60 F la valeur des immeubles. Ces derniers sont répartis dans les trois communes du Puy-Notre-Dame, Saint-Macaire-du-Bois et Les Verchers. Dans la première, le défunt possédait en propres deux vignes de 10 ares 50 et 5 ares 28 et quatre parcelles de terre totalisant 13 ares 20. Il avait acquis en communauté une maison avec jardin évaluée 400 F, 16 ares de terre et 4 morceaux de vigne totalisant 26 ares 28. A Saint-Macaire, René Trouillard était propriétaire d'une parcelle de pré de 2 ares, d'une petite vigne de même surface et de trois portions de terre arable représentant ensemble une surface de 16 ares 56. A cela s'ajoutent 11 ares de terre et 2 ares de vigne possédés en communauté. Enfin, sur la commune des Verchers, notre homme avait en propres 8 ares 80 de terre et 4 ares 40 de vigne, et, sous forme d'acquêts, deux parcelles de terre labourable de 4 ares 40 et 8 ares 80. En définitive, les multiples parcelles de René Trouillard ne représentent que 62 ares 74 de biens propres et 68 ares 48 de conquêts, si l'on ne compte pas le jardin attenant à la maison dont la surface n'est pas précisée (146).

La succession de Pierre Boucher qui se disait «métivier» (147) à l'époque de son engagement, est nettement inférieure puisqu'elle ne dépasse pas 791,50 F. L'ancien soldat du 3e bataillon est décédé à Saint-Martin-de-la-Place, sa commune de naissance, le 21 mars 1845 à l'âge de 72 ans. Les meubles de la succession consistent en la moitié du mobilier de communauté, c'est-à-dire 91,50 F et les immeubles se résument à la maison qu'il possédait en propres et qui, avec ses dépendances et 11 ares de jardin, est estimée 700 F (148).

Trois des quatre déclarations de la tranche 6, la plus basse du groupe des fortunes moyennes, comprennent encore des immeubles. La seule fortune purement mobilière est celle de Pierre Goujon, cultivateur à Brion, décédé le

---

(145) Bureau de Beaufort, reg. n° 78, acte n° 399.
(146) Bureau de Montreuil-Bellay, reg. n° 52, acte n° 32 et Bureau de Doué, reg. n° 77, acte n° 287.
(147) C'est-à-dire ouvrier agricole recruté pour la moisson, rappelons-le.
(148) Bureau de Saumur, reg. n° 126, acte n° 15.

7 avril 1840 à 66 ans. Il laisse à ses enfants un héritage de 645 F, représentant la moitié de la valeur des biens mobiliers du ménage dont voici la liste :

— un bouchoir de feu (sic), une marmite et un chaudron	40 F
— 3 lits estimés 130 F chacun	390
— 1 petite armoire	30
— 4 vieilles armoires évaluées ensemble	36
— 1 buffet	5
— 35 draps de lit	140
— 3 douzaines de chemises d'homme	72
— 20 serviettes	20
— 1 habillement de grosse étoffe	15
— un autre habillement	8
— trois douzaines de chemises pour femme	54
— un habillement pour femme	60
— 7 cochons	120
— 4 vaches et 2 veaux..	300
(149) Total	1 290 F

Bien que ne possédant pas un pouce de terre, cet agriculteur bénéficiait d'un niveau de vie décent.

Toute autre est la composition de la fortune au décès de René Rejeau, vigneron à Souzay dans le Saumurois où il meurt à 62 ans le 10 février 1830. Sur un total de 449,93 F, les meubles ne représentent que 169,93 F (37,8 %) selon l'inventaire notarié. En fait d'immeubles, l'ancien « habit bleu » possédait en propres 4 planches de terre d'une surface totale de 37 ares 12 (150).

3. - Les fortunes inférieures

Trois des quatre successions de la tranche 5 ont un poste immobilier, témoignant de l'acharnement des paysans pauvres à conquérir un lopin de terre, ou à en préserver la possession.

Louis Bain, un « laboureur » né à Saint-Georges-sur-Loire, meurt à Denée le 2 août 1851 à 81 ans. Il laisse à ses nièces et petits neveux un mobilier de 98,75 F pour tout héritage, mais la succession de son épouse, Françoise Burgevin, morte seulement trois ans plus tôt, faisait état d'immeubles de communauté dont il n'est plus question dans la déclaration du veuf. Afin de serrer de plus près la réalité, nous ferons entrer en ligne de compte la moitié de la valeur de ces biens fonciers dans la fortune de l'ancien volontaire. Reconstituée de cette façon, elle se monte à 308,75 F dont voici la répartition :

Biens mobiliers

— une batterie de cuisine estimée	3,75 F
— une table et 4 chaises.....................................	1
— un lit	30
— une « petite couchette »...................................	20
— deux « petits bassets » (buffets bas)	12

(149) Bureau de Beaufort, reg. n° 79, acte n° 66.
(150) Bureau de Saumur, reg. n° 112, acte n° 414.

— du linge	13
— des « outils servant à l'agriculture »	2
— du bois de feu	5
— 20 bouteilles	1
— de la ferraille	1
— la garde-robe	10
TOTAL	98,75 F

Immeubles de communauté

— 9 ares 20 de vigne aux Garennes	120	F
— 9 ares 40 de vigne aux Violettes	120	
— 17 ares de vigne aux Faliques	180	
TOTAL	420	F

La part du mari dans les biens fonciers communautaires peut donc être estimée 210 F (151).

Lorsque meurt Jean Dénécheau, vieux journalier de 83 ans, le 24 novembre 1850 à Concourson, il est à la tête d'une « fortune » de 300 F. Le mobilier est estimé 100 F, soit la valeur de son « lit garni » (80 F) et de ses « hardes ». A cela s'ajoutent deux parcelles de 13 ares 20 chacune, l'une de vigne, l'autre de terre, évaluées ensemble 200 F (152).

Dans la tranche 4, on ne recense plus qu'une succession immobilière sur 7, celle de René Foucher, un ancien « bêcheur » né à Doué et décédé à Courchamps où il demeurait déjà en 1792, le 26 mars 1838. Il laisse à son fils et à sa fille un mobilier de 95 F représentant la moitié de la valeur de celui du ménage, ainsi que sa part, soit 60 F, dans les immeubles de communauté : deux parcelles de terre sises à Courchamps, d'une contenance totale de 17 ares 75. L'ensemble de la succession se monte donc à 155 F (153).

Parmi les autres déclarations de cette tranche, uniquement mobilières rappelons-le, nous donnerons l'exemple de celle d'Etienne Rochard qui est détaillée sur le sommier de l'Enregistrement. Ancien « laboureur » né à Savennières, Rochard est décédé à Rochefort tout juste octogénaire le 2 août 1850. Veuf et sans enfant, il laisse à son frère, cultivateur comme lui, un mobilier de 199 F, soit :

— une batterie de cuisine	8,50 F
— 3 chaises, une table, un coffre, une huche	10
— un basset	8
— un lit	50
— les instruments de travail	7
— le linge et la garde-robe	30
— du blé estimé	5,50
(154) TOTAL	199 F

---

(151) Bureau de Chalonnes, reg. n° 67, acte n° 288 (pour Louis Bain), Bureau de Chalonnes, reg. n° 65, acte n° 19 (pour Françoise Burgevin).
(152) Bureau de Doué, reg. n° 86, acte n° 62.
(153) Bureau de Montreuil-Bellay, reg. n° 53, acte n° 97.
(154) Bureau de Saint-Georges s/Loire, reg. n° 67, acte n° 161.

Les six successions de la tranche 3 se réduisent au seul poste mobilier. René Ledroit qui était « laboureur » à Juvardeil quand il s'engagea dans le 2ᵉ bataillon d'où il fut d'ailleurs bientôt « renvoyé comme ayant engrossé une fille et marié avec elle depuis peu de jours » (155), meurt dans la même commune le 7 janvier 1832 à 66 ans. Il est alors journalier, si l'on en croit le fonctionnaire de l'Enregistrement. Il avait pourtant quelques lopins de terre familiaux à exploiter, ceux qui appartenaient en propres à son épouse. Aussi le montant de sa succession (86,60 F de meubles) ne rend-il pas exactement compte de la situation du ménage (156).

Jean Cousin était « garçon laboureur » chez Sébastien Chesneau à La Chotardière, paroisse du Plessis-Grammoire, quand il s'inscrivit pour les volontaires le 19 juillet 1792. Il meurt dans la même commune à 78 ans le 5 novembre 1845. Qualifié de « cultivateur » sur la table des décès, de « laboureur » sur le sommier de l'Enregistrement (ce qui montre que les fonctionnaires employaient ces termes l'un pour l'autre à cette époque), il laisse à ses trois enfants un mobilier de 76 F (157).

Une seule succession trouve place dans la tranche n° 2, celle de Pierre Bidault, un vigneron de Souzay, mort à 56 ans le 20 février 1822 et qui possède pour tout bien un mobilier de 66 F (158). Enfin, Symphorien Dalibon, dont la déclaration figure dans la première tranche, partage avec le bourrelier saumurois Joseph Tessier, le triste privilège de laisser la plus basse succession positive de notre échantillon, soit 20 F. « Bêcheur » ou « garçon bêcheur » à Saint-Georges-du-Bois en 1792, il termine sa vie comme journalier à Corné le 10 novembre 1848 à l'âge de 82 ans. Le mobilier du ménage est estimé 40 F dont la moitié fait partie de la succession. Il s'agit des objets suivants :

— un lit estimé	18 F
— un vieux coffre et deux chaises	2
— différents ustensiles de ménage	6
— des « hardes et linge »	14
(159) TOTAL	40 F

La comparaison de ce mobilier avec celui de Pierre Goujon, ce fermier ou métayer qui possédait 35 draps de lit, 3 douzaines de chemises, 7 cochons, 4 vaches et 2 veaux, donne la mesure de la misère du vieil ouvrier agricole.

Les exemples parcourus permettent de nuancer les conclusions trop abruptes que l'on pourrait tirer des statistiques. Deux successions d'un montant voisin traduisent parfois des niveaux de vie différents selon la part occupée par les immeubles. Sans doute, la possession d'un coin de terre réjouit-elle l'orgueil paysan, mais c'est le contenu des armoires qui révèle

---

(155) Cf. *supra*, p. 207.
(156) Bureau de Châteauneuf-sur-Sarthe, reg. n° 54, acte du 9-4-32. L'héritier comparant devant l'employé de l'Enregistrement justifie l'absence d'immeubles dans la déclaration de René Ledroit par l'appartenance à la mère de ceux pour lesquels la famille est imposée à la contribution foncière.
(157) Bureau d'Angers, reg. n° 167, acte n° 68.
(158) Bureau de Saumur, reg. n° 202, acte n° 385.
(159) Bureau de Beaufort, reg. n° 83, acte n° 384.

l'aisance ou la pauvreté. Mieux vaut être, redisons-le, un grand exploitant qu'un petit propriétaire.

L'imprécision du vocabulaire désignant les professions agricoles, l'étroitesse d'un échantillon dix fois inférieur à celui dont nous disposions pour les cultivateurs vendéens, ne permettent pas une étude bien précise. Il est surtout dommage que nous ne distinguions pas mieux les exploitants des salariés. Malgré tout, il semble que l'on puisse conclure à la médiocrité générale des fortunes des anciens volontaires paysans, si l'on met à part le cas de quelques fermiers, notamment de ceux qui se proposèrent pour le premier bataillon et pourraient bien être, à l'exemple de Louis Merlet, des bourgeois de campagne. Dans le lot des cultivateurs qui s'inscrivirent pour les bataillons de 1792, les pauvres étaient encore plus nombreux que parmi les Vendéens.

VI. - Conclusion

Pour mieux apprécier les fortunes des volontaires angevins, nous les avons rapprochées de celles des Vendéens sur le graphique de la p. 467. Ce qui frappe le plus, à comparer les deux échantillons, c'est la richesse globale des défenseurs de la Révolution. Non seulement la fortune moyenne des « Bleus » est près de 10 fois supérieure à celle des « Blancs », mais 17,29 % des déclarations d'anciens volontaires se situent dans la catégorie regroupant les fortunes dites « supérieures », celles d'un montant au moins égal à 8 906 F, contre 1,59 % seulement des déclarations des soldats catholiques.

Pourtant, la part de la pauvreté et de la misère est aussi grande chez les « Bleus » que chez les « Blancs ». Additionnées aux successions nulles et négatives, les « fortunes inférieures », celles qui ne dépassent pas 422 F, approchent dans un cas, dépassent de peu dans l'autre, la moitié des effectifs. La proportion des indigents purs et simples est même supérieure parmi les volontaires : 26,44 % d'entre eux ne laissent aucun héritage digne d'être apprécié tandis que la proportion n'est que de 18,65 % pour les anciens Vendéens chez qui les citadins, dont les couches les plus basses sont particulièrement exposées à la misère, sont beaucoup moins nombreux.

Bien sûr on ne saurait, simplifiant à outrance, réduire le peuple des volontaires aux riches et aux pauvres. En réalité, l'éventail des conditions est très ouvert parmi les « Bleus » comme le prouve leur histogramme assez étalé. Le marchand de ferraille enrichi, l'horloger bien à son aise, le menuisier plus modeste, assurent la transition entre le rentier pourvu d'une grande fortune familiale et le vannier, le tailleur de pierre, le bêcheur qui achèvent leur vie dans le dénuement le plus complet. Malgré tout, il est symptomatique que nous trouvions unis derrière le drapeau tricolore les deux extrêmes de la société roturière, les riches bourgeois qui ont à cœur de défendre le nouveau régime parce que, de son succès dépend la consécration de leur propre pouvoir, et les prolétaires des villes et des campagnes (des villes surtout) pour qui l'enrôlement pouvait être un moyen d'échapper au chômage et à la misère. Il faut dire que ces hommes ne se sont pas offerts en même temps. C'est pour défendre la Révolution modérée de 1791 que la plupart des grands bourgeois se sont présentés devant les recruteurs. Les

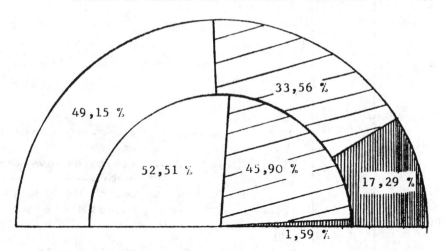

49,15 %

33,56 %

52,51 %   45,90 %

17,29 %

1,59 %

✔ - Répartition en trois groupes des successions des "Blancs" et des "Bleus".

Le 1/2 cercle de plus petit rayon représente l'échantillon des Vendéens.

Le 1/2 cercle de plus grand rayon représente l'échantillon des volontaires.

 Fortunes supérieures (tranches 11 et au-dessus)

 Fortunes moyennes (tranches 6 à 10)

 Fortunes inférieures et nulles (indigents et tranches 1 à 5).

pauvres ont surtout afflué afin de promouvoir la Révolution plus populaire qui se dessinait dans l'été 1792.

La hiérarchie des fortunes moyennes témoigne avec éclat de l'inégalité de condition des volontaires (cf. p. 468). La moyenne des successions «bourgeoises» est plus de huit fois supérieure à celle des artisans et boutiquiers qui vient en seconde position. Rien de comparable avec le monde

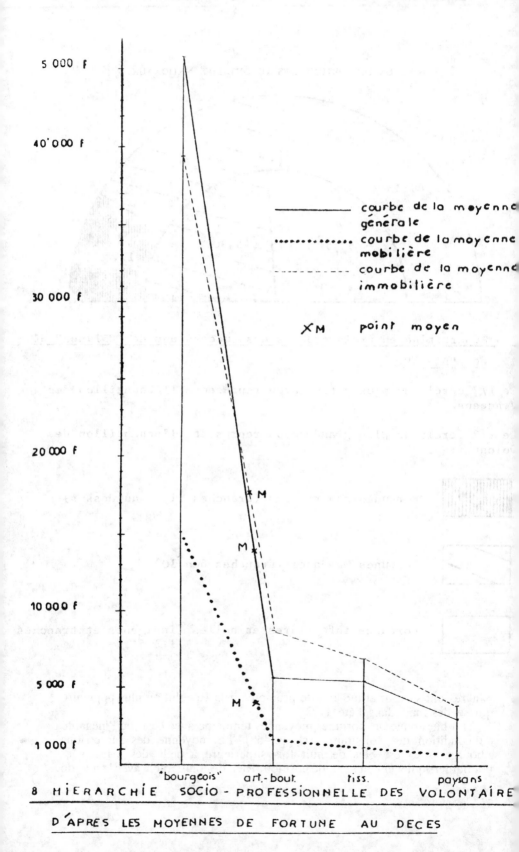

5 000 f		
40'000 f	courbe de la moyenne générale
30 000 f	.... courbe de la moyenne mobilière
	------- courbe de la moyenne immobilière
20 000 f	✗M point moyen
10 000 f	
5 000 f	
1 000 f	

"bourgeois"   art.-bout.   tiss.   paysans

8 HIERARCHIE SOCIO-PROFESSIONNELLE DES VOLONTAIRE

D'APRÈS LES MOYENNES DE FORTUNE AU DECES

des Vendéens où la hiérarchie est beaucoup plus resserrée (160), la bourgeoisie étant quasiment absente de l'échantillon et la fortune moyenne des six successions «bourgeoises» retrouvées étant moins de quatre fois supérieure à celle des artisans et boutiquiers. Certes, les contre-révolutionnaires ont aussi leurs «ploutocrates»; ce sont les nobles qui n'apparaissent pas dans notre échantillon de «Blancs» mais qui ont, semble-t-il, conservé la plupart de leurs biens une fois la tourmente passée (161). Mais leur poids numérique est très faible à le comparer à celui de la bonne bourgeoisie dans le camp patriote. Pris globalement, les «Bleus» ont mieux profité de la Révolution, ou l'ont mieux traversée, que les «Blancs». Mais le bel élan unitaire de 1791-1792 masque une ligne de faille entre riches et pauvres qui se révèlera au XIXᵉ siècle quand la bonne bourgeoisie angevine défendra, aux côtés des nobles cette fois, le maintien de l'ordre social aux dépens des travailleurs de la ville et des champs.

---

(160) Cf. Cl. PETITFRÈRE, *Les Vendéens d'Anjou, op. cit.*, p. 470.
(161) Cf. P. BOIS, *Histoire des Pays de la Loire, op. cit.*, p. 374.

CONCLUSION GÉNÉRALE

Parler de militants révolutionnaires au pays de Bonchamps, d'Elbée et Cathelineau semble une plaisanterie, disions-nous en commençant cet ouvrage. Alors que nous en écrivons les dernières lignes, nous pouvons affirmer sans crainte d'être démenti que les « enfants de la Patrie » ont bien existé en Anjou. Nous les avons rencontrés en rang serrés dans les gardes nationales des villes et des gros bourgs, toujours bien vivantes à la veille de l'insurrection vendéenne. Nous les avons vu en grand nombre « former (leurs) bataillons » en 1791 et 1792...

Quel enthousiasme dans l'été qui suivit Varennes ! Alors que la Constituante demandait 574 soldats au Maine-et-Loire, ce sont près de 1 500 hommes qui se proposent, en toute liberté, pour défendre la Grande Nation. Et ce n'est pas tout : on n'aura aucun mal, au printemps de 1792, à porter à 800 hommes les effectifs du premier bataillon, puis à lever, de juillet à septembre, 2 250 volontaires nouveaux ce qui permettra de former 18 compagnies, le triple de ce qu'exigeait la Législative. Au total, plus de 4 000 jeunes Angevins exprimèrent leur foi en la Révolution en offrant leurs bras à la France de juin 1791 à mars 1793.

Le nouveau régime, comme l'ancien, possède donc dans notre province ses partisans nombreux et décidés. Mais le « patriotisme » a un visage bien différent de l'« aristocratie ». Sa première caractéristique est d'être un phénomène urbain. L'habitant des cités entonne la *Marseillaise* quand l'homme des champs psalmodie le *Vexilla Regis*. En Anjou, comme ailleurs, c'est dans les villes que la Révolution s'élabore et s'accomplit (1).

Dès l'hiver 1788-1789, la jeunesse « éclairée » d'Angers et de Saumur, formée dans les collèges et à l'Université, constitue le noyau dur du « patriotisme » angevin. Etudiants et « jeunes citoyens » luttent alors pour faire reconnaître les droits du Tiers contre les résistances de la noblesse dans le grand débat qui s'instaure à la veille de la réunion des Etats-Généraux. Demain ils seront le moteur de la révolution municipale, après-demain ils

---

(1) Selon l'expression d'Ernest Labrousse dans R. Mousnier, E. Labrousse, M. Bouloiseau, *Le XVIII* siècle, t. V de l'*Histoire générale des civilisations,* Paris, P.U.F., 1967, p. 353.

répandront l'idée fédérative dans tout l'Ouest et même dans la France entière.

C'est encore des villes principales que sortent les gros contingents de volontaires. En 1791, Angers et Saumur, dont la population cumulée représente à peine 9 % de celle du département, fournissent 43 % des hommes qui font inscrire leur nom sur les registres d'engagements. Au cours de l'été suivant, bien que les recruteurs aient parcouru systématiquement les moindres cantons de campagne, ces deux cités fournissent encore le 1/3 du contingent. En outre, la plupart des ruraux proviennent du val de Loire et du Saumurois, pays ouvert, bien relié aux villes et soumis à leur influence.

Cette prépondérance urbaine se lit dans la structure sociale de la population « patriote ». Les paysans, qui formeront le gros de l'Armée Catholique et Royale, sont très minoritaires parmi les « Bleus ». Vraiment rares en 1791 (moins de 6 % de l'échantillon), ils font certes leur entrée en force dans les bataillons l'année suivante, mais ne représentent encore que 30 % des volontaires, une place deux fois moindre que celle qu'ils occupent dans la population du département. D'où vient alors la masse des « habits bleus » ? De l'artisanat et de la boutique qui, l'un dans l'autre, ont fourni près de 2/3 des volontaires. On ne saurait être surpris qu'à l'exemple des sans-culottes parisiens les révolutionnaires d'Anjou sortent d'abord de l'échoppe et de l'atelier (2). On l'est davantage de constater à quel point les bons bourgeois ont payé de leur personne, en 1791 surtout puisqu'ils ne représentent pas loin du 1/4 des volontaires. L'année suivante, leur poids est beaucoup moindre (à peine 8 % du contingent), mais il se trouve quand même 148 fils de famille (contre 241 l'été précédent) à vouloir s'enrôler derrière le drapeau tricolore.

Si la bourgeoisie, grande ou petite, défend la Révolution, c'est par conviction autant que par intérêt. Les idées nouvelles de liberté, d'égalité devant l'emploi, de souveraineté de la nation étaient familières à nos « Messieurs ». Ils les avaient entendues de la bouche de certains de leurs professeurs des collèges de l'Oratoire d'Angers et de Saumur (3), ils en avaient débattu dans les sociétés d'étudiants et de « jeunes gens », ils les avaient rencontrées dans les journaux, les pamphlets et les livres. Nos « Bleus » sont en effet beaucoup plus instruits que la moyenne des Angevins : près de la moitié d'entre eux signent leur nom quand ce n'est le cas que du 1/5e de l'ensemble des jeunes hommes de la province (4). Autant la Révolution paraissait étrangère aux paysans vendéens, autant elle était familière aux bourgeois. Elle était leur « chose » : c'étaient eux qui la mettaient en œuvre et c'étaient eux qui en profitaient. Au plan économique, ils avaient conquis la liberté d'entreprendre dans un marché élargi aux dimensions nationales par l'abolition des traites et des péages, avec la fin des monopoles et des corporations dont les règlements limitaient la concurrence et entravaient l'essor du capitalisme. Au plan politique, ils avaient obtenu le pouvoir dans le département, les districts, les communes, grâce au système

---

(2) A. Soboul, *Les sans-culottes parisiens en l'An II*, Paris, 1958, p. 433-455.
(3) J. Maillard, *L'Oratoire à Angers aux XVIIe et XVIIIe siècles, op. cit.*, p. 226-229.
(4) Cf. *supra*, p. 333.

électif dont les notables furent les principaux bénéficiaires. Ils se sont précipités dans les nombreux emplois administratifs que la Révolution a créés. Les étudiants, les commis de bureau, qui posent leur candidature aux bataillons nationaux, savent qu'en défendant la France nouvelle, ils protègent aussi leur carrière.

En définitive, nos « Bleus » ont choisi la Révolution parce qu'elle les avait comblés, ou parce qu'ils avaient l'espoir qu'elle les comblerait. L'étude des fortunes après décès a montré que, pour beaucoup d'entre eux, cet espoir n'était pas vain. Les anciens volontaires ont bien mieux traversé la période révolutionnaire que les insurgés de l'Armée Catholique : la moyenne de ce qu'ils possèdent à la fin de leur vie est en effet presque dix fois plus grande. On ne saurait dire pour autant que le « patriotisme » ait toujours été récompensé par la réussite sociale. Au seuil de la mort, un bon quart des anciens « habits bleus » se trouve dans l'indigence, une proportion supérieure à celle que nous avions calculée pour les Vendéens. C'est qu'en réalité la condition des volontaires est très diversifiée. En particulier, il faut souligner l'évolution fort nette de l'origine sociale des recrues, d'une levée à l'autre. En 1791, l'appel aux armes met en marche surtout les fils de bonne famille. La « populace » comme on disait au XVIIIᵉ siècle, reste à l'écart. Au contraire, l'année suivante, le prolétariat, urbain certes, mais aussi rural, se porte volontaire, des perrayeurs de Trélazé aux tisserands d'Angers et de Beaufort et aux bêcheurs et journaliers du Val de Loire. Cette fois-ci, c'est à la bourgeoisie rentière de bouder les recruteurs. Ainsi se trouve vérifiée au niveau de la région, l'existence du tournant démocratique que symbolise le 10 août 1792. Il entraîne une réelle mutation au sein des couches sociales qui soutiennent la Révolution.

Les pauvres gens qui se précipitent alors vers les bataillons nationaux cherchent sans doute à échapper pour un temps à la misère, mais ils veulent aussi promouvoir un régime qui améliorera durablement leur sort. Il suffit de parcourir les successions qu'ils laissent à leur mort pour être persuadé que leur espérance a été déçue même si quelques réussites individuelles font exception. Pour le petit peuple des « patriotes » comme pour les paysans des Mauges, la période révolutionnaire aura finalement le goût amer des occasions manquées. Par-delà les années de trouble, l'ordre social tradition-nel sera rétabli dans l'Anjou du XIXᵉ siècle, dérangé seulement par l'accession au sein des classes dominantes, de quelques grandes familles bourgeoises qui bien souvent s'efforceront de faire oublier l'engagement révolutionnaire de leurs ancêtres.

PIÈCES JUSTIFICATIVES

Compagnie des Grenadiers

Messieurs

Guillot Capitaine .... S.t Georges .. 4 .. " 12 " .. " " " 66.10 .. 47.2 .. 47.2
Bernard Lieutenant .... d'angers .. " " " " " " 37.10 .. 37.10 .. 37.10
Delaage Sous lieutenant .... D'angers .. " " " " " " 28.10 .. 28.10 .. 28.10

N.os	Nom des Volontaires	Grades	Nom des Villes	Distance de la Demeure à angers	Subsistance à raison de 3 f. par Lieux	Montant des routes à raison	Solde depuis le 13.bre jusqu'au rétablissement jusqu'au 26 f.bre	Total des 3. par lieux et Solde due à chaque Volontaire	Restant net à chaque volontaire sous la déduction faite du
				4	" 12	"	112.10	113.2	113.2
1.er	Louis andré Gigault	Serg.t major	D'angers	"	" "	"	19.10	19.10	19.10
2	René Pricard	Sergent	idem	"	" "	"	19.10	19.10	19.10
3	Yves Moulin	Sergent	idem	"	" "	"	19.10	19.10	19.10
4	guillaume Gourdallay	Caporal	idem	"	" "	"	15."	15."	15."
5	charles Bompoix	idem	Chalonnes	4	" 12	5.8	15."	15.12	10.4
6	Jacques Desnoes	idem	S.t Lambert	4	" 12	3.3	15."	15.12	12.9
7	Pierre Blondel	idem	Saumur	10	1.10	5.8	15."	16.10	11.2
8	Marin Gauthier	Grenadier	Morannes	7	1.1	3.12	10.10	11.11	7.19
9	Jean Martin	idem	la pommeraye	6	" 18	3.12	10.10	11.8	16
10	françois Journeaud	idem	du Lion	4	" 12	"	10.10	11.2	11.2
11	Maurice Cimure	idem	S.t Georges	4	" 12	3.12	10.10	11.2	7.10
12	Joseph Forget	idem	D'angers	"	" "	"	10.10	10.10	10.10
13	Jean Chalopin	idem	Saumur	10	1.10	3.12	10.10	12."	8.8
14	Louis Merlot	idem	Bravigne	5	" 15	3.12	10.10	11.5	7.13
15	Pierre Boideau	idem	de Mozé	3	" 9	3.12	10.10	10.19	7
16	Laurent Durigneau	idem	D'angers	"	" "	"	10.10	10.10	10.10
17	antoine Jouquel	idem	idem	"	" "	"	10.10	10.10	10.10
18	Jean Fioge	idem	idem	"	" "	"	10.10	10.10	10.10
19	René Gallet	idem	Beaufort	6	" 18	3.12	10.10	11.8	7.16
20	Marin Gabore	idem	D'angers	"	" "	"	10.10	10.10	10.10
21	Pierre Lelièvre	idem	Saumur	10	1.10	3.12	10.10	12."	8.8
22	Urbain Salmon	idem	Beaufort	6	" 18	2.8	10.10	11.8	9
23	françois le Monnier	idem	Morannes	10	1.10	3.12	10.10	12."	8.8
24	Pierre Gordelet	idem	D'angers	"	" "	"	10.10	10.10	10.10
25	Pierre Diguier	idem	Méron	9	1.7	3.12	10.10	11.17	8.5
26	Jean Chassé	idem	Saumur	10	1.10	3.12	10.10	12."	8.8
27	Louis Bettin	idem	Beaufort	6	" 18	2.8	10.10	11.8	9
28	Marie le Breton	idem	D'angers	"	" "	"	10.10	10.10	10.10
29	Laurent Ferrière	idem	Baugé	8	1.4	2.8	10.10	11.14	9.6
30	Urbain Gaudin	idem	D'angers	"	" "	"	10.10	10.10	10.10
				126	18.18	60.15	472.10	491.8	430.13

Contrôle du premier bataillon de volontaires de Maine-et-Loire réalisé en vertu de la loi du 3 février 1792 (Arch. dép. M. & L. 1 L 582).

Noms de baptême	Noms de famille	âge	Taille	Lieu de Naissance	District	Canton	Municipalité
55	Paul	Sorteau	27 ans	4 p. 9 pouces	niort	niort	niort	niort
56	Jacques	Darrau	16 ans	4 p. 10 pouces	angers	angers	angers	angers
57	Jean	Daudrier	17 ans	5 pieds	angers	angers	angers	angers
58	Louis pierre	Charton	17 ans	5 p. 1 p. 9 lignes	angers	angers	angers	angers
59	Jean	Dolboire	16 ans	4 p. 11 p. 10 lig.	vautin	Bibiere		beaulieu
60	françois	Vineau	18 ans	4 p. 11 pouces	Laval	Laval	Laval	Laval
61	Jacques	Delaunay	18 ans	4 p. 11 p. 10 l.	angers	angers	angers	angers
62	Jean	Coeu	17 ans	5 pieds 2 lignes	azé	Chateaugoutier	Chateaugoutier	azé
63	Joseph	Guichard	16 ans	5 pieds	angers	angers	angers	angers
64	Jean	Berrichet	16 ans	4 p. 10 p. 6 l.	Chateaugoutier	Chateaugoutier	Chateaugoutier	Chateaugoutier
65	Jean	Emery	17 ans	5 pieds	angers	angers	angers	angers
66	françois	Jaugoyeau	16 ans	4 p. 11 pouces	angers	angers	angers	angers
67	Louis	Jouslain	19 ans	5 pieds dehaussé	mazé	Baugé		mazé

Registre d'engagements des volontaires du premier contingent de la seconde levée
(juillet 1792) (Arch. dép. M. & L. 1 L 589 bis).

Registre d'engagements des volontaires du premier contingent de la seconde levée
(juillet 1792) (Arch. dép. M. & L. 1 L 589 bis).

LISTE ONOMASTIQUE DES VOLONTAIRES

Noms commençant par la lettre A

Noms	Effectif	Noms	Effectif
Albert	5	Alouis	1
Allard	5	Amable	1
Aubry	5	Amant	1
Auffray	5	Amiot	1
Autreux Hautreux	4	Amirault	1
Aleaume Alleaume	3	Amouroux	1
Archambault	3	André	1
Aubin	3	Androuin	1
Alexandre	2	Angibault	1
Allain	2	Anjubeau	1
Armenier	2	Anoteau	1
Arthuis	2	Anseau	1
Aubelle	2	Arche	1
Aubineau	2	Armange	1
Avril	2	Armant	1
Abafour	1	Arnault	1
Abellard	1	Arsandeau	1
Abraham	1	Arsant	1
Acarie	1	Artiveau	1
Adeleine	1	Aubeuf	1
Aigrefeuille	1	Aubré	1
Aitreau	1	Auditeau	1
Alaiton	1	Audouin	1
Aligan	1	Audouy	1
Allaire	1	Audriau	1
Allardin	1	Augonet	1
Alleau	1	Augré	1
Alloue	1	Autursson	1
Allouin	1	Avrillon	1
Almant	1	Ayasse	1
Alouette	1		
Total des effectifs	93	Total des noms différents	61

Noms commençant par la lettre B

Noms	Effectif	Noms	Effectif
Besnard	20	Becher Bescher	3
Breton Bretton	13	Bedasne Bedane	3
Bruneau	12	Beguyer	3
Bodin Baudin	9	Beritault	3
Boucher Bouchet		Bernard	3
Bouché	9	Biard Billard	3
Bernier	8	Bidet	3
Boulay Boullay		Blanvilain	3
Boullet	8	Bodet	3
Baudrier Beaudrillé	7	Boissière	3
Beaumont Baumont	7	Bondu	3
Bigot	7	Boré	3
Bineau	7	Bossé	3
Barbot	6	Bouet Boué	3
Baret Barré	6	Bougère	3
Barillé Barrillié Barillet	6	Boulissière	3
Benoist	6	Bourgery	3
Besson	6	Boyer	3
Blain	6	Brard	3
Baillif	5	Brémond	3
Baranger Barranger	5	Brier Brillet	3
Bellanger	5	Briguenen	3
Berger Berge Berget		Brossier	3
Bergette	5	Brunet	3
Besnier Beigné	5	Bureau	3
Blanchet	5	Ballu Balu	2
Bonneau	5	Barat Barra	2
Brault Breau	5	Barbet Barbette	2
Bregeon Brejon	5	Barbier	2
Burgevin	5	Blot	2
Busson	5	Bodinier	2
Bardon	4	Body	2
Baune	4	Boisard	2
Beaussier Baussier	4	Boisseau	2
Belouin	4	Bonnamy Bonamy	2
Berthelot	4	Bordereau	2
Bertrand	4	Bordillon	2
Blouin	4	Borit Bory	2
Bordier	4	Bouchard	2
Bourreau Boureau	4	Boucherie Boucherit	2
Boutin	4	Bardet	2
Boyeau	4	Barel	2
Briand Briant	4	Barreau	2
Bachelier	3	Bastard	2
Banchereau	3	Baudry	2
Bardoul Bardoult	3	Baumier	2
Baron	3	Bazille	2
Bascher	3	Bazin	2
Baudouin	3	Beauvais Bauvais	2
Baugé	3	Benestreau	2

NOMS	EFFECTIF	NOMS	EFFECTIF
BÉRARD	2	BASLU	1
BÉRAULT BÉRAUD	2	BASTIOT	1
BERTIN BERTHIN	2	BATAILLEAU	1
BERTRIX BERTRY	2	BATTAIS	1
BESLOT BELOT	2	BATTEAU	1
BESSONNEAU	2	BAUCHESNE	1
BEUNET BEUSNET	2	BAUCHET	1
BEUROIS BEUSROIS	2	BAUDON	1
BILLOT	2	BAUDONNIÈRE	1
BINET	2	BAUDU	1
BLANCHARD	2	BAUMARD	1
BLANCPIED	2	BAUSARD	1
BLANDIN	2	BAUVAIS	1
BOUDIER	2	BAUVON	1
BOUMIER BOUSMIER	2	BAYET	1
BOURDAIN BOURDIN	2	BAYON	1
BOURCIER BOURSIER	2	BAZENTE	1
BOURDAIS	2	BÉASSE	1
BOURDEIL	2	BEAUFILS	1
BOURGEAIS	2	BEAUJOIN	1
BOURGEONNEAU	2	BEAULIEU	1
BOURGINEAU	2	BEAUPERAIN	1
BOURGOUIN	2	BEAUREPAIRE	1
BOURLAT	2	BEAUSOLEIL	1
BOURIGAULT	2	BÉCLAIR	1
BOURON	2	BÉCOT	1
BOUTAULT	2	BÉDOUET	1
BOUTEILLER BOUTEILLE	2	BEDOUIN	1
BOUVET	2	BÉDRON	1
BOUVIER	2	BÉGAULT	1
BREHERET	2	BÈGLE	1
BREHIER	2	BÉGOUIN	1
BRETAIS	2	BÉGUÉ	1
BRETAULT	2	BEHU	1
BROUARD	2	BEILLEAU	1
BROUSSIN	2	BELIN	1
BRULÉ	2	BELINGAN	1
BRUN	2	BELLIOT	1
BUCHER BUCHET	2	BELLOCQ	1
BABOIR	1	BELON	1
BADAULT	1	BELOUINEAU	1
BAILLACHE	1	BELSON	1
BAILLERGEAU	1	BENAISTEAU	1
BAIN	1	BENUREAU	1
BALLE	1	BÉRANGER	1
BANCHER	1	BERDOTTE	1
BARABAN	1	BERLANGE	1
BARBARIT	1	BERNAY	1
BARION	1	BÉRON	1
BASAUTY	1	BERQUET	1

Noms	Effectif	Noms	Effectif
Berry	1	Bonpays	1
Bertais	1	Bontemps	1
Bertault	1	Bonvalet	1
Berthier	1	Bordeau	1
Bertron	1	Bordière	1
Besnardeau	1	Bordin	1
Besnerie	1	Bossin	1
Bestraud	1	Bossu	1
Beugnon	1	Bottereau	1
Bézard	1	Bottu	1
Béziau	1	Boubard	1
Bichon	1	Boucault	1
Bidault	1	Bouchereau	1
Bidouel	1	Bouestard	1
Bienvenu	1	Bouffard	1
Bily	1	Bougouin	1
Bitry	1	Bougreau	1
Bizé	1	Bouguié	1
Bizière	1	Boujant	1
Blaisonneau	1	Bouju	1
Blatier	1	Boujuau	1
Blivet	1	Bouland	1
Blond	1	Boulanger	1
Blondeau	1	Boulard	1
Blondel	1	Bourlier	1
Bobé	1	Bourlière	1
Bobot	1	Bourmeau	1
Bodère	1	Bourseau	1
Bodineau	1	Boussard	1
Boème	1	Boussion	1
Boileau	1	Boussin	1
Boireau	1	Boutiller	1
Boisdra	1	Boutreux	1
Boisdron	1	Boux	1
Boisiau	1	Bouzillé	1
Boislème	1	Boyain	1
Boismenet	1	Branchu	1
Boisnard	1	Brangé	1
Boisneau	1	Brassin	1
Boisselier	1	Bréou	1
Boissier	1	Bretaudeau	1
Boisson	1	Bretonneau	1
Boistault	1	Brien	1
Boistulé	1	Briffault	1
Boivin	1	Brillaut	1
Bommier	1	Brimault	1
Bompoix	1	Brisset	1
Bon	1	Brivain	1
Bonhomet	1	Brizieux	1
Bonnet	1	Brossard	1

NOMS	EFFECTIF	NOMS	EFFECTIF
BROSSAY	1	BRUSSIN	1
BROSSON	1	BUCHERON	1
BROU	1	BUISSON	1
BROUILLET	1	BUORD	1
BRU	1	BURON	1
BRUNETIÈRE	1	BUTEAU	1

Total des noms différents   309

Total des effectifs   643

NOMS COMMENÇANT PAR LA LETTRE C

NOMS	EFFECTIF	NOMS	EFFECTIF
CAILLAUT CAILLEAU		COMMEAU	3
CAILLOT CAILLAUD	13	COTTEREAU	3
CHEVALIER	13	COURBALLAY	3
CHESNEAU	10	COUSTARD	3
CHAUVEAU	8	CRESPION	3
COURANT	8	CALLET	2
COSNARD	7	CARTAULT	2
CAMUS	6	CASSIN	2
CHUPIN	6	CASSONNET	2
CORMIER	6	CATELINEAU	2
CARRÉ	5	CATROUX	2
CHALOPIN	5	CHAMPIGNY	2
CHEMINEAU	5	CHAMPION	2
CORDIER	5	CHANTELOUP	2
CESBRON	4	CHAPELAIN CHAPELLAIN	2
CHAILLON	4	CHARBONNIER	2
CHAILLOU	4	CHARON	2
CHATEAU	4	CHARTON	2
CHAUVIN	4	CHARUAULT CHARUAU	2
CLÉMENT	4	CHASSEBOEUF	2
COIGNARD	4	CHASTELAIS	2
CORBINEAU	4	CHEGNON CHEGNION	2
COUET	4	CHÉRAU CHÉREAU	2
CADEAU	3	CHESNÉ CHESNAIS	2
CHALLAIN CHALAIN	3	CHOISI	2
CHALUMEAU	3	CHOLET CHOLLET	2
CHAPEAU	3	CHOQUET	2
CHARDON	3	CIRET	2
CHAUDET	3	CLAIRAT	2
CHEVRIER	3	CLAVIER	2
CHOIZEAUX CHOISEAUX	3	COCU	2
CHOUTEAU	3	COIGNET COIGNÉ	2
CHRÉTIEN	3	COLLET	2

Noms	Effectif	Noms	Effectif
Combe	2	Charenton	1
Conin	2	Charoze	1
Cordé	2	Charrier	1
Corneau	2	Chartier	1
Cornu	2	Chasle	1
Couchault	2	Chaslerie	1
Coulon	2	Chatourneau	1
Couscher	2	Chaudière	1
Cousin	2	Chaussée	1
Cousineau	2	Chauvet	1
Couturier	2	Chauvigné	1
Crochet	2	Chauvineau	1
Crosnier	2	Chauviré	1
Cadelbergue	1	Chazé	1
Cadiou	1	Chedanne	1
Cady	1	Chéguillaume	1
Caffin	1	Chenon	1
Caillé	1	Cheray	1
Caillerit	1	Cherbonnier	1
Callouard	1	Cheron	1
Calluet	1	Cherouvrier	1
Calot	1	Cherrier	1
Canin	1	Chetou	1
Canuel	1	Chevalet	1
Cardinal	1	Chevaucherie	1
Carry	1	Cheveret	1
Cartier	1	Chevet	1
Cassé	1	Chevreux	1
Cateux	1	Chevrollier	1
Catheline	1	Chevron	1
Catord	1	Chevry	1
Cavalier	1	Chezeau	1
Cercleux	1	Chicoisne	1
Cerizier	1	Chicotteau	1
Chabaute	1	Chiron	1
Chabrond	1	Chivaille	1
Chaillerie	1	Cholon	1
Chaire	1	Chouanneaux	1
Chalonneau	1	Choudieu	1
Chamaillard	1	Chuche	1
Chamaillet	1	Chudeau	1
Chambe	1	Civet	1
Champroux	1	Clair	1
Chamussin	1	Clavaris	1
Chandoineau	1	Claveau	1
Changion	1	Clavereau	1
Chanteau	1	Clémenceau	1
Chapelier	1	Clémot	1
Chapron	1	Cléret	1
Charbonneau	1	Clerge	1

Noms	Effectif	Noms	Effectif
Cluzet	1	Couasnon	1
Cochet	1	Coudray	1
Cochetain	1	Couessin	1
Cocquard	1	Couillebault	1
Coeur	1	Coulet	1
Coeur de roi	1	Coulonnier	1
Coeurdré	1	Coullion	1
Coeurmureau	1	Couloup	1
Cohu	1	Coupé	1
Coiffard	1	Couratin	1
Cogné	1	Courbar	1
Coindre	1	Courmond	1
Cointreau	1	Courtigné	1
Coissin	1	Coutillier	1
Colas	1	Courtin	1
Colbart	1	Courtois	1
Colin	1	Cousty	1
Colombert	1	Coutelle	1
Conrairie	1	Coutreau	1
Constantin	1	Couvreur	1
Coquereau	1	Crasnier	1
Coquet	1	Cravain	1
Coquin	1	Crémon	1
Coquineau	1	Cressoir	1
Corairie	1	Cresteau	1
Corbin	1	Creton	1
Cordelet	1	Crié	1
Cormery	1	Criton	1
Cornilleau	1	Croizat	1
Cotelet	1	Cruau	1
Cotelle	1	Cuvert	1

Total des noms différents   227

Total des effectifs   409

Noms commençant par la lettre D

Noms	Effectif	Noms	Effectif
Delaunay Delaunai Delauné	13	Duffay	2
David	9	Dumont	2
Dubois Duboys	9	Dabin	1
Durand	8	Daguain	1
Daviau	7	Dalaine	1
Deschamps	7	Dalençon	1
Davy Davi	6	Dalivou	1
Denecheau	6	Damy	1
Dalibon	5	Dangoneau	1
Derouet	5	Daniosse	1
Duchesne	5	Darbre	1
Dupuy Dupuis	5	Dargouge	1
Dupont	5	Darnis	1
Defais	4	Daubaton	1
Deniau	4	Dauday	1
Dolbeau	4	Daudin	1
Drouet	4	Dauphin	1
Dulière	4	Dauphine	1
Duval	4	Dauton	1
Daveau Davau	3	Davoine	1
Denéchère Deneschère	3	Decand	1
Deshayes	3	Decheverry	1
Devaux Devaud Desvaux	3	Décosse	1
Ducros	3	Defois	1
Dugué	3	Degoullet	1
Dupin	3	Degouy	1
Davril	2	Degrin	1
Delaage	2	Deguay	1
Delahaye	2	Delachesnaye	1
Delepine	2	Delafuye	1
Delerable	2	Delaire	1
Delouche	2	Delalaine	1
Denis	2	Delalande	1
Dépeigne Despeignes	2	Delanoé	1
Dernet Derné	2	Delanoue	1
Desmazières	2	Delaporte	1
Desnoues Denou	2	Delarue	1
Dezée Dezé	2	Delaveau	1
Diard Diart	2	Delay	1
Dinant	2	Delestre	1
Dion Dillon	2	Delhumeau	1
Dovalle Dovale	2	Dellery	1
Droineau	2	Delmur	1
Drouault	2	Deluain	1
Dubateau	2	Demains	1
Dubier Dubiex	2	Demeslet	1
Dubreil	2	Denain	1
Duchatel	2	Denion	1

NOMS	EFFECTIF	NOMS	EFFECTIF
DEPORTES	1	DOUGE	1
DERBRAY	1	DOUSSARD	1
DERENNES	1	DOUSSEAU	1
DÉROUARD	1	DOUSSAIN	1
DEROUETTEAU	1	DRAIS	1
DEROUIN	1	DROMAGNE	1
DEROUINEAU	1	DROUCHAU	1
DERUET	1	DRUET	1
DESBOIS	1	DUBLED	1
DESCHÈRES	1	DUBOURG	1
DESFOYERS	1	DUBREY	1
DESJARDINS	1	DUC	1
DESLANDES	1	DUCHEMIN	1
DESMÉ	1	DUCLAURIAU	1
DESMEUNIERS	1	DUFOUR	1
DESNOS	1	DUFRESNE	1
DESPRES	1	DUFRON	1
DESRUES	1	DUMAS	1
DESSAUDEAU	1	DUNAIS	1
DESVIGNEAU	1	DUNOYER	1
DÉTERME	1	DUPAIS	1
DEVET	1	DUPORTAIL	1
DEVILLE	1	DURET	1
DIBOISEAU	1	DUROCHER	1
DIBON	1	DUSOUCHAY	1
DIMIER	1	DUSSERRE	1
DIOTTE	1	DUSSOUS	1
DOGUEREAU	1	DUTERTRE	1
DOHIN	1	DUTIER	1
DOISNEAU	1	DUTOUR	1
DOLBOIS	1	DUTRAIT	1
DOLIGNAC	1	DUTRUY	1
DE DOMAIGNÉ	1	DUVARY	1
DORANGE	1	DUVIGNEAU	1
DOUET	1	DUVRON	1

Total des noms différents   166

Total des effectifs   299

Noms commençant par la lettre E

Noms	Effectif	Noms	Effectif
Esnault Henault	17	Emont	1
Emery	4	Epiard	1
Eveillard	2	Epron	1
Ecurie	1	Eriost	1
Edard	1	Erivault	1
Edin	1	Erussard	1
Egremont	1	Escande	1
Elhuard	1	Eserteau	1
Elie	1	Esseul	1
Eloy	1	Etiambre	1

Total des noms différents   20

Noms commençant par la lettre F

Noms	Effectif	Noms	Effectif
Foucher Fouché	9	Froux	2
Foucault	5	Fabvre	1
Fournier	5	Fagault	1
Frémont Frémond	5	Faget	1
Fricard	5	Faifeu	1
Fauveau	4	Faribault	1
Fouquet	4	Farineau	1
Foureau	4	Fautras	1
Froger	4	Fautrier	1
Faligan	3	Favreau	1
Faucheux	3	Favry	1
Fleuriot Fleuriau	3	Félix	1
Forest	3	Férard	1
Fouquereau	3	Ferchaud	1
Fourmond	3	Ferré	1
Fremondière	3	Fesche	1
Fresneau	3	Février	1
Frouin	3	Fiacre	1
Fardeau	2	Fichard	1
Fernay Ferné	2	Ficher	1
Ferrand Ferand	2	Fidelle	1
Ferrière	2	Fillion	1
Feuillet	2	Fillon	1
Fontaine	2	Filocheau	1
Fonteneau	2	Fitte	1
Fourier	2	Flecheau	1
Foyer	2	Flesche	1

Noms	Effectif	Noms	Effectif
Fleur	1	François	1
Fleury	1	Fratis	1
Floquet	1	Fremantier	1
Florent	1	Frémeau	1
Forestier	1	Frénard	1
Forget	1	Fribault	1
Fortain	1	Fritz	1
Fouassier	1	Frogue	1
Fouet	1	Fromy	1
Fougeray	1	Fronteau	1
Fougue	1	Frotté	1
Fouin	1	Frouteau	1
Fouissard	1	Fruchon	1
Fourmi	1	Furet	1
Fournigault	1	Fuseau	1
Foussard	1	Fuzellier	1

Total des noms différents   86

Total des effectifs   150

Noms commençant par la lettre G

Noms	Effectif	Noms	Effectif
Gaultier Gautier	23	Girardeau	4
Girard	12	Goupil	4
Girault	11	Guignon	4
Garnier	9	Guillot	4
Gaudin Godin	9	Gagneux	3
Guibert	8	Gaillard	3
Guillet Guiller		Gasché Gaschet	3
Guillier Guyet		Gauchais Gaucher	3
Guié Guiet	8	Gaudicheau	3
Garreau Garault		Gautreau	3
Garot	7	Gélineau	3
Gasnault Gasnau	7	Genneteau	3
Guérin	7	Godard	3
Gazeau Gaseau	6	Godet	3
Gigault	6	Godivier	3
Gallais Galle		Goubault	3
Gallet	5	Gouin	3
Gasnier Ganier	5	Gourdon	3
Gentil	5	Gouzé Gouzai	3
Gillet	5	Guéry Guesry	3
Grignon	5	Guinhut	3
Guyard Guiard	5	Gadeseau Gatseau	2
Guyon Guillon	5	Galard Gallard	2
Gaignard	4	Gallier	2
Gentilhomme	4	Gallot	2
Gilbert	4		

Noms	Effectif	Noms	Effectif
Gasté	2	Gastecol	1
Gastine Gastines	2	Gasteul	1
Gaudri Gaudry	2	Gastecel	1
Gaullier	2	Gaudrée	1
Gauné	2	Gaufreton	1
Gay Guet	2	Gaugner	1
Gelot Gellot	2	Gaulin	1
Genet	2	Gaultière	1
Gennevais Genevay	2	Gaultron	1
Gervais	2	Gaure	1
Geslin	2	Gayot	1
Giet	2	Geffier	1
Gladu	2	Géhéré	1
Godefroy	2	Gendron	1
Godelier	2	Gendry	1
Godineau	2	Gentilleau	1
Godiveau	2	Geoffroy	1
Goisneau Gouasneau	2	Gerbault	1
Goizet	2	Gerbier	1
Gouesnard	2	Gère	1
Goujon	2	Gérome	1
Gouraud Gourreau	2	Gerson	1
Grandin	2	Geslu	1
Grenier	2	Geuzel	1
Grimault	2	Gibault	1
Grosbois	2	Giberdière	1
Gueffier	2	Gigon	1
Guespin	2	Gilardeau	1
Guillotin	2	Gilles	1
Guillosy	2	Gillier	1
Guindre	2	Ginon	1
Guitteau	2	Giot	1
Guittière	2	Giraudeau	1
Guiton Guitton	2	Giraudier	1
Guy	2	Glacon	1
Gabillard	1	Godou	1
Gabory	1	Godymineau	1
Gacheau	1	Goffre	1
Gaigneux	1	Gohard	1
Galbert	1	Gohier	1
Galbrun	1	Goileau	1
Galisson	1	Gonne	1
Galliot	1	Gonon	1
Gandard	1	Gorichon	1
Gandais	1	Goubirard	1
Gandon	1	Goubin	1
Garambourg	1	Goué	1
Garanger	1	Gouffier	1
Garciau	1	Goulain	1
Gaspard	1	Goupille	1
Gassuau	1	Gourdet	1

Noms	Effectif	Noms	Effectif
Gourdier	1	Guerrier	1
Gourdineau	1	Guérigny	1
Gourré	1	Guérineau	1
Gousseau	1	Guert	1
Gouzy	1	Guertin	1
Grangeard	1	Guesdon	1
Grangerault	1	Guibret	1
Grangot	1	Guichard	1
Granval	1	Guignard	1
Graury	1	Guillaumot	1
Graveleau	1	Guillemou	1
Grebault	1	Guilbault	1
Grégoire	1	Guillemet	1
Grellier	1	Guillorin	1
Grenouillet	1	Guillonneau	1
Griffon	1	Guimas	1
Grigné	1	Guinaudeau	1
Grimbault	1	Guinchard	1
Grochet	1	Guindeil	1
Groleau	1	Guindreau	1
Groult	1	Guindron	1
Grousset	1	Guitard	1
Groyer	1	Guitet	1
Guenon	1	Guittonneau	1
Guépin	1	Gulieux	1
Guéret	1		

Total des noms différents   200

Total des effectifs   423

Noms commençant par la lettre H

Noms	Effectif	Noms	Effectif
Huet Hué	9	Hudoux	3
Hervé	8	Hunault	3
Hamon	6	Hamard	2
Houssin	6	Hamonneau	2
Herpin	5	Hersan	2
Hilaire Hillaire	5	Héry	2
Humeau	5	Hoqueboc	2
Hamelin	4	Houdebine	2
Huard	4	Houlliot Houillot	2
Hubert	4	Huberdeau	2
Houdin Oudin	3	Huguet	2
Huault Huau		Hulin Hullin	2
Huot	3	Hurtault	2
Hubault	3	Hacault	1

Noms	Effectif	Noms	Effectif
HAISTEAU	1	HOCDÉ	1
HAQUES	1	HOCKHAUSEN	1
HARAUT	1	HODMON	1
HARDOUIN	1	HOSSARD	1
HATE	1	HOUBAULT	1
HATON	1	HOUDAYER	1
HAUBERT	1	HOUDET	1
HAUGU	1	HOUDIER	1
HAVARD	1	HOUDOYER	1
HÉBERTÉ	1	HOUET	1
HEBREARD	1	HOURY	1
HENRY	1	HOUVRAY	1
HERGUAS	1	HUBLOT	1
HÉRIN	1	HUCHET	1
HÉRISSÉ	1	HUDAULT	1
HERQUELOU	1	HUDE	1
HERRAULT	1	HURLAULT	1
HEULIN	1	HUTEAU	1
HÉZARD	1	HUTAIN	1
HEUVELINE	1	HY	1
HIGNET	1	HYAU	1
HIRLY	1		

Total des noms différents   70

Total des effectifs   137

Noms commençant par la lettre I

Noms	Effectif	Noms	Effectif
IMBERT	1	INGAND	1

Total des noms différents   2

Total des effectifs   2

Noms commençant par la lettre J

Noms	Effectif	Noms	Effectif
JOUBERT	11	JAMIN JAMAIN	3
JOULAIN JOULLAIN	8	JOURDAN	3
JACQUET	6	JOUSSET	3
JOLIVET	4	JALLOT	2
JUBIN	4	JANNETEAU	2
JUTEAU	4	JARDIN	2

Noms	Effectif	Noms	Effectif
Jarry	2	Jauneau	1
Jaunay	2	Jauziau	1
Jobet	2	Jayet	1
Jouanne	2	Jehu	1
Jouhanneau	2	Jobert	1
Jouin	2	Joreau	1
Jousselin Jouslain	2	Jouan	1
Jubeau	2	Jouainneau	1
Justeau	2	Jourdain	1
Jahan	1	Journé	1
Jallet	1	Jouy	1
Jameron	1	Joyau	1
Jamet	1	Juet	1
Janneau	1	Julien	1
Jaquelin	1	Jumel	1
Jarice	1	Jussau	1
Jasnière	1		

Total des noms différents   45

Total des effectifs   94

Nom commençant par la lettre K

Kerchove   1

Noms commençant par la lettre L

Noms	Effectif	Noms	Effectif
Lebreton	19	Lepage	5
Leroy Leroi	16	Lizé Lizée	5
Lambert	12	Laigle	4
Leclerc Leclair	10	Leblanc	4
Lemonnier	10	Lefebvre	4
Leroux	10	Letourneau	4
Laurent	8	Licois	4
Leduc	8	Lalande	3
Lemesle Lemelle	7	Lambourg	3
Lévêque	7	Lamoureux	3
Loiseau Loizeau		Lamy	3
Loyseau	7	Laurendeau	3
Landais	6	Lebrun	3
Lemée Lemay	6	Legendre	3
Lecomte	5	Lelièvre	3
Léger Légé	5	Lemasson	3

Noms	Effectif	Noms	Effectif
LEMERCIER	3	LAFFAY	1
LEMOINE	3	LAFLAY	1
LEMOTHEUX	3	LAFONTAINE	1
LETHEULE	3	LAFORET	1
LIÈVRE	3	LAFRAPINIÈRE	1
LIGER	3	LAFUYE	1
LOCHET LOCHÉ	3	LAGNEAU	1
LALOUETTE	2	LAGROYE	1
LAMBOURION	2	LAGUET	1
LANDEAU	2	LAIR	1
LANDELLE	2	LAMARCHE	1
LANGLAIS	2	LAMBORION	1
LANGLOIS	2	LAMISSE	1
LANOÉ	2	LAMOTHE	1
LAPORTE	2	LANDERIAU	1
LAROCHE	2	LANDRY	1
LATOUR	2	LANGEVIN	1
LAVIGNE	2	LANERAYE	1
LECERF	2	LAPICHE	1
LECOQ	2	LARCHER	1
LEDOYEN	2	LARDEUX	1
LEDROIT	2	LARUE	1
LEGAGNEUX	2	LASNE	1
LÉGAULT LÉGAUX	2	LASSEAU	1
LEGEAI	2	LAUDROUIN	1
LÉJARD	2	LAULT	1
LELONG	2	LAUNAY	1
LEMEUSNIER	2	LAURION	1
LEPELLEY	2	LAUZERAL	1
LEPOT	2	LAVAZE	1
LEPROUX	2	LAVOINE	1
LESOURD	2	LEBAILLIF	1
LEVAUD LEVEAU	2	LEBÈGUE	1
LEVOYÉ	2	LEBLOND	1
LHERMITEAU	2	LEBOEUF	1
LIVENAIS	2	LEBOUCHER	1
LIVRON	2	LEBOURCIER	1
LOGERAIS	2	LEBRECQ	1
LOISILLON LOIZILLON	2	LECAMUS	1
LOUETTIÈRE	2	LÉCHAPÉ	1
LOULET	2	LECOMMANDEUX	1
LOYEAU	2	LEFRANÇAIS	1
LOYER	2	LEFRÈRE	1
LABELLE	1	LEGEUX	1
LABOURÉ	1	LEGROS	1
LABOUREAU	1	LEGROUT	1
LABORDE	1	LEHOREAU	1
LACHENAYE	1	LEHOU	1
LACHÈSE	1	LEHOUSSE	1
LACROIX	1	LEIZ	1
LACROSSE	1	LEJEUNE	1

NOMS	EFFECTIF	NOMS	EFFECTIF
LEJOUTEUX	1	LISAMBERT	1
LEMANCEAU	1	LISARDIÈRE	1
LEMARCHAND	1	LISNER	1
LEMARIE	1	LIVERGNAGE	1
LEMAUGIN	1	LIVET	1
LEMAZURIER	1	LIVOIREAU	1
LEMEUTRE	1	LIZAIMBERT	1
LEMPEREUR	1	LOILLIER	1
LENOBLE	1	LOINTIER	1
LENTRAIN	1	LOIR MONGAZON	1
LÉPINE	1	LOIZÉ	1
LEROUAILLE	1	LOPE	1
LEROYER	1	LORIN	1
LESAGE	1	LORION	1
LESELLIER	1	LORY	1
LESPESSE	1	LOUIS	1
LESEYEUX	1	LOUSTEAU	1
LETESSIER	1	LOUTRE	1
LETOURNEUX	1	LOUVEAU	1
LETRANGE	1	LOUVEL	1
LETURGEON	1	LOZERAL	1
LEVIEUX	1	LUCAS	1
LHÉRITIER	1	LUCIOT	1
LHYVER	1	LUÈRE	1
LIARD	1	LUSSEAU	1
LIEUTEAU	1	LUSSON	1
LIMIER	1		

Total des noms différents   186

Total des effectifs   398

NOMS COMMENÇANT PAR LA LETTRE M

NOMS	EFFECTIF	NOMS	EFFECTIF
MARTIN	29	MOREL	5
MOREAU	17	MABILLE	4
MORIN	14	MASSON MAÇON	4
MANSEAU MANCEAU	9	MAILLARD	4
MARTINEAU MARTINOT	9	MALECOT	4
MERCIER	9	MARRIER MARIET	
MORICEAU MAURICEAU	8	MARIE	4
MÉNARD MESNARD	7	MARQUIS	4
MICHEL	7	MACQUIN MAQUIN	3
MARCHAND MARCHANT	6	MARTEAU	3
MÉTIVIER	6	MAUSSION	3
MEUNIER MEUSNIER	6	MESLET	3
MEIGNAN	5	MÉTAYER	3

Noms	Effectif	Noms	Effectif
Mondain Monden	3	Marceau	1
Mongazon	3	Marchesse	1
Monnier	3	Marcheteau	1
Moulins Moulin	3	Marcombe	1
Moutault Mouteau	3	Mardesson	1
Mahon	2	Margery	1
Malinge	2	Marinière	1
Malherbe	2	Marionneau	1
Mallet Malet	2	Maroleau	1
Marçais Marces	2	Marot	1
Marion	2	Marquet	1
Marriette	2	Mars	1
Mathieu	2	Marsalet	1
Maurier	2	Marsollier	1
Menau Menneau	2	Maslin	1
Menil Mesnil	2	Masseron	1
Merlet	2	Massonneau	1
Merlin	2	Massoulard	1
Méron	2	Mauchien	1
Meslier	2	Mauchin	1
Mesme Meme	2	Maugars	1
Mestreau Métrau	2	Maugeais	1
Michaud Michau	2	Maugin	1
Mignon	2	Maupassant	1
Mingot Maingault	2	Maupoint	1
Miot	2	Maurice	1
Mocet Mosset	2	Mazé	1
Monboussin Montboussin	2	Mèche	1
Monnet	2	Méchenault	1
Morat	2	Méchine	1
Moret Moré	2	Mégrier	1
Morineau	2	Meffray	1
Moulleau	2	Melaine	1
Mousseau	2	Melan	1
Mabot	1	Meline	1
Macé	1	Melon	1
Machetou	1	Melouin	1
Madeline	1	Ménage	1
Maheu	1	Menet	1
Mahou	1	Menuau	1
Maillet	1	Méran	1
Maillocheau	1	Merceron	1
Maillot	1	Meret	1
Malayer	1	Mériau	1
Malcombe	1	Mérigon	1
Maloeuvre	1	Méry	1
Maloyer	1	Mesange	1
Malnien	1	Meschin	1
Mame	1	Métaireau	1
Marande	1	Métairon	1
Maraval	1	Métais	1

NOMS	EFFECTIF	NOMS	EFFECTIF
MEURE	1	MONTARAND	1
MEUSMER	1	MONTASSIER	1
MEZY	1	MONTAUBIN	1
MICHENEAU	1	MONTAUGÉ	1
MICHON	1	MONTAULT	1
MICHU	1	MONTREUIL	1
MIET	1	MONTRIEUL	1
MILLET	1	MORCHE	1
MILLERAND	1	MORETTE	1
MILLON	1	MORILLE	1
MILSONNEAU	1	MORILLON	1
MINÉE	1	MORNARD	1
MINIER	1	MORNÉ	1
MINOT	1	MORON	1
MIRBEAU	1	MORTIER	1
MISERET	1	MOSCHET	1
MITONNEAU	1	MOTTEAU	1
MITOUFLET	1	MOUCHET	1
MIZANDEAU	1	MOULARD	1
MOGEAU	1	MOUNIER	1
MOIRE	1	MULER	1
MONDOR	1	MUSSEAU	1
MONGAULT	1		

Total des noms différents   172
Total des effectifs   362

NOMS COMMENÇANT PAR LA LETTRE N

NOMS	EFFECTIF	NOMS	EFFECTIF
NAU NEAU NAUD	6	NÉGRIER	1
NORMAND	5	NIOLET	1
NOYER	4	NIVELLEAU	1
NAIL	3	NOBILEAU	1
NEPVEU NEVEU	3	NORMANDIN	1
NOUCHET	3	NORMANDINE	1
NUGUES NUGUE	3	NOURY	1
NAUDAIN NAUDIN	2	NOUTEAU	1
NICOLLE	2		

Total des noms différents   17
Total des effectifs   39

Noms commençant par la lettre O

Noms	Effectif	Noms	Effectif
Oger Auger	13	Ogeron	1
Ollivier Olivier	7	Onilleau	1
Odiau Odiot Audiot	3	Oréro	1
Ortion Hortion Orthion	3	Orfray	1
Ogereau	2	Orgeron	1
Orye Aury	2	Orgeou	1
Ouvrard	2	Orgery	1
Obé	1	Ossant	1
Odie	1	Ounillon	1
Ozéard	1		

Total des noms différents   19
Total des effectifs   44

Noms commençant par la lettre P

Noms	Effectif	Noms	Effectif
Pineau Pinot Pinault	16	Prévost	3
Pelletier Peltier	13	Proust	3
Pasquier	12	Prudhomme	3
Pillet	11	Pagneul	2
Poirier	11	Pananceau	2
Plessis	8	Papault	2
Papin	7	Papiau	2
Poisson	6	Paris	2
Poitevin	6	Pauvert	2
Porcher	6	Payen	2
Poulain	6	Pécot	2
Poupard	6	Perdriau	2
Pontonnier	5	Perrault	2
Parré Paré	4	Phélippeau	2
Péle Pelle	4	Pibault Pibaut	2
Petit	4	Picault Picot	2
Picquelin Piquelin	4	Pichon	2
Pottier Potier	4	Piogé Pioger	2
Perron	3	Piquet	2
Piau Pieau	3	Planchenault	
Picard	3	Plancheneau	2
Pichery Picherit	3	Pointeau	2
Pinnier Pinier Pignier	3	Poissonneau	2
Piron	3	Poitou	2
Poislane	3	Poitras	2

Noms	Effectif	Noms	Effectif
Pommereau	2	Perrodel	1
Potterie	2	Persac	1
Poulard Poullard	2	Pesneau	1
Presselin Preslin	2	Pessard	1
Prével	2	Pètre	1
Priou	2	Petiteau	1
Pacquet	1	Peton	1
Pagis	1	Phélipon	1
Paige	1	Piaumier	1
Paillard	1	Pichonnière	1
Paillon	1	Pigny	1
Painparé	1	Pimot	1
Palmade	1	Pinard	1
Panier	1	Pinel	1
Panuau	1	Pinet	1
Papillon	1	Pineteau	1
Paroissien	1	Pingué	1
Pasedroit	1	Pinson	1
Pasqueraye	1	Pironneau	1
Patarin	1	Pisson	1
Patris	1	Plansonneau	1
Pattée	1	Ploquin	1
Paucelot	1	Plot	1
Paulet	1	Plubon	1
Paumeau	1	Plumelle	1
Paupevin	1	Poilièvre	1
Pautin	1	Poilpré	1
Pavé	1	Pommard	1
Paye	1	Pommier	1
Péan	1	Poncet	1
Pécard	1	Pontceau	1
Péchau	1	Porcheron	1
Péderie	1	Portas	1
Pédron	1	Portejoge	1
Péhu	1	Pottelle	1
Pélisson	1	Potiron	1
Pélissard	1	Pouge	1
Pelissier	1	Poujade	1
Pelu	1	Poulet	1
Pemejac	1	Poullot	1
Pépin	1	Pouteau	1
Perceval	1	Poyneau	1
Perdreau	1	Praizelin	1
Perdrix	1	Préau	1
Percheron	1	Prempain	1
Périssol	1	Prenion	1
Pernot	1	Préval	1
Perré	1	Prieur	1
Perrichet	1	Prime	1
Perrichon	1	Prince	1
Perrochel	1	Prissier	1

Noms	Effectif	Noms	Effectif
Prixpommai	1	Pucelle	1
Proutière	1	Purière	1
Prodhomme	1	Putet	1
Provost	1	Py	1

Total des noms différents   159
Total des effectifs   321

Noms commençant par la lettre Q

Noms	Effectif	Noms	Effectif
Quartier	2	Quesson	1
Quenelle	2	Quétier	1
Quenieux	1	Quignon	1
Quesme	1	Quris	1
Quesner	1	Quinton	1
Quesniau	1		

Total des noms différents   11
Total des effectifs   13

Noms commençant par la lettre R

Noms	Effectif	Noms	Effectif
Richard	15	Rapin Rapen	3
Réthoré	10	Répussard	3
Rousseau	10	Riotteau	3
Renaud Renault	9	Rochard	3
Royer	9	Rocher Rochais	3
Régnier Renier	8	Romegous	3
Renou Renoux	8	Rouillard	3
Raimbault Rimbault	7	Roulleau Rouleau	3
Richou	7	Rouillière Roulière	3
Robin	7	Roussière	3
Robineau	7	Rabeau Rabault	2
Raveneau	6	Rabouan	2
Roger	5	Rabouin	2
Roze Rose	5	Randouin	2
Ragot	4	Rangeard	2
Rideau	4	Ratier Rattier	2
Rivière	4	Ratouis	2
Rabatte Rabate	3	Rayer Rayé	2
Rabin	3	Razin	2
Rameau	3	Renard	2

Noms	Effectif	Noms	Effectif
Reveillard	2	Rézou	1
Ricosset	2	Ribault	1
Riou	2	Ribereau des près	1
Rochepot Rochepeau	2	Richardeau	1
Rollac	2	Richardière	1
Rondeau	2	Richardin	1
Roquin Roquen	2	Richaume	1
Rossignol	2	Richemont	1
Rotureau	2	Ricou	1
Rouault	2	Riffault	1
Rouger	2	Rigalleau	1
Rousse	2	Rigault	1
Roussel	2	Rignon	1
Routiau	2	Riobé	1
Rabineau	1	Riverain	1
Raboisson	1	Riveron	1
Raby	1	Robereau	1
Raffarin	1	Robert	1
Ragneau	1	Roberteau	1
Ragué	1	Rochereau	1
Ragueneau	1	Rodadese	1
Raguideau	1	Rodière	1
Rahard	1	Rogeron	1
Rataud Duplais	1	Rollet	1
Ravain	1	Rottier	1
Rebeilleau	1	Rouchausse	1
Rebstock	1	Rouche	1
Redsaut	1	Roudier	1
Refrais	1	Rouille	1
Rejeau	1	Rousselot	1
Régullier	1	Roussin	1
Rémy	1	Roux	1
Réneaume	1	Roy	1
Reulier	1	Rozier	1
Révault	1	Ruau	1
Réveillaud	1	Ruffieux	1
Reyneau	1	Ruiller	1
Rézé	1		

Total des noms différents 115
Total des effectifs 273

Noms commençant par la lettre S

Noms	Effectif	Noms	Effectif
Salmon	5	Samson	3
Sauleau Solleau	5	Sapineau Sapinaux	3
Salle Sallais	4	Senin	3
Sellier Celier	4	Souchard	3
Simon	4	Supiot	3

NOMS	EFFECTIF	NOMS	EFFECTIF
SANSEREAU SANCEREAU	2	SAUDEAU	1
SARCHER SARCHET	2	SEBILLE	1
SAULNIER	2	SEGUIN	1
SAVARY	2	SENEVAY	1
SAVIGNÉ	2	SERMOISE	1
SECHET	2	SERRE	1
SERRAUT	2	SEVAULT	1
SICHER SICHET	2	SERVAIS	1
SIMONNEAU	2	SEVESTRE	1
SOLDÉ	2	SEZEUR	1
SORTANT	2	SIGOGNE	1
SOUDIER	2	SIGONNEAU	1
SOURDRILLE	2	SILLARD	1
SOYER	2	SINAND	1
STENCLMI	2	SINTIS	1
SUREAU	2	SOLAND	1
SABLÉ	1	SOREAU	1
SACHET	1	SORIN	1
SAILLARD	1	SOULARD	1
SAINT ETIENNE	1	SOUILLET	1
SAINT JEAN	1	SOULBRAY	1
SAILLAN	1	SOURDEAU	1
SALADE	1	SOURICE	1
SALBERT	1	SOURICEAU	1
SALOT	1	SUBILLE	1
SANCIER	1	SUBILLEAU	1
SANGLIER (DE)	1	SUCHÉ	1
SARTINES	1	SUZANNE	1

Total des noms différents   66
Total des effectifs   109

NOMS COMMENÇANT PAR LA LETTRE T

NOMS	EFFECTIF	NOMS	EFFECTIF
TESSIER	11	TROCHON	3
THIBAULT	10	TALLOT	2
TOURAULT THOURAULT		TARIN TARRIN	2
TOUREAUD	7	TERRIER	2
TROUVÉ	7	TESNIER	2
THIERY	5	TESTU	2
THOMAS	5	THÉBAULT	2
TROUILLARD	5	THOREL	2
TOURET THOURET	4	THUBERT	2
TRANCHANT	4	TRAINEAU TRESNEAU	2
TARDIF	3	TRAMBLIER	2
THAREAU THARAULT	3	TROTOUIN	2
THOREAU	3	TROTTIER	2
THOUIN	3	TURPEAU TURPEAULT	2
THULEAU	3	TURQUAIS TURQUET	2

Noms	Effectif	Noms	Effectif
Taffut	1	Tillaut	1
Taillandier	1	Tisseau	1
Taillard	1	Tlou	1
Taillé	1	Tonneau	1
Taillebouis	1	Touchaleaume	1
Talbert	1	Toucheronde	1
Talourd	1	Touchet	1
Talva	1	Touly	1
Tamisier	1	Touronds	1
Tanguy	1	Touse	1
Tasseau	1	Toutin	1
Taudon	1	Touvenon	1
Taugourdeau	1	Travaille	1
Tautau	1	Tremulot	1
Tauty	1	Trésorier	1
Taveau	1	Treuillier	1
Teilleur	1	Tribert	1
Tendron	1	Tricault	1
Tertrais	1	Trier	1
Tesson	1	Triganne	1
Texier	1	Trigueneau	1
Thepot	1	Triolet	1
Thézée	1	Trion	1
Thuau	1	Tripier	1
Thureau	1	Troquereau	1
Tiberge	1	Trumeaux	1
Tiercelin	1	Turpin	1

Total des noms différents   83
Total des effectifs   158

Noms commençant par la lettre V

Noms	Effectif	Noms	Effectif
Valée Valet Vallet	6	Voisin	2
Vallée		Vahier	1
Viau Viot	6	Valentin	1
Vaslin	5	Vallon	1
Vaugoyeau	5	Vannard	1
Vaillant	4	Vantage	1
Verger	3	Vanvoorn	1
Verron Veron	3	Vatteau	1
Védie Vedy	2	Veillée	1
Verrier Verier	2	Venier	1
Vétault	2	Ventroux	1
Victor	2	Venvier	1
Vignais Vigne	2	Verdier	1
Vilneau	2	Vérité	1
Vincent	2	Verneau	1

VERNET	1	VINÇONNEAU	1
VERPILLA	1	VINEAULT	1
VESIN	1	VINET	1
VEYSSIÈRE	1	VIRIEUX	1
VIÉ	1	VIVANCIER	1
VIGAN	1	VIVION	1
VIGER	1	VOLTEAU	1
VILLAIN	1	VOSSION	1
VILLENEUVE	1	VRAY	1
VINCELOT	1		

Total des noms différents	48
Total des effectifs	81

LISTE DES PRÉNOMS

	Effectif		Effectif
Pierre	588	Barthélémy	7
Jean	585	Gilles	7
René	367	Symphorien	7
François	351	Christophe	6
Louis	317	Félix	6
Jacques	235	Honoré	6
Joseph	175	Victor	6
Charles	137	Bernard	5
Michel	134	Frédéric	5
Mathurin	84	Joachim	5
Etienne	83	Pascal	5
André	76	Aubin	4
Julien	69	Benjamin	4
Urbain	54	Florent	4
Antoine	48	Georges	4
Nicolas	47	Gervais	4
Jean Baptiste	42	Hilaire	4
Claude	33	Léonard	4
Guillaume	33	Marc	4
Gabriel	26	Maurille	4
Henri	22	Sylvain	4
Augustin	21	Adrien	3
Maurice	20	Aimé	3
Auguste	18	Armand	3
Mathieu	18	César	3
Toussaint	18	Clément	3
Alexandre	17	Daniel	3
Laurent	15	Elie	3
Paul	15	Luc	3
Thomas	15	Martial	3
Vincent	15	Abel	2
Simon	14	Aimable	2
Guy	13	Basile	2
Martin	13	Bertrand	2
Ambroise	12	Bonnaventure	2
Marie	12	Côme	2
Philippe	12	Crespin	2
Marin	11	Gaspard	2
Yves	11	Gilbert	2
Denis	10	Hypolite	2
Noel	10	Ignace	2
Sébastien	10	Israël	2
Alexis	9	Lézin	2
Germain	9	Maxin	2
Jérôme	9	Philibert	2
Olivier	9	Prosper	2
Dominique	8	Sylvestre	2

AIGNAN	1	HILDEFONSE	1
ALAIN	1	HYACINTHE	1
AMAND	1	ISAAC	1
ANSELME	1	ISIDORE	1
ANTHIME	1	JUDE	1
AUBERT	1	JUST	1
BASTIEN	1	LAMBERT	1
BENOIT	1	LAZARE	1
BRICE	1	LUBIN	1
BRUNO	1	MAGDELEINE	1
CALIXTE	1	MAGLOIRE	1
CAMILLE	1	MAXIME	1
CORENTIN	1	OURS	1
CYPRIEN	1	PATRICE	1
DAVID	1	PAULIN	1
DÉSIRÉ	1	RAYMOND	1
EDME	1	RICHARD	1
EMMANUEL	1	ROCH	1
EUSÈBE	1	SATURNIN	1
EUSTACHE	1	SAVINIEN	1
FERDINAND	1	SÉVERIN	1
FLEURY	1	SIMÉON	1
GATIEN	1	STANISLAS	1
GUILLAIN	1	TRISTAN	1
HARDOUIN	1	VALENTIN	1

INDEX ET TABLES

INDEX DES NOMS DE LIEUX

Nous n'avons pas recensé les lieux trop souvent cités : Angers, Anjou, Cholet, France, Maine-et-Loire, Mauges, Saumur, Saumurois et Vendée.

INDEX DES NOMS DE PERSONNE

TABLE DES CARTES ET GRAPHIQUES

CHAPITRE IV
LES VOLONTAIRES NATIONAUX : L'HOMME

CHAPITRE V
LES VOLONTAIRES NATIONAUX : MÉTIERS ET MILIEUX SOCIAUX

CHAPITRE VI
LES NIVEAUX DE FORTUNE DES VOLONTAIRES NATIONAUX

TABLE DES MATIÈRES

Achevé d'imprimer en octobre 1985
sur les presses de l'imprimerie Laballery et Cie
58500 Clamecy
Dépôt légal : octobre 1985
N° d'impression : 501085